WEEK-ENDS DANS LES VIGNOBLES

Direction	David Brabis
Rédaction en chef	Nadia Bosquès
Responsable éditoriale	Hélène Payelle
Rédaction	Sylvie Kempler
Informations pratiques	Catherine Rossignol, Isabelle Foucault
	Eugenia Gallese, Yvette Vargas
Cartographie	Alain Baldet, Michèle Cana, Evelyne Girard, Denis Rasse
Iconographie	Cécile Koroleff, Stéphane Sauvignier
Préparation de copie	Pascal Grougon, Jacqueline Pavageau, Danièle Jazeron, Anne Duquénoy
Relecture	Anna Crine
Maquette intérieure	Agence Rampazzo
Création couverture	Laurent Muller
Pré-presse/fabrication	Didier Hée, Jean-Paul Josset, Frédéric Sardin, Renaud Leblanc, Sandrine Combeau, Cécile Lisiecki
Marketing	Ana Gonzalez, Flora Libercier
Ventes	Gilles Maucout (France), Charles Van de Perre (Belgique), Fernando Rubiato (Espagne, Portugal), Philippe Orain (Italie), Jack Haugh (Canada), Stéphane Coiffet (Grand Export)
Communication	Gonzague de Jarnac
Remerciements	Comités et bureaux interprofessionnels des vins
Régie pub et partenariats	michelin-cartesetguides-btob@fr.michelin.com
	Le contenu des pages de publicité insérées dans ce guide n'engage que la responsabilité des annonceurs.
Pour nous contacter	Michelin Cartes et Guides
	Le Guide Vert
	46, avenue de Breteuil 75324 Paris Cedex 07
	✆ 01 45 66 12 34 – Fax : 01 45 66 13 75
	LeGuideVert@fr.michelin.com
	www.ViaMichelin.fr

© Données domaines / Guide Fleurus des Vins

Parution 2007

Note au lecteur

L'équipe éditoriale a apporté le plus grand soin à la rédaction de ce guide et à sa vérification. Toutefois, les informations pratiques (prix, adresses, conditions de visite, numéros de téléphone, sites et adresses Internet…) doivent être considérées comme des indications du fait de l'évolution constante des données. Il n'est pas totalement exclu que certaines d'entre elles ne soient plus, à la date de parution du guide, tout à fait exactes ou exhaustives. Elles ne sauraient de ce fait engager notre responsabilité.

Ce guide vit pour vous et par vous ; aussi nous vous serions très reconnaissants de nous signaler les omissions ou inexactitudes que vous pourriez constater. N'hésitez pas à nous faire part de vos remarques et suggestions sur le contenu de ce guide. Nous en tiendrons compte dès la prochaine mise à jour.

Le Guide Vert
Idées de week-ends

Vous avez envie de bouger, de faire un break, de vous ressourcer, de partir en famille ou avec des amis ? Les « Idées de week-ends » du Guide Vert vous proposent des guides **clé en main**.

Aujourd'hui, **nos rythmes de vie changent** ; nous avons plus de temps pour nos loisirs, mais pas toujours de longues vacances pour en profiter. Partir un jour ou deux, ou quelques heures seulement, permet à chacun de prendre son temps pour goûter à loisir tourisme et farniente, patrimoine et gastronomie, activités sportives et rêverie ou flânerie dans un cadre inhabituel. Les « Idées de week-ends » du Guide Vert répondent à cette nouvelle façon de voyager ou de visiter.

Chaque titre **associe un thème à une destination** : il regroupe toutes les informations sur ce thème pour réussir vacances ou sortie sans perdre de temps en préparatifs. Connu dans le monde entier pour être le spécialiste du tourisme culturel à la portée de tous, Le Guide Vert vous propose avec ses « Idées de week-ends » mille et une activités pour découvrir autrement une région, une ville, un quartier.

Idées de week-ends dans les vignobles se consacre au tourisme viticole en France. Des itinéraires au cœur des vignes, des dégustations dans des caves, du bon temps et de la douceur de vivre, un peu de culture, des loisirs originaux et distrayants, actifs et sportifs permettent de parcourir 14 vignobles de France. Flânez, apprenez, discutez et dégustez… en gardant à l'esprit que le vin est un alcool et se consomme donc avec la plus grande modération.

C'est la sélection de nos meilleurs séjours dans les grandes régions viticoles françaises – et à tarif raisonnable – que nous vous livrons aujourd'hui.

L'ÉQUIPE DU GUIDE VERT MICHELIN
LeGuideVert@fr.michelin.com

LE GUIDE, MODE D'EMPLOI

Se repérer dans le guide 8
Avant de partir..................... 8
Sur les chemins des vignes........ 8
Nos adresses d'hébergement et de
    restauration................... 8
Nos bonnes caves 11
Tableau des millésimes 11

CHOISIR, ACHETER ET CONSERVER LE VIN

CHOISIR LE VIN   14
La hiérarchie des vins............ 14
Au tableau d'honneur 15

ACHETER LE VIN   16
Où acheter ? 16

CONSERVER LE VIN   18
La cave idéale 18
Ranger la cave.................. 19

DEVENIR ŒNOLOGUE   20
Dans toute la France............ 20
À Paris......................... 20
En province 20
Chez les cavistes................ 20

PARLER « VIN »   22

SE DOCUMENTER   24

FOIRES, SALONS ET MARCHÉS AUX VINS   26

FÊTES DU VIN   28
Les Saint-Vincent................ 28
Autres fêtes 28

COMPRENDRE ET GOÛTER LE VIN

SOLS ET CLIMATS   36
De l'importance du sol........... 36
À chaque cépage son terrain
    de prédilection 36
De l'eau mais surtout pas trop !... 37
Des coteaux bien exposés........ 37

CÉPAGES ET APPELLATIONS   38
La science des cépages 38
Quels cépages
    pour quels terroirs ? 39
Les cépages rouges.............. 39
Les cépages blancs 40
Sur l'étiquette.................. 43

DES VINS DE LÉGENDE   44
Romanée-conti.................. 44
Petrus 44
Château d'Yquem 45
Le prix des choses 45

UNE BRÈVE HISTOIRE DU VIN   46
Au commencement 46
Un bon petit vin gaulois 47
De l'an 1000 à l'époque moderne 47
Un monde en mutation.......... 48

LES MÉTIERS DU VIN   49
Les hommes 49
Autour du vin 50

DE LA VIGNE AU VIN   52
Une liane domestiquée 52
Belle vigne sans raisin
    ne vaut rien 53
Septembre fait la qualité........ 53
Le choix du bio 54
Le temps des vendanges........ 55
L'élaboration du vin 55
Un élevage de qualité 57

SOMMAIRE

SUR LES CHEMINS DES VIGNES

L'ART DE LA DÉGUSTATION   58

L'école des saveurs 58
Les mots pour le dire 58
Une dégustation bien organisée 58
Dans le jardin des sens........... 59
Pour le plaisir des yeux........... 59
Quels arômes au nez ? 59
Plaisir du goût................... 60
Une dégustation particulière :
    le champagne 60

SERVIR LE VIN   61

Les règles de l'art................ 61
Déboucher la bouteille 61
Sabler, sabrer ou frapper ? 61
Faut-il décanter le vin ? 62
La température idéale 62
Un contenant digne du contenu.. 63
Les plaisirs de la table............ 63
L'ordre du service................ 63
« À vins simples, mets complexes,
    à vins complexes,
    mets simples ».................. 63
Repas mythiques
    et petits plaisirs quotidiens.... 64
« À boire pour le roi ! » 64
Un dîner inoubliable............. 65
Profondes joies du vin ! 65

À VOTRE SANTÉ !   66

« Le vin est la plus saine
    et la plus hygiénique
    des boissons. » (Pasteur) 66
Le paradoxe français............. 66
« Permis de conduire » 67

1 - L'ALSACE   70

Vignobles de Wissembourg
    et de Cleebourg 72
Route des vins d'Alsace 73

2 - LE BEAUJOLAIS   97

Routes du Beaujolais 98

3 - LE BORDELAIS   113

La rive droite de la Garonne..... 114
L'Entre-Deux-Mers.............. 122
La rive gauche de la Garonne.... 127
Le Libournais................... 133
Le Bourgeais et le Blayais 141
Le Médoc 144

4 - LA BOURGOGNE   154

Les vins de l'Yonne 156
La côte de Nuits 166
La côte de Beaune.............. 173
La côte chalonnaise............. 181
Le Mâconnais 185

5 - LA CHAMPAGNE   193

La montagne de Reims 195
La côte des Blancs 207
La vallée de la Marne 212
La côte des Bars 218

6 - LE VIGNOBLE DE COGNAC   225

Au fil de la Charente 226

7 - LA CORSE   233

Le vignoble du cap Corse 233
Le vignoble de Patrimonio 235
Le vignoble de la Balagne....... 237
Les vignobles d'Ajaccio et de
    Sartène 239
Le vignoble de Porto-Vecchio ... 243

8 - LE JURA — 245

La route des vins du Jura........246

9 - LE LANGUEDOC ET LE ROUSSILLON — 262

Les coteaux du Languedoc......263
Vignobles de Saint-Chinian
    et de Faugères...............273
Le Minervois 279
Le vignoble de Limoux.........284
Les Corbières..................287
La Clape et Fitou 291
Le vignoble du Roussillon.......295

10 - LA VALLÉE DE LA LOIRE — 302

Le Centre-Loire................304
La Touraine 308
Anjou-Saumur 323
Le pays nantais................330

11 - LA PROVENCE — 335

Le vignoble
    des Baux-de-Provence.......336
Les coteaux
    d'Aix-en-Provence..........339
Cassis et Bandol 342
Coteaux varois
    et côtes de Provence........346
Le vignoble de Bellet 352
Le vin des îles 354

12 - LA VALLÉE DU RHÔNE — 356

Les côtes du Rhône
    septentrionales.............357
Les côtes du Rhône
    méridionales 365

13 - LA SAVOIE ET LE BUGEY — 385

La Savoie 385
Le Bugey.......................393

14 - LE SUD-OUEST — 397

Le Bergeracois 398
Les côtes de Duras
    et le Marmandais............404
Le vignoble de Cahors 406
La Gascogne 411
Le Gaillacois...................417
Le pays de la Rivière-Basse.....420
Le vignoble de Jurançon........423
Le vignoble d'Irouléguy.........425
Le vignoble aveyronnais 427

Index 433

Les vignobles en un coup d'œil
Ce tableau synthétique du contenu descriptif des vignobles se trouve à l'intérieur de la couverture, à la fin du guide.

CARTES ET PLANS

LES CARTES ROUTIÈRES

Chaque vignoble présenté dans ce guide est accompagné de ses références cartographiques sur les différentes gammes de cartes que nous proposons.

Les cartes **Local** (1/150 000 ou au 1/175 000, avec index des localités et plans des préfectures) ont été conçues pour ceux qui aiment prendre le temps de découvrir une zone géographique réduite (un ou deux départements) lors de leurs déplacements en voiture. Elles sont numérotées de 301 à 345.

Les cartes **Regional**, au 1/300 000, avec index des localités et plan de la préfecture, qui couvre le réseau routier secondaire et donne de nombreuses indications touristiques. Elle est pratique lorsqu'on aborde un vaste territoire ou pour relier des villes distantes de plus de cent kilomètres. Elles sont numérotées de 516 à 523.

Enfin, n'oubliez pas, la **carte de France n° 721** qui offre une vue d'ensemble de l'hexagone au 1/1 000 000, avec ses grandes voies d'accès d'où que vous veniez.

Enfin, sachez qu'en complément de ces cartes, le site Internet **www. ViaMichelin.fr** permet le calcul d'itinéraires détaillés avec leur temps de parcours, et bien d'autres services.

La **carte générale des vignobles** traités dans le guide se trouve à l'intérieur de la couverture, au début du guide.

CARTES DES VIGNOBLES

Chaque vignoble décrit bénéficie d'une carte détaillée des circuits conseillés. En voici la liste :

L'Alsace . . . .
Le Beaujolais . . . .
Le Bordelais . . . .
La Bourgogne . . . .
La Champagne . . . .
Le vignoble de Cognac . . . .
La Corse . . . .
Le Jura. . . . .
Le Languedoc et le Roussillon . . . .
La vallée de la Loire. . . . .
La Provence . . . .
La vallée du Rhône . . . .
La Savoie et le Bugey . . . .
Le Sud-Ouest . . . .

Changement de numérotation routière !

Sur de nombreux tronçons, les routes nationales passent sous la direction des départements. Leur numérotation est en cours de modification.

La mise en place sur le terrain a commencé en 2006 mais devrait se poursuivre sur plusieurs années. De plus, certaines routes n'ont pas encore définitivement trouvé leur statut au moment où nous bouclons la rédaction de ce guide. Nous n'avons donc pas pu reporter systématiquement les changements de numéros sur l'ensemble de nos cartes et de nos textes.

👁 **Bon à savoir** – Dans la majorité des cas, on retrouve le n° de la nationale dans les derniers chiffres du n° de la départementale qui la remplace. Exemple : N 16 devient D 1016 ou N 51 devient D 951.

LE GUIDE, MODE D'EMPLOI

SE REPÉRER DANS LE GUIDE

Il y a plusieurs clés d'entrée pour repérer facilement les vignobles que vous aimeriez parcourir.

La **carte générale** *(à l'intérieur de la couverture, au début du guide)* permet de visualiser l'ensemble des vignobles décrits dans le guide. Vous choisissez la région, vous repérez son **numéro**, puis vous allez directement chercher ce numéro dans le guide (ils sont présents sur les petits onglets de couleur en haut à droite de chaque page).

Le **sommaire** vous indique également les vignobles décrits, avec le numéro de page correspondant.

Le **tableau « les vignobles en un coup d'œil »** *(à l'intérieur de la couverture, à la fin du guide)* vous permet d'affiner vos choix : d'après la région, le nombre de circuits, les activités suggérées.

Enfin, l'**index** vous renvoie à tout ce qui est de près ou de loin évoqué dans le guide.

AVANT DE PARTIR…

Choisir, acheter et conserver le vin

Voici, en quelques utiles chapitres, les clés pour devenir un amateur de vin sans trop se tromper. Après leur lecture, vous n'aurez qu'une hâte, passer à la pratique !

N'oubliez pas de consulter nos chapitres « **Foires, salons et marchés aux vins** » et « **Fêtes du vin** ». Ils recensent toutes les manifestations viticoles, classées par mois et par village.

Comprendre le vin

Une manière plus encyclopédique d'apprendre le monde du vin, ou d'approfondir ses connaissances. En vous promenant ensuite dans les vignes, vous saurez reconnaître les différents sols sur lesquels la vigne aime pousser ; vous saurez distinguer les qualités du vin dues à son terroir, au cépage dont il est issu et à l'énorme travail du viticulteur.

Vous verrez, c'est un monde passionnant, dont on peut facilement percer les mystères…

SUR LES CHEMINS DES VIGNES

Dans chaque vignoble, vous trouverez une présentation du(es) terroir(s), des vins ou des appellations.

Un tableau synthétique présente les caractéristiques des vins de la région, leur garde et une fourchette de prix, vin par vin.

Un paragraphe intitulé « comprendre » vous livre en quelques mots l'histoire ou la spécificité du vignoble.

Ensuite sont décrites les routes des vignobles ; au début de chaque itinéraire est précisé le kilométrage, ainsi que la carte routière à consulter pour de plus amples détails.

Après avoir parcouru le vignoble, vous aurez peut-être envie de découvrir d'autres sites de la région. Nous avons donc fait pour vous une sélection d'activités à pratiquer dans un rayon de 30 km autour des routes des vins : le choix est volontairement éclectique, allant des loisirs de plein air aux visites culturelles en passant par la découverte de la gastronomie… Vous trouverez la liste résumée de ces activités dans le tableau « les vignobles en coup d'œil », à l'intérieur de la couverture, en fin de guide.

NOS ADRESSES D'HÉBERGEMENT ET DE RESTAURATION

Chaque route des vins comporte un carnet pratique dans lequel vous trouverez notre sélection de **bonnes tables**, d'**hôtels** et de **chambres d'hôte**.

Nous avons privilégié des étapes, souvent agréables, au cœur des vignobles, dans les villages vignerons ou sur nos routes des vins.

Le confort, la tranquillité et la qualité de la cuisine sont bien sûr des critères essentiels ! Toutes les maisons ont été visitées et choisies avec le plus grand soin. Toutefois, il peut arriver que des modifications aient eu lieu depuis notre dernier passage : faites-le nous savoir, vos remarques et suggestions seront toujours les bienvenues !

Nos catégories de prix

Pour vous aider dans votre choix, nous vous communiquons une **fourchette de prix** : pour l'hébergement, le premier prix correspond au tarif minimum et le second au tarif

Les vignobles
à 2 pas de chez vous.

Avec TGV, évadez-vous sans encombre ni stress, et découvrez les vignobles de France en réservant à des conditions avantageuses votre voiture de location AVIS en même temps que votre billet de train. * * * * *
* *
* * * * * * * * *Organisez votre voyage sur tgv.com*

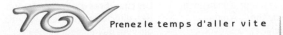 Prenez le temps d'aller vite

NOS CATÉGORIES DE PRIX				
	Se restaurer (prix déjeuner)		Se loger (prix de la chambre double)	
	Province	Grandes villes	Province	Grandes villes
☺	jusqu'à 14 €	jusqu'à 16 €	jusqu'à 45 €	jusqu'à 65 €
☺☺	plus de 14 € à 25 €	plus de 16 € à 30 €	plus de 45 € à 80 €	plus de 65 € à 100 €
☺☺☺	plus de 25 € à 40 €	plus de 30 € à 50 €	plus de 80 € à 100 €	plus de 100 € à 160 €
☺☺☺☺	plus de 40 €	plus de 50 €	plus de 100 €	plus de 160 €

maximum d'une chambre double ; pour la restauration, ces prix indiquent les tarifs minimum et maximum des menus proposés sur place.

Les prix que nous indiquons sont ceux pratiqués en **haute saison** ; hors saison, de nombreux établissements proposent des tarifs plus avantageux, renseignez-vous… Dans chaque encadré, les adresses sont classées en quatre catégories de prix pour répondre à toutes les attentes *(voir le tableau)*.

Petit budget – Choisissez vos adresses parmi celles de la catégorie ☺ : vous trouverez là des hôtels, des chambres d'hôte simples et conviviales et des tables souvent gourmandes, toujours honnêtes.

Budget moyen – Votre budget est un peu plus large. Piochez vos étapes dans les adresses ☺☺. Dans cette catégorie, vous trouverez des maisons, souvent de charme, de meilleur confort et plus agréablement aménagées, animées par des passionnés, ravis de vous faire découvrir leur demeure et leur table. Là encore, chambres et tables d'hôte sont au rendez-vous, avec également des hôtels et des restaurants plus traditionnels, bien sûr.

Budgets confortable et haut de gamme – Vous souhaitez vous faire plaisir, le temps d'un repas ou d'une nuit, vous aimez voyager dans des conditions très confortables ? Les catégories ☺☺☺ et ☺☺☺☺ sont pour vous… La vie de château dans de luxueuses chambres d'hôte pas si chères que cela ou dans les palaces et les grands hôtels : à vous de choisir ! Vous pouvez aussi profiter des décors de rêve de lieux mythiques à moindres frais, le temps d'un brunch ou d'une tasse de thé… À moins que vous ne préfériez casser votre tirelire pour un repas gastronomique dans un restaurant renommé. Sans oublier que la traditionnelle formule « tenue correcte exigée » est toujours d'actualité dans ces établissements !

Nos bonnes tables

Pour répondre à toutes les envies, nous avons sélectionné des restaurants régionaux bien sûr, mais aussi classiques, exotiques ou à thème… Quelques fermes-auberges vous permettront de découvrir les saveurs de la France profonde. Vous y goûterez des produits authentiques provenant de l'exploitation agricole, préparés dans la tradition et généralement servis en menu unique. Le service et l'ambiance sont bon enfant. Réservation obligatoire !

Enfin, n'oubliez pas que les restaurants d'hôtels peuvent vous accueillir.

Nos hôtels et chambres d'hôte

Les hôtels – Nous vous proposons un choix très large en termes de confort. La location se fait à la nuit et le petit-déjeuner est facturé en supplément. Certains établissements assurent un service de restauration également accessible à la clientèle extérieure. Pour un choix plus étoffé et actualisé, **Le Guide Michelin France** recommande hôtels et restaurants sur toute la France. Pour chaque établissement, le niveau de confort et de prix est indiqué, en plus de nombreux renseignements pratiques. Le symbole « **Bib Gourmand** » sélectionne les tables qui proposent une cuisine soignée à moins de 28 € en province. Le symbole « **Bib Hôtel** » signale des hôtels pratiques et accueillants offrant une prestation de qualité à prix raisonnable.

Les chambres d'hôte – Vous êtes reçu directement par les habitants qui vous ouvrent leur demeure.

L'atmosphère est plus conviviale qu'à l'hôtel, et l'envie de communiquer doit être réciproque : misanthropes, s'abstenir ! Les prix, mentionnés à la nuit, incluent le petit-déjeuner. Certains propriétaires proposent aussi une table d'hôte, en général le soir, et toujours réservée aux résidents de la maison. Il est très vivement conseillé de réserver votre étape, en raison du grand succès de ce type d'hébergement.

NOS BONNES CAVES

Nos carnets pratiques comportent également une rubrique consacrée à vos achats en vin. Vous y trouverez des adresses de cavistes, des caves coopératives et des domaines localisés sur les routes des vins décrites et proposant des vins de qualité. N'hésitez pas à demander conseil aux propriétaires : ils connaissent parfaitement leurs vins… Dans les caves et les domaines, la dégustation sera sans doute pour vous une bonne manière de juger la production. Et n'oubliez pas que l'abus d'alcool est dangereux pour la santé. Aussi, consommez avec modération. Et lorsque vous êtes sur les routes des vins, abstenez-vous de boire ; rappelez-vous que lors d'une dégustation dans une cave, la règle veut que l'on recrache le vin.

Millésimes

	1994	1995	1996	1997	1998	1999	2000	2001	2002	2003	2004	2005
Alsace												
Bordeaux blanc												
Bordeaux rouge												
Bourgogne blanc												
Bourgogne rouge												
Beaujolais												
Champagne												
Côtes du Rhône Septentrionales												
Côtes du Rhône Méridionales												
Provence												
Languedoc *Roussillon*												
Val de Loire *Muscadet*												
Val de Loire *Anjou-Touraine*												
Val de Loire *Pouilly-Sancerre*												

 Grandes années

 Bonnes années

 Années moyennes

*Grand chai du Château
Mouton Rothschild*
A. Thuillier / MICHELIN

CHOISIR, ACHETER ET CONSERVER LE VIN

CHOISIR LE VIN

LA HIÉRARCHIE DES VINS

Les vins de table

Au bas de l'échelle du classement des vins, on trouve les vins de table qui englobent les « vins de pays » et les « vins de table » autres que les vins de pays.

Les vins de pays sont issus d'une zone géographique délimitée (département, zone ou région) et répondent à des règles strictes quant à l'implantation des cépages, les rendements à l'hectare, le titre alcoolique, la qualité reconnue lors d'un agrément… Sur l'étiquette figure bien souvent le nom du cépage dont ils sont issus. Leur prix est généralement très raisonnable.

Les vins de table sont souvent commercialisés sous le nom d'une marque commerciale. Ils sont, en général, le produit d'assemblages soit de vins français soit de vins de la Communauté européenne. La mention « vin de table » n'est pas obligatoire sur l'étiquette.

Les vins de qualité produits dans une région déterminée

Les vins de qualité produits dans une région déterminées (VQPRD) regroupent les appellations d'origine vins de qualité supérieure (AOVDQS) et les appellations d'origine contrôlée (AOC).

Les AOVDQS – Elles se classent entre les vins de table et les AOC. Elles sont soumises à une analyse et une dégustation obligatoires. Cette catégorie de vins a tendance à disparaître, car les meilleures AOVDQS deviennent des AOC.

Les AOC – Elles sont soumises à des conditions de production très strictes. L'aire géographique est établie parcelle par parcelle. L'encépagement et le pourcentage pour chaque cépage est approuvé par le Comité national des vins et des eaux-de-vie, comité dépendant de l'INAO (Institut national des appellations d'origine). Le rendement est limité entre un minimum et un maximum. Le titre alcoolique minimum est le degré minimum de sucre qu'un vin doit avoir avant enrichissement. La taille et la culture de la vigne, ainsi que la vinification sont réglementées. Enfin, une dégustation obligatoire d'agrément a lieu afin de vérifier qu'il n'y ait pas de défauts.

Ainsi, ce système des appellations d'origine contrôlée est un gage de qualité.

En 2004, on comptait 467 appellations d'origine contrôlée.

Classement – Les appellations peuvent être régionales (bordeaux, bourgogne), sous-régionales (entre-deux-mers) ou communales (volnay). Quatre régions françaises ont cependant des classements particuliers.

En **Alsace**, l'étiquette mentionne toujours le cépage. Seuls les cépages riesling, gewurztraminer, muscat et pinot gris sont admis pour l'appellation alsace grand cru. Celle-ci concerne 50 lieux-dits, des terroirs, réputés pour donner des vins de grande qualité. Parmi eux, citons : Bruderthal, Hatschbourg, Rosacker…

Dans le **Bordelais**, la plus ancienne classification officielle, basée sur la valeur des domaines vinicoles, remonte à 1855 : elle retint 61 médocs, un vin rouge de graves (Haut-Brion) et 26 crus du Sauternais. Aujourd'hui, la hiérarchisation des crus concernant le Médoc est divisée en cinq catégories, les vins de Pessac-Léognan et de Sauternes-Barsac en trois catégories, et les vins de Saint-Émilion en deux catégories. Seuls les vins de Pomerol ne sont pas classés.

En **Bourgogne**, on parle de « climat » : ce sont les terroirs les meilleurs ; ils correspondent à un ensemble de lieux-dits ou à une partie d'un lieu-dit. On distingue donc en Bourgogne :
- 22 appellations régionales, dont les vins proviennent de l'ensemble de la région ;
- 45 appellations communales (ou appellations villages) dont les vins portent le nom du lieu de production ;
- les appellations premiers crus : dans la plupart des villages, des lieux-dits ou des climats font l'objet d'un classement spécifique « premier cru » ;
- 33 appellations grands crus qui sont exceptionnelles, elles sont limitées à un seul climat. Ce climat réputé donne son nom au vin.

Le beaujolais-villages, le bourgogne-aligoté, le crémant de Bourgogne sont des AOC régionales.

Pommard, meursault, fixin sont des appellations communales.

Chablis 1er cru Fourchaumes, Pommard 1er cru Les Rugiens sont des appellations communales dont les climats sont classés premier cru. Un montrachet est un grand cru des communes de Puligny-Montrachet et de Chassagne-Montrachet.

En **Champagne**, le classement s'applique à 320 communes, qui sont répertoriées dans l'« échelle des crus » : le classement est exprimé en pourcentage, échelonné de 80 à 100 %. Les 17 meilleures communes classées à 100 % sont désignées sous le nom de « grands crus ». Ensuite, les « premiers crus » provenant de 50 communes sont classés de 90 à 99 %.

Ces mentions peuvent apparaître sur l'étiquette. Les viticulteurs champenois ne sont pas tenus de faire figurer « AOC » sur les bouteilles. Les bonnes années, les bouteilles de champagne sont millésimées avec des vins assemblés d'une même année.

Vins de garage

Cette expression est apparue au début des années 1990 dans le Bordelais. Elle désigne des vins produits en petite quantité, par assemblage dans des fûts neufs entreposés dans un garage, le propriétaire n'ayant pas de chai du fait de la petitesse de la parcelle. La technique de vinification compte plus que le terroir. Cela donne des vins denses, très concentrés, qui sont souvent vendus à « prix d'or ».

S. Sauvignier / MICHELIN

AU TABLEAU D'HONNEUR

Prix et médailles

Lorsque l'on acquiert des bouteilles de vins, on remarque parfois qu'elles sont ornées de médailles ou de prix, remportés lors de concours de dégustation. Certains sont très prestigieux, comme le Concours général agricole, qui se déroule dans le cadre du Salon international de l'agriculture à Paris.

Les Citadelles du vin, organisées par l'Office international de la vigne et du vin, ont lieu à l'occasion de Vinexpo, à Bordeaux, salon réservé aux professionnels.

Voici comment se passent les concours. Les vins sont présentés dans des bouteilles identiques, anonymes, simplement numérotées. Ces échantillons sont toujours goûtés à l'aveugle par des dégustateurs professionnels. Les membres des jurys jugent tous les éléments organoleptiques (goût, odorat, vue…), suivant une charte prédéfinie. Recevoir une médaille d'or, d'argent ou de bronze à un concours est une valeur ajoutée sur le plan commercial et publicitaire, car ce sont les meilleurs produits qui sont ainsi honorés. Depuis l'an 2000, des prix d'excellence sont attribués à des producteurs, sur la base des résultats obtenus aux cinq concours précédents. Pour connaître les vignerons qui ont été récompensés, rendez-vous sur les sites Internet : www.concours-agricole.com ou www.citadellesduvin.com

Les années de légende

Le millésime est l'année de naissance du vin. Un grand millésime est tributaire de la météo : un temps sec, ensoleillé et chaud entre la mi-mai et fin juin favorise une floraison précoce, puis une bonne chaleur entre le milieu du mois d'août et les vendanges influe sur celle-ci. Regardez une grille de millésimes : toutes les régions pour une année donnée n'ont pas la même note. Et à l'intérieur d'une région, la qualité des vins varie : un orage, une vendange effectuée trop vite feront la différence.

Pour rappel, voici quelques années exceptionnelles : 1900, 1921, 1929, 1937, 1945, 1947, 1949, 1955, 1959, 1961 « le millésime du siècle », 1964, 1966, 1967, 1970, 1985, 1989, 1990, 1996, 1999, 2000, 2003 année atypique avec des vendanges très précoces dues à un été caniculaire.

Pour vous aider à vous repérer, un tableau des millésimes se trouve p. 11.

ACHETER LE VIN

OÙ ACHETER ?

Chez les producteurs

N'hésitez pas à vous rendre chez les vignerons récoltants pour découvrir les vins et acquérir quelques bouteilles, voire quelques caisses en direct. Par courtoisie et par prudence, prenez rendez-vous : le vigneron peut être en train de travailler dans les vignes ou avoir une réunion de famille. Il vous fera déguster sa production selon une progression qui va toujours… du plus simple à l'excellent ! Les prix suivent, naturellement, même s'ils restent toujours en deçà de ceux du caviste. La dégustation est généralement gratuite, aussi ayez la politesse de ne pas abuser de la générosité de votre hôte. N'acceptez ni noix ni fromage : vos papilles embelliront alors l'impossible piquette. Attention, la magie de la cave est là, prenez bien soin de cracher les vins dégustés, sinon vous risquez de ne plus avoir la tête tout à fait claire au moment de signer votre chèque. De toute façon, le plaisir d'acheter des vins découverts sur place et l'économie des frais de transport ne devraient pas vous faire regretter votre tournée.

Vous trouverez des adresses de producteurs dans les carnets d'adresses de chaque vignoble décrit.

Dans les caves coopératives

Quelque 850 caves coopératives assurent la vinification des raisins de leurs 111 000 adhérents, ainsi que l'élevage et la vente des vins en bouteille ou en vrac, à des prix intéressants. Elles améliorent d'année en année la production des vins qu'elles proposent.

Vous trouverez des adresses de caves coopératives dans les carnets d'adresses de chaque vignoble décrit.

Chez les cavistes

Un bon caviste offre un conseil personnalisé au client, notamment en matière d'accords mets et vins ; il apporte aussi un savoir qui va au-delà du choix du vin : connaissance du vignoble, de l'appellation… et sélectionne des crus à des prix attractifs. En outre, il organise des séances de dégustation pour faire découvrir des vins et faire rencontrer clients et producteurs.
La Fédération nationale des cavistes indépendants regroupe 450 professionnels. Ce réseau est reconnu comme un gage de qualité, tant pour le choix des vins que pour le bon rapport qualité-prix. Quant aux chaînes Nicolas et le Repaire de Bacchus, elles sont tout à fait honorables.

Vous trouverez des adresses de cavistes dans les carnets d'adresses de chaque vignoble décrit.

S. Sauvignier / MICHELIN

Les foires aux vins des grandes surfaces

L'intérêt des foires organisées par Auchan, Carrefour, Leclerc, Intermarché, etc., serait de faire faire des affaires… Certes, il y a un vaste choix, mais en réalité pas toujours à des prix discount. Cependant, si vous vous y rendez dès l'ouverture, vous dénicherez certainement des bouteilles intéressantes, surtout en bordeaux. Un conseil, préparez votre opération en étudiant les catalogues, les prix, les millésimes et les appellations, et au moment d'acheter, vérifiez bien que les bouteilles présentées en rayon correspondent à ce que vous avez sélectionné.

Les foires aux vins régionales

Les foires aux vins régionales offrent la possibilité de goûter les vins proposés en direct par les viticulteurs, tout en découvrant les produits « de bouche » du terroir, ainsi que les œuvres des artisans. Tout ceci dans une ambiance bon enfant.

Les clubs de vente

La formule paraît séduisante : les membres du club reçoivent une revue mensuelle avec une sélection de vins opérée par des sommeliers, des grands chefs et des œnologues, et sont invités à des soirées dégustation. Et si le vin commandé ne plaît pas, on peut le retourner. Parmi tous les clubs de vente existants, la réputation du Savour Club n'est plus à faire. Dans tous les cas, lorsque vous décidez d'adhérer à un club, renseignez-vous sur les avantages que cette formule apporte.

Les ventes aux enchères

Dans l'ambiance enivrante de la salle des ventes, sous le marteau des commissaires-priseurs assistés d'experts, vous pourrez acquérir des bouteilles à un prix raisonnable, ou tout à fait déraisonnable. Les acheteurs sont des professionnels – restaurateurs, courtiers – ou des amateurs… Les lots proviennent de la cave de restaurants, de sociétés d'investissement ou de particuliers. Les plus belles ventes de vin ont lieu chez Christie's, Sotheby's et à Drouot, ou en Bourgogne lors de la fameuse vente des vins des Hospices de Beaune qui se déroule tous les ans le 3e dimanche de novembre. Si d'aventure le jeu vous tente, munissez-vous d'ouvrages de référence comme *La Cote des grands vins de France* ou le *Guide Bettane & Desseauve*. Pendant l'exposition, renseignez-vous sur la provenance des bouteilles, dans quelles conditions elles étaient stockées, vérifiez l'état des bouchons, observez le niveau du vin, faites-vous ouvrir les caisses. Pour tout lot adjugé, il y a des frais, aussi bien pour l'acheteur que pour le vendeur. Les ventes aux enchères sont aussi accessibles sur Internet : www.iDealwine.com, www.iENCHERES.com

Les vins en vrac

On achète du vin « à la tireuse » aussi bien à la propriété, dans les coopératives, que chez certains cavistes. Un avantage, le vin vendu au litre coûte 25 % de moins que lorsqu'il est déjà en bouteille. Mais, le plus souvent, ce sont des vins ordinaires. Vérifiez scrupuleusement l'origine. Un inconvénient, le vin en cubitainer supporte très mal la chaleur. Aussi mettez-le en bouteille au plus tôt, et n'oubliez pas dans votre calcul le prix des bouteilles et des bouchons…

Les primeurs

Cette formule qui relève du pari sur l'avenir consiste à acheter du vin par lots avant qu'il ne soit élevé et mis en bouteille : on acquiert au printemps 2006 le millésime 2005. Cette pratique existe surtout à Bordeaux et, à moindre échelle, en Bourgogne. Dès l'ouverture des souscriptions au mois d'avril, le prix d'achat par les marchands fournit une bonne indication sur l'avenir du primeur. Il est de coutume de payer en général la moitié de la souscription à la commande, le solde à la livraison. Des négociants, des viticulteurs et certains clubs de vente proposent des vins en primeur. Comme le dit Robert Parker, « mesurez bien tous les risques » !

L'achat sur Internet

Prenez le temps de comparer les sites. Observez attentivement les offres qui sont faites. Et vous ferez sûrement de bonnes affaires. En ce qui concerne les primeurs, les vins sont achetés en direct, et leur prix est en principe le même partout. En revanche, pour les millésimes anciens, le prix dépend de la notoriété, la rareté, la demande… Parmi les sites en ligne, voici quelques adresses :
www.1855.com
www.chateaunet.com
www.chateauonline.com
www.millesima.com
www.chateauinternet.com

Réglementation du transport des vins

Vous venez d'acquérir du vin ou de l'eau-de-vie, la Marianne estampillée sur la « capsule représentative des droits » (CRD) fait office de document fiscal pour le transport des bouteilles. Obligatoire, elle est de couleur verte pour les AOC et les AOVDQS, bleue pour les vins de pays et les vins de table, orange pour les vins doux naturels et jaune pour les cognacs et armagnacs. Si le vin est « en vrac », le vendeur doit vous remettre un « congé » papier. Ce titre de mouvement délivré par le service des douanes témoigne de la redevance fiscale du « droit de circulation ».

CONSERVER LE VIN

Si tant est que l'on soit amateur de bons vins, et *a fortiori* de grands vins, on rêve de créer « sa » cave, où l'on entrepose son trésor constitué des bouteilles que l'on a choisies et qu'on laisse se bonifier pendant plusieurs années ; la richesse d'une cave tient avant tout à son éclectisme lié aux découvertes.

LA CAVE IDÉALE

Les armoires à vins

Les caves d'appartement – ou armoires à vins – offrent de nombreux avantages, même si elles sont coûteuses et occupent un volume important. Ces meubles ont les qualités de la cave idéale ; assurez-vous toutefois que la porte ne laisse pas passer les rayons UV, que le moteur ne crée ni vibration ni bruit, que l'armoire soit multitempératures et équipée de filtres antiodeurs et antimoisissures. Parmi les principaux fabricants, citons Electrolux, EuroCave, Tastvin, Liebherr, Vinosafe ou Climadiff.

La cave construite sous terre

C'est le lieu rêvé pour entreposer des vins jeunes que l'on laisse vieillir patiemment en attendant de les déguster à maturité. Conserver du vin est tout un art, car c'est un produit vivant, fragile, et dont il faut prendre soin. Cette pièce doit être propre et ne doit pas avoir d'autre fonction que de garder du vin : celui-ci est sensible aux odeurs qui passent à travers le bouchon. Donc, on ne stocke ni produits ménagers, ni fromages, et encore moins de vinaigre, de vernis ou de solvant…

Si vous envisagez de construire une cave enterrée, des entreprises, comme Côté Cave, proposent des caves préfabriquées voûtées en terre cuite, dont l'installation est facile et rapide. Lors de l'aménagement de la cave, prévoyez 1,50 m3 pour 100 bouteilles.

Température

Premières clés de la réussite de la conservation et du vieillissement des vins : une température fraîche, entre 10 et 14 °C, et mieux encore 11-12 °C, sans variation brusque. Si la pièce est trop chaude, le vin vieillit vite, tandis que si elle est trop froide, cela freine son évolution et entraîne parfois une cristallisation ou précipitation tartrique. Attention, le vin gèle en dessous de -4 °C. Il est donc indispensable que la cave soit bien isolée, et non pas aménagée près de la chaudière. Idéalement, elle sera orientée au Nord-Est et aérée par deux soupiraux, l'un au pied du mur Nord, l'autre en haut du mur Est. Vous pouvez aussi la climatiser. Les vins blancs sont plus sensibles aux changements de température que les rouges. Et pour bien contrôler toutes ces données, il faut investir dans un **thermomètre**.

Humidité

La cave idéale a un sol en terre battue couvert de gravillons, des murs chaulés et une hygrométrie entre 70 et 80 %. Les bouteilles de vin apprécient davantage l'humidité que la sécheresse. Lorsque le taux d'humidité se trouve en dessous de 50 %, une solution simple consiste à arroser le sol ou à placer dans un coin de la pièce une bassine remplie d'eau et de charbon de bois. La sécheresse de l'air entraînant celle des bouchons, le vin risque d'avoir des coulures. L'humidité, quant à elle, a pour principaux inconvénients de piquer et décoller les étiquettes, que l'on pourra préserver en appliquant un vernis ou un film alimentaires. En revanche, elle favorise la conservation du vin. Deuxième accessoire à acquérir : un **hygromètre**.

Lumière

Autrefois, lorsque l'on descendait à la cave – lieu sombre et donc mystérieux –, on s'éclairait avec un rat de cave : ce bougeoir tient son nom de la poignée, la « queue de rat ». Aujourd'hui, on sait que la lumière dégrade les tanins et perturbe le vieillissement du vin, le rendant impropre à la consommation. Aussi, on prohibera les néons et toute lumière violente, et l'on choisira un éclairage très doux et si possible indirect. Troisième achat : des **ampoules de 50 W**.

Tranquillité

Les vibrations causées par le passage de camions, du métro ou de trains mettent en mouvement les molécules du vin et perturbent donc son vieillissement. Pour pallier ces nuisances, il est recommandé de fixer des patins en caoutchouc sous les casiers.

RANGER LA CAVE

Les casiers

Il existe un très grand choix de casiers à alvéoles ou à compartiments : ils sont en métal, en bois, en lave, en ciment armé, ou encore en aggloméré. Dans tous les cas, privilégiez la stabilité. Les casiers métalliques à barres ondulées – système dit à alvéoles où chaque bouteille a sa place – sont bon marché, faciles à monter et occupent peu d'espace. Avant d'y ranger les bouteilles, fixez-les au mur et vérifiez qu'ils sont bien stables.

Les compartiments – qu'ils soient en bois, en contreplaqué marine ou en briques – offrent l'avantage de classer les bouteilles par lots. Cela facilite la gestion de la cave. Toutefois, si vous optez pour le bois, plus esthétique et plus onéreux, vérifiez qu'il ait reçu un traitement hydrofuge, et qu'il n'ait pas été traité avec un pesticide à base de chlorophénol qui donnerait au vin un goût de moisissure.

S. Sauvignier / MICHELIN

Conserver le vin

Les bouteilles de vin se conservent couchées : de cette façon le bouchon reste en contact avec le vin et ne se dessèche pas. En général, on tourne le goulot vers le mur : cela facilite la lecture des étiquettes.

Les bouteilles d'eau-de-vie et les vins doux naturels sont conservés debout, car l'alcool dégrade les bouchons.

Classer les bouteilles

Dès leur livraison, les bouteilles sont sorties de leur emballage en carton : cela permet de vérifier leur état et d'éviter qu'elles ne prennent un goût de carton. En revanche, les vins livrés en caisse de bois gagnent à rester dans leur emballage. On peut alors empiler les caisses en mettant les vins de longue garde sous les autres caisses. Dans tous les cas, laissez les bouteilles de vins jeunes se reposer au moins 15 jours, si ce n'est un mois, avant de les boire. Pour les vieux vins, il est préférable d'attendre plusieurs mois. Étant donné que l'air chaud monte, on classe dans les endroits les plus frais, c'est-à-dire près du sol, les champagnes, puis en montant les vins blancs, les rosés, les vins rouges de petite garde et, pour terminer, les vins rouges de longue garde. Une fois cette première répartition faite, rangez les vins par région et par appellation. Et si vous avez une grande cave, n'hésitez pas à mettre tout au fond les vins qu'il faut oublier quelques années.

Gérer le stock

Pour connaître vos vins, prenez le temps de rédiger un **livre de cave**. Vous en trouverez en librairie ou vous pourrez l'organiser vous-même dans un classeur, ce qui, à notre avis, est plus pratique. Sur des fiches types que vous pouvez préimprimer sur un ordinateur, indiquez le nom du vin, son appellation, sa région, sa couleur, son millésime, l'année avant laquelle il faut le boire, puis le lieu et la date d'achat, le prix, et les coordonnées du producteur. À part, indiquez le nombre de bouteilles entrées, les sorties et le solde. Enfin, notez vos appréciations à la suite des dégustations. Et pourquoi pas une note ? Ainsi qu'un emplacement pour coller l'étiquette ?

Des sites Internet, comme celui d'idealwine.com, proposent de gérer à distance et avec facilité votre cave à vin. Vous la visualisez par type de vins ou par régions viticoles. Vous ajoutez les vins que vous venez d'acquérir, modifiez les stocks, etc.

Assurance

Rares sont les assureurs qui prennent en charge le vol de cave. Renseignez-vous bien avant de souscrire un contrat. Parfois, la discrétion est de meilleur aloi que de clore sa cave avec une porte blindée. Un conseil : décollez les étiquettes de vos bouteilles les plus prestigieuses, et codez-les !

Loueurs de cave

Ne pouvant les citer tous, voici deux adresses de loueurs de cave en région parisienne pour entreposer en toute sécurité ses bouteilles, que l'on soit une entreprise ou un particulier :

La Cave – *7 impasse Charles-Petit - 75011 Paris.*

Les Crayères des Montquartiers – *5 chemin des Montquartiers - 92130 Issy-les-Moulineaux.*

DEVENIR ŒNOLOGUE

Vos sens sont en émoi à la vue d'un bon plat et d'un verre de vin, et vous voulez trouver les mots justes pour exprimer ce que vous ressentez. Partout en France, il est facile de s'initier ou de parfaire ses connaissances en matière d'œnologie. Un formateur professionnel – œnologue ou sommelier – vous initie au vocabulaire du vin dans une ambiance détendue. On passe à la pratique très vite : on découvre des vins, choisis en fonction du thème (une région, un cépage, un domaine). Et pour pimenter le « jeu », ces vins sont dégustés à l'aveugle. Ensuite, vous pourrez associer vin et gastronomie. Pour information, il faut compter 50 € pour un cours de 2h30 à 3h, et, par exemple pour un week-end œnologique en Bourgogne, 380 €, hébergement et repas compris.

DANS TOUTE LA FRANCE

Prodégustation – ℰ *0 820 821 020 - www.prodegustation.com*. « Savoir parler du vin simplement », tel est le but de cet organisme de formation qui propose dans la France entière des initiations à la dégustation, des week-ends œnologiques, des visites de vignobles.

Savour Club – ℰ *0 820 720 333 - www.lesavourclub.fr*. Ce club propose des cycles de dégustation ; six vins sont dégustés en situation gastronomique !

À PARIS

École du vin de Paris – *25 r. de la Félicité - 17ᵉ arr. - ℰ 01 43 41 33 94 - www.ecoleduvin.fr*. Fondée par Olivier Thiénot, cette école s'adresse aux particuliers comme aux entreprises.

Centre Jacques-Vivet – *48 r. de Vaugirard - 6ᵉ arr. - ℰ 01 43 25 96 30 - info@jvivet.com*. Une école réputée depuis vingt ans.

Explorateurs de vins – *Restaurant Chez Pierrette - 30 r. Émile-Lepeu - 11ᵉ arr. - ℰ 01 43 73 72 33 - info@explorateurs-de-vins.com*. Les sommeliers de cette association vous aident à éveiller vos sens, notamment dans les vins de Champagne.

Flavouries – ℰ *01 39 89 25 29 - http:// flavouries.free.fr*. Cette jeune société organise à votre domicile, en soirée

ou le week-end, des cours qui se veulent accessibles à tous.

Grains Nobles – *5 r. Laplace - 5ᵉ arr. - ℰ 01 43 54 93 54 - www.grainsnobles. fr*. Ce caveau propose des cours d'initiation animés par une équipe de jeunes passionnés.

Union des œnologues de France – *21-23 r. Croulebarbe - 13ᵉ arr. - ℰ 01 58 52 20 20 - www.oenologuesdefrance.fr*. Des stages d'initiation à la dégustation, des cycles de formation qui permettent de découvrir les grandes régions viticoles de France et du monde.

Vinissime – *35 r. de l'Espérance - 13ᵉ arr. - ℰ 01 45 81 26 36 - www. vinissime.fr*. Conseiller en vin, Vinissime organise des événements et des dîners à thème.

EN PROVINCE

Les écoles des vins des **comités interprofessionnels** et les **maisons des vins**, dont vous trouverez les adresses dans le « guide d'achat » de chaque vignoble, vous invitent à découvrir l'art de l'analyse sensorielle dans leur laboratoire, à parcourir le vignoble, descendre dans les caves à la rencontre des vignerons et savourer la gastronomie régionale. À la fin de votre stage, vous n'aurez certainement qu'une envie : revenir pour approfondir vos connaissances…

CHEZ LES CAVISTES

Nombre de cavistes organisent des dégustations pour faire découvrir les vins qu'ils distribuent, aidés par les vignerons avec lesquels ils travaillent, ou organisent même des cours avec des œnologues. La **Fédération nationale des cavistes indépendants** propose à l'automne, dans toute la France, des dégustations lors de la Fête du vin. *177 av. Charles-de-Gaulle - 92200 Neuilly-sur-Seine - ℰ 01 46 37 88 45*.

Lavinia – *3-5 bd de la Madeleine - 1ᵉʳ arr. - ℰ 01 42 97 20 20 - www. laviniafrance@lavinia.fr*. Le « Grand Magasin » du vin propose lors des soirées de dégustation publiques ou privées (15 €/an) de rencontrer les vignerons. On peut également suivre des cours d'initiation à la dégustation.

Toyota Prius.
La première berline dont la motorisation électrique
se recharge toute seule.

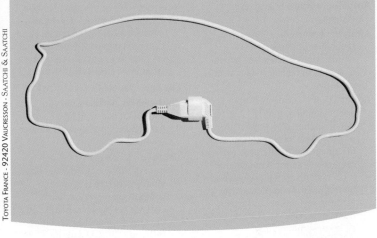

Toyota Prius. Technologie HSD hybride essence/électricité.

Grâce à sa technologie hybride, la TOYOTA PRIUS est une voiture dont la motorisation électrique est entièrement autonome. Alliance d'un moteur essence et d'un moteur électrique, la TOYOTA PRIUS permet de combiner les performances d'une berline familiale et les consommations d'une petite citadine (**4,3 L/100 km** en cycle mixte). De plus, en produisant **une tonne de CO_2 en moins par an** [1], la TOYOTA PRIUS vous permet de faire un véritable geste pour l'environnement qui vous fera bénéficier **de 2 000 € de crédit d'impôt** [2].

TODAY **TOMORROW TOYOTA**
Aujourd'hui, demain.

PARLER « VIN »

Acidité – Ce caractère apporte fraîcheur et nervosité. Un vin trop acide est agressif, vert, mordant. En revanche s'il manque d'acidité, il est mou, plat.

Ampélographie – Science des cépages.

Analyse sensorielle – Terme technique pour désigner la dégustation du vin qui se fait par une analyse visuelle, olfactive puis gustative.

Appellation – « Constitue une appellation d'origine la dénomination d'un pays, d'une région, d'une localité servant à désigner un produit qui en est originaire, et dont la qualité ou les caractères sont dus au milieu géographique comprenant des facteurs naturels et des facteurs humains. » (article L.115-1 du Code de la consommation)

Arômes – Parfums dégagés par le vin, que l'on perçoit au moment de la dégustation. Dans les vins jeunes, les arômes primaires sont liés au cépage : ils ont des odeurs fleuries, fruitées ou végétales. Les arômes secondaires se développent pendant la fermentation : on reconnaît des odeurs de banane, de bonbon anglais, de cire, de beurre… Ensuite, les arômes tertiaires liés au vieillissement évoquent le gibier, le bois, la fumée : ils forment le bouquet du vin.

Assemblage – En mélangeant plusieurs vins de même origine et de qualité identique, on élabore un produit meilleur que si l'on gardait chaque vin séparément.

Astringence – Liée à la richesse des tanins, elle donne une sensation de dessèchement des muqueuses. Elle se manifeste surtout dans les vins jeunes.

Ban des vendanges – Proclamation officielle, par arrêté préfectoral, de la date d'ouverture des vendanges.

Biodynamie – Mode d'agriculture qui vise à respecter les cycles et phénomènes naturels afin de préserver l'environnement.

Botrytis cinerea – Champignon qui, suivant les conditions climatiques, favorise la pourriture grise ou la pourriture noble. La première, liée à l'humidité, est une catastrophe ; la seconde, liée au soleil, contribue à la concentration des sucres et permet l'élaboration des vins liquoreux.

Bouquet – Ensemble plus ou moins complexe d'arômes développés pendant le vieillissement du vin. Lors de la dégustation, on perçoit les caractères odorants au nez, et les arômes en bouche.

Cépage – Variété de plant de vigne.

Chai – Édifice destiné à l'élevage des vins en fût construit hors de terre. Par opposition à la cave qui est en sous-sol.

Château – Mot souvent utilisé pour désigner des exploitations vinicoles, même si elles ne comportent pas de véritable château. Ne peut s'appliquer qu'à des vins d'appellation d'origine (AOC ou AOVDQS) issus de l'exploitation en question.

Cru – Origine géographique d'un vin.

Dépôt – Accumulation de particules solides qui se déposent dans le vin, sous forme de cristaux incolores pour les vins blancs, ou de matière colorante pour les vins rouges. Le dépôt n'altère en rien les qualités du vin.

Effervescent – Caractère des vins pétillants, mousseux et gazéifiés (champagne, crémant, limoux, clairette-de-die…) qui dégagent du gaz carbonique à l'air libre.

Élevage – Ensemble des soins donnés au vin en vue de leur vieillissement, avant la mise en bouteille.

Garde – Avec le temps, le vin de garde atteint maturité et complexité qui sont les caractères d'un grand vin que l'on a su attendre.

Lie – Dépôt solide et visqueux résultant en partie des levures, qui apparaît après la fermentation. Les lies fines développent les arômes, donnent du gras et de la complexité au vin blanc : lorsqu'elles sont conservées dans les muscadets, l'étiquette porte la mention « mise en bouteille sur lie ».

Liquoreux – Vin moelleux ayant une concentration en sucre supérieure à 40 g/l, élaboré à partir d'une vendange atteinte de pourriture noble, comme les sauternes, les gewurztraminer, les coteaux-du-layon…

Millésime – Année de naissance du vin, correspondant à celle des vendanges.

Moelleux – Vin rond et plein en bouche, que l'on classe entre le vin sec et le vin liquoreux. Il contient 12 à 45 g/l de sucres non fermentés.

Mousseux – Vin effervescent qui, à 20 °C, accuse une surpression de 3 à 6 bars due à la présence de gaz carbonique provenant de la fermentation.

Œnologie – Science du vin : de la vigne à la vinification.

Passerillage – Le séchage au soleil des grappes de raisin, soit sur le pied de vigne, soit sur un lit de paille, permet d'augmenter la teneur en sucre du jus de raisin. Cette méthode est utilisée pour élaborer les vins de paille.

Perlant – Vin très légèrement effervescent, du fait de la présence de gaz carbonique naturel.

S. Sauvignier / MICHELIN

Pétillant – Vin effervescent moins gazeux qu'un vin mousseux ; il a une teneur en gaz carbonique comprise entre 1 et 2,5 bars.

Phylloxéra – Apparut dans les années 1860, ce puceron dévasta la vigne européenne en attaquant les feuilles et les racines des ceps.

Polyphénol – Composé chimique base de la matière colorante du vin, qui comprend les tanins.

Primeur – Vin de la dernière récolte commercialisé dès le 3e jeudi de novembre. À boire jeune. Mention

doit être faite sur l'étiquette « vin de primeur » ou « vin nouveau ».

Robe – Couleur du vin.

Sommelier – Responsable dans un restaurant du choix et des achats des vins, de leur stockage. Il conseille la clientèle et assure le service du vin.

Surmaturation – Lorsque les baies sont surmûries, leur dessèchement provoque une concentration des sucres. Cela permet d'élaborer les vins doux naturels, les vins de paille, les vendanges tardives comme les vins liquoreux.

Tanin – Contenus dans la rafle (partie ligneuse de la grappe) et les pépins de raisin, les tanins sont des produits organiques, les polyphénols ; ils favorisent l'évolution des vins rouges, leur aptitude au vieillissement ; ils contribuent à donner des arômes au vin. Un vin riche en tanin peut donner une sensation d'astringence.

Terroir – Ensemble des facteurs naturels qui caractérisent un vignoble : sol, sous-sol, climat, exposition… et des facteurs humains qui le mettent en valeur.

Titre alcoométrique – Pourcentage d'alcool dans un volume de vin, mesuré à 20 °C. Mention obligatoire sur l'étiquette.

Tranquille – Vin ne contenant pas ou pratiquement pas de gaz carbonique. Par opposition à « effervescent ».

Trie – Lors de la récolte, on ne cueille que les grains de raisin parfaitement mûrs : on procède alors par tries (cueillettes) successives.

Vin – « Produit obtenu exclusivement par la fermentation alcoolique totale ou partielle de raisins frais, foulés ou non, ou de moût de raisin. » (Règlement du Conseil du 17 mai 1999 portant sur l'organisation commune du marché vitivinicole)

Vigneron – Ou viticulteur. Personne qui cultive la vigne et produit du vin.

SE DOCUMENTER

Les guides des vins

Guide Fleurus des vins.
Classement des meilleurs vins de France, Bettane et Desseauve.
Guide Hachette des vins.
La Cote des grands vins de France, Hachette.
Guide des vins bio, éd. du Rouergue.
Robert Parker, *Les Vins de Bordeaux*, Solar.

Les ouvrages de référence

Bruno Boidron, Alain Gariteai, *L'Alchimie des saisons : le vin*, éd. Féret.
Frédérique Crestin-Billet, *La Folie des étiquettes de vins*, Flammarion.
Jean-Pierre Deroudille, *Le Vin face à la mondialisation*, « Le monde en questions », Hachette.
Dictionnaire des vins de France, « Les livrets du vin », Hachette.
Michel Dovaz, *2 000 mots du vin*, Hachette.
Michel Dovaz, *Vins du siècle*, Assouline.
Philippe Faure-Brac, *Les Grands Vins du siècle*, EPA.
Benoît France, *Grand atlas des vignobles de France*, Solar.
Pierre Galet, *Dictionnaire encyclopédique des cépages*, Hachette.
Hugh Johnson, *Atlas mondial du vin*, Flammarion.
Hugh Johnson, *Une histoire mondiale du vin*, Hachette.
Marcel Lachiver, *Vins, vignes et vignerons. Histoire du vignoble français*, Fayard.
Dominique Lecout, *Guide des vins naturels*, éd. Jean-Paul Rocher.
Michel Montignac, *Boire du vin pour rester en bonne santé*, Flammarion.
Parker illustré des plus beaux vignobles de France et du monde, Solar.
Émile Peynaud, Jacques Blouin, *Connaissance et travail du vin*, Dunod.
Gilles Du Pontavice, *Créer sa cave et choisir son vin*, Ouest-France.
Guy Renvoisé, *Le monde du vin a-t-il perdu la raison ?*, éd. du Rouergue.
Anthony Rowley et Jean-Claude Ribaut, *Le Vin, une histoire de goût*, « Découvertes », Gallimard.
James Turnbull, *Les Plus Grands Vins de France*, Flammarion.

Les vignobles par région

Serge Dubs, Denis Ritzenhalter, *Les Grands Crus d'Alsace*, Serpenoise.
Charles Coks et Éditions Féret, *Bordeaux et ses vins*, éd. Féret.
Christian Pessey, *Vins de Bourgogne*, Flammarion.
Michel Mastrojanni, *Guide de l'amateur de champagne*, Solar.
Michel Dovaz, *Encyclopédie des vins de Corse*, De Fallois.
Jean-Paul Friol, Michel Bertaud, *Jura, les vins authentiques*, Bertaud.
Pascale et Laurent Marcillaud, *Grands Vins du Languedoc-Roussillon*, Climats.
François Millo, *Vins de Provence*, éd. Féret.
Hubrecht Duijker, *La Route des vins : Côtes du Rhône*, Flammarion.
James Turnbull, *La Vallée de la Loire - Grandeur nature*, EPA.

La dégustation

Jean-Claude Buffin, *Educvin, votre talent de la dégustation*, édité par la Revue des œnologues.
Pierre Casamayor, *L'École de la dégustation*, Hachette.
Max Léglise, *Une initiation à la dégustation des grands vins*, Divo Lausanne.
Émile Peynaud, Jacques Blouin, *Découvrir le goût du vin*, Dunod.

Mets et vins

Philippe Bourguignon, *L'Accord parfait*, éd. du Chêne.
Pierre-Yves Chupin, David Cobbold, *Vin cherche plats, Plat cherche vin*, Fleurus.
Philippe Faure-Brac, *Saveurs complices*, EPA.
Georges Lepré, Évelyne Malnic, *Le Vin en son palais*, Solar.
Alain Senderens, *Le Vin et la Table*, Flammarion.

Des revues

Bourgogne aujourd'hui, vins et art de vivre en Bourgogne.
La Revue du vin de France.
Terre de vins. Saveurs des terroirs du Sud.

Des nouvelles

K. Blixen, *Le Dîner de Babette*, Folio.
S. Ellin, *La Dernière Bouteille*, Le Masque.
K. Takeshi, *Romanée-Conti 1935*, Picquier Poche.

Des films

Mondovino, Jonathan Nossiter, 2004.
Sideways, Alexander Payne, 2004.
Le Festin de Babette, Gabriel Axel, 1987.

Librairies spécialisées

Athenaeum – *5 r. de l'Hôtel-Dieu - 21200 Beaune - ☏ 03 80 25 08 30.*

Librairie Gourmande – *4 r. Dante - 75005 Paris - ☏ 01 43 54 37 27 - www.librairie-gourmande.fr*

Mollat – *15 r. Vitale-Carles - 33000 Bordeaux - ☏ 05 56 56 40 40.*

FOIRES, SALONS ET MARCHÉS AUX VINS

Les manifestations sont classées par mois, puis par ordre alphabétique des lieux.

Février

Tain-l'Hermitage (vallée du Rhône) – Salon des vins (dernier w.-end de fév.) - 📞 04 75 08 06 81.

Mars

Blaye (Bordelais) – Marché aux vins (3e w.-end) - 📞 05 57 42 91 19 - www.aoc-blaye.com

Bourgueil, Saint-Nicolas-de-Bourgueil (vallée de la Loire) – Foire aux vins (3e sam. de mars) - 📞 02 47 97 92 20 - www.vinbourgueil.com

Loudun (vallée de la Loire) – Foire aux vins (3e w.-end de mars) - 📞 05 49 98 18 41.

Montlouis-sur-Loire (vallée de la Loire) – Salon des vins de La Bourdaisière (2e w.-end de mars) - 📞 02 47 45 00 16.

Nuits-Saint-Georges (Bourgogne) – Vente des vins des Hospices de Nuits-St-Georges (3e w.-end de mars) - 📞 03 80 62 67 00.

Vallet (vallée de la Loire) – Expo-Vall (mi-mars) : grande foire aux vins du vignoble - 📞 02 40 33 92 97.

Vouvray (vallée de la Loire) – Saveurs et vins de Vouvray (2e w.-end de mars) - 📞 02 47 52 71 07.

Pâques

Reuilly (vallée de la Loire) – Foire aux vins - www.vins-centre-loire.com

Les Riceys (Champagne) – Foire du Grand Jeudi (jeu. avant Pâques) : elle réunit, autour de la halle de Ricey-Haut, tout ce qui se rapporte au travail de la vigne et à sa culture.

Avril

Beaujolais – Fête des crus du beaujolais (dern. dim. d'avr.) - 📞 03 85 23 98 60.

Brignoles (Provence) – Foire-exposition des vins du Var et de Provence (3e sam. d'avr.) - 📞 04 94 69 10 88 - www.foiredebrignoles.fr

Chinon (vallée de la Loire) – Foire aux vins de Chinon (2e quinzaine d'avr.) - 📞 02 47 93 30 44.

Lalande-de-Pomerol (Bordelais) – Châteaux portes ouvertes (3e w.-end d'avr.) - 📞 05 57 25 21 60 - www.lalande-pomerol.com

Mâcon (Bourgogne) – Salon des vins (3e sem. d'avr.) - 📞 03 85 21 30 00 - www.leparcmacon.com

Onzain (vallée de la Loire) – Salon des vins d'Onzain (15 j. après Pâques) - 📞 02 54 70 25 47.

Mai

Beaujeu (Beaujolais) – Vente des Hospices de Beaujeu (2e w.-end de mai), au théâtre municipal : la plus ancienne vente de charité du monde date de 1797 - 📞 04 74 04 31 05 - www.hospices-de-beaujeu.com

Bourg-sur-Gironde (Bordelais) – Châteaux portes ouvertes en côtes de Bourg (2e w.-end de mai) - 📞 05 57 94 80 80 - www.cotes-de-bourg.com

Colmar (Alsace) – Foire du pain, du vin et du fromage écobiologiques (w.-end de l'Ascension) - 📞 03 89 47 67 54.

Guebwiller (Alsace) – Foire aux vins (jeu. de l'Ascension).

Saint-Émilion (Bordelais) – Châteaux portes ouvertes à St-Émilion (1er w.-end mai) - 📞 05 57 55 50 55 - www.vins-saint-emilion.com

Pentecôte

Cadillac (Bordelais) – Journées portes ouvertes en premières côtes de Bordeaux et Cadillac - 📞 05 57 98 19 20.

Mailly-Champagne (Champagne) – Foire aux vins et à la gastronomie - 📞 03 26 49 81 66.

Sancerre (vallée de la Loire) – Foire aux vins de Sancerre - 📞 02 48 54 11 35 - www.maison-des-sancerre.com

Juillet

Barr (Alsace) – Foire aux vins (autour du 14 juil.).

Luri (Corse) – Foire du vin (1er ou 2e w.-end) - 📞 04 95 35 06 44 - www.acunfraternita.com

Ribeauvillé (Alsace) – Foire aux vins (w.-end après le 14 juil.).

Sancerre (vallée de la Loire) – Musique aux caves (1er sam. juil.) - ℘ 02 48 79 08 12.

Sauveterre-de-Guyenne (Bordelais) – Fête de la vigne et de la gastronomie (dern. w.-end de juil.) - www.sauveterre-de-guyenne.com

Août

Colmar (Alsace) – Foire aux vins d'Alsace (1 sem. à partir du 2e vend. d'août) - ℘ 03 90 50 50 50.

Duravel (Sud-Ouest) – Foire aux vins et aux produits régionaux (14-15 août) - ℘ 05 64 24 65 50.

La Chartre-sur-le-Loir (vallée de la Loire) – Foire aux vins (aux alentours du 10 août).

Madiran (Sud-Ouest) – Fête du vin (14-15 août) - ℘ 05 62 31 90 67 - www.civso.com

Menetou-Salon (vallée de la Loire) – Caves ouvertes (w.-end précédant le 15 août) - www.vins-centre-loire.com

Obernai (Alsace) – Foire aux vins (w.-end du 15 août).

Pouilly-sur-Loire (vallée de la Loire) – Foire aux vins et aux produits du terroir (15 août) - ℘ 03 86 39 03 75.

Septembre

Bar-sur-Aube (Champagne) – Foire aux vins de Champagne (1er w.-end de sept.) - ℘ 03 25 27 14 75.

Belfort (Jura) – Foire aux vins de France et gastronomie (1er et 2e w.-end de sept.) - ℘ 03 84 55 90 90.

Langon (Bordelais) – Foire aux vins, fromages et pains (1er w.-end de sept.) - www.federation-langon.fr

La Sauve (Bordelais) – Portes ouvertes de La Sauve (1er w.-end de sept.) - www.lasauvemajeure.com

Octobre

Barr (Alsace) – Fête des vendanges (1er w.-end) - ℘ 03 88 08 66 55.

Cérons et Graves (Bordelais) – Journées portes ouvertes (3e w.-end d'oct.).

Fronsac (Bordelais) – Châteaux portes ouvertes en Fronsac (3e w.-end d'oct.).

Novembre

Clos de Vougeot, Beaune, Meursault (Bourgogne) – « Les Trois Glorieuses » (3e w.-end de nov.) : vente aux enchères des vins des Hospices de Beaune - ℘ 03 80 26 21 30 - www.hospices-de-beaune.tm.fr

S. Sauvignier / MICHELIN

Enchères à la bougie, lors des ventes des Hospices de Beaune.

Eauze (Sud-Ouest) – Foire des eaux-de-vie (3e vend. de nov.) - ℘ 05 62 08 11 00.

Loupiac (Bordelais) – Journées portes ouvertes (dernier w.-end de nov.) - ℘ 05 56 62 92 22 - www.vins-loupiac.com

Saint-Paul-Trois-Châteaux (vallée du Rhône) – Salon des vins du Tricastin (3e w.-end de nov.).

Décembre

Pessac-Léognan (Bordelais) – Week-end portes ouvertes (1er w.-end de déc.) - ℘ 05 56 78 47 72 - www.otmontesquieu.com

Saint-Bris-le-Vineux (Bourgogne) – Marché du réveillon aux Caves de Bailly - ℘ 03 86 53 77 77 - www.caves-bailly.com

FÊTES DU VIN

LES SAINT-VINCENT

Pour d'obscures raisons, la plus vraisemblable étant que l'on trouve « vin » et « sang » dans son nom, saint Vincent est le saint patron des vignerons. À l'origine, les sociétés de saint Vincent étaient des associations d'entraide vigneronnes, ancêtres des sociétés de secours mutuel. On fête saint Vincent dans de nombreuses régions viticoles, le 22 janvier ou le week-end le plus proche du 22 janvier. C'est la fête la plus emblématique du monde viticole. Procession de la statue du saint, cortège solennel, messe, dégustation de vins et repas entre vignerons, tout se fait dans le respect de la tradition des confréries bacchiques, apparues dès le 13e s.

M. Paygnard / MICHELIN

Procession lors de la fête de la Saint-Vincent à Champlitte (Haute-Saône).

En **Bourgogne**, la Saint-Vincent est « tournante », c'est-à-dire que le lieu de la fête (un village vigneron entre Dijon et Beaune) change chaque année. Sur le même principe, on fête saint Vincent en **Savoie**, sur la **côte chalonnaise**, dans l'**Auxerrois** et le **Chablisien**, dans la zone d'appellation **bourgueil**, dans le **vignoble nantais** et en **Champagne**. Les Saint-Vincent « fixes » se déroulent à **Arlay** et **Champlitte** (Jura), à **Villié-Morgon** et **Visan** (vallée du Rhône), à **Savignac-de-Duras** (Sud-Ouest), à **Puy-Notre-Dame** (vallée de la Loire), à **St-Amour** (Beaujolais), et à **Assignan** et **Villespassans** (St-Chinian/Languedoc).

AUTRES FÊTES

Janvier

Chitry (Bourgogne) – Fête des amis des vins de Chitry (w.-end avant la Saint-Vincent) - ☎ 03 86 41 41 28.

Moussoulens (Languedoc) – Ampélofolies du Cabardès (dim. le plus proche de la Saint-Vincent) : fête sous la triple alliance de la vigne, de la truffe et du foie gras ; marché aux truffes - ☎ 04 68 24 92 46.

Février

Carpentras (vallée du Rhône) – Fête de la truffe et du vin (1er dim. de fév.).

Un village vigneron (Jura) – Percée du vin jaune (1er w.-end de fév.) : elle célèbre la mise en perce du premier fût de vin jaune après six ans et trois mois de vieillissement. Le lieu change chaque année - www.jura-vins.com

Vaux-en-Beaujolais (Beaujolais) – Fête des Gosiers Secs (à la St-Vincent).

Mars

Limoux (Languedoc) – Nuit de la blanquette (dim. avant les Rameaux), qui clôt le carnaval - ☎ 04 68 31 11 82 - www.limoux.fr

Saint-Mont (Sud-Ouest) – Vignoble en fête (dernier w.-end de mars) - ☎ 05 62 69 62 87.

Tours (vallée de la Loire) – Fête des vins de Bourgueil à Tours, le 3e sam. de mars - ☎ 02 47 97 92 20 - www.vinbourgueil.com

Villefranche-sur-Saône (Beaujolais) – Concours des vins (vers le 20 mars) : dégustation publique des vins le sam. et le dim. - ☎ 04 74 02 22 20.

Avril

Médoc (Bordelais) – Printemps des Châteaux du Médoc (1er et 2e w.-end d'avr.) - ☎ 05 56 59 03 08 - www.pauillac-medoc.com

Saumur (vallée de la Loire) – Journées nationales du Livre et du Vin (avr.-mai) - ☎ 02 41 83 83 90 - www.bouvet-ladubay.fr

Tonnerre (Bourgogne) – Les Vinées tonnerroises (Pâques) - ☎ 03 86 55 14 48 - www.tonnerre.fr

Villeneuve-lès-Avignon (vallée du Rhône) – Fête de Saint-Marc (dernier w.-end d'avr.) : un cep de vigne enrubanné est promené dans la ville - ☎ 04 90 25 20 03.

Mai

Albas (Sud-Ouest) – « Le Bon air est dans les caves » (sam. après Ascension) : musique et bons vins dans les caves - ☎ 05 65 22 19 10.

Angers (vallée de la Loire) – Fête de la Fleur de Vigne (fin mai-déb. juin).

Un village vigneron (Beaujolais) – Fête des crus du Beaujolais, dans un village du Beaujolais tiré au sort (1er w.-end de mai).

Condrieu (vallée du Rhône) – Vins et rigottes en fête (1er mai) - ☎ 04 74 59 50 38.

Rablay-sur-Layon (vallée de la Loire) – Festival de Rablay-sur-Layon (w.-end de la Pentecôte) - www.rablaysurlayon.com

Les Riceys (Champagne) – Randonnée des cadoles (1er mai) : circuit de 20 km environ, avec repas en plein air - payant.

Rognes (Provence) – Fête des vins des coteaux d'Aix (fin mai).

Quinsac (Bordelais) – Fête du clairet (mi-mai).

Sauternes (Bordelais) – Rondes en Sauternais (jeu. de l'Ascension) : randonnées à pied ou à vélo - payant.

Tours (vallée de la Loire) – Vitiloire, Fête des vins de Loire et du Centre (3e w.-end de mai) - ☎ 02 47 21 61 95 - www.tours.fr

Juin

Bordeaux (Bordelais) – Fête du vin (4 jours fin juin-début juil.) : les années paires sont dévolues au roi Vin ; dégustations de crus, concerts - ☎ 05 56 00 66 00 - www.bordeaux-fete-le-vin.com

Boulbon (Provence) – Procession des fioles (1er juin) : après avoir entonné le cantique à Saint-Marcellin, on procède à la bénédiction du vin.

Igé (Bourgogne) – Balade gourmande (2e w.-end de juin) - ☎ 03 85 33 33 56 - www.domaine-fichet.com

Perpignan (Roussillon) – Fête des vins du Roussillon (dernier w.-end de juin).

Saint-Émilion (Bordelais) – Jurade (3e dim. de juin) : fête de printemps. Messe, intronisations et proclamation du jugement du vin nouveau - ☎ 05 57 55 50 51 - www.vins-saint-emilion.com

Juillet

Ay (Champagne) – Fêtes Henri IV (1er w.-end de juil., années paires) : viticulteurs et particuliers ouvrent leurs portes ; artisans d'art et métiers de bouche proposent des spécialités liées à la dégustation de vin ; feu d'artifice, spectacle son et lumière, défilé.

Arbois (Jura) – Les Petites fêtes de Dionysos (1er w.-end de juil.) - ☎ 03 84 66 55 50 - www.arbois.com

Bergerac (Sud-Ouest) – Les Tables de Roxane et de Cyrano (mi-juil., les années paires) : cette manifestation allie gastronomie et vins avec la programmation de concerts.

Cairanne (vallée du Rhône) – Fête du vin (4e dim. de juil.) - ☎ 04 90 30 86 53 - www.vignerons-cairanne.com

Dambach-la-Ville (Alsace) – Nuit du vin (1er sam. de juil.) - ☎ 03 88 92 41 31.

Faugères (Languedoc) – Fête vigneronne du Grand St-Jean (1er sem. de juil.) : défilé des confréries vineuses, vente aux enchères et présentation des vins dans le village - ☎ 04 67 23 47 42.

Frontignan (Languedoc) – Festival du muscat (autour du 15 juil.) - ☎ 04 67 18 50 04 - www.tourisme-frontignan.com

Hyères (Provence) – Les Vignades, dégustation et vente (3e sam. de juil.).

Ladoix-Serrigny (Bourgogne) – Balade gourmande (1er dim. de juil.) : promenade dans les vignes, repas champêtre et musique avec les vignerons - payant.

Mittelbergheim (Alsace) – Fête du vin (dernier w.-end de juil.) - ☎ 03 88 08 01 66.

Mont Brouilly (Beaujolais) – Pèlerinage des vignerons à la chapelle de Brouilly (1er sam. de juil.) - ☎ 04 74 66 82 19.

Pfaffenheim (Alsace) – Fête des vins (2e w.-end de juil.) - ☎ 03 89 49 60 22.

Le Puy-Notre-Dame (vallée de la Loire) – Fête du vin et du champignon (1er w.-end de juil.).

Saint-Bris-le-Vineux (Bourgogne) – Fête des peintres de vignes en caves (3e w.-end de juil.) - ☎ 03 86 53 31 79 - www.saint-bris.com

Saint-Chinian (Languedoc) – Fête du cru saint-Chinian (1er dim. suivant le 14 juil.).

Saint-Lambert-du-Lattay (vallée de la Loire) – Fête des vins et de l'andouillette (2e dim. de juil.) : dégustation d'andouillettes au vin blanc, course à pied à travers le vignoble - ☎ 02 41 78 49 07.

Wangen (Alsace) – Fête de la fontaine (1er w.-end de juil.) : le vin coule librement à la fontaine du village (11h-12h30).

Wettolsheim (Alsace) – Fête du vin (dernier w.-end de juil.).

Juillet-août

Cluny (Bourgogne) – Les Grandes Heures de Cluny : concerts de musique classique donnés au farinier des moines. L'après-concert se passe au cellier pour une dégustation.

Saumur (vallée de la Loire) – La Grande Tablée du saumur-champigny (fin juil.-déb. août) - ☎ 02 41 50 00 22.

Juillet-septembre

Villages du vignoble (Bourgogne) – Festival musical des grands crus de Bourgogne.

Août

Andlau (Alsace) – Fête du vin au pays du Brand (1er w.-end d'août).

Châteauneuf-du-Pape (vallée du Rhône) – Fête médiévale de la véraison (1er w.-end d'août).

Dambach-la-Ville (Alsace) – Eurovin (autour du 15 août) : dégustation de vins, restauration alsacienne, artisanat, groupes folkloriques - ☎ 03 88 92 42 57.

Duras (Sud-Ouest) – Fête des vins de Duras (2e w.-end d'août), dans la cour du château. Montgolfiades en pays de Duras - ☎ 05 93 94 13 48 - www.cotesdeduras.com

Eguisheim (Alsace) – Fête des vignerons (dernière sem. d'août) - ☎ 03 89 41 21 78.

Fréjus (Provence) – Fête du raisin (1er w.-end d'août) : célébration des premiers raisins de l'année ; dégustation de vins, messe du raisin, danses traditionnelles - ☎ 04 94 51 83 83.

Gaillac (Sud-Ouest) – Fête des vins (1er w.-end d'août) - ☎ 05 63 57 15 40.

Gueberschwihr (Alsace) – Fête du vin et de l'amitié (3e w.-end d'août) : portes ouvertes dans les caves.

Heiligenstein (Alsace) – Fête du klevener (w.-end du 15 août) - ☎ 03 88 08 26 54.

Madiran (Sud-Ouest) – Fête du vin de Madiran (14 et 15 août).

Marciac (Sud-Ouest) – Jazz in Marciac (1re quinzaine d'août) : pendant le festival, les vignerons organisent des animations ; vous pouvez baptiser un pied de vigne à votre nom dans un rang portant celui d'un jazzman célèbre.

Monein (Sud-Ouest) – Fête du vin de Jurançon (1er w.-end d'août) - ☎ 05 59 21 30 06.

Montigny-lès-Arsures (Jura) – Fête du trousseau (3e w.-end. d'août, tous les deux ans) : caves ouvertes, animations diverses et repas vigneron pour célébrer le cépage rouge local.

Nérac (Sud-Ouest) – Fête du vin de Buzet et de la gastronomie (2e w.-end d'août) - ☎ 05 53 65 23 24.

Notre-Dame-de-Bellecombe (Savoie) – Festival des vins de Savoie (3e ven. d'août) : découverte et initiation aux vins de Savoie, animations - ☎ 04 79 31 61 40.

Pauillac (Bordelais) – « Jazz and Wine » (3e vend. d'août) - ☎ 05 56 59 03 08 - www.pauillac-medoc.com

Pupillin (Jura) – Fête du poulsard (3e w.-end d'août, en alternance avec la Fête du trousseau).

Quincy (vallée de la Loire) – Journée de l'Océan (dernier w.-end d'août).

Saint-Lager (Beaujolais) – Fête des amis de Brouilly (dernier sam. d'août) : pique-nique géant sur les pentes du mont Brouilly et animations diverses.

Séguret (vallée du Rhône) – Festival provençal et fête vigneronne (dernier dim. d'août) - ☎ 04 90 46 91 08.

Turckheim (Alsace) – Fête du vin (1er w.-end d'août) - ☎ 03 89 27 38 44.

Septembre

Arbois (Jura) – Fête du Biou (1er w.-end de sept.) : procession du Biou,

L'innovation a de l'avenir quand elle est toujours plus propre, plus sûre et plus performante.

Le pneu vert MICHELIN Energy freine plus court et dure 25 % plus longtemps*. Il permet aussi 2 à 3 % d'économie de carburant et une réduction d'émission de CO_2.

* en moyenne par rapport aux pneus concurrents de la même catégorie

MICHELIN
Une meilleure façon d'avancer

grappe géante tressée de raisins de toute la commune - ☏ 03 84 66 55 50 - www.arbois.com

Arbois (Jura) – Vendanges à l'ancienne (2e dim. de sept.) : un cortège folklorique part du parvis de l'église et se rend au château Pecauld pour vendanger la petite vigne du musée des Vins.

Cassis (Provence) – Fête du vin de Cassis (1er dim. de sept.) : ban des vendanges.

Champvallon (Bourgogne) – Fête du pressurage (dernier dim. de sept. ou 1er dim. d'oct.) : mise en œuvre du pressoir antique et dégustation de vins et produits régionaux.

Cognac – Fête des vendanges (années impaires) - ☏ 05 45 82 48 14.

Médoc (Bordelais) – Marathon des Châteaux du Médoc et des Graves (au début du mois) - ☏ 05 56 59 01 91 - www.marathondumedoc.com

Pupillin (Jura) – Fête du Biou (3e dim. de sept.) : *voir Arbois ci-dessus*.

Ribeauvillé (Alsace) – Fête des ménétriers ou Pfifferdaj (1er dim. de sept.) : grand cortège historique, dégustation gratuite à la fontaine du vin.

Saint-Émilion (Bordelais) – Ban des vendanges (3e dim. de sept.) - ☏ 05 57 55 50 51 - www.vins-saint-emilion.com

Saint-Père (vallée de la Loire) – Foué Avaloue (2e w.-end de sept.).

Saumur (vallée de la Loire) – Les Foulées du saumur-champigny (2e dim. de sept.) - ☏ 02 41 52 97 41 - www.saumur-champigny.com

Scherwiller (Alsace) – Sentier gourmand (1er dim. de sept.) : promenade pédestre dans le vignoble, avec étapes-dégustation.

Tain-l'Hermitage (vallée du Rhône) – Fête des vendanges (2e ou 3e w.-end de sept.) - ☏ 04 75 07 78 96.

Vadans (Jura) – Fête du Biou (4e dim. de sept.) - ☏ 03 84 66 20 01. *Voir Arbois ci-dessus.*

Vinsobres (vallée du Rhône) – Ban des vendanges (1er w.-end de sept.).

Octobre

Banyuls-sur-Mer (Languedoc) – Fête des vendanges (3e w.-end d'oct.) - ☏ 04 68 88 31 58.

Barr (Alsace) – Fête des vendanges (1er w.-end d'oct.).

Beaujeu (Beaujolais) – Randonnée du vin nouveau (1er dim.) - ☏ 04 74 69 22 88.

Béziers (Languedoc) – Fête du vin nouveau (3e jeu. d'oct.) : danses des treilles et du chevalet, bénédiction du vin nouveau, etc. - ☏ 04 67 31 27 23.

Côte chalonnaise (Bourgogne) – Paulée de la côte chalonnaise (3e dim. d'oct.) - ☏ 03 85 45 22 99.

S. Sauvignier / MICHELIN

Épernay (Champagne) – Grand cochelet des vendanges (dernier jour des vendanges) : grand repas vigneron - ☏ 03 26 55 27 49.

Joigny (Bourgogne) – Fête des vendanges (3e dim. d'oct.) - ☏ 03 86 62 11 05.

Julié (Beaujolais) – Fête du vin nouveau (2e dim. d'oct.) - ☏ 04 74 69 22 88.

Marcillac (Bordelais) – Fête des vendanges à l'ancienne (2e w.-end d'oct.) - ☏ 05 57 32 41 03.

Marlenheim (Alsace) – Fête des vendanges (3e dim. d'oct.).

Molsheim (Alsace) – Fête du raisin (2e w.-end d'oct.) : animations musicales et folkloriques, portes ouvertes dans les caves viticoles - ☏ 03 88 49 58 37.

Montfort-en-Chalosse (Sud-Ouest) – Vendanges à l'ancienne au domaine de Carcher (1er sam. d'oct.) - ☏ 05 58 98 69 27.

Nuits-Saint-Georges (Bourgogne) – Fête du vin bourru (dernier w.-end d'oct.) - ☏ 03 80 62 11 17.

Obernai (Alsace) – Fête des vendanges (3e dim. d'oct.).

Odenas (Beaujolais) – Fête du paradis (1er w.-end d'oct.) :

dégustation de vin doux et animations en plein air - www. beaujolais.com

Saint-Jean-de-Cuculles (Languedoc) – Vente aux enchères des grands vins du Languedoc-Roussillon, randonnées dans le vignoble, animations et dégustations (3e w.-end d'oct.) - ℰ 04 67 06 23 35 - www. vin-encheres-france.com

Massif de Saint-Thierry (Champagne) – Vendanges à l'ancienne (3e w.-end d'oct., années impaires) - ℰ 03 26 03 12 62.

Sauternes (Bordelais) – Fête des vendanges (3e sam. d'oct.) - ℰ 05 56 76 69 13.

Novembre

Beaujeu (Beaujolais) – Les Sarmentelles : fête du beaujolais nouveau (3e sem. de nov.) - ℰ 04 74 69 55 44.

Belleville (Beaujolais) – Mise en perce du beaujolais nouveau, au caveau de la mairie (3e jeu. de nov. dans la soirée).

Chablis (Bourgogne) – Fête des vins de Chablis (dernier w.-end de nov.) - office de tourisme - ℰ 03 86 42 80 80.

Gaillac (Sud-Ouest) – Gaillac primeur (3e sem. de nov.) - ℰ 05 63 57 15 40.

Juliénas (Beaujolais) – Fête des vins (w.-end. après le 11 nov.) - ℰ 04 74 04 41 87.

Pommiers (Beaujolais) – Présentation du beaujolais nouveau (3e jeu. de nov.) : dégustation des vins de la commune à partir de 18h. Journée caves ouvertes le w.-end suivant.

Saint-Bris-le-Vineux (Bourgogne) – Fêtes des vins de l'Auxerrois (w.-end avant le 11 nov.) - ℰ 03 86 53 66 76 - payant.

Tarare (Beaujolais) – Fête du beaujolais nouveau (3e merc. de nov.).

Décembre

Bandol (Provence) – Fête du millésime (1er dim. de déc.) - ℰ 04 94 90 29 59.

Environs de Cognac – Les Bonnes Chauffes de décembre (2 derniers w.-ends de déc.) : visites chez les bouilleurs de cru - ℰ 05 45 35 92 98 - www. abc-cognac.com

Viella (Sud-Ouest) – Vendanges du pacherenc de la Saint-Sylvestre : cueillette à minuit des raisins passerillés - ℰ 05 62 69 62 87.

Grappe et feuille de vigne dans le vignoble bordelais du Médoc

S. Sampson / MICHELIN

COMPRENDRE
ET GOÛTER LE VIN

SOLS ET CLIMATS

On peut définir le terroir comme un ensemble de données d'ordre géographique, géologique, climatique et biologique. Un grand terroir, qui n'est rien sans le savoir-faire du vigneron, s'identifie avant tout à son sol et son sous-sol. Il est composé de coteaux bien exposés sur lesquels poussent des cépages adaptés. Le terroir est en quelque sorte la carte d'identité du vin : on parle de typicité.

S. Sauvignier / MICHELIN

Paysage de Champagne aux alentours de Cramant.

De l'importance du sol

Déjà dans l'Antiquité, Égyptiens et Romains indiquaient l'origine du vin sur les jarres ou les amphores. À leur tour, au Moyen Âge, les moines constataient que la qualité des vins variait suivant les parcelles. Aujourd'hui, géographes et géologues confirment qu'une bonne terre viticole se distingue par sa capacité à gérer le régime hydrique de la vigne. Et force est de constater que des sols très différents peuvent tous fournir des grands crus, et qu'un même cépage donne des vins distincts suivant les sols et les conditions de maturation. Ainsi, le chardonnay s'exprime différemment dans un corton-charlemagne, un chablis ou un arbois.

Faisons un tour rapide de la France géologique. En Alsace, les vignobles sont implantés sur une mosaïque de schistes, de grès rouges, de roches volcaniques, de granites et de gneiss. En Champagne, le terrain est crayeux ; en Bourgogne, il est argilo-calcaire. Dans les régions de Chinon et de Bourgueil, le calcaire est très épais. En Beaujolais, les vignes poussent sur des schistes et des granites. Dans la vallée du Rhône méridionale, elles sont plantées sur des schistes et des galets roulés, galets que l'on retrouve en Languedoc, notamment à Saint-Chinian et à Faugères. Dans le Bordelais, les vins de Médoc sont produits sur des graves, ceux de Saint-Émilion en partie sur du calcaire, tandis que le fameux vignoble de Petrus se trouve sur une boutonnière d'argile, qui a une excellente capacité de rétention hydrique.

À chaque cépage son terrain de prédilection

Un cépage s'épanouit et donne sa meilleure expression aromatique s'il est implanté sur un sol qui lui convient : le chardonnay sur calcaire et marnes, le cabernet-sauvignon sur graves, le merlot sur argiles, le pinot sur marnes et calcaires, le gamay et la syrah sur granites, le grenache sur schistes. La couleur et les caractères aromatiques des vins d'un même cépage et sous un même climat peuvent présenter des différences selon la nature du sol.

Les calcaires donnent des vins qui se distinguent par leur rondeur, leur moelleux ; l'argile produit des vins colorés, tanniques. Alors que la silice apporte légèreté et finesse, le fer fournit une intensité colorante. Les sols de graves, formés de cailloux, d'argile et d'alluvions, impriment aux vins un fruité riche, des tanins rugueux dans leur jeunesse, une palette aromatique large et complexe au vieillissement. La roche et la terre influent sur les arômes du raisin, de même que les plantations (chênes verts, mimosas, pins, cyprès…) et le climat (mistral, fœhn ou vent de l'Atlantique) de la région.

La couleur du sol joue aussi un rôle. Les sols foncés conviennent aux cépages produisant des vins rouges et absorbent bien les radiations solaires, comme les galets roulés, alors que les terres blanches correspondent davantage aux vins blancs. Deux exemples : dans la région de Sancerre, le sauvignon croît sur des terres blanches, des marnes calcaires, des argiles à silex ; dans les Corbières, le grenache se plaît sur des sols schisteux où il donne de magnifiques vins doux naturels.

De l'eau mais surtout pas trop !

La vigne est une plante méditerranéenne qui supporte bien la sécheresse, et qui n'aime pas « avoir les pieds dans l'eau ». On dit qu'elle doit souffrir pour fournir de bons résultats. Elle croît en absorbant par ses racines l'eau qu'elle relâche par ses feuilles, ce qu'en terme savant on appelle l'évapotranspiration.

Au printemps, la réserve en eau des nappes phréatiques varie suivant les années : plus elle est faible, meilleur sera le résultat. Car pour que la croissance de la plante cesse et que les baies absorbent les sucres, il est indispensable qu'il y ait un déficit hydrique. Au fur et à mesure de son vieillissement, la vigne développe ses racines en profondeur dans un sol bien drainé à la recherche d'eau et de substances nutritives, ce qui lui permet alors d'être peu sensible aux pluies abondantes ou à la sécheresse. En revanche, la jeune vigne, dont les racines sont encore à la surface, risque de pourrir en cas de fortes pluies et aura plus de mal à trouver de l'humidité en cas de grosse chaleur.

Des coteaux bien exposés

Les aléas climatiques sont la bête noire des viticulteurs : gel, grêle, orage, vent, pluie… La grêle déchiquette les feuilles, endommage les grappes de raisin. La gelée hivernale peut provoquer la mort des ceps. Un orage détruit des parcelles juste avant la récolte. Une année peu ensoleillée empêche la maturation des raisins. Une année froide rend les vins plus astringents.

Les cépages rouges demandent davantage de lumière solaire que les blancs : celle-ci favorise l'assimilation de la chlorophylle et la fabrication des tanins. Pour toutes ces raisons, les vignerons implantent les vignes à flanc de coteaux généralement orientés sud-est. S'il pleut abondamment, l'eau s'évacue naturellement par ruissellement le long des pentes. Des travaux de drainage permettent d'optimiser les conditions naturelles. Prenons l'exemple d'un bandol, le Château de Pibarnon : le vignoble implanté sur un sol de calcaire et un sous-sol de marnes bleues est situé sur une colline, dans un cirque à l'abri du mistral, orienté sud-est. Cette bonne exposition permet la maturation lente des raisins. Et le calcaire octroie à ce cru des tanins d'une grande finesse.

Il n'y a pas de secret : le terroir est l'aboutissement d'une recette ancestrale complexe qui unit un sol, un climat et le travail des vignerons année après année.

S. Sauvignier / MICHELIN

La nature du sol est déterminante pour faire un bon vin (ici, vignoble varois).

CÉPAGES ET APPELLATIONS

« – Qu'y a-t-il là-dedans, Babette ? Ce n'est pas du vin, j'espère ? – Du vin, Madame ? s'écria Babette. Oh ! Non ! C'est du clos-vougeot 1846. [...] Martine ne s'était jamais doutée que les vins puissent porter des noms. » (K. Blixen, « Le Dîner de Babette ».)

S. Sauvignier / MICHELIN

La science des cépages

L'**ampélographie** – du grec : *ampelos*, vigne, et *graphein*, écrire – est la science des cépages. Un cépage est tout simplement une variété de plant de vigne que l'on identifie en observant les sarments, les bourgeons, les rameaux, les formes des feuilles jeunes et adultes, des fleurs, des grappes, ainsi que les phénomènes végétatifs – tels l'éclosion des bourgeons (le **débourrement**) ou le rougissement automnal des feuilles. Notons que toutes les feuilles de vigne, qu'elles soient simples ou palmées, petites ou grandes, ont en commun d'avoir cinq nervures. La connaissance des vignes passe également par celle de leur aptitude face aux maladies (mildiou, oïdium, pourriture grise) et aux parasites (phylloxéra, vers de grappe, araignées rouges). La description des cépages remonte à l'époque romaine, lorsque Pline l'Ancien nota les observations de ses contemporains à ce sujet. Si Olivier de Serres cite quelques cépages dans son *Théâtre d'agriculture* en 1600, il faut attendre le milieu du 18e s. pour que soient publiées des descriptions précises de vignes par Linné. Dans les années 1780, des collections botaniques rassemblant les cépages connus sont créées à Béziers, Dijon et Pessac-Léognan. Au début du 19e s., de l'Espagne à la Russie, paraissent des traités d'ampélographie. Et c'est seulement depuis l'année 1951 que les observations

se font à l'aide de codes normalisés mis au point par l'Office international de la vigne et du vin.

L'encépagement a beaucoup évolué en France au cours de ces 25 dernières années. Prenons l'exemple du Languedoc, où les vignerons ont implanté à côté du grenache et du carignan, la syrah et le mourvèdre, qui leur ont permis d'améliorer la qualité de leurs vins. Des cépages sont en régression, comme le cinsault ou la folle blanche, tandis que d'autres progressent : le chardonnay, le sauvignon, le merlot ou la syrah.

Les cépages ne sont pas tous aptes à produire des vins de qualité : ils sont dits nobles, de valeur moyenne ou de mauvaise qualité. En matière vinicole, on ne retient que les premiers. Parmi ceux-ci, on distingue les cépages universels, qui s'adaptent sans difficulté et fournissent des produits caractéristiques : en rouge, ce sont le cabernet-sauvignon, le cabernet franc, le gamay, le merlot, la syrah ; en blanc, le chardonnay, le gewurztraminer, le muscat, le sauvignon, le riesling... Les cépages qui ne s'acclimatent qu'en de rares lieux, tels le chenin, le mourvèdre ou le pinot noir, sont également dits nobles.

Quels cépages pour quels terroirs ?

Les plants de vigne sont choisis par les œnologues et les vignerons, en fonction de la législation (décrets d'appellation de l'INAO), du climat, du terroir et de la qualité du vin recherché. Les cépages précoces sont implantés dans les régions les plus froides, tandis que les vignes plus tardives sont mieux adaptées aux régions chaudes.

Pour simplifier, divisons la France en quatre, soit en traçant une croix dont la ligne verticale relie le Pas-de-Calais aux Pyrénées-Orientales, et la ligne horizontale part du nord de la Charente-Maritime et va jusqu'à la Haute-Savoie. Dans le quart Nord-Ouest, qui comprend le vignoble du Val de Loire, les vins rouges sont élaborés avec du cabernet franc et du gamay, les vins blancs avec du muscadet, du pineau de la Loire et du sauvignon.

Dans le Sud-Ouest, les vins rouges sont issus de cabernet-sauvignon, de cabernet franc, de merlot et de malbec, tandis que les blancs proviennent du trio sauvignon, sémillon, muscadelle.

Le quart Nord-Est, qui s'étend de la Champagne à la Bourgogne en passant par l'Alsace, donne des vins rouges de monocépage : pinot noir ou gamay en rouge. Les vins blancs sont issus du chardonnay et de l'aligoté en Bourgogne, du riesling, du gewurztraminer, du pinot gris, du sylvaner, du muscat, du pinot blanc et du pinot noir en Alsace.

Enfin, les vins rouges du Sud-Est sont produits avec la syrah, le grenache, le mourvèdre, le cinsault et le carignan, les vins blancs avec la roussanne, la marsanne et l'ugni blanc.

Connaissiez-vous tous ces noms de cépages ? Le grand spécialiste en ampélographie, Pierre Galet, en a recensé quelque 9 600, soit près de 99 % de l'encépagement mondial ! Sachez que seulement une vingtaine de cépages représentent environ 87 % des surfaces cultivées en France.

Les cépages rouges

Cabernet franc

Bien implanté dans le Sud-Ouest, en Dordogne et dans le Bordelais (saint-émilion, pomerol), on le trouve aussi dans le Languedoc et dans le Val de Loire, notamment en AOC bourgueil, saint-nicolas-de-bourgueil et chinon. Il est souvent associé au cabernet-sauvignon, mais est plus précoce. Ce cépage aime les sols sablo-graveleux chauds. Sa petite grappe est composée de baies rondes, d'une couleur noir bleuté.

Une robe rouge cerise dans les vins jeunes qui prend des tons grenat avec les ans ; un nez très aromatique de petits fruits rouges (cerise, framboise), de réglisse ou de poivron ; parfois une petite acidité, mais toujours des tanins fins.

Cabernet-sauvignon

C'est le cépage du Médoc, mais il est aussi implanté dans le Languedoc et la vallée de la Loire. Tardif, il est remarquable sur des sols de graves, chauds et secs. Ses grappes sont formées de petits grains violet foncé. Les vins cabernet-sauvignon ont une bonne aptitude au vieillissement.

Une robe très colorée, rubis foncé à grenat profond ; un parfum caractéristique de poivron en cas de sous-maturité. Sinon, son bouquet mêle des arômes de cassis, des notes de cuir, de fumé. Ce cépage donne des vins de longue garde, très tanniques, qui gagnent en finesse avec le temps.

Gamay

Cultivé sur 36 000 ha, on le trouve à 99 % en Beaujolais. En Bourgogne, vinifié avec le pinot noir, il donne le bourgogne-passetoutgrain. On le trouve aussi dans les coteaux du Vendômois, dans la côte roannaise, en Savoie ainsi que dans le Sud-Ouest dans les appellations d'estaing, d'entraygues et du fel. Précoce, il apprécie surtout les sols granitiques. Sa grappe porte des baies d'un noir violet. Robe légère d'un rouge vif, brillant, avec des reflets violacés. Des arômes fruités très marqués au nez (petits fruits rouges). Un vin un peu acide, gouleyant, sans tanins.

Grenache

Il est implanté sur près de 100 000 ha en Provence, vallée du Rhône (gigondas, lirac), Languedoc et Roussillon (banyuls,

---

Monocépage ou assemblage ?

On appelle « vins de cépage » les vins issus d'un seul cépage. Parmi ceux-ci, on peut citer le muscadet, le beaujolais, le sancerre, le montlouis, le meursault… Les autres vins de qualité sont élaborés par assemblage de cépages : les bandols, les saint-chinian, les pomerols… Le châteauneuf-du-pape, quant à lui, peut être élaboré avec 13 cépages différents !

En règle générale, le nom du cépage ne figure pas sur l'étiquette, sauf en Alsace où les vins sont commercialisés sous le nom du cépage dont ils sont issus : sylvaner, riesling… Dans la région nantaise, le muscadet, et en Bourgogne, le bourgogne-aligoté, présentent également cette particularité.

S. Sauvignier / MICHELIN

Pinot noir.

rivesaltes, maury). Il est souvent assemblé à la syrah et au mourvèdre. Résistant à la sécheresse et au vent, il apprécie les sols schisteux escarpés, les terrains caillouteux chauds et secs. Sa grappe porte des baies noires serrées.

Une robe rouge intense dans les vins jeunes, tuilée voire acajou dans les vins vieux et les vins doux naturels. Un nez de fruits rouges mûrs et d'épices. En bouche, un vin charpenté, rond, riche en alcool, où l'on retrouve le côté fruité et épicé.

Merlot

Troisième cépage noir cultivé après le carignan et le grenache. Il est implanté surtout dans sa région d'origine : le Bordelais, et plus particulièrement à Saint-Émilion, dans le Médoc et à Pomerol (pétrus) ; on le trouve également en Languedoc-Roussillon. Précoce, vigoureux, il est implanté sur des sols argilo-calcaires. Sa grappe porte des raisins d'un bleu noir.

Une robe grenat, un nez marqué par la violette, les fruits rouges, les épices et parfois le pruneau, une bouche puissante et complexe qui est plus souple lorsque le merlot est assemblé au cabernet-sauvignon.

Mourvèdre

Ce cépage est présent en Provence (bandol), dans la vallée du Rhône et en Languedoc-Roussillon. Il donne de la structure aux vins de garde, capiteux, qu'il faut savoir attendre une dizaine d'années. Tardif, il porte sur sa grappe des petites baies noires serrées.

Très colorée, dense, la robe a des teintes pourpres ; le nez intense exprime des arômes de fruits noirs, de cassis et

de réglisse, le tout épicé ; en bouche, les tanins s'affinent avec les années, les fruits et les épices se manifestent et se prolongent par une belle finale.

Pinot noir

Cépage des vins rouges bourguignons, il donne aussi seul ou en assemblage des vins d'Alsace, le champagne, le rosé-des-riceys, et des appellations de la vallée de la Loire (menetou-salon, sancerre), du Jura et de Savoie. Précoce, sensible aux maladies, il se plaît surtout sur les sols calcaires et exprime une personnalité différente suivant les terroirs. Les raisins très serrés sont d'un noir bleuté.

Le pinot noir produit des vins parfumés de bonne garde à la robe peu colorée. Un nez de petits fruits rouges (framboise, cassis, cerise) qui peut être puissant. Une bouche fruitée, riche, où les tanins sont fondus, après quelques années de garde.

Syrah

Beau cépage de la vallée du Rhône septentrionale, la syrah y produit seule ou en assemblage les grands crus (côte-rôtie, hermitage, cornas) et investit le Languedoc-Roussillon (faugères, st-chinian). Tardive, elle se plaît sur les sols granitiques ; sa grappe porte des petites baies ovoïdes de couleur noir bleuté.

Une robe très colorée, voire sombre ; un nez très marqué de fruits rouges épicés, puis de violette où le poivre se manifeste ; riche en tanins, les vins de syrah sont puissants.

La couleur des cépages

Les cépages dont les grains de raisin ont la peau blanche donnent des vins blancs (ce sont les « blancs de blancs »), ceux à peau noire donnent sans macération des vins blancs (les « blancs de noirs »), avec macération des vins rouges ou rosés.

Les cépages blancs

Aligoté

Cépage bourguignon qui se distingue seul dans les appellations bourgogne-aligoté et bouzeron, et en assemblage, entre autres, dans l'élaboration du crémant de bourgogne. Il couvre quelque 1 700 ha en Bourgogne, Jura, Savoie, et dans le Diois. Précoce, il apprécie les terrains calcaires. Ses petites baies rondes sont de couleur blanc orangé mouchetées de brun.

Il donne des vins blancs secs, frais, légers, à boire jeunes. À l'apéritif, on le verse sur un trait de crème de cassis (kir).

Une robe or pâle ou paille claire à reflets verts ; un bouquet de fleurs d'acacia ou de chèvrefeuille et de pomme, avec des arômes minéraux. En bouche, fruité, rond, un peu sec.

Chardonnay

Dans sa région d'origine, la Bourgogne, il donne des vins de garde raffinés : corton-charlemagne, montrachet, meursault, chablis. En Champagne, il entre dans l'élaboration des blancs de blancs. Il est aussi implanté dans la vallée de la Loire, dans le Jura et en Savoie, sur les terroirs de Limoux. Ce cépage se plaît sur les terrains calcaires ou argilo-calcaires, aussi bien que sur les sols crayeux de la côte des Blancs. Il débourre tôt et craint les gelées de printemps. Ses petites grappes portent des baies jaune d'or ou ambrées.

Il donne des vins équilibrés qui vieillissent bien. Une robe brillante à reflets verts. Élégance, acidité, arômes intenses et complexes sont les qualificatifs qui lui correspondent le mieux. Au nez, des arômes de noisette ou d'amande, de tilleul et de pain grillé ou encore de beurre, auxquelles peuvent s'ajouter des notes miellées ou d'agrumes. Suivant le terroir, il a un caractère minéral (silex, pierre à fusil) comme à Sancerre, fruité à Meursault, ou de sous-bois sur la montagne de Corton.

Chasselas

Cépage blanc implanté dans les AOC crépy et pouilly-sur-loire, il est surtout connu comme raisin de table sous l'appellation « chasselas de Moissac ». En France, il est en régression, remplacé par le sauvignon, et occupe à peine 500 ha. Toutefois, il a une bonne place en Suisse, sous le nom de « fendant ». Précoce et fragile, il porte sur sa grappe des baies rondes vert clair, tachetées de roux.

Il donne un vin blanc sec, à la robe jaune très clair, quasi transparente, marquée de reflets verts ; il est à boire jeune. Légèrement perlant, suivant le terroir, il est floral ou minéral, fruité ou épicé.

Chenin

Connu aussi sous le nom de pineau de la Loire, il est souverain en Anjou. On le trouve dans les vignobles de Saumur, Vouvray et Montlouis. Il donne des grands vins blancs secs, moelleux, liquoreux ou effervescents ; ses réussites ont pour nom : coteaux-du-layon, quarts-de-chaume, bonnezeaux et savennières. Précoce, ce cépage de caractère aime les sols cailouteux de schistes. La pourriture noble se développe aisément sur ses baies très serrées de couleur jaune d'or. Dans les vins secs, il est rond, vif, et

gagne parfois à être attendu dix ans. Robe jaune pâle qui devient d'or avec les années ; très floral (acacia surtout) avec des notes de miel ou de coing, il est équilibré et délicat en bouche.

Dans les vins moelleux ou liquoreux, il produit des vins de longue garde, or à reflets verts, parfois ambrés. Fleurs (aubépine) et fruits blancs (poire) au nez dans les vins jeunes, remplacés avec le temps par les arômes de bois précieux. La bouche ample a une finale marquée par les fruits exotiques.

Gewurztraminer

Fameux cépage noble alsacien, le « traminer épicé » est également implanté en Moselle. Il produit des vins blancs secs ou liquoreux typés. Vigoureux et précoce, il offre le meilleur de lui-même sur des sols argileux. Ses grappes ont des petites baies rose vif de forme ovoïde.

Sa robe dorée prend des tons ambrés avec les années. Un nez intense et élégant, où l'on perçoit épice et litchi ; de la rondeur, du moelleux.

Marsanne

Cultivée dans la vallée du Rhône septentrionale, assemblée avec la roussanne, elle donne de très beaux vins : hermitage, crozes-hermitage, saint-joseph et saint-péray. On la trouve en Languedoc et en Provence, dans l'appellation cassis. Vigoureuse et tardive, elle demande cependant de l'attention car elle s'oxyde facilement. Ce cépage se plaît sur des limons calcaires et des cailloux ronds. Sa grappe est formée de grains de raisin rond, blanc doré.

Une robe pâle à reflets verts devenant dorée en vieillissant. Un nez d'aubépine marqué dans la jeunesse laisse apparaître

Chardonnay.

/MOËT & CHANDON

Les bouteilles de champagne : du nabuchodonosor au quart.

plus tard des épices, des notes miellées et de cire. En bouche, rondeur, vivacité, gras… et pour des bouteilles d'un certain âge, une longueur infinie.

Muscadet

Originaire de Bourgogne, le melon ou muscadet fut introduit dans le pays nantais au début du 18e s., où il est aujourd'hui réparti sur les aires d'appellation muscadet-de-sèvre-et-maine, muscadet-coteaux-de-la-loire, et muscadet-côtes-de-grand-lieu. L'influence atlantique et les sols schisteux lui impriment son caractère iodé. Précoce, il est sensible aux gelées et aux maladies. Les petites baies de sa grappe sont de couleur jaune doré.

Lorsqu'il est élevé sur lie, il a un côté perlant. Une robe très pâle, un nez iodé, minéral dans les vins jeunes, auquel s'ajoute un bouquet de fleurs blanches après quelques années de garde. Une bouche vive et légère.

Muscat blanc à petits grains

Il donne la clairette-de-die (vin effervescent), les muscats de Rivesaltes, Frontignan, de Saint-Jean-de-Minervois, Lunel, Mireval, Beaumes-de-Venise et du cap Corse (vins doux naturels). Précoce, il apprécie les sols cailloteux des terroirs chauds. Pour l'élaboration des vins doux naturels, ses rendements sont limités à 28 hl/ha. Formant une longue grappe, les baies rondes jaune ambré sont serrées.

Une robe or pâle ; un bouquet de roses, de citronnelle, des parfums d'agrumes et des notes mentholées.

Petit manseng

Le Béarn est son terroir de prédilection : il y assure la renommée des vins blancs moelleux de Jurançon. Il entre aussi en assemblage dans les appellations béarn, irouléguy et pacherenc-du-vic-bilh. Il a un rendement faible de 20 hl/ha sur des terrains de cailloux roulés. Vigoureux, précoce, il est sensible à l'oïdium et au mildiou. Sa grappe a des petits grains blancs à peau épaisse qui sont récoltés par tries successives ou par passerillage.

Ce cépage produit des vins riches et expressifs. Ils peuvent titrer de 12 à 16 % vol. Une robe d'or, un nez de miel et d'épices (cannelle), avec des fruits mûrs comme la pêche, et une bouche délicate.

Riesling

C'est LE cépage noble d'Alsace ; il occupe presque un quart du vignoble. Tardif, il aime les coteaux bien exposés et apprécie les arènes granitiques aussi bien que les sols gréseux. Sur ses courtes grappes cylindriques, les petites baies sphériques sont vert clair à jaune doré, avec des taches brun-roux.

Un riesling peut se conserver une dizaine d'années, voire plus. Une robe brillante, jaune pâle avec des reflets verts, dorée avec les ans ; au nez, fleurs blanches, pêche, citronnelle et notes minérales dominent ; en bouche, nerveux, minéral, acide, équilibré, il est très aromatique.

Sauvignon

D'origine bordelaise, il est présent seul ou en assemblage dans nombre de régions : le Bordelais (entre-deux-mers), le Sud-Ouest, la vallée de la Loire (sancerre), la Provence et le Languedoc. Vigoureux, il s'adapte aux marnes calcaires, aux argiles à silex comme aux calcaires durs. Sur sa petite grappe, ses baies ovoïdes sont jaune d'or.

Robe pâle à reflets verts. Marqué par le terroir, il présente en général des odeurs de buis et de cassis, des notes fumées, et peut avoir des accents de pierre à silex. Des arômes vifs en bouche plus ou moins charpentés selon la provenance.

Sémillon

Cépage bordelais, il donne en assemblage, toujours avec le sauvignon et la muscadelle, de grands vins liquoreux (sauternes, loupiac, monbazillac…) et des vins blancs secs (graves), moelleux ou mousseux. Vigoureux, appréciant les sols de graves ou argilo-calcaires, le sémillon est le deuxième cépage blanc le plus planté en France après l'ugni blanc (cognac et armagnac). Ses grappes portent des raisins sphériques blanc doré qui deviennent rosés à maturité.

En sec, une robe paille à reflets dorés, des arômes discrets de fruits secs et de miel. Vin gras, puissant, marqué en bouche par le miel.

Dans les liquoreux, une robe dorée, brillante, des arômes typiques de miel et d'agrumes, de la rondeur, de la puissance en bouche. Quelle opulence !

Sur l'étiquette

Par simple lecture de « l'étiquette de corps », on apprend la provenance, le type et les caractéristiques du vin. Six **mentions**, définies par la CEE et l'administration française, sont **obligatoires**. Tout d'abord le nom de l'appellation suivi, selon les cas, de la mention « appellation d'origine contrôlée » (AOC) ou « appellation d'origine vin délimité de qualité supérieure » (AOVDQS), ou la dénomination « vin de pays » ou « vin de table ». Ensuite le nom et l'adresse de l'embouteilleur, le degré alcoolique, le volume net, le pays d'origine et le numéro du lot.

En caractères distincts peuvent apparaître des **mentions facultatives**, telles que le nom de l'exploitation viticole, du château ou du cru, la marque commerciale, le millésime, l'encépagement, la couleur du vin, les médailles gagnées lors de concours. Sur la contre-étiquette, qui se trouve au dos de la bouteille, sont données des informations sur la température de service, le temps de garde, les mets qui feront un bon mariage avec le vin ainsi que des renseignements sur les cépages.

LECTURE D'UNE ÉTIQUETTE

Qualité du vin comme « grand cru »

Nom du château, du cru, du domaine

Appellation (obligatoire)

Mention Appellation Contrôlée avec la région d'origine (obligatoire)

Millésime

Nom et adresse de l'embouteilleur (obligatoire)

Degré d'alcool (obligatoire)

Lieu de mise en bouteille (obligatoire)

Volume net (obligatoire)

Mention exigée pour l'exportation

DES VINS DE LÉGENDE

Le vin relève de l'alchimie : du jus épais extrait des grappes poisseuses naît un nectar qui, si on lui laisse le temps de vieillir, offre au dégustateur un beau moment de plaisir. Mais en buvant un verre de petrus, de château-d'yquem ou de romanée-conti, le plaisir est décuplé à l'infini.

Le vignoble du prestigieux Château Margaux.

S. Sauvignier / MICHELIN

Romanée-conti

Un vignoble de seulement 1,8 ha ! Dans la côte de Nuits, sur la commune de Vosne-Romanée, on compte six grands crus, dont celui qui représente l'excellence : romanée-conti. Il appartient en totalité au « domaine de la romanée-conti », et à ce titre peut inscrire le mot « monopole » sur la collerette avec le millésime. Propriété des moines du monastère de Saint-Vivant, ce terroir était connu à la fin du Moyen Âge sous le nom de Cloux des Cinq-Journaux, puis sous le nom de « romanée ». En 1760, le prince de Conti, qui lui donne son nom, achète ce vignoble pour une fortune. Après la Révolution, plusieurs propriétaires se succèdent, agrandissant le domaine avec l'acquisition des échézeaux, de richebourg, la tâche et enfin la romanée-saint-vivant. Aujourd'hui, le domaine est la propriété d'Aubert de Vilaine et de la famille Leroy.

Le pinot noir produit sur ce terroir de limons calcaires un vin fabuleux que l'on place au niveau de l'excellence. Avec des rendements faibles (25 hl/ha) de vignes âgées de 40 ans, une culture biodynamique, des vendanges par tries successives, des cuvaisons longues et un élevage en fûts de chêne neufs, ce cépage donne 6 000 bouteilles par an d'un vin puissant, très coloré, marqué au nez par des notes florales et d'épices, et d'une superbe finesse en bouche.

Le vignoble ayant été entièrement arraché en 1946 et replanté en 1947, et la production ayant repris en 1952, il n'y a donc pas de millésimes 1946 à 1951. Les vins sont vendus par caisse de 12 bouteilles contenant 11 grands crus du domaine et… un seul flacon de romanée-conti !

Petrus

Petrus tient son nom du lieu. Contrairement au domaine de la Romanée-Conti, son histoire date d'hier… Mme Loubat, propriétaire de Petrus de 1925 à 1961, eut l'idée d'assurer la promotion de son vin en en offrant quelques bouteilles à Élisabeth d'Angleterre à l'occasion de son couronnement en 1953. Ce fut le succès ! En 1964, l'un des deux héritiers vend ses parts à Jean-Pierre Moueix (décédé en 2003), dont les successeurs détiennent maintenant la totalité de Petrus.

Situé au point le plus haut de l'appellation pomerol, ce petit domaine de 11,5 ha a une production relativement faible, ce qui rend ce vin relativement rare… et cher ! La qualité exceptionnelle de petrus est due au mariage d'un cépage, le merlot, d'un terroir, une boutonnière d'argile, d'une bonne exposition, et du travail des vignerons dont bénéficient les vignes âgées d'une quarantaine d'années.

Après des vendanges effectuées l'après-midi, une cuvaison courte, dirigée par Jean-Claude Berrouet, l'élevage est pratiqué pendant vingt et un mois dans des barriques neuves. Ensuite, il faut savoir l'attendre de longues années avant de le boire. Petrus se distingue par sa robe très sombre, son caractère minéral aux parfums de truffe et de fruits noirs, et en bouche sa finesse, sa rondeur, son volume… Un moment magique !

Château d'Yquem

En 1993, quatre cents ans de continuité familiale étaient célébrés au Château d'Yquem. En 2001, le groupe LVMH se porte acquéreur des deux-tiers du capital de la société. Juin 2004, le comte Alexandre de Lur-Saluces, dernier descendant de la Dame d'Yquem, prend sa retraite, tout en demeurant président d'honneur.

Le château apparaît entouré de vignes au sommet d'une colline du Sauternais : une centaine d'hectares sont plantés à 80 % de cépage sémillon et à 20 % de sauvignon. Un sol de graves, un sous-sol d'argile, un système de drainage sophistiqué, la présence du Ciron aux eaux fraîches qui se jette dans la Garonne plus chaude, et des brouillards matinaux à l'automne qui favorisent le *Botrytis cinerea* : tous ces éléments donnent des vins liquoreux, de très longue garde (cinquante ans, voire le siècle dans les grandes millésimes). Les raisins sont ici ramassés grain par grain lors de trois ou quatre tries successives. Le vin vieillit trois ans en fût de chêne neuf, et seules les meilleures pièces sont retenues lors de la mise en bouteille. C'est donc un vin extrêmement rare ; on dit à propos du château-d'yquem qu'un cep de vigne donne un verre de vin… Une robe d'or, des arômes

Un grand vin se déguste avec art.

S. Sauvignier / MICHELIN

De dynamiques propriétaires

Les vignobles changent de main, passant parfois à celle… d'industriels. Soucieux de qualité, de respect de l'environnement et de la promotion de leurs produits, ces vignerons d'un nouveau genre, des hommes passionnés, font revivre des domaines viticoles qui étaient en perte de vitesse. Ainsi, le domaine du mas Amiel, situé au pied de la chaîne des Corbières, a été acheté en 1999 par Oliver Decelle, alors président de Picard Surgelés. Même type de démarche avec Chantal et Gérard Perse, anciens propriétaires d'hypermarchés, qui ont fait l'acquisition dans les années 1990 de crus prestigieux à Saint-Émilion : Monbousquet, Château Pavie et Pavie-Decesse. Autre exemple, dans la région de Cahors, Alain-Dominique Perrin, président de Cartier, a acquis le domaine de Lagrézette. Enfin, le Château Smith-Haut-Lafitte est aujourd'hui aux mains de Daniel et Florence Cathiard, anciens champions de ski et propriétaires de la chaîne des magasins Go Sport. Une réussite complétée par l'ouverture des Sources de Caudalie, un luxueux spa de vinothérapie.

d'abricot, de pêche, des notes de miel et d'amande grillée sont typiques de ce nectar. Richesse, onctuosité, ampleur… une longueur en bouche incomparable, qui n'en finit pas de se déployer.

Le prix des choses

Dans les ventes publiques, ces vins de légende tiennent la vedette. En 2004, une bouteille de romanée-conti 1985 valait 4 350 euros, un petrus 1990 1 900 euros, et une bouteille de château-d'yquem 1987 230 euros… Chacune de leurs apparitions échauffe les esprits. Cependant, pour préserver la notoriété de leurs produits, les propriétaires de grands vignobles sont obligés de créer des étiquettes antifraude. Au Château d'Yquem, elles comportent des filigranes. L'étiquette de petrus est de couleur ocre-jaune, au dessin où l'on distingue l'image de saint Pierre tenant les clefs du paradis, le millésime et l'appellation « petrus-pomerol ». Elle comporte un hologramme. S'il est inscrit « Château Petrus », ce n'est pas du petrus, il s'agit d'un faux. Et il y en a ! Enfin, toujours à propos de petrus, le millésime 1991 n'existe pas, car la récolte ne fut pas bonne. Il n'y a pas non plus de château-d'yquem 1964, 1972 et 1974.

UNE BRÈVE HISTOIRE DU VIN

L'origine de la vigne se perd dans la nuit des temps ! Celle de la viticulture remonterait à 5 000 ans av. J.-C. et serait, selon la Bible, due à Noé, qui, après le Déluge, entreprit de cultiver la terre et de planter la vigne. Puis il but du vin et s'enivra…

Mosaïque de l'Enfant à la grappe (Arles, musée d'Arles et de la Provence antique).

Au commencement

Premières images des vendanges

Au 2ᵉ millénaire av. J.-C., la vigne est cultivée dans tous les jardins d'**Égypte**. On en apprécie alors le fruit noir mais aussi le vin rouge qu'elle donne, boisson de fêtes dont les crus réputés proviennent de l'Ouest du Delta, de Memphis et du Fayoum. Grâce aux peintures profanes des tombeaux, on sait comment sont conduites les vendanges. Sont figurés la cueillette des grappes, le foulage du raisin dans de grandes cuves et les hommes qui se tiennent à une poutre pour ne pas glisser, la fermentation dans les jarres… et la dégustation pendant les festins.

Dans l'Égypte ancienne, le vin vieillit dans des jarres fermées par un bouchon de paille et une capsule d'argile. Les poteries sont identifiées sur le col par les inscriptions du scribe qui note le contenu, l'origine, la quantité, l'année, le nom du vinificateur et du propriétaire. Comme sur une étiquette actuelle… On sait aussi si le vin est bon, deux fois bon ou huit fois bon, pour ne pas dire excellent !

« Du vin rouge, doux comme le miel »

Les Égyptiens transmettent aux **Grecs** l'art de la viticulture et de la fermentation. La création de comptoirs commerciaux sur tout le pourtour de la Méditerranée – de l'Asie Mineure à la Gaule, en passant par l'Italie du Sud et la Sicile – favorise les échanges. Les crus les plus réputés viennent de Chio, de Thrace, de Samos, ainsi que de Capoue et de Falerne en Grande Grèce. Ils sont transportés, comme en témoignent les fouilles sous-marines, par voie maritime dans des amphores, qui ressemblent aux jarres égyptiennes, mais qui comportent en plus deux anses et ont une base arrondie. Les vins élaborés à partir de grains de raisin mûrs séchés sur de la paille fermentent dans des *pithoi*, grandes jarres enfouies dans le sol. Ils sont

Sous l'égide de Bacchus !

Au mas des Tourelles à Beaucaire, avec l'aide de spécialistes du CNRS, Diane et Hervé Durant produisent du vin « romain ». S'inspirant de Pline l'Ancien, de Caton et de Columelle, ils ont reconstitué une cave gallo-romaine et vinifient du *turriculæ* (vin de voile), du *mulsum* (vin miellé) et du *carenum* (vin liquoreux). Les grappes sont foulées au pied, écrasées dans un pressoir copie de l'antique, puis mises à fermenter dans les *dolia*, grandes cuves de terre cuite. Comme il y a 2 000 ans, ils parfument et stabilisent le vin avec des plantes, des aromates, des épices, de l'eau de mer et du miel.

servis lors de banquets, coupés d'eau de mer, parfumés avec des herbes, du miel et des épices.

« Tant il dort d'argent dans les caves »

Vers 200 av. J.-C., les **Romains** commencent à s'intéresser à la viticulture et au vin. Ils parlent même de « grand cru » à propos du vin de Falerne, qui prenait en vieillissant une couleur ambrée.

Grâce aux écrits de Pline l'Ancien, de Caton, de Columelle et de Galien, nous avons des informations variées : sur les cépages, les sols de coteaux préférables aux terrains plats, le pressoir à vis, l'annonce du début des vendanges au son de la trompe, le collage au blanc d'œuf, la fermentation et le vieillissement du vin dans les *dolia* et les amphores, puis l'apparition du tonneau, et le goût des Romains pour les vins sucrés. Au sujet de la constitution d'apothèques (caves), où le vin se bonifie avec les années, Pline raconte qu'un certain Hortensius laissa à sa mort pas moins de 10 000 amphores de vin…

On sait aussi qu'il était interdit de boire ou de vendre le vin nouveau avant les vinalies en avril, et que Pompéi, où l'on a dénombré pas moins de 200 tavernes, était une grande place de négoce du vin. C'est de là que partaient les amphores qui étaient livrées entre autres à Narbonne, Toulouse et Bordeaux.

Un bon petit vin gaulois

Vers l'an 600 av. J.-C., les Grecs, qui ont établi une colonie à Marseille (Massalia), auraient enseigné aux **Gaulois** l'art de fabriquer le vin. Mais il faut attendre le 1er s. pour que la Gaule passe du statut d'importateur de vin d'Italie, à celui de grand exportateur de vin de l'Empire. En effet, à l'époque de la Pax romana, la Narbonnaise (le Languedoc), Bordeaux et la vallée du Rhône deviennent des régions viticoles de renom. Si, en 82, l'empereur Domitien interdit la création de nouveaux vignobles en Italie et ordonne l'arrachage de la moitié des vignes des provinces outre-monts, pour des raisons qui suscitent des controverses chez les historiens, il faut attendre l'an 280 pour que l'empereur Probus autorise de nouveau la culture de la vigne. Malgré cela, le vignoble avait prospéré et s'était étendu le long de la vallée du Rhône jusqu'en Bourgogne et même en Moselle.

Les fouilles ont fourni un grand nombre de scènes de vendanges que ce soit sur des poteries, des sarcophages ou des mosaïques, mais aussi des serpettes, des amphores, des tonneaux (inventés par les Gaulois !), que l'on peut voir notamment dans les musées archéologiques de Lyon, St-Romain-en-Gal, Narbonne, Istres, Nîmes ou du Cap-d'Agde. Quant au musée des Docks à Marseille, il abrite un superbe entrepôt de *dolia*. Parmi les grands domaines viticoles qui ont été fouillés, il faut citer ceux du Molard à Donzère dans la Drôme, de la villa de Sauvian près de Béziers, ou le mas des Tourelles dans la région de Beaucaire.

De l'an 1000 à l'époque moderne

La chute de l'Empire romain fait reculer le vignoble, cependant la viticulture est maintenue dans les monastères : le vin est un élément indispensable à la messe, mais aussi dans la vie quotidienne des bénédictins qui boivent du vin au cours des repas. La paix revenue après les invasions des Normands, la France se couvre de villes, d'églises et de vignes. L'Église a joué un rôle important dans la propagation du vignoble et l'amélioration des techniques de vinification. À la suite des moines noirs, dès le 12e s., les cisterciens (les moines blancs) sont les créateurs de vignobles réputés à Beaune, Pommard, Vosne, Volnay et au Clos de Vougeot. Ils entreprennent des essais de taille, prélèvent des boutures, les greffent. Ils sont les inventeurs des « climats », ces parcelles de vigne dont le sol, la situation et l'exposition confèrent au vin une typicité ; ils observent aussi les couleurs et les arômes des vins en fonction des parcelles.

Au Moyen Âge, le vin figure à la table du riche comme à celle du pauvre. On le trouve partout, à l'église comme à la synagogue, dans la boutique de l'apothicaire comme au chevet du malade. L'expansion des échanges fait du vin un enjeu économique important. Grâce aux progrès effectués dans les moyens de transport, le vin est expédié à de plus grandes distances. Dès le 10e s., La Rochelle, qui exporte sel et vin vers l'Angleterre et la Hollande, acquiert une grande renommée. Au début du 13e s., Bordeaux obtient de Jean sans Terre l'exemption des taxes sur les produits exportés : c'est le début de la faveur des Anglais pour les vins du Bordelais. Faveur qui dure toujours !

La fin du Moyen Âge et la Renaissance connurent une modification des structures agraires qui fit passer les vignes aux mains de propriétaires urbains, nobles et bourgeois. La demande en vin ordinaire suivit la croissance des villes, où l'eau n'était pas toujours potable. Et aux

Vin et religion

Attribut d'Osiris chez les Égyptiens, de Dionysos chez les Grecs, et de Bacchus chez les Romains, la vigne a une importante dimension religieuse, liée à la fertilité, donc à la renaissance et aux propriétés aphrodisiaques du vin. Au 1er s., le rôle symbolique de la vigne est repris par le christianisme : Jésus transforme l'eau en vin aux noces de Cana, et présente une coupe au moment de la Cène.

alentours des cités apparurent guinguettes et cabarets fréquentés par les gens du peuple.

Durant le terrible hiver 1709, le mercure descendit si bas dans les thermomètres que tous les vignobles gelèrent. Au 18e s., les découvertes agronomiques et œnologiques constituent les bases de la viticulture contemporaine : elles passent par la sélection des cépages, la connaissance des sols, la mise au point de la vinification du champagne... D'importantes maisons de négoce sont ouvertes par des Irlandais et des Anglais aux portes de Bordeaux ; ils exportent les vins rouges vers la Grande-Bretagne et les vins blancs vers les Pays-Bas. Après la Révolution, les ventes comme biens nationaux des domaines viticoles nobles et ecclésiastiques donnent aux vignobles leur physionomie actuelle. Les qualités des vins produits évoluent alors vers celles des vins modernes.

Un monde en mutation

Au 19e s., nombre d'ouvrages sont publiés traitant de l'art de cultiver les cépages. La révolution industrielle favorise la constitution de vignes dans les régions du Languedoc, du Bordelais et en Algérie, qui produisent d'énormes quantités de vin de qualité médiocre et à bas prix. L'arrivée du chemin de fer facilite le transport des tonneaux.

La première maladie, venue d'Amérique, qui attaque la vigne, l'oïdium, apparaît en 1851 dans le Bordelais ; elle est suivie de deux fléaux qui vont ravager la quasi-totalité du vignoble français jusque dans les années 1900 : le phylloxéra et le mildiou. Grâce aux recherches de Pasteur, de Planchon et de Gayon, sont expliqués les principes de la fermentation et importés des porte-greffes qui vont permettre de renouveler les plants de vigne.

Le 20e s. est celui de la législation : l'État publie des décrets contre les fraudes, puis des lois réglementant les planta-

tions des vignes afin d'améliorer la qualité de la production, tout en la limitant. Les aires d'appellation contrôlées sont définies dès 1935.

Les techniques viti-vinicoles accomplissent d'incroyables changements, avec la mécanisation de la culture, l'installation de câbles chauffants dans les vignes, la maîtrise de la sélection clonale qui succède à la sélection massale (mais dont on ne mesure par encore les conséquences), l'emploi des engrais chimiques (sur lesquels les artisans du « bio » sont largement revenus), et la maîtrise des processus biochimiques (levurage industriel aromatique, clarification, etc.).

C'est aussi un siècle de crises et de remises en question : la part des dépenses domestiques en boissons alcoolisées s'est réduite de 12,4 % à 9,6 % de 1960 à 2002. La consommation des boissons alcoolisées a diminué de plus d'un tiers durant la même période. Naturellement, la situation du secteur viticole s'en ressent : la mévente entraîne un gonflement des stocks et une baisse des cours. Certes, c'est au profit des vins fins et au détriment des vins de table.

Depuis les années 1960, le vignoble mondial a extraordinairement grandi : la vigne couvre désormais près de 8 millions d'ha ; la France ne peut ignorer l'expansion des vignobles des « pays neufs » : Australie, Nouvelle-Zélande, Afrique du Sud, Chili, Californie... qui ne produisent pas que des vins sans intérêt. Mais il semble que le manque de qualité constante de leurs vins attire des critiques. La crise de mévente en France est aussi due à cette concurrence internationale.

Cependant, la France garde encore la place de premier producteur mondial de vin juste devant l'Italie. Avec un chiffre d'affaires de 9 milliards d'euros, le vin est la deuxième production agricole française et constitue le premier poste des exportations agroalimentaires de notre pays.

Au printemps 2004, le président de l'INAO, René Renou, avait proposé une réforme des AOC pour répondre aux difficultés que rencontre le marché du vin. Cette réforme créerait une Appellation d'origine contrôlée d'excellence (AOCE) réservée « aux vins de luxe, de rêve », tandis que l'AOC serait attribuée à des « vins faciles à consommer, abordables en termes de prix » avec mention du cépage ; cette mesure impliquerait la révision de tous les décrets d'appellations et la mise en place d'un dispositif rigoureux de contrôles.

LES MÉTIERS DU VIN

Du cep de vigne au verre de vin, chaque étape de la viticulture, de la production à la consommation, correspond à autant de métiers exercés par des hommes amoureux de leurs produits.

Dans le vignoble de Vézelay.

S. Sauvignier / MICHELIN

Les hommes

Les viticulteurs et les vignerons

Du viticulteur, qui cultive la vigne, au vigneron, qui transforme le jus de raisin en vin, la ligne de démarcation est faible. Aujourd'hui, le vigneron maîtrise toute la chaîne : il cultive la vigne, effectue la vinification du raisin et commercialise le vin. Il doit avoir des connaissances du sol et de climatologie. Il est chef d'exploitation, gérant ou propriétaire. De nos jours, pour être viticulteur, il est nécessaire de passer par la filière bac pro de conduite et gestion d'exploitation agricole, spécialité vigne et vin, et mieux encore de suivre un BTSA de viticulture-œnologie.

Femme de viticulteur, Nadia Bourgne s'implique à fond dans le projet de son mari Cyril : pour cela elle a suivi deux formations qui lui ont permis d'acquérir des compétences en matière de commercialisation et d'élaboration du vin. Depuis l'acquisition du domaine La Madura à Saint-Chinian en 1998, elle suit la comptabilité, les expéditions, les dégustations, les relations avec les agents et les restaurateurs… et participe aux vendanges. Si cela demande du courage et de l'énergie, la réussite de cet immense travail de restructuration de leur vignoble donne des vins d'assemblage très expressifs et équilibrés. Ultime satisfaction : Nadia Bourgne apprécie par-dessus tout le caractère convivial du vin !

L'œnologue

Le titre d'œnologue – reconnu par la loi française depuis le 19 mars 1955 – est décerné à une personne qui « possède la science du vin », de la fabrication à la conservation. C'est un métier récent auquel on parvient après quatre années d'études supérieures dans les universités de Dijon, Montpellier, Reims, Bordeaux ou Toulouse. Le diplômé (ingénieur) en œnologie est considéré comme un expert qualifié, reconnu pour ses connaissances scientifiques et techniques. Parmi toutes ses activités, il conseille le viticulteur dans le choix des cépages et la culture des vignes, participe à la vinification du vin, procède à des analyses (physiques, chimiques et bactériologiques) des raisins et des moûts et en interprète les résultats, et déguste les vins pour contrôler la fabrication. Enfin, il commercialise les produits, répond aux demandes des courtiers et indique aux sommeliers tous les renseignements sur les vins.

Le sommelier

Homme de contact, le sommelier est le responsable des vins dans un restaurant gastronomique, un bar à vins, une épicerie fine… ; il sélectionne les crus, gère les achats, réceptionne les bouteilles, surveille la cave (température, hygrométrie, stocks…) ; dans un restaurant, il élabore le livre de cave et travaille avec le chef afin de choisir les meilleurs accords mets/vins pour un bon rapport qualité-prix. Il doit savoir être à l'écoute des envies du client. Il sert le vin à la bonne température de consommation – tout au long du repas – dans les verres adéquats. Sa connaissance des crus et des millésimes, des cépages, son nez, son palais, sa disponibilité, comptent beaucoup.

À l'origine, le sommelier – ou échanson – était la personne qui, dans une maison, avait la charge de la vaisselle, du linge, du pain et du vin… De nos jours, pour devenir sommelier, il faut suivre une formation qualifiante en lycée hôtelier. Et depuis l'an 2000 est décerné le titre de Meilleur Ouvrier de France, bien que d'autres concours existaient déjà (Meilleur Sommelier de France, d'Europe, du monde, etc.). Quelques-uns sont assez connus, ils travaillent généralement dans de grands restaurants et ont pour nom : Philippe Faure-Brac, Olivier Poussier, Éric Baumard, David Biraud, Arnaud Chambost, Enrico Bernardo. Signalons que c'est une profession qui se féminise.

Dans les caves du restaurant gastronomique de La Tour d'Argent à Paris, l'échanson est aujourd'hui un Anglais, David Ridgway. Il décrit son métier passionnant comme sans limites : il faut se tenir au courant de la législation, mettre à jour la carte des vins, établir une politique d'achat de vins de garde, découvrir de nouveaux crus en se rendant tous les lundis dans les vignobles, etc. D'ailleurs, « on n'a jamais fait aussi bon qu'en ce moment ! ». Cet homme modeste, très cultivé, fin psychologue, gère également les budgets, forme les apprentis et conseille les clients qui sont, malheureusement, parfois des « buveurs d'étiquettes »… Arrivé à Paris en 1981, David Ridgway est, depuis 1986, le gardien d'un trésor fabuleux, soit quelque 500 000 bouteilles, dont les plus anciennes remontent au milieu du 19e s.

Le négociant

Au Moyen Âge, être négociant à Bordeaux est gage de privilèges, tels qu'échapper peu ou prou aux taxes douanières, battre monnaie et s'assembler en corporation professionnelle. Le métier évolue et les négociants apparaissent, dès le 17e s., au sommet de la hiérarchie du commerce ; ils se distinguent des marchands par leur qualité à traiter de grosses affaires à l'étranger. De nos jours, lorsqu'il est installé dans les régions vinicoles, il expédie le vin des producteurs indépendants auxquels il achète le vin en vrac. Il lui arrive de garder les stocks qu'il met en bouteille au moment qu'il juge opportun. Certains mêmes effectuent des assemblages.

Autour du vin

Le tonneau

L'invention celte du tonneau de bois détrôna l'usage des poteries de terre cuite dès le 3e s. Ce fût présentait deux avantages : il était plus léger et plus robuste que l'amphore fragile et peu maniable. Étonnamment, la fabrication du tonneau n'a pratiquement pas changé depuis deux mille ans, même si aujourd'hui la tonnellerie mêle industrie de pointe et artisanat traditionnel. La profession s'est distinguée en 2004 : cinq employés de la tonnellerie Rousseau, située dans la côte de Nuits, ont reçu le titre de Meilleur Ouvrier de France ! Il faut souligner que, de 1995 à 2000, la tonnellerie a connu une croissance extraordinaire de 250 %. Car œnologues et vignerons remettent à l'honneur les qualités du fût par rapport aux cuves Inox pour un bon vieillissement du vin.

Depuis longtemps, les tonneliers se fournissent dans les forêts de chênes sessiles du Centre : Tronçais, Loche, Jupille… Les fûts sont montés avec des planches (les douelles) à grain fin, c'est-à-dire d'arbres dont la croissance annuelle est inférieure à 2 mm. Autre argument en faveur du chêne sessile, son caractère aromatique et tannique est plus marqué que dans le chêne pédonculé d'Aquitaine. En revanche, il semblerait que ce dernier correspondrait mieux aux vins rouges du Sud-Ouest, corsés et charpentés, et éviterait que les fûts ne donnent un caractère trop « boisé » aux vins.

La plupart des tonnelleries tiennent à maîtriser toutes les étapes de la fabrication, dès l'abattage des arbres, afin d'avoir une traçabilité du bois. Les douelles sont fendues, façonnées, puis séchées, avant d'être usinées. Elles sont ensuite montées pour former le fût et subissent une première chauffe pendant laquelle le tonnelier assure le cintrage. Une seconde chauffe sert à torréfier plus ou moins le bois en fonction de l'élevage du vin, blanc ou rouge. Enfin, les fonds sont montés, le trou pour la bonde percé, l'étanchéité du tonneau vérifiée.

Les fûts sont appelés barrique dans le Bordelais, pièce ou feuillette en Bourgogne, ou encore foudre, muid ou demi-muid suivant les contenances.

La bouteille et le Bib

Le mot « bouteille » est apparu au 13e s. et désignait alors une gourde de cuir dans laquelle était transporté le vin. Ce n'est qu'au milieu du 17e s. que les premières bouteilles à long col sont créées en Angleterre et bouchées avec du liège. La fabrication de bouteilles de verre solides, résistant notamment à la pression du champagne mousseux, se généralise dans les années 1730. En 1735, une ordonnance royale fixe même la forme des bouteilles de champagne et la manière dont il faut fixer le bouchon. Dès lors, l'usage de la bouteille en verre cylindrique à épaulement arrondi à goulot étroit et bouchée au liège se répand. Au tournant du 19e s., les formes se diversifient suivant les régions viticoles : flûte en Alsace, fillette en Anjou, pot en Bourgogne, clavelin dans le Jura, ainsi que quart, magnum, jéroboam, etc. en Champagne. Elles proviennent pour la plupart des usines Saint-Gobain, qui produisent 4 milliards de flacons par an.

Une bouteille contient normalement 75 cl. Il existe des demies (37,5 cl), des magnums (2 bouteilles), des jéroboams (6 bouteilles), des mathusalems (8 bouteilles), des salmanazars (12 bouteilles), des balthazars (16 bouteilles) et des nabuchodonosors (20 bouteilles). Ces formats ont une incidence sur l'évolution des vins, bonne dans les bouteilles et les magnums, elle est plus rapide dans les demies, tandis qu'elle ne joue pas dans les grands formats.

Le dernier-né des contenants s'appelle « Bag in box » ou « Bib ». C'est une poche de plastique souple, remplie sous-vide, qui présente l'avantage de préserver le vin de l'oxydation pendant plusieurs semaines, d'être facile à transporter, incassable et recyclable. Sa contenance va de 3 à 20 litres !

Les bouchons

La qualité des bouchons en liège fait l'objet de discussions, voire de critiques. Toutefois, en achetant des vins bouchés avec du liège, on contribue à sauver les forêts, comme le démontre le WWF Suisse dans sa campagne d'information : l'exploitation du liège est la seule obligation qui conduit les propriétaires à nettoyer et entretenir leurs forêts de chênes-lièges (les suberaies).

Un chêne-liège a une durée de vie de deux cents ans, mais on ne peut procéder à la première récolte que lorsqu'il a 25 ans : l'écorce croît de 1 à 1,5 mm par an. Ensuite, tous les neuf ans, au printemps, des bandes de liège sont prélevées sur une partie du tronc, car si l'on prend trop d'écorce, l'arbre meurt.

Les bouchonniers savent reconnaître les morceaux les plus souples, lisses et sans crevasse, pour faire des pièces de belle qualité, longues de 53 mm. Ils fabriquent aussi des bouchons dont les trous sont colmatés avec de la poudre de liège et des bouchons agglomérés. En France, ils sont installés dans la région de Céret.

Le liège vient surtout du Portugal, qui assure 54 % de la production mondiale. Pour remédier au problème du « vin bouchonné », certains viticulteurs emploient des bouchons synthétiques ou des capsules à vis ; cela paraît valable certes pour les vins de consommation rapide, mais pas pour les bouteilles de garde : le liège est en effet la seule matière permettant l'échange gazeux indispensable à l'élaboration du vin.

Du verre au cristal

Si le verre soufflé apparaît en Gaule au 1er s., le verre à boire demeure rare jusqu'au 13e s. Les croisés en rapportent de Damas. Il devient plus fréquent au 16e s., lorsque, après les guerres d'Italie, la Cour acquiert alors de précieux verres de Venise, et l'on fait venir des verriers qui s'installent à Nevers. La mode au 17e s. impose la vaisselle d'étain, d'argent ou d'or. Il faut attendre les édits somptuaires du règne de Louis XIV, pour que l'emploi du verre à boire se généralise.

En 1764, afin de supplanter les verres importés de Bohême, l'évêque de Montmorency-Laval demande au roi Louis XV l'autorisation de fonder une verrerie à Baccarat. En 1816, celle-ci emploie 3 000 personnes et installe le premier four à cristal. Après l'Empire, d'autres cristalleries françaises prennent leur essor.

Quant au verre à dégustation, il apparaît à la fin du 19e s., chez le fabricant autrichien Riedel. Aujourd'hui, cette marque prestigieuse propose plus de 80 verres en cristal, mis au point lors de dégustations avec des œnologues et des viticulteurs. Ces verres aux noms évocateurs, mettent bien en avant les qualités de chaque vin, aussi bien au nez qu'en bouche.

S. Sauvignier / MICHELIN

Le liège, matière noble du bouchon.

DE LA VIGNE AU VIN

Le viticulteur s'occupe de sa vigne avec grand soin, tout au long de l'année. Ainsi, il obtient à la fin de l'été des fruits mûrs riches en arômes et en sucre. Le jus extrait des grappes subit alors une fermentation qui donne du vin, résultat d'un labeur qui s'inscrit dans la durée.

P. Gajic / MICHELIN

Quelques étapes dans la fabrication du champagne : remuage, dégorgement et dosage.

Une liane domestiquée

La vigne est une plante de la famille des vitacées, cultivée pour produire du raisin. Sans le travail de l'homme, elle demeurerait à l'état de liane. Lorsqu'elle est taillée, son développement est maîtrisé : toutefois, en palissant les ceps à un mur, elle peut s'étendre sur des surfaces importantes, comme ce fut le cas dans le parc du château de Fontainebleau : longue de 1,5 km, la treille du Roy était garnie de chasselas.

Au cours de chaque cycle végétatif, le viticulteur conduit la vigne. En hiver, il la taille : les ceps croissent alors en diamètre et deviennent de plus en plus noueux avec l'âge. Au printemps, les bourgeons apparaissent sur les branches (les sarments) ; de là, grandissent des tiges, ou rameaux, qui portent des vrilles, des feuilles et des fleurs. Ces dernières naissent dès l'éclatement des bourgeons ; toutefois lors de la floraison, seulement 10 % des fleurs sont pollinisées et deviennent des grains de raisin qui poussent en grappes. Les grains sont rattachés aux sarments par une charpente végétale ligneuse, la rafle. Au mois d'août, les rameaux changent de couleur : ils se couvrent d'une écorce et deviennent à leur tour des sarments. Quant aux vrilles, ces espèces d'organes filiformes, elles se développent sur les sarments et s'enroulent au moindre contact avec un support.

La vigne est une plante méditerranéenne pérenne qui apprécie les conditions climatiques chaudes et sèches. De ce fait, ses besoins en eau sont peu importants (500 à 600 mm par cycle végétatif) et sont concentrés sur la période de croissance végétative d'avril à juillet. La vigne absorbe l'eau des nappes phréatiques par ses racines et en relâche par ses feuilles : c'est l'évapotranspiration. La durée de vie d'un pied de vigne varie entre quarante et soixante ans. Jeune, il produit de gros volumes de vins légers et acides. Plus il est âgé, plus ses rendements sont modestes et les raisins concentrés.

Dans les régions froides, on préfère les cépages précoces, dont les fruits mûrissent avant les frimas de l'automne. Les vignobles septentrionaux – les plus froids – sont favorables à la culture de cépages blancs. Car pour obtenir de la couleur dans les raisins noirs, il est impératif d'avoir une énergie calorifique importante, donc un ensoleillement suffisant. C'est pour cette raison que sous les climats chauds sont cultivés les cépages tardifs.

Belle vigne sans raisin ne vaut rien

La culture d'un vignoble est soumis en France aux règlements de l'ONIVINS, établissement public placé sous la tutelle du ministère de l'Agriculture et du ministère du Budget. De ce fait, la plantation comme l'arrachage de vignes nécessitent l'agrément des services fiscaux et des organismes viticoles.

La plantation des jeunes vignes a lieu au printemps : elle ne peut être pratiquée que lors de la restructuration d'un vignoble, pour améliorer la production par exemple, ou lors du renouvellement des ceps du fait de leur âge. Seuls les cépages autorisés dans l'aire de production peuvent être implantés, et leur nombre est réglementé à l'hectare. Depuis la crise du phylloxéra, la plupart des plants sont obtenus par greffage et les cépages reproduits par bouturage, ce qui permet de conserver tous les caractères propres à chaque espèce.

De même, la taille de la vigne est réglementée : elle permet d'optimiser la production du raisin, tant au point de vue qualitatif que quantitatif. Les vignes sont taillées hautes ou basses, si on craint ou non les gelées ou si le sol est riche ou pauvre. On distingue plusieurs types de taille lorsqu'on parcourt les vignobles : celles en Guyot et en cordon de Royat sont les plus courantes et sont adaptées à la mécanisation : on les reconnaît à leurs sarments qui sont accrochés (palissés) à des fils de fer. Dans les vignobles méditerranéens, la taille en gobelet impose, en revanche, un travail manuel.

Au moment des vendanges, on récolte la grappe de raisin : elle est composée d'une rafle et de grains de raisin. La rafle forme la charpente de la grappe, c'est une matière fibreuse, qui contient de l'eau, des tanins et des acides organiques. Les grains de raisin sont formés d'une pellicule qui enveloppe le fruit ; cette pellicule est elle-même couverte d'une poussière cireuse, la pruine, qui est imperméable et retient les levures. La pellicule contient des matières colorantes et aromatiques. La pulpe donne un jus incolore, composé d'eau, de sucres et d'acides organiques. Le pourcentage de sucres augmente durant l'été, au moment de la maturation, les raisins changent alors de couleur : c'est la véraison. Les pépins sont riches en tanins et en huile.

Septembre fait la qualité

De la floraison, qui a lieu cent jours avant les vendanges, à la récolte des grappes, la composition chimique du grain de raisin évolue. Des températures trop basses au printemps peuvent compromettre la quantité. Ensuite, la maturation doit être assez lente pour que les arômes ne soient pas brûlés par un excès de chaleur. Les années trop chaudes, les vieilles vignes résistent mieux, tandis que les raisins des jeunes vignes se dessèchent sur pied ; les acidités sont grillées. Mais les vins gagnent en concentration. Idéalement, pour faire des raisins aromatiques, il faut un bon ensoleillement, de la chaleur et un peu d'humidité. Le gel, l'orage, la canicule sont au contraire préjudiciables pour le vignoble. Les bonnes températures en août et en septembre sont celles qui ont le plus d'importance, puisqu'elles favorisent la maturation jusqu'aux vendanges. Il est primordial de contrôler la teneur en sucre des raisins, pour vérifier qu'ils sont suffisamment mûrs, avant de les cueillir.

LE CALENDRIER DU VIGNERON ET DE LA VIGNE		
Hiver	Repos végétatif de novembre à février.	Taille des sarments. Épierrage pour dégager les pieds des ceps. Buttage : protection du gel en recouvrant les pieds de vigne avec de la terre prise entre les rangées.
Printemps	Débourrement : croissance des bourgeons en mars-avril. Floraison en mai-juin.	Débutage : libérer les pieds de vigne de leur protection hivernale. Taille des sarments. Palissage : attacher les sarments aux fils de fer. Ébourgeonnage : suppression de bourgeons pour limiter la production. Labourage : pour aérer le sol. Binage : pour supprimer les mauvaises herbes.
Été	Nouaison en juillet : croissance des grappes. Véraison en août : maturation des raisins.	Vendange verte : suppression d'une partie des grappes pour limiter le rendement. Effeuillage : suppression de certaines feuilles pour que les grappes soient au soleil. Traitements contre les maladies et les parasites.
Automne	Vendanges en septembre-octobre.	

Le choix du bio

Ces dernières années, à la suite de la crise de la vache folle, une prise de conscience s'est faite aussi bien chez les producteurs que chez les consommateurs. On recherche maintenant l'authenticité, la typicité, les produits sains, gage d'une sécurité alimentaire et de produits de qualité. La viticulture n'échappe pas à cette remise en question.

La culture biodynamique

En 1924, Rudolf Steiner publiait les principes de son système de pensée, l'anthroposophie. Il démontrait, déjà à l'époque, l'importance de la valorisation du sol et de la plante dans son environnement naturel, grâce à des préparations issues de matières végétales, animales et minérales. Il expliquait aussi qu'il fallait appliquer ces préparations à des moments précis dans le cycle de l'année, et qu'il fallait travailler la terre par des labours et des griffages.

Depuis les années 1970, de nombreux mouvements d'agriculture biologique, organique, écologique (…) se sont mis en place reprenant les idées de Steiner. Comme le démontre le Syndicat international des vignerons en culture biodynamique, l'emploi des désherbants chimiques, des insecticides, des acaricides et des produits systémiques qui pénètrent dans le système circulatoire des plantes, dévastent notre environnement : les insectes, les prédateurs naturels, la flore, l'eau des nappes phréatiques, tout cela est détruit ou pollué. Donc, pour préserver la nature, il faut prendre soin de la terre, en utilisant des tisanes de plantes, des cristaux de roche, des composts animaux ou végétaux décomposés et fermentés. Les analyses scientifiques confirment les résultats qualitatifs obtenus par la culture biodynamique : la vie microbienne détruite par les produits chimiques reprend peu à peu sa place.

« Le but du viticulteur biodynamique au travers de sa culture spécifique de la vigne est de produire un vin de haute qualité avec ses caractéristiques propres issues des éléments uniques qui forment le terroir de chaque domaine. Le vin en sera l'expression car ainsi les qualités et les particularités de ce terroir seront respectées. » Cette forme de culture est pratiquée par des grands viticulteurs de Bourgogne (Leroy, Leflaive, Lafon), de Champagne (Fleury), du Rhône (Chapoutier, Beaucastel), de la vallée de la Loire (Nicolas Pinguet, Nicolas Joly), du Jura (Pierre Overnoy, Stéphane Tissot), etc.

La culture biologique

L'agriculture biologique vise aussi à respecter l'environnement et à préserver le terroir. Elle se définit comme un mode de production basé sur la gestion de l'activité microbienne du sol, le recyclage des déchets organiques, la préservation de zones de végétation naturelle comme des haies et des bandes enherbées en bordure de parcelles. L'emploi d'herbicides, d'engrais chimiques de synthèse, de fongicides et insecticides organiques de synthèse, est totalement prohibé. Pour lutter contre les maladies et les insectes nuisibles, les viticulteurs emploient du soufre, du cuivre et des extraits végétaux. Le vin est élaboré en limitant l'emploi du soufre, de conservateurs et de stabilisants.

Le passage à l'agriculture biologique a un impact important sur la structure

Vendanges manuelles dans le vignoble de St-Émilion.

d'une exploitation, notamment en raison d'un besoin accru en main-d'œuvre et de la nécessité d'investir dans du matériel spécifique à l'agriculture biologique.

Pour être commercialisé, tout produit « issu de l'agriculture biologique » doit subir le contrôle et obtenir la certification d'un des organismes privés agréés par l'État. La législation européenne définit les règles de transformation de bon nombre de produits alimentaires, mais ne prend pas en compte le processus de vinification. Donc, le vin ne peut pas être défini comme « un produit de l'agriculture biologique », mais seulement comme « un vin issu de raisins de l'agriculture biologique » !

La plupart des vignes biologiques se trouvent pour l'instant dans le Sud de la France (Languedoc-Roussillon, Provence et Aquitaine).

Le temps des vendanges

Le moment des vendanges est attendu avec bonheur, mais aussi avec inquiétude, car tant que les raisins n'ont pas été récoltés et mis en cuve, rien n'est acquis, et le travail d'une année peut subitement être détruit par un orage de grêle ou une pluie diluvienne.

Depuis l'Antiquité, le ban des vendanges est proclamé officiellement afin d'empêcher les impatients de cueillir le raisin avant qu'il ne soit mûr. Elle est maintenant annoncée par un arrêté préfectoral et donne lieu à des processions et des dégustations présidées par les confréries, telles que celle de Saint-Étienne en Alsace, des Chevaliers du Tastevin en Bourgogne, ou la Jurade de Saint-Émilion…, qui défilent en costumes traditionnels. Ces associations se manifestent aussi le 22 janvier, lors de la fête du saint patron des vignerons : saint Vincent.

Lorsque les grappes de raisin sont cueillies par les vendangeurs, elles sont coupées avec un sécateur, déposées dans une hotte ou une cagette, puis déchargées dans une benne. Les machines à vendanger secouent les ceps et ne donnent qu'une récolte des baies, sans les rafles. La vendange mécanique revient, en moyenne, de moitié à un tiers moins cher que la vendange manuelle. Mais une machine à vendanger ne peut pas passer partout, et, dans certaines régions, comme la Champagne ou le Beaujolais, il est interdit de pratiquer les vendanges mécaniques.

Vendanges mécaniques.

S. Sauvignier / MICHELIN

L'élaboration du vin

Des vendanges à la fermentation alcoolique

Une fois cueillis, les grains de raisin des cépages rouges sont séparés de la rafle : l'égrappage est pratiqué quasiment dans tous les vignobles, sauf en Champagne et en Beaujolais. Cette opération est effectuée lorsque l'on veut produire des vins rouges souples, sans tanins. Mais des cépages peu pourvus en tanins, comme le pinot noir, gagnent à être vinifiés avec une partie des rafles.

Les grappes de raisin rouges peuvent également être foulées dans une machine qui fait éclater les baies sans écraser les pépins et les rafles. Le foulage permet de mélanger les pellicules, les jus et les levures naturelles ; il favorise la macération.

La vinification commence : elle consiste à produire du vin par la fermentation alcoolique de raisins frais, de moûts de raisin et de jus de raisin. Au cours de la fermentation, qui est un phénomène naturel, les sucres du raisin se transforment en alcool sous l'action des levures et dégagent du gaz carbonique.

Vinification en rouge

La grande majorité des cépages possèdent des baies à jus incolore. On obtient par macération plus ou moins longue des vins rouges ou rosés avec des raisins de cépages rouges, dont les pigments colorants sont contenus dans la pellicule. Une fois égrappés ou foulés, les pellicules, les pépins et, selon les cas les rafles, sont versés dans la cuve de fermentation avec le jus de raisin, que l'on appelle vin de goutte ou moût. On lui ajoute du dioxyde de soufre pour

S. Sauvignier / MICHELIN

Les œnologues au travail…

éviter l'oxydation et sélectionner les levures fermentaires. Fermentation et macération ont lieu conjointement. Tout au long de la macération, la part du jus augmente pour atteindre jusqu'à 70 % du volume de la cuvée. Une macération de quelques heures donne des vins rosés, de quelques jours des vins rouges légers à boire jeunes, et longue de deux à trois semaines des vins de garde. C'est pendant cette macération longue que les tanins impriment leur caractère au vin.

Au cours de la fermentation, il arrive que l'on procède au « remontage » du moût qui s'est déposé dans le fond de la cuve, afin de mieux dissoudre les matières colorantes et aromatiques qui demeurent dans la partie supérieure de la cuve. Le vin de goutte est écoulé (ou décuvé) dans une autre cuve. Les parties solides sont déposées dans le pressoir : le vin de presse, coloré et chargé en tanins, qui en est extrait est alors assemblé ou non au vin de goutte. Le vin poursuit sa fermentation malolactique qui assouplit le vin en diminuant son acidité.

Vinification en rosé

Le seul vin rosé produit par l'assemblage d'un vin blanc et d'un vin rouge est le champagne rosé. Pour élaborer un rosé, on prend des raisins de cépages rouges, et l'on applique l'une de ces deux techniques : le pressurage ou la saignée. La première emploie des raisins dont la couleur rouge ou rose des pellicules teinte le jus qui s'écoule directement du pressoir. Il n'y a pas de macération. On appelle ces vins de couleur très pâle des vins gris.

L'autre technique, la plus fréquente, consiste à prélever le jus du raisin, vinifié comme un vin rouge, quelques heures

après le début de la macération. Le vinificateur sépare le jus des matières solides : c'est la saignée. L'intensité de la couleur est plus intense que dans les vins gris. Le jus continue ensuite sa fermentation alcoolique à basse température.

Vinification en blanc

Pour faire du vin blanc, on emploie des raisins de cépages blancs ramassés avec le plus grand soin. À la réception des vendanges, le vinificateur procède comme pour la vinification en rouge, à la différence près qu'il n'entreprend pas de macération. Ainsi, le raisin est mis directement dans le pressoir, ou foulé, égoutté puis pressé. Le jus de raisin – ce n'est pas encore du vin – est ensuite séparé des éléments solides (débourbage). On lui ajoute un anhydride sulfureux qui sélec-

---

Vin doux naturel

Au 17e s., le médecin catalan Arnau de Vilanova découvrit le moyen d'arrêter la fermentation du vin en ajoutant de la liqueur, sans pour autant perdre les arômes du raisin. C'est le mutage. Ce principe est utilisé pour élaborer les vins doux naturels, ou vins mutés, qui sont obtenus à partir de raisins surmaturés de muscat, de grenache ou de malvoisie. Les moûts doivent posséder une richesse en sucre supérieure ou égale à 252 g/l. Ils sont enrichis en cours de fermentation d'un apport d'alcool titrant au moins 95° et représentant entre 5 et 10 % du volume du moût. Ces vins sont élevés en général au contact de l'air, parfois même exposés au soleil dans des bonbonnes de verre (en particulier le banyuls et le maury). Ils ont alors des accents oxydés et des couleurs ambrées extraordinaires.

tionne les bonnes levures et détruit les mauvaises. La fermentation alcoolique est conduite à basse température.

Méthode traditionnelle

Ce mode d'élaboration des vins effervescents était connu jusqu'en 1994 sous l'appellation « méthode champenoise ». Les raisins sont là aussi traités avec le plus grand soin, et transportés aussitôt cueillis au pressoir afin qu'ils ne s'oxydent pas. Ils subissent dans un premier temps le même processus de vinification qu'un vin blanc. Ensuite, la cuvée est élaborée à partir de vins tranquilles assemblés dans lesquels on ajoute sucre et levures : c'est la liqueur de tirage. À ce moment, la seconde fermentation se fait en bouteilles. Les sucres se transforment en alcool et produisent du gaz carbonique. Cette prise de mousse s'effectue lorsque les bouteilles sont placées sur des pupitres. Elles sont inclinées, le goulot vers le sol, et chaque jour, pendant 6 à 8 semaines, elles sont « remuées », c'est-à-dire qu'elles sont tournées d'un

Le vigneron goûte régulièrement son vin jusqu'à ce qu'il soit parfait.

quart de tour et placées de plus en plus à la verticale. Le dégorgement intervient alors : le dépôt qui s'est formé est expulsé à l'ouverture de la bouteille, sans perdre de pression, en plongeant le goulot dans de la glace. À la place, on injecte de la liqueur d'expédition, composée de vins de Champagne et de sucre. La bouteille de champagne est alors bouchée et habillée. Elle ne peut être commercialisée qu'après un séjour minimum de 15 mois en cave après la mise en bouteilles.

Un élevage de qualité

Une fois la macération achevée, les vins sont stockés dans des fûts ou des cuves qui devront être toujours pleins, sous peine d'oxydation. L'ouillage consiste donc à ajouter du vin de même qualité dans les barriques au fur et à mesure de l'évaporation, soit une à deux fois par semaine.

L'opération suivante consiste à clarifier le vin pour éliminer toutes les particules indésirables. On procède par filtrage à travers un filtre de coton, ou par collage. Cette dernière méthode remonte à l'Antiquité romaine : elle consiste à introduire dans le fût ou la cuve des blancs d'œuf, de la colle de poisson ou de la gélatine. Les impuretés sont ainsi entraînées par gravité vers le fond. Le vin doit alors être soutiré afin de le séparer du dépôt qui risque de donner un goût ou des odeurs. Le deuxième soutirage est effectué au printemps et le troisième en septembre de l'année qui suit les vendanges.

Enfin, le vin subit une dernière opération délicate : il est mis en bouteilles. Il est conduit par gravité à une embouteilleuse. Les bouteilles remplies sont alors rangées dans les caves après avoir été habillées de leur étiquette et fermées par un bouchon de liège. Il faut les laisser se reposer quelque temps avant de les consommer…

L'ART DE LA DÉGUSTATION

« On prend son verre au creux de la main, on le réchauffe, on l'agite en lui donnant une impulsion circulaire afin que l'alcool dégage son parfum. Alors on le porte à ses narines, on le respire, et puis on pose son verre et on en parle… » (Talleyrand)

Séance de dégustation, dans une cave à Beaune.

L'école des saveurs

« Emplis donc, vin, ce verre que je tends. Verre fin et simple, bulle légère où jouent les feux sanguins d'un grand ancêtre de Bourgogne, la topaze d'Yquem, le rubis balais, un peu mauve parfois du bordeaux au parfum de violette… » Colette se fait précurseur dans l'analyse sensorielle du vin : robe, arômes.

Qu'est-ce qu'une dégustation ? C'est une sorte de jeu qui stimule les sens, demande de la concentration, et exerce la mémoire. Chez les professionnels, elle permet de juger la qualité des vins, de réaliser les assemblages, de classer les vins lors de concours…

Pour l'amateur, la dégustation apprend à être attentif à ce que l'on boit, à apprécier la qualité du vin, et elle apporte le plaisir de l'analyse. David Ridgway, chef sommelier de La Tour d'Argent à Paris, insiste sur le fait qu'il faut « garder le côté convivial, le côté relaxant du vin ; il ne faut pas trop chercher. Il ne faut pas oublier le plaisir de consommer. » Demeurons des disciples d'Épicure.

LES MOTS POUR LE DIRE

Donner ses impressions, exprimer ses sentiments, définir les sensations… cela nécessite un vocabulaire évocateur, précis, que l'on trouve par analogie avec ce que l'on connaît : fruit, plante, épice, matière, lieu, etc.

En premier lieu, il faut se souvenir des saveurs de base : le salé, le sucré, l'acide et l'amer. Elles sont perçues par les papilles gustatives qui transmettent les informations au cerveau. Le bout de la langue détecte le sucré. Juste en arrière et sous le bout de la langue se trouve l'acidité. Les côtés de la langue détectent le salé, tandis que le fond reconnaît ce qui est amer et astringent. D'où l'intérêt d'avoir un verre adapté qui guide le vin sur la langue et qui mette en avant la qualité du produit.

La reconnaissance des arômes au nez est un exercice qui peut se pratiquer lors d'une promenade ou en faisant ses courses ; il suffit de sentir l'odeur du pain qui sort du four du boulanger, des herbes sur un étal au marché, des fleurs dans un jardin, ou encore croquer des fruits, prendre un café avec un chocolat… Ensuite, on s'exerce chez soi à l'aveugle avec les flacons d'épices, les tisanes… Éventuellement, on peut s'entraîner avec les coffrets d'arômes, qui présentent néanmoins deux inconvénients : ce sont des parfums de synthèse, qui vieillissent parfois mal.

UNE DÉGUSTATION BIEN ORGANISÉE

Le meilleur moment pour entreprendre une dégustation est avant les repas, soit en fin de matinée avant le déjeuner, soit en fin d'après-midi vers 18h. Les qualités du vin sont alors bien détectées par les papilles.

Le lieu le plus adéquat est une pièce à 20 °C, éclairée par une lumière naturelle ou par un éclairage qui ne modifie pas les couleurs. Il est impératif qu'il n'y ait pas d'odeurs de tabac, de fleurs, de parfum, ou même de cuisine.

Parmi les accessoires, un crachoir est indispensable si l'on analyse plusieurs vins. Il est d'usage de garder la bouche avinée si l'on goûte une même série de vins. Il est possible de manger un morceau de pain et de boire de l'eau pendant la dégustation. Sur une table couverte d'une nappe blanche, les verres à dégustation sont fins, incolores, transparents, de forme tulipe afin de favoriser la concentration des arômes, à pied long pour ne pas chauffer le vin avec la main. Mais pas trop petits pour que l'on puisse y mettre son nez et qu'il y ait une bonne surface d'échange entre le vin et l'air. Il existe des verres homologués, les verres INAO. Il est également intéressant de goûter un même vin dans des verres de formes différentes : au nez, comme en bouche, on ne perçoit pas les mêmes arômes !

Les vins jeunes sont debout et débouchés une heure avant la dégustation. Les vins vieux sont couchés dans un panier et dans la même position qu'à la cave. Ils sont servis à bonne température *(voir le chapitre Servir le vin)*.

Dans le jardin des sens

POUR LE PLAISIR DES YEUX

Une dégustation se fait à l'aveugle : on cache l'étiquette et, mieux encore, la forme de la bouteille. Une fois les verres remplis au tiers, on prend le temps d'observer le vin. Quelle est sa robe ? C'est-à-dire quelle est sa couleur, sa brillance, son intensité, sa limpidité ? L'analyse visuelle renseigne sur la vinification et la conservation du vin, sur son âge et son degré d'alcool.

Le verre est incliné à la hauteur des yeux devant une feuille de papier blanc. Cela permet de voir sa limpidité. Un vin n'est pas toujours net, limpide ou cristallin, il peut être opaque, trouble, flou, voilé.

La brillance s'observe au niveau du disque (la partie supérieure du vin dans le verre) : on dit que le vin est brillant, éclatant, mais il arrive qu'il soit mat, terne ou plombé. La brillance est importante dans les vins blancs qui doivent présenter un éclat parfait. Elle renseigne sur l'acidité du vin.

Les types de dégustation

Par paire, elle consiste à comparer deux échantillons : sont-ils identiques ? Sinon, on décrit les différences.

Triangulaire. Trois verres sont remplis, deux contiennent le même échantillon, le troisième un autre vin. Les verres sont présentés dans un ordre aléatoire, on les déguste un à un sans revenir en arrière.

Verticale : elle consiste à goûter un vin d'une même appellation dans plusieurs millésimes afin d'évaluer, entre autres, ses capacités de vieillissement.

La couleur renseigne sur l'âge du vin. Dans les vins blancs, elle est jaune pâle, citron, paille dans les vins jeunes, puis elle prend des reflets dorés avec l'âge. S'il apparaît des taches rousses ou ambrées, on dit que le vin est madérisé. Dans les vins rouges jeunes, les tons bleus dominent dans les robes cerise, grenat, rubis ; avec les années, le vin prend des tons bruns, orangés, ou encore acajou. La robe des rosés est pivoine, œil-de-perdrix dans les vins jeunes, puis orangée, saumonée ou abricot.

Un vin fin avec des saveurs concentrées adhère aux parois du verre et retombe en fines gouttes : on dit qu'il a des jambes ou des larmes. Si l'intensité de la robe se maintient jusqu'au bord du verre, c'est le signe d'un produit de belle qualité.

QUELS ARÔMES AU NEZ ?

Après l'examen visuel, voici l'appréciation olfactive. On prend son verre par le pied et on sent le vin sans le faire bouger. Puis on fait tourner le vin dans le verre pour l'aérer et on hume de nouveau. Fermer les yeux permet de se concentrer pour identifier les odeurs qui se développent. On répète l'opération qui consiste à faire tourner le vin puis on tourne brusquement en sens inverse pour « casser » le vin : on décèle alors au nez d'autres arômes ou éventuels défauts tels que le soufre, tout à fait caractéristique.

Les vins ne sont pas tous fortement aromatiques. Les œnologues parlent d'arômes pour désigner les odeurs qui proviennent du cépage (arômes primaires) et celles qui sont issues de la fermentation (arômes secondaires) ; en revanche, ils emploient le terme « bouquet » pour désigner les arômes tertiaires qui sont liés au vieillissement en cuve ou en fût puis en bouteille. Certains cépages apportent au vin des arômes primaires caractéristiques : le sauvignon a une odeur de buis, le pinot noir évoque la framboise, le cassis et la cerise… Ces arômes primaires évoquent dans les vins blancs les fleurs blanches comme l'acacia, le chèvrefeuille, les fleurs d'arbres fruitiers ; les fruits frais, tels que la pomme, la pêche, la poire, le citron ; les végétaux, comme la fougère, la feuille de cassis, le fenouil ; et les minéraux, dont la pierre à fusil et le silex.

Dans les vins rouges et rosés, on identifie la violette, la rose, la fleur d'oranger, la pivoine, les fruits rouges et noirs (cerise, framboise, cassis, mûre…) ainsi que l'abricot, la figue, le poivron, les champignons ou la truffe parmi les végétaux, ainsi que des épices, comme le poivre.

Les arômes secondaires sont dûs aux levures pendant la fermentation. Ces odeurs évoquent, aussi bien dans les vins blancs que rouges, la banane, le bonbon anglais… mais aussi le beurre, la bougie, la cire, le froment…

Dans les vins blancs, le bouquet se manifeste par des parfums de fleurs séchées, de fruits secs, de bois et de miel ; dans les vins rouges, on reconnaît des fruits rouges, des fruits compotés, des odeurs de sous-bois, de bois, de gibier, d'épices (cannelle, clou de girofle), ainsi que des notes empyreumatiques (cacao, café, tabac, torréfaction, fumé, pain grillé) ou balsamiques (résine de pin, cèdre, genévrier). Il est amusant de constater que la vue de la couleur du vin influence l'identification des arômes : fruits rouges dans les vins rouges, fleurs et fruits blancs pour les vins blancs !

Reconnaissons-le : cette analyse est complexe, il arrive que l'on n'identifie rien ou qu'au contraire des odeurs montent tout de suite au nez : du cassis dans un bourgogne, la pierre à fusil dans un sancerre… De plus, les substances volatiles évoluent au cours de la dégustation.

Les femmes ont un odorat plus développé que les hommes

« L'homme et la femme n'ont pas la même subtilité d'appréciation, et chacun ne ressent pas les mêmes plaisirs à déguster un vin. La femme aime les vins flatteurs, subtils, aromatiques qui explosent au nez, avec des tanins fondus veloutés, en bouche, qui lui caressent les papilles, tandis que l'homme aime la puissance au palais, de la matière en bouche, l'expression des tanins nobles et du boisé, qui les lui percutent. » (Isabelle Forêt, www.femivin.com)

PLAISIR DU GOÛT

Arrive le moment de goûter le vin et de mêler odorat et goût. La rétro-olfaction consiste à prendre une petite quantité de vin en bouche. On le fait tourner, il se réchauffe. Ensuite, on entrouvre les lèvres afin d'aspirer un filet d'air que l'on fait remonter dans le nez. Tous les arômes perçus au nez sont amplifiés lors de cette rétro-olfaction.

Quelles sont les saveurs exprimées en bouche ? En premier le sucré, puis l'acidité et pour terminer l'astringence. La structure, l'équilibre, l'harmonie et la longueur sont autant d'éléments d'appréciation. La bouche donne une confirmation des arômes détectés au nez. Elle permet d'identifier la puissance qui est relative au degré d'alcool du vin : on dit qu'il est léger ou corsé ; l'onctuosité, due à la présence de glycérine, de sucre et d'alcool, donne du « gras » : un vin rouge est maigre, charpenté, sec ou gras, un blanc est sec, moelleux ou liquoreux ; l'acidité trop forte rend le vin vif, voire piquant, ou plat et mou lorsqu'elle est insuffisante.

Enfin, on apprécie la longueur en bouche. Cette persistance aromatique se manifeste une fois le vin avalé ou craché : plus les arômes perdurent, plus ils sont la marque d'un grand vin. Cette persistance aromatique intense se compte en secondes ou caudalies. Lorsque les arômes perdurent plus de dix caudalies, ils font la « queue de paon » !

Une dégustation particulière : le champagne

Ne remplissez pas la flûte complètement, prenez le temps de regarder, d'observer la teinte du champagne : jaune clair ou paille, or jaune, vert ou rose. Dans la coupe, les bulles sont fines, légères ou vives. Elles « griffent » en s'accrochant aux parois. Plus la bulle est fine, plus lentement elle remonte, meilleur est le champagne. Humez-le. Faites-le tourner très délicatement pour favoriser le développement aromatique. Humez de nouveau, lentement et longuement pour découvrir les arômes : vanille, pétale de rose, pêche de vigne, agrumes, miel, épices… Maintenant, goûtez-le. Gardez-le en bouche quelques secondes sans le faire tourner. Le gaz anesthésie les papilles. Avalez-le. Élégant, floral, délicat, fin ? À vous de juger…

SERVIR LE VIN

Nunc est bibendum ! « C'est maintenant qu'il faut boire ! » La beauté des bouteilles et de leurs étiquettes, les verres en cristal, la nappe blanche sur la table, les bons mets et les amis proches, tout cela participe au plaisir convivial de boire du vin.

Les règles de l'art

DÉBOUCHER LA BOUTEILLE

Le vin est un produit fragile, aussi prend-on grand soin de la bouteille que l'on remonte de la cave. Plus elle est âgée, plus il faut la transporter délicatement. Et maintenant voici un exercice délicat : extraire le bouchon sans remuer la bouteille. Outil indispensable, inventé par un Anglais dans les années 1650, le tire-bouchon comporte : une « queue de cochon » à pointe aiguë (la virole) et une poignée. Aujourd'hui, le « limonadier » ou « couteau-sommelier », tire-bouchon de poche, est doté en plus d'un décapsuleur, d'un coupe-capsule et d'un levier. Parmi les nombreux modèles existants, les professionnels utilisent surtout le Pulltap's, le Kalao ou le Château Laguiole. Coupez la capsule juste en dessous de la bague, ôtez-la, essuyez la partie supérieure du goulot avec un linge propre, placez la virole du tire-bouchon au milieu du bouchon et faites-la tourner sans traverser le liège, sinon vous risqueriez d'en faire tomber des débris dans la bouteille. Pour mémoire, seuls les vins de garde ont un long bouchon. Puis faites basculer le levier sur le bord du goulot tout en le maintenant avec l'index de la main gauche, si vous êtes droitier, afin de ne pas casser le bouchon, tout en tirant d'un mouvement lent et continu.

Maintenant, sentez le bouchon. Si le vin est « bouchonné » une odeur de moisi caractéristique se manifeste : elle est due à des champignons qui ont échappé à la stérilisation du liège. Essuyez de nouveau le goulot. Un conseil : insérez dans le goulot un « verseur stop gouttes », cela évite de faire des taches sur la nappe.

Il arrive que le bouchon reste coincé dans le goulot de la bouteille… et casse.

Dans ce cas, tentez de revisser le tire-bouchon en biais et d'extraire sans énervement aucun le bouchon en appuyant contre la paroi du goulot. Si vous n'y arrivez pas, enfoncez le bouchon dans la bouteille, mais attention à ne pas vous faire arroser ! Pas de souci : cela ne change rien au vin. Pour l'aspect esthétique, filtrez-le dans une carafe pour enlever les fragments de liège. Lorsqu'il reste du vin dans une bouteille, il peut se garder

Le vin rouge est servi couché.

pendant 48h en adaptant un bouchon muni d'une pompe à faire le vide.

SABLER, SABRER OU FRAPPER ?

L'expression « sabler le champagne » est apparue au début du 18e s. Elle fut employée par analogie avec « sabler un métal », qui signifie fondre un métal en le jetant dans un moule de sable : de même que le moule absorbe le produit en fusion, on avale d'un trait le contenu de son verre. Tandis que lorsqu'on débouche la bouteille avec un sabre de cavalerie dont on fait glisser la lame jusqu'au goulot qui est cassé d'un coup net, on « sabre le champagne ». Enfin, « frapper le champagne » consiste à le refroidir dans de la glace pilée.

Nul besoin d'avoir un tire-bouchon pour déboucher le champagne : il suffit d'un bon doigté. Les flûtes étant prêtes, il faut découper la capsule, défaire le muselet (fils de fer torsadés), incliner la bouteille à 45°, maintenir le bouchon avec le pouce pour qu'il ne s'échappe pas, et faire tourner la bouteille avec la main gauche, le goulot orienté vers un mur (jamais vers une personne ou un lustre…). Le gaz s'échappe doucement. Servir aussitôt en tenant la bouteille par le fond, en deux ou trois fois, afin que le précieux liquide ne déborde pas.

Pour conserver une bouteille de champagne une fois ouverte, il existe des bouchons spéciaux qui permettent de conserver le gaz en comprimant l'air dans le flacon.

FAUT-IL DÉCANTER LE VIN ?

Telle est la question, qui suscite tant d'avis divergents. La décantation est nécessaire lorsqu'il y a des dépôts dans la bouteille. Ceux-ci apparaissent surtout dans les vins qui ont quelques années, notamment les vins rouges tanniques. La décantation a pour but d'oxygéner les vins tanniques en les mettant largement au contact de l'air. En général, les vins blancs n'ayant pas de dépôt (à part certains vins blancs qui ont des dépôts de cristaux de tartre se formant avec le froid lorsqu'on met la bouteille au réfrigérateur) et n'étant pas tanniques, il paraît inutile de les décanter.

Comment s'y prendre ? Il faut verser lentement de façon continue et régulière le vin dans une carafe inclinée. On s'arrête lorsque le dépôt approche du goulot. Une bougie allumée (ou une lampe) sous la bouteille permet de mieux surveiller l'opération. Certains sommeliers décantent le vin avec un entonnoir et un morceau de mousseline qui sert de filtre.

Le fond large de la carafe permet une bonne oxygénation du vin, son long col retient les arômes et le verre, ou le cristal, translucide met en valeur la robe.

Les grands vins rouges jeunes (2 à 4 ans) gagnent à être aérés deux à trois heures avant le repas : le bouquet s'ouvre, les tanins s'assouplissent.

En revanche, un vieux millésime – notamment en bourgogne – risque de perdre son bouquet s'il est carafé, aussi vaut-il mieux laisser la bouteille dans son panier verseur, et ne l'ouvrir que quelques minutes avant de la servir.

La carafe : indispensable pour décanter le vin (pièces de la Cristallerie de Bayel).

LA TEMPÉRATURE IDÉALE

Comme pour un mets trop cuit ou pas assez chaud, la température de service du vin est primordiale pour apprécier ses éléments volatiles. Trop basse, elle fige le bouquet, renforce l'acidité du vin. Trop élevée, les sensations chaudes de l'alcool l'emportent sur les autres saveurs. Un conseil : remontez les bouteilles de la cave quelques heures avant de les servir, et surtout ne les remuez pas.

N'oubliez pas qu'une fois à table, le vin se réchauffe d'un ou deux degrés, voire plus en été. Pour maîtriser la situation, le thermomètre à vin est un bon allié.

Les vins blancs ou rosés sont gardés dans un seau à champagne, rempli d'eau fraîche (les mettre dans la glace serait une grave erreur). Il ne faut jamais entreposer une bouteille au congélateur. Si une bouteille est au réfrigérateur, on la laisse là jusqu'au jour où l'on décide de la boire. Un vin jeune se sert plus frais qu'un vin vieux ; pour rafraîchir un vin rouge jeune, on dépose la bouteille dans un seau contenant de l'eau fraîche. Un vin rouge dit « chambré » est servi à 18 °C.

Températures de service du vin

Elles sont données à titre indicatif ; la règle à suivre est de ne pas boire les vins rouges trop chambrés et les vins blancs trop froids, ce que l'on a bien souvent tendance à faire.

16 à 18 °C : grands vins rouges tanniques à maturité.
14 à 16 °C : grands vins rouges encore jeunes.
13 à 15 °C : vins doux naturels rouges.
12 à 14 °C : vins rouges jeunes et légers.
11 à 13 °C : grands vins blancs secs ; champagne ; vins rosés ; primeurs rouges.
8 à 9 °C : vins moelleux ; vins blancs secs et légers ; vins effervescents.
8 °C : vins doux naturels blancs.
6 °C : vins liquoreux.

Un contenant digne du contenu

Apparu au 17e s., le verre à boire investit le service de table au 19e s. Dès cette époque, on classe par ordre de grandeur décroissante les verres à eau, puis les verres à vin rouge jusqu'aux verres à liqueur. Au 20e s., les régions viticoles ont adopté chacune des verres de forme singulière : une très longue jambe teintée de vert avec une coupe sphérique en Alsace, un ballon ventru qui se referme vers le haut en Bourgogne, un verre en forme de tulipe à Bordeaux, une flûte étroite qui conduit les bulles en Champagne… Notez que la flûte remplace de plus en plus la coupe.

Le verre en cristal transparent, brillant, capte la lumière ; il magnifie les nuances de la robe du vin. Sa forme, sa finesse déterminent la façon dont s'expriment le bouquet, les saveurs, l'acidité et les tanins. Un verre est composé de bas en haut : d'un pied qui sert de support, d'une jambe qui fait le lien entre le pied et la paraison ; cette dernière est la coupe dans laquelle on met le liquide ; le bord du verre est appelé le buvant.

La paraison doit être assez ronde pour que les arômes se développent au maximum lorsque l'on fait tourner le vin. Et suffisamment importante pour qu'on puisse sentir le vin lorsque les lèvres le touchent en buvant. La jambe fine et haute est, quant à elle, importante pour l'aspect esthétique.

De grandes cristalleries proposent de superbes verres à vin soufflés à la bouche : Baccarat, Saint-Louis, Cristalleries royales de Champagne, Cristal de Sèvres, Daum, Lalique et Riedel. Quels que soient les verres que vous choisirez, testez-les en magasin, soulevez-les, faites-les tourner, tentez de boire avec… et vous noterez qu'ils peuvent être instables, lourds ou trop étroits.

Les verres, comme les carafes, sont lavés à la main, à l'eau très chaude, sans aucun produit. Dès qu'ils sont égouttés, on les passe au-dessus de la vapeur d'eau chaude, ainsi ils restent brillants. Puis on les essuie avec des torchons de toile lavés à l'eau bouillante et réservés à cet usage. Il est conseillé de ranger les verres accrochés la tête en bas, afin qu'ils ne retiennent ni poussière ni odeur.

Les plaisirs de la table

L'ORDRE DU SERVICE

S'il semble difficile de trouver une bouteille de vin qui accompagne tout un menu, on doit respecter une gradation et quelques principes de base pour ne pas saturer les papilles d'entrée de jeu. Un jeune vin rouge ou un grand cru d'un millésime léger précèdent des vins rouges plus riches. Les plus jeunes sont proposés avant les plus vieux, les secs avant les doux, les blancs avant les rouges, et les blancs avec le poisson, les rouges avec la viande. La règle d'or étant qu'il ne faut jamais qu'un vin fasse regretter le précédent.

« À VINS SIMPLES, METS COMPLEXES, À VINS COMPLEXES, METS SIMPLES »

Lors de la conception d'un repas, deux possibilités s'offrent au cuisinier : soit il prépare le menu en fonction des vins, soit il choisit les vins en fonction des plats, sans oublier l'indispensable concordance de qualité. Cela donne matière à réflexion, mais le jeu est amusant.

Les accords régionaux

Ce sont les plus réussis : mets et vins se mettent en valeur mutuellement car issus d'un même terroir. Quelques idées : un cassoulet avec un madiran ou un fitou ; un foie gras avec un gewurztraminer, un sauternes ou un jurançon ; un magret de canard avec un tursan ; des huîtres avec un picpoul-de-pinet ; une entrecôte bordelaise avec un saint-émilion ; un bœuf bourguignon avec un volnay ; des quenelles de brochet avec un bugey blanc ; un poulet basquaise avec un irouléguy ; une andouillette grillée avec un chablis ; une bouillabaisse avec un cassis blanc ; une choucroute avec un alsace-pinot-blanc ; un crottin de Chavignol avec un sancerre ; une sainte-maure avec un cour-cheverny ; une tarte Tatin avec un saumur-champigny ; des fraises avec un bergerac rouge.

Le menu idéal

Il comporterait un verre de vin différent à chaque plat, sans oublier de respecter la règle de la gradation pour ne pas fatiguer les papilles. On débute le repas avec les vins légers, acides et frais, et l'on poursuit avec des vins riches en tanins. On termine avec un armagnac, un calvados ou une eau-de-vie, qui facilite la digestion. Plutôt difficile à faire chez soi, ce « menu idéal » se pratique dans de grands restaurants.

Que boit-on avec…

Des **fruits de mer** ? un vin blanc sec : sylvaner, riesling, entre-deux-mers, chablis, mâcon-villages, saint-joseph, cassis, palette, picpoul-de-pinet, muscadet, montlouis.

Exemple de plat cuisiné au vin : le coq au vin.

Un **poisson** ? un vin blanc sec : riesling, pessac-léognan, graves, meursault, chassagne-montrachet, hermitage, condrieu, bellet, bandol, patrimonio, coteaux-du-languedoc, sancerre, menetou-salon.
Une **volaille** ou une **charcuterie** ? un vin rouge ou blanc léger : pinot gris, pinot noir d'Alsace, coteaux-champenois, côtes-de-bourg, côtes-de-blaye, côtes-de-castillon, mâcon, beaujolais-villages, saint-romain, tavel (rosé), côtes-du-ventoux, faugères, coteaux-d'aix-en-provence, ajaccio, corse-porto-vecchio, anjou, vouvray.
Une **viande rouge** ? un vin rouge : médoc, saint-émilion, buzet, volnay, hautes-côtes-de-beaune, moulin-à-vent, morgon, vacqueyras, gigondas, bandol, côtes-de-provence, fitou, minervois, bourgueil, saumur.
Un **gibier** ? un vin rouge corsé : pauillac, saint-estèphe, madiran, pommard, gevrey-chambertin, côte-rôtie, cornas, corbières, collioure, chinon.
Une **salade** ? pas de vin.
Des **fromages** ? un vin rouge ou blanc (évitez les vins rouges tanniques : l'alliance du tanin et de la graisse du fromage donne des saveurs désagréables) : gewurztraminer (avec un munster), saint-julien, pomerol, margaux, pouilly-fuissé, santenay, saint-amour, fleurie, hermitage, châteauneuf-du-pape, saint-chinian, vin jaune (avec un comté), pouilly-fumé, valençay. À la manière britannique, choisissez un porto ou un banyuls rouge pour accompagner les pâtes persillées. Les fromages de chèvre vont très bien avec les vins blancs secs.
En ce qui concerne les **desserts**, on sert tout naturellement des vins de dessert : muscat-d'alsace, crémant-d'alsace, champagne blanc et rosé, sauternes, monbazillac, jurançon, crémant-de-bourgogne, vin de paille, cerdon, muscat-de-beaumes-de-venise, banyuls, maury, tous les muscats, limoux, coteaux-du-layon, bonnezeaux. Les vins doux naturels rouges se marient délicieusement au chocolat (maury, banyuls).

Cuisiner au vin

Pour cuisiner au vin, la règle est de servir le vin qui a été employé en cuisine, sauf si c'est un grand cru, auquel cas on utilise pour faire le plat un vin plus courant de la même région. En fin de cuisson, ajouter un peu de vin dans un plat relève la saveur des mets.

Repas mythiques et petits plaisirs quotidiens

« À BOIRE POUR LE ROI ! »

Lorsque Louis XIV mangeait en public, l'échanson se rendait au buffet, prenait le couvert du roi et les deux carafes de cristal pleines de vin et d'eau. Ce n'est qu'au milieu du 18e s. que verres et flacons apparaissent sur les tables princières, posés dans des seaux individuels. Cette nouveauté frappe un chroniqueur qui raconte qu'étant à Choisy, « le roi [Louis XV] eut la bonté de servir le vin plusieurs fois à M. l'archevêque de Paris parce que les bouteilles étaient sur la table… » Cette mode nouvelle facilite le service. Toute boisson et tout verre à boire sont rafraîchis en permanence ; l'usage des seaux permet à la fois de rincer les verres entre deux services de vin et d'éviter les taches sur la nappe.

Au grand souper de Louis XVI, on présente au roi une seule bouteille de vin de champagne, blanc, non mousseux, frappée de glace, hiver comme été. À l'entremets, on place devant lui une seule bouteille de vin de clos vougeot ; il en prend un verre et passe la bouteille à ses voisins ; au dessert, on lui sert un seul petit verre de madère.

Napoléon, qui n'est guère porté sur la bonne chère et n'aime pas perdre du temps à table, prend ses déjeuners seul et dîne avec l'Impératrice. Toutefois, il maintient l'apparat de l'Ancien Régime lors des banquets officiels. Et si l'on sait peu de choses sur les mets qui lui étaient présentés, on lui connaît un penchant pour le chambertin.

UN DÎNER INOUBLIABLE

L'Exposition universelle de 1867 à Paris attira nombre de souverains. Au mois de juin, Guillaume Ier, roi de Prusse, empereur d'Allemagne, convie à dîner au Café Anglais Alexandre II, le tsar de toutes les Russies, le tsarévitch Alexandre et le prince de Bismarck. Ils commandent un menu dont ils veulent se souvenir.

L'élève du grand Carême, Dugléré, leur cuisina en entrée un potage à l'impératrice et un potage Fontanges, un soufflé à la reine, des filets de sole à la vénitienne, des escalopes de turbot au gratin, une selle de mouton à la purée bretonne ; en plat : un poulet à la portugaise, un pâté chaud de caille, un homard à la parisienne et des sorbets au vin ; pour les rôts : un canard à la rouennaise, des ortolans sur canapé accompagnés d'asperges et d'aubergines à l'espagnole, et une cassolette princesse. Enfin, il y eut une bombe glacée en dessert.

Le maître de cave Claudius Burdel choisit les meilleurs vins pour accompagner ce festin. La sélection extraordinaire qu'il opéra lui valut la charge d'acheteur officiel en vins de ces princes. Il servit donc ce jour-là un madère, retour de l'Inde 1810, un xérès de même origine 1821, un château-d'yquem 1847, un champagne Roederer frappé, un chambertin 1846, un château-margaux 1847, un château-latour 1847 et un château-lafite 1848 ! Nombre de dîners exceptionnels ont eu lieu depuis. La lecture des menus laisse rêveur. En voici un qui se déroula le 7 juillet 2003. Les Grands Vins de Bordeaux célèbraient Saint-Pétersbourg, avec une superbe sélection de grands crus : un pessac-léognan, domaine de Chevalier 1999, en blanc, pour accompagner les amuse-bouches, un autre pessac-léognan, Château Haut-Brion 1996 aussi en blanc avec le carpaccio de saint-jacques, un saint-estèphe, Château Cos-d'Estournel 1986, puis un saint-émilion, Château Canon 1983, avec la tourte de caille aux fruits secs, un autre saint-émilion, Château Figeac 1975, un pauillac, Château Pichon-Longueville comtesse de Lalande 1975, sur le filet de bœuf rôti en croûte, sauce au vin rouge et un château-d'yquem avec le roquefort !

PROFONDES JOIES DU VIN !

Quant à nous, n'oublions pas le plaisir convivial du vin bu en famille ou entre amis, avec des flacons choisis en fonction de la saison, du lieu et du moment. Sous la tonnelle en été, au retour de la chasse à l'automne, au coin du feu en hiver ou lors d'un pique-nique à la campagne par une belle journée de printemps, l'émotion se partage. Quel enchantement ! L'ivresse légère est merveilleuse. Il ne reste plus qu'à en parler, n'est-ce pas le plus difficile ? À moins que l'élixir ne rende disert, même les plus timides…

Le plaisir simple d'un crottin de Chavignol accompagné d'un verre de sancerre (à consommer avec modération).

À VOTRE SANTÉ !

« Si le vin disparaissait de la production humaine, je crois qu'il se ferait dans la santé et dans l'intellect de la planète un vide, une absence, une défectuosité beaucoup plus affreuse que tous les excès et les déviations dont on rend le vin responsable. » (Baudelaire)

« Repas de noces à Yport », par A. Fourie (musée des Beaux-Arts de Rouen).

« Le vin est la plus saine et la plus hygiénique des boissons. » (Pasteur)

Déjà dans l'Égypte ancienne, les vertus médicinales et antiseptiques du vin sont reconnues. Le texte du célèbre payprus d'Edwin Smith explique comment le médecin peut faire un baume avec du vin et du miel pour soigner une plaie ouverte. En Grèce, Hippocrate prescrit le vin blanc à des fins diurétiques, et le vin rouge pour soigner les diarrhées. Quant à Galien, médecin de l'empereur Marc Aurèle, il soigne les blessures des gladiateurs en les lavant avec du vin.

Au Moyen Âge, le vin entre dans la préparation de nombreux remèdes et est employé comme désinfectant. Au 13e s., l'auteur d'un herbier conseille même pour éviter les odeurs de transpiration de se laver les aisselles avec du vin associé à de l'eau de rose. Les vins d'anis ou de romarin facilitent la digestion. L'école de médecine de Salerne déclare que le vin de sauge « les nerfs conforte, rend la main qui tremble plus forte, à la fièvre donne congé ». Et plus généralement, on admet que le vin dissipe les angoisses.

Au 17e s., le professeur au Collège royal de pharmacie et d'anatomie Guy Patin estime que le vin cuit est propre à « corroborer merveilleusement l'estomac ».

Sous Louis XV, le duc de Richelieu boit un verre de bordeaux à chaque repas afin d'éviter des troubles intestinaux.

Aujourd'hui, les études conduites dans le monde entier par des médecins et des scientifiques tendent à démontrer l'intérêt de boire du bon vin... avec modération. L'information en la matière est bien diffusée sur le site Internet « Vin et Santé » (www.vinetsante.com) qui dépend de *La Journée vinicole*, quotidien professionnel très au fait de l'actualité en la matière.

Le paradoxe français

En 1990, un article, paru dans le magazine *Health*, eut un retentissement extraordinaire : la population française, réputée pour sa gastronomie riche (foie gras, cassoulet, confit de canard...) et ses bons vins, connaît un très faible taux de maladies cardiovasculaires. C'était le résultat de la recherche menée depuis les années 1970 par le cardiologue Arthur Klatsky : une consommation modérée de vin rouge tannique (vins de Bordeaux et du Sud-Ouest), soit 2 à 3 verres par jour, a un effet bénéfique sur les maladies cardiovasculaires, la fréquence de ces maladies étant inférieure chez les consommateurs modérés que chez ceux qui ne consomment pas de vin. Ce bénéfice est dû à l'extraordinaire action antioxydante des polyphénols.

Toutes les qualités du vin

Le vin contient 80 à 90 % d'eau et quelque 1 000 composants, parmi lesquels des alcools, des polyphénols (tanins, anthocyanes et flavonoïdes), des acides, des minéraux (potassium, sodium…), des oligoéléments (cuivre, zinc, manganèse, etc.), des vitamines, des sucres résiduels et des substances aromatiques volatiles. Ainsi, il est reconnu que le vin favorise l'assimilation des protéines et des matières grasses, du fait de son acidité proche de celle du suc gastrique. Des doses modérées de vin pourraient avoir des effets protecteurs sur les cancers, grâce à la présence du resvératrol : cette molécule protège contre les mutations génétiques et stimule la multiplication des cellules. La consommation modérée de vin diminuerait les risques de diabète. En outre, elle favoriserait chez les sujets âgés de plus de 65 ans une réduction du risque de démence sénile et de maladie d'Alzheimer. Et comme l'avaient observé les médecins de l'Antiquité, le vin a un pouvoir bactéricide important.

Des calories bonnes pour le moral

Depuis plus de trente ans, Michel Guérard démontre que gastronomie et diététique font bon ménage. À la table d'Eugénie-les-Bains, un seul verre (10 cl) de vin est proposé dans le cadre des « menus minceur ». Dans sa lignée, le chef des Sources de Caudalie intègre un verre de bordeaux dans les menus riches en saveurs et faibles en calories. Et d'après une étude menée au Danemark, les consommateurs de vin souffrent beaucoup moins de problèmes d'obésité que ceux qui boivent de la bière ou des spiritueux.

Au fait, combien y a-t-il de calories dans un verre de vin ? Un verre (10 cl) de vin rouge à 12° fournit 89,5 kcal, un verre de rosé 86,8 kcal, un verre de vin blanc 86,4 kcal. Et une flûte (10 cl) de champagne ? 80,8 kcal. Pour l'anecdote, on raconte que lorsque Marlène Dietrich prenait un peu de poids, elle se nourrissait exclusivement de yaourt et de champagne !

« Permis de conduire »

Nul n'est censé ignorer la loi. Les forces de police peuvent prodécer, à tout moment, à une vérification du taux d'alcoolémie de toute personne conduisant un véhicule, soit par une prise de sang, soit au moyen d'un éthylomètre. Pour information : il y a autant d'alcool dans un verre (25 cl) de bière à 5° que dans un verre (10 cl) de vin à 12°, que dans un verre de pastis (2 cl de pastis et eau). Chaque « verre » fait monter le taux d'alcoolémie de 0,20 à 0,25 g/l en moyenne. Le taux maximal d'alcoolémie autorisé au volant est de 0,5 g/l de sang, soit 0,25 mg/l d'air expiré. Sauf contre-indication médicale précise, une personne qui refuse de « souffler dans le ballon » est condamnée au même titre qu'un conducteur ayant un taux supérieur ou égal à 0,8 g/l d'alcool dans le sang ; il s'agit d'un délit sanctionné par une amende qui peut s'élever à 4 500 euros (maximum), 6 points de retrait de permis et jusqu'à deux ans d'emprisonnement.

Vignoble et chais dans le Médoc

S. Sauvignier / MICHELIN

SUR LES CHEMINS
DES VIGNES

L'ALSACE

L'Alsace, terre d'histoire tourmentée, semble, par un juste retour des choses, savourer chaque jour avec gourmandise le bonheur de vivre en paix dans la modernité européenne, tout en maintenant bien vivantes ses traditions. Généreuse, l'Alsace viticole l'est d'abord par la diversité de ses cépages qui donnent des vins aux caractères bien affirmés. Elle l'est aussi par l'opulence de ses ravissants villages fleuris et de ses vignes, alignées comme à la parade, qui dégringolent des contreforts vosgiens. Généreuse, l'Alsace l'est surtout pour l'accueil extraordinaire que ses vignerons réservent au visiteur. Ici, le caveau n'est pas seulement un endroit où l'on vend ; c'est aussi un lieu où l'on prend le temps d'expliquer la vigne et le caractère si original du vin.

R.Mattes / MICHELIN

Le village de Blienschwiller dans les vignes.

	Caractéristiques	Garde	Prix
Vins blancs	Puissance aromatique. Ils peuvent être secs, moelleux ou liquoreux. **Riesling** : vif, avec des arômes floraux et une pointe de menthol et d'agrumes dans sa jeunesse. En vieillissant, prend une note « pétrolée » caractéristique. **Pinot gris** : souvent moelleux ; exprime des notes de tilleul, de fruits exotiques et de fumée. **Sylvaner** : vif, légèrement fruité et sec. **Pinot blanc** : fruité et tendre. **Gewurztraminer** : très aromatique, avec des nuances de rose, de violette, de fruits exotiques, qui se développent dans les vendanges tardives. **Muscat** : généralement sec, très fruité, avec des arômes citronnés.	Bonne capacité de garde à l'exception du sylvaner et du pinot blanc qui se boivent dans les trois à cinq ans. Les bons rieslings peuvent vieillir vingt ans et plus. Les autres vins se gardent jusqu'à dix ans.	Après avoir beaucoup monté, les prix des vins tendent à se stabiliser. **Alsace** : 3 à 8 € ; 10 à 45 € pour les vendanges tardives et sélections de grains nobles et certaines cuvées spéciales. **Alsace-grand-cru** : 5 à 75 € ; 30 à 75 € pour les vendanges tardives et sélections de grains nobles.
Vins rouges	**Pinot noir** : teinte plus ou moins intense allant du presque rosé au rubis. Vin fruité généralement peu tannique.	La plupart des pinots noirs se boivent dans les trois à cinq ans.	**Alsace** : 5 à 25 €. **Alsace-grand-cru** : 20 à 45 €.
Vins effervescents	**Crémant-d'alsace** : mousse persistante et bonne vivacité, avec des arômes de fleur d'aubépine et parfois de raisin mûr.		**Crémant-d'alsace** : 5 à 10 €.

LE TERROIR

Superficie : 15 300 ha, répartis du nord au sud sur une bande de 120 km de long et de 2 à 5 km de large dont 40 % est situé dans le Bas-Rhin et 60 % dans le Haut-Rhin. S'y ajoute une enclave à l'extrême nord de l'Alsace, dans le secteur de Wissembourg.

Production : environ 1,2 million d'hl par an.

Les vignes s'étagent des contreforts vosgiens jusqu'à la plaine, entre 150 et 400 m d'altitude.

Le climat est semi-continental, avec des précipitations de printemps, des hivers froids et des étés et des automnes bien ensoleillés. La structure géologique du vignoble est très diversifiée, avec des sols argilo-calcaires, des lœss, des structures gréseuses, schisteuses, volcano-sédimentaires et de multiples combinaisons des marnes avec ces structures.

LES VINS

Les vins d'Alsace se définissent principalement par le caractère de chaque cépage. Très majoritairement blancs, secs ou doux, ils se distinguent par leur qualité aromatique que renforce la spécifcté des terroirs.

AOC alsace : cépages chasselas, gewurztraminer, muscat, pinot blanc, pinot gris, riesling, sylvaner pour les blancs, pinot noir pour les rouges et les rosés.

AOC alsace grand cru : cépages gewurztraminer, muscat, pinot gris, riesling.

AOC crémant-d'alsace : cépages auxerrois, pinot blanc, pinot noir, chardonnay, pinot gris et riesling.

Vendanges tardives et sélections de grains nobles : depuis 1984, la mention « Vendange tardive » ou « Sélection de grains nobles » désigne des vins liquoreux issus de raisins touchés par la « pourriture noble », ayant une teneur en sucre supérieure à 14° d'alcool potentiel pour les vendanges tardives et 18,3° pour les sélections de grains nobles. Strictement encadrée, la production de ces vins doit provenir d'un seul cépage et la chaptalisation (rajout de sucre pour augmenter le degré alcoolique) est interdite. Ces vins portent à leur maximum la quintessence aromatique des cépages alsaciens.

BON À SAVOIR

L'année 2003, remarquable en raison de la chaleur peu favorable aux vins blancs, a obligé bon nombre de producteurs à acidifier leurs vins, pratique exceptionnelle en Alsace. 2004 a donné des vins très équilibrés, fins et aromatiques, 2005 se distingue par ses vendanges tardives magnifiques.

Dans l'ensemble, les rendements restent élevés, ce qui conduit de nombreux viticulteurs à chaptaliser. On trouve encore trop de vins à goût « sucré », ce qui flatte le palais mais masque les spécificités du terroir.

Les vendanges ont généralement lieu entre la fin septembre et la mi-octobre, selon le degré de maturité auquel sont arrivés les raisins. À cette époque, l'accès aux sentiers viticoles peut être réglementé. Il vaut mieux se renseigner sur place.

👁 **Conseil interprofessionnel des Vins d'Alsace** – ☎ *03 89 20 16 20 - www. vinsalsace.com.*

Vignobles de Wissembourg et de Cleebourg

CARTE MICHELIN LOCAL 315 – BAS-RHIN (67)

À l'extrême nord de l'Alsace, le petit vignoble de Wissembourg constitue une exception, d'une part par sa situation excentrée par rapport au reste du vignoble alsacien, d'autre part parce que la plupart des raisins récoltés dans le secteur sont vinifiés en Allemagne et… servent à élaborer des vins du pays de Bade. À l'inverse, le vignoble de Cleebourg est resté français.

De Wissenbourg à Cleebourg

▶ Ville frontalière avec l'Allemagne, Wissembourg se trouve à 40 km à l'O de Karlsruhe, et à 31 km au N d'Haguenau par la D 263. Carte Michelin Local 315 L2.

Malgré une histoire très mouvementée, **Wissembourg★★**, ville frontière, a conservé un patrimoine historique considérable et offre le visage d'une cité coquette où il fait bon se promener.

L'**église St-Jean**, protestante, remonte au 15e s. mais possède un clocher du 13e s. L'**église St-Pierre-et-St-Paul★**, bâtie en grès, est une église gothique du 13e s. À l'intérieur, le grand saint Christophe, fresque du 15e s., est le plus grand personnage peint connu en France (11 m de haut).

Ceux qui aiment l'Alsace de toujours seront comblés en visitant le **musée Westercamp**, maison viticole du 16e s. restée « dans son jus ». La visite commence par la cuisine, atmosphère intimiste assurée, tout comme dans les autres pièces qui renferment des meubles anciens (superbes armoires), des costumes paysans et des souvenirs du champ de bataille de 1870. Antiquités préhistoriques et romaines, salle d'armes. *℘ 03 88 94 10 11 (office de tourisme) - fermé pour rénovation.*

Du pont sur la Lauter, on a une belle vue sur le vieux **quartier du Bruch**. Enfin, la balade le long du talus des anciens **remparts** permet de découvrir les toits patinés de la vieille ville.

Pour gagner Cleebourg, 7 km au sud-ouest de Wissembourg, suivez la D 77.

C'est la cave coopérative qui exploite la quasi-totalité des 190 ha du vignoble répartis sur les communes de Wissembourg, Cleebourg, Rott, Steinseltz et Riedseltz. Le seul vigneron indépendant du secteur est Peter Jülg, à Seebach.

🍷 La très accueillante **cave vinicole de Cleebourg**, près de laquelle se trouve un enclos à cigognes, propose une grande variété de vins d'un très bon rapport qualité-prix avec notamment de très bons pinots gris *(voir nos bonnes caves)*.

Les adresses de Wissembourg et de Cleebourg

NOS BONNES TABLES

🍽🍷 **Auberge du Pfaffenschlick** – *Col de Pfaffenschlick - 67510 Climbach - 12 km au SO de Wissembourg par D 3, dir. Lembach, et rte du col par D 51 - ℘ 03 88 54 28 84 - restaurant-du-pfaffenschlick.com - fermé 15 janv.-15 fév., lun. et mar. - formule déj. 9 € - 20/34 €.* En pleine forêt, juste en face d'une cabane qui servit de cantine pendant la construction de la Ligne Maginot, ce restaurant longtemps fréquenté par les seuls randonneurs continue de servir une cuisine ménagère du cru, solide et abondante. Agréable terrasse.

🍽🍷🍷 **Hostellerie du Cygne** – *3 r. du Sel - 67160 Wissembourg - ℘ 03 88 94 00 16 - www.hostellerie-cygne.com - 30/60 €.* Deux maisons contiguës : l'une du 14e s., l'autre déjà auberge au milieu du 16e s. Les salles à manger, plus récentes,

s'agrémentent de boiseries et d'un plafond marqueté. La cuisine privilégie les richesses du terroir : civet de sanglier, presskopf de joues de cochon, canon de lapereau farci de queue de bœuf, etc.

NOS HÔTELS ET CHAMBRES D'HÔTE

🍷 **Chambre d'hôte Klein** – *59 r. Principale - 67160 Cleebourg - 7 km au SO de Wissembourg par D 7 - ℘ 03 88 94 50 95 ou 06 21 35 07 91 - www.chez.com/ cleebourg -* 🚫 *- 4 ch. 42 €* 🍴. Cette maison alsacienne des 18e et 19e s. nichée au cœur du village de Cleebourg dont le vin est justement renommé réjouira les amateurs de calme et d'authenticité. Les chambres, toutes situées au rez-de-chaussée, sont garnies de beaux meubles anciens. Agréable petit jardin sur l'arrière. Cuisine régionale.

♨️🛏️ **Moulin de la Walk** – *2 r. Walk - 67160 Wissembourg -* 📞 *03 88 94 06 44 - info@moulin-walk.com - fermé 2-23 janv. -* 🅿️ *- 25 ch. 50/65 € - ⬜ 8 € - rest. 32/42 €.* Sur les bords de la Lauter, trois bâtiments greffés sur les vestiges d'un ancien moulin dont la roue tourne encore. La plupart des chambres disposent d'aménagements fonctionnels récents. Chaleureuse salle à manger habillée de boiseries et terrasse fleurie où l'on sert une cuisine classique.

NOTRE BONNE CAVE

Cave vinicole de Cleebourg – *Rte du Vin - 67160 Cleebourg -* 📞 *03 88 94 50 33 - www. cave-cleebourg.com - caveau ouv. 8h-12h, 14h-18h, dim. et j. fériés à partir de 10h - fermé 1er janv., Pâques et 25 déc.* Ce domaine viticole reconstitué en 1946 sous une forme coopérative dans le cadre du premier programme de remembrement, cultive les 7 cépages alsaciens traditionnels. Ses deux valeurs sûres sont le pinot gris et le pinot blanc. Chaque année une « cuvée de la confrérie » est sélectionnée parmi les vins de Cleebourg. La cave de Cleebourg propose également une large gamme de vins issus de lieux-dits et 4 crémants d'Alsace. 🍷 alsace, crémant-d'alsace.

Route des vins d'Alsace

CARTE MICHELIN LOCAL 315 – BAS-RHIN (67) ET HAUT-RHIN (68)

C'est peut-être la route des vins la plus fameuse de France. En tous cas, c'est la plus charmante. Vous allez pouvoir zigzaguer pendant 180 km de Marlenheim jusqu'à Thann, ou en sens inverse. Les plaisirs y sont variés, entre les vignes, les jolis villages, les vieux châteaux, les caves, les bonnes tables, les parcs animaliers, les petites chapelles et les fêtes vigneronnes. On peut dire que la région a su faire fructifier tous ses dons pour célébrer la « gemutlichkeit », la douceur de vivre et la convivialité à l'alsacienne.

1 De Marlenheim à Châtenois (1re étape)

▶ 68 km. Marlenheim se trouve à 21 km au N-O de Strasbourg par l'A 35 et la N 4. Carte Michelin Local 315, I 5-7. Voir l'itinéraire 1 sur le plan p. 74.

Jusqu'à Rosheim, la route n'aborde pas franchement les contreforts des Vosges et les localités ont encore les caractères des villages de plaine.

Marlenheim

Ce centre viticole réputé est une cité accueillante possédant de nombreux restaurants. Le vignoble date de l'époque mérovingienne. Il comprend le grand cru steinklotz sur une forte pente calcaire où se plaisent le pinot gris, le riesling et le gewurztraminer. 🍷 L'importante maison de négoce **Metz-Laugel (caveau du Marlenberg)** accueille les visiteurs *(visite guidée payante)* et propose un bon aperçu des vins de la région. *102 r. du Gén.-de-Gaulle - 67520 Marlenheim -* 📞 *03 88 59 28 69 - tlj sf dim. 10h-12h30, 14h-18h30, sam. 10h-12h, 14h-18h - fermé j. fériés.*

Wangen

Avec ses rues sinueuses, ses vieilles maisons, les arcs de ses portes de cour, Wangen est le type même du village viticole. Ne pas oublier ses fortifications médiévales avec les deux tours, dont la « Niedertor ».

Westhoffen

Ce village de vignerons, également réputé pour ses cerises, a gardé des maisons anciennes des 16e et 17e s. ainsi qu'une fontaine Renaissance. Dans l'église St-Martin, chœur et vitraux du 14e s. Originale synagogue de style orientaliste (19e s.). 🍷 Au cœur du village, entre les deux églises, le **domaine Étienne Loew**, ouvert à la visite *(gratuite),* produit des vins estimés, notamment dans le grand cru altenberg de Berg-bieten. *28 r. Birris - 67310 Westhoffen -* 📞 *03 88 50 59 19 - etienne.loew@wanadoo. fr - 8h-12h, 14h-18h - sur RV.*

Le vignoble environnant s'étend sur les communes de **Bergbieten** et de **Traenheim**. 🍷 À **Bergbieten**, le **domaine Roland Schmitt**, cultivé en agriculture biologique, produit des vins pleins de finesse *(voir nos bonnes caves).* Celui de **Frédéric Mochel**, à **Traenheim**, également réputé, possède un antique pressoir du 17e s. Il est ouvert à la visite. *56 r. Principale - 67310 Traenheim -* 📞 *03 88 50 38 67 - infos@mochel.net - lun.-sam. 8h-12h, 13h30-18h - sur RV.*

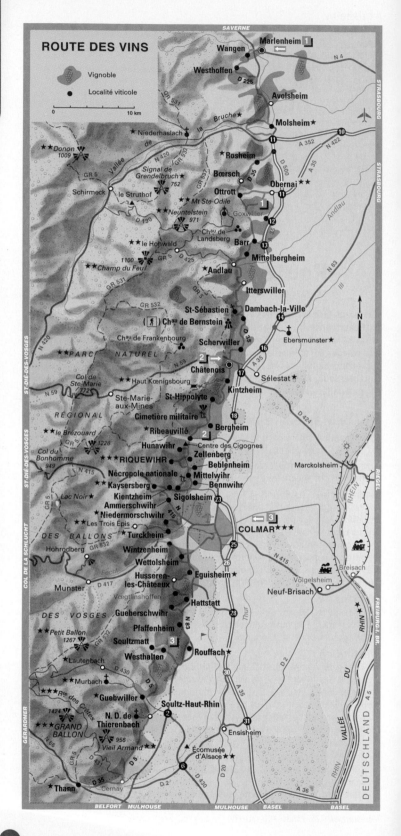

ROUTE DES VINS

Vignoble

Localité viticole

0   10 km

SAVERNE

Marlenheim 1
Wangen
Westhoffen
D 225
Avolsheim
la Bruche ★
Molsheim ★
Niederhaslach †
Rosheim ★
Bœrsch ★
Ottrott ★
Obernai ★★
Donon ★★
1009
Signal de
Grendelbruch ★ 752
Schirmeck   le Struthof
Mt Ste-Odile ★★
Neuntelstein ★★ 971
Goxwiller
Ch^au de
Landsberg
Barr
le Hohwald ★★
1100
Champ du Feu ★
Mittelbergheim
Andlau ★
Itterswiller ★
Dambach-la-Ville ★
St-Sébastien
Ch^au de Bernstein
Ebersmunster ★
Ch^au de Frankenbourg
Scherwiller
PARC   NATUREL
Châtenois   2
Col de
Ste-Marie   Haut Kœnigsbourg ★★
1725
Sélestat ★
Ste-Marie-
aux-Mines   St-Hippolyte
REGIONAL   Kintzheim
Cimetière militaire
le Brézouard ★★   Ribeauvillé ★
1228   Bergheim
Col du   Hunawihr   Centre des Cigognes
Bonhomme   Zellenberg
949   RIQUEWIHR ★★★
Nécropole nationale   Beblenheim
Mittelwihr   Marckolsheim
Kaysersberg ★★   Bennwihr
Kientzheim   Sigolsheim
Ammerschwihr   COLMAR ★★★   3
Niedermorschwihr
Les Trois Épis ★★
DES BALLONS   Turckheim ★
Hohrodberg   Wintzenheim
Wettolsheim   Breisach
Husseren-   Neuf-Brisach
Munster   les-Châteaux   Völgelsheim
Vœgtlinshoffen   Eguisheim ★
DES VOSGES   Hattstatt
Gueberschwihr ★
Petit Ballon ★★   Pfaffenheim
1267   Soultzmatt   3
Westhalten   Rouffach ★
Lautenbach
Murbach ★   Ecomusée
Rte des Crêtes ★★★   d'Alsace ★★
Guebwiller ★
1424   N. D. de   Soultz-Haut-Rhin
GRAND   Thierenbach   2
BALLON   956
Vieil Armand ★★   Ensisheim
N 66   Écomusée
d'Alsace ★★
6
Thann ★   Cernay

STRASBOURG
ST-DIÉ-DES-VOSGES
COL DE LA SCHLUCHT
GÉRARDMER
DEUTSCHLAND
FREIBURG-i. BR.
RIEGEL
RHEIN
VALLÉE DU RHIN

BELFORT MULHOUSE   MULHOUSE   BASEL   BASEL

Avolsheim

La **chapelle St-Ulrich**, ornée de belles **fresques★** du 13e s., passe pour être la plus ancienne d'Alsace. Voyez aussi le baptistère qui date de l'an 1000. Le village voisin de **Wolxheim** possède un excellent terroir à riesling, avec son grand cru altenberg de Wolxheim qu'appréciait Napoléon.

Molsheim★

Chassés des États protestants, bénédictins, chartreux, capucins et jésuites sont venus s'installer à Molsheim dont ils firent la capitale de la Contre-Réforme en Alsace. Bien que du début du 17e s., l'**église des Jésuites★** a été construite dans le style gothique. L'intérieur est remarquable par ses dimensions harmonieuses. Quand les religieux sont là, le vin n'est jamais loin. Molsheim compte un grand cru classé, le bruderthal, où le riesling et le gewürztraminer réussissent particulièrement bien. 🍷 Allez le goûter au **domaine Gérard Neumeyer** *(voir nos bonnes caves)*.

Molsheim s'honore encore d'avoir accueilli, dans les années 1920, l'usine d'**Ettore Bugatti**, mythique constructeur d'automobiles italien. Chaque année, début septembre, la ville accueille un défilé de voitures anciennes pour le Festival Bugatti. On pourra voir quelques modèles de voitures construites ici durant l'entre-deux-guerres au **musée de la Chartreuse**, installé sur le site de l'ancienne chartreuse (1598-1792). 📞 *03 88 49 59 38 - de déb. mai à mi-oct. : tlj sf mar. 14h-17h - 3 € (enf. 1,50 €).*

Rosheim★

Un parcours historique de la ville est proposé par l'office de tourisme.

On peut découvrir le vignoble par un **sentier viticole** réservant un très beau panorama. L'**église St-Pierre-et-St-Paul★**, construite en grès jaune au 12e s., présente un clocher octogonal. Sur le pignon de la façade ouest, des lions dévorent des humains. On ira voir la **maison romane** située rue du Gén.-de-Gaulle entre les nos 21 et 23. C'est la plus ancienne construction d'Alsace en pierre (seconde moitié du 12e s.).

Quittez Rosheim. Désormais, la route devient accidentée : dès qu'on s'élève, la vue s'étend sur la plaine d'Alsace, tandis qu'apparaissent, perchés sur des promontoires, les ruines de nombreux châteaux : Ottrott, Ortenbourg, Ramstein, Landsberg.

Bœrsch

Trois anciennes portes donnent accès à Bœrsch. Franchissant la porte du Bas, on atteint la **place★** encadrée de vieilles maisons : la plus remarquable est la mairie (16e s.). Pour sortir de Bœrsch, passez sous la porte du Haut.

L'**atelier de marqueterie d'art Spindler** a aménagé une galerie d'exposition de tableaux marquetés et installé une présentation audiovisuelle sur son activité. 📞 *03 88 95 80 17 - www.spindler.tm.fr - sept.-juil. : tlj sf dim. 9h-12h, 14h-18h ; août : 10h-12h, 14h-18h - fermé j. fériés - gratuit.*

Ottrott

Ce village de caractère, tout en pente, au pied du mont Ste-Odile, est réputé pour son vin rouge de pinot noir, fruité et agréablement corsé. Ottrott est également fier de ses deux châteaux, le Lutzelbourg (12e s.) avec son bâtiment carré et sa tour ronde, et le Rathsamhausen du 13e s., plus vaste et plus orné.

👫 Plus loin, sur la route de Klingenthal, le grand aquarium **Les Naïades** rassemble 3 000 poissons provenant de toutes les mers de la planète. 📞 *03 88 95 90 32 - www.parc-les-naiades.com - 10h-18h30 (dernière entrée 1h av. fermeture) ; 24 et 31 déc. : 10h-16h ; 1er janv. et 25 déc. : 13h30-18h30 - 10 € (3-10 ans 7,50 €).*

Obernai★★

On ne risque pas de mourir de soif à Obernai. En plus du vin, c'est le pays de la « Kro » (les brasseries Kronenbourg y sont installées). L'Alsace est là tout entière, avec ses cigognes, ses vieilles maisons aux toits polychromes, ses petites rues fleuries, ses enseignes… et les touristes.

La **place du Marché★★** est bordée de maisons aux teintes dorées tirant parfois vers le carmin, donnant aux rues d'Obernai cette lumière si particulière. L'**ancienne halle aux blés★** date de 1554. Elle abritait autrefois les boucheries municipales.

La **tour de la Chapelle★** est un beffroi du 13e s. C'était le clocher d'une chapelle dont il ne subsiste que le chœur ; sa flèche gothique (16e s.) culmine à 60 m. L'**hôtel de ville★** possède quelques vestiges du 14e ou 17e s. (oriel et beau balcon sculpté de 1604 en façade) qui sont intégrés à la reconstruction de 1848.

Dans le quartier de la place du Marché (notamment ruelle des Juifs) et jusque vers la place de l'Étoile, vous remarquerez de nombreuses **maisons anciennes★**. Rue des Pèlerins se dresse une maison en pierre de trois étages, du 13e s.

Souvent remaniés, les **remparts** constituent aujourd'hui une promenade agréable, dont la partie la mieux conservée est le rempart Maréchal-Foch.

 Le **sentier viticole du Schenkenberg** propose un circuit de 3,6 km *(1h30 à pied)* permettant de découvrir le vignoble sur 250 ha. Parking au mémorial ADEIF, repérable par la grande croix de 12 m de haut. En été, visite guidée hebdomadaire *(merc. matin)* suivie d'une visite de cave. S'adresser à l'office de tourisme.

Revenez sur la D 35 par Bernardswiller.

Le traitement des vignes.

Heiligenstein

Ce village est réputé pour son klevener, un vin blanc sec provenant d'une variété de traminer proche du savagnin rose que l'on trouve dans les vins du Jura.

 Le **domaine Jean et Hubert Heywang** est une bonne référence pour ce cru *(voir nos bonnes caves).*

Barr

C'est une cité industrielle (tanneries réputées) doublée d'un important centre viticole, notamment sur le grand cru kirchberg. Le gewurztraminer, le riesling et le pinot gris y donnent des vins capiteux dont on aura de beaux exemples au **domaine Martine et Charles Wantz** *(voir nos bonnes caves).*

 Le **domaine Klipfel** est ouvert à la visite et propose plusieurs formules de dégustation (avec spécialités gastronomiques ou repas complet). *6 av. de la Gare - 67140 Barr -* *03 88 58 59 00 - www.klipfel.com - 10h-12h, 14h-18h - sur RV.*

L'**hôtel de ville**, du 17e s., est décoré d'une loggia et d'un balcon sculpté : pénétrez dans la cour pour voir la façade postérieure.

La **Folie Marco**, maison patricienne du 18e s., abrite un musée où sont exposés meubles anciens du 17e au 19e s., faïences, porcelaines, étains et souvenirs locaux. *03 88 08 66 66 - juil.-sept. : tlj sf mar. 10h-12h, 14h-18h ; mai-juin et oct. : w.-end 10h-12h, 14h-18h ; déc. : w.-end 14h-18h - 3 € (enf. gratuit).*

Mittelbergheim

Les maisons de ce joli bourg sont accrochées au flanc d'un coteau. La place de l'Hôtel-de-Ville est bordée de beaux édifices Renaissance. Le grand cru zotzenberg, de nature marno-calcaire, culmine à 320 m au-dessus du village. Il est réputé pour son sylvaner, mais les autres cépages y réussissent bien.

Andlau★

Les deux clochers d'Andlau émergent au-dessus des toits et des forêts environnantes. La commune possède trois grands crus favorables au riesling, le wiebelsberg, le moenchberg et le kastelberg.

 Marc Kreydenweiss, pionnier de la viticulture en biodynamie, est une référence incontournable *(voir nos bonnes caves).*

L'**église St-Pierre-et-St-Paul★** a été reconstruite au 12e s. et conserve de l'époque romane un magnifique **portail★★** entièrement orné de bas-reliefs. Ceux-ci représentent des scènes de la Création et du Paradis terrestre ainsi que les figures des bienfaiteurs de l'abbaye. À l'intérieur, le chœur, élevé au-dessus de la **crypte★**, est décoré de belles stalles du 15e s.

Itterswiller

Voici un charmant village fleuri à flanc de coteau viticole. Son église conserve une peinture murale du 13e ou 14e s. Itterswiller n'a pas de grand cru, mais possède un lieu-dit, les Fruhemes, réputé pour son riesling.

 Un **chemin viticole** *(1h à pied environ)* permet d'accéder à un beau panorama avec table d'orientation.

Dambach-la-Ville

À l'intérieur des remparts, dont subsistent trois vieilles portes, le centre ancien est un vrai bijou. Le grand cru frankstein est l'un des plus réputés d'Alsace pour ses rieslings et son gewurztraminer de haute garde. La localité compte de très nombreux vignerons.

🍷 Signalons, entre autres, le **domaine Ruhlmann**, qui propose une visite des caves, du vignoble et de la cité médiévale en petit train *(juil.-août, lun. jeu. et sam. à 17h)*, commentée par le vigneron. La dégustation a lieu dans une cave du 17e s. *34 r. du Mar.-Foch - 67650 Dambach-la-Ville -* 📞 *03 88 92 41 86 - 8h-12h, 14h-18h - visite payante.*

Pour avoir une belle vue sur la plaine d'Alsace et le vignoble, 400 m après la porte Haute, tournez à gauche. À la fin de la montée, prendre à droite un chemin qui s'élève jusqu'à la chapelle St-Sébastien. À l'intérieur de la chapelle, le maître-autel très orné (baroque fin 17e s.) est en bois sculpté.

🚶 En continuant le chemin *(2h à pied AR)*, on arrive aux **ruines du château fort de Bernstein**. Construit aux 12e et 13e s. sur une arête granitique, il n'a conservé qu'un corps de logis et un donjon pentagonal. Très belle vue sur la plaine d'Alsace.

Scherwiller

Au pied des châteaux forts de l'Ortenbourg et du Ramstein, Scherwiller conserve un ancien corps de garde avec oriel et de belles maisons du 18e s. D'anciens lavoirs longent des berges de l'Aubach. 🚶 Un calvaire du 18e s. borde le **sentier viticole**.

🍷 Au pied du château de l'Ortenbourg, le **domaine André Dussourt** ouvre à la visite sa cave du 18e s. ; on y verra entre autres des foudres centenaires. *2 r. de Dambach - 67750 Scherwiller -* 📞 *03 88 92 10 27 - www.domainedussourt.com - 8h-12h, 13h-19h (18h sam.) ; dim. et j. fériés sur RV - visite payante.*

Châtenois

On y remarque un curieux clocher roman que terminent une flèche et quatre échauguettes en charpente. Une porte du 15e s., appelée « tour des Sorcières », porte un nid de cigognes. Il reste une double enceinte du château disparu. La mairie remonte au 15e s.

🚶 Beau panorama par un **sentier viticole** qui se prolonge jusqu'au sommet du Hahnenberg *(3h AR)*.

EN MARGE DU VIGNOBLE : SE DÉPENSER DANS LES VOSGES

S'envoler : école de parapente Grand Vol

16 km au N-O de Châtenois par la D 424, puis la D 425. Ferme Niedermatten - dir. Villé par D 425 - 67220 Breitenbach - 📞 *03 88 57 11 42 - www.grandvol.com - avr.-nov. : w.-end ; le site de parapente est accessible toute l'année.* Ici, des moniteurs diplômés assurent votre formation et vous suivent dans votre progression. Forfait débutant. Le parapente peut se pratiquer dès l'âge de 14 ans.

Glisser sur la belle blanche : stade de neige du Champ du Feu

26 km au N-O de Châtenois en suivant la D 424 puis la D 425. 67140 Le Hohwald - 📞 *03 88 97 35 05.*

Au cœur des Vosges moyennes, il est situé entre 900 et 1 100 m d'altitude. Le **Champ du Feu**★★ est un vaste plateau propice au ski de fond ou aux balades en raquettes, mais la station possède aussi 17 remontées mécaniques. École de ski français.

Les adresses de Marlenheim à Châtenois

NOS BONNES TABLES

🍴 **Auberge du Cerf** – *120 r. du Gén.-de-Gaulle - 67560 Rosheim -* 📞 *03 88 50 40 14 - fermé 7-18 janv., 21 juin-7 juil., dim. soir et lun. - 11 € déj. - 21/42 €.* Vous trouverez cette auberge sur la route qui traverse le village de Rosheim. Elle est toute simple mais proprette et il y règne une sympathique ambiance familiale. Carte de spécialités régionales à prix raisonnables.

🍴🍴 **Au Bœuf Rouge** – *6 r. du Dr-Stoltz - 67140 Andlau -* 📞 *03 88 08 96 26 - aubœufrouge@wanadoo.fr - fermé 15-24 fév., 20 juin-12 juil., merc. soir et jeu. sf de juil. à sept. - 15/28 €.* Installé dans un relais de poste du 17e s., ce restaurant typiquement alsacien sert dans son élégante salle à manger lambrissée ou sur sa terrasse d'été de savoureuses recettes traditionnelles, et dans sa winstub une carte de spécialités régionales, dont les célèbres flammekueches.

🍴🍴 **Winstub O'Baerenheim** – *46 r. du Gén.-Gouraud - 67210 Obernai -* 📞 *03 88 95 53 77 - gerard-eckert@free.fr - fermé 2-30 janv. et 14-30 nov. - 12,50 € déj. - 23/50 €.* Avant d'entrer, jetez un coup d'œil sur les clés de tonneaux placées au-dessus de l'entrée. Puis attablez-vous près de la cheminée, bien au chaud, pour vous régaler de petits plats du terroir à moindre coût : large choix de viandes, de poissons, de coquillages et crustacés, et très sympathique menu.

🍴🍴 **Am Lindeplatzel** – *71 r. Principale - 67140 Mittelbergheim - fermé vac. de fév., 20-31 août, 10 j. fin nov., lun. midi, merc. soir et jeu. -* 📞 *03 88 08 10 69 - 24/49,50 €.* À la carte de cette étape gourmande : sauté d'artichauts à l'huile de cacahuètes et au foie d'oie poêlé, bar cuit sur peau parfumé à la vanille ou encore pain perdu et glace à la cardamome. Aux menus : tarte fine à l'oignon, croustillant de filet de caille à la réduction au pistou et autres alléchantes gourmandises.

🍽🍽 **La Petite Auberge** – *41 r. du Gén.-de-Gaulle - 67560 Rosheim -* 📞 *03 88 50 40 60 - restaurant.petite. auberge@wanadoo.fr - fermé 30 juin-12 juil., 19-26 nov. et 16-28 fév. - 20/48 €.* Dans sa confortable salle à manger habillée de boiseries ou sur sa terrasse d'été, la Petite Auberge sert une cuisine régionale bien tournée : l'occasion ou jamais de goûter le baeckeofe, délicieux plat de viandes mijotées au riesling ou au sylvaner, le foie gras maison ou la soupe de fruits frais au crémant d'Alsace.

NOS HÔTELS

🛏🛏 **Château d'Andlau** – *113 vallée St-Ulrich - 67140 Barr - à 2 km de Barr par rte du Mont-Ste-Odile -* 📞 *03 88 08 96 78 - www. hotelduchateau-andlau.fr - fermé 2-25 janv., 12-26 nov. - 22 ch. 50/65 € -* 🍽 *9 € - rest. 24,50/36 €.* Auberge à colombages trapue, cernée de hautes futaies et longée par la Kirneck, sur la route conduisant au mont Ste-Odile. Nuits calmes assurées, agréable jardin fleuri… et nouveau restaurant doté d'une fabuleuse carte des vins comptant plus de 1 000 appellations dont de nombreux champagnes, spécialité de la maison.

🛏🛏 **Le Bugatti** – *R. de la Commanderie - 67120 Molsheim -* 📞 *03 88 49 89 00 - www. bugatti.fr - fermé 24 déc-2 janv. -* 🅿 *- 48 ch. 49/51 € -* 🍽 *6,50 €.* L'architecture contemporaine du Bugatti, proche des usines de la marque légendaire, abrite des chambres sobres et pratiques, équipées de meubles en bois stratifié.

NOS BONNES CAVES

DOMAINES

Domaine Roland Schmitt – *35 r. des Vosges - 67310 Bergbieten -* 📞 *03 88 38 20 72 - rschmitt@terre-net.fr - lun.-sam.* Anne-Marie Schmitt, d'origine napolitaine, a pris très méticuleusement la succession de son mari, rejointe par ses fils Julien, en 2000, et Bruno, trois ans plus tard. Les 9,5 ha de vignes du domaine sont plantés des sept cépages traditionnels d'Alsace. Exposés sud et sud-ouest, ils couvrent des sols argilo-marneux. Les vendanges sont manuelles, puis la récolte est vinifiée en cuves Inox thermorégulées. 🍷 alsace, alsace grand cru altenberg de Bergbieten.

Gérard Neumeyer – *29 r. Ettore-Bugatti - 67120 Molsheim -* 📞 *03 88 38 12 45 -*

domaine.neumeyer@wanadoo.fr - lun.-sam. 9h-12h, 14h-19h - sur RV. Gérard Neumeyer apparaît comme le dépositaire de trois générations de savoir-faire et de passion. Le vignoble de 16 ha, orienté sud-est, bénéficie d'un bel ensoleillement et se trouve abrité des vents froids par les collines sous-vosgiennes. Les sols marno-calcaires riches en cailloutis offrent un terroir de choix à la vigne conduite en lutte raisonnée. 🍷 alsace, alsace grand cru bruderthal, crémant-d'alsace.

Jean et Hubert Heywang – *7 r. Principale - 67140 Heiligenstein -* 📞 *03 88 08 91 41 - heywang.vins@wanadoo.fr.* Dans cette exploitation familiale d'environ 7 ha, Jean et Hubert Heywang conduisent leur vignoble en lutte raisonnée, dans le respect de l'environnement : renforcement des défenses de la vigne, protection des sols, respect de la faune et de la flore… Ils produisent et vendent toute la gamme traditionnelle des vins d'Alsace à laquelle il faut ajouter le klevener de Heiligenstein, spécialité du village depuis 1742. 🍷 alsace, alsace grands crus : kirchberg de Barr, klevener de Heiligenstein.

Charles Wantz – *36 r. St-Marc - 67140 Barr -* 📞 *03 88 08 90 44 - charles. wantz@wanadoo.fr - lun.-sam. 8h-12h, 14h-18h.* Le domaine s'étend sur 10 ha en propriété et 60 ha en apports, encépagés de sylvaner, de riesling, de pinot blanc, de pinot gris, de muscat, de gewurztraminer et de klevener. Le vignoble, situé sur des sols argilo-calcaires, gréseux et marneux, est vendangé manuellement. La vinification, traditionnelle, a lieu en cuves béton et en cuves Inox, avec fermentation sous contrôle des températures. Les vins sont ensuite élevés en foudres de bois, pendant six mois. 🍷 alsace, crémant-d'alsace, alsace grands crus : hatschbourg, kirchberg de Barr, wiebelsberg.

Domaine Marc Kreydenweiss – *12 r. Deharbe - 67140 Andlau -* 📞 *03 88 08 95 83 - marc@kreydenweiss.com - lun.-sam. 8h-12h, 14h-18h - sur RV.* Issu d'une famille de viticulteurs installée en Alsace depuis trois siècles, Marc Kreydenweiss dirige le domaine depuis 1971. Entouré de son épouse, Emmanuelle, et de ses fils, Manfred et Antoine, il conduit aujourd'hui un vignoble de 12 ha exploité depuis plus de quinze ans en biodynamie. Alliant aux techniques modernes de vinification des procédés plus traditionnels, tels que le contrôle des températures à l'aide d'un système de régulation à circulation d'eau, le domaine produit plusieurs grands crus et s'est spécialisé dans l'élaboration de vins de terroir. 🍷 alsace, alsace grands crus : kastelberg, moenchberg, wiebelsberg.

② De Châtenois à Colmar (2e étape)

▶ 54 km. Châtenois se trouve à 5 km à l'O de Sélestat par la N 59. Carte Michelin Local 315, I 7-8. Voir l'itinéraire ② sur le plan p. 74.

Jusqu'à Ribeauvillé, la route est dominée par de nombreux châteaux : masse imposante du Haut-Kœnigsbourg, ruines des châteaux de Kientzheim, Frankenbourg, St-Ulrich, Girsberg et Haut-Ribeaupierre.

Kintzheim

Au pied du château du Haut-Kœnigsbourg, Kintzheim (à ne pas confondre avec Kientzheim, dans le Haut-Rhin) est un important carrefour touristique qui possède deux parcs animaliers.

👪 La **Volerie des aigles** est installée dans la cour du château féodal ruiné. Sous des auvents sont logés environ 80 rapaces, diurnes et nocturnes. *30mn à pied AR.*
℘ 03 88 92 84 33 - www.voleriedesaigles.com - ♿ *- spectacles commentés (40mn) : se renseigner pour les horaires - du 14 juil. au 20 août : 10h-12h, 13h30-18h ; avr.-mi-juil. et du 21 août au 31 août : 14h-17h (18h w.-end) ; sept. à mi-nov. : 14h-17h - fermé de mi-nov. à fin mars - 9 € (5-14 ans 6 €).*

Reprenez la voiture et continuez sur la route forestière, puis la D 159. À 2 km, prenez à droite un chemin qui aboutit aux clôtures électrifiées ceinturant la Montagne des singes.

👪 La **Montagne des singes** est un parc de 20 ha, planté de pins, où vivent en liberté 300 magots de l'Atlas, bien adaptés au climat alsacien. *℘ 03 88 92 11 09 - www. montagnedessinges.com - juil.-août : 10h-18h ; mai-juin et sept. : 10h-12h, 13h-18h ; avr. et de déb. oct. au 11 nov. : 10h-12h, 13h-17h - fermé du 12 nov. à fin mars - 8 € (5-14 ans 5 €).*

À cheval sur la commune voisine d'Orschwiller, le grand cru praelatenberg, ancien domaine des moines de l'abbaye d'Ebermunster, est planté en riesling, gewurztraminer, muscat et pinot gris. Le sol silicieux donne des vins très denses.

Saint-Hippolyte

Le village possède plusieurs fontaines fleuries en été et une belle église gothique des 14e et 15e s. St-Hypolite est réputé pour ses vins rouges. Le grand cru gloeckelberg, à cheval sur St-Hippolyte et Roedern produit des gewurztraminers et des pinots gris réputés pour leur finesse.

Bergheim

À deux pas de la porte Haute, du 14e s., un tilleul daté de 1300 témoigne de l'ancienneté de ce bourg viticole. Le mur d'enceinte médiéval est flanqué de trois fines tours rondes. Il abrite de nombreuses maisons anciennes. Jolie fontaine sur la place du Marché et importante synagogue du 19e s.

L'**église** de grès rouge, comme l'hôtel de ville, date du 18e s. Elle conserve des éléments du 14e s. *℘ 03 89 73 63 20 - juil.-août : visite libre ; le reste de l'année : s'adresser au presbytère, 1 r. de l'Église.*

🍷 Les vignes de l'Altenberg de Bergheim, qui culmine à 320 m, dominent la cité et produisent du gewurztraminer et du riesling dont on aura un bon aperçu au **domaine Gustave Lorentz** *(voir nos bonnes caves).*

Ribeauvillé★

Ribeauvillé, dominé par les trois châteaux de Ribeaupierre (12e-13e s.), accueille plusieurs nids de cigognes sur ses vieilles tours. C'est une agréable étape sur la route des vins avec ses trois grands crus : osterberg, kirchberg et geisberg.

🍷 Ribeauvillé compte de nombreux domaines de qualité, comme **Trimbach** *(voir nos bonnes caves).*

La **Grand'Rue★★**, à demi piétonne, traverse toute la ville, avec ses maisons à pans de bois et ses géraniums. On remarquera tout particulièrement le **Pfifferhüs** (restaurant des Ménétriers) au n° 14, la **halle au blé** et la **tour des Bouchers★**.

Au-delà de Ribeauvillé, la route s'élève à mi-pente et la vue se dégage sur la plaine d'Alsace. C'est entre Ribeauvillé et Colmar que se trouve le cœur du vignoble alsacien. Villages et bourgs viticoles aux crus réputés se succèdent alors sur les riches pentes vosgiennes.

Le joueur de fifre, symbole de Ribeauvillé.

Hunawihr

Hunawihr est l'une des perles de la route des vins.

🐾 Sur le grand cru rosacker, que l'on peut arpenter par un **sentier viticole**, c'est le riesling qui domine, mais le gewurztraminer fait également merveille. Le village, tranquille et accueillant, possède une église fortifiée du 16ᵉ s. vouée alternativement aux cultes catholique et protestant. 🍷 Faites un tour au domaine **Mittnacht Frères** *(voir nos bonnes caves)*.

👥 **Centre de réintroduction des cigognes et des loutres** – 📞 *03 89 73 72 62 - www.cigogne-loutre.com - 👤- août : 10h-19h ; juin-juil. 10h-18h ; avr.-mai et de déb. sept. au 11 nov. : lun.-vend. 10h-12h, 14h-17h, w.-end, j. fériés 10h-17h - 8 € (5-14 ans 5 €).* Pas d'Alsace sans cigogne. Ce pourrait être un slogan. Depuis 1976, les responsables du centre s'attachent à supprimer l'instinct migratoire des cigognes alsaciennes qui étaient en voie de disparition, pour un certain nombre de raisons : chasses, lignes électriques, sécheresse en Afrique, etc. On peut faire perdre à une cigogne cet instinct, mais la nature est plus forte et les jeunes n'ont qu'une idée en tête : partir quand l'été s'achève ; seul un petit nombre parviendra à revenir au nid. Au centre de réintroduction, on pourra découvrir la nidification, plusieurs couples évoluant librement et voir les nouveau-nés du printemps à différents stades de croissance. Plus de 200 cigognes y sont élevées. En 1991 a été adjoint au site un centre de reproduction de la loutre, disparue des rivières françaises. La loutre fait ainsi son retour dans la région, après le castor et le saumon.

Zellenberg

Belle vue sur Riquewihr et le vignoble depuis ce village perché, que l'on peut découvrir au cours d'un circuit historique *(durée : 40mn, livret-guide à la mairie ou à l'office du tourisme de Ribeauvillé ou de Riquewihr)*.

🐾 Au bout du village, un **sentier viticole** conduit sur les hauteurs du grand cru froehn sur lequel le gewurztraminer, le muscat et le pinot gris font merveille.

Riquewihr★★★

Les envahisseurs de tous les temps ont échoué devant Riquewihr, sauf les touristes… Hordes pacifiques, ils sont chaque année plus de 2 millions à franchir ses remparts. C'est parce que la ville a traversé miraculeusement toutes les guerres, que les ruelles, les murailles et les vieilles maisons ont conservé leur splendeur du 16ᵉ s. Depuis le Moyen Âge, c'est le vin qui a fait la prospérité de Riquewihr, qui possède aujourd'hui deux grands crus : le sporen, favorable au gewurztraminer et au pinot gris, et le schoenenbourg, dévolu principalement au riesling. Riquewihr accueille plusieurs maisons réputées, 🍷 comme les domaines **Dopff & Irion** et **Hugel et Fils** *(voir nos bonnes caves)*.

Le **château des ducs de Wurtemberg**, terminé en 1540, a gardé ses fenêtres à meneaux, son pignon couronné de bois de cerf et sa tourelle d'escalier. Il abrite le **musée de la Communication en Alsace** où sont présentés les différents moyens de communication utilisés dans la région au cours des siècles. 📞 *03 89 47 93 80 - www.shpta.com - avr.-oct. et durant le marché de Noël : tlj sf mar. 10h-17h30 - 4 € (enf. 2,50 €).*

Suivez la rue du Gén.-de-Gaulle. Au nᵒ 12, la maison Irion date, avec son oriel d'angle, de 1606 ; en face, vieux puits du 16ᵉ s. À côté, maison Jung-Selig de 1561, avec pans de bois ouvragés. La **maison Liebrich★** (cour des Cigognes) date de 1535 et possède une pittoresque cour à galeries de bois à balustres (milieu du 17ᵉ s.), avec un puits de 1603 et un énorme pressoir (1817). On accède à la **maison Hansi** par la boutique de souvenirs. À l'étage : aquarelles, lithographies, eaux-fortes, faïences décorées, affiches publicitaires, histoire de tout connaître (ou presque) du talentueux dessinateur et caricaturiste colmarien Jean-Jacques Waltz, dit Hansi. 📞 *03 89 47 97 00 - juil.-août. : 10h-18h ; avr.-juin et sept.-déc. tlj sf lun. 10h-18h ; janv. : w.-end 14h-18h ; fév.-mars : tlj sf lun. 14h-18h - fermé 1ᵉʳ janv. et 25 déc - 2 € (-16 ans gratuit).*

Au fond de la rue Kilian, admirez la belle porte (1618) de la maison Brauer. Poussez jusqu'à la **place des Trois-Églises** en empruntant la rue du même nom : la place est encadrée par les anciennes églises St-Érard et Notre-Dame, converties en maisons d'habitation, et un temple protestant du 19ᵉ s.

La **maison Preiss-Zimmer★** est une des curiosités les plus connue de Riquewihr. Après avoir franchi plusieurs cours successives, on arrive sur l'avant-dernière cour qui donne sur cette maison, qui appartenait à la corporation des vignerons.

Plus loin sur la gauche se trouve la **cour dîmière** des sieurs de Ribeaupierre. Au bout de la rue du Gén. de-Gaulle, sur la place de la Sinn, à droite, jolie **fontaine Sinnbrunnen** qui date de 1580.

Le vignoble de Riquewihr.

La **rue des Juifs** débouche sur la curieuse cour des Juifs, ancien ghetto, au fond de laquelle un étroit passage et un escalier de bois conduisent aux remparts et au musée de la **Tour des voleurs**, d'un goût très particulier, avec salle de torture, oubliette, salle de garde et habitation du gardien de cette ancienne prison. Âmes sensibles s'abstenir. *03 89 86 00 92 - 10h15-12h30, 14h-18h30 - fermé des vac. de Toussaint aux vac. de Pâques - 2,50 € (billet combiné avec le musée du Dolder : 4 € ; -10 ans gratuit).*

Élevée en 1291, la porte du **Dolder★** fut renforcée aux 15e et 16e s. Remarquez sa herse et la place du pont-levis de 1600. Sur la gauche s'élève le rempart de la cour des Bergers avec sa tour de défense. Par l'escalier à gauche de la porte du Dolder, on accède au **musée du Dolder** : souvenirs, gravures, armes, ustensiles rapportant à l'histoire locale. *03 89 86 00 92 - juil.-août : 13h45-18h30 ; avr.-juin et sept.-oct. : w.-end et j. fériés 13h45-18h30 - fermé des vac. de Toussaint aux vac. de Pâques - 2,50 € (billet combiné avec le musée de la Tour des voleurs : 4 € ; -10 ans gratuit).*

Au no 2 de la rue du Cerf, la **maison Kiener★** *(ne se visite pas)* possède une porte en plein cintre taillée en biais pour faciliter l'entrée des voitures. La cour est typique avec son escalier tournant, ses étages en encorbellement et son puits de 1576. En face, l'ancienne auberge du Cerf date de 1566.

Continuez la rue du Cerf, puis tournez à gauche dans la rue Latérale. La rue Latérale possède de belles maisons, parmi lesquelles, au no 6, la maison du marchand Tobie Berger qui a gardé un oriel de 1551 et, dans la cour, une belle porte Renaissance.

Au no 16 de la rue de la 1re-Armée, la **maison du Bouton d'Or** remonte à 1566.

À l'angle de la maison, une impasse conduit à l'ensemble dit **cour de Strasbourg** (1597), en fait la cour dîmière du chapitre de la cathédrale de Strasbourg.

Rue de la Couronne, en face de la **maison Jung** (1683), se trouve un vieux puits, le **Kuhlebrunnen** (la fontaine fraîche). Au no 6, la **maison Dissler★**, construite en pierre, avec ses pignons à volutes et sa loggia, est un intéressant témoin de la Renaissance rhénane (1610).

Beblenheim

Le village, orné d'une fontaine gothique de la fin du 15e s., est adossé au coteau du grand cru sonnenglanz (éclat de soleil), dont les 35 ha sont plantés en pinot gris, muscat et gewurztraminer. ⟶ **Sentier viticole**.

🍷 Le **domaine Bott-Geyl**, cultivé en biodynamie, produit des vins d'excellence *(voir nos bonnes caves)*. Faites un tour à l'**Espace Alsace Coopération** : sur la route des Vins, il regroupe les 17 caves coopératives d'Alsace, propose toute une sélection de vins d'Alsace et offre un aperçu des produits du terroir. *Rte du Vin - 03 89 47 91 33 - alsacoop@eac-alsace.com - tlj sf lun. 10h-12h, 14h-18h (20h en été) - fermé janv. et fév.*

Mittelwihr

À la sortie sud du village, détruit en 1944, le « mur des Fleurs martyres » fut fleuri, durant toute l'Occupation, d'ipomées bleues, de pétunias blancs et de géraniums rouges. Cette floraison symbolisa le gage de la fidélité alsacienne envers la France. Le secteur est si bien exposé que les amandiers arrivent à y pousser.

☙ Un **sentier viticole** conduit au coteau du cru mandelberg que Mittelwihr partage avec Bennwihr. Essentiellement voué au riesling et au gewurztraminer, il produit des vins réputés pour leur fruité.

Bennwihr

Le village, où trône une fontaine monumentale dédiée à sainte Odile, a été détruit en 1944. Il a été reconstruit dans le style local. Bennwihr partage avec Sigolsheim le grand cru marckrain dont le microclimat est propice au gewurztraminer et au pinot gris.

Sigolsheim

Encore un village durement touché durant les combats de la poche de Colmar (1944-1945). Reste quand même l'**église St-Pierre-et-St-Paul**, qui date du 12e s. Sigolsheim possède trois grands crus : une partie du marckrain, une partie du furstentum, partagé avec Kientzheim, et le mambourg renommé pour la puissance de son gewurztraminer.

♟ Le **domaine Pierre Sparr et Fils** propose un bel aperçu des grands crus et lieux-dits du secteur *(voir nos bonnes caves)*.

Empruntez la rue de la 1re-Armée pour gagner, à 2 km au nord-est, après le couvent des Capucins, la Nécropole nationale.

Nécropole nationale

Du parc de stationnement, 5mn à pied AR. 124 marches pour y accéder. Y sont inhumés 1 684 soldats de la 1re armée française, parmi lesquels de très nombreux soldats nord-africains, tombés en 1944. Du terre-plein central, **panorama★** sur les sommets et châteaux avoisinants, ainsi que sur Colmar et la plaine d'Alsace.

Kientzheim

L'esprit du Moyen Âge plane dans les rues au détour desquelles on rencontre des maisons à pans de bois, de vieux puits, des cadrans solaires. Le schlossberg, premier grand cru d'Alsace délimité en 1975, culmine à 350 m au nord-ouest de Kientzheim. Il est très réputé pour son riesling floral et racé.

♟ La **cave vinicole de Kientzheim** regroupe 150 producteurs et propose des vins d'un bon rapport qualité-prix ; vous pouvez également vous rendre en toute confiance au **domaine Paul Blanck** *(voir nos bonnes caves)*.

L'**ancien château** remonte au Moyen Âge, mais a été transformé au 16e s. Il accueille aujourd'hui le siège de la **confrérie St-Étienne** qui contrôle la qualité des vins alsaciens en leur attribuant un label sigillé. Un **musée du Vignoble et des Vins d'Alsace** rassemble sur trois étages une importante vinothèque. Les collections comprennent notamment un monumental pressoir ancien et de nombreux instruments devenus rares. ℘ *03 89 48 21 36 - www.musee-du-vignoble-alsace.fr - juin-oct. : 10h-12h, 14h-18h ; mai : w.-end et j. fériés 10h-12h, 14h-18h - 3 € (-10 ans gratuit).*

La **porte Basse**, dite du « Lalli », est surmontée d'une tête sculptée qui tire la langue aux passants. Cette tête narguait l'assaillant qui avait franchi la première enceinte, mais l'effrayait-il vraiment ?

La tour gothique de l'**église** est très restaurée. L'intérieur contient, sur l'autel latéral gauche, une Vierge du 14e s. et, à côté, des **pierres tombales★** de Lazare de Schwendi. Dans la sacristie, ancien ossuaire, fresques du 14e s. et statues de la Vierge, des 14e et 17e s.

Kaysersberg★★

La petite ville continue de célébrer **Albert Schweitzer** (1875-1965), prix Nobel de la paix en 1952. Organiste, pasteur, musicologue, écrivain, médecin, il a mené en Afrique un combat exemplaire contre le sous-développement et la maladie. Il est mort en septembre 1965 à Lambaréné, au Gabon. Situé à côté de sa maison natale, le **musée Albert-Schweitzer** présente des documents, photos, objets personnels et souvenirs retraçant sa vie. ℘ *03 89 47 36 55 - &- avr.-déc. : 9h-12h, 14h-18h - 2 € (enf. 1 €).*

La ville a conservé son aspect médiéval et son marché de Noël est devenu l'un des plus célèbres d'Alsace. ♟ Le **domaine Weinbach**, établi dans l'ancien clos des capucins, est l'un des plus réputés d'Alsace *(voir nos bonnes caves)*.

L'**hôtel de ville★**, construit dans le style de la Renaissance rhénane, présente une jolie façade, une cour tranquille et une galerie de bois ouvragée.

Sur le parvis de l'**église Ste-Croix★**, une fontaine de 1521 restaurée au 18e s. représente l'empereur Constantin. Remarquez les figures de sirènes et de pélicans sur le portail roman. Dans la nef, groupe en bois sculpté polychrome et belle verrière (15e s.). Dans le chœur, magnifique **retable★★** du maître Jean Bongartz de Colmar (1518) représentant la Crucifixion et diverses scènes de la Passion.

La **chapelle St-Michel** était la chapelle du cimetière. Elle date de 1463 et comporte deux étages. La salle inférieure, transformée en ossuaire, est assez saisissante (bénitier avec une tête de mort à la base). Dans la chapelle supérieure, fresque de 1464 et, à droite, dans le chœur, curieux crucifix du 14ᵉ s.

Dans les rues de l'Église, de l'Ancien-Hôpital et de l'Ancienne-Gendarmerie, de vieilles **maisons★** à pans de bois forment un ensemble architectural de premier ordre, avec celles de la Grand'Rue.

Le **pont fortifié★** possède un parapet crénelé et porte même un petit oratoire. Dès que vous l'aurez traversé, vous admirerez la **maison Brief★**, appelée également « maison du Gourmet », remarquable par ses pans de bois richement sculptés et peints, et sa galerie couverte.

Dans une maison Renaissance avec tourelle à escalier est installé le **Musée communal**. Il présente des objets d'art religieux (rare Vierge ouvrante du 14ᵉ s., Christ des Rameaux du 15ᵉ s.), d'art populaire (tonnellerie) et d'archéologie (fouilles à Bennwihr). ☎ 03 89 78 11 11 - juil.-août : tlj sf mar. 10h-12h, 14h-18h - 2 € (-10 ans gratuit).

Ammerschwihr

Ammerschwihr a été incendié par les bombardements de décembre 1944 et janvier 1945 avant d'être reconstruit dans le style du pays. Seules l'église St-Martin, dont le chœur est éclairé par des vitraux modernes, la façade Renaissance de l'ancien hôtel de ville, la porte Haute et deux tours des fortifications (la tour des Voleurs et la tour des Bourgeois) témoignent encore du passé.

🍷 Ammerschwihr partage le grand cru wineck-schlossberg avec Katzenthal, mais la commune produit aussi des alsaces régionaux de grande qualité comme celui du **domaine Sibler** *(voir nos bonnes caves)*.

Niedermorschwihr★

L'église moderne de ce joli village niché dans les vignes a gardé son clocher vrillé du 13ᵉ s., unique en Alsace. La rue principale est bordée de maisons anciennes à oriels et balcons de bois. Ne manquez pas le magasin de confitures et autres douceurs de Catherine Ferber, dont la réputation s'étend jusqu'au Japon. Le grand cru sommerberg, au nord du village, est un coteau granitique de très forte pente qui donne un riesling réputé pour sa longévité. 🍷 Vos achats se feront au **domaine Albert Boxler** *(voir nos bonnes caves)*.

Turckheim★

C'est par Niedermorschwihr qu'il faut arriver à Turckheim. Depuis la jolie route au milieu des vignes, vous verrez apparaître à l'intérieur de ses remparts la petite ville aux toitures anciennes, son clocher aux tuiles polychromes et ses nids de cigognes. Fière de ses traditions, la ville a son veilleur de nuit qui, chaque soir à 22h, de mai à octobre, fait sa ronde en costume historique.

Le grand cru brand, surplombant la ville, produit du riesling, du pinot gris et du gewurztraminer sur des sols granitiques. 🍷 Pour les acheter, il suffit de se rendre au **domaine Zind-Humbrecht** *(voir nos bonnes caves)*.

👣 Et pour le découvrir, empruntez le **sentier viticole** *(environ 1h à pied)*. Départ 30 m après la porte du Brand sur votre droite, à hauteur d'un petit oratoire. Circuit de 2 km à travers les vignes, balisé de panneaux explicatifs, pour vous apprendre à connaître le travail de la vigne ainsi que les différents cépages.

L'hôtel des Deux-Clefs, à Turckheim.

Jacass / MICHELIN

Face au quai de la Fecht, la **porte de France** s'ouvre dans une tour massive et quadrangulaire du 14ᵉ s. qui porte un nid de cigognes. La **porte de Munster** est une autre des trois portes typiques de la ville. Tout autour de la **place Turenne** se dressent des maisons anciennes : à droite se trouve le corps de garde, précédé d'une fontaine, au fond de la place, l'hôtel de ville avec pignon Renaissance ; derrière, l'ancienne église dont on aperçoit la tour aux assises romanes. La **Grand'Rue** est également bordée de nombreuses maisons remontant à la fin du 16ᵉ s. et au début du 17ᵉ s.

Wintzenheim

Au centre d'un vignoble réputé qui inclut le grand cru hengst, le village situé au débouché de la vallée de Munster possède des restes de fortifications (1275), quelques maisons anciennes *(r. des Laboureurs)*, une belle fontaine de la Vierge (18e s.) et l'ancien manoir des chevaliers de St-Jean devenu hôtel de ville.

Le grand cru hengst est réputé pour son gewurztraminer qui s'enrichit de belles saveurs d'épices en veillissant. ♟ Vous le trouverez au **domaine Josmeyer**, dirigé par Jean Meyer. Passionné d'art, depuis 1986, ce dernier habille les bouteilles du domaine d'étiquettes réalisées par des artistes, parmi lesquels le sculpteur d'origine alsacienne Michel Wolfhart. La cour pavée de la propriété, où s'élève un tilleul planté à la Libération, accueille elle aussi ses sculptures *(voir nos bonnes caves)*.

EN MARGE DU VIGNOBLE

Remonter le temps au château du Haut-Kœnigsbourg★★

8 km au S-O de Châtenois par la D 35 et la D 159. ☎ *03 88 82 50 60 - juin-août : 9h30-18h30 (dernière entrée 30mn av. fermeture) ; avr.-mai et sept. : 9h30-17h30 ; mars et oct. : 9h45-17h ; nov.-fév. : 9h45-12h, 13h-17h - fermé 1er janv., 1er Mai et 25 déc - 7,50 € (-18 ans gratuit), gratuit 1er dim. du mois (oct.-mars).*

Son apparition dans la brume matinale est vraiment magique ! Forteresse de 300 m de long perchée à près de 800 m de haut, ce n'est ni un mirage ni une « grande illusion », pour faire référence au film que Jean Renoir y tourna en 1937. L'éperon de grès sur lequel le château est accroché surveille toutes les routes menant vers la Lorraine ou traversant l'Alsace, celle du vin, celle du blé et du sel.

Construit par les Hohenstaufen au 12e s. et après un passage aux mains de chevaliers brigands qui en avaient fait leur quartier général, le château est récupéré par les Habsbourg au 15e s. Puis après quelques siècles d'abandon dû à des pillages et des incendies, il a été offert en 1899 par la ville de Sélestat à l'empereur Guillaume II, grand amateur de châteaux romantiques, qui le fit restaurer par l'architecte Bodo Ebhardt. Après la visite des différents bâtiments, gagnez le grand bastion pour profiter du **panorama★★**.

Les adresses de Châtenois à Colmar

NOS BONNES TABLES

🍽 **Caveau du Vigneron** – *5 Grand-Rue - 68150 Hunawihr - 2 km au S de Ribeauvillé par D 1 - ☎ 03 89 73 70 15 - chrisbruault@aol. com - fermé 20 déc.-7 fév. et merc. - 13/27 €.* Christophe Bruault, le nouveau propriétaire, connaît bien les lieux puisqu'il y a officié en tant que cuisinier pendant cinq ans. Le décor – la cave d'une maison du 17e s. – reste inchangé et la table met l'Alsace à l'honneur : tarte à l'oignon, choucroute garnie, coquelet au riesling, jambonneau braisé, etc.

🍽🍽 **À l'Arbre Vert** – *7 r. des Cigognes - 68770 Ammerschwihr - 4 km au SE de Kaysersberg par N 415 - ☎ 03 89 47 12 23 - www.arbre-vert.net - fermé 1er-12 mars, 15-26 nov., 1er-26 fev. - 15/47 €.* Dans sa salle à manger décorée de boiseries sculptées sur le thème de la vigne, la famille Gebel-Tournier sert une cuisine régionale particulièrement soignée et savoureuse : choucroute garnie, coq au riesling, filet de sandre rôti agrémenté comme il se doit d'une sauce au raifort et de spätzles, tête de veau pochée, etc.

🍽🍽 **Aux Trois Merles** – *68770 Ammerschwihr - 4 km au SE de Kaysersberg par N 415 - ☎ 03 89 78 24 35 - fermé vac. de fév., merc., dim. soir et lun. – 21/43 €.* Confortable salle à manger et terrasse où vous dégusterez de bons petits plats iodés – pavés de sandre rôti au lard, panaché de poissons au beurre –, des recettes choisies en fonction du marché et des spécialités alsaciennes comme la choucroute ou le baeckeofe.

🍽🍽 **Taverne Alsacienne** – *99 r. de la République - 68040 Ingersheim - 4 km au NO de Colmar par N 83 - ☎ 03 89 27 08 41 - www.tavernalsac.com - fermé 1er -8 janv., 23 juil.-13 août, dim. soir et lun. sf j. fériés - 15 € déj. - 18/55 €.* Cet établissement bordant la Fecht sert une cuisine résolument alsacienne, pour le plus grand bonheur de ses clients également séduits par l'excellent rapport qualité-prix. Choucroute, canard, poisson et munster fermier s'accordent à merveille avec la très belle carte des vins offrant un large choix de crus régionaux.

🍽🍽 **La Vieille Forge** – *1 r. des Écoles - 68240 Kaysersberg - ☎ 03 89 47 17 51 - fermé vac. de fév., 1er-21 juil., janv., mar. et jeu. sf le soir en sept.-oct. et merc. - 19/31 €.* Dans la coquette salle à manger de la Vieille Forge, touristes et habitués dégustent une goûteuse cuisine du terroir. Un court extrait de la carte ? Terrine de gibier, filet de sandre au riesling, choucroute, tournedos au pinot noir, munster, kouglof glacé aux griottes et quetsches chaudes, etc.

🍽🍽 **Winstub du Château** – *38 r. du Gén.-de-Gaulle - 68240 Kaysersberg - ☎ 03 89 78 24 33 - fermé 4 fév., 20-29 juin, 7-16 nov., merc. soir et jeu. - 17/32 € - 8 ch. 36/49 €.* Le restaurant de la famille Kohler attire beaucoup de monde, notamment en fin d'année car le marché de Noël de Kaysersberg est devenu un des plus célèbres d'Alsace. On y déguste une honorable cuisine régionale : escargots à l'alsacienne, choucroute royale, filet de truite fumée et sa sauce au raifort…

🍴 **Caveau Morakopf** – 7 r. des Trois-Épis - 68230 Niedermorschwihr - 7 km au SE de Kaysersberg par N 415 puis D 10⁷ - ✆ 03 89 27 05 10 - www.caveaumorakopf.fr - fermé 7-20 janv., 23 juin-7 juil., lun. midi et dim. - 20/35 €. Atmosphère chaleureuse dans ce restaurant qui occupe la cave d'un bâtiment du 18ᵉ s., et sur son agréable terrasse-jardin. Les spécialités alsaciennes comme le Schwina Zingala (langue de porc au court-bouillon) ou les fleischschnacka, préparées avec soin par Madame Hercqué et son équipe, figurent bien sûr au menu.

🍴 **Winstub du Sommelier** – 68750 Bergheim - 3 km au N de Ribeauvillé par D 1 - ✆ 03 89 73 69 99 - www.wistub-du-sommelier.com - fermé 15-29 juil., 20-29 janv., mar. soir et merc. - 20/35 €. Atmosphère de winstub élégante dans une maison datant de 1746. La cuisine se met au diapason avec un répertoire délibérément régional et des préparations soignées. Vous aurez le choix entre le menu du marché et une carte plus étoffée évoluant au gré des saisons. Bon livre de cave et sélection de crus au verre.

🍴 **Au Relais des Ménétriers** – 10 av. Gén.-de-Gaulle - 68150 Ribeauvillé - ✆ 03 89 73 64 52 - fermé 29 juin-17 juil., 23 déc.-2 janv., jeu. soir, dim. soir et lun. - 12 € déj. - 23/35 €. Les ménétriers sont unis à l'histoire de la ville depuis le Moyen Âge. Ce restaurant légèrement excentré propose une vraie cuisine alsacienne servie dans une sympathique salle à manger rustique.

🍴 **Le Sarment d'Or** – 4 r. du Cerf - 68340 Riquewihr - ✆ 03 89 86 02 86 - fermé dim. soir, mar. midi et lun. - 20/52 €. Le superbe village de Riquewihr compte parmi ses belles demeures cette maison du 17ᵉ s. aménagée en restaurant. Boiseries blondes, poutres apparentes, jolie cheminée et mobilier choisi composent le plaisant décor des salles à manger où l'on déguste une cuisine mâtinée de quelques touches de modernité.

🍴 **Auberge du Frœhn** – 5 rte d'Ostheim - 68340 Zellenberg - 2 km au S de Ribeauvillé par D 1 - ✆ 03 89 47 81 57 - fermé 1ᵉʳ-16 juil., 9 fév.-5 mars, mar. et merc. - 19/35 €. Coquette auberge à la séduisante façade fleurie. À l'intérieur, qui bénéficie d'un plaisant cadre rustique, règne une ambiance conviviale. Les clients fidèles y apprécient autant le sourire de la patronne que les bons petits plats de son cuisinier de mari qui revisite à sa manière le répertoire régional.

NOS HÔTELS ET CHAMBRES D'HÔTE

🛏 **Chambre d'hôte Maison Thomas** – 41 Grand-Rue - 68770 Ammerschwihr - ✆ 03 89 78 23 90 - www.maisonthomas.fr - 4 ch. et 4 gîtes 44/47 € ⊔. Cette ancienne maison de vigneron se trouve dans la partie la plus pittoresque du village, près d'une porte fortifiée. Grandes chambres fonctionnelles avec coin cuisine et mezzanine pour certaines. Plusieurs appartements sont également disponibles dans une bâtisse du 16ᵉ s. située au pied des vignes. Jardin bien aménagé.

R. Mattes / MICHELIN

🛏 **Chambre d'hôte Les Framboises** – 128 r. des Trois-Épis - 68230 Katzenthal - 5 km au NO de Colmar dir. Kaysersberg puis D 10 - ✆ 03 89 27 48 85 ou 06 82 21 76 31 - www.gites-amrein.com - 4 ch. 39/49 € ⊔. Quittez donc Colmar pour venir vous mettre au vert dans ce village entouré de vignes. L'hôte-propriétaire, qui par ailleurs distille le marc de gewurztraminer, propose sous les toits de sa maison quelques chambres lambrissées. Le matin, ne manquez pas le spectacle de marionnettes…

🛏 **Fief du Château** – 67600 Orschwiller - 7 km au N de Ribeauvillé par D 1 - ✆ 03 88 82 56 25 - www.fief-chateau.com - fermé 30 juin-5 juil., 3-8 nov., 17 fév.-3 mars et merc. - 🅿 - 8 ch. 45 € - ⊔ 8 € - rest. 18/35 €. La façade résolument alsacienne de cette maison de la fin du 19ᵉ s., égayée en saison par de pétulantes jardinières de géraniums, abrite un intérieur chaleureux. Dans la salle à manger aux poutres massives, on sert des plats du terroir arrosés, route des Vins oblige, par les fameux crus de la région.

🛏 **Cheval Blanc** – 122 Grand Rue - 68150 Ribeauvillé - ✆ 03 89 73 61 38 - cheval-blanc-ribeauville@wanadoo.fr - fermé 9 janv.-8 fév. et 14-23 nov. - 24 ch. 40/56 € - ⊔ 7 €. La façade de cette bâtisse alsacienne se couvre de fleurs en saison. Intérieur d'esprit rustique. Chambres modestes, plus tranquilles sur l'arrière, salle de restaurant actuelle et salon pourvu d'une cheminée. Registre culinaire traditionnel.

Chambre d'hôte Schmitt Gérard – *3 r. des Vignes - 68340 Riquewihr - ☎ 03 89 47 89 72 - fermé janv.-mars -* ⚄ *- 2 ch. 47 € -* ☳. La maison de Monsieur Schmitt, agrémentée d'un jardin, se perche sur les hauts du village, à la lisière du vignoble. Vous logerez dans des chambres lambrissées aménagées sous les toits. L'adresse est appréciée pour sa propreté et la sagesse de ses prix.

Hostellerie de l'Abbaye d'Alspach – *2 r. du Mar.-Foch - 68240 Kientzheim - ☎ 03 89 47 16 00 - www. abbayealspach.com - fermé 5 janv.-15 mars -* 🅿 *- 28 ch. 66/102 € -* ⚄ *10 €.* Cet hôtel occupe une aile d'un ancien couvent (13e s.) situé au cœur de Kientzheim. Ses chambres, calmes et de bonne ampleur, sont décorées de meubles rustiques massifs. Cinq nouvelles suites offrent un excellent confort. Accueil aimable.

Chambre d'hôte Domaine Bouxhof – *R. du Bouxhof - 68630 Mittelwihr - 2 km au S de Riquewihr par D 3 - ☎ 03 89 47 93 67 - fermé janv. -* ⚄ *- 3 ch. 55 € -* ☳. Séduisante maison du 17e s. nichée au cœur d'un domaine viticole. Ses propriétaires font visiter leur magnifique cave classée et découvrir les crus produits sur place. Gîtes spacieux et bien équipés et chambres d'hôte au cadre actuel à réserver pour 2 nuits minimum. Petit-déjeuner servi dans une chapelle du 15e s.

Hôtel L'Oriel – *3 r. des Écuries-Seigneuriales - 68340 Riquewihr - ☎ 03 89 49 03 13 - www.hotel-oriel.com - 19 ch. 77/142 € -* ⚄ *9,50 €.* La façade de cette maison du 16e s. est agrémentée d'un bel oriel à double étage et d'une amusante enseigne en fer forgé. Un charmant dédale de couloirs et d'escaliers mène à des chambres rustiques garnies de meubles alsaciens. Quelques-unes bénéficient d'une mezzanine. L'hébergement se complète d'une annexe récente.

NOS BONNES CAVES

COOPÉRATIVE

Cave vinicole de Kientzheim - Kaysersberg – *10 r. des Vieux-Moulins - 68240 Kientzheim - ☎ 03 89 47 13 19 - www. vinsalsace-kaysersberg.com - 9h-12h, 14h-18h ; w.-end et j. fériés à partir de 10h.* Grâce à des méthodes de vinification rigoureuses et des contrôles stricts de la qualité, les vins de cette coopérative possèdent des propriétés remarquables, reconnues par les spécialistes. Les grands crus Schlossberg et Furstentum et les cuvées du lieu-dit Altenburg figurent parmi les chantres de l'Alsace viticole.

DOMAINES

Gustave Lorentz – *68750 Bergheim - ☎ 03 89 73 22 22 - info@gustavelorentz. com - lun. midi-sam. 9h-12h, 14h-18h30.* Le domaine, maison familiale depuis 1750, s'étend sur 32 ha, dont 13,5 en grands crus, complétés par des achats de raisins.

Les vignes, plantées sur des sols argilo-calcaires, sont orientées sud-sud-est et bénéficient d'un ensoleillement optimal. La vinification a lieu en cuves thermorégulées, puis les vins sont élevés en fûts jusqu'à la mise en bouteilles. ⚱ *alsace, crémant-d'alsace, alsace grands crus : altenberg de Bergheim, kanzlerberg.*

Domaine Trimbach – *15 rte de Bergheim - 68150 Ribeauvillé - ☎ 03 89 73 60 30 - contact@maison-trimbach.fr - lun.-vend. midi - 9h-12h, 14h-17h - sur RV.* La maison, propriété familiale depuis douze générations, est aujourd'hui aux mains d'Hubert, de Bernard et de ses fils Pierre et Jean Trimbach. Le vignoble qui s'étend sur 27 ha produit des cuvées de très haut niveau où les sucres résiduels sont bannis. Chaque opération fait l'objet des soins les plus attentifs : plantation des pieds de vignes, mise en bouteilles, vendanges, pressurage et vinification. ⚱ *alsace.*

R.Mattes / MICHELIN

Domaine Mittnacht Frères – *27 rte de Ribeauvillé - 68150 Hunawihr - ☎ 03 89 73 62 01 - mittnacht.freres@terre-net.fr - lun.-sam.* Marc et Christophe Mittnacht, tous deux cousins, exploitent les 19 ha de la propriété familiale dans le respect de la nature et de la vigne. En 2002, le domaine a ainsi reçu la licence attestant de son engagement à respecter le mode de production biologique et a adopté, par la suite, la biodynamie. Les vins sont élevés jusqu'à un an en cuves Inox, fûts et barriques. ⚱ *alsace, alsace grand cru ostererg, crémant-d'alsace.*

Dopff & Irion – *1 cour du Château - 68340 Riquewihr - ☎ 03 89 47 92 51 - post@dopff-irion.com - tlj 10h-18h - sur RV.* Cette importante maison de négoce est aussi propriétaire exploitant d'un domaine très bien situé qui s'étend sur 32 ha, dont les deux tiers sont classés en grands crus. Enherbement partiel, taille courte, vendanges manuelles et rendements volontairement limités sont ici la règle. En 1998, la maison a acquis les 5 ha du clos du Château d'Isenbourg, sur la commune de Rouffach. ⚱ *alsace, crémant-d'alsace, alsace grands crus : schoenenbourg, sporen.*

Domaine Hugel et Fils – *3 r. de la 1re-Armée - 68340 Riquewihr - ☎ 03 89 47 92 15 - info@hugel.com - lun.-vend. midi 8h-12h, 14h-17h30 - sur RV.* Depuis près de quatre siècles, la famille Hugel cultive ce vignoble qui s'étend désormais sur 26 ha. Si Jean-Philippe, Marc et Étienne dirigent maintenant l'exploitation, l'ombre tutélaire de l'oncle Jean plane sur les diverses cuvées ! Les méthodes de récolte et de vinification sont traditionnelles : pas d'engrais, vendanges manuelles, sélection des meilleurs cépages et recherche de rendements faibles. ☙ *alsace.*

Domaine Bott-Geyl – *1 r. du Petit-Château - 68980 Beblenheim - ☎ 03 89 47 90 04 - info@bottgeyl.com - lun.-mar. 8h30-11h30, 14h-18h - sur RV.* Héritier d'une tradition familiale remontant à 1795, Jean-Christophe Bott dirige le domaine depuis 1993. L'exploitation de 13 ha, répartis en 70 parcelles sur sept communes, est cultivée en biodynamie : rendements faibles et taille courte des pieds. Après la récolte, exclusivement manuelle, les raisins sont acheminés par gravité et sans foulage dans les pressoirs pneumatiques. Les vins sont ensuite élevés sur lies fines jusqu'à leur mise en bouteilles. ☙ *crémant-d'alsace, alsace grands crus : furstentum, mandelberg, schoenenbourg, sonnenglanz.*

Domaine Pierre Sparr et Fils – *2 r. de la 1re-Armée-Française - 68240 Sigolsheim - ☎ 03 89 78 24 22 - vins-sparr@alsace-wines.com - lun.-sam. 8h-12h, 14h-18h30.* Vignoble le plus réputé d'Alsace au Bas Moyen Âge, Sigolsheim connaît au 19e s. une perte certaine de notoriété. Il renoue de nos jours avec son passé prestigieux, notamment sous l'impulsion de la famille Sparr. Le domaine compte aujourd'hui quelque 34 ha en propriété et 150 ha exploités. C'est actuellement la neuvième génération de la famille Sparr qui assure la pérennité de la maison. Son travail allie technologies de pointe et traditions ancestrales. ☙ *alsace, crémant-d'alsace, alsace grands crus : brand, mambourg, schlossberg, schoenenbourg, sporen.*

Domaine Paul Blanck – *29 Grand'Rue - 68340 Kientzheim - ☎ 03 89 78 23 56 - www.blanck.com - tlj sf dim. 9h-12h, 13h30-18h - fermé j. fériés.* On ne compte plus les récompenses dans la famille Blanck, vignerons de père en fils depuis… 1610 ! Cultivant les 7 cépages alsaciens, Philippe et Frédéric entretiennent la réputation des vins locaux avec leurs grands crus schlossberg et furstentum et leurs crus patergarten et altenburg. ☙ *alsace, crémant-d'alsace, alsace grands crus : furstentum, mambourg, schlossberg, sommerberg, wineck-schlossberg.*

Domaine Weinbach – *25 rte des Vins - 68240 Kaysersberg - ☎ 03 89 47 13 21 - contact@domaineweinbach.com - lun.-sam. 9h-11h30, 14h-17h - sur RV.* Infatigables ambassadrices de l'Alsace, Colette Faller et ses deux filles, Catherine et Laurence, maintiennent très haut le flambeau de la qualité sur leurs 27 ha de vignes, répartis entre le clos des Capucins, le lieu-dit Alterbourg, et les grands crus schlossberg, furstentum, mambourg et marckrain. 12 ha de vignes y sont conduits en biodynamie depuis 1998 et les 15 autres suivant les méthodes de l'agriculture biologique. À partir du millésime 2005, l'ensemble du vignoble sera conduit en biodynamie. ☙ *alsace, alsace grands crus : furstentum, mambourg, marckrain, schlossberg.*

Domaine Sibler – *8 r. du Château - 68770 Ammerschwihr - ☎ 03 89 47 13 15 - jm.sibler@wanadoo.fr - tlj (téléphoner avant visite).* La famille Sibler s'adonne à la viticulture depuis trois générations. Son domaine accueille tous les cépages alsaciens autorisés sauf le sylvaner. L'un des grands succès de la maison est la cuvée Kaefferkopf. Un caveau agrémenté de banquettes et d'un tonneau transformé en table sert d'espace de dégustation.

Albert Boxler – *78 r. des Trois-Épis - 68230 Niedermorschwihr - ☎ 03 89 27 11 32 - tlj sf dim. 9h-12h, 14h-18h.* Monsieur Boxler, à la tête d'un domaine de 12 ha, vinifie avec son fils Jean sa récolte de riesling et de pinot gris. Cette lignée de vignerons est à l'origine de belles réussites comme les deux grands crus sommerberg et brand, ou les cuvées vendanges tardives aux arômes également fort appréciés. ☙ *riesling, pinot-gris, alsace grands crus : sommerberg, brand.*

Domaine Zind-Humbrecht – *4 rte de Colmar - 68230 Turckheim - ☎ 03 89 27 02 05 - lun.-vend. 8h-12h, 13h30-16h30.* Le domaine s'étend sur 41,9 ha, dont 39,7 sont de vignes, réparties sur cinq communes : Thann, Hunawihr, Gueberschwihr, Wintzenheim et Turckheim. Respect du terroir local et poursuite de la tradition, tant pour la vinification que pour l'élevage des vins, caractérisent l'esprit des lieux. ☙ *alsace, alsace grands crus : brand, goldert, hengst, rangen.*

Josmeyer (Jean Meyer) – *76 r. Clemenceau - 68920 Wintzenheim - ☎ 03 89 27 91 90 - josmeyer@wanadoo.fr - lun.-vend. 8h-12h, 14h-18h, sam. 9h-12h.* Le domaine, fondé en 1854 par Aloyse Meyer, est dirigé depuis 1966 par l'arrière-petit-fils du fondateur, Jean Meyer. Le vignoble de 27 ha, dont 5 sont en grands crus, est cultivé en biodynamie. Il couvre des sols sableux, caillouteux et limoneux en plaine et des marnes calcaires sur les coteaux. Les raisins, récoltés manuellement, puis pressés entiers, fermentent ensuite de manière naturelle en cuves thermorégulées. L'élevage se poursuit sur lies fines en foudres de chêne. ☙ *alsace, alsace grands crus : brand, hengst.*

③ De Colmar à Thann (3ᵉ étape)

▶ 59 km. Colmar se trouve à 74 km au S-O de Strasbourg par l'A 35 et la N 83. Carte Michelin Local 315, G-I 8-10. Voir l'itinéraire ③ sur le plan p. 74.

Colmar★★★

Qu'on visite la ville à pied ou en barque sur les canaux de la « Petite Venise », les fontaines, les cigognes, les maisons à pans de bois, les géraniums aux balcons disent tout de son appartenance à l'Alsace…

Ni les guerres ni le temps ne se lisent sur son visage. Si le patrimoine culturel est infini, les plaisirs de la table le sont tout autant. Véritable capitale des vins d'Alsace, Colmar organise chaque année une somptueuse foire aux vins et accueille le siège de la **Maison des vins d'Alsace** *(voir nos bonnes caves)*.

🍷 Pour vos achats de vins, rendez-vous au **caveau Robert Karcher** *(voir nos bonnes caves)*.

Une promenade dans la **ville ancienne★★** vous fera découvrir toutes ces merveilles *(circuit au départ de la place d'Unterlinden – proche de l'office de tourisme)*. En suivant la rue des Clefs, on passe devant l'hôtel de ville du 18ᵉ s., aux beaux chaînages de grès rose.

Place Jeanne-d'Arc, tournez à droite dans la Grand'Rue.

Le **temple protestant St-Matthieu** est une ancienne église des Franciscains (13ᵉ-14ᵉ s.). Il a retrouvé sa beauté et son harmonie premières après plusieurs années de restauration. Bref détour place du 2-Février pour voir l'**ancien hôpital** du 18ᵉ s., coiffé d'une haute toiture percée de lucarnes. De retour dans la Grand'Rue, on voit la très belle **maison des Arcades★**, de style Renaissance, flanquée aux angles de deux tourelles octogonales, puis la **fontaine Schwendi**.

La **place de l'Ancienne-Douane** est l'une des plus pittoresques de Colmar : nombreuses maisons à pans de bois dont la **maison au Fer rouge**. L'**ancienne douane★** (ou Koifhus) est un imposant bâtiment couvert de tuiles vernissées. Au rez-de-chaussée du corps de logis principal (1480), on entreposait les marchandises soumises à l'impôt communal et à l'étage siégeaient les représentants des dix villes libres de la Décapole. Dans la partie arrière (ajoutée à la fin du 16ᵉ s.), la tourelle d'escalier à pans coupés coiffée d'un clocheton conduit à une jolie galerie de bois.

Continuez sur la rue des Marchands.

La **maison Pfister★★**, petit bijou de l'architecture locale, a été construite en 1537 pour un chapelier de Besançon. Façade peinte, oriel d'angle vitré au premier étage et habilement intégré à la galerie du second étage, délicatement sculptée et soutenue par de belles consoles ouvragées. Dans cette rue, voyez également la **maison Schongauer** ou de la Viole, qui appartint à la famille de ce peintre (15ᵉ s.) et la **maison au Cygne**, où il aurait vécu ; au nᵒ 9, une sculpture en bois représente un marchand (1609).

La partie basse de la maison natale du sculpteur **Auguste Bartholdi** (1834-1904) a été transformée en **musée d'Histoire locale**. On y évoque la vie et les œuvres du sculpteur du *Lion de Belfort*, du *Vercingétorix* de Clermont-Ferrand et de la statue de la Liberté à New York. Une collection d'art juif est aussi présentée dans l'une des salles. ✆ 03 89 41 90 60 - www.musee-bartholdi.com - mars-déc. : tlj sf mar. 10h-12h, 14h-18h *(dernière entrée 1h av. fermeture) - fermé 1ᵉʳ Mai, 1ᵉʳ nov. et 25 déc. - 4,10 € (-12 ans gratuit)*.

Un passage sous arcades en face du musée Bartholdi permet de rejoindre la place de la Cathédrale.

C'est ici que s'élève la plus ancienne maison de Colmar, la **maison Adolphe** (1350), ainsi que l'**ancien corps de garde★** de la ville (1575). Il possède une magnifique loggia d'où le magistrat prêtait serment et annonçait les condamnations infamantes. La **collégiale St-Martin★**, que l'on appelle couramment « cathédrale », est construite en grès rouge et son portail principal est encadré de deux tours. La tour sud porte un cadran solaire. Le portail St-Nicolas, signé Maistre Humbret, est orné de la légende de saint Nicolas. À l'intérieur, mobilier de qualité (buffet d'orgues dû au facteur Silbermann, du 18ᵉ s.).

Quittez la place de la Cathédrale par la rue des Serruriers.

L'**église des Dominicains** est un remarquable et surprenant vaisseau élancé, aux longs piliers sans chapiteau avec des **vitraux★** des 14ᵉ et 15ᵉ s. et un célèbre tableau de Schongauer, la **Vierge au buisson de roses★★**. Avr.-déc. : 10h-13h, 15h-18h - 1,50 € *(12-16 ans 0,50 €)*.

Prenez ensuite la rue des Boulangers et tournez à droite dans la rue des Têtes.

Le nom de la rue et celui de la **maison des Têtes**, au nᵒ 19, vient des nombreuses sculptures qui figurent en façade de cette demeure qui a pignon sur rue.

Poursuivez jusqu'à la place d'Unterlinden.

La place d'**Unterlinden**, c'est-à-dire « sous les tilleuls », est traversée par le Logel-bach (canal des Moulins). Le bâtiment du **musée d'Unterlinden**★★★ occupe un ancien couvent de moniales fondé au 13ᵉ s. Son **cloître**★, construit au 13ᵉ s. en grès rose des Vosges, est entouré de salles consacrées à l'art rhénan (primitifs rhénans : Holbein l'Ancien, Cranach l'Ancien, Gaspard Isenmann et Martin Schongauer). Mais la « star » du musée reste le célèbre et magnifique **retable d'Issenheim**★★★, conservé dans la chapelle, à côté des œuvres de Schongauer et de son entourage (**retable de la Passion**★★ en 24 panneaux). Le retable d'Issenheim a été exécuté vers 1500-1515 par Grünewald pour l'église du couvent des Antonites d'Issenheim, ordre spécialisé dans le traitement du « mal des ardents » ou « feu de saint Antoine » (empoisonne-ment à l'ergot de seigle, parasite provoquant des hallucinations semblables à celles du LSD). Il était exposé dans l'église, ouvert de différentes manières selon les jours. Les statues du compartiment central n'étaient visibles qu'à la fête de saint Antoine. Le réalisme des détails chargés d'une symbolique propre au monde hallucinatoire le dispute à l'invention, à la poésie (ange aux plumes vertes) et même à l'humour. La virtuosité du Maître excelle dans le traitement des mains. ℘ 03 89 20 15 50 - www.musee-unterlinden.com - mai-oct. : 9h-18h ; nov.-avr. : tlj sf mar. 9h-12h, 14h-17h - fermé 1ᵉʳ janv., 1ᵉʳ Mai, 1ᵉʳ nov., 25 déc - 7 € avec audioguide (-12 ans gratuit, 12-17 ans 5 €).

Enfin, ne quittez pas Colmar sans avoir parcouru la **Petite Venise**★. Situé le long du canal de Colmar et de la Lauch, ce secteur comprend plusieurs quartiers, dont celui des tanneurs. Les maisons à pans de bois y sont étroites et hautes, car elles comportaient un grenier pour le séchage des peaux. Sur l'autre rive de la Lauch, le quartier de la **Krutenau**★ était jadis un bourg fortifié peuplé de maraîchers qui circulaient sur les cours d'eau en barques à fond plat. Depuis le quai qui mène au pont St-Pierre, remarquable **point de vue**★ sur la Petite Venise et le vieux Colmar. Des canaux, des barques pour se promener… Si la saison s'y prête, n'hésitez pas à tenter cette balade sur le canal. Embarquement au bas du pont St-Pierre. ℘ 03 89 41 01 94 - avr.-sept. : promenade (30mn) 10h-12h30, 13h30-19h ; oct. et mars : w.-end 10h-12h30, 13h30-19h - 5,50 € (-10 ans gratuit).

Sortez de Colmar par la D 417.

À Colmar, la Petite Venise est arrosée par la Lauch.

R.Mattes / MicCHELIN

Wettolsheim

Ce petit bourg revendique l'honneur d'avoir été la patrie du vignoble alsacien : intro-duite dès le temps de la domination romaine, la culture de la vigne se serait, de là, étendue à tout le pays.

Le château du Hagueneck (13ᵉ s.) se dresse à 2 km à l'ouest.

Le grand cru steingrubler, à l'ouest du village, possède une bonne exposition sud-est sur des sols caillouteux et sablonneux qu'affectionnent le riesling et le gewurztraminer. ♈ Le **domaine Barmès-Buecher** cultivé en biodynamie produit des vins remarquables pour leur concentration et leur finesse *(voir nos bonnes caves)*.

Eguisheim★

🍷 Haut lieu du vignoble, Eguisheim possède la plus importante **cave coopérative** d'Alsace *(voir nos bonnes caves)*.

🍷 Les grands crus eichberg et pfersigberg produisent des rieslings, gewurztraminers et pinots gris. Achats en perspective au **domaine Charles Baur** et à la **Maison Léon Beyer** *(voir nos bonnes caves)*.

La forme du village, entouré de vignes, est toute ronde. Eguisheim s'est développé en cercles concentriques à partir du château octogonal du 13ᵉ s. Si les trois fameuses tours, qui servaient de cadran solaire aux travailleurs de la plaine, sont définitivement en ruine, les ruelles et les vieilles maisons de la villes sont restées intactes dans la **Grand'Rue** et sur le **circuit des remparts★** qui emprunte l'ancien chemin de ronde.

🚶 Vous pourrez également suivre le **sentier viticole**, avec visite guidée et dégustation *(1h30 à 2h). De mi-juin à mi-sept. : sam. 15h30 (août : mar. et sam. 15h30) ; le reste de l'année : sur demande auprès des viticulteurs ; liste disponible à l'office de tourisme.*

Husseren-les-Châteaux

À 390 m d'altitude, le village de Husseren est le point culminant de la route des Vins et offre un beau panorama sur la plaine d'Alsace. Il est dominé par les ruines des trois châteaux d'Eguisheim. C'est d'ailleurs de Husseren que part la route des Cinq Châteaux *(voir « en marge du vignoble »)*.

R.Mattes / MICHELIN

🍷 Le **domaine Kuentz-Bas**, l'un des plus réputés du secteur, est ouvert à la visite *(payante)*. Vous aurez le plaisir de découvrir dans le caveau de dégustation divers objets anciens de la cave et de la vigne. *14 rte des Vins - 68420 Husseren-les-Châteaux - 📞 03 89 49 30 24 - info@kuentz-bas. fr - avr.-nov. : lun.-sam. 9h-12h, 13h-18h (17h vend.) - visite payante.*

Voetlingshoffen

L'église possède un maître-autel provenant du couvent des Capucins de Colmar. Le village est réputé pour la finesse de ses muscats issus en partie du grand cru hatsch-bourg.

Obermorschwihr

Dominé par son clocher à pans de bois, ce village traditionnel produit du muscat et du pinot noir.

Hattstatt

Très ancien bourg, autrefois fortifié. L'église, de la première moitié du 11ᵉ s., possède un mur du 15ᵉ s. avec un autel en pierre de la même époque. À gauche, dans la nef, beau calvaire Renaissance. Un bel hôtel de ville du 16ᵉ s. côtoie les maisons anciennes. Hattstatt possède une partie du grand cru hatschbourg favorable au gewurztraminer, au pinot gris et au riesling.

Gueberschwihr

Sur un coteau couvert de vignes, ce village est fier de son magnifique clocher roman à trois étages. À côté de l'église, sarcophages mérovingiens. Le grand cru goldert, qui traduit la couleur dorée des vignes, est très réputé pour la haute tenue du pinot gris, du gewurztraminer et du muscat.

Pfaffenheim

Ce bourg viticole est une ancienne cité de la fin du 9ᵉ s. qui garde encore de vieilles maisons vigneronnes. L'**église** (13ᵉ s.) possède une abside décorée de frises à motifs floraux.

Pfaffenheim partage avec Westhalten le grand cru steinert, formé d'éboulis pierreux. Le gewurztraminer, le pinot gris et le riesling sont réputés pour leur aptitude au vieillissement. 🍷 Le **domaine Pierre Frick**, cultivé en biodynamie, produit des vins très concentrés *(voir nos bonnes caves)*.

Rouffach★

Ville historique, Rouffach est connue dans la France entière pour sa foire annuelle aux produits issus de l'agriculture biologique. C'est aussi le passage obligé des jeunes vignerons alsaciens qui étudient au **lycée viticole**, qui possède son propre vignoble. 🍷 Le **domaine René Muré** (clos St-Landelin) est également une bonne adresse *(voir nos bonnes caves)*.

L'**église N.-D.-de-l'Assomption** date, pour son gros œuvre, des 12ᵉ et 13ᵉ s. La tour nord et la tour sud, inachevée en raison de la guerre de 1870, sont du 19ᵉ s.

La **tour des Sorcières** (13ᵉ et 15ᵉ s.) est couronnée de mâchicoulis et surmontée d'un toit à quatre pans couronné par un nid de cigognes. On y enfermait, jusqu'au 18ᵉ s., les femmes accusées de sorcellerie. Au fond de la place, à gauche de la tour des Sorcières, voyez la maison de l'œuvre Notre-Dame, gothique, et ancien hôtel de ville, qui possède une façade Renaissance à double pignon. Sur la place de la République, ancienne halle au blé (fin 15ᵉ-début 16ᵉ s.).

Westhalten

À l'entrée de la Vallée noble, le village, entouré de vignes et de vergers, possède deux fontaines et plusieurs maisons anciennes. 🍷 Son vignoble s'étend en partie sur les flancs du zinnkoepflé, du vorbourg et du steinert, trois grands crus qui favorisent le gewurztraminer, le pinot gris et le riesling, comme le montrent les vins **domaine Éric Rominger** *(voir nos bonnes caves)*.

Soultzmatt

Au bord de l'Ohmbach, au pied de la partie haute du grand cru zinnkoepflé, le plus élevé d'Alsace (420 m), Soulzmatt tempère son ardeur vigneronne par ses eaux minérales exploitées depuis le 13ᵉ s. et commercialisées aujourd'hui sous la marque Lizbeth. Complémentaire de la route des Vins, la source Nessel est recommandée pour le foie. À l'entrée du pays se dresse le château de Wagenbourg.

🍷 Vous pourrez aller goûter les vins de **Seppi Landmann** *(voir nos bonnes caves)*.

Guebwiller★

Le vignoble est depuis le Moyen Âge la principale ressource de la ville, si l'on excepte le 19ᵉ s. durant lequel l'empire « Schlum » (Schlumberger) et ses filatures ont fait travailler toute la cité. Guebwiller possède quatre grands crus : le kitterlé, le kessler, la saering et le spiegel, plantés en riesling, gewurztraminer, muscat et pinot gris.

🍷 Les **domaines Schlumberger**, dont la superficie (140 ha d'un seul tenant) est exceptionnelle en Alsace, donnent un bon aperçu des grands crus *(voir nos bonnes caves)*.

La belle **église Notre-Dame★**, néoclassique, a été élevée de 1760 à 1785. La façade de grès rouge est décorée de statues. La décoration de l'**intérieur★★** exprime toute la richesse du style baroque. L'**église St-Léger★** est un très bel édifice dans le style roman rhénan tardif.

Sur les cinq niveaux d'une ancienne maison du 18ᵉ s., le **musée du Florival★** présente des collections de minéraux et d'objets illustrant l'histoire viticole, artisanale et industrielle de la ville, mais surtout, pour le régal des yeux, une très importante collection d'œuvres de **Théodore Deck** (1823-1891) céramiste qui réussit à percer le secret du bleu persan. ✆ *03 89 74 22 89 - & - tlj sf mar. 14h-18h, w.-end et j. fériés 10h-12h, 14h-18h - fermé 1ᵉʳ janv., 25 déc - 2,30 € (-12 ans gratuit).*

Soultz-Haut-Rhin

Ville des sources et des cigognes qui fréquentent les cheminées de la ville, Soultz possède de belles maisons anciennes parmi lesquelles celle qui abrite l'office de tourisme (1575). On peut se promener sur les remparts de la ville et leur tour des Sorcières, et visiter l'**église St-Maurice** pour son relief en bois polychrome du 15ᵉ s., son orgue Silbermann (1750) et une peinture murale monumentale.

👥 Rassemblée dans l'ancienne commanderie de l'ordre de St-Jean-de-Malte, **la Nef des jouets** est une importante collection de jouets du monde entier, modestes ou sophistiqués. ✆ *03 89 74 30 92 - & - avr.-déc. : tlj sf mar. 14h-18h - fermé j. fériés - 4,60 € (6-16 ans 1,50 €).*

🍷 À la sortie de Soultz, la **cave vinicole du Vieil-Armand** regroupe 130 vignerons qui cultivent 150 ha de vignes. On y produit deux grands crus : l'ollwiller, récolté à Wuenheim, et le rangen de Thann. Au sous-sol, le musée du Vigneron réunit du matériel utilisé autrefois par le vigneron ou le caviste. ✆ *03 89 76 73 75 - http://cave-vieilarmand.free.fr - lun.-sam. 8h-12h, 14h-18h, dim. 10h-12h.*

Thann★

Thann sera votre ultime étape de la route des Vins, avec, en apothéose, le grand cru rangen.

🚶 On peut atteindre le vignoble par le chemin Montaigne et la rue du Vignoble : accès piétons uniquement, réglementé pendant les vendanges *(de fin sept. à fin oct.)* ; par la rue du Vignoble : piste cyclable, puis sentier dans les vignes pour rejoindre le chemin Montaigne ; par la rue du Kattenbachy : au fond du vallon à droite, début du chemin Montaigne.

L'architecture gothique de la **collégiale St-Thiébaut**★★ (14e s.-début 16e s.) témoigne d'une évolution vers le style flamboyant. La façade ouest est percée d'un remarquable **portail**★★. À l'intérieur, dans la chapelle pentagonale, statue en bois polychrome de la Vierge des vignerons, sculptée vers 1510. Il faut prendre le temps d'examiner le détail des 51 **stalles**★★ en chêne du 15e s. Ce ne sont que feuillages, gnomes et personnages comiques d'une verve remarquable et d'une grande finesse d'exécution.

Depuis le pont sur la Thur, on peut admirer la **tour des Sorcières**, du 15e s. Coiffée d'un toit en bulbe, c'est le dernier vestige des fortifications.

Au château de l'Engelbourg, l'œil de la Sorcière.

🐾 Enfin, vous pouvez grimper *(1h à pied)* aux **ruines du château d'Engelbourg**, dont le donjon, en s'écroulant, a conservé son tronçon inférieur intact, le centre, évidé, regardant vers la plaine. L'imagination populaire a qualifié cette ruine originale d'« **Œil de la sorcière** ».

EN MARGE DU VIGNOBLE

Suivre la route des Cinq Châteaux★

🐾 *Circuit de 17 km au départ d'Husseren-les-Châteaux, plus 2h à pied AR environ. À la sortie d'Husseren, empruntez, à droite, la route forestière « des Cinq Châteaux ». À 1 km, laissez la voiture (parc de stationnement) et atteignez les « trois châteaux » d'Eguisheim à pied (5mn de montée).* Weckmund, Wahlenbourg, Dagsbourg sont les noms des trois **donjons d'Eguisheim**, en grès rouge, qui s'élèvent sur le sommet de la colline. Après l'extinction de la famille des Eguisheim, les trois châteaux devinrent, en 1230, la propriété des évêques de Strasbourg.

On peut rejoindre à pied (1h) le château de Hohlandsbourg. Sinon, ayant repris la voiture, poursuivez la route des Cinq Châteaux. Sur la gauche, à 6 km environ des donjons d'Eguisheim se dresse l'imposant **château de Hohlandsbourg**, construit à partir de 1279. Alors que ses voisins sont en grès, il est de granit, comme le piton sur lequel il est ancré. Il a été restauré au 16e s. et adapté à l'artillerie, ce qui explique la présence de nombreuses bouches à feu. Mais il est pris pendant la guerre de Trente Ans et est alors démantelé. Les collectivités locales ont décidé d'en faire un « pôle historique et culturel » en le dotant d'un jardin médiéval et en organisant des animations chevaleresques. On y trouve aussi une auberge. 📞 *03 89 30 10 20 - juil.-août : visite guidée (45mn) 10h-19h ; juin et de déb. sept. à mi-oct : 14h-18h, dim. et j. fériés 11h-18h ; de Pâques à mai et de mi-oct. au 11 Nov. : sam. 14h-18h, dim. et j. fériés 11h-18h - 4 €, couples : 5,50 € (8-16 ans 1,50 € - 8 ans gratuit). Autres tarifs lors d'animations certains j. ou w.-ends.*

Le **donjon de Pflixbourg** est accessible par un sentier pédestre situé 2 km plus loin, sur la gauche. La famille des Ribeaupierre reçut en fief au 15e s. cette forteresse qui était l'ancienne résidence du représentant de l'empereur en Alsace. Une citerne voûtée jouxte le donjon. Belle vue sur la vallée de la Fecht à l'ouest et la plaine d'Alsace à l'est.

Monter au sommet des ballons d'Alsace

Grand Ballon★★★ – *19 km au N de Thann par la N 66, la D 13[B] et la D 431.*

🐾 *Quittez la voiture à hauteur de l'hôtel et empruntez le sentier à gauche (30mn à pied AR).* Le voilà le point culminant des Vosges (1 424 m) ! le Grand Ballon ou ballon de Guebwiller. Inutile de vous dire que le **panorama**★★★ est prodigieux sur les Vosges méridionales, la Forêt-Noire et, par temps clair, le Jura et les Alpes. N'oubliez pas vos jumelles !

Petit Ballon★★ – *51 km au N de Thann. Au-delà du Grand Ballon, poursuivez vers le Markstein sur la D 431, la D 430 vers le Hohneck, la D 27, puis la route forestière.*

🐾 *De la ferme-restaurant du Kahler Wasen, 1h15 à pied AR. Alt. 1 267 m.* Superbe **panorama** à l'est, sur la plaine d'Alsace, les collines du Kaiserstuhl et la Forêt-Noire ; au sud, sur le massif du Grand Ballon ; à l'ouest et au nord, sur le bassin des deux Fecht.

Vivre à l'alsacienne à l'Écomusée d'Alsace★★

22 km au N-E de Thann par la N 66, la N 83, la D 2 et la D 430. ℘ *03 89 74 44 74 - www.ecomusee-alsace.com - juil.-août : 9h30-19h ; avr.-juin et sept.-oct. : 10h-18h ; mars uniquement dim. : 10h-17h - 12 € (enf. 6,50 €).*

👫 La visite est conçue comme une promenade en plein air sur près de 20 ha. Chacun y consacre le temps qui lui convient, mais une demi-journée semble un temps minimum ; par ailleurs, des animations pour mieux connaître la vie en Alsace sont proposées en soirée, principalement l'été.

Souhaitant réagir à la logique destructive d'un certain modernisme, les promoteurs de ce village, résumé de l'Alsace traditionnelle, ont sauvé une partie du patrimoine rural voué à disparaître. Les maisons, minutieusement démontées, méticuleusement remontées, pièce par pièce, poutre par poutre, tuile par tuile, ont servi à créer depuis 1980 un musée de l'Alsace en plein air. La visite fait découvrir, à travers 70 maisons paysannes regroupées selon leur région d'origine, l'organisation sociale aux 19e et 20e s.

Tous les sens sont sollicités : on goûte les saveurs autour du pressoir et du four à pain, on touche la chaleur moite du cheval de labour et la glaise froide du potier, on découvre les savoir-faire et les façons de vivre.

L'espace naturel est lui aussi très valorisé avec le verger-conservatoire de pommiers, un rucher, une basse-cour... De sympathiques cigognes viendront vous rappeler qu'elles sont ici chez elles et qu'elles font parties du paysage domestique.

Les adresses de Colmar à Thann

NOS BONNES TABLES

🍴 **Caveau de Thaler** – *47 r. de la 1re-Armée-Française - 68190 Ensisheim - ℘ 03 89 26 43 26 - la-couronne@wanadoo.fr - fermé sam. midi, lun. soir et dim. - 12/22 €.* Ce caveau se situe au sous-sol de l'hôtel-restaurant La Couronne, très réputé dans la région. L'on y déguste une cuisine simple mais de qualité, dans une salle décorée d'ustensiles d'artisanat. Une bonne adresse à prix doux.

🍴 **L'Aigle d'Or** – *5 r. Principale - 68500 Rimbach-près-Guebwiller - ℘ 03 89 76 89 90 - fermé de mi-fév. à mi-mars - 9,50/33 € - 19 ch. 32/49 € - ☕ 6,50 €.* Auberge familiale toute simple idéale pour retrouver quiétude et authenticité. Petits plats aux accents régionaux servis auprès de la cheminée. Ravissant jardin.

🍴 **Le Moschenross** – *42 r. Gén.-de-Gaulle - 68800 Thann - ℘ 03 89 37 00 86 - fermé 1er-16 juil. – 11/55 € - 23 ch. 31/46 € - ☕ 6,50 €.* Dominé par le fameux vignoble de Rangen, cet hôtel-restaurant central est entièrement rénové. Spacieuse salle à manger redécorée, claire et agréable, où l'on propose une cuisine traditionnelle. Chambres actuelles et bonne insonorisation.

🍴🍴 **Aux Trois Poissons** – *15 quai de la Poissonnerie - 68000 Colmar - ℘ 03 89 41 25 21 - fermé 15 juil.-1er août, 23-27 déc., 5-18 janv., dim. soir, mar. soir et merc. - 21/45 €.* Quoi de plus naturel que de servir du poisson quand on est posté au bord du canal de la Lauch ? Huîtres de Marennes Oléron, moules de la baie du Mont-St-Michel, soles, dorades, quenelles de brochet et carpes frites figurent à la carte de cet établissement installé dans une maison à pans de bois de la Petite Venise.

🍴🍴 **Bartholdi** – *2 r. des Boulangers - 68000 Colmar - ℘ 03 89 41 07 74 - restaurant.bartholdi@wanadoo.fr - fermé 4-18 juin, 12-20 nov., dim. soir et lun. - 22/49 €.* Tout ici rappelle que l'on est en Alsace : l'enseigne évoquant l'enfant du pays, le décor et le mobilier façon winstub, l'atmosphère conviviale et la cuisine régionale (foie gras frais, choucroute garnie, tarte à l'oignon, truite au riesling). Terrasse dressée dans une cour pavée jouxtant la fameuse maison des Têtes.

🍴🍴 **Chez Hansi** – *23 r. des Marchands - 68000 Colmar - ℘ 03 89 41 37 84 - fermé 5 janv.-5 fév., merc. et jeu. - 18/44 €.* L'animation du vieux Colmar se retrouve dans cette taverne jouxtant l'ancienne douane et la maison du Pèlerin. Derrière sa façade à colombages, la salle à manger typiquement alsacienne ne désemplit pas. On y sert, en costume folklorique, une goûteuse cuisine du terroir (choucroute garnie, palette fumée, kouglof).

🍴🍴 **Winstub Flory** – *1 r. Mangold - 68000 Colmar - ℘ 03 89 41 78 80 - fermé mar.-merc. sf juil.-août et déc. - formule déj. 15 € - 21,50/23 €.* Le Stammtisch, vous connaissez ? Cette table réservée à tout dégustateur de vin blanc est dotée en son centre d'une clochette. Le hic, c'est que nombre de clients s'amusent à toucher celle-ci, et que le moindre tintement signifie... une tournée générale ! Cuisine régionale sans reproche et fresque murale valant le détour.

🍴🍴 **Au Vieux Porche** – *16 r. des Trois-Châteaux - 68420 Eguisheim - ℘ 03 89 24 01 90 - vieux.porche@wanadoo.fr - fermé 27 juin-6 juil., 8-16 nov., 15 fév.-15 mars, mar. et merc. - 23/60 €.* Cette accueillante maison bâtie en 1707 se place sous la protection de Bacchus. La famille de la patronne se consacre encore à la culture de la vigne, et la belle carte des vins propose les crus du domaine. La cuisine panache quant à elle plats régionaux et recettes personnalisées.

😑🍴🛏 **La Maison des Têtes** – *19 r. des Têtes - 68000 Colmar -* 📞 *03 89 24 43 43 - les-tetes@calixo.net - fermé fév., dim. soir et lun. - 29/58 €.* N'hésitez à lever la tête pour admirer la superbe façade de ce restaurant, joyau du patrimoine architectural colmarien orné d'une bonne centaine de masques sculptés. L'équipe aux fourneaux s'emploie à proposer une cuisine de qualité autour de recettes françaises traditionnelles et de quelques plats régionaux.

R.Mattes / MICHELIN

😑🍴🛏 **La Grangelière** – *59 r. du Rempart-Sud - 68420 Eguisheim -* 📞 *03 89 23 00 30 - www.lagrangeliere.com - fermé de mi-fév. à mi-mars, dim. soir de nov. à avr. et jeu. - 29/65 €.* Avant de tenir ces fourneaux-là, Alain Finkbeiner a appris le métier au sein de prestigieuses maisons. Il propose ici deux formules pour satisfaire au mieux ses clients : la brasserie sert des plats régionaux dans un cadre simple, et le restaurant se consacre à une cuisine plus élaborée et personnalisée.

NOS HÔTELS

😑🛏 **Amiral** – *11A bd Champ-de-Mars - 68000 Colmar -* 📞 *03 89 23 26 25 - hotelami ralcolmar@wanadoo.fr - 46 ch. 49/108 € -* 🛏 *9,50 €.* Cette ancienne malterie abrite d'agréables chambres, actuelles et assez spacieuses (plus calmes dans le bâtiment principal), et un chaleureux salon-cheminée meublé en rotin.

😑🛏 **Hôtel Turenne** – *10 rte de Bâle - 68000 Colmar -* 📞 *03 89 21 58 58 - www. turenne.com - 85 ch. 60/72 € -* 🛏 *7,50 €.* En périphérie de la vieille ville, hôtel logé dans une grande maison avenante à la façade rose et jaune. Ses chambres rénovées sont bien insonorisées et agréablement aménagées. Quelques « singles », petites mais proprettes et peu chères. La salle des petits-déjeuners est sympathique avec son décor typiquement alsacien.

😑🛏 **Hostellerie du Château** – *2 r. du Château - 68420 Eguisheim -* 📞 *03 89 23 72 00 - www.hostellerieduchateau.com - fermé 2 janv.-10 fév. - 11 ch. 69/114 € -* 🛏 *11 €.* Sur la place centrale du pittoresque bourg, maison ancienne entièrement rénovée par le patron, architecte de formation. Les chambres, contemporaines et personnalisées, s'intègrent bien au cadre ancien et leurs salles de bains sont vraiment chouettes…

😑🛏 **Château de la Prairie** – *Allée des Maronniers - 68500 Guebwiller -* 📞 *03 89 74 28 57 -* 🖨 *- 18 ch. 61/90 € -* 🛏 *8,50 €.* Ce petit manoir édifié en 1858 pour un industriel guebwillerois abrite de spacieuses chambres qui ont conservé leurs délicates moulures et parquets d'origine, et sont dotées de meubles rustiques. Certaines disposent d'une terrasse. Nombreux salons agrémentés de boiseries et cheminées. Parc clos de 2 ha.

😑🛏 **À la Vigne** – *5 Grand'Rue - 68280 Logelheim -* 📞 *03 89 20 99 60 - restaurant. alavigne@calixo.net - fermé 22 juin-9 juil. et 23 déc.-7 janv. - 9 ch. 51/70 € -* 🛏 *6 € - rest. 21/27 €.* Maison régionale simple mais accueillante située au cœur d'un paisible village. Les chambres sont modernes, calmes et aménagées avec soin. Sobre salle à manger champêtre ; plats du terroir (tartes flambées, choucroute, späetzele) et ardoise de suggestion.

😑🛏 **Hôtel Au Moulin** – *Rte d'Herrlisheim - 68127 Ste-Croix-en-Plaine - 10 km au S de Colmar par A 35 puis D 1 -* 📞 *03 89 49 31 20 - www.aumoulin.net - fermé 5 nov.-31 mars -* 🅿 *- 17 ch. 56/80 € -* 🛏 *8 € - rest. 30 €.* Cette ancienne minoterie (1880) constitue, avec sa cour fleurie et les maisons à colombages qui l'entourent, un véritable havre de paix. Certaines des chambres, assez amples et sobrement aménagées, s'ouvrent sur les Vosges, d'autres sur la plaine. Toutes sont au grand calme. Restauration d'appoint et minimusée alsacien.

😑🛏 **Hôtel Kléber** – *69 r. Kléber - 68800 Thann -* 📞 *03 89 37 13 66 - 26 ch. 48/57 € -* 🛏 *8,50 € - rest. 12/20 €.* À proximité de la collégiale St-Thiébaut, deux bâtiments bien équipés, tournés sur une cour intérieure. Préférez les chambres situées à l'arrière, spacieuses et calmes. Petits plats traditionnels à l'accent régional servis dans deux salles dont une rustique.

NOS BONNES CAVES

CAVISTE

La Sommelière – *2 r. des Tourneurs - 68000 Colmar -* 📞 *03 89 41 20 38 - mar.-vend. 9h30-12h et 14h-18h30, sam. 9h30-18h.* Passionnés par le monde du vin, Monsieur et Madame Tempé ont goûté 90 % des références qu'ils proposent et visité tous les domaines. Cette bonne connaissance du stock leur permet de donner d'excellents conseils. Les clients apprécient en priorité la belle gamme de vins d'Alsace, dont la production de Marc Tempé lui-même.

MAISON DES VINS ET COOPÉRATIVE

Maison des vins d'Alsace – *12 av. de la Foire-aux-Vins - BP 1217 - 68000 Colmar - ✆ 03 89 20 16 20 - www.vinsalsace.com - lun.-vend. 8h30-12h, 14h-17h - fermé Noël-J. de l'an.* Beau choix de vins d'Alsace.

Cave coopérative Wolfberger – *6 Grand'Rue - 68420 Eguisheim - ✆ 03 89 22 20 20.* Elle commercialise sous la marque Wolfberger un assortiment de tous les types de vins d'Alsace, dont une douzaine de grands crus.

DOMAINES

Caveau Robert-Karcher – *11 r. de l'Ours - 68000 Colmar - ✆ 03 89 41 14 42 - www.vins-karcher.com - tlj sf dim. apr.-midi 8h-12h, 13h30-19h - fermé Vend. saint, Pâques, 25, 26 déc. et 1er janv.* Le domaine viticole Karcher occupe une ancienne ferme (1602) située en plein cœur du vieux Colmar. Les crus que l'on y vend proviennent exclusivement du vignoble appelé Harth de Colmar (à 6 km du centre) : vins des 7 cépages d'Alsace, souvent récompensés. Caveau de dégustation et visite possible de la propriété.

Domaine Barmès-Buecher – *30 r. Ste-Gertrude - 68920 Wettolsheim - ✆ 03 89 80 62 92 - barmesbuecher@terre-net.fr - lun.-sam. 9h-12h, 14h-19h - sur RV.* Depuis 1985, Geneviève et François Barmès exploitent la propriété familiale de 15 ha, née de l'union de deux vieilles familles de vignerons, Barmès et Buecher. Les vignes, âgées en moyenne de 30 ans, s'étendent sur les coteaux de Wettolsheim et les villages environnants, Leimenthal, Herrenweg, Rosenberg et Kruett. Le vignoble est planté sur un sol argilo-marno-calcaire et bénéficie d'un climat exceptionnel. Depuis 1998, il est conduit en biodynamie. ♟ alsace, crémant-d'alsace, alsace grands crus : hengst, pfersigberg.

Domaine Charles Baur – *29 Grand'Rue - 68420 Eguisheim - ✆ 03 89 41 32 49 - www.vinscharlesbaur.fr - 8h-12h, 13h-19h, dim. 9h-12h (dim. apr.-midi sur RV) - fermé 25 déc.* La famille Baur élabore les fameux grands crus Eichberg et Pfersigberg, des « vendanges tardives » issues du cépage gewurztraminer, le crémant d'Alsace et des eaux-de-vie. L'ensemble de sa production a obtenu de nombreuses médailles dans les concours nationaux. Visite de la cave, dégustation et vente. ♟ crémant-d'alsace, gewurstraminer, alsace grands crus : eichberg, pfersigberg.

Maison Léon Beyer – *8 pl. du Château - 68420 Eguisheim - ✆ 03 89 23 16 16 - www.leonbeyer.fr - tlj sf merc. 10h-12h, 14h-18h - fermé janv.-fév.* Cette maison, l'une des plus vieilles d'Alsace (elle remonterait à 1580) est réputée en particulier pour ses vins blancs secs recherchés par bon nombre d'excellents restaurateurs à travers l'Europe et jusqu'aux États-Unis. Les plus prisés sont les réserves maison et surtout les grandes cuvées Comtes d'Eguisheim. ♟ alsace, crémant-d'alsace.

Domaine Pierre Frick – *5 r. de Baer - 68250 Pfaffenheim - ✆ 03 89 49 62 99 - pierre.frick@wanadoo.fr - lun.-sam. 9h-12h, 14h-18h - sur RV.* La famille Frick cultive la vigne à Pfaffenheim depuis douze générations. Adepte de la culture en biodynamie, Jean-Pierre Frick exploite 12 ha répartis sur une douzaine de terroirs à dominante calcaire. Les pesticides et les engrais de synthèse sont prohibés et les vins ne sont jamais chaptalisés. Tous les ans, deux à trois cuvées sont vinifiées sans soufre. ♟ alsace, crémant-d'alsace, alsace grands crus : eichberg, steinert, vorbourg.

Le Domaine de l'École, lycée viticole – *8 Aux-Remparts - 68250 Rouffach - ✆ 03 89 78 73 16 - http://www.domaine-ecole-vin-rouffach.com - tlj sf w.-end 9h-12h, 13h30-17h - fermé Noël et Nouvel An.* Le lycée viticole de Rouffach cultive 13 ha de vignes dont 5,5 en grand cru Vorbourg, fleuron du domaine. La limitation volontaire du rendement favorise la qualité. Côte de Rouffach, crémant brut, « vendanges tardives » et sélection de grains nobles en pinot gris et gewurztraminer méritent aussi la mention très bien.

René Muré – *Rte des Vins - 68250 Rouffach - ✆ 03 89 78 58 00 - rene@mure.com - lun.-sam. 8h-19h - sur RV.* Issu d'une famille de vignerons depuis 1648, René Muré est à la tête d'un vignoble de 22 ha. Sylvaner, riesling, pinot gris, muscat, gewurztraminer et pinot noir s'enracinent dans un sol argilo-calcaire. Les vignes sont cultivées suivant les méthodes de l'agriculture biologique. Les vins rouges sont élevés durant un an en barriques, tandis que les blancs vieillissent de douze à dix-huit mois en foudres sur lies. ♟ alsace, alsace grand cru vorbourg, crémant-d'alsace.

Domaine Éric Rominger – *16 r. Saint-Blaise - 68250 Westhalten - ✆ 03 89 47 68 60 - vins-rominger.eric@wanadoo.fr.* Le domaine familial s'étend sur 11 ha, situés au sud de Colmar, au pied du grand cru Zinnkoepflé. Les sept cépages d'Alsace s'épanouissent sur des sols de structure gréseuse et calcaire. Le vignoble est conduit selon des méthodes raisonnées, avec travail des sols, protection des vignes, etc. Les vendanges sont manuelles, puis la vinification a lieu en foudres ou en cuves inox. Les vins sont ensuite élevés sur lies, de huit à dix mois. ♟ alsace, crémant-d'alsace, alsace grands crus : saering, zinnkoepflé.

Seppi Landmann – *20 r. de la Vallée - 68570 Soultzmatt - ✆ 03 89 47 09 33 - contact@seppi-landmann.fr - 8h30-12h, 13h30-18h - sur RV.* Les vignes du domaine, exposées sud, sud-est et sud-ouest s'étendent sur 9 ha dans la fameuse vallée Noble. La culture est restée très naturelle, proche du « bio » sans pour autant en porter le label. Les vins sont élevés en cuves Inox jusqu'à six mois. Les vendanges tardives sont récoltées et vinifiées de la même façon. ☙ alsace, alsace grand cru zinnkoepflé, crémant-d'alsace.

Domaines Schlumberger – *100 r. Théodore-Deck - 68501 Guebwiller Cedex - ℰ 03 89 74 27 00 - domaines-schlumberger. com - sur RV.* Le vignoble Schlumberger est d'une taille unique en Alsace : 140 ha de vignes d'un seul tenant, dont 70 ha sont en grand cru. Le domaine est à l'origine d'une charte locale de qualité pour les grands crus kitterlé et kessler qui a pris effet lors des vendanges 2001. En décembre 2000, il s'est engagé dans la voie de la modernisation avec l'inauguration d'une nouvelle cuverie qui se prolonge avec un vendangeoir rénové. ☙ alsace, alsace grands crus : kessler, kitterlé, saering, spiegel.

R.Mattes / MICHELIN

Une des maisons alsaciennes de l'Écomusée d'Alsace, à Ungersheim.

LE BEAUJOLAIS

Son nom, qui dérive de Beaujeu, sa capitale historique, sonne comme une invite à la fête. Le Beaujolais, terre diverse, occupe une place de choix, car ses vins, rouges pour l'essentiel, évoquent l'ambiance complice des bistrots. La vigne, cultivée ici depuis l'époque romaine, fut florissante au Moyen Âge, presque abandonnée au 17e s., et a bénéficié au 18e s. d'une véritable renaissance ; Lyon, « la pompe à beaujolais », cesse alors d'être le seul débouché. Les marchés s'élargissent avec le développement des réseaux routier et ferroviaire. Mais la grande trouvaille fut le beaujolais nouveau. Sitôt prêt, sitôt vendu. Dès les années 1950, Paris d'abord, puis la France et le monde, furent dès la mi-novembre, inondés d'un nectar simple, facile à boire et à comprendre. Après cette folie mercantile, on en revient aujourd'hui à redécouvrir les crus du Beaujolais, des vins très honorables exprimant toute la subtilité du terroir. Ce sont ceux-là qu'il faut aller découvrir sur place, dans les caveaux toujours accueillants de villages nichés dans un paysage de croupes opulentes couronnées de la coiffe sombre des forêts de pins Douglas.

LES TERROIRS

Superficie : 22 500 ha, qui s'étendent de la côte mâconnaise au nord, à la vallée de l'Azergues au sud.

Production : 1,2 million d'hl par an.

On distingue principalement trois types de sols. Les sols granitiques et métamorphiques dans la région des crus au nord donne les arènes sableuses appelées localement « gore ». Au sud, on trouve des sols argilo-calcaires ou argilo-siliceux. La frange est du vignoble repose sur des sols colluvionnaires ou alluvionnaires anciens de la Saône souvent caillouteux.

Le vignoble s'adosse sur la bordure est des monts du Beaujolais entre 200 m et 500 m d'altitude.

LES VINS

Trois appellations régionales : **beaujolais**, **beaujolais-villages** et dix crus villages qui sont les suivants : **morgon**, **saint-amour**, **chénas**, **brouilly**, **côte-de-brouilly**, **juliénas**, **moulin-à-vent**, **régnié**, **chiroubles** et **fleurie**.

C'est une région de quasi-monocépage, avec le gamay noir à jus blanc qui parvient à une bonne maturité sur les pentes des coteaux ensoleillés et donne des vins fruités. On produit aussi un peu moins de 10 000 hl de beaujolais blanc à partir du cépage chardonnay.

BON À SAVOIR

L'une des particularités du Beaujolais est de pratiquer encore le métayage dans près de la moitié des exploitations (la récolte est partagée à 50/50 et les frais d'exploitation incombent au propriétaire). Alors qu'elle a presque disparu des autres régions viticoles, cette pratique perdure dans le Beaujolais du fait que de nombreuses vignes appartiennent à des propriétaires résidant à Lyon ou ailleurs. Ainsi, 3 000 exploitations sont travaillées à 41 % en direct par leurs propriétaires, pour 27 % en métayage et pour 22 % en fermage.

Chaque 3e jeudi de novembre, tout le Beaujolais viticole s'anime frénétiquement pour le lancement du beaujolais primeur expédié aux quatre coins du monde. Ce vin de soif, embouteillé moins de trois mois après la vendange, a longtemps représenté une très bonne affaire pour les vignerons qui se débarassent ainsi d'une partie de leur stock et sont payés rubis sur l'ongle. Mais le beaujolais nouveau pâtit désormais d'une certaine lassitude des consommateurs qui recherchent des vins ayant davantage de personnalité. L'année 2005 a été très réussie et 2006 avec son mois de juillet chaud et ses vendanges ensoleillées s'annonce très prometteuse.

👁 **Inter Beaujolais** – ☎ 04 74 02 22 10 - www.beaujolais.com

	Caractéristiques	Garde	Prix
Beaujolais	Essentiellement rouges. Belle teinte rubis profond, des arômes exprimant des notes de fruits rouges ou de bonbon anglais. En général des tanins soyeux malgré une bonne vinosité.	1 à 2 ans.	Entre 3 et 5 €.
Beaujolais-villages et crus	En vieillissant, ils prennent des notes de gibier, de sous-bois et « pinotent » à la manière des bourgognes.	3 à 5 ans, et plus pour les bons millésimes.	Entre 5 et 9 €.

Routes du Beaujolais

CARTE MICHELIN LOCAL 327 – SAÔNE-ET-LOIRE (71) ET RHÔNE (69)

La vigne, comme une houle verte, étale ses ondulations depuis les pentes des collines beaujolaises jusqu'au val de Saône. Elle a façonné les paysages comme les modes de vie. Ici, on vit au rythme du calendrier viticole et le précieux nectar irrigue la vie économique de toute une région.

Les routes des vins du Beaujolais sont l'itinéraire ① *sur le plan p. 103 ; tandis que l'itinéraire* ② *est une suggestion de parcours dans le Beaujolais, mais en marge du vignoble.*

① Route des crus villages : de Villefranche-sur-Saône à Belleville (1re étape)

▶ 35 km. Villefranche-sur-Saône se trouve à 30 km au N de Lyon par l'A 6 ou la N 6. Carte Michelin Local 327, G-H 1-3. Voir l'itinéraire ① sur le plan p. 103.

Villefranche-sur-Saône

La ville doit beaucoup à Guichard IV de Beaujeu qui en a fait la capitale du Beaujolais et l'a dotée de nombreux privilèges. On y vient surtout pour sa fameuse et interminable rue Nationale, qui résume bien l'originalité de son urbanisme.

Érigées et transformées entre le 15e et le 18e s., de vieilles demeures bordent, de part et d'autre, la **rue Nationale**. Elles doivent l'étroitesse de leurs façades à un article de la charte de 1260 prescrivant pour les nouveaux habitants, en contrepartie de la gratuité du terrain, une redevance annuelle de trois deniers par toise de largeur de façade (une toise équivalait à 1,95 m environ).

Au n° 523, l'**hôtel Mignot de Bussy** forme un bel ensemble Renaissance avec son escalier à vis, ses fenêtres à meneaux et sa niche à coquille qui abrite une élégante statue. L'**auberge de la Coupe d'Or**, au n° 528, transformée au 17e s., était la plus ancienne auberge de Villefranche (fin du 14e s.).

L'**église Notre-Dame-des-Marais** doit son existence à une légende rapportant qu'une statue de la Vierge, trouvée dans les marais par des paysans, y retourna après avoir été transportée dans l'église Ste-Madeleine. Les habitants de Villefranche s'empressèrent alors de construire une chapelle à cet emplacement. Seule subsiste de la chapelle primitive du 13e s. un petit clocher de style roman, au-dessus du chœur. L'église a subi de nombreux remaniements : la tour centrale est du 15e s., la somptueuse façade flamboyante du 16e s. a été offerte par Pierre II de Bourbon et Anne de Beaujeu, la flèche a été reconstruite en 1862. Sur la façade nord, remarquez les gargouilles ; l'une d'elles représente la Luxure.

la citation

« Trois fleuves arrosent Lyon : le Rhône, la Saône et le beaujolais. » Cette citation apocryphe aurait pu être écrite par René Fallet ou Antoine Blondin qui ont beaucoup donné de leur personne pour la prospérité de la viticulture beaujolaise. C'est pendant la Seconde Guerre mondiale, alors que les journaux parisiens s'étaient repliés sur Lyon, que les journalistes ont découvert le beaujolais au cours des mâchons qu'ils prenaient sur le zinc des bouchons, au petit matin. La traditon est restée, et le « pot beaujolais », bouteille de verre à cul lourd, reste le compagnon idéal des amateurs de gras-double et autres tabliers de sapeur.

Quittez Villefranche par la D 504. Prenez à droite la D 19, puis à gauche la D 44.

Montmelas-Saint-Sorlin

On contourne par le nord le **château** féodal *(ne se visite pas)*, restauré par Dupasquier, élève de Viollet-le-Duc. Juché sur un promontoire rocheux, il a fière allure avec ses hautes murailles crénelées, ses tourelles et son donjon.

De Montmelas, poursuivez jusqu'au col de St-Bonnet. Du col, à droite, un chemin non revêtu conduit au signal de St-Bonnet (30mn à pied AR).

Signal de Saint-Bonnet

➳ Du chevet de la chapelle, on découvre un panorama, au premier plan sur Montmelas, puis sur le vignoble et les monts du Beaujolais et, au-delà, sur la vallée de la Saône ; au sud-ouest, vue sur les monts du Lyonnais et de Tarare.

👫 Les petits *(dès 4 ans)*… et les plus grands pourront s'essayer aux parcours acrobatiques dans les arbres du parc **Au fil des arbres**. ☎ 06 73 38 13 82 - www.aufildesarbres. fr - *juil.-août : 10h-19h ; mai-juin : merc. 14h-19h, w.-end 10h-19h ; mars, avr., sept. : w.-end et vac. scol. 13h-19h ; oct. : dim. et vac. scol. : 13h-18h ; nov. vac. scol. 13h-18h - 20 € (enf. de 5 à 16 €).*

Du col, empruntez à droite la D 20.

Le vignoble du Beaujolais.

Saint-Julien

Ce charmant village de vignerons est la patrie de **Claude Bernard** (1813-1878). Au milieu des vignes se trouve la demeure acquise par le savant : « J'habite sur les coteaux qui font face à la Dombes… ». Un musée, aménagé sous l'égide de la Fondation Mérieux de Lyon, évoque la vie et les découvertes de Claude Bernard. En traversant le jardin qui longe les vignes, on peut accéder à sa maison natale située en arrière de la propriété. ☎ 04 74 67 51 44 - www.fond-merieux.org - *avr.-sept. : tlj sf lun. et mar. 10h-12h, 14h-18h ; oct.-fév. : tlj sf lun. et mar. 10h-12h, 14h-17h - fermé j. fériés - 5 € (-16 ans 3 €).*

Prenez la D 19 jusqu'à Salles.

Salles-Arbuissonnas-en-Beaujolais

Salles-Arbuissonnas-en-Beaujolais a conservé quelques bâtiments d'un **prieuré** fondé au 10ᵉ s. par les moines clunisiens. On peut visiter la **salle capitulaire** du 15ᵉ s. Différents souvenirs et objets d'art y ont été rassemblés. *Accès par le jardin et le cloître, à droite de l'église.* ☎ 04 74 67 51 50 - *visite guidée (30mn) sur demande préalable à Mlle Alliès - 2 €.*

À droite de la façade de l'église, une petite porte de style flamboyant donne accès à l'ancien **cloître** roman dont il ne reste qu'une galerie à gracieuse colonnade.

La commune produit du beaujolais-villages.

De Salles, suivez la D 35, puis la D 49ᵉ à droite.

Vaux-en-Beaujolais

Ce village vigneron accroché aux pentes de la montagne beaujolaise a inspiré Gabriel Chevallier (1895-1969) pour son truculent roman *Clochemerle*.

♟ La « **Pissotière officielle** », clin d'œil au célèbre roman, est complémentaire du **Caveau de Clochemerle**. La cave, aménagée dans un superbe caveau du 17ᵉ s., fut inaugurée en 1956 par Gabriel Chevallier lui-même. Film et bornes sonores évoquent son œuvre avec humour, tandis que les vins du cru se dégustent sans grande modération : on assure, dit-on, le retour en brouette ! C'est également là que se déroulent, lors de la Saint-Vincent, les cérémonies de la pittoresque confrérie des Gosiers Secs. ✆ *04 74 03 26 58 - 10h30-12h, 15h-19h30 - fermé 1ᵉʳ janv. et 25 déc.*

La D 49ᵉ traverse le Perréon. Par la D 62, on atteint Odenas.

Odenas

♟ Ce village de l'appellation brouilly possède plusieurs châteaux dont celui de **La Chaize**, construit en 1674 par Mansart pour le neveu du père La Chaize, confesseur de Louis XIV. Le jardin à la française a été dessiné par Le Nôtre et le cuvier du 18ᵉ s. est classé Monument historique. ✆ *04 74 03 41 05 - juil. : lun.-vend. 8h30-12h, 14h-17h (w.-end sur RV) ; du 20 août au 22 déc. : lun.-vend. 9h-12h, 14h-17h - 2,50 € (dégustation).*
♟ Le **Château Thivin** est une valeur sûre *(voir nos bonnes caves).*

Rejoignez Charentay.

Charentay

Cet accueillant village des appellations brouilly et côtes-de-brouilly possède deux curiosités : le **château d'Arginy**, sur la route de Belleville, et la **tour de la Belle-mère**. Le château, très délabré, aurait accueilli le trésor des Templiers qui aurait été rapporté par le comte Guichard de Beaujeu, neveu de Jacques de Molay, grand maître de l'Ordre. De l'époque des Templiers, ne subsiste que la grosse tour en brique rouge dite tour des Huit Béatitudes ou tour d'Alchimie. L'autre tour s'élève comme un phare au-dessus des vignes. Elle a été construite par une belle-mère pour observer, de loin, les frasques galantes de son gendre.
♟ Vous pourrez discuter de ces histoires insolites autour d'un verre de beaujolais dans la cave du **Château du Grand Vernay**. ✆ *04 74 03 46 220 - tlj et j. fériés 10h-19h sur RV.*

Continuez sur la D 62, puis prenez la D 19 à gauche et la D 37 à droite jusqu'à Belleville.

Belleville

Située au carrefour des axes de circulation nord-sud et ouest-est, cette ancienne bastide est à la fois un centre viticole et industriel. L'**église** du 12ᵉ s. faisait partie d'une abbaye édifiée par les sires de Beaujeu. Le clocher carré fut construit au 13ᵉ s. Le beau portail roman donne accès à la nef gothique. À l'intérieur, les sculptures des chapiteaux, qui représentent les péchés capitaux, sont d'une naïve verdeur.

L'**hôtel-Dieu**, construit au 18ᵉ s. en remplacement du vieil hôpital, a été occupé par des malades jusqu'en 1991. Ses trois grandes salles présentent les alignements typiques d'alcôves aux rideaux blancs et communiquent avec la chapelle par de belles grilles ouvragées. L'apothicairerie renferme une collection de faïences des 17ᵉ et 18ᵉ s. ✆ *04 74 69 65 85 - ♿ - mai-oct. : visite guidée (1h) lun. 15h-18h, mar.-vend. 10h-12h, 14h-18h, sam. 10h-12h, 14h-17h, dim. seulement en juil-août 15h-17h - 5 € (10-15 ans 3 €).*

Les adresses de Villefranche à Belleville

NOS BONNES TABLES

🍴 **L'Ange Couronné** – *18 r. de la République - 69220 Belleville - fermé 3-25 janv., 3-11 oct., dim. soir, mar. midi et lun. -* ✆ *04 74 66 42 00 - 17/36 €.* Bordant la rue principale de l'ancienne bastide devenue un important centre viticole, salle à manger contemporaine et lumineuse où l'on vous servira une cuisine traditionnelle sérieuse et sans surprise désagréable. Les chambres, desservies par un jardin d'hiver, donnent elles aussi dans la sobriété.

🍴 **Beaujolais** – *40 r. du Mar.-Foch - 69220 Belleville -* ✆ *04 74 66 05 31 - fermé 13-16 avr., 4-26 août, 22-29 déc., dim. soir, mar. soir et merc. - 17 € déj. - 25/42 €.* Les choix culinaires et décoratifs de ce restaurant composent un vibrant hymne au Beaujolais : recettes et carte des vins, fermement ancrées dans la tradition régionale, font écho au cadre de la salle à manger, également fidèle au terroir avec ses pierres et poutres apparentes, ses meubles rustiques et ses objets paysans.

⊜⊜⊜ **Christian Mabeau** – *69460 Odenas - 15 km au NO de Villefranche par D 43 - ℰ 04 74 03 41 79 - christian. mabeau@france-beaujolais.com - fermé 2-12 janv., 30 août-12 sept., dim. soir et lun. sf j. fériés - 35/56 €.* Ce petit restaurant familial situé au cœur du village d'Odenas dresse quelques tables en terrasse, face aux vignes, dès qu'il fait beau. Sa salle à manger est agréable et sa cuisine traditionnelle aux accents du pays s'accompagne d'un bon choix de vins régionaux.

NOS HÔTELS ET CHAMBRES D'HÔTE

⊜⊜ **Hôtel Émile Job** – *12 r. du Pont - 01190 Montmerle-sur-Saône - 13 km au N de Villefranche par N 6 jusq. St-Georges-de-Reneins, puis D 20 - ℰ 04 74 69 33 92 - www.hotelemilejob.com - fermé 1er-15 mars, 22 oct.-14 nov., dim. soir d'oct. à mai, mar. midi de juin à sept. et lun. - ℙ - 22 ch. 54/68 € - ⊃ 7,50 € - rest. 20/52 €.* Ravissante terrasse ombragée de tilleuls et dressée sur les berges de la Saône, salle à manger bourgeoise, cuisine classique et atmosphère familiale font de cette adresse une plaisante étape. Chambres un tantinet surannées, mais confortables.

⊜⊜⊜ **Le Clos de la Barre** – *14 r. de la Barre - 69400 Villefranche-sur-Saône - ℰ 04 74 65 97 85 - www.leclosdelabarre. com - ouvert 1er av.-30 sept. - 6 ch. 85/145 € ⊃.* Pièces d'eau, massifs d'iris et arbres centenaires composent le décor extérieur de cette maison de 1830. Les chambres et suites, joliment décorées, possèdent toutes un petit salon d'été.

NOS BONNES CAVES

MAISON DES VINS

La Maison des Beaujolais – *441 av. de l'Europe - 69220 St-Jean-d'Ardières - ℰ 04 74 66 16 46 - www. lamaisondesbeaujolais.com - été : 12h-22h ; (le reste de l'année : 21h) - fermé vac. de Noël et 1er janv.* L'enseigne est sans équivoque : cette maison est entièrement dédiée aux vins du Beaujolais. Dégustation, boutique et restaurant vous permettront de mieux connaître cette célèbre région viticole ainsi que sa production.

DOMAINES

Château Thivin – *69460 Odenas - ℰ 04 74 03 47 53 - geoffray@chateau-thivin.com - lun.-sam. 9h-12h, 14h-19h.* En 1877, Zaccharie Geoffray acheta aux enchères le château Thivin qui comptait un peu moins de 2 ha de vignes. Évelyne et Claude Geoffray, également propriétaires du manoir du Pavé à Saint-Lager, ont repris l'exploitation en 1987. Aujourd'hui, 15 ha sont consacrés à l'AOC côte-de-brouilly, 6 ha au brouilly, 1 ha au beaujolais et 4 ha au beaujolais-villages. Le château produit aussi un bourgogne blanc sur 0,30 ha. Le vignoble est conduit en lutte intégrée, certifié Terra Vitis. Les vendanges sont manuelles, puis la vinification a lieu en cuves Inox. Les vins sont ensuite élevés en foudres de chêne, dans le chai de pierres bleues. ⚑ beaujolais, beaujolais-villages, côte-de-brouilly.

---

① Route des crus villages : de Belleville à St-Amour-Bellevue (2e étape)

▶ 57 km. Belleville se trouve à 15 km au N de Villefranche-sur-Saône et à 44 km de Lyon par l'A 6. Carte Michelin Local 327, G-H 1-3. Voir l'itinéraire ① sur le plan p. 103.

Quittez Belleville à l'ouest par la D 37.

Vous passez devant le **Château de Bel-Air**, transformé en lycée viticole. Le pôle touristique **Capvignes** propose au public parcours œnologique, découverte des arômes et illustration des métiers de la vigne. *Château de Bel-Air - rte de Beaujeu - ℰ 04 74 66 45 97 - avr.-sept. : tlj sf mar. 10h30-12h, 14h-18h ; oct.-mars, vac. scol. et j. fériés : sur RV.*

Saint-Lager

Le territoire de cette commune vigneronne dominée par le mont Brouilly est parsemé de belles demeures opulentes émergeant des rangs de vignes.

⚑ Le **Château des Ravatys**, du 19e s., est la propriété de l'Institut Pasteur. Le produit de ses vignes finance la recherche médicale. On peut se promener dans le parc et visiter les caves. Vente de brouilly et côtes-de-brouilly. *ℰ 04 74 66 80 35 - www.chateaudesravatys.com - tlj sf dim. 8h30-12h, 14h-18h - fermé 1er-15 août et j. fériés.*

🥾 Une **boucle pédestre** de 8,5 km part du caveau de Saint-Lager et fait le tour du mont Brouilly.

🥾 Au village voisin de **Cercié**, vous pouvez rejoindre la **Voie verte du Beaujolais**, parcours de 11 km aménagé sur le tracé d'une ancienne voie ferrée, accessible en vélo ou à pied.

Autre alternative : continuez sur la D 37 jusqu'à Beaujeu, la capitale du Beaujolais.

Beaujeu

« À tout venant, beau jeu », telle était la devise de l'ancienne capitale du Beaujolais, qui aligne ses maisons basses le long d'une rue étroite, entre les collines tapissées de vignes.

Les Sources du Beaujolais est un pôle œnologique, agrémenté d'une muséographie originale et moderne, qui propose un parcours historique consacré au monde vinicole du Beaujolais. Après la présentation du passé glorieux de Beaujeu, le malheureux Ganelon vient s'écraser, dans la « salle du puits », devant plusieurs artisans décidément imperturbables. Mais le plus étonnant est sans doute la réplique grandeur nature d'une **péniche** dont on traverse le pont. Boutique de produits régionaux. *Entrée par la Maison de pays, en face de l'église. 𝒫 04 74 69 20 56 - www.beaujeu.com - ♿ - juil.-août : 10h-12h30, 14h-19h (dernière entrée 18h) ; mars-juin et sept.-déc. : tlj sf mar. 10h-12h30, 14h-18h (dernière entrée 17h) - fermé 1ᵉʳ janv., 25 déc - 6 € (enf. 3 €).*

Vous pouvez aussi faire un tour au **musée des Traditions populaires Marius-Audin**, dont une partie est consacrée au travail de la vigne. *𝒫 04 74 69 22 88 - www.beaujeu.com - mai-sept. : 9h30-12h30, 14h30-18h30 (19h en juil.) ; mars-avril et oct.-nov. : merc.-dim. 10h-12h, 14h30-18h - 2 € (-12 ans gratuit).*

🍷 Au sous-sol de ce musée se trouve un caveau de dégustation, le **Caveau des beaujolais-villages** *(voir nos bonnes caves).*

De retour vers Cercié, tournez à droite dans la D 43, puis à gauche dans la D 43ᴱ, puis 100 m plus loin, prendre de nouveau à gauche la route de la « côte de Brouilly ».

Mont Brouilly

Sur ses pentes se récolte le cru des côtes-de-brouilly, à la fois fruité et bouqueté. Ce cru est, avec le brouilly, produit sur les communes de St-Lager, **Quincié** *(voir la Cave beaujolaise et le domaine des Grandes Vignes dans nos bonnes caves)*, Charentay, Odenas, Cercié et St-Étienne-la-Varenne. Le brouilly, avec 1 300 ha, est le plus étendu des crus du Beaujolais, alors que les côtes-de-brouilly ne couvrent que 300 ha.

De l'esplanade, au sommet du mont, **vue★** sur le vignoble, les monts du Beaujolais, la plaine de la Saône et la Dombes.

La **chapelle**, au sommet (alt. 484 m), est un lieu de pèlerinage pour les vignerons. Dédiée à la Vierge-aux-Raisins, elle fut construite au 19ᵉ s. afin de protéger les vignes de l'oïdium.

Revenez à Cercié et, à la sortie du village, prenez à gauche la D 68ᴱ pour gagner le vieux bourg de Corcelles. De là, prenez à gauche la D 9.

Château de Corcelles★

𝒫 04 74 66 00 24 - ♿ - mars-nov. : 10h-12h, 14h30-18h30 ; déc.-fév. : 10h-12h, 14h30-17h30 - fermé dim. et j. fériés - gratuit.

Ce château fort fut édifié au 15ᵉ s. pour défendre la frontière entre la Bourgogne et le Beaujolais. Aménagé au 16ᵉ s., il prit une allure de gentilhommière. La cour intérieure est agrémentée de galeries Renaissance et d'un puits orné de fer-ronneries du 15ᵉ s. La chapelle renferme des boiseries gothiques remarquables. Le château de Corcelles figure parmi les célèbres domaines vinicoles du Beaujolais. Son grand **cuvier** du 17ᵉ s. compte parmi les plus beaux de la région.

Château de Corcelle

Le château et le vignoble de Corcelles.

Reprenez la D 9 à droite.

Cette route traverse les vignobles de crus aux noms prestigieux et offre de belles vues sur la vallée de la Saône. Dans chaque village, un caveau ou une cave coopérative propose la dégustation des grands vins.

Villié-Morgon

L'appellation morgon doit son nom au petit hameau du même nom, mais c'est chez l'un des 250 producteurs de Villié-Morgon que vous saisirez peut-être le sens d'un mot unique dans le vocabulaire du vin : « morgonner ». On dit d'un morgon qu'il « morgonne » lorsqu'il exprime des saveurs de terroir un peu animales à nulle autre pareilles. La Côte du Py est le climat le plus réputé de l'appellation.

🍷 Parmi les producteurs du cru, les **domaines Marcel Lapierre** et **Jean-Marc Burgaud** sont des valeurs sûres *(voir nos bonnes caves)*. Le **Caveau de Morgon**, installé au château de Fontcrenne (18ᵉ s.), niché dans un beau parc, est très accueillant. *Château de Fontcrenne - ✆ 04 74 04 20 99 - www.morgon.fr - 10h-12h, 14h30-19h.*

🚶 Plusieurs **sentiers pédestres** bien balisés partent du centre du village pour grimper à l'assaut des collines du vignoble.

De Villié-Morgon, prenez au nord la D 68 qui passe près du village de Chiroubles.

Chiroubles

Le chiroubles est sans doute le plus floral des crus beaujolais, caractérisé par de délicats arômes de violette et de pivoine. Sa délicatesse s'explique sans doute par l'altitude des vignes à près de 400 m. La gloire locale, dont le buste trône sur la place du village, est Victor Puillat, qui sauva le vignoble du phylloxéra en inventant la greffe sur des plans américains.

Pour goûter pleinement au paysage, montez par le sentier panoramique *(fléché)* jusqu'à la terrasse qui offre un splendide panorama sur le territoire des 10 crus du Beaujolais.

🍷 La **Maison des vignerons**, coopérative locale, offre un très bon choix et un excellent accueil ; si vous préférez les domaines, nous vous conseillons le **domaine Émile Cheysson** et le **domaine Desmures** *(voir nos bonnes caves)*.

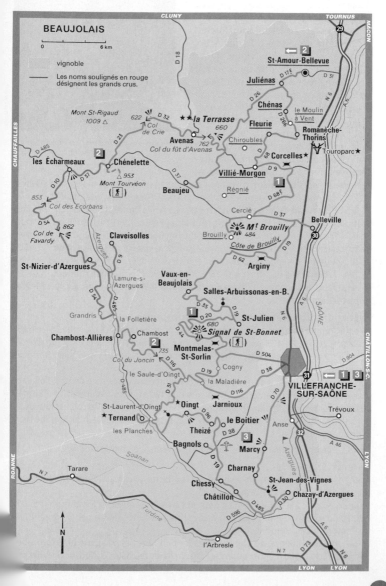

Fleurie

Le village est dominé par la statue de la Madone, érigée en 1875 pour protéger le vignoble contre le phylloxéra. Les vins de Fleurie sont réputés pour la finesse de leur grain et leur bouquet fruité. Avec eux, la réputée andouillette de Fleurie est toujours en bonne compagnie. ♀ Outre la dynamique **cave des Producteurs des grands vins de Fleurie** (cave coopérative), l'une des plus importantes de la région, le **domaine La Madone** produit des vins de bon aloi *(voir nos bonnes caves)*.

De Fleurie, suivez la D 32, à l'est, puis la D 186, sur la gauche.

Romanèche-Thorins

Au cœur des beaujolais-villages, ce gros bourg est chaque année le rendez-vous des amateurs de beaujolais nouveau qui viennent assister au départ des citernes depuis les chais de Georges Dubœuf, qui assemble et commercialise la plus grosse partie des vins primeurs provenant pour l'essentiel des caves coopératives de la région.

Romanèche-Thorins partage, en outre, avec Chénas, le territoire de l'appellation moulin-à-vent, la plus ancienne du Beau-jolais, reconnue dès le 18e s. pour ses vins bien charpentés provenant de sols à forte teneur en manganèse. Vers 1830, les vignes du Beaujolais étaient dévastées par le « ver coquin » ou pyrale, et les vignerons désemparés face au fléau. **Benoît Raclet**, propriétaire de vignes à Romanèche, remarqua qu'un pied de vigne planté le long de sa maison, près du déversoir d'eaux de ménage, se portait à merveille. Il décida d'arroser tous ses ceps avec de l'eau chaude à 90 °C en février pour tuer les œufs de la pyrale, et sauva ainsi sa vigne, sous l'œil sceptique des voisins. Ceux-ci finirent pourtant par adopter cette technique. Une fête en son hommage est donnée chaque dernier week-end d'octobre. Vous pourrez

Au Hameau du Vin à Romanèche-Thorins.

© Plaisirs en Beaujolais

également visiter sa **maison** (souvenirs divers et matériels d'échaudage). ℘ 03 85 35 51 37 - *visite guidée sur demande préalable (15 j. av.) - fermé nov.-avr. - gratuit.*

♀ ♣♣ Le **Hameau du Vin★★**, aménagé par Georges Dubœuf dans l'ancienne gare, propose un parcours à la fois ludique, résolument moderne, et instructif sur l'histoire de la vigne en Beaujolais et les métiers du vin. Rendez-vous ensuite au **Jardin en Beaujolais** *(avec le petit train)*, pour y découvrir le **centre de vinification**. ℘ 03 85 35 22 22 - www.hameauduvin.com - ஃ - *avr.-oct. : 9h-19h ; nov.-mars : 10h-18h - fermé 25 déc. - jardin fermé déc.-fin mars - 16 € (basse sais. 13 €) (-16 ans gratuit).*

♀ Allez faire vos achats au **Château du Moulin à Vent** ou à celui d'**Yvon Métras** *(voir nos bonnes caves).*

Parc zoologique et d'attractions Touroparc★

Au carrefour de la Maison-Blanche, sur la N 6, prendre la D 466e route de St-Romain-des-Îles. ℘ 03 85 35 51 53 - www.touroparc.com - ஃ - mars-oct. : 9h30-19h (attractions 11h-12h, 13h30-18h) ; nov.-fév. : 13h30-17h30 (pas d'attractions) - 15 € sais., hors sais. se renseigner.

♣♣ Dans un cadre de verdure égayé de constructions ocrées, ce centre d'élevage et d'acclimatation présente, sur 10 ha, quelque 120 espèces d'animaux et d'oiseaux des cinq continents, la plupart en apparente liberté, sauf certains grands fauves. Le parc d'attractions dont le monorail aérien, les toboggans et les jeux aquatiques font le bonheur des enfants.

Par la D 266 traversant le hameau du Moulin-à-Vent, rejoignez la D 68.

Chénas

Avant d'arriver au village, sur le sommet d'une butte, le vieux moulin à vent restauré accueille les amateurs de bon vin.

Le chénas, avec 280 ha, est le plus petit des crus du Beaujolais. C'est un vin élégant et racé dont les bouteilles les plus corsées sont produites sur les pentes granitiques en dessous du Pic Rémont.

♀ La **cave du Château de Chénas**, installée dans une belle bâtisse du 19e s. produit 45 % de l'appellation et propose un accueil chaleureux aux visiteurs ; vous pouvez également vous rendre au **domaine La Rochelle** *(voir nos bonnes caves).*

🍂 Du vieux bourg, on peut faire une belle balade en montant jusqu'à la **cabane des Chasseurs** pour profiter d'une belle vue sur le vignoble *(table d'orientation)*.

Juliénas

Le village, dont le nom serait lié à Jules César, a donné son nom à l'appellation de 600 ha qui produit les vins les plus corsés du Beaujolais, très aptes à la garde. On peut les déguster dans le **cellier de la vieille église**, étonnant endroit où les scènes bachiques ont remplacé les images pieuses. 🕿 04 74 04 42 98 - ♿ - juin-sept. : 9h45-12h, 14h30-18h30 ; oct.-mai : tlj sf mar. 9h45-12h, 14h30-18h30 - gratuit.

🍷 Bons achats en perspective aux **domaines Jean-Marc Monnet** et **Pascal Granger** *(voir nos bonnes caves)*.

🍂 Un amusant **parcours pédestre** balisé de 2 km permet de se dégourdir les jambes à travers les vignes, entre la vieille église et la cave coopérative.

À la sortie du village, par la D 137, la **maison de la Dîme** (16e-17e s.) présente une très belle façade à arcades.

Gagnez St-Amour-Bellevue.

Saint-Amour-Bellevue

Située à la pointe nord du Beaujolais, cette commune de Saône-et-Loire produit des vins rouges plus ou moins consistants selon qu'ils proviennent de vignes poussant sur des sols granitiques ou limoneux. L'appellation compte plusieurs climats aux noms pittoresques comme En Paradis ou À la Folie. 🍷 Rendez-vous au domaine de **Denis et Hélène Barbelet** *(voir nos bonnes caves)*.

Le secteur produit aussi des saint-véran et des mâcons blancs *(voir le vignoble de la Bourgogne)*.

Les adresses de Belleville à St-Amour-Bellevue

NOS BONNES TABLES

😋 **Auberge Vigneronne** – *Au bourg - 69430 Régnié-Durette - 5 km au S de Beaujeu par D 78 -* 🕿 *04 74 04 35 95 - www. beaujeu.com - fermé mar. soir d'oct. à avr. et lun. - 10,50 € déj. - 16,50/27 €.* Près de l'église, derrière une belle façade en pierre, restaurant traditionnel complété d'un caveau de dégustation. Deux chaleureuses salles à manger typiquement beaujolaises, dont une avec cheminée, et terrasse d'été.

😋😋 **Mont-Brouilly** – *Au Pont des Samsons - 69430 Quincié-en-Beaujolais – 5,5 km au SE de Beaujeu par D 37 -* 🕿 *04 74 04 33 73 - 20/48 €.* Au pied du mont Brouilly, établissement récent entouré de vignes. Les petites chambres, fonctionnelles et insonorisées, ont été redécorées dans les tons jaunes. Vaste salle à manger offrant une vue sympathique sur le jardin ; à table, recettes traditionnelles.

😋 **Restaurant Le Morgon** – *Haut-Morgon - 69910 Villié-Morgon - 4,5 km au S de Fleurie par D 68 -* 🕿 *04 74 69 16 03 - fermé 15 déc.-20 janv., j. fériés, mar. soir du 20 janv. au 1er avr., dim. soir et merc. - 13,50/36 €.* Le village de Villié-Morgon, entouré de vignes, s'est imposé comme une étape incontournable pour les amateurs de bonnes bouteilles. Au centre de la petite localité, le morgon est tout trouvé pour ceux qui souhaitent accompagner avec un bon choix de millésimes les savoureuses recettes beaujolaises.

😋😋 **Table de Chaintré** – *71570 Chaintré - 4 km au NE de St-Amour-Bellevue par D 186 -* 🕿 *03 85 32 90 95 - fermé 6-21 août, 24 déc.-8 janv., dim. soir, lun. et mar. - 35/49 €.* Au cœur du vignoble de Pouilly, accueillante maison où naquit et vécut Lucie Aubrac, résistante célèbre. Les hôtes s'attablent dans la plaisante salle à manger de style actuel pour déguster le menu unique du marché, accompagné d'une belle carte des vins.

😋😋 **Les Platanes de Chénas** – *Aux Deschamps - 69840 Chénas - 2 km au N de Chénas par D 68 -* 🕿 *03 85 36 79 80 - fermé fév., 23-28 déc., mar. et merc. sf juil.-août - 22/58 €.* Ah qu'il est doux de ne rien faire quand tout s'agite autour de soi ! Installé sous les platanes de la terrasse, votre regard s'étend sur les vignobles de Chénas et votre palais découvre les vins d'ici accompagnés d'une honnête cuisine au goût du jour.

😋😋 **L'Auberge des vignerons-La Tassée** – *69840 Émeringes - 6,5 km au NO de Fleurie par D 32 -* 🕿 *04 74 04 45 72 - 20/35 €.* Les baies vitrées de la petite salle de restaurant offrent une jolie vue sur les vignes du Beaujolais. Intérieur lambrissé et nappes colorées. Cuisine traditionnelle.

😋😋 **Restaurant le Cep** – *Pl. de l'Église - 69820 Fleurie -* 🕿 *04 74 04 10 77 - fermé déc., janv., dim. et lun. sf j. fériés - 35 € déj. - 45/75 €.* Foin du décor élégant ou de la brigade stylée ! Cette digne ambassade du Beaujolais a renoncé au luxe pour mieux retrouver les saveurs d'une authentique cuisine du terroir.

⊜⊜ **Le Coq à Juliénas** – *Pl. du Marché - 69840 Juliénas - 3 km au SO de St-Amour-Bellevue par D 17ᵉ - ☎ 04 74 04 41 98 - www.leondelyon.com - fermé janv., déc. et merc. - 23 €*. Il lance des cocoricos, s'égosille, se pavane… Le coq règne presque sans partage sur le décor soigné de ce beau « bistrot de chef ». En plein Beaujolais, naturellement, le vin ne se laisse pas comme cela voler la vedette, et fait apprécier sur la table quelques-uns de ses plus beaux joyaux. Goûteuse cuisine régionale.

⊜⊜ **Chez Jean Pierre** – *71570 St-Amour-Bellevue - ☎ 03 85 37 41 26 - restaurant-jeanpierre@wanadoo.fr - fermé 22 déc.-10 janv., dim. soir, merc. soir et jeu. - 20/45 €*. La terrasse et la salle à manger de cette sympathique maison en pierre offrent un cadre frais et gai à la dégustation des petits plats préparés avec inventivité par Alain Develay : colvert sauvage aux champignons des bois, filet de sandre en croûte, etc. L'incontournable cru AOC saint-amour sera bien sûr de la partie.

⊜⊜ **Le Villon** – *Bd du Parc - 69910 Villié-Morgon - ☎ 04 74 69 16 16 - 18/43 €*. Dominant le village, bâtisse dont la salle à manger au décor néo-rustique possède une terrasse tournée vers les collines plantées de vignes. Cuisine traditionnelle.

⊜⊜⊜ **Chez la Rose** – *Pl. du Marché - 69840 Juliénas - 3 km au SO de St-Amour-Bellevue par D 17ᵉ - ☎ 04 74 04 41 20 - www.chez-la-rose.fr - fermé 8-28 fév., 13-17 déc., mar., jeu., vend. et lun. midi, lun. soir hors sais. - 27/57 €*. Perspective de gourmande et sympathique escale en Beaujolais Chez la Rose, restaurant niché au cœur de Juliénas dont le terroir fécond donne naissance à des vins charnus et robustes promis à un beau vieillissement. Cuisine régionale soignée servie dans la salle à manger rustique ou sur la terrasse semée de fleurs.

NOS HÔTELS ET CHAMBRES D'HÔTE

⊜ **Chambre d'hôte Domaine des Quarante Écus** – *Les Vergers - 69430 Lantignié, 3,5 km à E de Beaujeu par D 78 - ☎ 04 74 04 85 80 - bnesme@wanadoo.fr - ⊐ - 5 ch. 48 € ⊒*. Ce domaine viticole dispose de quelques chambres garnies de meubles anciens ou modernes et décorées de reproductions de Van Gogh. Toutes offrent une échappée sur les vignes ou sur le jardin et les vergers. Petit-déjeuner servi dans une belle salle rustique. Visite de la cave et dégustation du vin de la propriété.

⊜ **Chambre d'hôte M. et Mᵐᵉ Bonnot** – *Au bourg - 69430 Les Ardillats - 5 km au NO de Beaujeu par D 37 - ☎ 04 74 04 80 20 - fermé en janv. - ⊐ - 5 ch. 45 € ⊒ - repas 17 €*. À l'orée du village la façade en pierre, égayée de volets en bois blond, de cette ferme restaurée attire l'œil. Les chambres, colorées et dotées de poutres apparentes, portent chacune le nom d'un fruit : framboise, ananas, prune, pamplemousse et mandarine. À table, goûteux petits plats maison et beaujolais à discrétion.

⊜⊜ **Domaine de Romarand** – *69430 Quincié-en-Beaujolais - 5,5 km au SE de Beaujeu par D 37 - ☎ 04 74 04 34 49 - fermé 1ᵉʳ janv. et 25 déc. - 4 ch. 58/60 € - repas 22 €*. Cette belle maison en pierre qui appartient à un couple de viticulteurs s'ouvre sur un jardin de rocaille et sur les vignes. Ses chambres, modernes et confortables, offrent toutes la vue sur ces agréables perspectives. Le petit-déjeuner, copieux, fait la part belle aux pâtisseries et confitures maison.

⊜⊜ **Chambre d'hôte Gérard Lagneau** – *Huire - 69430 Quincié-en-Beaujolais - 5,5 km au SE de Beaujeu par D 37 - ☎ 04 74 69 20 70 - www.domainelagneau.com - ouv. tte l'année - ⊐ - 4 ch. 57 € ⊒*. Dans le hameau de Huire, jolie construction en pierre où une sympathique famille de viticulteurs se met en quatre pour rendre votre séjour agréable. Chambres simples mais d'une tenue irréprochable. Petit-déjeuner servi sous les poutres d'une salle rustique ou sous la pergola aux beaux jours. Dégustation de vins du cru dans le caveau du 16ᵉ s.

⊜⊜ **Chambre d'hôte Les Pasquiers** – *Les Pasquiers - 71570 Romanèche-Thorins - 2,5 km au SE de Fleurie par D 119ᴱ - ☎ 04 74 69 86 33 - www.lespasquiers.com - réserv. obligatoire - 4 ch. 80 € ⊒ - repas 25 €*. Un grand jardin clos entoure cette belle demeure du Second Empire qui a conservé ses aménagements d'origine : tapis, bibliothèque, piano à queue dans le salon, etc. Les chambres du bâtiment principal possèdent de beaux meubles du 19ᵉ s., celles de la dépendance offrent un « look » plus contemporain.

⊜⊜ **Chambre d'hôte Domaine de La Grosse Pierre** – *La Grosse Pierre - 69115 Chiroubles - par la D 119 dir. Chiroubles - ☎ 04 74 69 12 17 - www.chiroubles-passot.com - fermé déc.-janv. - 5 ch. 55 € ⊒*. Adresse idéale pour une immersion complète en plein Beaujolais, ce beau domaine viticole (10 ha) met à votre disposition des chambres agréables, quoique simplement aménagées, et un plaisant salon avec cheminée. Des dégustations de vins ont lieu dans la cave voûtée.

⊜⊜ **Les Maritonnes** – *71570 Romanèche-Thorins - 3,5 km à l'E de Fleurie - ☎ 03 85 35 51 70 - www.maritonnes.com - fermé 22 déc.-20 janv. - ⊓ - 20 ch. 80/130 € - ⊒ 13 € - rest. 35/70 €*. Belle demeure tapissée de vigne vierge et nichée dans un joli parc fleuri, où vous logerez dans des chambres fraîches et spacieuses. Au restaurant, plats traditionnels arrosés du célèbre cru local : le moulin-à-vent. Formule plus simple à l'Espace Bistrot.

⊜⊜ **Hôtel Les Vignes** – *Rte de St-Amour-69840 Juliénas - 3 km au SO de St-Amour-Bellevue par D 17ᵉ - ℘ 04 74 04 43 70 - www.hoteldesvignes.com - fermé 7-22 fév., 21-28 déc. et dim. de déc. à mars - ▣ - 22 ch. 55/67 € - ⊠ 11 €.* À la sortie de Juliénas, cet hôtel bâti à flanc de coteau et entouré de vignes abrite des chambres rénovées, gaies et fonctionnelles. Le petit-déjeuner beaujolais, rehaussé de spécialités charcutières locales et servi dans une salle aux tons ensoleillés, mérite une mention spéciale. Accueil sympathique.

NOS BONNES CAVES

CAVES COOPÉRATIVES

Caveau des beaujolais-villages – *Pl. de l'Hôtel-de-Ville - 69430 Beaujeu - ℘ 04 74 04 81 18 - mai-nov. : 10h30-13h, 14h-19h30 - fermé 3 sem. en janv.* Ce « temple de Bacchus » dédié à l'appellation beaujolais-villages occupe les caves voûtées de la mairie. La statue de saint Vincent, patron des vignerons, et l'effigie en cire d'Anne de Beaujeu veillent sur les dégustations de beaujolais-villages, beaujolais-villages blanc et beaujolais-villages rosé. Nouvelle cuvée Pierre et Anne de Beaujeu.

Cave beaujolaise de Quincié – *Au bourg - 5,5 km au S de Beaujeu par la D 37ᴱ puis D 37 - 69430 Quincié-en-Beaujolais - ℘ 04 74 04 34 17 - www.cavedequincie.com - 8h30-12h, 14h-18h, sam. 9h-12h, 14h-18h, dim. 10h-12h, 15h-18h - fermé 1ᵉʳ janv., 1ᵉʳ Mai, 1ᵉʳ nov. et 25 déc.* Les différents crus : beaujolais-villages, régnié, brouilly, etc. de cette coopérative viticole née en 1928 dispensent des arômes de fruits et de fleurs régulièrement primés dans les concours. Une salle de vente et de dégustation très moderne permet de présenter la sélection dans des conditions optimales.

La Maison des vignerons – *Au bourg - 3,5 km au SO de Fleurie par D 68 - 69115 Chiroubles - ℘ 04 74 69 14 94 - lamaisondesvignerons@wanadoo.fr - 10h-12h30, 14h-18h30 - fermé 1ᵉʳ janv. et 25 déc.* La maison, nichée dans le petit village de Chiroubles, a mis en place depuis une vingtaine d'années une démarche qualité rigoureuse et vinifie les récoltes de 55 adhérents cultivant une centaine d'hectares situés sur les aires d'appellation contrôlées chiroubles, fleurie, morgon, régnié, beaujolais-villages.

Cave des Producteurs des grands vins de Fleurie – *Au bourg - 69820 Fleurie - ℘ 04 74 04 11 70 - www.cavefleurie.com - 9h-12h, 14h-19h, dim. 9h-12h, 14h30-19h30.* Cette coopérative créée en 1927 est la doyenne des caves du Beaujolais. Elle vinifie un tiers du cru fleurie, produit une gamme de vins par climat – La Chapelle des Bois, Les Garants, etc. – et s'enorgueillit d'élever deux cuvées d'exception baptisées « Cardinal Bienfaiteur » et « Présidente Marguerite ».

Cave du Château de Chénas – *La Bruyère - 3,5 km au NE de Fleurie par D 68 - 69840 Chénas - ℘ 04 74 04 48 19 - cave.chenas@wanadoo.fr - 8h-12h, 14h-18h (sam. 19h), dim. et j. fériés 14h30-19h - fermé 11 Nov.* Dans le cadre magnifique du château de Chénas fut constituée en 1934 cette association de viticulteurs qui compte aujourd'hui 275 adhérents. Le domaine de 280 ha produit plusieurs AOC (le vignoble de Chénas donne naissance à deux grands vins : moulin-à-vent et chénas) élevés sous de superbes voûtes du 17ᵉ s.

Publicité pour les vins du Beaujolais.

DOMAINES

Domaine des Grandes Vignes – *Chavanne - 69430 Quincié-en-Beaujolais - ℘ 04 74 04 31 02 - contact@ddgv.com - tlj 9h-18h.* Jacky et Jean-Claude ont succédé à leurs parents en 1990, et représentent ainsi la troisième génération de viticulteurs sur le domaine familial. Ils exploitent 19 ha de vignes encépagés de gamay noir à jus blanc et de chardonnay. La culture du vignoble reste traditionnelle, avec vendanges manuelles. La vinification a ensuite lieu en cuves ciment, durant six à quinze jours. ⚑ beaujolais-villages, brouilly, côtes-de-brouilly, morgon, moulin-à-vent.

Marcel Lapierre – *Les Chênes - 69910 Villié-Morgon - ℘ 04 74 04 23 89 - informations@marcel-lapierre.com - lun.-vend. 8h30-11h30, 13h30-17h - sur RV.* Ce domaine, familial depuis trois générations, est conduit de manière traditionnelle. Le vignoble couvre quelque 11 ha encépagés de gamay, et cultivés sans désherbant ni engrais chimique. Les seuls traitements utilisés sont la bouillie bordelaise et le soufre. Les vendanges sont manuelles, avec tri rigoureux des raisins. La vinification et l'élevage ont lieu en fûts et en cuves de bois. ⚑ morgon.

Domaine Jean-Marc Burgaud – *Morgon-le-Haut - 69910 Villié-Morgon - ℘ 04 74 69 16 10 - jeanmarcburgaud@libertysurf.fr - sur RV.* Installé depuis 1989, Jean-Marc Burgaud exploite un vignoble de 17,5 ha répartis sur trois appellations : 3 ha en beaujolais-villages, 1 ha en régnié et 13,5 ha en morgon. Le domaine, encépagé de gamay noir, est conduit selon des méthodes raisonnées. Les vendanges sont manuelles et la vinification traditionnelle avec macération des raisins entiers en cuves bétons, de six à quinze jours. Les vins sont ensuite élevés en cuves ou en foudres de bois, de six à douze mois. ⚲ beaujolais-villages, morgon, régnié.

Domaine Émile Cheysson – *Clos Les Farges - 69115 Chiroubles - 📞 04 74 04 22 02 - dcheysson@terre-net.fr - tlj 8h-12h, 14h-18h.* Fondé par le sociologue Émile Cheysson en 1870, le vignoble compte aujourd'hui 26 ha, exclusivement encépagés de gamay. Les vignes, exposées sud-est, plongent leurs racines dans des sols constitués de granit et de porphyre, sont conduites en lutte raisonnée et vendangées manuellement. Les vins vieillissent ensuite en cuves durant trois à douze mois pour la cuvée Tradition et en fûts de chêne pendant douze mois pour la cuvée Prestige. Le domaine produit également du mâcon. ⚲ chiroubles.

Armand et Anne-Marie Desmures – *Le Bourg - 69115 Chiroubles - 📞 04 74 69 10 61 - sur RV.* Cette exploitation, propriété familiale depuis cinq générations, compte 6 ha, répartis sur 22 parcelles exposées sud, sud-est. Le gamay, cépage unique, s'enracine dans un sol de granit et de porphyre. Le domaine est conduit selon des méthodes traditionnelles avec un traitement minimum de la vigne. Les vendanges sont manuelles, puis la vinification est semi-carbonique. Les vins sont ensuite élevés en cuves ciment ou en cuves Inox de septembre à mars. ⚲ chiroubles.

Domaine de La Madone – *69820 Fleurie - 📞 04 74 69 81 51 - domainedelamadone@wanadoo.fr - tlj 10h-19h.* Depuis cinq générations, la famille de Jean-Marc Desprès exploite le domaine qui s'étend sur 13 ha, exposés sur des coteaux de granit rose. Le vignoble, orienté sud-sud-ouest, est encépagé de gamay. La culture est maîtrisée et la vinification, traditionnelle, a lieu par gravité. ⚲ beaujolais-villages, fleurie, juliénas.

Château du moulin-à-vent – *Le Moulin à Vent - 3,5 km à l'E de Fleurie - 71570 Romanèche-Thorins - 📞 03 85 35 50 68 - chateaudumoulinavent@wanadoo.fr - lun.-vend. 9h-12h, 14h-18h, w.-end et j. fériés sur* demande préalable - fermé de déb. à mi.-août. Vous voici sur les lieux de production d'une des plus fameuses appellations du Beaujolais. De couleur rubis, ronds, corsés et charpentés, ces moulin-à-vent sont des vins puissants et racés aptes à bien vieillir. Dégustation sur place, millésimes anciens disponibles. ⚲ moulin-à-vent.

Domaine Yvon Métras – *La Pierre - 71570 Romanèche-Thorins - 📞 03 85 35 59 82 - sur RV.* Les 6 ha du domaine, uniquement encépagés de gamay noir à jus blanc, s'étendent sur un sol de granit décomposé, cultivé sans compromis. Les vins sont vinifiés selon les méthodes traditionnelles et biologiques, puis élevés pour moitié en cuves de ciment et le reste en fûts de chêne. ⚲ beaujolais, fleurie.

Domaine Jean-Marc Monnet – *69840 Juliénas - 📞 04 74 04 45 46 - sur RV.* Jean-Marc Monnet cultive une dizaine d'hectares de vignes sur ce domaine qui appartient à sa famille depuis trois générations. Le vignoble est conduit en lutte raisonnée, les vendanges sont manuelles et l'élevage traditionnel. Il produit également un saint-véran. ⚲ chiroubles, juliénas.

Domaine Pascal Granger – *Les Poupets - 69840 Juliénas - 📞 04 74 04 44 79 - sur RV.* Chez les Granger, on est vigneron de père en fils depuis plus de deux siècles. En 1983, Pascal reprend l'exploitation du domaine, dont les vignes couvrent 12,7 ha de sols argileux, cailouteux et granitiques, répartis sur cinq communes. Le gamay noir à jus blanc est taillé en gobelet, puis vinifé en grappes entières en cuves thermorégulées à chapeau immergé. Le domaine produit un beaujolais-villages blanc. ⚲ beaujolais-villages, chénas, juliénas, moulin-à-vent.

Denis et Hélène Barbelet – *Les Billards - 71570 St-Amour-Bellevue - 📞 03 85 36 51 36 - dhbarbelet@yahoo.fr - 9h-12h, 13h30-19h.* Hélène et Denis Barbelet conduisent en lutte raisonnée leur vignoble de 6,20 ha, exclusivement encépagés de gamay noir à jus blanc. Les vendanges sont manuelles, puis la vinification a lieu en cuves béton et en cuves émaillées. Les vins sont ensuite élevés en fûts de chêne, pendant dix mois ; en cuves émaillées, de six à douze mois. ⚲ beaujolais-villages, saint-amour.

③ Le pays des pierres dorées

▶ 59 km. Villefranche-sur-Saône se trouve à 30 km au N de Lyon par l'A 6 ou la N 6. Carte Michelin Local 327, G-H 3-4. Voir le circuit ③ sur le plan p. 103.

Le pays des pierres dorées, au sud du Beaujolais, doit son nom aux maisons de pierre calcaire qui prennent une splendide teinte dorée au soleil couchant. C'est une région très attachante, réservant au visiteur des paysages d'une grâce toute aristocratique, avec de splendides bâtisses et des villages médiévaux se détachant sur fond de vignes bien ordonnées. Le vignoble, omniprésent, produit des beaujolais et des beaujolais-villages qui n'ont pas la finesse des crus du Beaujolais nord mais qui expriment bien la sève d'un terroir où tout est douceur et art de vivre.

Quittez Villefranche par la D 70, puis tournez à gauche dans la D 39. Cette jolie **route de crête★** offre des vues dominantes sur la vallée de la Saône.

Anse

La ville, au confluent de l'Azergues et de la Saône, fut une importante étape à l'époque gallo-romaine. On y a retrouvé une splendide mosaïque de la fin du 2e s. évoquant la navigation fluviale, visible au **château des Tours**. ℘ 04 74 60 26 16 - sam. à 15h30 - 2 € *(office du tourisme des Pierres Dorées).*

Anse possède également une agréable base nautique au Colombier. Vous trouverez plusieurs itinéraires de randonnées pédestres ou cyclistes à l'office de tourisme des Pierres Dorées.

Revenez à la D 70 que l'on prend à gauche.

Marcy

À l'extérieur du bourg *(accès par une petite route à gauche signalée « Tour Chappe »)* se dresse une **tour** de télégraphe, construite par Claude Chappe en 1799, dont le mécanisme à bras mobiles, restauré, a servi à transmettre des messages optiques jusqu'en 1850. ℘ 04 74 67 02 21 - mars-oct. : dim. 14h30-18h ; nov. : dim. 14h30-17h. 1,50 € *(gratuit dim.).*

Du pied de la tour, la vue embrasse la vallée de la Saône, la Dombes, les monts du Lyonnais et du Beaujolais.

Charnay

Située au sommet d'une colline, cette petite bourgade possède des vestiges de fortifications provenant d'un château féodal du 12e s. Sur la place, entourée de maisons des 15e et 16e s. en pierres dorées, l'**église** abrite une très belle statue gothique de saint Christophe en pierre polychrome (12e s.). On peut monter au sommet de la tour de l'église pour profiter d'une vue panoramique.

Plus haut, l'imposant château du 17e s., appelé La Mansarde, abrite la mairie.

♟ Profitez de votre passage pour goûter les vins du **domaine des Terres Dorées** *(voir nos bonnes caves).*

Prenez, au sud de Charnay, une route étroite menant à St-Jean-des-Vignes.

S. Sauvignier / MICHELIN

Saint-Jean-des-Vignes

La petite église perchée offre, dans son cadre fleuri, une très belle vue sur l'ensemble du pays lyonnais.

Fossiles de Pierres Folles, à St-Jean-des-Vignes.

La présence de sites géologiques importants dans les environs est à l'origine de la création de l'**espace Pierres Folles**. Une partie de celui-ci retrace l'histoire de la planète, telle qu'on peut la lire dans la composition du sous-sol. Des vitrines, tableaux et films expliquent cette lente évolution de la vie sur la Terre ; remarquez l'aquarium de nautiles vivants et l'hologramme d'un « vol de ptérosaures ». Le reste du musée est consacré à la découverte du terroir et à son exploitation industrielle et touristique. ℘ 04 78 43 69 20 - www.espace-pierres-folles.asso.fr - ♿ - possibilité de visite guidée sur demande - mars-nov. : tlj sf lun. et merc. matin 9h-12h30, 14h-18h, w.-end et j. fériés 14h-18h (dernière entrée 30mn av. fermeture) - 5 € (enf. 2,50 €).

Rejoignez la D 30 pour atteindre Chazay-d'Azergues.

Chazay-d'Azergues

De la cité fortifiée dominant l'Azergues subsistent un beffroi et quelques maisons des 15e et 16e s. Le château *(ne se visite pas)*, du 15e s., était la résidence des abbés d'Ainay. Ne manquez pas d'aller voir la fameuse « porte du Babouin ».

Empruntez la D 30 jusqu'à Lozanne, puis la D 485 jusqu'à Châtillon.

Châtillon

Ce village est dominé par une forteresse des 12e et 13e s. qui commandait l'entrée de la vallée de l'Azergues. Englobée à l'origine dans cette forteresse, la **chapelle St-Barthélemy** *(accès en forte montée signalé à gauche de l'église paroissiale)* fut agrandie au 15e s. À l'intérieur, tableaux de Lavergne et de H. Flandrin. ℘ 04 78 43 92 66 - de mi-avr. à fin oct. : dim. et j. fériés 14h30-18h - gratuit.

De l'esplanade du Vingtain, en contrebas, jolie vue sur le bourg. À la sortie du village, sur la D 76 en direction d'Alix, pittoresque puits couvert dit « sarrasin ».

Suivez la D 485 bordée de terrils rouges.

Chessy

L'église de style gothique flamboyant abrite un beau bénitier du 16e s. et une sainte Marthe terrassant un dragon. Dans cette localité était exploité autrefois un important gisement de cuivre dont Jacques Cœur fut propriétaire. Le minerai, dit « chessylite », est une variété d'azurite aux beaux reflets bleus, très prisée des collectionneurs.

Empruntez la D 19 en direction de Bagnols.

Oingt et son vignoble.

Bagnols

Le village, qui accueille un festival des aquarellistes le dernier week-end de juillet, possède un château du 15e s. restauré en château-hôtel. L'**église**, de la même époque, comporte une belle clé de voûte pendante. Sur la place, très jolies maisons à auvent des 15e et 16e s.

Revenez sur la D 19 que l'on prend à gauche. Arrêtez-vous au hameau du Boitier.

Le Boitier

À la sortie du hameau sur la droite se trouve le clos de la Platière où Mme Roland passa ses plus beaux jours avant la Révolution.

Theizé

Parking à droite de la route. Prenez la rue qui grimpe à droite de la place de l'église.

L'agréable village de Theizé, typique de la région des Pierres Dorées, possède deux châteaux : le château de Rapetour, dans la partie basse, et le **château de Rochebonne**, dans le haut du village. Ce dernier se distingue par sa façade classique flanquée de deux tours et surmontée d'un fronton. L'intérieur a conservé un bel escalier à vis et accueille des expositions. Au rez-de-chaussée est aménagé un pôle œnologique, « **Les Fiancés de l'automne** », centré sur la vinification beaujolaise. La **chapelle**, dont on peut admirer le chœur gothique flamboyant, est utilisée pour des concerts et des expositions temporaires. *℘ 04 74 71 16 10 - juil.-août : tlj sf mar. 14h-18h ; mai-juin et de déb. sept. à mi-oct. : w.-end et j. fériés 14h-18h - 3,50 € (enf. 1,75 €).*

Le **château de Rapetour** est une maison forte du 13ᵉ s. qui conserve sa porte en arc brisé, ses échauguettes, ses mâchicoulis en encorbellement et ses tours rasées. La cour intérieure Renaissance, remarquable avec ses galeries, s'orne de belles têtes sculptées.

Oingt★

De la redoutable forteresse d'Oingt, il ne reste que la porte de Nizy par laquelle on pénètre dans le village dont les rues piétonnes, la « Maison commune » du 16ᵉ s. et de nombreux ateliers artisanaux (céramique, tissage, etc.) ajoutent au charme. Les ruelles bordées de très belles maisons mènent à l'église, ancienne chapelle du château (14ᵉ s.).

Du sommet de la **tour** s'offre un magnifique panorama sur les monts du Lyonnais et du Beaujolais ainsi que sur la vallée de l'Azergues. *℘ 04 74 71 21 24 - possibilité de visite guidée (45mn) sur demande préalable - juil.-août : tlj sf w.-end 15h-19h ; avr.-juin et sept. : w.-end et j. fériés : 15h-19h - 1,50 € (-12 ans gratuit).*

Saint-Laurent-d'Oingt

🍷 Outre son intéressante église à auvent, ce paisible village possède une **cave coopérative** dont le caveau offre un beau point de vue sur le secteur. *℘ 04 74 71 20 51 - caveau : dim. et j. fériés 14h-18h ; magasin : tlj sf dim. et sam. apr.-midi 8h-12h, 14h-18h.*

En arrivant sur la D 485, tournez à droite.

Ternand★

Autrefois bastion des archevêques de Lyon, Ternand a gardé des vestiges de fortifications : le donjon et le chemin de ronde qui offre une jolie perspective sur les monts de Tarare et la vallée de l'Azergues.

L'**église** est intéressante pour ses chapiteaux carolingiens du chœur et ses peintures murales de la même époque dans la crypte. *Visite guidée sur demande à la mairie, ℘ 04 74 71 33 43.*

🍷 L'autre curiosité est l'importante **collection d'outils vignerons** de **Jean-Jacques Paire**, producteur de beaujolais au lieu-dit Ronzié. *℘ 04 74 71 35 72 - de déb. juil. à mi-sept. : mar.-sam. 10h-19h ; de mi-sept. à fin juin : sam. 10h-19h ou sur RV - 3 € (enf. gratuit) - dégustation.*

Faire demi-tour, traverser le lieu-dit Les Planches et suivre la D 31. Ce **parcours★★**, qui passe par le col du Saule-d'Oingt, est très pittoresque. À flanc de coteau, de très belles fermes dominent des pâturages. Du Saule-d'Oingt, en descendant vers Villefranche, on a une vue très étendue sur la vallée de la Saône.

À la Maladière, tournez à droite vers Jarnioux.

Jarnioux

Le **château**, à six tours, construit aux 15ᵉ et 17ᵉ s., comprend une très belle partie Renaissance. La majestueuse entrée, où subsistent des traces de pont-levis, donne accès à deux cours successives. *℘ 04 74 03 80 85 - de déb. juil. à mi-juil. et de mi-août à fin sept. : visite guidée (45mn ttes les heures) lun., merc., vend. 14h-18h, mar. et jeu. 9h-12h (dernière entrée 1h av. fermeture) - fermé w.-end et j. fériés - 4 € (enf. 2,50 €).*

Prenez la D 116 en direction de Villefranche.

Liergues

Haut lieu viticole, Liergues possède une église dont le chœur gothique est orné de naïves sculptures en bois et en pierre ainsi que d'abondantes peintures médiévales.

Revenez à Villefranche par la D 38.

Les adresses du pays des pierres dorées

NOS BONNES TABLES

😋😋 **Juliénas** – *236 r. Anse - 69400 Villefranche-sur-Saône - 𝄐 04 74 09 16 55 - fermé dim. sf j. fériés - 🍴 - 20/35 €.* Dans ce sympathique restaurant aux allures de bistrot de province, les porte-monnaie ne se dégonflent pas et les petits appétits ont du mal à terminer les copieuses assiettes qui panachent recettes dans l'air du temps et cuisine « bistrotière ». Le livre de cave met quant à lui les vins de pays à l'honneur.

😋😋 **Donjon** – *64 Petite-Rue-du-Marché - 69620 Oingt - 𝄐 04 74 71 20 24 - fermé lun. et mar. - 20/47 €.* Dans la salle à manger campagnarde ou dans l'autre plus actuelle, attablez-vous près de fenêtres pour jouir de la vue sur les monts du Lyonnais et du Beaujolais.

NOS HÔTELS

😋😋 **Saint-Romain** – *Rte de Graves - 69480 Anse - 7,5 km au NE de Charnay par D 70 - 𝄐 04 74 60 24 46 - www.hotel-saint-romain.fr - fermé 28 nov.-9 déc., dim. soir de déb. nov. à fin avr. - 24 ch 49/54 € - 🛏 7 € - rest. 21/46 €.* Au cœur du Beaujolais, une escale s'impose dans cette ancienne ferme en pierre du pays, dont la tranquillité n'est troublée que par le chant des oiseaux et le bruissement des frondaisons. Le cadre quelque peu désuet des chambres est compensé par leur excellente tenue. Goûteuse cuisine saisonnière au restaurant.

😋😋😋 **Hôtel Plaisance** – *96 av. de la Libération - 69400 Villefranche-sur-Saône - 𝄐 04 74 65 33 52 - www.hotel-plaisance.*

com *- fermé 24 déc.-1ᵉʳ janv. - 🅿 - 68 ch. 83/93 € - 🛏 9 € - rest. 35/31 €.* Cet hôtel familial impeccablement tenu fait face à l'esplanade de la Libération. Chambres toutes aménagées dans un style différent, bien équipées et propres. Les murs jaunes de la salle à manger sont rehaussés de fresques ; recettes traditionnelles.

NOS BONNES CAVES

Bruno Debize – *30 chemin des Prenelles - Apinost - 69210 Bully - 𝄐 04 74 01 03 62 - lun.-sam. 8h-19h.* Le domaine s'étend sur 4 ha encépagés de gamay, de chardonnay et de pinot gris. Le vignoble est conduit en biodynamie depuis 1999 et en agriculture biologique, certifiée Déméter. Les vendanges sont manuelles et la vinification reste traditionnelle, sans chaptalisation et avec ajout de levures indigènes. Les vins sont ensuite élevés en foudres et en fûts de chêne. 🍷 beaujolais, beaujolais blanc.

Domaine des Terres Dorées – *69380 Charnay - 𝄐 04 78 47 93 45 - lun.-vend. 9h-12h, 14h-18h - sur RV.* Depuis 1979, Jean-Paul Brun exploite un vignoble de 22 ha, encépagé de pinot noir, de gamay et de chardonnay. Les vignes s'enracinent dans un sol argilo-calcaire. Chez ce vigneron réputé pour ses vins produits à la mode d'antan, la vinification « bourguignonne » a lieu sans ajout de levure et la chaptalisation est prohibée sur une partie des cuvées. Ses vins sont élevés en cuves béton et fûts de chêne durant six à dix mois. 🍷 beaujolais, côtes-de-brouilly, morgon, moulin-à-vent.

LE BORDELAIS

Ce sont les Romains, dit-on, qui ont introduit la vigne en Aquitaine. Mais on ne buvait alors qu'une triste piquette relevée de miel et d'épices. Rien à voir avec les vins « aimables » et « épanouis » qui mûrissent aujourd'hui à l'ombre des chais bordelais. Aucun doute, la vigne est souveraine aux portes de Bordeaux. Elle règne sur la vie des hommes comme sur le paysage. C'est une impressionnante mer verdoyante, fleurie çà et là de rosiers, qui monte à l'assaut des collines, occupant chaque parcelle de terrain et ne s'arrêtant qu'au pied des demeures.

On distingue six grandes zones de production : la rive droite de la Garonne, l'Entre-Deux-Mers, la rive gauche de la Garonne, le Libournais, le Blayais et le Bourgeais, enfin le Médoc. Voici pour vous huit routes pour parcourir les terroirs du Bordelais, entre châteaux prestigieux et villages vignerons.

S.Sauvignier / MICHELIN

Vendanges à la main dans le vignoble de Saint-Émilion.

Comprendre

Histoire locale de la vigne – La vigne, présente dès la conquête romaine, ne s'est vraiment développée qu'à partir du 4e s. Mais ce sont les trois siècles de domination anglaise, du 12e au 14e s., qui ont pérennisé la réputation des vins de Bordeaux au-delà des mers. Les vins clairets appréciés en Europe du Nord n'avaient sans doute pas grand chose à voir avec les bordeaux d'aujourd'hui, mais ils n'en ont pas moins assuré la prospérité d'une région à laquelle se sont intéressés, dès la Renaissance, les marchands hanséatiques de Hollande et d'Allemagne. Bordeaux doit en effet son succès tout autant à ses terroirs et à son climat qu'à ces marchands venus du froid qui ont mis en place un système encore en vigueur aujourd'hui, fondé sur la trilogie négoce, propriété, courtage. Les premiers vendent, les seconds produisent et les troisièmes servent d'intermédiaire entre les deux premiers.

Le 18e s. est l'âge d'or de Bordeaux, avec l'institution des crus, délimités autour des principaux villages, et des châteaux, bâtis sur la prospérité viticole. Ainsi naît une « aristocratie du bouchon » qui, faute de blason, va acquérir ses titres sous le Second Empire grâce au fameux classement de 1855, véritable privilège héréditaire transmis non aux hommes, mais aux châteaux.

Victime, comme les autres vignobles, du phylloxéra et autres calamités naturelles, le vignoble bordelais n'en a pas moins survécu avec brio, insolence même, si l'on en juge par le prix actuel des grands crus dans un contexte que d'autres jugent morose. Et même si des

	Caractéristiques	Garde	Prix
Vins rouges	Du carmin clair au violet sombre en passant par le rubis. Au nez, des notes de fruits noirs (cassis, mûre) et parfois de poivron vert dans leur jeunesse. Après élevage en barrique : notes torréfiées et vanillées. En vieillissant, notes de sous-bois, de truffe, de cuir et de fumée. En bouche, tanniques dans leur jeunesse, s'assouplissent en vieillissant, tout en restant charnus.	Bonne bouteille : au moins 5 ans. Grands vins : jusqu'à 50 ans et plus.	**Entre-deux-mers, fronsac** : 5 à 8 €. **Bordeaux supérieur, premières-côtes-de-blaye, côtes-de-castillon** : 5 à 15 €. **Bordeaux, premières-côtes-de-bordeaux, appellations satellites de St-Émilion, graves, côtes-de-bourg** : 5 à 20 €. **Médoc, lalande-de-pomerol** : 8 à 15 €.
Vins blancs secs	Clairs à reflets verts jeunes, paille à or clair en vieillissant. Arômes d'agrumes, de fruits exotiques, de buis, de menthe dans leur jeunesse. Fruits confits, écorce d'agrumes en vieillissant.	En général, à boire dans les 5 ans. Les graves : jusqu'à 20 ans.	**Pessac-léognan, haut-médoc** : 8 à 30 €. **St-émilion, ste-foy-bordeaux, canon-fronsac, listrac-médoc, côtes-de-blaye** : 10 à 15 €. **St-émilion grand cru, moulis, pauillac** : 10 à 30 €. **Margaux, st-julien, st-estèphe** : 15 à 30 €. **Pomerol** : 23 à 76 €. **Crus classés de toutes appellations** : 30 à plus de 76 €.
Vins blancs liquoreux	Jaune paille dans leur jeunesse, à caramel lorsqu'ils sont très vieux. Fruits exotiques, poire, ananas au nez évoluant vers des notes d'amande grillée, de cédrat confit et de fraise des bois. Bouche onctueuse sur pointe acide.	10 à 100 ans.	**Loupiac** : 8 à 20 €. **Cadillac** : 8 à 43 €. **Sauternes** : 10 à 76 €. **Barsac** : 30 à 76 €. **Crus classés de toutes appellations** : 23 à plus de 76 €.
Rosés et clairets	De pétale de rose clair à carmin clair. Fruité au nez, fruits rouges, bonbon anglais, acidulé en bouche.	À boire jeunes.	5 à 10 €.

👁 En Bordelais, les Maisons des vins proposent un bon choix de vins de leur appellation au même prix qu'à la propriété. Elles donnent également de bonnes informations sur le vignoble.
👁 Beaucoup de Châteaux ouvrent leurs portes à la vente. Il ne faut pas vous attendre, cependant, à déguster les très grands crus dont les prix atteignent des sommets. Vous trouverez le meilleur accueil dans les coopératives et dans les petites propriétés.

réformes sont nécessaires pour faire face à la concurrence des vins du Nouveau Monde, Bordeaux porte encore avec fierté la couleur de la perfection.

Le classement des bordeaux – C'est sous le Second Empire, à l'occasion de la foire-exposition de Paris de 1855, que les vins de Bordeaux firent l'objet d'un classement. Il tenait surtout compte du prix des vins. Seuls furent classés, à l'époque, les vins du Médoc et de Sauternes, ainsi que le Château Haut-Brion dans les Graves. Le classement du Médoc comprend cinq catégories, celui du Sauternais trois. En 1973, le classement fut révisé pour ériger le Château Mouton Rothschild au rang de premier cru. Plus tard, les vins du Médoc ont créé la catégorie des crus bourgeois, qui peut être révisée.

En 1955, le saint-émilion s'est doté lui aussi d'un classement, qui a été revu plusieurs fois. Les vins des Graves ont un classement sans catégorie.

S'ils restent globalement valables, les classements des vins sont régulièrement contestés… par les vignerons mécontents de ne pas en faire partie. Mais le seul vrai classement est celui que le consommateur peut faire en comparant les rapports qualité-prix.

La rive droite de la Garonne

CARTE MICHELIN LOCAL 335 – GIRONDE (33)

Cette région est bordée par des coteaux qui, sur une soixantaine de kilomètres, forment l'aire d'appellation des **premières-côtes-de-bordeaux**. La rive de la Garonne offre de beaux points de vue et est parsemée de petits châteaux où vécurent les peintres Henri de Toulouse-Lautrec et Rosa Bonheur, et les écrivains François Mauriac et Anatole France.

LE TERROIR
Superficie : 4 590 ha (dont 3 500 en premières-côtes-de-bordeaux).
Production : 198 960 hl (dont 162 100 hl en premières-côtes-de-bordeaux).
L'aire est implantée sur des sols de graves caillouteuses, des terres argilo-calcaires ou argilo-graveleuses.

LES VINS
La région produit des vins rouges bien charpentés, avec une dominante de merlot qui leur donne rondeur et souplesse. Les vins rosés ou clairets sont une des spécialités du secteur. Les vins blancs sont moelleux à liquoreux, amples, gras et aromatiques.
AOC premières-côtes-de-bordeaux : cépages merlot, cabernet-sauvignon, cabernet franc et malbec pour les rouges (93 % de la production) ; cépages sauvignon, sémillon et muscadelle pour les blancs moelleux.
AOC côtes-de-bordeaux-saint-macaire, cadillac, loupiac, sainte-croix-du-mont : cépages sémillon, sauvignon et muscadelle pour les blancs liquoreux.

BON À SAVOIR
👁 **Syndicat viticole des premières-côtes-de-bordeaux et cadillac** – ✆ 05 57 98 19 20 - www.premierescotesdebordeaux.com
👁 **Syndicat viticole de loupiac** – ✆ 05 56 62 92 22 - www.vins-loupiac.com

1 Les côtes-de-bordeaux
▶ 105 km au départ de Bordeaux. Carte Michelin Local 335, H-J 5-7. Voir l'itinéraire 1 sur le plan p. 118-119.

Bordeaux★★★
Au front des maisons de Bordeaux, des silènes couronnés de pampres invitent le passant à goûter la capitale de la dive bouteille. Cette ville de courses lointaines, qui depuis des siècles a le commerce dans la peau, séduit par ses multiples facettes, et continue de se métamorphoser : l'arrivée du tramway, l'aménagement des quais, le développement de la rive droite en sont les témoignages les plus récents.
Le secteur du **vieux Bordeaux★★**, qui est inclus entre le quartier des Chartrons et le quartier St-Michel, compte quelque 5 000 immeubles du 18e s. édifiés en belle pierre ocre extraite des carrières alentour de St-Macaire et Bourg-sur-Gironde.
L'immense **esplanade des Quinconces** (126 000 m²) tire son nom de ses arbres disposés en quinconce. Sur l'esplanade, le **monument aux Girondins** forme un

La fontaine des Girondins sur la place des Quinconces, à Bordeaux.

J.Malburet / MICHELIN

ensemble sculptural étonnant avec ses deux remarquables **fontaines★** monumentales en bronze.

À l'extrémité de la place de la Comédie, le **Grand Théâtre★★** fut construit par l'architecte Victor Louis de 1773 à 1780. Récemment restauré, il compte parmi les plus beaux de France.

Donnant sur les quais, la belle **place de la Bourse★★** fut aménagée de 1730 à 1755. Elle est cantonnée par le palais de la Bourse au nord et l'ancien hôtel des Fermes qui abrite le musée national des Douanes au sud.

Par la rue Fernand-Philippart, gagnez la place du Parlement. Remarquez les façades ornées de mascarons. Ces clefs de fenêtres, dont le nom vient de l'italien *maschera* (« masque »), représentent des têtes souvent grotesques et introduisent des éléments évoquant le vin (pampres, tonneaux). La **place du Parlement★** présente un harmonieux quadrilatère d'immeubles Louis XV.

Revenez rue de la Porte-Dijeaux. Arrivé porte Dijeaux, prenez à droite la rue des Remparts. La **cathédrale St-André★** est le plus majestueux des édifices religieux de Bordeaux (11e-15e s). Le **portail Royal★**, du 13e s., est célèbre pour ses sculptures. À l'intérieur, la nef et le **chœur★** forment un bel ensemble gothique. *9h-11h30, 14h30-17h30, 1er dim. du mois 14h30-17h30.*

La **tour Pey-Berland★**, construite au 15e s. à l'initiative de l'archevêque du même nom, est toujours restée isolée du reste de la cathédrale. Du sommet, **vue★★** panoramique. *☎ 05 56 81 26 25 - accessible uniquement par escalier (231 marches) - juin-sept. : 10h-18h ; oct.-mai : tlj sf lun. 10h-12h30, 14h-17h30 - fermé 1er janv., 1er Mai, 25 déc. - 5 € (-18 ans gratuit).*

Suivez le cours Pasteur. Aménagé dans les locaux de l'ancienne faculté, le **musée d'Aquitaine★★** retrace la vie de l'homme aquitain de la préhistoire à nos jours. Plusieurs scènes illustrent l'habitat et l'agriculture traditionnels. L'accent est mis sur les principales ressources des pays aquitains, dont la Gironde et son vignoble. *20 cours Pasteur. ☎ 05 56 01 51 00 - www.mairie-bordeaux.fr - ﴾ - tlj sf lun. et j. fériés 11h-18h - gratuit.*

Tournez à gauche dans le cours Victor-Hugo. Sur la gauche se dresse la porte de la **Grosse Cloche★**, rescapée de la démolition d'un beffroi du 15e s.

Continuez cours Victor-Hugo et tournez à droite dans la rue des Faures. La construction de la **basilique St-Michel★**, commencée en 1350, a duré deux siècles. L'ensemble s'impose par l'ampleur des dimensions. Avec ses 114 m de haut, la **tour St-Michel** (fin 15e s.) est le plus haut clocher du Midi. *☎ 05 56 00 66 00 - www.bordeaux-tourisme. com - juin-sept. : 14h-19h - 3 € (enf. 2,50 €).*

Remontez les quais en bus jusqu'à l'esplanade des Quinconces. ☘ Allées de Tourny se dresse la **Maison du vin de Bordeaux** *(voir nos bonnes caves).*

Au nord de la place des Quinconces se trouve les **Chartrons**, quartier autrefois dédié au commerce du vin. Vous pouvez en commencer la visite par le **cours Xavier-Arnozan** : derrière les façades du 18e s. se cachent les plus prestigieuses maisons de négoce de vin de Bordeaux.

Le **musée d'Art contemporain★** *(7 r. Ferrère)*, installé dans l'ancien **entrepôt Laîné★★** qui abritait les denrées coloniales, présente ses collections permanentes illustrant les tendances de la création depuis les années 1960. *☎ 05 56 00 81 50 - ﴾ - tlj sf lun. et j. fériés 11h-18h, mer. 11h-20h - 5 € (enf. 2,50 €) - gratuit 1er dim. du mois.*

La somptueuse maison de négoce élevée vers 1720 au 41 rue Borie est la seule du quartier à comporter des chais en hauteur.

☘ Terminez votre incursion dans le monde du vin par le **Vinorama**. À travers treize scènes reconstituées avec des personnages en cire, on y découvre toute l'histoire des vins de Bordeaux. La visite se termine par une dégustation. *12 cours du Médoc - ☎ 05 56 39 39 20 - août : tlj sf lun. et j. fériés 14h-18h ; oct.-juil : mar.-sam. 14h-18h - 5,40 €.*

Quittez Bordeaux au sud-est par la D 113, puis la D 10 qui longe la Garonne.

Bon à savoir

Le label **Gîte Bacchus,** créé en 1996 à l'initiative des Gîtes de France de Gironde, est attribué à des hébergements situés chez des viticulteurs, au cœur de domaines viticoles. L'hôte y est accompagné et conseillé dans sa découverte du vignoble : présentation des cépages, accès aux chais, dégustations…
Renseignements : *21 cours de l'Intendance - 33000 Bordeaux - ☎ 05 56 81 54 23 - gites-de-france-gironde@wanadoo.fr.*

Quinsac

🍷 Ce village viticole, à l'orée de l'agglomération bordelaise, possède une **cave coopérative** spécialisée dans le vin clairet *(voir nos bonnes caves)*.

Poursuivez sur la D 10 vers Langoiran. À **Cambes**, l'église romane St-Martin mérite un coup d'œil.

Sur les pittoresques coteaux de **Tabanac** dominant la Garonne, on découvre le château de Plassan, exemple unique en Bordelais de bâtisse de style palladien.

Langoiran

Une association veille à l'entretien du **château fort** du 13e s. et l'ensemble ne manque pas de charme. De l'esplanade, **vue★** magnifique sur la vallée de la Garonne. 📞 05 56 67 12 00 - juil.-août : 10h-12h30, 14h-19h ; sept.-juin : 14h-18h - fermé 1er janv., 25 déc. - 3 € (enf. 2 €). À l'intérieur de l'enceinte médiévale du village, une maison de maître accueille les chais d'un domaine viticole.

À l'est de Langoiran, le très beau Château de Ramondon à **Capian**, avec ses quatre tours fantaisie, exploite un vignoble qui appartint aux rois d'Angleterre jusqu'en 1453. Le territoire recèle certains des plus beaux châteaux des premières côtes. 🍷 Le **Château Sainte-Marie** à **Targon**, entouré de séquoias quatre fois centenaires, produit de bons vins *(voir nos bonnes caves)*.

Rions

On pénètre dans cette petite cité fortifiée par la porte du Lhyan (14e s.), qui a conservé ses éléments défensifs d'origine. Jolie balade au milieu des maisons anciennes en passant par la halle du 18e s. Bucolique sentier des remparts. 🍷 Dans le village, arrêtez-vous au « cercle » – c'est ainsi que l'on appelle les bistros de village dans ce coin de Gironde – pour goûter au vin blanc moelleux du propriétaire *(vente à emporter)*.

🍷 Avant d'arriver à Cadillac, allez rendre visite au beau **Château Reynon** à **Béguey**. On y produit de très bons rouges et du cadillac sous la houlette de Denis Dubourdieu, propriétaire des lieux et œnologue réputé *(voir nos bonnes caves)*.

Cadillac

La bastide, fondée en 1280, a donné son nom au **cadillac**, petite appellation de vins blancs liquoreux qui vieillissent admirablement.

Antoine de **Lamothe-Cadillac**, seigneur de la ville (ou plus vraisemblablement un homme ayant fait emprunt de ce nom), créa Detroit, qui devint la capitale de la construction automobile ; c'est en son honneur que fut créée l'illustre berline.

Le **château des ducs d'Épernon** fut élevé de 1598 à 1620. Les huit cheminées monumentales sont remarquables par la richesse de leur décor. 📞 05 56 62 69 58 - juin-sept. : 10h-13h15, 14h-18h ; oct.-mai : tlj sf lun. 10h-12h30, 14h-17h30 - fermé 1er janv., 1er Mai, 25 déc. - 4,60 € (-18 ans gratuit) - gratuit 1er dim. du mois (oct.-mai).

🍷 À la sortie sud de Cadillac, la **Maison des vins des Premières Côtes de Bordeaux et de Cadillac** vend la production de la plupart des vignerons du secteur *(voir nos bonnes caves)*.

Le château des ducs d'Épernon à Cadillac.

Loupiac

Célèbre pour ses vins blancs liquoreux d'une grande finesse, l'AOC **loupiac** s'étend sur les coteaux. 🍷 Le **Château Dauphiné-Rondillon** est réputé pour son sérieux *(voir nos bonnes caves)*.

La localité existait déjà du temps des Romains. Témoins de cette époque, au Château le Portail Rouge, les vestiges d'une **villa gallo-romaine** dont les thermes conservent de belles mosaïques. *S'adresser au Château le Portail Rouge - 📞 05 56 62 93 82 ou 06 07 01 64 88 - visite guidée tte l'année sur demande - 3 €.*

Rejoignez Verdelais par la D 117.

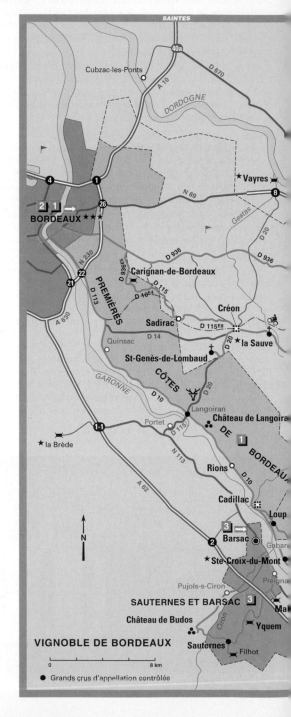

Verdelais

Notre-Dame de Verdelais protège les affligés. La **basilique** qui lui est consacrée a été reconstruite au 17e s. Ses murs sont presque entièrement garnis d'**ex-voto**. À droite de la basilique, dans le paisible cimetière, repose le peintre **Henri de Toulouse-Lautrec-Monfa** (1864-1901). Sa pierre tombale, très simple, se trouve à l'extrémité de l'allée centrale, à gauche.

🍷 Entre autres domaines de qualité, il faut citer le **Château Les Guyonnets** *(voir nos bonnes caves).*

Faites 3 km au nord-est par la D 19.

Château de Malromé

℘ 05 56 76 44 92 - www.malrome.com - dégustation sur RV.

♟ C'est dans ce château construit au 14ᵉ s. et agrandi aux 16ᵉ et 19ᵉ s., que Toulouse-Lautrec (1864-1901) passa les dernières années de sa vie aux côtés de sa mère, la comtesse Adèle de Toulouse-Lautrec. Le célèbre peintre y mourut à l'âge de 37 ans. Quatre bâtiments se répartissent autour d'une cour : le logis seigneurial, l'aile du personnel, le chai et les écuries. Le domaine produit des vins dont les étiquettes évoquent le peintre.

Reprenez la D 19 au sud en direction de St-Macaire.

Domaine de Malagar

℘ 05 57 98 17 17 - www.malagar.asso.fr - ⚇ - juin-sept. : visite guidée (30mn) 10h-12h30, 14h-18h ; oct.-mai : tlj sf lun. 14h-17h, w.-end et j. fériés 10h-12h30, 14h-18h - fermé mar., 1ᵉʳ Mai et du 22 déc. au 1ᵉʳ janv. - 5,50 €.

Surplombant la vallée de St-Maixant, ce domaine fut le lieu de villégiature de **François Mauriac** (1883-1970). Installé dans un des chais attenant à la maison, un musée évoque sa vie et son œuvre. Une promenade dans le parc s'impose, avec une halte sur la terrasse de pierre d'où Mauriac aimait contempler ses vignes et au loin les Landes.

Saint-Macaire★

Dominant la Garonne, cette cité médiévale est un vrai bijou. L'appellation **côtes-de-bordeaux-st-macaire** qui prolonge celle des premières-côtes au sud-est est peu employée. ♟ La **Maison du tourisme en coteaux macariens** vend les vins du secteur et organise des dégustations. Vous y trouverez des itinéraires de randonnée dans les vignes. *Juin-sept. : 10h-13h, 15h-19h ; oct.-mai : tlj sf lun. 10h-12h, 14h-18h.*

L'**enceinte** qui a conservé trois portes remonte au 12ᵉ s. L'**église St-Sauveur** (13ᵉ-14ᵉ s.) domine la vallée. À la croisée du chœur et sur la voûte de l'abside est, **peintures murales★** aux couleurs chaudes (14ᵉ s.). De la terrasse, vue sur la Garonne.

La **place du Mercadiou** ou **Marché-Dieu**, très séduisante, est entourée de couverts gothiques et Renaissance. Belles demeures des 15ᵉ et 16ᵉ s.

Traversez la Garonne par la N 113 que l'on suit jusqu'à Ste-Croix-du-Mont pour gagner la deuxième étape.

Sainte-Croix-du-Mont★

Ce village perché sur le coteau a baptisé une AOC de vins blancs liquoreux. Moins capiteux que ceux de Sauternes, les **sainte-croix-du-mont** ont beaucoup de fruit. De la terrasse du château de Tastes *(actuelle mairie)*, **vue★** très étendue en direction des Pyrénées (table d'orientation). À l'extrémité de la colline, l'**église** conserve un portail roman.

♟ Des **grottes★** s'ouvrent en contrebas, creusées dans un banc d'huîtres fossiles. L'une d'elles a été aménagée en pittoresque **cave de dégustation**. *℘ 05 56 62 01 54 - de déb. avr. à mi-oct. : tlj sf merc. 14h30-19h, w.-end et j. fériés 10h30-13h, 14h30-19h30 - gratuit (dégustation payante).*

EN MARGE DU VIGNOBLE

Retrouver le Moyen Âge au château de Roquetaillade★★

10 km au S-O de St-Macaire par la D 222. ℘ 05 56 76 14 16 - www.chateauderoquetaillade. com - visite guidée (1h, dernière entrée 1h av. fermeture) juil.-août : 10h30-19h ; de Pâques à Toussaint : 14h30-18h ; reste de l'année : dim., j. fériés et vac. scol. (zone C) 14h30-17h - fermé 25 déc. - 7 € (enf. 4,80 €).

Cet imposant château féodal a été construit en 1306 par le cardinal Gaillard de la Mothe, neveu du pape Clément V. Il fait partie d'un ensemble composé de deux forteresses des 12ᵉ et 14ᵉ s. situées à l'intérieur d'une même enceinte.

On s'attend à trouver, derrière ces murs épais couronnés de créneaux, une austérité toute médiévale. Que nenni, Viollet-le-Duc est passé par là et s'en est donné à cœur joie, matérialisant avec une délectation évidente ses fantasmes néogothiques. On lui doit l'escalier monumental du hall d'entrée, le mobilier et les étonnantes décorations de la **salle à manger★** dont les motifs stylisés annoncent déjà les arts décoratifs anglais de la fin du 19ᵉ s. et l'Art nouveau. La **chambre rose★** et la chambre verte suivent la même tendance.

Les adresses des côtes-de-bordeaux

NOS BONNES TABLES

😑😑 **Tupina** – 6 r. Porte-de-la-Monnaie - 33000 Bordeaux - ✆ 05 56 91 56 37 - latupina@latupina.com - 16/55 €. Cet établissement à l'atmosphère champêtre et au décor étudié s'enorgueillit d'avoir reçu à sa table le président Chirac. On y savoure des plats du Sud-Ouest rôtis dans la cheminée ou mijotés sur le fourneau, comme autrefois. Belle carte des vins, prestigieuse collection d'armagnacs et de cognacs.

😑😑 **Le Bistro du Musée** – 37 pl. Pey-Berland - 33000 Bordeaux - ✆ 05 56 52 99 69 - bistrodumusee@wanadoo.fr - fermé 2 sem. à Noël, 3 sem. en août et dim. - 14,50 € déj. - 22/29 €. D'emblée, on éprouve de la sympathie pour ce bistrot à la jolie devanture en bois vert foncé et au cadre soigné : murs de pierres apparentes, parquet en chêne, banquettes en moleskine et décor d'outils vignerons. Cuisine du Sud-Ouest escortée d'une belle carte de vins du Bordelais.

😑😑 **Gravelier** – 114 cours de Verdun - 33000 Bordeaux - ✆ 05 56 48 17 15 - amgravelier@yahoo.fr - fermé 31 juil.-30 août, sam. et dim. - 20/45 €. Ça bouge dans le quartier des Chartrons ! Yves Gravelier et son épouse proposent à leurs clients un nouveau décor très « tendance » agrémenté d'un mobilier épuré et égayé de coloris contrastés. En cuisine on prépare d'astucieuses recettes au goût du jour avec de bons produits rigoureusement sélectionnés.

😑😑 **L'Entrée Jardin** – 27 av. du Pont - 33410 Cadillac - ✆ 05 56 76 96 96 - fermé 1 sem. en fév., 15-31 août, jeu. soir, dim. soir et lun. hors sais. - 11 € déj. - 19/33 €. Toutes les chambres d'hôte de la région recommandent cette adresse qui marie avec brio accueil souriant, service efficace et cadre agréable. La cuisine régionale - tout est pratiquement fait maison - a de quoi combler les appétits les plus féroces.

😑😑 **L'Abricotier** – 2 r. François-Bergœing - 33490 St-Macaire - 3 km au N de Langon par N 113 - ✆ 05 56 76 83 63 - fermé 12 nov.-12 déc., mar. soir et lun. - 20/45 €. Cet établissement posté en léger retrait de la RN 113 abrite de coquettes salles à manger actuelles et s'agrémente d'une terrasse ombragée de mûriers. En cuisine, son chef mitonne de bons petits plats régionaux, que vous arroserez d'une bouteille choisie parmi la judicieuse sélection de vins. Trois chambres côté verdure.

😑😑😑 **L'Olivier du Clavel** – 44 r. Charles-Domercq - 33000 Bordeaux - ✆ 05 57 95 09 50 - fgclavel@wanadoo.fr - fermé août, 2-10 janv., sam. midi, dim. et lun. - 29/40 €. Le chef de ce restaurant utilise dans ses préparations différentes appellations d'huiles venues d'horizons très divers.

Sa cuisine, inspirée par le marché, est aussi influencée par la Méditerranée. Quant au décor façon « néo-bistrot », il s'égaye de tonalités provençales… Le mistral soufflerait-il sur la Gironde ?

NOS HÔTELS ET CHAMBRES D'HÔTE

😑 **Chambre d'hôte Les Logis de Lestiac** – 71 rte de Bordeaux - 33550 Lestiac-sur-Garonne - ✆ 05 56 72 17 90 - 🖾 - 5 ch. 80/95 € 🖾 - repas 25 €. Le patron, passionné de décoration, a superbement restauré cette ancienne maison de maître du 18ᵉ s. : chambres, à l'étage, représentant chacune une saison et duplex, au rez-de-chaussée. La table d'hôte sert de goûteux mets sucrés-salés.

😑 **Chambre d'hôte Château du Broustaret** – 33410 Rions - 4 km au NO de Cadillac par D 10 - ✆ 05 56 62 96 97 - www.broustaret.net - fermé nov.-vac. de printemps - 🖾 - 5 ch. 50/55 € 🖾. La tradition d'hospitalité a plus de 25 ans dans cette propriété viticole édifiée au cœur des premières-côtes-de-bordeaux. Bois et prairies entourent la noble maison où sont aménagées des chambres simples et néanmoins confortables. Une halte au grand calme, parfaite pour découvrir le vignoble bordelais.

😑 **Chambre d'hôte Chassagnol** – Lieu-dit Peyrat - 33410 Ste-Croix-du-Mont - 12 km au S de Cadillac par D 10 - ✆ 05 56 62 00 58 - 🖾 - 4 ch. 35/41 € 🖾. Étape bienvenue pour les amateurs de vins que cette grande maison du 19ᵉ s. bâtie au cœur du vignoble de Ste-Croix-du-Mont. Les spacieuses chambres se garnissent de quelques meubles anciens. Le jardin et la terrasse équipée d'un barbecue sont unanimement appréciés.

😑😑 **Hôtel de la Tour Intendance** – 16 r. de la Vieille-Tour - 33000 Bordeaux - ✆ 05 56 44 56 56 - www.hotel-tour-intendance. com - 🅿 - 24 ch. 58/109 € - 🖾 8 €. Rénovation réussie pour cet hôtel du centre-ville : façade typiquement bordelaise bien mise en valeur, pierres apparentes et tomettes à l'intérieur. Les chambres confortables, modernes et personnalisées participent au charme de l'endroit. Accueil agréable et souriant.

😑😑 **Une Chambre en Ville** – 35 r. Bouffard - 33000 Bordeaux - ✆ 05 56 81 34 53 - www.bandb-bx.com - 5 ch. 79/89 € - 🖾 8 €. Cet immeuble du centre historique a été entièrement rénové et abrite des chambres personnalisées et parfaitement tenues : la suite « Bordelaise » (teintes chaudes, mobilier de style), la « Nautique » décorée sur le thème de la mer, l'« Orientale » aux couleurs vives et garnie de meubles rapportés du Maghreb…

NOS BONNES CAVES

MAISONS DES VINS

Maison du vin de Bordeaux – *3 cours du 30-Juillet - 33075 Bordeaux Cedex -* ℰ *05 56 00 22 88.*

Maison des vins des Premières Côtes de Bordeaux et Cadillac – *D 10 - rte de Langon - 33410 Cadillac -* ℰ *05 57 98 19 20 - www.premierescotesdebordeaux.com*

COOPÉRATIVES

Cave coopérative – *Pranzac - 33360 Quinsac -* ℰ *05 56 20 86 09 - lun.-sam. 8h-12h, 14h-18h ; dim. et j. fériés 8h-12h, 15h-18h. Vous y trouverez du vin clairet, un rosé soutenu obtenu après une courte macération.*

DOMAINES

Château Sainte-Marie – *51 rte de Bordeaux - 33670 Targon -* ℰ *05 56 23 64 30 - lun.-sam. 8h-18h - sur RV. Le vignoble de 45 ha s'étend sur deux croupes très ensoleillées, aux sols argilo-calcaires. Les vignes, âgées en moyenne de 25 ans, sont encépagées de merlot, de cabernet-sauvignon, de cabernet franc, de sauvignon, de sémillon et de muscadelle (entre 5 000 et 6 000 pieds/ha). Les blancs sont vendangés manuellement et conservés sur lies, pendant six mois. La vinification des rouges s'effectue de manière traditionnelle par un élevage en fûts de chêne.* ♆ *bordeaux, bordeaux clairet, bordeaux supérieur, entre-deux-mers, premières-côtes-de-bordeaux.*

Château Reynon – *21 rte de Cardan - 33410 Béguey -* ℰ *05 56 62 96 51 - reynon@wanadoo.fr - sur RV. Le vignoble, situé sur la commune de Pujols-sur-Ciron, près de Barsac, s'étend sur 30,76 ha. Les vignes, encépagées de sémillon (45 %), de sauvignon (50 %) et de muscadelle (5 %) pour les vins blancs ; de merlot (30 %) et de cabernet-sauvignon (70 %) pour les rouges, s'enracinent dans des sols argilo-calcaires. Les vendanges sont manuelles, puis la vinification s'effectue avec macération longue. Les vins sont ensuite élevés pendant douze mois, en barriques, dont un tiers sont neuves.* ♆ *graves.*

Château Dauphiné-Rondillon – *33140 Loupiac -* ℰ *05 56 62 61 75 - vignoblesdarriet@wanadoo.fr - lun.-vend. 8h30-12h30, 14h-18h - sur RV le w.-end. La propriété familiale, créée en 1784, s'est transmise de génération en génération tandis que le vignoble s'agrandissait et se développait. Jean-Christophe Darriet la préside aujourd'hui, épaulé par son père Guy, œnologue qui totalise cinquante années de vinification ! Le vignoble de 60 ha (20 ha sur l'appellation loupiac, 36 ha sur les appellations premières-côtes-de-bordeaux rouge et blanc et bordeaux, et 4 ha sur l'appellation graves rouge et blanc) s'étend sur les deux côtés de la Garonne. Ils sont plantés de sémillon (70 %), de sauvignon blanc (20 %) et de muscadelle (10 %) pour les blancs ; de merlot (60 %), de cabernet-sauvignon (30 %) et de cabernet franc (10 %) pour les rouges. L'ensemble du vignoble est constitué de vieilles vignes, âgées en moyenne de 40 ans. Les parcelles entourant le château ont même plus de 80 ans !* ♆ *bordeaux, graves, loupiac, premières-côtes-de-bordeaux.*

Château Les Guyonnets – *33490 Verdelais -* ℰ *05 56 62 09 89 - didiertordeur@aol.com - lun.-sam. 9h-12h, 14h-18h. Le domaine, aux mains de Sophie et Didier Tordeur depuis 2000, s'étend sur 25 ha encépagés de merlot, de cabernet-sauvignon pour les rouges ; de sémillon et de sauvignon pour les blancs. Le vignoble, situé sur des coteaux argilo-calcaires, est conduit selon des méthodes raisonnées, sans engrais, avec enherbement, etc. Les vendanges sont manuelles, puis la vinification a lieu en cuves Inox thermorégulées, avec maîtrise des températures. Les vins sont ensuite élevés en grande partie en barriques, dont 1/3 sont neuves, de douze à dix-huit mois selon les cuvées.* ♆ *bordeaux clairet ou rosé ; bordeaux sec, bordeaux supérieur, cadillac, premières-côtes-de-bordeaux, sainte-croix-du-mont.*

L'Entre-Deux-Mers

CARTE MICHELIN LOCAL 335 – GIRONDE (33)

Douces et verdoyantes, les collines de l'Entre-Deux-Mers déroulent entre Garonne et Dordogne leurs versants couverts de vignobles, de bosquets et de prairies. L'AOC **entre-deux-mers** est vouée aux seuls vins blancs secs à dominante de sauvignon. Ce sont des vins fruités que l'on boit jeunes avec les huîtres du bassin d'Arcachon ou une alose de la Garonne.

2 De Bordeaux à Sauveterre-de-Guyenne (1re étape)

▶ 56 km au départ de Bordeaux. Carte Michelin Local 335, H-K 6-7. Voir le circuit 2 sur le plan p. 118-119.

Quittez Bordeaux à l'est par la D 936 et empruntez la D 936E5 sur la droite.

> ## LE TERROIR
> **Superficie :** 2 530 ha, dont 1 700 sont consacrés aux vins blancs secs.
> **Production :** 116 700 hl.
> Ici, les sols sont à prédominance argileuse.
>
> ## LES VINS
> La région produit surtout des vins blancs secs.
> **AOC entre-deux-mers et entre-deux-mers haut-benauge** : cépages
> sémilon, sauvignon, muscadelle pour les vins blancs secs.
> **AOC sainte-foy-de-bordeaux** : cépages sémillon, sauvignon, muscadelle
> pour les vins blancs secs et moelleux, cépages cabernet-sauvignon, cabernet
> franc, merlot, malbec et petit verdot pour les rouges.
> **AOC graves-de-vayres** : cépages cabernet-sauvignon, cabernet franc, mal-
> bec, petit verdot, carmenère et merlot pour les rouges assez charpentés,
> cépages sémilon, muscadelle et merlot blanc pour les blancs secs.
>
> ## BON À SAVOIR
> 👁 **Syndicat viticole de l'entre-deux-mers** – ✆ 05 57 34 32 12 - www.vins-
> entre-deux-mers.com.
> 👁 **Syndicat de l'appellation sainte-foy-bordeaux** – www.saintefoy-
> bordeaux.com.

Carignan-de-Bordeaux
🍷 La **maison de négoce Ginestet** fondée en 1897 ouvre ses installations à la visite
et fait découvrir le métier méconnu d'éleveur et vinificateur. ✆ 05 56 68 81 82 - www.
ginestet.fr - visite guidée (1h30) sur RV uniquement - fermé j. fériés et w.-end - gratuit.
🍷 Non loin de là, le **Château Carignan** produit un bordeaux très honorable (voir
nos bonnes caves).
Prenez au sud-est la D 10^{e4} puis la D 115.

Sadirac
La **Maison de la poterie-musée de la Céramique sadiracaise**, aménagée sur le
site d'un ancien atelier, abrite des pièces datant du 14e s. au 18e s. ✆ 05 56 30 60 03 -
♿ - tlj sf dim., lun. et j. fériés 14h-17h - 2 €.
La **ferme-parc « Oh ! Légumes oubliés »** remet à l'honneur des légumes et des
plantes tombés en désuétude. Passionnant ! ✆ 05 56 30 62 00 - www.ohlegumesoublies.
com - ♿ - d'avr. à fin nov. : 14h-18h - 7,90 € (enf. 6,50 €).
La D 115^{E8} et la D 671 mènent à Créon.

Créon
Ancienne bastide anglaise (place à arcades du 14e s.), Créon s'anime chaque mercredi
matin lors de son important marché.
🚲 C'est le premier village de Gironde à porter le titre de **« Station Vélo »**. Vous trouverez effectivement toutes sortes de vélos en location dans l'ancienne gare. Un circuit
balisé de 16 km intitulé « Les vignes du Seigneur » vous emmène à travers le vignoble.
*« La gare », bd Victor-Hugo, 33670 Créon - ✆ 05 57 34 30 95 - http://creonstationvelos.
free.fr. - renseignements à l'office du tourisme du Créonnais - ✆ 05 56 61 82 73.*

La Sauve★
L'**ancienne abbaye de la Sauve-Majeu-
re★**, fondée en 1079 par les bénédictins,
fut une puissante seigneurie foncière. En
1793, elle devint prison, puis servit de carrière avant d'être laissée à l'abandon. L'abbatiale marque la transition du roman au
gothique. De magnifiques **chapiteaux★**
surmontent les colonnes de la travée droite
du chœur. À droite de l'abbatiale s'étendent les vestiges du cloître du 13e s., de la
salle capitulaire et du réfectoire. ✆ 05 56
23 01 55 - juin-sept. : 10h-18h ; oct.-mai : tlj sf
lun. 10h30-13h, 14h30-17h30 - fermé 1er janv.,
1er Mai, 25 déc. - 5 € (-18 ans gratuit).

S. Sauvignier / MICHELIN

Du vin de l'Entre-Deux-Mers.

L'ancienne abbaye de la Sauve-Majeur.

Depuis l'époque des moines, on ne cesse de produire de bons vins rouges et blancs dans le secteur. 🍷 La **Maison de l'entre-deux-mers**, installée dans l'ancienne grange dîmière de l'abbaye, donne de nombreuses informations sur les vins de la région, que vous pourrez déguster et acheter au prix de la propriété *(voir nos bonnes caves)*.

Pousuivez sur la D 671. À St-Brice, prenez à droite les D 123 et D 230.

Église de Castelviel

Elle se caractérise par une superbe **porte romane★** de style saintongeais dont les chapiteaux et les voussures portent un riche décor sculpté formant l'un des plus beaux ensembles de la Gironde.

Sauveterre-de-Guyenne

Cette bastide typique, créée en 1281 par Edouard Ier, devint définitivement française en 1451 après avoir changé dix fois de camp. Elle a conservé ses quatre portes fortifiées. La vaste place centrale entourée d'arcades s'anime le mardi, jour de marché. 🍷 La **Maison du Sauveterrois** propose à la vente et à la dégustation une cinquantaine de vins de la région et donne des informations sur les randonnées. Vous pourrez aussi faire une dégustation de vins de caractère au **Château des Léotins** *(voir nos bonnes caves)*.

Les adresses de Bordeaux à Sauveterre-de-Guyenne

♿ Vous trouverez des adresses à **Bordeaux** dans le carnet des côtes-de-bordeaux, p. 121.

NOS BONNES TABLES

🍴🏠 **La Cape** – *Allée Morlette - 33150 Cenon - 6 km à l'O de Bordeaux par rocade A 630 - ℘ 05 57 80 24 25 - fermé sam., dim. et fériés - 29 €.* Ce discret pavillon qui abrite deux salles à manger contemporaines et colorées dispose en outre d'un agréable jardin-terrasse. Belle cuisine inventive et intéressante carte des vins de propriétaires.

🍴🏠 **Le Flore** – *1 Petit-Champ-du-Bourg - 33540 Coirac - 7,5 km à l'O de Sauveterre-de-Guyenne par D 671 puis D 228 après St-Brice - ℘ 05 56 71 57 47 - fermé 2 sem. en fév., 2 sem. à Toussaint, merc. soir, dim. soir et lun. - formule déj. 12 € - 23/38 €.* Sur la terrasse ombragée ou dans la grande salle à manger abondamment fleurie de cette maisonnette, préparez-vous à un repas de choix, œuvre d'un jeune chef très créatif. Aimable et professionnelle, son épouse saura mieux que personne vous guider parmi les saveurs subtiles que recèle la carte.

🍴🏠 **Les Fontaines** – *8 r. Verdun - 33190 La Réole - 14 km au S de Sauveterre-de-Guyenne par D 670 - ℘ 05 56 61 15 25 - fermé 23 fév.-1er mars, 17 nov.-1er déc., merc. soir hors sais., dim. soir et lun. - 16/46 €.* Cette grande demeure bourgeoise se niche dans un ravissant jardin arboré où l'on dresse les tables de la terrasse en été. Ses deux salles à manger ont quant à elles conservé leur élégant cadre d'origine. Les savoureuses recettes traditionnelles du chef y sont proposées à des prix qui savent rester digestes.

Auberge la Forêt – *Rte de la Forêt - 33370 Sallebœuf - 10 km au N de Créon par D 671 -* ℘ *05 56 21 25 49 - www. aubergelaforet.com - fermé dim. soir et merc. - 13 € déj. - 19/35 €.* La salle à manger de cette maison excentrée dans une zone pavillonnaire est rustique et spacieuse, mais vous préférerez sans doute prendre votre repas dans l'agréable véranda ouverte sur un joli jardin. Le chef n'a pas d'autre prétention que de vous proposer une appétissante cuisine traditionnelle à un tarif raisonnable.

Hôtel les Remparts – *16 r. du Château – 33890 Gensac -* ℘ *05 57 47 43 46 - 7 ch. 55/60 € -* ☑ *7,50 € - rest. 18/29 €.* Proche de l'église, cet établissement propose de coquettes chambres aménagées dans un presbytère médiéval. Le restaurant aux tables bien dressées offre une vue panoramique sur la vallée. Beau jardin.

Chambre d'hôte Domaine de la Charmaie – *33190 St-Sève - 12 km au S de Sauveterre-de-Guyenne par D 670 puis D 129 -* ℘ *05 56 61 10 72 - http://monsite. orange.fr/domainedelacharmaie -* ☑ *- 4 ch. 64/95 €* ☑ *- repas 25 €.* Cette maison de maître du 17e s. entourée d'un écrin de verdure a tout pour séduire. La décoration réalisée par la propriétaire est particulièrement soignée : harmonie de tons pastel, tissus choisis et meubles patinés. Les chambres et la suite, sise dans un bâtiment indépendant, possèdent de belles salles de bains.

MAISONS DES VINS
Maison de l'entre-deux-mers – *4 r. de l'Abbaye - 33670 La Sauve -* ℘ *05 57 34 32 12 - www.vins-entre-deux-mers.com - juin-sept. : lun.-sam. 10h30-13h, 14h-18h ; oct.-mai : lun.-vend. 10h-12h30, 14h-17h.*

Maison du Sauveterrois – *2 r. St-Romain - 33540 Sauveterre-de-Guyenne -* ℘ *05 56 71 53 45 - de mi-sept. à déb. juin : tlj sf dim. 9h-12h, 14h-18h ; de déb. juin à mi-sept. : 9h-12h, 14h-19h.*

DOMAINES
Château Carignan – *33360 Carignan-de-Bordeaux -* ℘ *05 56 21 21 30 - tt@chateau-carignan.com - lun.-vend. 8h-12h, 14h-18h - sur RV.* Acheté en 1981 par Philippe Pieraerts, le vignoble compte 150 ha, dont 65 sont en production. Les vignes, encépagées de merlot, de cabernet-sauvignon et de cabernet franc, s'enracinent dans des sols argilo-calcaires et graveleux. Les vendanges restent manuelles, puis les raisins éraflés et vinifiés en cuves thermorégulées. Les vins sont ensuite élevés en barriques. ♈ premières-côtes-de-bordeaux.

Château des Léotins – *33540 Sauveterre-de-Guyenne -* ℘ *05 56 71 50 25 - lun.-vend. 8h-12h, 14h-19h - sur RV le w.-end.* En 1980, Claude Lumeau prend les rênes de la propriété familiale, transmise de père en fils. Il exploite 100 ha, dont 85 sont dédiés à la production de rouge, 8 à celle de blanc et le reste au rosé. Les vignes, encépagées de merlot, de cabernet-sauvignon, de cabernet franc, de sémillon et de sauvignon, couvrent des sols argilo-calcaires. Elles sont labourées, enherbées et cultivées de manière traditionnelle. Après égrappage, les raisins sont triés sur table, puis la vinification et l'élevage d'une durée de dix-huit mois ont lieu en cuves Inox thermorégulées. Le domaine est équipé de trois pressoirs horizontaux. ♈ bordeaux, bordeaux clairet, entre-deux-mers.

---

② De Sauveterre-de-Guyenne à Bordeaux (2e étape)

▶ 138 km. Sauveterre se trouve à 50 km au S-E de Bordeaux par la D 936 puis la D 671. Carte Michelin Local 335, K-M 6. Voir le circuit ② sur le plan p. 118-119, mais le début de l'itinéraire n'y est pas tracé.

Prenez à l'est la D 230.

Castelmoron-d'Albret

La plus petite commune de France (3,5 ha), sertie dans une enceinte, est perchée sur un rocher. Le village, où ne vivent qu'une soixantaine de personnes, a beaucoup de charme.

Continuez sur la D 230, puis tournez tout de suite à gauche dans la D 139.

Abbaye de Saint-Ferme

℘ *05 56 61 69 92 - juin-sept. : tlj sf dim. et lun. 14h30-18h ; oct.-mai : tlj sf lun. et w.-end 14h30-17h - fermé j. fériés - 3,50 €.*

L'abbaye bénédictine fut fondée au 11e s., sur le chemin de St-Jacques-de-Compostelle. La visite comprend la salle de justice, le scriptorium et un musée des vieux outils.

Rejoignez Pellegrue au nord par les D 16 et D 672.

Pellegrue

Cette bastide possède deux belles églises romanes. Quelques châteaux viticoles comme celui, médiéval, de Lugagnac, émergent au-dessus des vignes dans un paysage vallonné propice aux randonnées. 👣 *Itinéraires au syndicat d'initiative -* ℘ *05 56 61 37 80.*

Poursuivez sur la D 672.

Les Lèves-et-Thoumeyragues

🍷 Vous êtes ici dans l'appellation **sainte-foy-bordeaux**. Ce petit bourg viticole, au clocher pignon typique de l'Entre-Deux-Mers, possède l'une des plus importantes caves coopératives du bordelais, **Univitis** *(voir nos bonnes caves).*

Rejoignez Ste-Foy-la-Grande par la D 672.

Sainte-Foy-la-Grande

La bastide du 13e s. s'anime chaque samedi matin à l'occasion d'un des plus beaux marchés de France. Ste-Foy, ancienne place forte protestante, s'enorgueillit d'avoir donné naissance à plusieurs hommes illustres : le chirurgien Paul Broca, le critique d'art Élie Faure, et les géographes et théoriciens de l'anarchie Élie et Élysée Reclus, tous protestants. Dans la rue de la République, belle maison médiévale dont la façade s'orne d'étranges sculptures en bois.

Quittez Ste-Foy-la-Grande au sud par la D 672, puis prenez à droite la D 130E7 en direction d'Eynesse.

La route pittoresque qui longe la Dordogne traverse les villages d'**Eynesse** et de **Pessac-sur-Dordogne** où les temples protestants sont au centre des bourgs et l'église catholique à l'extérieur. Remarquez aussi les tombes, pour la plupart protestantes, dans les vignes.

Gensac

Le bourg haut perché domine la vallée de la Durèze et offre un beau point de vue depuis la « chaire de Calvin » sur ses remparts.

🍷 L'**office de tourisme**, très bien documenté, propose toutes sortes d'idées de randonnées. On y vend les bouteilles de producteurs locaux au prix de la propriété mais sans dégustation.

Poursuivez à l'ouest vers Pujols sur la D 18.

Pujols

On profitera d'un beau point de vue depuis les restes de l'ancien château féodal qui abrite la mairie. Le secteur produit de bons bordeaux blancs secs.

Gagnez Blasimon au sud-ouest par la D 17.

Avant d'arriver au village, vous verrez le **moulin de Labarthe**, exemple très intéressant de moulin médiéval fortifié.

Blasimon

L'**ancienne abbaye** bénédictine, ruinée, se dissimule au fond d'un vallon. L'église des 12e-13e s. associe des éléments romans et gothiques. ℘ *05 56 71 52 12 - lun.-vend. sur demande à la mairie ; visite libre le w.-end.*

🍷 Chez **Jean-François Dufaget**, viticulteur, vous pouvez découvrir la vigne pour mieux la comprendre, en parcourant le 👣 **sentier viticole de la Butte de Cazevert**, et terminer par la visite des chais et une dégustation. *D 670 -* ℘ *05 57 84 57 03 ou 06 81 79 12 99 - du 1er w.-end de mai au 1er w.-end d'oct. sur RV - 2 €.*

Rauzan

Le **château des Duras**, bâti à la fin du 13e s., conserve un majestueux donjon, haut de 30 m. À voir également, la tour d'honneur (fin 15e s.) avec sa magnifique voûte en palmier. ℘ *05 57 84 03 88 - visite guidée sur réservation - juil.-août : 10h-12h, 15h-18h30 ; le reste de l'année : tlj sf lun. 10h-12h, 14h-17h - 3 €.*

👥 Vêtu de la panoplie du spéléologue, vous parcourrez aisément 250 m dans 5 à 15 cm d'eau dans la **grotte Célestine**, appréciant au passage les diverses **concrétions** et de surprenantes draperies. ℘ *05 57 84 08 69 - www.rauzan.fr - réservation obligatoire - visite guidée (45mn) tlj sf lun. 10h-12h, 14h-16h (7j/7 en juil.-août, dernier dép. à 17h) - 6,50 € (-14 ans 5 € ; 1,20 m minimum pour visiter) - 14 °C dans la grotte, prévoir une petite laine - tout le matériel (casque, bottes) est fourni.*

🏆 L'**Union des producteurs de Rauzan** est une des plus importante cave coopérative de France *(voir nos bonnes caves)*.

Revenez à Bordeaux par la D 128 vers Daignac, puis la D 936.

Les adresses de Sauveterre-de-Guyenne à Bordeaux

♿ Vous trouverez des adresses à **Bordeaux** dans le carnet des côtes-de-bordeaux, p. 121.

NOS BONNES TABLES

🍴🍷 **Auberge Saint-Jean** – *8 av. du Pont - 33420 St-Jean-de-Blaignac - 17 km au N de Sauveterre-de-Guyenne par D 670 - 𝄞 05 57 74 95 50 - fermé 5-9 janv., 15 nov.-12 déc., mar. soir et merc. - 50/90 €*. Depuis la véranda de cet ancien relais de poste, vous jouirez d'une vue imprenable sur la Dordogne. À table, de généreuses recettes régionales mâtinées d'un zeste de modernité viennent garnir les belles assiettes : foie gras au tabac, pot-au-feu de turbot aux langoustines, tresse d'agneau à la crème de lavande, etc.

NOS HÔTELS ET CHAMBRES D'HÔTE

🛏🍷 **Chambre d'hôte La Lézardière** – *Boimier-Gabouriaud - 33540 St-Martin-de-Lerm - 8 km au SE de Sauveterre-de-Guyenne par D 670, D 230 puis D 129 - 𝄞 05 56 71 30 12 - www.lalezardiere.free.fr - fermé janv.-fév. - 📵 - 4 ch. et 1 gîte 65 € - 🍽 - repas 20 €*. Des chambres colorées ont été joliment aménagées à l'étage de cette métairie du 17ᵉ s. dominant la vallée du Dropt. Table d'hôte dans la haute grange. Salon de documentation sur le vin et la région derrière les crèches où, jadis, mangeait le bétail. Piscine et un grand gîte.

🛏🍷 **Le Château de Sanse** – *33350 Ste-Radegonde - 𝄞 05 57 56 41 10 - www.chateaudesanse.com - ouvert 1ᵉʳ mars-30 nov. - 🅿 - 16 ch. 100/195 € - 🍽 15 € - rest. 28/35 €*. Dominant campagne et vignobles, noble demeure (18ᵉ s.) en pierre blonde agrémentée d'un parc et d'une belle piscine. Chambres modernes offrant ampleur, calme et caractère.

NOS BONNES CAVES

MAISON DES VINS

Maison des vins de Ste-Foy-Bordeaux – *Rte de Bergerac - 33220 Pineuilh - 𝄞 05 57 46 31 71 - www.saintefoy-bordeaux.com*

COOPÉRATIVES

Univitis – *1 r. du Gén.-de-Gaulle - 33220 Les Lèves-et-Thoumeyragues - 𝄞 05 57 56 02 02 - www.univitis.fr - juil.-août : 9h-12h30, 14h30-19h ; sept.-déc. et mars-juin : tlj sf dim. et lun. 9h30-12h30, 15h-19h ; janv.-fév. : tlj sf dim. et lun. 9h30-12h30, 15h-18h - fermé j. fériés*. La plus grande cave coopérative du Bordelais propose un bel assortiment de vins de domaines vinifiés séparément.

Union des producteurs de Rauzan – *Aiguilley - 33420 Rauzan - 𝄞 05 57 84 13 22 - lun.-sam. 9h-12h30, 14h-18h ; ouv. dim. en juil.-août*. C'est une des plus importantes caves coopératives de France avec une production de 135 000 hl par an. On y propose une trentaine de vins différents à des prix intéressants.

La rive gauche de la Garonne

CARTE MICHELIN LOCAL 335 – GIRONDE (33)

Sur la rive gauche de la Garonne, en partie imbriqué dans l'agglomération bordelaise, le vignoble des Graves est le seul de France à porter un nom géologique. Depuis 1987, la partie nord des Graves, où sont concentrés les meilleurs terroirs, porte l'AOC **pessac-léognan**. Le sud des Graves englobe les fameuses appellations barsac et sauternes.

Le vignoble des Graves

▶ 57 km au départ de Bordeaux. Quittez le centre de Bordeaux au S-O par la N 250, direction Pessac centre. Carte Michelin Local 335, H-I-J 6-7.

Pessac

🏆 À moins de 6 km du centre de Bordeaux, le **Château Haut-Brion** est désormais totalement enclavé dans l'agglomération. Ce premier cru classé en 1855 produit sur 43 ha un vin singulier non seulement pour sa bouteille de forme atypique, mais aussi pour la finesse de ses arômes *(voir nos bonnes caves)*.

LE TERROIR

Superficie : 7 200 ha.
Production : 278 800 hl, dont 54 000 hl en blancs doux.
Ce sont les croupes graveleuses bien drainées, résultant de l'érosion pyré-
néenne, qui ont permis de créer au Moyen Âge le vignoble le plus proche
de Bordeaux.

LES VINS

La région produit des vins rouges et blancs de grande qualité.
AOC graves, graves supérieures et **pessac-léognan :** cépages cabernet-
sauvignon, merlot, cabernet franc, malbec et petit verdot pour les rouges
puissants, cépages sauvignon, sémillon et muscadelle pour les blancs secs.
AOC sauternes, barsac et **cérons :** cépages sémillon essentiellement, sauvignon et muscadelle pour les blancs liquoreux.

Les vins blancs liquoreux des AOC sauternes et barsac ont les mêmes qualités.
Les grains de raisin, parvenus à maturité, ne sont pas cueillis aussitôt, afin qu'ils
puissent subir la « pourriture noble », causée par le *Botrytis cinerea*, favorisé
par l'humidité montant du Ciron. Ce sont les enzymes de cette moisissure
qui concentrent les sucres de la baie de raisin. Ces grains « confits » sont alors
détachés un par un, puis pressés.

BON À SAVOIR

👁 **Syndicat viticole des graves** – 📞 *05 56 27 09 25 - www.vins-graves.com*

🍷 Le **Château Pape-Clément** est lui aussi un domaine réputé qui appartint, au
Moyen Âge, à l'évêque Bertrand de Got, futur pape Clément V. Le château 19e s.
néogothique a fière allure *(voir nos bonnes caves)*.

*Rejoignez la rocade, prenez la direction de Toulouse et, à la sortie 18, la direction de
Léognan par la D 651.*

Léognan

Cette commune en lisière de la forêt compte un nombre impressionnant de châteaux
viticoles dont la direction est indiquée depuis le centre du village.

🍷 Le **domaine de Chevalier** est magnifique ; ses chais sont ultramodernes et ses vins
d'exception, en particulier le blanc. Au **Château Carbonnieux**, une petite curiosité vous
attend : l'« eau de Carbonnieux » expédiée au 18e s. au sultan de Constantinople était en
fait un excellent vin blanc vinifié par les moines. La tradition de qualité demeure pour
cet important domaine. *Pour tous ces domaines, voir nos bonnes caves.*

🍷 Le **Château La Louvière** est un très beau château de la fin du 18e s., dessiné
par l'architecte François Lhote. Il a été classé Monument historique en 1991. Ses
graves et pessac-léognan sont très réputés. *149 av. de Cadaujac - 📞 05 56 64 75 87 -
lalouviere@andrelurton.com - tlj sf w.-end et j. fériés 9h-12h, 14h-17h sur RV.*

🚲 Pour parcourir le vignoble à vélo, allez à la **Maison du vélo**. Location de vélos et
nombreux circuits à thème. *Parc forestier du Lac bleu - 📞 05 56 64 81 56.*

Rejoignez Martillac au sud-est par la D 109.

Martillac

Cette commune est autant réputée pour ses vins que pour son muguet. Belle **église
romane** à chapiteaux historiés. 🍷 Le **domaine de la Solitude** porte bien son nom.
C'est en effet un couvent (16e-18e s.) possédant un domaine viticole. 📞 *05 56 72
74 74 - olivierbernard@domainedelasolitude.com - lun.-vend. 8h30-12h - sur RV.*

🍷 Le **Château Smith-Haut-Lafitte** est également un centre de vinothérapie, les
Sources de Caudalie. On peut désormais prendre soin de son corps grâce au raisin !
L'eau minérale riche en fer et en fluor associée à l'extrait de raisin, à l'huile de pépins de
raisin, à la levure de vin, aux extraits de vigne rouge ou encore aux tanins possède des
vertus hydratantes et raffermissantes. Parmi les soins anti-âge et minceur proposés,
on retiendra le « bain barrique » et « l'enveloppement merlot ». Ce type de cure reste
assez coûteux (par exemple, journée découverte de quatre soins : 135 €), mais laisse
rêveur… 📞 *05 57 83 83 83 - www.sources-caudalie.com.*

🍷 Quelques adresses où vous fournir en vins *(voir nos bonnes caves)* : le **Château
Latour-Martillac** et le **Château de Rochemorin**, où Montesquieu habita et où les
vins ont autant de corps que d'esprit.

Rejoignez La Brède au sud par la D 109.

Vous entrez dans les Graves du sud, vaste territoire où plane l'esprit de Montesquieu et qui s'inscrit en lignes de vignes entre la Garonne et la forêt des Landes girondines.

Château de La Brède★

📞 05 56 20 20 49 - ♿ - visite guidée (30mn) - juil.-sept. : tlj sf mar. 14h-18h ; de déb. oct. à mi-nov. : w.-end et j. fériés 14h-17h30 ; avr.-juin : w.-end et j. fériés 14h-18h - 6 €.

Son austère silhouette se reflète dans des douves comme un îlot fortifié au milieu d'un lac. Le domaine n'a pas changé depuis le temps où Montesquieu y promenait son profil aigu et bienveillant.

Une large avenue conduit au château gothique (12e-15e s.). Commencez le tour du propriétaire par les douves. En franchissant de petits ponts jetés entre deux anciens ouvrages fortifiés, gravés d'inscriptions latines, on rejoint le vestibule ; le long des murs sont disposées les malles de voyage de Montesquieu. À l'étage se trouve la bibliothèque qui renfermait 5 000 ouvrages. Très simple, la **chambre** de Montesquieu est restée meublée telle qu'elle l'était de son vivant. Beau parc à l'anglaise.

🚶 Un circuit de 11 km intitulé **Les 8 châteaux de pessac-léognan** parcourt l'AOC pessac-léognan. Rens. au syndicat d'initiative de La Brède - 📞 05 56 78 47 72 - www.ot-montesquieu.com

Prenez à l'est la D 108, puis tournez à droite dans la N 113.

Montesquieu

En l'an de grâce 1689 naît au château Charles de Segondat, futur baron de La Brède et de Montesquieu ; en signe d'humilité, c'est un mendiant qui le tient sur les fonts baptismaux. Devenu président au parlement de Bordeaux (bien qu'étant, de son propre avis, magistrat médiocre), Montesquieu aime sa tranquillité et se retire fréquemment sur sa terre de La Brède : « C'est le plus beau lieu champêtre que je connaisse. » Là, il expédie sa correspondance commerciale (il vend beaucoup de vin aux Anglais), parcourt ses vignes, interpellant chacun en patois, visite ses chais… D'humeur égale et d'abord facile, Montesquieu trouve, comme Montaigne, le délassement dans son activité intellectuelle : « L'étude a été pour moi le souverain remède contre les dégoûts de la vie, n'ayant jamais eu de chagrin qu'une heure de lecture n'ait dissipé. »

Portets

La silhouette altière du **château de Portets** (18e s.) domine ce village des bords de Garonne où l'on pêche l'alose et la lamproie que l'on accommode avec les bons vins du coin produits.

Le **château de Mongenan** est une jolie chartreuse (1736) possédant un jardin botanique inspiré par J.-J. Rousseau. À côté, musée consacré au 18e s. et reconstitution d'un temple maçonnique. 📞 05 56 67 18 11 - www.chateaudemongenau.com - juil.-août : 10h-12h, 14h-19h ; de mi-fév. à fin juin et sept.-déc. : w.-end 14h-18h - 6 € (enf. gratuit).

Au **Château Lagueloup**, on peut voir un **musée de la Vigne et du Vin** présentant le patrimoine technique exceptionnel trouvé dans les chais conçus à la fin du 19e s. comme une usine. 📞 05 56 67 13 90 - 10h-18h - visite guidée gratuite, dégustation commentée 5 € - « petit déjeuner gourmand » sam., sur réservation.

Rejoignez Podensac au sud-est par la N 113.

Podensac

🍷 Ce gros bourg est la patrie de l'apéritif **Lillet**, boisson à base de vin, aromatisée aux herbes et au quinquina. Visite des installations, du cuvier Art déco et collection d'étiquettes. 📞 05 56 27 41 41 - www.lillet.com - de mi-juin à mi-sept. : 9h-18h30 ; de mi-sept. à mi-juin : sur RV lun.-vend. 9h30-17h30 - gratuit.

🍷 À la sortie de Podensac, sur la droite, se dresse la **Maison des vins de Graves** où vous trouverez 300 références de vins de l'ensemble des Graves, ainsi que des informations touristiques et une liste de châteaux ouverts sans rendez-vous (voir nos bonnes caves).

🍷 Le **Château de Chantegrive** produit l'un des meilleurs vins de ce secteur (voir nos bonnes caves).

Suivre la N 113 jusqu'à Cérons.

Cérons

Ce petit village a donné son nom à une minuscule appellation de vins blancs liquoreux, qui couvre moins de 100 ha. Ce sont des vins très fins.

On rejoint Barsac au sud par la N 113.

Les adresses du vignoble des graves

NOS BONNES TABLES

⊖⊜ **Auberge du Marais** – *22 rte de Latresne - 33270 Bouliac -* ℘ *05 56 20 52 17 - fermé 15 fév.-1er mars, 15 août-6 sept., dim. soir et merc. - 14 € déj. - 25,50/44 €.* Maison de pays qui, aux beaux jours, propose sa belle terrasse ombragée. À l'intérieur, collection de tableaux modernes. Carte traditionnelle et plats du Sud-Ouest.

⊖⊜ **Le Cohé** – *8 av. Roger-Cohé - 33600 Pessac -* ℘ *05 56 45 73 72 - lecohe@free.fr - fermé 4-29 août, dim. soir et lun. - 20/54 €.* Belle maison ancienne à l'avenante façade en pierre blonde, intérieur contemporain feutré, mise en place nette et soignée… Le propriétaire de ce restaurant a su peaufiner la décoration des lieux avant de coiffer la toque et de régaler les gourmands avec sa cuisine au goût du jour tournée vers les produits de la mer.

NOS HÔTELS ET CHAMBRES D'HÔTE

⊖⊜ **Châlet Lyrique** – *169 cours Gén.-de-Gaulle - 33170 Gradignan - 3,5 km au S de Pessac -* ℘ *05 56 89 11 59 - info@chalet-lyrique.fr -* 🅿 *- 44 ch. 69/86 € -* ☐ *9,50 €.* Deux bâtiments de styles différents donnent à cet hôtel fondé en 1948 un cachet particulier. Chambres de diverses tailles et divers niveaux de confort. Pour bénéficier des meilleures conditions de séjour, demandez-en une rénovée. Le restaurant aménagé dans l'ancien café de village n'a rien perdu de son ambiance locale.

⊖⊜ **Château Lantic** – *10 rte de Lartigue - 33650 Martillac -* ℘ *05 56 72 58 68 - www.chateau-de-lantic.com -* 🅿 *- 8 ch. 79/150 € -* ☐ *8 €.* Cet adorable château propose des chambres meublées d'ancien, souvent décorées dans un esprit romantique ; certaines ont une cuisinette. Une dépendance accueille des expositions.

NOS BONNES CAVES

MAISON DES VINS

La Maison des vins de Graves – *61 cours du Mar.-Foch - 33720 Podensac -* ℘ *05 56 27 09 25 - www.vins-graves.com - 9h30-18h30, w.-end et j. fériés 10h30-18h30 ; nov.-avr. : tlj sf w.-end 9h30-18h30.*

DOMAINES

Château Haut-Brion – *33600 Pessac -* ℘ *05 56 00 29 30 - info@haut-brion.com - lun.-vend. 8h-11h30, 14h-16h30 - sur RV.* Ce domaine fut acheté en 1935 par l'Américain Clarence Dillon. Aujourd'hui, sa petite-fille, la duchesse de Mouchy, préside la société Dillon, également propriétaire des châteaux La Mission Haut-Brion, La Tour Haut-Brion et Laville Haut-Brion. Le vignoble de 43 ha est encépagé de cabernet-sauvignon, de cabernet franc et de merlot. Les

vendanges sont manuelles et les techniques de vinification restent traditionnelles. Les vins sont ensuite élevés en barriques neuves, de neuf à vingt-deux mois. 🍷 pessac-léognan.

Château de La Brède.

Château Pape-Clément – *216 av. du Dr-Nancel-Penard - 33600 Pessac -* ℘ *05 57 26 38 38 - chateau@pape-clement.com - lun.-vend. 8h30-12h, 14h-17h - sur RV.* Le domaine de 36 ha compte seulement 32,5 ha en production sur la commune de Pessac. L'encépagement est composé de cabernet-sauvignon et de merlot pour les rouges ; de sauvignon, de sémillon et de muscadelle pour les blancs (sur 2 ha). Les vins sont élevés en barriques neuves de chêne français. 🍷 pessac-léognan.

Domaine de Chevalier – *Chemin de Mignoy - 33850 Léognan -* ℘ *05 56 64 16 16 - olivierbernard@domainedechevalier.com - lun.-vend. 8h-12h, 14h-18h - sur RV.* En 1983, la famille Bernard, négociant en eaux-de-vie et en grands vins de Bordeaux, acquiert le domaine de Chevalier. Depuis, Olivier Bernard perpétue l'esprit d'équilibre et de recherche de perfection sur son vignoble de 34 ha (4 pour le blanc, 30 pour le rouge) encépagés de cabernet-sauvignon, de merlot, de petit verdot, de cabernet franc et de sémillon. Plantées sur un terroir de graves argileuses profondes, elles sont âgées en moyenne de 30 ans. La vinification est traditionnelle, et les vins sont élevés en barriques jusqu'à vingt et un mois. 🍷 pessac-léognan.

Château Carbonnieux – *33850 Léognan -* ℘ *05 57 96 56 20 - chateau.carbonnieux@wanadoo.fr - lun.-vend. 8h30-11h, 14h-17h - sur RV.* Acheté en 1956 par Marc Perrin, le domaine est dirigé par son fils Antony depuis le début des années 1980. Le vignoble, qui s'étend sur 90 ha dédiés à la production de rouges et de blancs, est encépagé de cabernet-sauvignon, de merlot, de cabernet franc, de cot, de malbec, de petit verdot, de sémillon et de muscadelle. La culture est traditionnelle et les vendanges sont manuelles. La vinification a ensuite lieu en cuves Inox pendant vingt-et-un jours, puis les vins sont élevés en barriques jusqu'à dix-huit mois, pour les rouges, dix pour les blancs. ♛ pessac-léognan.

Château Latour-Martillac – *Chemin de La Tour - 33650 Martillac -* ✆ *05 57 97 71 11 - latour-martillac@domaines-kressmann.com - sur RV.* En 1929, Alfred Kressmann, négociant bordelais, achète ce domaine. Dès 1940, son fils Jean lui succède et le développe à sa dimension actuelle. Aujourd'hui, ses deux plus jeunes fils, Tristan et Loïc, après une rénovation totale des chais en 1989, perpétuent la tradition familiale. Le vignoble de 44 ha est vendangé manuellement et la vinification reste traditionnelle. Les rouges représentent l'essentiel de la production. ♛ pessac-léognan.

Château de Rochemorin – *33650 Martillac -* ✆ *05 57 25 58 58 - andrelurton@andrelurton.com - lun.-vend. 9h-12h30, 13h30-18h - sur RV.* André Lurton est propriétaire de cinq domaines : La Louvière, Couhins-Lurton, Coucheroy, Cruzeau et Rochemorin en Pessac-Léognan, acquis en 1973. Il a entièrement reconstitué ce vignoble de 110 ha,

encépagés de sauvignon et de sémillon pour les blancs ; de cabernet-sauvignon et de merlot pour les rouges. Ces derniers représentent l'essentiel de la production. Le domaine s'est doté en 2004 d'un chai de 4 000 m², opérationnel dès les vendanges de la même année. ♛ pessac-léognan.

Château de Chantegrive – *Rte de St-Michel-de-Rieuffret - 33720 Podensac -* ✆ *05 56 27 17 38 - courrier@chateau-chantegrive.com - lun.-sam. 8h30-17h30 - sans RV.* Après le remembrement accompli par Henri et Françoise Levêque, le vignoble compte aujourd'hui quelque 100 ha de vignes. En trente ans, l'exploitation s'est dotée d'un matériel moderne de vinification : méthodes culturales, élaboration des vins ; et des techniques les plus modernes de vinification : quinze cuves équipées d'un système de régulation des températures et de pigeage automatique. Elle possède également un magnifique chai à barriques et un bouteiller d'une capacité de 500 000 bouteilles. En 2003, Françoise et Henri Levêque ont acquis le Château d'Anice, sur la route de Cérons, à Podensac, qu'ils exploitaient jusque-là en fermage. ♛ cérons, graves.

③ Sauternes et Barsac

▶ 30 km. Barsac se trouve à 40 km au S-E de Bordeaux par la N 113. Carte Michelin Local 335 I-J 7. Voir le circuit ③ sur le plan p. 118-119.

Barsac

L'**église** (16e-17e s.) est un exemple de la survivance du gothique en période classique. ♛ Barsac compte une douzaine de châteaux aussi élégants que leurs vins. Parmi ceux-ci, citons le **Château Climens** et le **Château Coutet** *(voir nos bonnes caves).*
♛ Le **Château Nairac** (17e-18e s.) est un très bel exemple de style classique pour son architecture comme pour ses vins. ✆ *05 56 27 16 16 - contact@chateau-nairac. com - mar.-sam. sur RV.*
♛ La **Maison du vin de Barsac** propose la vente et la dégustation de vins de Barsac et de Sauternes *(voir nos bonnes caves).*

Pujols-sur-Ciron

Les habitations 16e et 19e s. sont protégées par une enceinte à tours d'angles qui donne à l'ensemble des allures de forteresse au milieu des vignes. ♛ Le **Clos Floridène** de Denis Dubourdieu, professeur d'œnologie réputé, produit des graves rouges élégants et chaleureux *(voir nos bonnes caves).*

Budos

Un peu extérieur au Sauternais, Budos conserve les ruines d'un **château féodal** (début 14e s.). Le chemin d'accès passe sous le châtelet d'entrée que couronne une tour carrée, puis atteint l'esplanade du château. De là, descendez dans le fossé du front ouest pour vous rendre compte de la puissance de la courtine et des tours.

Sauternes

♛ Vous serez bien accueilli à la **Maison du sauternes**. On y explique les mystères du sauternes et l'ont fait déguster (à l'exception du château-d'yquem qui est néanmoins vendu) environ 70 vins disponibles au prix de la propriété *(voir nos bonnes caves).*
♛ Au sud, le **Château Filhot**, premier grand cru classé, est une belle bâtisse du 17e s., remaniée au 19e s., avec un beau parc. ✆ *05 56 76 61 09 - www.filhot.com - lun.-vend. 9h-12h, 14h-18h ; w.-end sur RV.*

Au nord-ouest de Sauternes, le village de **Bommes** accueille l'école de viticulture installée dans le prestigieux **Château La Tour Blanche**, premier cru classé donné à l'État en 1909 par le financier philanthrope Daniel Iffla, alias Osiris. ✆ *05 57 98 02 73 - www.tour-blanche.com - lun.-vend. 9h-12h, 14h-17h sur RV.*

Château d'Yquem

www.yquem.fr. Les vins de ce prestigieux château, déjà connus au 16ᵉ s., furent grandement appréciés par l'Américain Jefferson. Le logis, des 15ᵉ et 17ᵉ s. *(ne se visite pas)*, est un ancien château fort perché sur une butte offrant un beau panorama.

Le Château d'Yquem.

A. Cassaigne / MICHELIN

Château de Malle

✆ *05 56 62 36 86 - www.chateau-de-malle.fr - avr.-oct. : visite guidée (30mn) sur demande le matin 10h-12h, 14h-18h - fermé 1ᵉʳ Mai - 7 € (enf. 4,50 €).*
Un portail d'entrée orné de superbes ferronneries donne accès au domaine. L'aimable composition qu'offrent l'ensemble du château et des jardins a été conçue au début du 17ᵉ s. et rappelle les chartreuses girondines. L'intérieur abrite une **collection de silhouettes en trompe-l'œil** du 17ᵉ s., unique en France. Très beaux jardins en terrasses, à l'italienne.

Prenez la D 8ᴱ⁴ pour gagner Preignac.

🍷 En chemin, vous passerez près du **Château Bastor-Lamontagne**, perle du vignoble sauternais *(voir nos bonnes caves).*

Regagnez Barsac par la N 113.

Les adresses de sauternes et barsac

NOS BONNES TABLES

🍽 **Braises et Gourmandises** – RN 113 - 33210 Preignac - 8 km à l'O de Verdelais - ✆ 05 56 62 30 58 - braises-gourmandises@ot-sauternes.com - fermé mar. soir et dim. soir - 11/29 €. La façade ne paie pas de mine mais poussez la porte et vous serez surpris. La salle à manger, où dominent le bois et les cuivres, est vraiment séduisante, tout comme la terrasse ombragée. Spécialités de viandes et poissons grillés. Service discret et efficace.

🍽 **Cyril** – 62 cours Fossés - 33210 Langon - ✆ 05 56 76 25 66 - cyril.baland@wanadoo.fr - 22/30 €. Cyril, c'est

le chef : partagé entre ses fourneaux et le marché où il déniche les meilleurs produits, il mitonne pour vous de petits plats traditionnels, tandis que Karine vous accueille dans le décor fraîchement relooké de leur salle à manger. Atout cœur de l'adresse : le bon rapport qualité-prix.

🍽 **Le Cap** – 12 r. Gemin - 33210 Preignac - 8 km au NE de Sauternes par D 125 puis D 8 - ✆ 05 56 63 27 38 - lecaphorn@wanadoo.fr - fermé 3-10 févr., 24 mars-9 avr., 15 sept.-8 oct., lun. de juin à mi-sept. et dim. soir - 21/38 €. La coquette salle à manger (limitée à 20 couverts) et la belle terrasse de cette vénérable bâtisse postée sur les bords de la Garonne accueillent les capitaines au long cours comme les marins d'eau douce. Tous se régalent de plats de poissons issus de la pêche fluviale et de recettes au goût du jour.

⊖⊜ **Le Saprien** – *R. Principale - 33210 Sauternes - ℘ 05 56 76 60 87 - saprien@tiscali.fr - fermé 1er-26 déc., vac. de fév., dim. soir et lun. - 25/39 €.* À l'élégante salle à manger, vous préférerez peut-être la véranda ou la terrasse qui offrent une jolie vue sur les vignes. Terrine à la gelée de sauternes, parfait glacé au sauternes, belle sélection de sauternes au verre : le grand vin blanc liquoreux est mis « à toutes les sauces »… pour le grand plaisir des gourmets !

⊖⊜⊜ **Claude Darroze** – *95 cours Gén.-Leclerc - 33210 Langon - ℘ 05 56 63 00 48 - www.darroze.com - fermé 21 oct.-10 nov., 6-28 janv., dim. soir et lun. midi de nov. à juin - 40/74 €.* Salle de restaurant à l'antique, terrasse ombragée de platanes séculaires, savoureuse cuisine classique (lamproie de la Gironde au vin de Bordeaux, foie gras de canard chaud aux pommes caramélisées…) et carte des vins étoffée à dominante régionale : cette demeure de tradition invite à la gourmandise.

NOTRE CHAMBRE D'HÔTE

⊖⊜⊜ **Relais du Château d'Arche** – *Rte Bommes - 33210 Sauternes - ℘ 05 56 76 67 67 - chateau-arche@terre-net.fr -* 🅿 *- 9 ch. 120/160 € - � 10 €.* Belle chartreuse du 17e s. dominant le village et nichée au beau milieu du domaine viticole du château d'Arche, grand cru de Sauternes. Toutes les chambres, qui bénéficient d'aménagements de standing, profitent du calme ambiant et de la vue sur les vignes.

NOS BONNES CAVES

MAISONS DES VINS

Maison du sauternes – *14 pl. de la Mairie - 33210 Sauternes - ℘ 05 56 76 69 83 - www.maisondusauternes.com - 9h-19h, w.-end 10h-19h - fermé 25 déc.-1er janv.*

Maison du Vin de Barsac – *Pl. de l'Église - 33720 Barsac - ℘ 05 56 27 15 44 - www.maisondebarsac.fr - mai-déc. : 10h-13h, 14h-19h ; janv.-avr. : tlj sf lun. 10h-12h30, 14h-18h.*

DOMAINES

Château Climens – *33720 Barsac - ℘ 05 56 27 15 33 - contact@chateau-climens.fr - lun.-vend. 9h-12h, 14h-17h - sur RV.* Le château, propriété de Lucien Lurton depuis 1971, est depuis 1992, dirigé par sa fille, Bérénice. Situé sur la commune de Barsac, le vignoble couvre 30 ha de sables argileux et ferrugineux parsemés de galets sur socle calcaire, exclusivement encépagés de sémillon. Les méthodes de vinification sont traditionnelles : rendements limités, fermentation et élevage en barriques. 🍷 barsac.

Château Coutet – *33720 Barsac - ℘ 05 56 27 15 46 - info@chateaucoutet.com - lun.-vend. 9h-12h, 14h-17h - sur RV.* Le domaine s'étend sur 38,5 ha de vignes d'un seul tenant, âgées en moyennne de 35 ans, et encépagés de sémillon (75 %), de sauvignon (23 %) et de muscadelle (2 %). Les vendanges sont manuelles et l'élevage est effectué en barriques de bois neuf. Outre le vignoble Coutet, classé grand cru, qu'ils exploitent depuis 1977, Dominique et Philippe Baly possèdent quelques hectares de graves et produisent le Château Marc Haut-Laville. 🍷 barsac, graves, sauternes.

Clos Floridène – *33210 Pujols-sur-Ciron - ℘ 05 56 62 96 51 - reynon@wanadoo.fr - vente et dégustation au Château Reynon - 21 rte de Cardan - 33410 Béguey - sur RV.* Le vignoble, situé sur la commune de Pujols-sur-Ciron, près de Barsac, s'étend sur 30,76 ha. Les vignes, encépagées de sémillon (45 %), de sauvignon (50 %) et de muscadelle (5 %) pour les vins blancs ; de merlot (30 %) et de cabernet-sauvignon (70 %) pour les rouges, s'enracinent dans des sols argilo-calcaires. Les vendanges sont manuelles, puis la vinification s'effectue avec macération longue. Les vins sont ensuite élevés pendant douze mois, en barriques, dont un tiers sont neuves. 🍷 graves.

Château Bastor-Lamontagne – *33210 Preignac - ℘ 05 56 63 27 66 - bastor@bastorlamontagne.com - lun.-vend. 8h30-12h30, 14h-18h - sur RV.* Le vignoble de 58 ha, encépagé de sémillon et de sauvignon, est planté sur un terroir silico-graveleux sur fond calcaire. Les vendanges sont manuelles et les rendements sont faibles. Les vins vieillissent ensuite en barriques de merrain de chêne de quinze à dix-huit mois. 🍷 graves, sauternes.

Le Libournais

CARTE MICHELIN LOCAL 335 – GIRONDE (33)

À l'ouest de Libourne, la Dordogne s'élargit pour aller rejoindre la Garonne au Bec d'Ambès. Sur la rive droite du fleuve, les coteaux offrent le doux paysage vallonné des vignobles du Fronsadais. À l'est de Libourne, Pomerol, puis St-Émilion allient le faste de leur vignoble à un riche passé historique.

LE TERROIR

Superficie : 16 200 ha.
Production : 722 000 hl.

Les sols des coteaux sont argilo-calcaires ou argilo-sableux en fronsac, bordeaux-côtes-de-francs et saint-émilion, siliceux, argilo-siliceux ou argilograveleux en pomerol, saint-émilion et côtes-de-castillon.

Le vignoble de St-Émilion s'étend sur neuf communes. On distingue les **saint-émilion** des **saint-émilion-grand-cru** qui ont fait l'objet d'un classement en 1955. En principe, la distinction n'a rien de géographique. Dans la pratique, les grands crus sont presque tous situés sur le plateau ou en coteau.

LES VINS

Le vignoble produit des vins rouges au vieillissement remarquable.

AOC fronsac et canon-fronsac : cépages cabernet franc, merlot, cabernet-sauvignon et malbec. Des vins fermes et charnus qui s'affinent avec l'âge.

AOC pomerol et lalande-de-pomerol : cépage merlot essentiellement, et cabernet franc, malbec, cabernet-sauvignon. Les pomerols sont de grands vins prestigieux, d'une couleur profonde, riches et complexes au palais.

AOC saint-émilion, saint-émilion-grand-cru, montagne-saint-émilion, puisseguin-saint-émilion, saint-georges-saint-émilion, lussac-saint-émilion : cépages cabernet franc, malbec, cabernet-sauvignon et merlot. Les saint-émilion se distinguent par leurs arômes puissants et leur caractère corsé, charpenté.

AOC bordeaux côtes-de-francs : cépages cabernet-sauvignon, cabernet franc, merlot, pour les rouges, cépages sauvignon, sémillon et muscadelle pour les quelques blancs secs ou liquoreux.

AOC côtes-de-castillon : cépages cabernet-sauvignon, cabernet franc, merlot, malbec, petit verdot.

BON À SAVOIR

👁 **Syndicat viticole de Pomerol** – 📞 05 57 25 06 88 - www.vins-pomerol.fr
👁 **Syndicat viticole de Saint-Émilion** – 📞 05 57 55 50 50 - www.vins-saint-emilion.com

4 Le Saint-Émilion

▶ 52 km. St-Émilion se trouve à 40 km à l'E de Bordeaux par la N 89 puis la D 243. Carte Michelin Local 335, H, J et K 5. Voir le circuit 4 sur le plan p. 118-119.

Saint-Émilion★★

Le plus beau village viticole du Bordelais et son vignoble sont classés au Patrimoine mondial de l'Unesco. Tout entier tourné vers la production de ses vins, St-Émilion s'inscrit comme une échancrure de pierres blanches rehaussées de tuiles roses dans la masse ondoyante de deux superbes coteaux rayés de vignes. C'est en allant chercher leur substance au plus profond du minéral que les racines donnent à la vigne son aptitude à produire de grands vins. C'est aussi dans l'ombre des anciennes carrières transformées en caves que les vins mûrissent lentement.

Pour avoir une belle vue d'ensemble, montez en haut du clocher de l'église monolithe ou au sommet de la tour du Roi. Ne manquez pas de goûter aux **macarons** de St-Émilion, délicieuse spécialité à base d'amandes, de sucre et de blanc d'œuf.

La visite peut commencer par les monuments de la **place du Marché** (visite guidée uniquement : billet à l'office de tourisme). L'**église monolithe★** est une église souterraine « d'une seule pierre », la plus vaste d'Europe. Elle a été aménagée de la fin du 8e au 12e s. L'intérieur frappe tant par l'ampleur des nefs taillées en profondeur dans la pierre, que par la découpe parfaitement régulière des voûtes et des piliers quadrangulaires.

Au-dessus de la place du Marché, la **collégiale** est un vaste édifice à la nef romane et au chœur gothique. On y pénètre par un somptueux portail du 14e s. Dans le chœur, personnages des **stalles** (15e s.), pleins de fantaisie. Son **cloître** du 14e s., le réfectoire et le dortoir des religieux, restaurés, forment le « Doyenné », siège de l'office de tourisme.

Les quatre monuments décrits ci-après se visitent avec un guide (45mn) - billet à l'office de tourisme - 📞 05 57 55 28 28 - www.saint-emilion-tourisme.com - juil.-août : 9h30 20h ; de mi-juin à fin juin et de déb. sept. à mi-sept. : 9h30-19h ; de déb. avr. à mi-juin et de mi-sept. à fin oct. : 9h30-12h30, 13h45-18h30 ; nov.-mars : 9h30-12h30, 13h45-18h - 5,50 €.

La grotte de l'**ermitage St-Émilion** fut agrandie en forme de croix par l'ermite Émilion. Les femmes désireuses d'avoir un enfant doivent s'asseoir, dit-on, sur le siège d'Émilion, creusé dans la pierre.

La **chapelle de La Trinité** fut construite au 13ᵉ s. par les bénédictins. Convertie un temps en tonnellerie, elle conserve ses jolies **fresques gothiques**, retrouvées sous une couche de suie.

Dans la falaise voisine s'ouvrent les **catacombes**, galeries qui servaient à l'origine de nécropole. On distingue dans la coupole centrale un orifice par lequel étaient descendus les corps.

Il faut avoir le courage de monter les 187 marches du **clocher de l'église monolithe** mais on est récompensé par la **vue** d'ensemble.

À l'est de la place du Marché, on rejoint, près des remparts, le **cloître des Cordeliers★**. Construit au 14ᵉ s., il est composé de colonnettes sur lesquelles prennent appui des arcs d'aspect roman. L'ensemble est très romantique. Dans la nef de l'ancienne église, accès aux **caves** creusées dans le roc à 20 m de profondeur, où naissent les crémant-de-bordeaux. ☏ 05 57 24 72 07 - *se renseigner.*

Au sud, le donjon rectangulaire du **château** (32 m de hauteur), dit **tour du Roi**, est isolé sur un socle rocheux. Du sommet, **vue★** sur la ville et les environs. C'est ici que la jurade proclame le jugement du vin nouveau au printemps et le ban des vendanges à l'automne. *Juin-sept : 10h30-20h30 ; hors saison se renseigner à la mairie -* ☏ 05 57 24 65 00 - *accès en haut de la tour du Roi - 1 €.*

🍷 Côté vins, la **Maison du vin de St-Émilion** est une bonne entrée en matière. Vous vous y procurerez le guide qui recense les domaines de l'appellation et regarderez une vidéo sur le vignoble. Des initiations à la dégustation y sont organisées en été. Les vins de 225 châteaux sont vendus au prix de la propriété *(voir nos bonnes caves).*

🍷 Vous pouvez également vous rendre à l'**Union des producteurs de St-Émilion**, une coopérative où l'accueil est excellent *(voir nos bonnes caves).*

🍷 Pour visiter les **châteaux viticoles de St-Émilion**, il n'y a pas de véritable itinéraire, sauf si vous décidez de découvrir le vignoble à bord du **Train des Grands Vignobles** qui fait le tour des grands crus, avec commentaires et dégustation. *Château Rochebelle -* ☏ *05 57 51 30 71 - www.visite-saint-emilion.com - 10h30-12h30, 14h-18h30 - durée 30 à 35mn - fermé du 15 oct. à Pâques, sf vac. scol. - 5,50 € (enf. 4,50 €).*

Voici quelques châteaux à visiter. 🍷 Le **Château Franc-Mayne** est une ravissante girondine du 16ᵉ s., aménagée en chambres d'hôte. Vous y découvrirez un ancien relais de poste datant du 16ᵉ s. et de magnifiques carrières souterraines. ☏ *05 57 24 62 61 - www.chateau-francmayne.com*

🍷 La jolie fontaine qui orne un des murs du **Château Cadet-Bon** rapporte un épisode chanté par Homère : Dionysos, enlevé par des pirates, joue de la flûte. Aussitôt, leur bateau se remplit de vin, ils sont précipités dans la mer et se transforment en dauphins. Cette fontaine est devenue l'emblème de Cadet-Bon. *Le Cadet -* ☏ *05 57 74 43 20 - loriene@cadet-bon.com - sur RV.*

🍷 Le **Château La Gaffelière** est situé à l'emplacement d'une ancienne villa gallo-romaine dont on a mis au jour une mosaïque représentant un cep en fruits, ce qui atteste la présence de la vigne dès le 4ᵉ s. *BP 65 - 33330 St-Émilion -* ☏ *05 57 24 72 15 - chateau-la-gaffeliere@chateau-la-gaffeliere.com - lun.-vend. (tlj juin-sept.) 8h-12h, 14h-18h (17h vend.) sur RV.*

Jurade et jurats

Les célèbres vins rouges de St-Émilion étaient qualifiés au Moyen Âge de vins « honorifiques » parce qu'on les offrait en hommage aux souverains et aux personnalités de marque. Dès l'époque médiévale, le conseil municipal d'alors avait la charge de contrôler leur qualité : c'était la jurade qui, reconstituée en 1948, assume encore aujourd'hui cette fonction.

Tous les ans, au printemps *(3ᵉ dim. de juin)*, les jurats, vêtus de leurs robes écarlates bordées d'hermine et coiffés de leurs chaperons de soie, entendent la messe puis se dirigent, en procession, vers le cloître de l'église collégiale, où ils procèdent à de nombreuses intronisations. En fin d'après-midi, du haut de la tour du Roi, la jurade proclame le jugement du vin nouveau.

À l'automne *(3ᵉ dim. de sept.)*, les mêmes jurats, du haut de la même tour du Roi, ouvrent le ban des vendanges.

Saint-Émilion et son vignoble.

♟ Et quelques châteaux où acheter *(voir nos bonnes caves)* : **Château Angélus** et **Château Figeac**.

Quittez St-Émilion au nord près de la porte Bourgeoise par la D 122.

Saint-Georges

L'AOC **saint-georges-saint-émilion** est confidentielle, avec seulement 170 ha. En venant de St-Émilion, et peu avant le village de St-Georges, apparaît à droite le **château St-Georges**, bel édifice Louis XVI construit d'après les plan de Victor Louis, l'architecte du Grand Théâtre de Bordeaux. La petite église romane du village (11ᵉ s.) possède une tour-clocher carrée de 23 m de haut.

Montagne

Le vignoble de l'appellation **montagne-st-émilion** est le plus grand des « satellites » de st-émilion avec 1 560 ha. Les vins sont moins bouquetés que ceux de st-émilion mais se gardent bien. ♟ La **Maison des vins** vous permet de faire connaissance avec les quatre appellations satellites et propose environ 250 références à la vente. Le **Groupe des producteurs de Montagne** donne un bon aperçu de l'appellation *(voir nos bonnes caves)*. ♟ Le **Château Montaiguillon** occupe un site privilégié tout en hauteur ; la vue sur la région est imprenable. ℰ *05 57 74 62 34 - www.montaiguillon. com - visite gratuite lun.-vend. sur RV.*

Au village de Montagne, voyez l'**église** romane que surmonte une tour carrée. De la terrasse voisine, vue sur St-Émilion et la vallée de la Dordogne.

À proximité, l'**écomusée du Libournais** propose une évocation très complète du vignoble libournais. Le **jardin ethnobotanique** est très instructif. ℰ *05 57 74 56 89 - de déb. avr. au 11 Nov. : 10h-12h, 14h-18h - 5,50 € (enf. 2,60 €).*

Continuez sur la D 122 jusqu'à Lussac.

Lussac

Lussac a donné son nom à un vignoble de 1 430 ha. ♟ Le **Château Bonnin** est une bonne adresse, ainsi que l'**Union des producteurs** qui regroupe 140 viticulteurs et propose des vins de qualité *(voir nos bonnes caves)*.

Suivez la D 122 sur 2 km, puis prenez à gauche la D 21 sur 4,5 km.

Petit-Palais-et-Cornemps

Au milieu de son cimetière, l'**église St-Pierre** de Petit-Palais (fin 12ᵉ s.) offre une ravissante **façade★** romane saintongeaise, sculptée avec délicatesse suivant une mode venue des Arabes.

Revenez sur la D 21 jusqu'à Puisseguin.

Puisseguin

Puisseguin produit des vins typés sur les 746 ha de l'appellation puisseguin-saint-émilion. Le **Château de Roques** est aménagé en hôtel-restaurant. ♟ Le domaine viticole du même nom, juste en face, possède une importante cave souterraine sous le château. *33570 Puisseguin - ℰ 05 57 74 69 56 - 9h-17h30 - visite commentée et dégustation payantes.*

Prenez la D 17 vers Castillon-la-Bataille. On entre dans le vignoble des **côtes-de-castillon** (2 945 ha), qui ne produit que des vins rouges bien structurés tout en étant généralement fruités. Les terroirs sont situés essentiellement sur les coteaux au nord de Castillon-la-Bataille. Peu après Puisseguin, une jolie route (D 123^e7) conduit à **Saint-Philippe-d'Aiguilhe**, où se trouve une table d'orientation au lieu-dit Candeleyre. C'est un agréable lieu de pique-nique avec une très belle vue.

Si ce n'est pas l'heure du pique-nique, continuer sur la D 17.

Castillon-la-Bataille

Construite sur une butte, Castillon domine la rive droite de la Dordogne. En 1453, les troupes anglaises placées sous les ordres du général Talbot subirent une lourde défaite devant les troupes des frères Bureau. Cette bataille marqua la fin de la domination anglaise en Aquitaine.

Chaque été, la reconstitution de la bataille de Castillon, animée par 600 figurants bénévoles, est un spectacle grandiose. *Rens. au château Castegens - 33350 Castillon-la-Bataille - ℘ 05 57 40 14 53 - www.bataracastillon.com - de mi-juil. à mi-août : spectacle à 22h30.*

🍷 La **Maison des vins des côtes de Castillon** (*voir nos bonnes caves*) propose 54 vins au prix de la propriété, avec dégustation. Elle organise chaque été des visites de châteaux avant le spectacle de la bataille. *Inscription préalable, puis RV à la Maison des vins à 17h.*

Les adresses du Saint-Émilion

NOS BONNES TABLES

🍴 **Le Vieux Presbytère** – *Pl. de l'Église - 33570 Montagne - 4 km au SO de Lussac par D 122 - ℘ 05 57 74 65 33 - 20/45 €.* Enseigne-vérité : ce restaurant occupe un ancien presbytère voisin d'une chapelle romane. Les repas sont servis dans le cadre rustique de la salle à manger, ou sur la belle terrasse en saison. Cuisine traditionnelle escortée de vins du cru.

🍴 **Le Bouchon** – *1 pl. du Marché - 33330 St-Émilion - ℘ 05 57 24 62 81 - franck. herman@tiscali.fr - fermé nov. à fév. - 19/27 €.* L'une des adresses les plus agréables de la place du Marché, cœur palpitant de la cité où sont installés plusieurs restaurants. La salle à manger repeinte dans les tons jaune et bleu s'agrémente de photographies en noir et blanc. Cuisine traditionnelle soignée et gouleyant choix de vins.

🍴 **L'Envers du Décor** – *11 r. du Clocher - 33330 St-Émilion - ℘ 05 57 74 48 31 - enversdudecor@nerim.fr - fermé 22 déc.- 9 janv. - 17 € déj. - 25/30 €.* Ce bistrot à vins adossé à la collégiale assure, outre la restauration, la vente à emporter de bonnes bouteilles. Dans la salle à manger, mariage réussi du bois, des vieilles pierres et de l'aluminium. Fleurs et figuier agrémentent la terrasse, plaisante et calme. Cuisine du marché.

🍴 **De France** – *7 pl. du Marché - 33420 Branne - ℘ 05 57 84 50 06 - 19/49 €.* Recettes du terroir et grillades aux sarments de vigne à déguster dans un cadre rustique ou sur la belle terrasse ombragée. À midi, menu du jour proposé au bar.

🍴 **Le Tertre** – *r. du Tertre-de-la-Tente - 33330 St-Émilion - ℘ 05 57 74 46 33 - fermé 5 janv.-11 fév., 12 nov.-18 déc., jeu. d'oct. à* *avr. et merc. - 18 € déj. - 25/65 €.* Élégante salle à manger dotée d'un vivier à crustacés et d'un caveau creusé dans la roche où sont stockées quelques bouteilles aux prestigieux millésimes… Cette vision ne pourra qu'éveiller votre appétit, et ça tombe bien puisque le chef vous a mitonné une goûteuse cuisine dans l'air du temps qui fleure bon la Gascogne.

NOS HÔTELS ET CHAMBRES D'HÔTE

🛏 **Henri IV** – *Pl. du 8-Mai-1945 - 33230 Coutras - 15 km au N de Lussac par D 17 - ℘ 05 57 49 34 34 - www.hotelcoutras.com - P - 16 ch. 50/77 € - ⊇ 8 €.* Face à la gare, maison de maître du 19e s. devancée d'une cour-jardin. Un solide mobilier en pin équipe les chambres, simples mais bien tenues. Celles du dernier étage sont mansardées et climatisées. Double vitrage et double fenêtre luttent efficacement contre la rumeur ferroviaire.

🛏 **Auberge de la Commanderie** – *R. des Cordeliers - 33330 St-Émilion - ℘ 05 57 24 70 19 - 18 ch. 65/95 € - ⊇ 9,50 €.* Dans les murs d'une ancienne commanderie du 17e s. Petites chambres rénovées dans un esprit contemporain ; celles de l'annexe, plus grandes, conviendront aux familles.

🛏 **Chambre d'hôte Château Monlot** – *St-Hippolyte - 33330 St-Émilion - 3 km au SE de St-Émilion par D 245 - ℘ 05 57 74 49 47 - www.chateaumonlot.com - ouv. tte l'année - 6 ch. 75/120 € ⊇.* Ce « château » est l'archétype des demeures bourgeoises de la région. Ses chambres, agrémentées de meubles de style, tableaux et photos anciennes, portent chacune le nom d'un cépage : merlot, cabernet, sauvignon… La salle des petits-déjeuners, au décor vigneron, est fort agréable. L'été, on profite du jardin arboré.

📞📚 **Logis des Remparts** – 18 r. Guadet - 33330 St-Émilion - ☎ 05 57 24 70 43 - www.saint-emilion.org - fermé 15 déc.-31 janv. - 🅿 - 16 ch. 70/150 € - 🍽 12 €. Le bâtiment, qui date du 17e s., possède une agréable terrasse judicieusement maintenue à l'abri des regards et un jardin tourné vers le vignoble. Il abrite des chambres confortablement aménagées et se complète d'une véranda où l'on sert les petits-déjeuners.

NOS BONNES CAVES

MAISONS DES VINS

Maison du vin de St-Émilion – Pl. Pierre-Meyrat - 33330 St-Émilion - ☎ 05 57 55 50 55 - www.vins-saint-emilion.com - 9h30-12h30, 14h-18h30 ; août : 9h30-19h - fermé 25 déc. et 1er janv.

Maison des vins de l'Union des satellites de St-Émilion – Au bourg - 33570 Montagne - ☎ 05 57 74 60 13 - www.montagnesaintemilion.com - mai-oct. lun.-vend. 9h-12h30,14h-19h ; nov.-avr. : lun.-vend. 9h-12h30, 14h-18h.

Maison des vins des côtes de Castillon – 6 allée de la République - 33350 Castillon-la-Bataille - ☎ 05 57 40 00 88 - juil.-août : lun.-dim. mat. 9h-13h, 14h-18h ; sept.-juin : tlj sf dim. 8h30-13h, 14h-17h30.

GROUPEMENTS DE PRODUCTEURS

Union des producteurs de St-Émilion – Dans le bas de St-Émilion, près de la voie ferrée sur la D 670 - 33330 St-Émilion - ☎ 05 57 24 70 71 - www.udpse.com - tlj sf dim. 8h-12h (8h30 sam.), 14h-18h (18h30 juil.-août) - fermé j. fériés. Cette cave coopérative vinifie séparément une soixantaine de vins de propriété. L'accueil, assuré par les viticulteurs, est excellent.

Groupe des producteurs de Montagne – La Tour-Mont-d'Or - 33570 Montagne - ☎ 05 57 74 62 15 - lun.-sam. mat. 9h-12h, 14h-18h. Bon aperçu de l'appellation montagne-st-émilion.

Union des producteurs de Lussac – 33570 Lussac - ☎ 05 57 55 50 40 - tlj sf dim. 8h30-12h30 (9h sam.), 14h30-18h30. Elle regroupe 140 viticulteurs et propose des vins de qualité.

DOMAINES

Château Angélus – 33330 St-Émilion - ☎ 05 57 24 71 39 - chateau-angelus@chateau-angelus.com - lun.-vend. 9h-12h, 14h-17h - sur RV. La propriété appartient à la même famille depuis sept générations. Grâce à l'exigence d'Hubert de Boüard de Laforest et de son cousin, Jean-Bernard Grenié, le domaine a été reconnu premier grand cru au classement de 1996. Le vignoble compte aujourd'hui 23,4 ha d'un seul tenant, plantés sur des sols argilo-calcaires et sablo-calcaires. L'encépagement est composé de merlot, de cabernet franc et de cabernet-sauvignon vendangés manuellement. Le cuvier a été remplacé en 2001. 🍷 saint-émilion, saint-émilion-grand-cru.

Château Figeac – 33330 St-Émilion - ☎ 05 57 24 72 26 - chateau-figeac@chateau-figeac.com - lun.-vend. midi (sauf les j. fériés et en août) - sur RV. Pour exploiter les 40 ha de leur propriété, Thierry et Marie-France Manoncourt sont efficacement secondés par leur gendre, Éric, et leur fille, Laure d'Aramon. Les vignes, encépagées de cabernet franc (35 %), de cabernet-sauvignon (35 %) et de merlot (30 %), sont cultivées de manière traditionnelle et vendangées manuellement. Le château est équipé de cuves Inox, de cuves de bois et de fûts de chêne. Le domaine produit également le Château Petit Figeac, le Château La Fleur Pourret et le Château de Millery. 🍷 saint-émilion-grand-cru.

Château Bonnin – Blanchon - 33570 Lussac - ☎ 05 57 74 53 12 - 8h-12h, 14h-18h - sur RV. Patricia et Philippe ont fait l'acquisition du Château Bonnin en 1997. Planté sur un sol argilo-calcaire, le vignoble s'étend sur 6,5 ha encépagés de merlot (85 %), de cabernet-sauvignon (10 %) et de cabernet franc (5 %). Le domaine est conduit de manière traditionnelle avec ébourgeonnage et vendanges en vert pour limiter les rendements. La vinification a lieu par macération préférentielle de trois à six jours en cuves ciment, puis les vins vieillissent en barriques durant douze mois. 🍷 lussac-saint-émilion.

Pomerol et Fronsac

▶ 30 km. Libourne se trouve à 33 km à l'E de Bordeaux par la N 89. Carte Michelin Local 335 H-J 5.

Libourne

Au confluent de la Dordogne et de l'Isle, la petite sœur de Bordeaux a toujours tiré sa prospérité du vin dont le commerce fut relancé au début du 20e s. par des familles corréziennes qui demeurent très actives.

La **place Abel-Surchamp** est bordée de maisons anciennes (16e s. et 19e s). La **tour du Grand-Port**, quai des Salinières, faisait partie des remparts. À gauche du pont, côté ville, le quai du Priourat accueille quelques maisons de négoce, dont la discrète maison Moueix, propriétaire du célébrissime Petrus.

Quittez Libourne au nord-est par la N 89.

Pomerol

Avec seulement 800 ha, le **pomerol** possède une fameuse réputation pour une apparence discrète. Ici, pas de grands châteaux, mais des grands noms. Petrus, l'un des meilleurs – et des plus chers – vins du monde, ressemble tout au plus à une maison bourgeoise. Les pomerols doivent leur finesse et leur bouquet à un terroir très complexe de cailloux, de graves, de sable et d'argile. Le merlot, cépage dominant, confère aux vins un fruité qui les rend agréables dès leur jeunesse et prometteurs sur la durée.

♟ Pour découvrir cette appellation jouxtant celle de st-émilion, adressez-vous au **Château La Fleur de Plince**, la plus petite exploitation de Pomerol avec 28 ares. L'accueillant propriétaire, M. Choukroun, vous fera découvrir son domaine et vous donnera de bonnes adresses. *Le Grand Moulinet - 33500 Pomerol -* ✆ *05 57 74 15 26.*
L'**église** de Pomerol, dont le clocher pointu domine le vignoble, date du 19e s., mais a fait partie d'une ancienne commanderie des hospitaliers de St-Jean-de-Jérusalem.
Au nord-est de l'appellation, le **Château de Salles** (17e s.) est le seul véritable château du secteur. Construit de plain-pied, avec deux ailes, il servit de modèle aux chartreuses 18e s. du Bordelais.
En allant vers St-Émilion, l'élégant **Château de Beauregard**, fin 18e s., a été reproduit à l'identique par la famille Guggenheim sur l'île de Long Island à New York. *33500 Pomerol -* ✆ *05 57 51 13 36 - beauregard@chateau-beauregard.com - lun.-vend. 9h30-12h, 14h30-17h30 sur RV.*

Prenez la D 245 au nord sur 2,5 km.

Lalande-de-Pomerol

Plus vaste que celui de Pomerol, le vignoble de Lalande-de-Pomerol s'étend autour du village du même nom dont l'**église** (12e s.) fut construite par les hospitaliers de St-Jean. Les vins de Lalande sont charpentés, charnus et assez puissants.

♟ Le **Château les Roches de Ferrand** est une valeur sûre de l'appellation à **St-Aignan** *(voir nos bonnes caves).*

Revenez vers Libourne par la D 910, puis prenez à droite la D 670.

Fronsac

Le vignoble de Fronsac, à l'ouest de Libourne, étend ses 816 ha sur six communes. Les vins de Fronsac et de St-Michel-de-Fronsac peuvent utiliser l'appellation **canon-fronsac**.
L'**église St-Martin**, à la fois romane et gothique, aurait été fondée par Charlemagne.

♟ La **Maison des vins** propose 70 vins au prix de la propriété, dont de vieux millésimes. Les Châteaux **Lamarche-Canon**, **Pey-Labrie** et **Richelieu** se signalent par leur qualité *(voir nos bonnes caves).*

♟ Le **Château de La Rivière** (16e-19e s.) fut restauré par Viollet-le-Duc et doit son charme à son style hétéroclite. C'est le plus important domaine de l'appellation, avec 3 ha de caves souterraines. *33126 La Rivière -* ✆ *05 57 55 56 56 - www.chateau-de-la-riviere.com - juin-sept. tlj sf dim. mat. 9h-12h, 14h-17h.*

À Libourne, les arcades de la place Abel-Surchamp.

En continuant sur la D 670, arrêtez-vous à **Saint-Michel-de-Fronsac** : belle église romane (12e-13e s.).

🍷 On arrive à **Cadillac-en-Fronsadais** où le **Château Branda**, ancienne ferme fortifiée du 13e s. restaurée, est aménagé en centre d'exposition sur l'art et le vin, avec un jardin médiéval. On y propose les vins du propriétaire et de l'armagnac. 🖉 05 57 94 09 37 - www.chateau-branda.com - de Pâques à Toussaint : 10h-18h ; de Toussaint à Pâques : dim. et j. fériés 14h-18h - fermé 1er Mai, 25 déc. - 6 €.

Poursuivez jusqu'à St-André-de-Cubzac.

Saint-André-de-Cubzac

Un dauphin, dansant au centre d'un rond-point, porte dans sa gueule un petit bonnet rouge qui rappelle que le commandant Cousteau est né ici. La belle église romane fortifiée (13e-14e s.) conserve ses tours à meurtrières.

🍷 Au nord de la ville, l'imposant **Château du Bouilh**, ceint par son vignoble, fut construit selon les plans de Victor Louis. 🖉 05 57 43 01 45 - de mi-juil. à fin août : tlj 14h30-18h ; de mi-avr. à mi-juil. et sept.-oct. : w.-end et j. fériés 14h30-18h - 5 €.

Les adresses du Libournais

NOS BONNES TABLES

◎ **Le Villagosia** – 12 r. de la République – 33141 Villegouge - 12 km au N de Libourne par D 128 - 🖉 05 57 84 40 50 - fermé vend. midi et dim. soir - 13 € déj. - 21/32 €. Ce restaurant ouvert il y a une poignée d'années sur les hauteurs de Libourne, dans un petit village au milieu des vignes, a déjà ses habitués. Dans son frais décor aux lumineuses tonalités, vous dégusterez des préparations « cent pour cent » maison.

◎◎ **Chez Servais** – 14 pl. Decazes - 33500 Libourne - 🖉 05 57 51 83 97 - fermé 12-25 août, dim. soir et lun. - 24/42 €. L'engageante façade de cette petite maison en pierre abrite une coquette salle à manger : tables fleuries et joliment dressées, chaises cannées, mobilier du meilleur goût… Rejoignez les nombreux habitués du restaurant et régalez-vous comme eux de ses attrayants menus traditionnels.

◎◎◎ **Coq Sauvage** – à Cavernes - 33450 St-Loubès - 15 km au S de St-André-de-Cubzac par D 911 puis D 242 - 🖉 05 56 20 41 04 - www.lecoqsauvage.com - fermé 2-29 août, 24 déc.-9 janv., sam. et dim. - 30/40 €. La Dordogne passe devant cette maison d'un petit village de l'Entre-Deux-Mers. Les plats régionaux mitonnés par le chef sont servis en hiver dans la salle à manger au joli cadre agreste, et en été dans le patio fleuri. Chambres au calme.

◎◎ **Chez Carles** – 1 barrail-de-Tourenne - 33240 St-Germain-de-la-Rivière - 8 km au NO de Libourne par D 670 - 🖉 05 57 84 44 50 - jocelyne@lunerouge.net - fermé dim. soir et lun. - 12 € déj. - 20/30 €. Ce restaurant aménagé sous le même toit que la Maison du pays fronsadais offre une plaisante échappée sur le miroir d'eau d'un étang. Les plats traditionnels concoctés par le chef, s'accompagnent de gouleyants vins de propriété, essentiellement de la région. Grillades sur sarments et ceps de vigne dans la grande cheminée qui réchauffe la salle.

NOS HÔTELS ET CHAMBRES D'HÔTE

◎ **La Tour du Vieux Port** – 23 quai Souchet - 33500 Libourne - 🖉 05 57 25 75 56 - http://latourduvieuxport.com - 14 ch. 45/65 € - 🖵 6 € - rest. 15/28,50 €. Cet hôtel-restaurant voisin de la Tour du Port et faisant face à la Dordogne propose des chambres spacieuses et personnalisées, rénovées avec goût par la propriétaire. Dans l'une des trois salles à manger, vous goûterez une cuisine traditionnelle préparée avec les produits du marché.

◎◎ **Hôtel des Vignobles** – 35 r. André-Nhévoit - 33500 Libourne - 🖉 05 57 51 23 29 - 8 ch. 52 € - 🖵 6,50 €. Ce tout petit hôtel situé entre le stade et la gare dissimule une ravissante cour pavée très verdoyante où l'on dresse des tables pour les petits-déjeuners aux beaux jours. Les chambres sont fonctionnelles, bien tenues et soignées. Une cuisinette équipée est à la disposition des clients.

◎◎◎ **Chambres d'hôte Château de La Rivière** – À la Rivière - 33500 Libourne - 6 km à l'O de Libourne - 🖉 05 57 55 56 51 - www.chateau-de-la-riviere.com - ouvert 15 janv.-15 déc. - 🅿 - 5 ch. 130/240 € 🖵. Dans l'aile Renaissance du Château de la Rivière, au milieu des vignes, cinq chambres spacieuses, mêlant l'ancien et le moderne. Le plus : le parc et la visite des caves.

NOS BONNES CAVES

MAISON DES VINS

Maison des vins de Fronsac – Au bourg - 15 km au SE de St-André-de-Cubzac par D 670 - 33126 Fronsac - 🖉 05 57 51 80 51 -

S. Sauvignier / MICHELIN

mdvfronsac@wanadoo.fr - mi-juin à mi-sept. : tlj sf dim. 10h30-19h ; mi-sept. à mi-juin : tlj sf dim. 10h30-12h30, 14h-18h - fermé j. fériés.

DOMAINES

Château Les Roches de Ferrand – 33126 Saint-Aignan - ✆ 05 57 24 95 16 - vignobles. remy.rousselot@wanadoo.fr - lun.-sam. 8h-20h - sur RV. Les vignes du domaine s'étendent sur 18 ha, dont 14,5 en appellation fronsac et 3,5 en lalande-de-pomerol. Elles couvrent, sur Saint-Aignan, des plateaux et des coteaux calcaires dominant la Dordogne et sur Lalande-de-Pomerol et Néac, des terrasses maigres composées de graves sableuses et d'argile. Le vignoble, encépagé de merlot, de cabernet franc et de cabernet-sauvignon, est conduit en lutte raisonnée. Les vins sont ensuite élaborés dans un cuvier Inox thermorégulé, puis élevés en barriques de chêne français. ⚲ fronsac, lalande-de-pomerol.

Château Lamarche-Canon – 33126 Fronsac - ✆ 05 57 51 28 13 - bordeaux@vgas.com - sur RV. Cette propriété, située au pied du coteau de Canon, s'étend sur 22 ha en bordeaux supérieur et 5 ha en canon-fronsac. Le vignoble, encépagé de merlot (80 %) et de cabernet-sauvignon (20 %), est cultivé en lutte raisonnée, avec vendanges manuelles, et l'élevage a lieu en fûts de chêne, dont 40 % sont neufs, durant douze à seize mois. ⚲ bordeaux-supérieur, canon-fronsac.

Château Moulin Pey-Labrie – 33126 Fronsac - ✆ 05 57 51 14 37 - moulinpeylabrie@wanadoo.fr - sur RV. Par amour du vin, les Hubau ont quitté leur Nord natal en 1988. Le domaine s'étend sur 6,5 ha, encépagés à 100 % de merlot. Le vignoble, planté sur des sols argilo-calcaires, est vendangé manuellement, avec éraflage total. La vinification a lieu en cuves de petit volume, équipées d'un dispositif de régulation des températures. Les vins sont ensuite élevés pendant dix-huit mois, en barriques, dont 30 à 50 % de bois neuf. ⚲ canon-fronsac.

Château Richelieu – Chemin du Tertre - 33126 Fronsac - ✆ 05 57 51 13 94 - info@chateau-richelieu.com - 9h-12h30, 14h-17h. Le domaine s'étend sur 12,5 ha, encépagés de merlot, de cabernet franc et de malbec. Le vignoble est conduit selon des méthodes raisonnées : travail du sol, abandon du désherbage chimique et des engrais. Les vendanges sont manuelles, puis la vinification s'effectue avec ajout de levures indigènes. Les vins sont ensuite élevés sur lies, pendant douze mois, en barriques de chêne français. ⚲ fronsac.

Le Bourgeais et le Blayais

CARTE MICHELIN LOCAL 335 – GIRONDE (33)

Les coteaux calcaires qui bordent la rive droite de la Gironde offrent des paysages vallonnés au charme agreste. Ici, pas de grands châteaux ni de crus classés, mais de petites propriétés familiales et des traditions rurales encore bien vivantes.

De Bourg à Blaye

▶ 32 km. Bourg se trouve à 35 km au N de Bordeaux par la N 10. Carte Michelin Local 335, H-I 4.

Bourg

Il fait bon flâner dans les ruelles pentues de cette petite ville, la tête haut perchée mais les pieds dans l'eau. Depuis la **terrasse du District**, ombragée de vieux ormeaux et de tilleuls, le regard se pose d'abord sur les toits de tuiles de la ville basse, couleur terre de Sienne brûlée, puis sur la Dordogne et la Garonne qui se rejoignent au bec d'Ambès pour former la Gironde (table d'orientation).

Prenez le temps de vous promener dans la ville basse et sur le port, au pied d'une falaise calcaire. Le **château de la Citadelle**, du 18ᵉ s., est entouré d'un jardin à la française. De la terrasse, vues étendues sur le confluent et l'estuaire.

👥 Dans son enceinte se trouve le **musée hippomobile « Au temps des calèches »** qui compte quarante véhicules du 19ᵉ s. ✆ 05 57 68 23 57 - juin-août : 10h-13h, 14h-19h ;

LE TERROIR

Superficie : 10 700 ha.
Production : 520 000 hl.
Les sols sont argilo-calcaires et argileux à l'ouest, plus sablonneux à l'est.

LES VINS

Le vignoble des Côtes de Bourg et du Blayais produit surtout des vins rouges bien charpentés qui ont une bonne capacité de garde. On y fait aussi quelques vins blancs secs fruités, aromatiques et ronds qui sont à boire jeunes.

AOC blaye, premières-côtes-de-blaye et **côtes-de-bourg :** cépages merlot, cabernet-sauvignon, cabernet franc et malbec pour les rouges.

AOC blaye, côtes-de-blaye, premières-côtes-de-blaye et **côtes-de-bourg :** cépages sauvignon, sémillon, muscadelle, colombard et ugni blanc pour les blancs.

BON À SAVOIR

👁 **Syndicat des premières côtes de Blaye** – ✆ 05 57 42 91 19 - info@aoc-blaye.com

👁 **Syndicat viticole des côtes de Bourg** – ✆ 05 57 94 80 20 - www.cotes-de-bourg.com

---

mars-mai et sept.-oct. : w.-end et j. fériés 10h-13h, 14h-19h, en sem. sur demande - fermé 1er Mai -4,50 €.

🍷 La **Maison des côtes-de-bourg** propose un important choix de bouteilles dans une belle cave voûtée *(voir nos bonnes caves)*.

🍷 Le **Château de la Grave**, restauré dans le style Louis XIII *(chambres d'hôte)* mérite une visite pour son cadre comme pour ses vins. *33710 Bourg - ✆ 05 57 68 41 49 - sur RV.*

🍷 Avant de prendre la direction de Blaye, prenez le temps de descendre au Pain de Sucre, au pied de la falaise, où la **Maison Brouette** élabore le crémant-de-bordeaux dans le dédale de caves aménagées dans d'anciennes carrières. *Pain de Sucre - 33710 Bourg - ✆ 05 57 68 42 09 - juil.-août : 8h-12h, 14h-18h30 ; sept.-juin : tlj sf w.-end 8h-12h, 14h-18h (17h vend.) - fermé 1er janv. et 25 déc.*

Prenez à l'est la D 669.

Grottes de Pair-non-Pair

✆ 05 57 68 33 40 - de mi-juin à mi-sept. : visite guidée (45mn, dernière entrée 1h av. fermeture) 10h-17h30 ; de mi-sept. à mi-juin : 10h-11h30, 14h30-16h30 - fermé 1er janv., 1er Mai, 25 déc. - 5 € (-18 ans gratuit) - gratuit 1er dim. du mois (oct.-mai) - en haute sais. il est préférable de réserver la veille.

👥 Le nom de Pair-non-Pair viendrait d'un village perdu au jeu par un noble. Les grottes creusées dans le calcaire abritent des gravures aurignaciennes du paléolithique supérieur (-20 000 à -25 000 ans) représentant chevaux, mammouths, bouquetins, bison et un fin cheval à tête retournée.

Prenez au nord la D 133.

Tauriac

La commune de Tauriac, au centre de l'appellation, possède plusieurs domaines de renom. 🍷 La dynamique **cave viticole de Bourg-Tauriac**, vous réserve un bon accueil et propose un large choix de vins de qualité *(voir nos bonnes caves)*.

Faites demi-tour, dépassez Bourg et continuez sur la D 669.

La route, en corniche au dessus de l'estuaire, offre des vues saisissantes sur la Gironde et le bec d'Ambès. Les Châteaux de Tayac et d'Eyquem occupent des sites panoramiques et produisent de bons vins.

Bayon-sur-Gironde

L'église romane est très intéressante pour son abside à sept pans extérieurs.

🍷 Le **Château Falfas** est un beau manoir du 17e s. qui produit des vins renommés. ✆ 05 57 64 80 41 - lun.-vend. 9h-12h, 14h-18h - sur RV.

En redescendant sur la rive de la Gironde en direction de Blaye, on traverse une série de hameaux qui possèdent quelques habitations troglodytes. Remarquez les carrelets, filets suspendus à un treuil que l'on manœuvre depuis une cabane sur pilotis au-dessus de l'eau.

À la Roque de Thau, tournez à droite dans la D 250. 🍷 À **Villeneuve**, allez visiter le **Château de Mendoce**, belle gentilhommière du 15ᵉ s. à quatre tours d'angles, où l'on déguste un bon côtes-de-bourg dans une salle majestueuse. 𝒫 *05 57 68 34 95 - www.mendoce.com - 9h-12h, 14h-18h sur RV.*

Revenez sur la D 669.

Plassac

En contrebas de l'église, des fouilles ont mis au jour les restes de trois **villas gallo-romaines** des 1ᵉʳ-5ᵉ s. Un musée en retrace l'historique et expose le produit des fouilles. 𝒫 *05 57 42 84 80 - visite libre du musée, visite guidée de la villa (30mn) - mai-sept. : 9h-12h, 14h-19h ; avr. et oct. : 9h-12h, 14h-18h - 3 € (enf. 1,50 €).*

🍷 Le **Château Mondésir-Gazin** produit un très bon rouge *(voir nos bonnes caves).*

Blaye

La région de Blaye (prononcer blaille) produit sur environ 6 000 ha des rouges et des blancs secs dans les appellations **côtes-de-blaye**, **blaye** et **premières-côtes-de-blaye**. Les vins rouges sont à la fois robustes et fruités et peuvent vieillir entre cinq et dix ans. Les blancs sont fruités et assez ronds. 🍷 La **Maison du vin** propose un choix de 270 vins de l'appellation dans plusieurs millésimes *(voir nos bonnes caves).*

La **citadelle★**, destinée à protéger Bordeaux de la flotte « angloise », fut terminée par Vauban en 1689. C'est une véritable petite ville, animée en saison. On aura de belles **vues** du haut de la **tour des Rondes**, de la **tour de l'Éguillette** et de l'esplanade de la place d'Armes. 𝒫 *05 57 42 12 09 - avr.-oct. : 13h30-19h ; nov.-mars : 13h30-18h - 2,90 € (enf. 2,30 €).*

Un aperçu de la citadelle de Blaye.

Le bâtiment de la **Manutention** fut construit en 1677 pour abriter la prison. Il accueille d'intéressantes **expositions** sur l'écosystème de l'estuaire ainsi que sur les activités liées à la Gironde. 𝒫 *05 57 42 80 96 - www.estuairegironde.net - avr.-oct. : 13h30-19h - 2,80 € (enf. 1,70 €).*

🚲 Une **piste cyclable**, de Blaye à Étauliers, parcourt 13 km à travers les vignes.

En sortant de Blaye, prenez à l'est la D 937.

Cars

Cars compte de nombreuses propriétés viticoles. 🍷 La **cave coopérative du Blayais** propose quelques vins de propriétés sympathiques *(voir nos bonnes caves).*

🍷 Sur les hauteurs de Cars, le **Château Bel Air La Royère** utilise le cépage malbec *(voir nos bonnes caves).*

Les adresses du Bourgeais et du Blayais

NOS BONNES TABLES

🍴 **Le Troque-Sel** – *1 pl. Jeantet - 33710 Bourg - 𝒫 05 57 68 30 67 - www.letroquesel.com - fermé dim. soir, mar. soir et lun. - 11/25,80 €.* Les plats servis dans ce restaurant se laissent déguster avec le plaisir que procurent les bonnes choses toutes simples. Pour accompagner la lamproie à la bordelaise ou le magret de canard gras aux cèpes, la carte des vins propose un large choix de côtes-de-bourg et de différents crus du Bordelais.

🍴🍴 **La Citadelle** – *5 pl. d'Armes - 33390 Blaye - 𝒫 05 57 42 17 10 - www.hotel-la-citadelle.com - 25/35 € - 21 ch. 61/90 €.* Sa situation exceptionnelle au cœur de la citadelle de Blaye est l'atout majeur de cette adresse. La salle à manger, moderne et éclairée de grandes baies vitrées, et la terrasse offrent une vue superbe sur l'estuaire de la Gironde. Cuisine traditionnelle. Chambres pratiques. Piscine.

🍴🍴 **La Filadière** – *Rte de la Corniche - À Furt - 33710 Gauriac - 8 km au SE de Blaye par D 669 - 𝒫 05 57 64 94 05 - lafiladiere@tiscali.fr - fermé 2-14 déc., mar. soir du 15 sept. au 30 juin et merc. - 22/30 €.* En été, les becs fins profitent de la vue panoramique offerte par la terrasse de la Filadière. Le reste de l'année, ils sont accueillis dans la lumineuse salle à manger habillée de couleurs vives et garnie d'un ravissant mobilier en rotin. Appétissantes recettes régionales sur toutes les tables.

NOS CHAMBRES D'HÔTE

☺☺ **Closerie des Vignes** – *Village Arnaud - 33710 St-Ciers-de-Canesse - 10 km au SE de Blaye par D 669 puis D 250 -* ℘ *05 57 64 81 90 - www.la-closerie-des-vignes.com - avr.-oct. -* 🅿 *- 9 ch. 75/85 € -* ☕ *9 € - rest. 26/33 €.* Pavillon récent cerné par le vignoble de Blaye. Chambres de bonne ampleur, dotées d'un mobilier moderne aux lignes épurées, et salle à manger aux murs lambrissés ouvrant sur les vignes et le jardin. À table, cuisine traditionnelle simple.

☺☺ **Chambre d'hôte Château Pontet d'Eyrans** – *25 le Pontet Nord-Est - 33390 Eyrans - 9 km au NE de Blaye par D 937 -* ℘ *05 57 64 71 07 - www.chateaupontet.fr -* ✉ *- réserv. obligatoire - 5 ch. 55/100 €* ☕*.* Ce château achevé en 1860 est tout simplement charmant. Les anciennes dépendances abritent les chambres d'hôte et trois gîtes ; tous sont confortables, plaisamment aménagés et donnent sur la piscine. Agréable parc sur l'arrière.

☺☺☺ **Chambre d'hôte Villa Prémayac** – *13 r. Prémayac - 33390 Blaye -* ℘ *05 57 42 27 39 - www.villa-premayac. com - 5 ch. 90 €* ☕*.* Étape pleine de charme au pied de la citadelle, cette demeure du 18ᵉ s. dispose de plaisantes chambres au décor personnalisé : meubles anciens, couleurs agréables et tissus choisis. Le propriétaire, ancien professeur de golf, organise des séjours panachant découverte des greens régionaux et du vignoble bordelais.

NOS BONNES CAVES

MAISON DES VINS

Maison du vin des côtes de Bourg – *1 pl. de l'Éperon - 33710 Bourg -* ℘ *05 57 68*

22 28 - de mi-juin à mi-sept. : 10h-13h, 15h-19h ; 15 sept.-15 juin : tlj sf dim. 9h30-12h30, 14h-18h.

Maison du vin des Premières Côtes de Blaye – *12 cours Vauban - 33390 Blaye -* ℘ *05 57 42 91 19 - www.premieres-cotes-blaye.com - 8h30-12h30, 14h-18h30 ; en juil.-août : initiation gratuite à la dégustation mar.-jeu. 16h45-17h45 - fermé j. fériés.*

CAVES COOPÉRATIVES

Cave viticole de Bourg-Tauriac – *3 av. des Côtes-de-Bourg - 33710 Tauriac -* ℘ *05 57 94 07 07 - 9h-12h30, 13h30-18h.* Large choix de vins de qualité.

Cave coopérative du Blayais – *9 Le Piquet - 33390 Cars -* ℘ *05 57 42 13 15 - www.la-cave-des-chateaux.com - tlj sf dim. 9h-12h, 14h-18h - fermé j. fériés.* La cave propose quelques vins de propriétés sympathiques.

DOMAINES

Château Mondésir-Gazin – *10 Le Sablon - 33390 Plassac -* ℘ *05 57 42 29 80.* Vigneron d'origine bretonne, Marc Pasquet s'est installé à Plassac en 1990. Le vignoble couvre quelque 14 ha de vignes âgées de 30 ans en moyenne. Merlot, malbec et cabernet-sauvignon s'enracinent dans un sol argilo-calcaire. Les vendanges sont manuelles avec tris rigoureux des raisins. La vinification s'effectue en cuves Inox et l'élevage se poursuit en barriques. 🍷 côtes-de-blaye, côtes-de-bourg, premières-côtes-de-blaye.

Château Bel Air La Royère – *Les Ricards - 33390 Cars -* ℘ *05 57 42 91 34 - sur RV.* En 1992, après des études de viticulture, Xavier et Corinne Loriaud achètent cette ancienne propriété, dont le vignoble s'étend sur 22 ha dont 10 sont en fermage. Les vignes, âgées en moyenne de 40 ans, sont vendangées manuellement. La vinification, traditionnelle, a lieu en cuves béton et en cuves inox. Les vins sont ensuite élevés en barriques pendant dix-huit mois. 🍷 premières-côtes-de-blaye.

Le Médoc

CARTE MICHELIN LOCAL 335 – GIRONDE (33)

La presqu'île du Médoc se dresse entre Gironde et Atlantique. Son nom est synonyme de grands vins mais près de 80 % de ses terres sont occupées par la forêt. Ici, l'eau n'est jamais loin du vin. Bien arrosée par les pluies venant de l'Atlantique, et bénéficiant d'un climat doux, la vigne pourrait ne rien donner de très bon si les Médocains n'avaient eu le génie de la planter en masse – avec des densités de 10 000 pieds par hectare contre 4 000 ailleurs – sur des sols particulièrement pauvres, ce qui a pour effet de discipliner la plante et d'éviter de la faire « pisser ». L'autre secret du Médoc, c'est le génie des maîtres de chais qui savent doser avec précision l'assemblage des cépages et des parcelles et maîtrisent à la perfection l'art de l'élevage en barrique de chêne.

LE TERROIR
Superficie : 16 500 ha.
Production : 773 000 hl
Le terroir est principalement constitué de croupes graveleuses (sables, graviers et galets) dont la pente est tournée vers la Gironde.

LES VINS
Si les 16 500 ha du vignoble ont droit à l'appellation **médoc**, dans les faits, celle-ci n'est utilisée que par les vignobles les plus au nord. Ils donnent uniquement des vins rouges bouquetés, élégants, tanniques et de bonne garde.
AOC médoc et haut-médoc (appellations régionales), **moulis, listrac, saint-estèphe, pauillac, saint-julien, margaux** (appellations communales) : cépages cabernet-sauvignon, merlot, cabernet franc, petit verdot et malbec.
En 1855, Les vins du Médoc ont fait l'objet d'un classement – du premier au cinquième cru – à la demande de Napoléon III ; ce classement a été revu en 2003. Le classement des crus bourgeois, quant à lui, a été instauré en 1932.

De Bordeaux à Pauillac (1re étape)

◗ 50 km. Carte Michelin Local 335, F-H 3-5. Voir le circuit sur le plan p. 146.

Quittez Bordeaux au nord-ouest par la N 215 et à Eysines, prenez la D 2 à droite. Pour ceux qui partiraient du Parc des Expositions, suivre la D 209.

Voici le Haut-Médoc, vaste région d'appellation sur 4 200 ha, à l'intérieur de laquelle sont enclavés les six crus villageois margaux, moulis, listrac, saint-julien, pauillac et st-estèphe. On entre dans l'AOC **haut-médoc** dès **Blanquefort** où se trouvent les ruines, que l'on dit hantées, du château (11e-15e s.) du mystérieux Prince Noir.

À Blanquefort, quittez la D 2 pour le D 210, parallèle à cette dernière, mais plus à l'est.

🍷 La vigne se fait plus abondante à partir de **Parempuyre** où se dresse le beau **Château Clément-Pichon**, exemple typique d'architecture « néo » du 19e s., qui produit un très bon cru bourgeois. *30 av. du Château-Pichon - 𝄞 05 56 35 23 79 - lun.-vend. 9h-17h sur RV.*

Ludon-Médoc
🍷 Peu avant d'arriver à Ludon-Médoc, l'élégant **Château d'Agassac** est un fort du 12e s. transformé en château Renaissance. C'est un excellent cru bourgeois. *15 r. du Château-d'Agassac - 𝄞 05 57 88 15 47 - contact.agassac.com - sans RV juin-sept. : mar.-sam. 10h-18h30 ; sur RV oct.-mai : lun.-vend. 9h30-12h30, 13h30-16h30.*
🍷 Dans le bourg se dresse la chartreuse du 18e s. du prestigieux **Château La Lagune**, 3e cru classé *(voir nos bonnes caves).*

Macau
Cette bourgade, réputée pour ses artichauts, possède un port bordé de guinguettes où les Bordelais viennent déguster, selon la saison, aloses, lamproies, anguilles et, toute l'année, de délicieuses chevrettes, petites crevettes de l'estuaire parfumées à l'anis.

Revenez sur la D 2.

Labarde
Dès Labarde, on pénètre dans l'appellation **margaux** qui, sur 1 400 ha, produit certains des vins les plus fins du Médoc, alliant à la fois force tannique et suavité grâce à un pourcentage important de merlot. L'appellation compte 19 crus classés.
🍷 Le **Château Siran** est une chartreuse (17e s., Directoire). Ses 40 ha sont classés en cru bourgeois. Outre le chai à barriques, vous découvrirez dans le château des gravures signées Rubens, Vélasquez, Boucher, Daumier. Très belle collection de faïences Vieillard. *𝄞 05 57 88 34 04 - www.chateausiran.com - ♿ - visite guidée (30mn) 10h15-18h (dernière entrée 30mn av. fermeture) - fermé 1er janv., 25 déc. - gratuit.*
🍷 Le **Château Dauzac** est un beau bâtiment du 18e s. On y produit un excellent vin *(voir nos bonnes cave).*
🍷 Au **Château Giscours**, autre fleuron de l'appellation, on peut admirer le beau bâtiment du Second Empire et faire des balades en calèche ou à cheval dans les vignes. *10 rte de Giscours - 𝄞 05 57 97 09 09 - www.chateau-giscours.fr - 3 visites le matin à partir de 10h, 3 visites l'après-midi à partir de 14h sur RV - payant.*

Margaux

🍷 La **Maison du vin de Margaux** vend une cinquantaine de vins au prix de la propriété *(voir nos bonnes caves)*. 🍷 Premier grand cru classé, le vignoble de **Château Margaux** fait partie de l'aristocratie des vins de Bordeaux. Il couvre 85 ha. Le château, bâti en 1802, est de proportions harmonieuses. On visite les chais, les installations de vinification et une collection de vieilles bouteilles. Un jardin à l'anglaise contraste, par sa fantaisie, avec la sévérité des bâtiments. 📞 *05 57 88 83 83 - www.chateau-margaux. com - visite guidée (1h30) sur demande (15 j. av.) : tlj sf w.-end 10h-12h, 14h-16h - fermé août et pdt les vendanges - gratuit.*

Poursuivez sur la D 2 et avant Lamarque, tournez à gauche dans la D 5.

Château Maucaillou

Le domaine propose la visite de son chai et de son **musée des Arts et Métiers de la vigne et du vin** exposant les méthodes anciennes et modernes de viticulture de

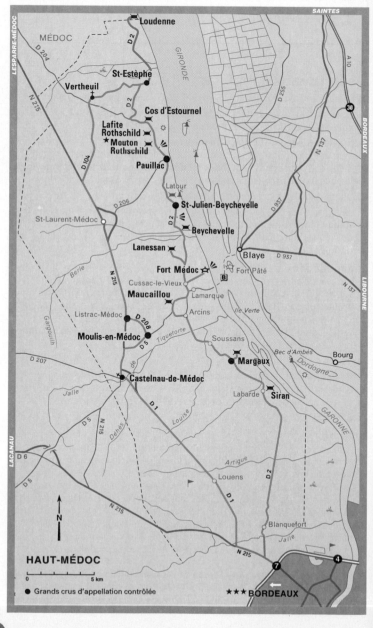

Le Château Beychevelle.

Maucaillou. ℘ *05 56 58 02 58 - www.maucaillou.com - ♿ - visite guidée (1h30) - mai-sept. : 10h-17h ; oct.-avr. : 10h-11h, 14h-16h - fermé 1er janv. - 6,90 € (enf. 3 €).*

Lamarque
Si l'envie vous prend d'aller visiter le Blayais, vous pouvez prendre le bac qui relie Lamarque à Blaye. Sur le port, près du château fort, vous trouverez d'agréables guinguettes pour déguster les fruits de mer de l'estuaire.

À Cussac-le-Vieux, prenez à droite.

Fort Médoc
℘ *05 56 58 91 30. - juil.à mi-sept. : 9h-12h30, 13h-19h ; avr.-juin et de mi-sept. à oct. : 10h-12h30, 13h-19h ; nov.-mars : tlj sf lun. 10h-12h30, 13h-7h - 2,20 € (-12 ans gratuit).*
Il fut conçu en 1689 par Vauban pour interdire les approches de Bordeaux à la flotte anglaise. Il croisait ses feux avec ceux de la citadelle de Blaye, de l'autre côté de l'estuaire. Par une porte ornée des armoiries du Roi-Soleil, on pénètre dans la cour où les principaux éléments du fort sont indiqués.

Traversez Cussac en allant vers Pauillac et prenez le chemin sur la gauche qui mène au Château Lanessan.

Château Lanessan
℘ *05 56 58 94 80 - www.lanessan.com - ♿ - réservation recommandée - visite guidée (1h) 9h30-12h, 14h-18h - fermé 1er janv., 25 déc. - 6 € (8-12 ans 2 €, 12-18 ans 3 €).*
🍷 Campé au faîte d'un domaine de 400 ha, le Château Lanessan, construit en 1878, apparaît comme un mélange de Renaissance espagnole et de style hollandais. La visite des chais s'achève par une dégustation. Dans les communs, le **musée du Cheval** présente une intéressante collection de voitures hippomobiles de 1900.

Beychevelle
Groupé autour des bourgs de Beychevelle et de Saint-Julien-Beychevelle, l'appellation **saint-julien** rassemble 11 crus classés sur seulement 909 ha. Ses vins, d'une grande finesse, ont aussi du corps. On dit parfois qu'ils réunissent à la fois les qualités des margaux et des pauillacs.
🍷 Le nom de Beychevelle (« baisse-voile ») viendrait du salut que les navires devaient faire au 17e s. en passant devant le **Château Beychevelle**. La blanche et charmante chartreuse reconstruite en 1757, agrandie à la fin du 19e s., présente un fronton sculpté de guirlandes et de palmes. Le château et le vignoble, classé 4e grand cru, appartiennent à une mutuelle. Outre le grand vin, on y produit L'Amiral de Beychevelle, de très bonne qualité et beaucoup plus abordable. ℘ *05 56 73 20 70 - www.beychevelle.com - visite guidée (1h) - juil.-août : tlj sf dim. et j. fériés 10h-12h, 13h30-17h ; sept.-juin : tlj sf w.-end 10h-12h, 13h30-17h - sur RV - gratuit.*

Au-delà de Beychevelle, vues agréables sur l'estuaire de la Gironde.

Saint-Julien-Beychevelle
🍷 Le **Château Ducru-Beaucaillou**, belle chartreuse directoire, produit un second cru classé qui rivalise avec les premiers pour sa magnifique expression de cabernet-sauvignon *(voir nos bonnes caves).*

Saint-Lambert
♟ Le **Château Pichon-Longueville-Baron**, édifice du 19ᵉ s. encadré par de fines tourelles romantiques, est un grand second cru *(voir nos bonnes caves)*.

Pauillac
À mi-chemin entre Bordeaux et la pointe de Grave, Pauillac est doté d'un port de plaisance. Mais Pauillac et ses environs sont avant tout La Mecque des amateurs de grands crus avec dix-sept crus classés dont trois premiers : mouton-rothschild, lafite-rothschild et latour. Les 1 200 ha de l'appellation **pauillac** sont situés sur des croupes graveleuses très bien drainées sur lesquelles le cabernet-sauvignon majoritaire trouve sa plus belle expression. Les vins de Pauillac sont puissants, colorés et corsés. En vieillissant ils prennent un extraordinaire bouquet qui accompagne particulièrement bien les viandes rouges.

La **Maison des vins et du tourisme** est une mine de renseignements sur le vignoble et ses environs, ainsi que sur les activités sportives. ☞ Entre autres, Pauillac est le point de départ de **6 circuits** (5 à 21 km) à parcourir à pied ou à vélo. *Renseignements à la Maison du tourisme - La Verrerie - ℰ 05 56 59 03 08 - www.pauillac-medoc.com*

♟ Vous trouverez un bon choix de pauillac et de haut-médoc à la **cave coopérative Larose** *(voir nos bonnes caves)*.

♟ Le **Château Pichon-Longueville-Comtesse-de-Lalande** possède un petit musée de verrerie et d'objets liés au vin. On y produit un excellent second cru classé. De la terrasse, belle vue sur la Gironde. *ℰ 05 56 59 19 40 - pichon@pichon-lalande.com - lun.-vend. (et sam. de mai à mi-sept.) 9h-11h30, 14h-16h - sur RV - gratuit.*

EN MARGE DU VIGNOBLE

Sports et bronzette à Soulac-sur-Mer
96 km au N-O de Bordeaux par la N 215. Sur la côte du Médoc, Soulac est relativement protégée de la houle par un banc en haut fond, cependant les quatre plages sont surveillées. Comme sur toute la côte atlantique, la station est idéale pour tous les sports nautiques de glisse. Du quartier de l'Amélie, vous pouvez accéder à la plage centrale à vélo par une piste cyclable. Lorsque la chaleur se fait trop forte au soleil, allez vous rafraîchir sous les pins. Au choix : balades à pied, à vélo, parcours de santé.

Surveiller le large au phare de Cordouan★★
100 km au N-O de Bordeaux par la N 215 puis la vedette maritime. Réservation au ℰ 05 56 09 62 93 - www. vedettelaboheme.com - liaisons de fin mars à fin oct. : tlj sf vend. en fonction des marées et des conditions climatiques - dép. de la pointe de Grave au Verdon-sur-Mer, vedette La Bohême II - traversée en bateau et entrée du phare : 28 € (-12 ans 18 €).
Au 14ᵉ s., le Prince Noir fit élever une tour octogonale au sommet de laquelle un ermite allumait de grands feux. À la fin du 16ᵉ s., cette tour tombant en ruine, Louis de Foix, ingénieur et architecte qui venait de déplacer l'embouchure de l'Adour, se mit en devoir de bâtir, avec plus de 200 ouvriers, une sorte de belvédère surmonté de dômes et de lanternons. Avec ses étages Renaissance, qu'une balustrade sépare du couronnement bâti en 1788, ce phare (67,5 m) donne une impression de hardiesse. L'escalier de 311 marches grimpe à la lanterne.

Les adresses de Bordeaux à Pauillac

🛌 Vous trouverez des adresses à **Bordeaux** dans le carnet des côtes-de-bordeaux, p. 121.

NOS BONNES TABLES

🍽 **Le Lion d'Or** – *Pl. de la République - 33460 Arcins - 6 km au NO de Margaux par D 2 - ℰ 05 56 58 96 79 - fermé juil., 24 déc.-1ᵉʳ janv., dim., lun. et j. fériés - réserv. obligatoire - 12 €.* Cet ancien relais de poste compose une halte gourmande bien sympathique. Le cadre de style bistrot est à l'image du patron-chef, sans chichis et plein de caractère. L'ardoise annonce le menu du jour aux nombreux fidèles qui fréquentent l'adresse pour sa cuisine du terroir soignée et généreuse.

🍽 **Café Lavinal** – *À Bages, pl. Desquet - 33250 Pauillac - ℰ 05 57 75 00 09 - fermé 26 déc.-5 fév. et dim. soir - 12/25 €.* Joli bistrot « néo-rétro » créé en 2006 au centre de Pauillac. Chef officiant à vue dans un registre traditionnel. Ardoise du jour et vins locaux de propriété.

☺☕ **Ferme-auberge Château Guittot-Fellonneau** – *33460 Macau - 6 km au SE de Margaux par D 2 puis D 209* - ✆ *05 57 88 47 81 - fermé vac. de fév. et 16 août-5 sept. - 18/37 €.* Dans cette propriété viticole du Médoc, alchimie du vin rime avec science de la bonne chère. Sur la terrasse dominant les vignes, laissez-vous aller au plaisir d'un vrai repas du Sud-Ouest composé de rillettes, confits, foie gras, etc., préparés de A à Z par la patronne.

☺☕🛏 **Auberge de Savoie** – *1 pl. Trémoille - 33460 Margaux* - ✆ *05 57 88 31 76 - fermé vac. de fév., de Noël et dim. soir - 26/85 €.* L'accueil est très sympathique dans cette belle maison en pierre du 19ᵉ s. voisine de l'Office de tourisme. Les repas sont servis dans deux agréables salles à manger colorées et, par beau temps, sur la plaisante terrasse. Goûteuse cuisine préparée sur un fourneau à charbon et belle carte de bordeaux.

NOS HÔTELS

☺🛏 **France et Angleterre** – *3 quai Albert-Pichon - 33250 Pauillac* - ✆ *05 56 59 01 20 - contact@hoteldefrance-angleterre. com - fermé 19 déc.-15 janv. - 29 ch. 55/70 € - ☕ 9 € - rest. 19/38 €.* Bâtisse du 19ᵉ s. située sur les quais et abritant des chambres fonctionnelles bien rénovées. Celles de la façade principale offrent une jolie vue sur la Gironde. Cuisine traditionnelle et plats du terroir, dont l'agneau de Pauillac, servis dans une salle à manger au cadre moderne prolongée d'une véranda.

☺🛏 **Le Pavillon de Margaux** – *3 r. Georges-Mandel - 33460 Margaux* - ✆ *05 57 88 77 54 - www.pavillonmargaux. com - ouvert tte l'année - 14 ch. 84/115 € - ☕ 12 € - rest. 15/51 €.* En contemplant ce ravissant bâtiment du 19ᵉ s. postée en bordure des vignes, il est bien difficile d'imaginer qu'il abritait jadis l'école communale. Chaque chambre porte le nom et affiche un décor inspiré d'un château du Médoc. Celles logées dans une aile récente sont plus petites. Remarquable cave à vins.

NOS BONNES CAVES

MAISON DU VIN ET COOPÉRATIVE

Maison du vin de Margaux – *Pl. de la Trémoille - 33460 Margaux* - ✆ *05 57 88 70 82 - juin-sept. 10h-13h, 14h-19h ; avr.-oct. : tlj sf dim. 10h-12h30, 14h-18h ; janv.-mars : mar.-vend. 10h-12h, 14h-18h30 ; nov.-déc. : tlj sf dim. 10h-12h, 14h-18h - fermé j. fériés en hiver.*

Cave coopérative Larose – *44 av. du Mar.-Joffre - 33250 Pauillac* - ✆ *05 56 59 26 00 - larosepauillac@wanadoo.fr - 8h-12h, 14h-18h, lun. et sam. 9h-12h, 14h-18h (juil.-août 19h).* Plus de 75 ans après sa création, cette cave continue de produire, selon des méthodes naturelles, des vins remarqués

et appréciés par les amateurs : la Rose Pauillac, commercialisée après 3 années de garde, fait l'unanimité, et la Fleur Pauillac, qui peut être bue plus jeune, ne manque pas non plus d'attrait.

DOMAINES

Château La Lagune – *81 av. de l'Europe - 33290 Ludon-Médoc* - ✆ *05 57 88 82 77 - lalagune@club-internet.fr - lun.-jeu. 9h-11h, 14h-17h - sur RV.* Plusieurs propriétaires se sont succédé au château jusqu'à son acquisition en 2000 par Jean-Jacques Frey. Le domaine, dirigé à l'heure actuelle par la fille de ce dernier, Caroline, aidée par Denis Dubourdieu, s'étend sur 80 ha, encépagés de cabernet-sauvignon, de merlot et de petit verdot. Le vignoble couvre des sols de graves légères. Le nouveau cuvier est opérationnel depuis la récolte 2004. Les vins sont élevés en barriques, dont 55 % de bois neuf, de quinze à dix-huit mois. 🍷 haut-médoc.

Château Dauzac – *33460 Labarde* - ✆ *05 57 88 32 10 - lun.-vend. 9h-12h, 14h-17h30 - sur RV.* La MAIF possède ce domaine depuis 1988. En 1992, elle en a confié l'exploitation à André Lurton. Sa fille, Christine, lui a succédé en 2005. Le vignoble de 45 ha s'étend sur des graves profondes où cabernet-sauvignon (58 %), merlot (37 %) et cabernet franc (5 %) plongent leurs racines. Les vignes, âgées en moyenne de 30 ans et plantées à une densité de 10 000 pieds/ha, sont taillées en guyot double avec ébourgeonnage, puis sont vendangées manuellement en cagettes, avec double tri. Les vins sont élevés en barriques, dont 50 à 80 % de bois neuf, pendant douze mois. 🍷 haut-médoc, margaux.

Château Ducru-Beaucaillou – *33250 St-Julien-Beychevelle* - ✆ *05 56 73 16 73 - lun.-vend. - sur RV.* Le domaine appartient à la famille Borie depuis 1929. Le vignoble du château s'étend sur 55 ha de croupes graveleuses, encépagés de cabernet-sauvignon, de merlot et de cabernet franc. Les vendanges sont manuelles, et les vins sont ensuite élevés en barriques de chêne, de douze à dix-huit mois selon les cuvées. 🍷 saint-julien.

Château Pichon-Longueville-Baron – *Rte des Châteaux - BP 112 - St-Lambert - 33250 Pauillac* - ✆ *05 56 73 17 17 - contact@pichonlongueville.com - 9h-12h30, 14h-18h30 - sur RV.* En 1988, après le rachat du château par Axa-Millésimes, la propriété est entièrement restaurée et un concours d'architectes est organisé pour la construction d'équipements viticoles modernes. Les 73 ha du vignoble, plantés de cabernet-sauvignon (62 %), de merlot (35 %), de cabernet franc (3 %) sont vendangés manuellement et bénéficient d'une méthode de protection intégrée. Les vins sont ensuite élevés en fûts de chêne, neufs à 70 %. 🍷 pauillac.

De Pauillac à Moulis-en-Médoc (2ᵉ étape)

▶ 56 km. Pauillac se trouve à 54 km au N de Bordeaux. Carte Michelin Local 335, F-H 3-5. Voir le circuit sur le plan p. 146.

Château Mouton Rothschild★

05 56 73 21 29 - www.bpdr.com - visite guidée (1h) sur RV uniquement (15 j. à l'avance) : lun.-jeu. 9h15-11h, 14h-16h, vend. 9h15-11h, 14h-15h - fermé j. fériés et w.-end - 5 € (-12 ans gratuit).

Au cœur des vignobles qui dominent Pauillac se niche un des châteaux les plus glorieux du Médoc, classé premier cru en 1973 grâce aux efforts acharnés du baron Philippe de Rothschild, homme de goût et de culture qui a fait de son vin une œuvre d'art symbolisée par les étiquettes signées tous les ans par un artiste de renom. Outre les **chais★**, on visite le **musée du Vin dans l'art★★**. Nombreuses œuvres d'art de toutes les époques, se rapportant à la vigne et au vin avec une large place faite à l'art contemporain.

Château Lafite Rothschild

05 56 73 18 18 - www.lafite.com - visite guidée (45mn) sur RV uniquement (7 j. av. en basse sais. et 15 j. av. en haute sais.) par fax 05 56 59 26 83 ou visites@lafite.com : lun.-vend. 14h et 15h30 - fermé août-oct., j. fériés et w.-end - gratuit.

Le chai circulaire du plus discret et du plus raffiné des grands crus a été conçu par l'architecte catalan Ricardo Bofill. Le château est établi sur une terrasse plantée de beaux cèdres, limitée par une balustrade Louis XIV ; il appartient depuis le Second Empire (1868) à la branche anglaise des Rothschild.

Saint-Estèphe

Le bourg de St-Estèphe, que domine une singulière **église** d'origine romane à l'intérieur baroque, est situé sur un mamelon au centre d'une mer de vignes. Du port, vue sur la Gironde, le marais et l'autre rive de la Gironde.

St-Estèphe, la plus septentrionale des appellations villageoises du Médoc, produit sur 1 300 ha des vins à la réputation de robustesse qui n'exclut pas la finesse, que ces vins acquièrent en vieillissant. St-estèphe compte cinq crus classés.

En venant de Pauillac, au-delà du Château Lafite-Rothschild, à droite de la D 2, apparaît la silhouette orientale de pagodes indiennes du **Château Cos-d'Estournel** édifié au 19ᵉ s. Le fondateur du Château Cos-d'Estournel, qui exporta son vin jusqu'aux Indes, fit construire cet édifice exotique en souvenir de ses lointaines expéditions. Cos-d'Estournel, dont la réputation n'est plus à faire, produit aussi un très bon second cru, Les pagodes de Cos. *33180 St-Estèphe -* *05 56 73 15 50 - lun.-vend. 9h-12h30, 14h-17h30 - sur RV.*

Non loin de là, au hameau de **Marbuzet**, le **Château Haut-Marbuzet** est un cru bourgeois digne d'un cru classé ; au lieu-dit **Leyssac**, la cave **Marquis de St-Estèphe** est une bonne adresse *(voir nos bonnes caves)*.

Sur une hauteur dominant la Gironde se trouve le **Château Montrose**. Le château, les chais, les bâtiments d'exploitation et les maisons des vignerons forment un vérita-

S. Sauvignier / MICHELIN

L'exotique Château Cos-d'Estournel.

ble petit village dont les rues portent le nom des propriétaires successifs du domaine. *33180 St-Estèphe - 05 56 59 30 12 - lun.-vend. 9h-11h30, 14h-16h30 - sur RV.*

Saint-Seurin-de-Cadourne

Au delà de St-estèphe, l'appellation haut-médoc reprend ses droits. Plusieurs crus bourgeois de qualité sont situés aux environs de cette commune.

 Le **Château Sociando-Mallet** notamment produit de très bons vins ; vous pouvez également vous y rendre à la **cave coopérative La Paroisse** *(voir nos bonnes caves)*.

 Le beau **Château Verdus**, en partie féodal, possède un étonnant colombier (14e-17e s.) et un petit musée consacré à l'histoire du Médoc ; une dégustation clôt la visite. *Domaine Dailledouze Père et Fils - Bardis - 33180 St-Seurin-de-Cadourne - 05 56 73 17 31 - www.chateau-verdus.com - juin-sept. : lun.-sam. 9h30-12h, 14h-18h, dim. 15h-18h ; oct.-mai : ouv. ap.-midi.*

2 km avant St-Izans-de-Médoc, engagez-vous sur un chemin à droite.

Château Loudenne

 05 56 73 17 80 - www.lafragette.com - mai-oct. : 9h-19h ; nov.-avr. : sur demande - 5 €.

 Le Château Loudenne est une ravissante chartreuse du 17e s. de couleur rose. La terrasse ouvre sur des **jardins à l'anglaise**. Les chais abritent un **musée du Vin et de la Vigne**. Dégustation.

Revenez à St-Seurin et prenez à droite en direction de Pez, puis empruntez la D 104E3 jusqu'à Vertheuil. Par la D 104, rejoignez la N 215. Continuez jusqu'à Listrac.

Listrac-Médoc

Moulis et **listrac**, deux appellations villageoises voisines, sont les seules à ne pas border la Gironde. Elles se caractérisent par un mélange complexe de sols de graves, de cailloutis, d'argile et de calcaire.

Listrac produit des vins plus robustes, parfois rustiques, mais la tendance à remplacer les cabernet-sauvignon par du merlot donne de plus en plus de rondeurs aux vins. Le village occupe, à 46 m d'altitude, le point culminant du Médoc. Son église est du 12e s.

 La **Maison du vin de Listrac** propose l'ensemble des vins de l'appellation au prix de la propriété ; le **Château Fourcas-Dupré** compte parmi les fleurons de l'appellation *(voir nos bonnes caves)*.

Moulis-en-Médoc

Moulis, la plus petite appellation du Médoc, produit des vins très fins. Et bien que les crus classés en soient absents, on trouve en moulis bien des crus bourgeois qui sont du même niveau.

 Au Grand-Poujeaux, la **Maison du vin de Moulis** propose un itinéraire de randonnée de 12 km dans le vignoble et vend les vins de l'appellation. Dans le même secteur, le fameux cru bourgeois **Château Chasse-Spleen** doit son nom à Baudelaire selon les uns, à Lord Byron selon les autres. Il est clair cependant qu'il combat bien la mélancolie *(voir nos bonnes caves)*.

 Non loin de là, le **Château Poujeaux**, grand cru bourgeois exceptionnel, rivalise avec de nombreux crus classés, pour la qualité de ses vins. On y visite un immense chais à barriques. *33480 Moulis-en-Médoc - 05 56 58 02 96 - poujeaux@chateau-poujeaux.com - lun.-vend. (et sam. juin-sept.) 9h-12h, 14h-17h30 ; oct.-mars : sur RV.*

EN MARGE DU VIGNOBLE

Sports nautiques à Lacanau-Océan

55 km au N-O de Bordeaux par la D 6. Face à l'océan, Lacanau s'est posé au pied des dunes couvertes de pins maritimes. Aucune excuse donc pour ne pas se balader dans les « lèdes » (vallons sablonneux parcourus de futaies) et sur les 20 km de plages. Pour les dynamiques, 120 km de pistes cyclables longent la côte dans la pinède. Plusieurs *spots* de surf réputés aussi : plage centrale, nord, sud et super sud (à choisir en fonction des déplacements de bancs de sable). Et encore, trois parcours de golf dont un de dix-huit trous. Il y a aussi la **Forêt des Accromaniaques**, un parcours aventure dans les arbres avec ponts suspendus et tyrolienne géante. *Rte du Baganais - 33680 Lacanau-Océan - 06 86 54 66 03 - fermé 1 sem. au printemps, 1 sem. en automne sf vac. scol. et du 15 nov. au 1er avr.*

Le **lac de Lacanau**★ couvre 2 000 ha pour 8 km de long. Nombreux brochets, anguilles, perches à taquiner l'hameçon. Et toutes les possibilités de distractions nautiques : voile, planche à voile (notamment au Moutchic), ski nautique, canoë-kayak, location de bateaux, de dériveurs et de pédalos. Vous pouvez également faire le tour du lac à pied ou à vélo.

Entre terre et mer à Cap-Ferret★

71 km au S-O de Bordeaux par la D 106.

Étroite bande de terre entre océan et bassin, le cap court sur une vingtaine de kilomètres. Balades à vélo dans la pinède, baignades au calme dans le bassin ou plus houleuses côté océan, dégustation d'huîtres dans les petits restaurants en plein air, visite des villages ostréicoles… un vrai programme de vacances.

Rencontrer les oiseaux du parc ornithologique du Teich★

50 km au S-O de Bordeaux par l'A 63, l'A 660, puis la D 650. ℘ 05 56 22 80 93 - www.parc-ornithologique-du-teich.com - ⴓ - juil.-août : 10h-20h ; sept. à juin. : 10h-18h - 6,80 € (enf. 4,80 €).

☜☞ Cette réserve naturelle de 120 ha, est située dans le delta de l'Eyre, qui se jette dans le bassin d'Arcachon. En été la végétation y est presque aussi luxuriante qu'en Amazonie… C'est une halte très fréquentée par les oiseaux migrateurs que l'on découvre en parcourant à pied quatre parcs à thème. Chaussures de marche et jumelles recommandées.

Faire l'ascension de la dune du Pilat★★

65 km au S-O de Bordeaux par l'A 63, l'A 660, puis la D 218. Accès au sud de Pilat-Plage. Laisser la voiture au parking payant. Pour gagner le sommet, escalader à flanc de dune (montée assez difficile) ou emprunter l'escalier (présent seulement lors de la saison estivale). S'équiper de chaussures montantes de randonnée ; attention, le sable peut être très chaud.

Énorme ventre de sable qui enfle chaque année sous l'action des vents et des courants (actuellement environ 2,7 km de long, 500 m de large et 107 m de haut), c'est la plus haute dune d'Europe. Le versant ouest descend en pente douce vers l'océan alors que le versant est plonge en pente abrupte vers l'immense forêt de pins : une vraie piste noire ! Une revigorante balade à ne pas manquer.

Les adresses de Pauillac à Moulis-en-Médoc

NOS BONNES TABLES

☺☻ **Auberge des Vignerons** – *28 av. Soulac - 33480 Listrac-Médoc - ℘ 05 56 58 08 68 - fermé vac. de fév., sam. midi, dim. soir et lun. d'oct. à mai - 16 € déj. - 22/33 €.* La salle à manger de cette auberge qui jouxte la Maison des vins de Listrac-Médoc est aménagée dans un ancien chai, et sa terrasse offre une échappée sur les vignes de la célèbre appellation. Cuisine traditionnelle et cave axée sur les crus de… Listrac !

☺☻ **La Table d'Olivier** – *La Mare aux grenouilles, 53 rte de Lesparre - 33340 Gaillan-en-Médoc - ℘ 05 56 41 13 32 - fermé sam. midi, dim. soir et lun. - 24 € déj. bc - 16/50 €.* Une adresse sympathique bordant une mare aux grenouilles. Intérieur contemporain sobre et plaisant (tables en bois, chaises en fer forgé, tableaux) et cuisine au goût du jour.

NOS CHAMBRES D'HÔTE

☺ **Chambre d'hôte Château Cap Léon Veyrin** – *33480 Listrac-Médoc - 4 km de Listrac par D 5^{E2} - ℘ 05 56 58 07 28 - capleonveyrin@aol.com - fermé 25 déc.-1er janv. - ⊞ - 5 ch. 44 € ⊡.* Depuis 1810, c'est la même famille qui gouverne cette longue demeure plantée au cœur d'un domaine viticole de 20 ha. Les chambres, de style Louis XV, sont équipées de belles salles de bains. La salle des petits-déjeuners grande ouverte sur le chai est superbe.

☺☻ **Chambre d'hôte Domaine de Carrat** – *Rte de Ste-Hélène - 33480 Castelnau-de-Médoc - 5 km au S de Listrac-Médoc par N 215 - ℘ 05 56 58 24 80 - fermé 25 déc. - ⊞ - 4 ch. 55/61 € ⊡.* Cette maison aux volets rouges entourée d'une forêt de pins et de feuillus abritait jadis les écuries du château voisin. Accueil attentionné et chambres très confortables. En arrivant, vous passerez sous le splendide porche pavé autrefois emprunté par les voitures attelées.

☺☻ **Chambre d'hôte Château le Foulon** – *Rte de St-Raphaël - 33480 Castelnau-de-Médoc - 5 km au S de Listrac-Médoc par N 215 - ℘ 05 56 58 20 18 - www.au-chateau.com - fermé 15 déc.-2 janv. - ⊞ - 4 ch. 70/100 € ⊡.* Ce château de 1840 est un port d'attache idéal pour partir à la découverte des grands crus du Médoc. Les chambres, garnies de meubles anciens, ont conservé leurs beaux volumes. Toutes donnent sur le parc et son cours d'eau où évoluent des cygnes. Également, un appartement avec cuisine équipée.

NOS BONNES CAVES

MAISONS DU VIN

Maison du vin de Listrac – *36 av. de Soulac - 33480 Listrac-Médoc - ℘ 05 56 58 09 56 - de juil. à mi-sept. : lun. 13h-19h, mar.-dim. 10h-12h30, 13h30-19h ; avr.-juin et de mi-sept. à nov. : lun.-sam. 10h-12h, 14h-18h (19h sam.) ; déc.-mars : lun.-vend. (sf merc.) 10h-12h, 14h-17h ; fermé merc. de mi-sept. à avr.*

Maison du vin de Moulis – *Pl. du Grand-Poujeaux - 33480 Moulis-en-Médoc - ☎ 05 56 58 32 74 - www.moulis.com - 15 juin-15 sept. : mar., jeu., vend. 9h-12h30, 14h-18h, sam. 10h-18h45 ; 16 sept.-14 juin : lun., mar., jeu., vend. 9h-12h, 14h-18h - fermé 1 sem. en janv., 1 sem. en fév., 1 sem. en mai, 1 sem. en juin, 1 sem. en oct. et j. fériés.*

CAVES COOPÉRATIVES

Cave Marquis de St-Estèphe – *Leyssac - 33180 St-Estèphe - ☎ 05 56 73 35 30 - lun.-vend. 8h30-12h15, 14h-18h.* Elle rassemble les coopérateurs du secteur et produit une sélection de bonne qualité.

Cave coopérative La Paroisse – *2 r. Clément-Lemaignan - 33180 St-Seurin-de-Cadourne - ☎ 05 56 59 31 28 - cavecooperativevinification@wanadoo.fr - sept.-mai : tlj sf w.-end 8h30-12h30, 14h-18h, vend. 8h30-12h30, 14h-17h ; juin-juil. : tlj sf dim. 8h30-12h30, 14h-18h ; août : 8h30-12h30, 14h-19h.* Elle est réputée pour le très bon rapport qualité-prix de son haut-médoc.

DOMAINES

Château Haut-Marbuzet – *33180 St-Estèphe - ☎ 05 56 59 30 54 - info@haut-marbuzet.net.* Lorsqu'en 1952, Hervé Duboscq achète ce cru de 7 ha en rente viagère, il n'a aucune expérience viticole. Dix ans plus tard, il est rejoint par son fils Henri aujourd'hui à la tête de l'exploitation. Le domaine de 65 ha est l'une des références de l'appellation. Il est encépagé à 40 % de merlot, 10 % de cabernet franc et 50 % de cabernet-sauvignon. Les vendanges sont manuelles avec recherche de surmaturité et égrappage complet. Les vins sont ensuite élevés en barriques. Le domaine a été promu Cru Bourgeois Exceptionnel dans le nouveau classement homologué en juin 2003. ☺ st-estèphe.

Château Sociando-Mallet – *33180 St-Seurin-de-Cadourne - ☎ 05 56 73 38 80 - scea-jean-gautreau@wanadoo.fr - lun.-vend. midi 9h-12h, 14h-17h - sur RV.* Ce domaine est le fruit d'un coup de foudre de Jean Gautreau pour ce vignoble idéalement placé sur le bord de la Gironde. Il en a fait un cru, dont la qualité lui vaut une reconnaissance internationale. Les 72 ha du vignoble encépagés de cabernet-sauvignon, de merlot et de cabernet franc s'étendent sur des terres de graves au sous-sol argilo-calcaire. Les vignes, âgées en moyenne de 25 ans, sont cultivées de manière traditionnelle et vendangées manuellement. Les vinifications, effectuées en cuves Inox et en cuves ciment, durent de quinze à quarante jours, puis les vins vieillissent en barriques de bois, de onze à douze mois. ☺ haut-médoc.

Château Fourcas Dupré – *Le Fourcas - 33480 Listrac-Médoc - ☎ 05 56 58 01 07 - chateau-fourcas-dupre@wanadoo.fr - lun.-vend. 8h-12h, 14h-17h - sur RV.* Depuis 1985, Patrice Pagès préside aux destinées de l'exploitation familiale acquise par son père Guy en 1971. Le vignoble, situé sur un terroir de graves pyrénéennes, couvre 46 ha d'un seul tenant. Il est encépagé de cabernet-sauvignon, de merlot, de cabernet franc et de petit verdot avec une densité de plantation de 8 500 pieds/ha. Au début des années 2000, le cuvier de vinification a été entièrement rénové et équipé d'un système de thermorégulation très performant. Les vins sont élevés en barriques, renouvelées par tiers chaque année. ☺ listrac-médoc.

Château Chasse-Spleen – *2558 Grand-Poujeaux-Sud - 33480 Moulis-en-Médoc - ☎ 05 56 58 02 37 - infos@chasse-spleen.com - lun.-vend. midi 8h-12h, 14h-17h - sur RV (sauf juil.-août).* Mme Castaing a baptisé le Château Chasse-Spleen au milieu du 19e s. Un siècle plus tard, une autre femme d'exception, Bernadette Villars, renforce le prestige de ce grand cru. Aujourd'hui, c'est sa fille Céline, également propriétaire du château voisin Gressier Grand Poujeaux, qui dirige ce domaine de 83 ha avec rigueur. Vendanges manuelles et méthodes de culture traditionnelles, élevage en barriques pendant dix-huit mois et mise en bouteilles à la propriété sont les garants de la tradition bordelaise. Le château a été promu Cru Bourgeois Exceptionnel dans le nouveau classement homologué en juin 2003. ☺ moulis.

4 LA BOURGOGNE

C'est la région au monde où les hommes ont su le mieux développer la notion de terroir. Ici, plus qu'ailleurs, l'empirisme a, au fil des siècles, adapté les cépages à la diversité des sols et aux climats, de telle sorte que chaque village, chaque propriété, chaque parcelle, puisse produire un vin unique, inimitable. Ne parle-t-on pas d'ailleurs ici de climat pour désigner un lieu-dit viticole produisant un vin particulier ? Mais cette diversité géographique ne serait rien sans le travail des hommes et en particulier des moines des abbayes de Cîteaux et de Cluny. La Bourgogne viticole ne couvre qu'une toute petite partie de la Bourgogne historique. Sa diversité, ce sont des vignes enchâssées comme des joyaux dans l'écrin des murs des clos, les hautes pentes bien peignées du vignoble des côtes, d'adorables villages aux clochers bariolés de tuiles vernissées, des châteaux où l'austérité militaire se combine à l'opulence du décor, et des caves où le fruit du labeur des hommes mûrit dans le sein de la terre.

Le Clos-de-Vougeot, au milieu d'une mer de vignes.

Comprendre

La Bourgogne comprend 5 régions de production : le Chablisien, l'Auxerrois, le Tonnerrois et le Vézelien situés dans l'Yonne ; la côte de Nuits et les Hautes-Côtes de Nuits, entre Dijon et Corgoloin en Côte-d'Or ; la côte de Beaune et les Hautes-Côtes de Beaune entre Beaune et Les Maranges à cheval sur la Côte-d'Or et la Saône-et-Loire ; la côte chalonnaise et le Mâconnais en Saône-et-Loire.

Le vignoble est adossé aux dernières pentes orientales du Massif central et aux plateaux de Bourgogne et s'étend sur les côtes du jurassique. Son altitude oscille entre 350 et 80 m. Le climat y est semi-continental avec des influences océaniques sur le Chablisien. Les hivers sont froids, les étés tempérés et ensoleillés. Les précipitations les plus abondantes ont lieu au printemps.

Les climats de Bourgogne – La particularité de la région tient à sa diversité dont rend compte l'unité traditionnelle

La Bourgogne en bref

Superficie : 26 500 ha (5 % de la superficie viticole française), répartis du nord au sud sur une ligne de 160 km.

Production : environ 1,5 million d'hl (180 millions de bouteilles).

Le **Bureau interprofessionnel des vins de Bourgogne** (BIVB) donne de nombreuses informations et édite plusieurs brochures sur les vins, dont une intéressante carte des routes des vins en Bourgogne – *12 bd Bretonnière - BP 150 - 21024 Beaune Cedex -* ℘ *03 80 25 04 80 - www.vins-bourgogne.fr*

Plus de 280 domaines viticoles, négociants-éleveurs et caves coopératives ont signé la Charte d'accueil dans les vignobles de Bourgogne, **De vignes en caves**. Une enseigne à l'entrée de leur propriété permet de les identifier et la carte des routes des vins en Bourgogne permet de les situer.

de mesure des surfaces qui n'est pas l'hectare, mais l'ouvrée, soit 4 ares et 28 centiares. Une ouvrée équivalait autrefois à la surface qu'un homme pouvait travailler à la pioche en un jour. Elle permet aussi de délimiter plus facilement la diversité géologique des sols qui se décline selon la pente, l'ensoleillement, le vent, le gel, etc. Ainsi dénombre-t-on 59 types de sols pour la seule côte de Nuits.

Cette connaissance extrêmement précise de chaque parcelle de terre a conduit les vignerons bourguignons à donner un nom à chaque climat. Ce sont des noms souvent pittoresques et leur origine est fort variée. Elle peut être botanique : les Genevrières, Blanches Fleurs, Clos des Chênes, la Truffière ; zoologique : Grenouilles, Clos des Mouches, Dent de Chien, Aux Perdrix, la Levrière, les Corbeaux ; climatique : Clos Tonnerre, les Brouillards, Bel Air, Côte Rôtie, les Embrasées, Vigne du Soleil ; géologique : Sur les Grèves, les Terres Blanches, les Perrières, les Gravières. Certains noms de climats tiennent de l'anecdote ou de la pure fantaisie : la Pucelle, les Amoureuses, Bâtard, Paradis, Maladière, Clos l'Evêque, les Demoiselles, les Joyeuses, Chevalier, les Procès, l'Homme Mort, Redrescul, Tonton Marcel, Vide Bourse…

Les cépages et les appellations – La Bourgogne est d'une grande unité ampélographique, avec deux cépages presque hégémoniques : le pinot noir pour les rouges, et le chardonnay pour les blancs. On trouve aussi du gamay, du sauvignon et des cépages anecdotiques comme le sacy, l'aligoté et le melon pour les blancs, ainsi que le césar pour les rouges et le pinot-beurot pour certains rosés.

La mention du cépage qui accompagne l'appellation régionale est autorisée mais seul le nom de l'appellation doit figurer sur les étiquettes pour les AOC villages et premier cru.

	Caractéristiques	Garde	Prix
Vins blancs	**Auxerrois et Tonnerrois :** légers et acidulés aux arômes floraux et miellés. **Chablis :** floraux dans leur jeunesse ; pour les meilleurs, des arômes de miel, de grillé et de fruits secs dans leur grand âge. **Côte-de-nuits :** gras et longs en bouche. **Côte-de-beaune :** grands vins ronds et généreux, qui deviennent opulents en vieillissant. **Côte chalonnaise :** assez légers. **Mâconnais :** chardonnay généralement assez simples (à l'exception du pouilly-fuissé, plus complexe).	Vieilllissent bien grâce à leur potentiel acide. Garde de 3 à 5 ans, et bien au-delà pour les plus riches.	**Bourgognes régionaux, aligotés de Bouzeron :** 3 à 11 €. **Hautes-côtes-de-nuits, hautes-côtes-de-beaune, petits chablis, côte chalonnaise, mâcon, rully, mercurey et givry :** autour de 8 €. **Chablis :** 5 à 10 € ; **chablis premier cru :** 8 à 12 €, parfois plus de 20 € ; **chablis grand cru :** 20 à 30 €. **Auxey-duresses, ladoix, maranges, pernand-vergelesses, saint-aubin, saint-romain, santenay :** moins de 15 €. **Beaune, chassagne-montrachet, côte-de-beaune, meursault et puligny-montrachet :** 11 à 30 €. **Grands crus de Montrachet et ses satellites :** plus de 70 €.
Vins rouges	**Auxerrois et Tonnerrois :** peu tanniques, relativement clairs et de belles saveurs de fruits rouges. Les irancys sont plus structurés. **Côte-de-nuits :** réputés pour leur charpente et pour leur finesse. Varient beaucoup selon les appellations villages, les crus et les climats. **Côte-de-beaune :** puissants et très aromatiques. **Côte chalonnaise :** assez légers.	Les meilleures bouteilles peuvent attendre 20 ans et plus.	**Bourgognes régionaux, grand ordinaire et passetoutgrain :** 3 à 11 €. **Hautes-côtes-de-nuits, hautes-côtes-de-beaune, côte chalonnaise, mâcon, rully, mercurey et givry :** autour de 8 €. **Côte-de-nuits :** 20 à 50 €. **Auxey-duresses, ladoix, maranges, pernand-vergelesses, saint-aubin, saint-romain, santenay :** moins de 15 €. **Beaune, côte-de-beaune, meursault, pommard, volnay :** 11 à 30 €.
Crémants	Les crémants, blancs ou rosés, sont légers et frais, leurs arômes fruités.	Se boivent dès leur commercialisation, peuvent aussi être gardés quelques années.	Rarement plus de 8 €.

La Bourgogne comprend quatre niveaux d'appellation :
24 appellations régionales : bourgogne, bourgogne-passetoutgrain, mâcon-villages, bourgogne-vézelay, etc.
44 appellations communales : beaune, chablis, nuits-saint-georges, saint-romain, etc.
33 grands crus : corton, musigny, montrachet, romanée-conti, clos-de-vougeot, clos-de-tart, etc.
570 climats classés en premiers crus : les Ruchottes, la Renarde, les Genevrières, les Caillerets, les Perrières, etc.

Les vins de l'Yonne

CARTE MICHELIN LOCAL 319 – YONNE (89)

Cette route des vins, fameuse pour ses chablis, présente un intérêt particulier en avril, lorsque les cerisiers sont en fleurs. Le vignoble, qui donne surtout des vins blancs, alterne avec les vergers et ajoute à l'attrait du paysage vallonné.

LE TERROIR

Superficie : 2/ 171 ha.
Production : 1 514 792 hl.
Le vignoble est implanté sur des sols calacaires riches en fossiles, mêlés à des marnes et à des argiles.

LES VINS

Les vins de l'Yonne sont issus de neuf cépages qui donnent des vins rouges, blancs secs et rosés. Les crémants blancs ou rosés sont issus de pinot noir, gamay, aligoté, ou chardonnay.

AOC bourgogne, bourgogne-grand-ordinaire, bourgogne-chitry, bourgogne-côte-saint-jacques, bourgogne côtes-d'auxerre, bourgogne-coulanges-la-vineuse, bourgogne-épineuil, bourgogne-tonnerre : cépages pinot noir et césar pour les rouges et rosés, cépage chardonnay pour les blancs.

AOC bourgogne-aligoté : cépage aligoté pour les blancs secs.

AOC bourgogne-passetoutgrain : cépages gamay noir et pinot noir pour les rouges et quelques rosés.

AOC bourgogne-vézelay : cépage chardonnay pour les blancs.

AOC chablis, petit chablis, chablis premier cru et chablis grand cru : cépage chardonnay pour les blancs.

AOC irancy : cépages pinot noir et césar pour les rouges.

AOC saint-bris : cépages sauvignon et sauvignon gris pour les blancs.

BON À SAVOIR

Les vins de l'Yonne, légers et fruités, sont en général à consommer jeunes. En revanche, les vins de Chablis se distinguent par leur typicité, leur tonalité or vert, leurs arômes minéraux et de fleurs d'acacia, et leur longueur en bouche.
Les confréries vineuses assurent activement la promotion de leurs vignobles et défilent notamment lors de la saint-vincent.

L'Auxerrois

⊙ 68 km. Joigny se trouve à 28 km au N-O d'Auxerre par la N 6. Carte Michelin Local 319, D4, E5, G-H 4.

Joigny

Accrochée à la côte Saint-Jacques, au confins de la forêt d'Othe, la jolie petite ville de Joigny – étape gastronomique réputée – dégringole jusqu'à l'Yonne en rues pentues bordées de vieilles maisons à colombages et de monuments Renaissance.
Joigny fut longtemps un haut lieu viticole dont les habitants, surnommés « maillotins », se servaient aussi adroitement de leur maillet pour façonner les barriques que pour régler leur compte aux puissants… Aujourd'hui, le vignoble ressuscite lentement sur

S. Sauvignier / MICHELIN

Village et vignoble de St-Bris-le-Vineux.

la côte Saint-Jacques grâce aux soins d'une poignée de vignerons passionnés et à la promotion qu'en assure le chef réputé **Jean-Michel Lorain** (*voir le carnet d'adresses : hôtel La Côte St-Jacques*).

Balade sur la côte Saint-Jacques★

1,5 km au nord par la D 20. La route en lacet rejoint la Croix Guémard où un chemin sur la droite conduit au milieu des vignes. Belle **vue** sur la vallée de l'Yonne et Joigny.

Quittez Joigny au sud-ouest par la D 67.

Pressoir de Champvallon

Fermé pour travaux de sécurisation. Sis dans une cave monumentale au cœur du village, ce pressoir à mouvement de balancier du 12e s. est en parfait état de fonctionnement.

Suivez au sud la D 367, puis la D 955. Tournez dans la première route à gauche après le pont de l'autoroute.

Musée des Arts populaires★, à Laduz

📞 03 86 73 70 08 - *juil.-août : 14h30-18h30 ; avr.-juin et sept. : w.-end et j. fériés 14h30-17h30 - 6 € (6-14 ans 3 €).*

👥 Situé à la sortie sud-est du village de Laduz, ce musée évoque la vie et le travail à la campagne avant 1914, à travers les outils, les gestes et la production des artisans.

Prenez la D 31 sur 20 km jusqu'à Auxerre.

Auxerre★★

La capitale de la basse Bourgogne étage avec assurance sa cathédrale et ses maisons anciennes au-dessus de l'Yonne. La ville était jadis réputée pour ses vins, mais son vignoble a disparu, à l'exception du Clos de la Chaînette, un domaine de 3 ha qui appartient… à l'hôpital psychiatrique. Sa production est partagée entre les employés de l'établissement, qui n'ont droit qu'à 12 bouteilles par an.

La construction de la **cathédrale St-Étienne★★**, bel édifice gothique, a duré près de quatre siècles, de 1215 à 1525. On y trouve donc à la fois des éléments gothiques et Renaissance. À l'intérieur, magnifique ensemble de **vitraux★★** du 13e s. La **crypte romane★** est couverte de fresques médiévales. Ne repartez pas sans avoir jeté un œil au **trésor★** ! 📞 03 86 52 23 29 - *visite du trésor et de la crypte de Pâques au 1er Nov. : 9h-18h ; reste de l'année : 10h-17h.*

Pour gagner l'abbaye St-Germain, longez le flanc nord de la cathédrale et descendez la rue Cochois.

La célèbre **abbaye St-Germain★★** fondée au 6e s. par la reine Clothilde, épouse de Clovis, fut un lieu d'étude pour de nombreux saints, comme saint Patrick, l'évangélisateur de l'Irlande. À l'intérieur de l'**église abbatiale**, la partie la plus intéressante est la **crypte★★**. Véritable église souterraine, elle contient des **fresques★** datant de 850. Dans les bâtiments conventuels, le **musée d'Art et d'Histoire** abrite une section archéologique. 📞 03 86 18 05 50 - *visite guidée de la crypte carolingienne (45mn) - juin-sept. : 10h-12h30, 14h-18h30 ; oct.-mai : 10h-12h, 14h-18h - fermé mar., 1er et 8 Mai, 1er et 11 Nov., 25 déc., 1er janv. - 4,30 € (-16 ans gratuit), 1er dim. du mois gratuit.*

Pour pénétrer au cœur du vignoble auxerrois, préférez à la N 6 la jolie D 362 jusqu'à Augy, puis traversez l'Yonne pour rejoindre Vaux. Le vignoble de **Vaux**, au bord de l'Yonne, a été ressuscité voici une vingtaine d'années.

Longez la rive gauche de l'Yonne vers le sud jusqu'à Escolives-Ste-Camille.

Escolives-Sainte-Camille

La charmante **église** romane possède une crypte du 11e s. qui abritait naguère les reliques de sainte Camille. À la sortie nord du village, les **vestiges** d'un bourg et de thermes gallo-romains (1er au 3e s.) ainsi qu'un cimetière mérovingien font l'objet de fouilles. On y a découvert une fresque du 2e s. attestant l'ancienneté de la vigne dans la région. 🔊 03 86 53/53 39 09 - *visite guidée avr.-oct. : 10h, 11h, 14h, 15h, 16h, 17h ; nov.-mars : sur demande préalable - fermé 1er janv., 1er Mai, 1er et 11 Nov., 25 déc. - gratuit.*

Coulanges-la-Vineuse

Le nom même de ce petit village haut perché évoque une antique tradition viticole. Sur 135 ha, son vignoble donne des bourgogne-coulanges-la-vineuse rouges tendres et légers, des blancs fruités et de bons rosés.

En plus d'une exposition d'outils anciens de vignerons, le **musée du Vieux Pressoir et de la Vigne** recèle un pressoir à abattage de 1757. 🔊 03 86 42 20 59 - *juin-sept. : tlj sf dim. et merc. 14h-18h - 3,50 € (-16 ans gratuit).*

Prenez la D 85 jusqu'à Vincelottes, puis la D 362 sur 3,5 km en direction d'Auxerre jusqu'à Bailly. **Vincelles** et **Vincelottes** sont d'anciennes haltes batelières d'où le vin embarquait jadis pour Paris.

🍷 En se dirigeant vers Auxerre, on rejoint les **Caves de Bailly** à flanc de coteau. Ces carrières souterraines, qui auparavant fournissaient Paris en pierre de taille, accueillent depuis 1972 plus de 3 ha de caves gérés par les vignerons coopérateurs qui y entreposent les bouteilles de crémant-de-bourgogne. Visite guidée des salles ornées de sculptures, présentation de l'élaboration du crémant et dégustation finale. 🔊 03 86 53 77 77 - *visite guidée et dégustation (1h) avr.-oct. : 14h30-17h ; nov.-mars : w.-end et j. fériés 16h-17h - 4 € (avec verre-souvenir).*

Revenez à Vincelottes puis faites 2,5 km sur la D 38 jusqu'à Irancy.

Irancy

Dans un vallon couvert de cerisiers, ce village produit l'AOC **irancy** donnant les vins rouges les plus réputés du vignoble auxerrois. Ils proviennent pour partie d'un cépage original, le césar, apporté, dit-on, par les légions romaines. Palotte et la côte du Moustier sont les meilleurs climats d'Irancy.

🍷 Les vignerons du coin sont très accueillants. Allez rendre visite, entre autres, à **Anita et Jean-Pierre Colinot** *(voir nos bonnes caves).* On sait quand on pénètre dans leur cave, on ne sait jamais quand on en sort…

Continuez sur la D 38 en direction de St-Cyr-les-Colons, puis tourner à gauche dans la petite route qui grimpe vers St-Bris.

Saint-Bris-le-Vineux

L'un des plus charmants villages de l'Yonne a donné son nom à l'AOC **saint-bris** qui ne produit que des vins blancs de sauvignon. Bâti sur un incroyable réseau de caves voûtées, Saint-Bris possède de belles maisons anciennes et une église gothique du 13e s. Sa principale curiosité est le **Baphomet**, étrange sculpture représentant une tête d'homme à cornes entourée d'anges, qui serait un symbole templier.

🍷 La **Maison du vignoble auxerrois** présente une excellente sélection de vins *(voir nos bonnes caves).* **Ghislaine et Jean-Hugues Goisot** vous accueillent dans leurs caves médiévales pour une visite-dégustation. *30 r. Bienvenu-Martin -* 🔊 *03 86 53 35 15 - lun.-sam. 8h-12h, 14h-18h30 - sur RV.*

Prenez la D 62 en direction de Chablis.

Chitry

Cet accueillant village possède une imposante église fortifiée du 14e s. Le terroir est réputé pour ses bourgognes blancs.

Poursuivez sur la D 62 en direction de Chablis. Peu avant Courgis, vous pouvez profiter d'un beau panorama sur le vignoble, agrémenté d'une aire de pique-nique.

EN MARGE DU VIGNOBLE

Se mettre au vert dans les jardins du Grand-Courtoiseau★★

38 km à l'O de Joigny, entre Triguères et Château-Renard, par la D 943 - 🔊 *06 80 24 10 83 - visite guidée (1h15) août : tlj sf mar. et merc. non fériés 15h, 16h30 ; de Pâques à fin juil. et de déb. sept. au 1er nov. : w.-end et j. fériés : 15h, 16h30 - 7 € (-12 ans gratuit).*

Dessinés avec talent par le paysagiste Alain Richert, ce site de 6 ha allie avec bonheur verger, potager et jardins d'agrément autour d'un manoir du 18e s. qui appartint, dans les années 1970, à l'écrivain Hervé Bazin. Parcourez le jardin du faune et ses roses, le frais jardin italien et ses bassins en forme de losanges, le jardin des antiques, la serre exotique… et ne manquez pas l'exceptionnelle avenue de tilleuls, plantée au 18e s., ni la collection de roses anciennes et les érables du Japon qui flamboient à l'automne. Statues, vasques et fontaines viennent agrémenter ces savantes compositions tracées selon des perspectives qui ouvrent sans cesse de nouveaux points de vue. Partout présent, le murmure de l'eau vous accompagnera dans votre découverte de plantes rares aux couleurs vives ou aux parfums capiteux.

S'adonner aux plaisirs gourmands

« À la découverte de la truffe et des vins de Bourgogne » (Yonne) – *28 km au S-E de Joigny par la N 6.* Le service Loisirs-Accueil de l'Yonne vous propose une gamme exceptionnelle de séjours pour vivre ce que vous aimez, sans souci d'organisation. De mi-septembre à mi-décembre, le samedi, matinée découverte de la truffe de Bourgogne (conférence, démonstration, dégustation) en compagnie d'un trufficulteur. *Agence de développement touristique de l'Yonne - 1-2 quai de la République - 89000 Auxerre - ☏ 03 86 72 92 10 - www.tourisme-yonne.com - tlj sf dim. 8h30-12h, 14h-18h30, vend. 8h30-12h, 14h-17h30, sam. (avr.-31 oct.) 9h30-12h30, 14h-18h.*

L'ABC de la cuisine (Yonne) – *Hôtel La Côte St-Jacques - 14 fbg de Paris - 89300 Joigny - ☏ 03 86 62 09 70 - www.cotesaintjacques.com - fermé 2 janv.-1er fév.* Jean-Michel Lorain, de La Côte Saint-Jacques, partage son univers gastronomique et initie à la cuisine contemporaine. Forfait séjour, programme et calendrier sur demande.

Le train des vallées de l'Yonne – *47 km au S-E de Joigny par la N 6 et la D 100. Av. de la Gare - 89460 Bazarnes - ☏ répondeur 03 86 94 64 14 - de fin juin à fin août (1h) - renseignements et réserv. en gare de Cravant.* À bord de l'autorail Auxerre-Avallon, découverte du patrimoine et de la gastronomie.

Flâner sur les canaux de Bourgogne

Plus de 1 200 km de canaux presque désertés par la navigation commerciale attendent les plaisanciers. Ces canaux, construits à partir du 17e s., constituent, avec les rivières navigables (Yonne, Saône, Seille), un réseau exceptionnel pour tous ceux qui veulent découvrir la Bourgogne intime, lier connaissance avec ses paysages, se bercer au rythme de la vie à la campagne, des parties de pêche, de bicyclette et des rencontres avec les gens du pays.

La location de « bateaux habitables » (house-boats), aménagés pour 4 à 12 personnes, permet une approche insolite des sites parcourus sur les canaux. Diverses formules existent : à la journée, au week-end ou à la semaine. Les tarifs varient selon la période de location, la dimension et le confort du bateau. Aucun permis n'est exigé (la manette de commande n'a que deux positions), mais le barreur reçoit une leçon théorique et pratique avant le début de la croisière. Le respect des limitations de vitesse, la prudence et les conseils du loueur, en particulier pour passer les écluses et pour accoster, suffisent pour manœuvrer ce type de bateau.

Passage d'écluse au pont-canal de Digoin.

Joigny et Auxerre bénéficient chacune d'un joli port de plaisance, point de départ du canal de Bourgogne et du canal du Nivernais. Les autres principales bases de départ se situent à Digoin, Saint-Jean-de-Losne et Tournus, elles permettent de naviguer sur le canal de Bourgogne, le canal du Centre, le canal latéral à la Loire, le canal de la Marne à la Saône, le canal de Roanne à Digoin, et le canal de Briare.

Centrale de réservation Bateaux de Bourgogne – *1-2 quai de la République - 89000 Auxerre - ☏ 03 86 72 92 10 - www.bateauxdebourgogne.com - bateaux habitables de 2 à 12 pers. : tlj sf dim. 8h30-12h, 14h-18h30, vend. 8h30-12h, 14h-17h30, sam. (avr.-oct.) 9h30-12h30, 14h-18h.* Une douzaine de loueurs pour 25 bases de départ.

Les adresses de l'Auxerrois

NOS BONNES TABLES

�😊😊 **La P'tite Beursaude** – 55 r. Joubert - 89000 Auxerre - ✆ 03 86 51 10 21 - auberge. beursaudiere@wanadoo.fr - 22/26 €. L'enseigne à consonance régionale, la salle à manger au cachet campagnard simple et chaleureux, les serveurs qui officient en costume local et de copieuses recettes puisant dans le terroir : c'est un véritable concentré de Bourgogne que l'on découvre en poussant la porte de cette P'tite Beursaude !

😊😊 **Le Moulin de la Coudre** – 2 r. Gravottes - 89290 Venoy - ✆ 03 86 40 23 79 - moulin@moulindelacoudre.com - fermé 6-29 janv., dim. soir et lun. - 22/62 €. Ce moulin du 19ᵉ s. se niche dans un environnement bucolique, véritable havre de paix à seulement quelques minutes d'Auxerre. Attablés sous les arbres de la terrasse ou dans la confortable salle à manger, vous apprécierez à loisir les saveurs d'une cuisine mariant tradition et influences régionales.

😊😊😊 **Le Bourgogne** – 15 r. Preuilly - 89000 Auxerre - ✆ 03 86 51 57 50 - fermé 31 juil.-29 août, 23 déc.-2 janv., jeu. soir, dim., lun. et j. fériés - 27 €. Ex-garage abritant désormais un sympathique restaurant au cadre rustique. L'ardoise du jour annonce des recettes du terroir concoctées au gré du marché. Belle terrasse d'été.

NOS HÔTELS ET CHAMBRES D'HÔTE

😊😊 **Hôtel Maxime** – 2 quai Marine - 89000 Auxerre - ✆ 03 86 52 14 19 - contact@lemaxime.com - ▣ - 26 ch. /5/120 € - ☐ 10 €. Dans le quartier de la marine (maisons à pans de bois), hôtel familial qui daterait du 19ᵉ s. Chambres avec vue sur l'Yonne, ou plus calmes côté cour.

😊😊 **Chambre d'hôte Château de Ribourdin** – 89240 Chevannes - 7 km au SO d'Auxerre par N 151 puis D 1 et rte secondaire - ✆ 03 86 41 23 16 - www. chateauderibourdin.com - ☐ - 5 ch. 70/80 € ☐. Dressés en contrebas du village, au milieu de champs de blé, ce magnifique petit château du 16ᵉ s. et son pigeonnier ont bien fière allure. L'ancienne grange du 18ᵉ s. accueille les chambres, baptisées chacune du nom d'un château des environs, et la salle des petits-déjeuners agrémentée d'une cheminée.

😊😊 **Chambre d'hôte Domaine Borgnat Le Colombier** – 1 r. de l'Église - 89290 Escolives-Ste-Camille, 9,5 km au S d'Auxerre par D 239 - ✆ 03 86 53 35 28 - www. domaineborgnat.com - 5 ch. 50/60 € ☐ - repas 23 €. Cette ferme fortifiée du 17ᵉ s. au sein d'une belle propriété viticole, est magnifique. Meubles et objets chinés, tableaux y abondent. Vous aurez le choix

entre 5 chambres d'hôte au confort simple et 3 gîtes dont 1 aménagé dans le pigeonnier. Les repas façon terroir font découvrir les vins du domaine, que l'on peut aussi déguster lors de la visite des superbes caves. Stages autour du vin. Piscine chauffée.

😊😊 **Rive Gauche** – R. Port-au-Bois - 89300 Joigny - ✆ 03 86 91 46 66 - www. hotel-le-rive-gauche.fr - ▣ - 42 ch. 68/107 € - ☐ 9,50 € - rest. 25/34 €. Architecture contemporaine bâtie sur la rive gauche de l'Yonne. Chambres refaites, bien pensées et assez spacieuses. Agréable parc avec pièce d'eau et hélisurface. Salle à manger-véranda, au cadre actuel, et terrasse sont toutes deux tournées vers la rivière.

😊😊😊 **Hôtel de la Côte St-Jacques** – 14 fbg de Paris - 89300 Joigny - ✆ 03 86 62 09 70 - www.cotesaintjacques.com - 27 ch. 135/330 € - ☐ 27 € - rest. 140/160 €. Luxueuse hostellerie face à l'Yonne, « si loin de toutes choses » (Colette)… et si près de l'équation parfaite. Bateau privé (balades fluviales) et boutique. Brillante cuisine inventive et feu roulant de grands crus pour ce fleuron de la gastronomie.

NOS BONNES CAVES

CAVISTE ET MAISON DES VINS

Les Agapes – 13 r. Preuilly - 89000 Auxerre - ✆ 03 86 52 15 22 - marc.ragaine@wanadoo.fr - tlj sf dim. et lun. 9h-12h, 15h-19h - fermé j. fériés. Dans la boutique de ce meilleur caviste indépendant du monde 2003, vous découvrirez une sélection de vins, spiritueux, idées cadeaux…

Maison du vignoble auxerrois – 14 rte de Champs - 89530 St-Bris-le-Vineux - ✆ 03 86 53 66 76 - maison.du.vignoble. auxerrois@wanadoo.fr - lun., mar., jeu. et vend. 9h-12h, 15h-19h, sam. 9h-12h30, 14h30-19h, dim. 14h30-18h30 sf janv. et fév. Maison gérée par une association de syndicats viticoles du Grand Auxerrois. Dégustations (parfois thématiques) et vente de 25 crus sélectionnés par les viticulteurs eux-mêmes, attachés à présenter le meilleur de leur savoir-faire. Également, visites guidées du vignoble.

DOMAINE

Domaine Anita, Jean-Pierre et Stéphanie Colinot – 1 r. des Chariats - 89290 Irancy - ✆ 03 86 42 33 25 -lun.-sam. 8h30-18h30, dim. 9h30-12h. Jean-Pierre Colinot, son épouse et sa fille élaborent leurs vins dans le respect des méthodes ancestrales pratiquées en Bourgogne. Ils vinifient six cuvées d'irancy : Palotte, côte du Moutier, les Mazelots, les Cailles, les Bessys et Vieilles Vignes. Dégustation et visite des caves du 17ᵉ s. 🍷 bourgogne, bourgogne-passetoutgrain, irancy.

Le Chablisien et le Tonnerrois

▶ 60 km. Courgis se trouve à 7 km au S de Chablis par la D 62. Carte Michelin Local 319 F5, G4.

Courgis

Ce village aux rues étroites est situé dans l'appellation chablis, mais il produit aussi des bourgognes rouges. Courgis fait l'objet, chaque dimanche avant l'Assomption, d'un pèlerinage pour honorer la « sainte épine » de la couronne du Christ, conservée à l'église.

Préhy

🍷 Le **domaine Jean-Marc Brocard** propose des journées découverte dans le vignoble. La salle de dégustation se trouve au pied de l'église Ste-Claire, au milieu des vignes. *3 rte de Chablis - 89800 Préhy - 🖉 03 86 41 49 00 - info@brocard.fr - lun.-sam. 9h30-19h - sur RV - visite payante.*

Rejoignez Chablis par la D 2.

Chablis

Village cossu, tout entier voué à la réputation de ses vins blancs, Chablis recèle quelques vieilles demeures, monuments et boutiques qui témoignent de l'opulence procurée par l'or liquide. Chablis est aussi une halte gastronomique réputée où, en dehors du vin, l'autre spécialité est l'andouillette.

🍷 Les domaines **William Fèvre**, **Vincent Dauvissat** et le **château Long-Depaquit** se distinguent parmi les plus réputés. Vous pouvez également vous arrêter à la coopérative **La Chablisienne**. Fondée en 1923, elle vinifie le quart de l'appellation chablis et possède le château Grenouille en monopole *(voir nos bonnes caves).*

🍷 Au **domaine Laroche**, vous pourrez visiter l'Obédiencerie, noble et ancestrale demeure des 9e et 16e s., qui renferme dans ses caves un pressoir (13e s.) et une petite crypte ayant abrité, de 877 à 887, les reliques de saint Martin. *10 r. Auxerroise - 89800 Chablis - 🖉 03 86 42 89 28 - www.michellaroche.com - 10h-12h, 14h-18h - sur RV - visite payante.*

Prenez vers l'ouest de Chablis la D 965.

Beine

Le village est dominé par la haute flèche de l'église Notre-Dame (12e-16e s.). Sur la commune a été aménagé un lac artificiel de 15 ha pour approvisionner en eau les systèmes d'aspersion utilisés dans les vignes contre le gel de printemps.

🍷 Rendez-vous au **domaine Alain Geoffroy** qui a créé un **musée de la Vigne et du Tire-Bouchon**, où vous découvrirez une belle collection de tire-bouchons et d'outils anciens de vignerons avant de déguster les bons vins du domaine. *🖉 03 86 42 43 76 - www.chablis-geoffroy.com - lun.-vend., 8h-12h, 14h-17h.*

Partez vers le nord den direction de Lignorelles et prenez la D 35 à droite.

Maligny

Ce petit village à flanc de coteau possède l'un des meilleurs terroirs de l'appellation.

🍷 Vous y trouverez de nombreux domaines accueillants, comme celui de **Jean Durup Père et Fils** *(voir nos bonnes caves).*

Suivez la D 35 jusqu'à Collan d'où vous allez vers le sud.

Béru

L'ancien village fortifié possède un vaste **château** comportant des éléments des 12e, 15e et 17e s.

Revenez à la D 965 et prenez à droite.

Tonnerre

Entourée de vignes au bord du canal de Bourgogne et de l'Armançon, Tonnerre est une petite cité adossée à une colline. Le vignoble, jadis florissant, couvrait plus de 1 000 ha à la fin du 19e s. Pratiquement éteint dans les années 1970, il a retrouvé une nouvelle jeunesse. Les vignes couvrent environ 150 ha sur les communes de Tonnerre, Épineuil, Danemoine, Molosmes et Vaulichère. On y produit à peu près autant de blancs que de rouges ou de rosés dans les cépages traditionnels.

À Tonnerre, il faut aller voir la **fosse Dionne★**. Ce bassin circulaire, qu'emplit une belle eau de teinte bleu-vert, était utilisé comme lavoir. Il est alimenté par une source qui débouche des rochers au centre du bassin avec un débit variable selon les pluies.

L'**église St-Pierre** s'élève sur une terrasse offrant une belle vue sur la ville et les environs. À l'exception du chœur du 14e s. et de la tour carrée du 15e s., elle a été reconstruite en 1556 après un grand incendie.

L'**ancien hôpital**★, édifié de 1293 à 1295 par Marguerite de Bourgogne, veuve du roi de Naples et de Sicile, Charles d'Anjou, frère de Saint Louis, a conservé son aspect d'origine, avec son imposante toiture de 4 500 m². La grande salle de 90 m de long sur 18 m de large accueille chaque week-end de Pâques les Vinées tonnerroises, grand salon des vins du secteur. L'église de l'hôpital s'ouvre au fond de la salle et contient une **Mise au tombeau**★ du 15ᵉ s. ℘ 03 86 55 14 48 - avr.-sept. : 9h-12h30, 14h-18h30, dim. et j. fériés 10h-12h, 14h-17h ; oct.-mars : tlj sf dim. 9h-12h, 14h-18h (dernière entrée 45mn av. fermeture) - fermé 25 déc.-1ᵉʳ janv. et 1ᵉʳ Mai - 4,50 € (-10 ans gratuit).

À Tonnerre, traversez l'Armançon par la D 188.

Épineuil

Le village a donné son nom à l'appellation **épineuil** qui compte à présent 80 ha de vignes de coteaux, plantées sur les fortes pentes d'un sol argilo-marneux. On y repère les cabottes, petites cabanes de pierres destinées à abriter les outils. Le pinot noir, majoritaire, donne des rouges légers et des rosés vineux. Le climat côte du Grisey produit des vins généreux. 🍷 Parmi les producteurs, le **domaine de l'abbaye du Petit Quincy** occupe le site prestigieux d'une ancienne abbaye (voir nos bonnes caves).

Rejoignez Molosmes à 5 km au nord-est par la D 202 en prenant une petite route en forte pente qui conduit au hameau de Vaulichères.

Le minuscule village de **Molosmes**, blotti entre les coteaux, est entouré de terroirs à chardonnay.

Revenez à Tonnerre par la D 202.

EN MARGE DU VIGNOBLE

Retour au Moyen Âge à Noyers-sur-Serein★

26 km au S-E de Chablis par les D 961 et D 956. Cernée par un méandre du Serein et resserrée entre ses remparts, Noyers (prononcez noyère) est une adorable petite **ville médiévale**★★ dont les maisons anciennes à pans de bois ou bien en pierre possèdent des caves s'ouvrant directement sur la rue, rappelant que l'on était ici en pays de vignoble avant la crise du phylloxéra.

La **place de l'Hôtel-de-Ville** est entourée de jolies maisons à pans de bois des 14ᵉ et 15ᵉ s. et de maisons à arcades. La **place du Marché-au-Blé**, triangulaire, est bordée de maisons anciennes. De là on s'engage sous une voûte, dans la pittoresque **rue du Poids-du-Roy**. La rue aboutit, par un passage couvert, à la minuscule **place de la Petite-Étape-aux-Vins** encadrée de maisons à pans de bois parfois ornées de sculptures. La rue principale, **rue de la Petite-Étape-aux-Vins**, que l'on prend à gauche, elle aussi bordée de maisons anciennes, conduit à la place du Grenier-à-Sel. Non loin de l'**église Notre-Dame**, vaste édifice de la fin du 15ᵉ s., avec façade Renaissance et tour carrée, à gargouilles, sont à voir les **collections d'art naïf**★ du **musée**. ℘ 03 86 82 89 09 - juin-sept. : tlj sf mar. 11h-18h30 ; oct.-mai. : w.-end, j. fériés et vac. scol. 14h30-18h30 - fermé janv., mar., 25 déc. - 4 € (-13 ans gratuit).

Noyers-sur-Serein, village médiéval.

A. Doire / CRT Bourgogne

Pédaler dans les vignobles de l'Auxerrois et du Chablisien

Boucle d'environ 80 km sur un itinéraire vallonné que des jarrets bien entraînés peuvent parcourir en un week-end au départ d'Auxerre. L'itinéraire passe par Coulanges-la-Vineuse, Irancy, St-Bris-le-Vineux, Chablis, Ligny-le-Châtel, Pontigny et Appoigny. Renseignements auprès de Yonne Tourisme - 1-2 quai de la République - 89000 Auxerre - ℘ 03 86 72 92 10 - www.tourisme-yonne.com

Les adresses du Chablisien et du Tonnerrois

NOS BONNES TABLES

Le Bistrot des Grands Crus – *8 r. Jules-Rathier - 89800 Chablis -* ℘ *03 86 42 19 41 - contact@bistrotdesgrandscrus.com - fermé 20 déc.-20 janv. - formule déj. 10 € - 20,50 €.* Les options gourmandes ne manquent pas dans ce restaurant où l'on mange au coude à coude, dans la salle à manger ou en terrasse l'été, des préparations inspirées du terroir. À vous la cassolette d'escargots de Bourgogne, les œufs en cocotte sauce meurette au pinot noir ou l'andouillette au chablis !

Relais St-Vincent – *89144 Ligny-le-Châtel - 9 km au N de Chablis -* ℘ *03 86 47 53 38 - relais.saint.vincent@libertysurf.fr - fermé 21 déc.-6 janv. - 13/27 €.* Le bailli de Ligny logeait dans cette demeure du 17e s. aujourd'hui convertie en hostellerie. Menus du terroir servis auprès d'une cheminée séculaire et arrosés du noble breuvage, aux portes du chablisien et de ses célèbres vignes. Le charme d'antan, préservé, continue d'opérer dans les chambres.

Le Saint Père – *2 av. Georges-Pompidou - 89700 Tonnerre -* ℘ *03 86 55 12 84 - fermé 29 déc.-20 janv., dim. soir et merc. - 15/40 €.* Les produits du terroir bourguignon sont largement présents sur la carte de ce petit restaurant tonnerrois. Pièce de bœuf gratinée à l'époisses, jambon à la chablisienne ou joue de porc braisée au vin rouge régalent les gourmets attablés dans la plaisante salle à manger décorée d'une belle collection de moulins à café.

Hostellerie des Clos – *18 r. Jules-Rathier - 89800 Chablis -* ℘ *03 86 42 10 63 - www.hostellerie-des-clos.fr - fermé 22 déc.-16 janv. - 37/75 €.* L'hostellerie, située au cœur du village, occupe les murs de l'ancien hospice de Chablis. Élégante salle à manger ouvrant sur le jardin, chambres soignées et table régionale réputée honorant dignement ce petit royaume du vin.

NOS CHAMBRES D'HÔTE

Chambre d'hôte M. et Mme Piedallu – *5 av. de la Gare - 89160 Lézinnes - 11 km au SE de Tonnerre par D 905 -* ℘ *03 86 75 68 23 - 3 ch. 36/44 €.* Cette maison neuve bâtie dans le respect de la tradition locale a beaucoup de charme. Les chambres, aménagées sous les toits, se garnissent de meubles anciens. La véranda de la salle à manger offre un cadre agréable pour les petits-déjeuners. Tranquille petit salon réservé à la lecture et au repos.

Chambre d'hôte Le Calounier – *5 r. de la Fontaine, hameau de Arton - 89310 Môlay - 8 km au N de Noyers par D 86 et rte secondaire -* ℘ *03 86 82 67 81 - www.lecalounier.fr - fermé janv.-fév. - 4 ch.*

61 € - repas 17/24 €. Tout concourt à vous charmer dans cette ferme bourguignonne magnifiquement restaurée, dont le nom patois est aussi celui des noyers plantés sur le domaine. Les chambres, au décor d'inspiration mi-« british », mi-régionale très réussi, se répartissent dans les deux ailes du bâtiment. À table, produits du terroir.

NOS BONNES CAVES

COOPÉRATIVE

La Chablisienne – *8 bd Pasteur - 89800 Chablis -* ℘ *03 86 42 89 89 - www.chablisienne.com - 9h à 12h et de 14h à 18h - fermé 1er janv. et 25 déc.* Cette coopérative regroupe environ 300 exploitants qui représentent le quart du vignoble chablisien et produisent les 6 grands crus de l'appellation : Bougros, Blanchot, Les Clos, Les Preuses, Valmur, Vaudésir et Grenouille. La salle de dégustation est idéale pour découvrir la gamme des premiers crus et petits chablis.
🍷 bourgogne, bourgogne aligoté, chablis, chablis grand cru, chablis premier cru, crémant-de-bourgogne, irancy, petit chablis, saint-bris.

DOMAINES

Domaine William Fèvre – *10 r. Jules-Rathier- 89800 Chablis -* ℘ *03 86 42 12 06 - france@williamfevre.com - tlj sf mar. sur RV.* Depuis 1998, le domaine appartient au groupe familial Henriot. Avec 15 ha de grands crus, ce vignoble est propriétaire de l'une des plus prestigieuses gammes de Chablis. Les vendanges sont manuelles avec tri sévère, puis les vins sont élevés en fûts de chêne et en cuves Inox, de dix à quinze mois selon les millésimes.
🍷 chablis, chablis grand cru, chablis premier cru, saint-bris.

EARL Vincent Dauvissat – *8 r. Émile-Zola - 89800 Chablis -* ℘ *03 86 42 11 58 - sur RV.* Robert Dauvissat commercialisa seul son millésime 1931. Aujourd'hui, c'est son petit-fils Vincent qui gère les 12 ha de vignes de la propriété, dont 3 ha en grand cru. Le domaine a toujours privilégié une petite production aux grands rendements. Tous les vins sont élevés en fûts de chêne.
🍷 chablis, chablis grand cru, chablis premier cru, petit chablis.

Château Long-Depaquit – *45 r. Auxerroise - 89800 Chablis -* ℘ *03 86 42 11 13 - chateau-long-depaquit@albert-bichot.com - tlj sf dim. 9h-12h30, 13h30-18h - fermé 25 déc.-1er janv., 1er Mai et 1er Nov.* Ce vaste domaine viticole qui appartint jusqu'à la Révolution à l'abbaye cistercienne de Pontigny produit des AOC chablis premier et grand crus, élevés en partie en fûts de chêne. Le vin issu de la parcelle de La Moutonne est quant à lui considéré comme « le huitième grand cru de Chablis ». Caveau de dégustation.

🍷 chablis, chablis grand cru, chablis premier cru.

Domaine Jean Durup Père et Fils – *4 Grande-Rue - Maligny - 89800 Chablis - ℰ 03 86 47 44 49 - info@durup-chablis. com - lun.-vend. 9h-12h, 14h-18h.* Issu d'une longue lignée de vignerons chablisiens, Jean Durup, avocat à Paris, a pris la tête de l'un des syndicats viticoles. Depuis 1996, la succession du domaine est assurée par son fils Jean-Paul. La propriété couvre 186 ha. Les méthodes de vinification et d'élevage sont restées traditionnelles. Les vins reposent en cuves Inox cinq à six mois minimum suivant les appellations. 🍷 chablis, chablis grand cru, petit chablis.

Domaine de l'abbaye du Petit Quincy – *R. du Clos-de-Quincy - 89700 Épineuil - ℰ 03 86 55 32 51 - gruhier@domaine-abbaye.com - tlj sf dim. 10h-12h30, 14h30-18h - fermé j. fériés.* Dans ce lieu qui appartenait au 13ᵉ s. aux moines cisterciens de l'abbaye de Quincy (située à Commissey, à l'est de Tonnerre, et ouvert à la visite) Dominique Gruhier produit des vins de haut niveau. On y trouve le bourgogne Épineuil, issu d'un vignoble récemment reconstitué, du chablis et du crémant de Bourgogne. Il faut vous faire montrer (et expliquer) le pressoir à rame d'écureuil… 🍷 bourgogne, chablis, crémant-de-bourgogne, petit chablis.

Dégustation au château Long-Depaquit.

Le Vézelien

▶ Vézelay se trouve à 52 km au S d'Auxerre par la N 6 et la D 951. Carte Michelin Local 319, F7.

Vézelay et les coteaux environnants ont toujours été plantés de vignes dont les vins étaient fort appréciés des pèlerins. Mais les crises successives avaient pratiquement réduit le vignoble à néant jusqu'à ce qu'une poignée de vignerons irréductibles ne décident de le faire revivre. La petite coopérative locale est l'un des principaux artisans de ce renouveau. On y produit du bourgogne rouge et blanc, mais l'appellation **bourgogne-vézelay** est réservée aux vins blancs issus du cépage melon, le même que celui du muscadet.

Vézelay★★

Aux confins du Morvan, Vézelay occupe pentes et sommet d'une colline qui domine la vallée de la Cure. Étape importante sur la route de Compostelle, Vézelay est si proche de l'esprit que nombre d'écrivains y ont élu domicile.

De la place du Champ-de-Foire, en bas de la ville, suivre à pied la promenade des Fossés aménagée sur les anciens remparts qui aboutit à la terrasse du château, derrière la basilique. Pour redescendre, empruntez la Grande-Rue bordée de commerces installés dans des maisons anciennes à portes sculptées et fenêtres à meneaux.

Fondé au 9ᵉ s., le monastère fut consacré dès 1050 à sainte Madeleine, dont il conserva les reliques. Des miracles attirèrent la foule des pèlerins et l'église s'agrandit jusqu'en 1215. Mais la découverte d'autres reliques jeta le trouble dans les esprits. Les pèlerinages s'espacèrent, les foires et marchés perdirent de leur importance. L'ancienne abbatiale, devenue église paroissiale en 1791, a été érigée en **basilique★★★** en 1920.

La **façade** a été refaite par Viollet-le-Duc au 19ᵉ s. La partie supérieure forme un tympan encadrant les statues du Christ couronné, entouré de la Vierge, de Madeleine et de deux anges. L'**avant-nef** (narthex) est soutenue par des arcs et des voûtes romanes. Les pèlerins s'y recueillaient avant d'entrer dans le sanctuaire… et dans la lumière. La perspective sur le long vaisseau radieux que forment la nef et le chœur est un émerveillement. Il faut prendre le temps d'observer leurs sculptures datant du second quart du 12ᵉ s. Sur celles du **tympan du portail central★★★**, on voit le Christ trônant entouré de ses apôtres. Tout autour, arrivent les peuples évangélisés, qu'accueillent saint Pierre et saint Paul.

La **nef** romane fut reconstruite entre 1120 et 1135 après un terrible incendie. Elle se caractérise par ses dimensions imposantes – 62 m de longueur –, son appareil en pierre calcaire de tons différents et sa luminosité. Les **chapiteaux★★★** méritent d'être examinés en détail.

Il n'existe pas de route des Vins. 🍷 Mais vous aurez un bon aperçu de la production à la petite cave coopérative **Henry de Vézelay** *(voir nos bonnes caves)*.
🍷 Dans Vézelay même, les **Caves du Pèlerin** réunissent la production de toutes les caves coopératives de l'Yonne et proposent une visite guidée de caves médiévales disposées sur 3 niveaux. *332 r. St-Étienne - 89450 Vézelay - ☎ 03 86 33 30 84 - cavesdupelerin@wanadoo.fr - 9h30-12h, 14h-18h - fermé de janv. à mi-mars, mar. et merc.*

EN MARGE DU VIGNOBLE

Descendre la Cure en canoë-kayak

Club Canoë-kayak – *3 km au N de Vézelay. Gérard Valdiviesso - r. de la Guinguette - 89460 Cravant - ☎ 03 86 42 20 31 - initiation : sam. 14h-17h.* Le club propose d'assurer le prêt de matériel et le transport pour une descente dans la journée (ou plus) de la magnifique vallée de la Cure, du barrage de Malassis au barrage de Sermizelles, et de celle de l'Yonne.

Ab Loisirs – *3 km à l'E de Vézelay par la D 957. Rte du Camping - 89450 St-Père - ☎ 03 86 33 38 38 - www.abloisirs.com - 9h30-18h30 sur réserv. - fermé 24 déc.-2 janv.* Cette base de loisirs propose la descente de la Cure de Malassis à Sermizelles (4h, 18 km), un parcours aventure avec ponts de singe, échelles de corde, tyroliennes et ponts népalais à Pierre-Perthuis *(dès 8 ans, ouv. w.-end, j. fériés et vac. scol.)*, ainsi que du rafting dans le Morvan *(dép. 20 km au S de Saint-Père)*.

Faire la course Auxerre-Vézelay

Cette grande classique réunit à la fin du mois d'avril deux à trois mille personnes qui parcourent en une journée tout ou partie des 60 km qui séparent les deux villes, sur un itinéraire bordé de vignes et de cerisiers. Il existe aussi une version nocturne. *Renseignements sur http://ffcam.fr/auxerre*

Les adresses du Vézelien

NOS BONNES TABLES

⊖⊜ **Les Aquarelles** – *6 ruelle des Grands-Prés, à Fontette - 89450 Fontette - ☎ 03 86 33 34 35 - fermé 12 nov.-5 déc., 26 déc.-12 mars, lun. et mar. en nov. et déc. - 17/33 €.* Dans un paisible hameau, ancienne ferme où vous serez accueillis comme chez des amis. Chambres de petites dimensions, mais fraîches et bien tenues. La restauration consiste en repas simples, concoctés avec des produits régionaux et servis sur deux grandes tables fermières. Dégustation de vins de la propriété.

⊖⊜⊜ **Le St-Étienne** – *39 r. St-Étienne - 89450 Vézelay - ☎ 03 86 33 27 34 - www.le-saint-etienne.fr - fermé mi-janv. à fin fév., merc. et jeu. - 27/57 €.* Cette bâtisse du 18e s. borde la rue principale conduisant à la basilique. À l'intérieur, une chaleureuse salle à manger rustique agrémentée de poutres apparentes sert de cadre à la dégustation d'une cuisine au goût du jour.

NOS HÔTELS ET CHAMBRES D'HÔTE

⊖⊜ **Hôtel Crispol** – *Rte d'Avallon, à Fontette - 89450 Vézelay - 5 km à l'E de Vézelay par D 957 - ☎ 03 86 33 26 25 - www.crispol.com - fermé du 10 janv. à fin fév., mar. midi et lun. - 🅿 - 12 ch. 72/74 € - ⌂ 9 € - rest. 21/50 €.* Au cœur d'un hameau du Vézelien, bâtisse en pierres de taille dont les chambres offrent un original décor contemporain égayé d'œuvres de la patronne-artiste. Vous goûterez le calme du jardin, bien que la route dessine à cet endroit un virage en épingle. Élégant restaurant tourné vers la colline de Vézelay.

⊖⊜ **Chambre d'hôte Au Porc-Épic** – *80 r. St-Pierre - 89450 Vézelay - ☎ 03 86 33 32 16 - www.le-porc-epic.com - fermé janv. - 🍴 - 3 ch. 58 € ⌂.* Datant du 12e s. mais magnifiquement restaurée, cette maison d'artiste vous ouvre ses portes. L'entrée se fait par l'atelier, servant aussi de galerie d'exposition. D'aspect un peu monastique, les chambres offrent néanmoins un appréciable mélange de confort et de parfaite tenue. Une adresse atypique mais sympathique.

NOTRE BONNE CAVE

Cave Henry de Vézelay – *4 rte Nanchèvres - 89450 St-Père - ☎ 03 86 33 29 62 - www.henrydevezelay.com - 9h-12h, 14h-18h, w.-end 10h-12h30, 14h30-18h - fermé 25 déc. et 1er janv.* Charte de l'accueil du BIVB. La cave coopérative regroupe 12 vignerons et 31 ha de vignoble pour un bon bourgogne vézelay (blanc, rouge, rosé), un ratafia de bourgogne et un melon de bourgogne (cépage presque disparu de Bourgogne, sauf à Vézelay où on le cultive encore).

La côte de Nuits

CARTE MICHELIN LOCAL 320 – CÔTE-D'OR (21)

De Dijon à Pernand-Vergelesses, la côte de Nuits égrène au versant des pentes le chapelet de villages dont les noms tintent comme autant d'appels à la fête des sens. Nuits-saint-georges, vosne-romanée, vougeot, aloxe-corton, puligny-montrachet… Le faste des grands crus se banalise sur les panneaux de signalisation, mais on ne rêve pas. On est bien au cœur d'une région exceptionnelle qui produit, dans un périmètre modeste, certains des vins les plus rares et les plus précieux du monde.

LE TERROIR

Superficie : 99 ha.
Production : 82 450 hl.
Le vignoble est implanté sur des coteaux formés de calcaires riches en fossiles, de marnes et de calcaires marneux.

LES VINS

La **côte de Nuits** produit presque uniquement de très grands vins rouges. Ses crus les plus fameux sont, du nord au sud : le chambertin, le musigny, le clos-vougeot et la romanée-conti. Très riches et corsés, ses vins demandent huit à dix ans pour acquérir leurs incommensurables qualités de corps et de bouquet. Au sud, sur les versants occidentaux de la côte, le vignoble des **Hautes-Côtes de Nuits** produit des vins plus simples.
Un seul cépage pour les vins rouges : le pinot noir.

1 De Dijon à Pernand-Vergelesses

▶ 48 km. Carte Michelin Local 320, J-K 5-7. Voir l'itinéraire 1 sur le plan p. 167.

Dijon★★★

L'ancienne capitale des ducs de Bourgogne est une ville-musée héritière d'un passé prestigieux et d'un patrimoine préservé. Une grande université, l'intense activité culturelle et de très nombreux magasins irriguent la cité en animant les rues du secteur sauvegardé. Les amateurs de vin de Bourgogne trouveront ici le point de départ idéal pour la route des Grands Crus.

Le quartier ancien qui entoure le palais des Ducs et des États de Bourgogne a gardé beaucoup de cachet. En flânant dans ses rues, souvent piétonnes, on découvre de nobles hôtels en pierre de taille ou encore de nombreuses maisons à pans de bois des 15e et 16e s. La **rue des Forges★** est l'une des rues les plus fréquentées de la ville. Bordée de plusieurs hôtels particuliers des 13e-15e s., elle part de la **place François-Rude** au centre de la zone piétonne, dominée par la statue du « Bareuzai », vigneron vêtu seulement de vert-de-gris, considéré comme le bon génie du lieu. Il foule diligemment le raisin, mais le produit de son travail ne s'écoule que lors des fêtes de la vigne.

Musée des Beaux-Arts★★ – ℘ 03 80 74 52 70 - possibilité de visite guidée (1h30) mai-oct. : 9h30-18h ; nov.-avr. : 10h-17h - fermé mar., 1er janv., 1er et 8 Mai, 14 Juil., 1er et 11 Nov., 25 déc. - gratuit. Si vous ne pouvez pas faire la visite complète de Dijon, nous vous conseillons en priorité d'aller visiter ce musée qui se trouve dans l'enceinte du **palais des Ducs et des États de Bourgogne★★**. Créé en 1799, cet immense musée est surtout célèbre pour sa **salle des Gardes★★★**. Elle abrite les trésors d'art provenant de la chartreuse de Champmol (voir plus loin), nécropole des ducs Valois. La pièce maîtresse est le **tombeau de Philippe le Hardi★★★**. Plusieurs artistes flamands travaillèrent successivement, de 1385 à 1410, à ce chef-d'œuvre. Le gisant est veillé par 41 statuettes prodigieuses de réalisme. Vous pourrez également admirer le **tombeau de Jean sans Peur et de Marguerite de Bavière★★★**, exécuté de 1443 à 1470, ainsi que deux retables en bois qui éblouissent par la richesse de leur décoration sculptée : le **retable de la Crucifixion★★★** et le **retable des Saints et Martyrs★★★**. Au centre, on remarque un **retable de la Passion★★** d'un atelier anversois du début du 16e s.

Musée archéologique★ – ☎ 03 80 30 88 54 - de mi-mai à fin sept. : tlj sf mar. 9h-18h ; de déb. oct. à mi-mai : merc.-dim. 9h-12h30, 13h35-18h - fermé 1er janv., 1er et 8 Mai, 14 Juil., 1er et 11 Nov., 25 déc. - gratuit. Deux superbes salles romanes du début du 11e s. abritent au sous-sol des sculptures gallo-romaines. Dans l'ancienne salle capitulaire de l'abbaye, trône en majesté sur sa barque la **déesse Sequana**★, statuette en bronze trouvée dans les fouilles du sanctuaire des sources de la Seine. Dans les anciennes cellules des moines sont présentés de riches vestiges préhistoriques avec notamment un **bracelet en or** massif trouvé à **La Rochepot** (9e s. av. J.-C.) et le **trésor de Blanot**★, composé d'objets de l'âge du bronze final (ceinture, jambières, collier, bracelet).

🚹🚺 **Musée de la Vie bourguignonne**★ – R. Ste-Anne - ♿ - ☎ 03 80 44 12 69 - mai-sept. : 9h-18h ; oct.-avr. : 9h-12h, 14h-18h - possibilité de visite guidée (1h) sur demande - fermé mar., et j. fériés - gratuit. Dans le cloître du monastère des Bernardines, édifié vers 1680, ce

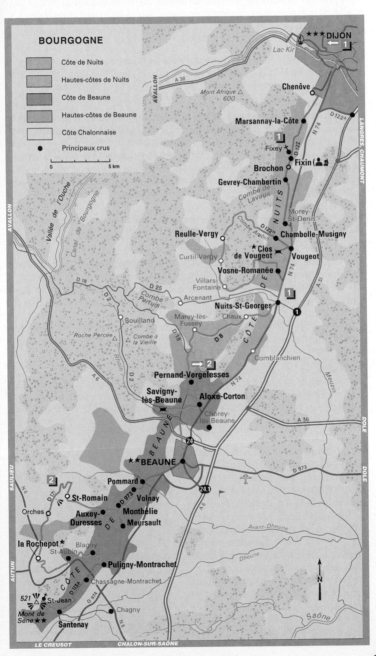

musée retrace l'histoire locale grâce à des pièces d'ethnographie régionale et urbaine dans une mise en scène très vivante. Tout à côté, le **musée d'Art sacré** rassemble des objets du culte catholique, du 13e au 19e s.

Chartreuse de Champmol★ – *1 bd Chanoine-Kir - suivre les panneaux « Puits de Moïse » - ☏ 03 80 44 11 40 - sur réservation à l'office de tourisme.* Philippe le Hardi, désirant une nécropole de stature royale, fonda en 1383 la chartreuse. Aujourd'hui, il ne reste que le **portail de la chapelle★** et le fameux **puits de Moïse★★★** : six grandes statues de Moïse et des prophètes (14e-15e s.) s'adossent à une colonne hexagonale.

Musée Amora – *À l'O par le quai Nicolas-Rolin - ☏ 03 80 44 11 41 (office de tourisme) - visite guidée (1h) mai-sept. : tlj sf dim. et j. fériés 15h et 16h ; oct.-avr. : merc. et sam. 15h et 16h.* Votre visite à Dijon manquerait de piquant si vous ne visitiez pas ce musée, créé par le principal fabricant de moutarde du monde, où l'on retrace toute l'histoire de ce produit de consommation courante dont nous ignorons bien souvent les origines.

Quittez Dijon au sud par la bien nommée « route des Grands Crus » (D 122).

Chenôve

Dans le vieux village fleuri, la **cuverie des ducs de Bourgogne** abrite deux magnifiques pressoirs du 13e s. ♿ - *possibilité de visite guidée (45mn) - juil.-sept. : 14h-19h ; reste de l'année : sur demande à M. le maire (10 j. av.) au ☏ 03 80 51 55 00 - gratuit.*

Marsannay-la-Côte

Le terroir de l'AOC **marsannay** est réputé pour ses rosés obtenus par macération courte du pinot noir. ♟ Le **domaine Bart** et le **château de Marsannay** offrent un cadre agréable à la dégustation *(voir nos bonnes caves)*.

La maison du patrimoine et du tourisme abrite le **musée de la Société viticole traditionnelle**, qui présente la vie des vignerons et l'économie liée à la vigne. ☏ 03 80 52 27 73 - *juin-sept. : lun.-sam. 9h-12h30, 14h-18h30, dim. 9h-13h. ; nov.-fév. : lun.-vend. 9h-12h30, 14h-18h, sam. 9h-12h30, 14h-17h30 ; mars-mai et oct. : lun.-vend. 9h30-12h30, 14h-18h, sam. 9h-12h30, 14h-17h30.*

De là partent plusieurs 🥾 **sentiers de randonnée** vers la forêt communale et dans les vignes.

Fixin

Le vignoble de l'AOC **fixin** *(prononcez « fissin »)* ne compte qu'une centaine d'hectares produisant des vins très fins au bouquet profond. Ses crus les plus réputés sont le clos-du-chapitre, le clos-de-la-perrière et les arvelets. ♟ Le **domaine Philippe Naddef**, en plus de produire de bons vins, propose trois chambres d'hôte *(voir nos bonnes caves)*.

Le village perpétue le souvenir de Napoléon avec un monument érigé par le sculpteur Rude, à la demande d'un ancien soldat de la garde impériale, et un musée dans le parc Noisot.

Brochon

À la limite de la côte de Nuits, Brochon produit des vins estimés. Le **château** a été construit en 1900 par le poète Stephen Liégeard. Le titre de l'un des ses ouvrages, couronné par l'Académie française en 1887, s'avéra plein d'avenir : il venait d'inventer la « Côte d'Azur ».

Gevrey-Chambertin

La ville s'échelonne au débouché de la combe de Lavaux, entre les coteaux du vignoble. Le **chambertin**, qui se compose des deux « climats » chambertin-clos-de-bèze et chambertin, est le plus fameux des grands vins de la côte de Nuits. Son territoire se limite à 28 ha, tandis que celui de l'AOC **gevrey-chambertin** en couvre près de 500. ♟ Vous pourrez comparer les deux appellations au **domaine Trapet Père et Fils** *(voir nos bonnes caves)*.

Dans la partie haute du village, le **château** à tours carrées fut édifié au 10e s. par les sires de Vergy et donné aux moines de Cluny au 11e s. Dans la grosse tour, la salle de guet et celle des archers sont restées intactes. Les caves voûtées renferment les

Le château de Gevrey-Chambertin.

H. Champollion / MICHELIN

récoltes de vin. Le vignoble du château produit notamment du grand cru charmes-chambertin et du premier cru lavaux-st-jacques. *℘ 03 80 34 36 77 - www.chateau-de-gevrey-chambertin.com - visite guidée (1h) - mars-oct. : 10h-12h, 14h-18h ; reste de l'année : sur rendez-vous - 5 € (enf. 2,50 €).*

Morey-Saint-Denis

Au cœur de la côte de Nuits, le vignoble exposé plein est comprend cinq grands crus prestigieux : le clos-des-lambrays, le clos-de-tart, une partie des bonnes mares, le clos-st-denis et le clos-de-la-roche. Les vins de l'appellation **morey-saint-denis** allient puissance et finesse et les grands crus ont une capacité de garde de quinze à vingt ans.

🍷 Une bonne adresse : le **domaine Louis Remy** *(voir nos bonnes caves).*

Prenez au sud la N 74.

Vougeot

Ses vins rouges très appréciés sont placés sous l'autorité d'un seigneur, le Clos. Propriété de l'abbaye de Cîteaux du 12ᵉ s. à la Révolution, le **Clos de Vougeot**, d'une superficie de 50 ha, se partage entre 70 propriétaires. 🍷 Sa célébrité ferait presque oublier la petite appellation **vougeot** dans laquelle le **domaine Christian Clerget** produit un excellent vin blanc *(voir nos bonnes caves).*

Planté au milieu des vignes, le **château du Clos de Vougeot★** est visible de loin. Achevé à la Renaissance, il a été restauré au 19ᵉ s. On y voit le grand cellier (12ᵉ s.) où ont lieu les cérémonies de l'ordre du Tastevin, la cuverie (12ᵉ s.) aux quatre pressoirs gigantesques, l'ancienne cuisine (16ᵉ s.) et le dortoir des frères convers avec sa spectaculaire charpente du 14ᵉ s. Diaporama de 15mn se rapportant à la confrérie des chevaliers du Tastevin. *℘ 03 80 62 86 09 - www.tastevin-bourgogne.com - visite guidée (45mn) avr.-sept. : 9h-18h30, sam. 9h-17h ; oct.-mars : 9h-11h30, 14h-17h30, sam. 9h-11h30, 14h-17h - fermé 1ᵉʳ janv., 24-25 et 31 déc. - 3,60 € (8-16 ans 2,65 €).*

Prenez à l'ouest la D 122ᴴ.

Les chevaliers du Tastevin

La confrérie des chevaliers du Tastevin est propriétaire du château du Clos de Vougeot depuis 1944. En 1934, un petit groupe de Bourguignons, réunis dans une cave de Nuits-St-Georges, décide, pour lutter contre la mévente des vins, de fonder une société destinée à mieux faire connaître les « vins de France en général et ceux de Bourgogne en particulier ». La confrérie était fondée et sa renommée devait grandir si vite qu'elle gagnait bientôt l'Europe et l'Amérique. Chaque année se tiennent dans le grand cellier du château du Clos de Vougeot plusieurs chapitres de l'ordre, célèbres dans le monde entier. Cinq cents convives participent à ces « disnées », à l'issue desquelles le grand maître, entouré du grand conseil de la confrérie, intronisent de nouveaux chevaliers selon un rite scrupuleusement établi en pseudo latin et inspiré du *Malade imaginaire* de Molière.

Chambolle-Musigny

Encore un nom de grand prestige dont les terroirs aux noms évocateurs, comme les Amoureuses, les Groseilles ou les Charmes, produisent des vins d'une finesse inouïe, en AOC **chambolle-musigny** et **musigny**. Cette dernière, située au-dessus du Clos de Vougeot, est synonyme d'excellence. 🍷 Le **domaine Amiot-Servelle** est une bonne adresse *(voir nos bonnes caves).*

Continuez à l'ouest sur la D 122ᴴ, puis tourner à gauche dans la D 116.

Reulle-Vergy

Le village possède une église du 12ᵉ s. et une curieuse petite mairie élevée sur un lavoir. Face à la mairie, une grange abrite le **musée des Arts et Traditions des Hautes-Côtes** fondé sur le travail de la vigne, l'archéologie, la flore, la faune et la vie quotidienne au 19ᵉ s. *℘ 03 80 61 40 95 - possibilité de visite guidée (45mn) - avr.-déc. : tlj sf lun. et mar. 10h-18h - 2 € (-15 ans gratuit).*

En passant par Curtil-Vergy et Villars-Fontaine, rejoignez Vosne-Romanée au sud-est par une route tranquille longeant la forêt de Mantua.

Vosne-Romanée

Le vignoble de l'AOC **vosne-romanée** ne produit que des vins rouges riches, fins et délicats. Parmi les climats qui le constituent, ceux de **la Romanée-Conti**, de la Tâche et de Richebourg comptent parmi les meilleurs vins du monde (et les plus chers…). Les bois environnants sont propices à la venue des truffes de Bourgogne (*Tuber incinatum*).

♥ Outre ses vins, le **domaine Armelle et Bernard Rion** propose toute l'année des truffes en conserve. *8 r. Nationale - 21700 Vosne-Romanée - ℰ 03 80 61 05 31 - armelle@domainerion.fr - lun.-sam. 9h-18h - sur RV.*

Nuits-Saint-Georges

La coquette capitale de la Côte s'ennorgueillit de son AOC **nuits-saint-georges** et bien sûr de son cru saint-georges constitué dès l'an 1000. La renommée de ses vins doit beaucoup aux actives maisons de négoce de la place.

♥ À proximité de son site de production des crémants de Bourgogne, la **maison Louis Bouillot** propose à l'**Imaginarium** un parcours interactif dédié aux vins effervescents. Ce voyage ludique s'achève par une dégustation. *Av. du Jura - ℰ 03 80 62 61 40 - www.imaginarium-bourgogne.com - avr.-oct. 10h-13h, 14h-19h (fermé lun. de nov. à mars) - 7 € (ateliers de l'Espace sensoriel 15 € sur réserv.).*

Le cassis est l'autre richesse de Nuits-Saint-Georges. Pour tout savoir sur la petite baie noire, rendez-vous au **Cassium**. *R. des Frères-Montgolfier - ℰ 03 80 62 49 70 - www.cassissium.com - avr.-nov. : visite (1h30) lun.-sam. 10h-13h, 14h-19h, dim. 10h-11h30, 1hh-17h30 ; déc.-mars : mar.-sam. 10h30-13h, 14h-17h30 - 7 €.*

Dans une ambiance plus familiale, **La Ferme Fruitrouge** produit des confitures et autres gourmandises avec les fruits rouges de son exploitation. *Hameau de Concœur - ℰ 03 80 62 36 25 - fruirouge@wanadoo.fr. - lun., jeu.-dim. 9h-12h, 14h-19h, merc. 14h-19h.*

♥ Le **domaine Chantal Lescure** ouvre à la visite *(payante)* ses caves des 11e et 18e s. La partie la plus ancienne est située sous la tour Noire, vestiges des fortifications de Nuits-St-Georges. *34 r. Thurot - 21700 Nuits-St-Georges - ℰ 03 80 61 16 79 - contact@domaine-lescure.com - lun.-vend. 8h-12h, 14h-17h, w.-end sur RV - visite payante.*

Si vous vous intéressez à l'archéologie, allez visiter le **musée**. Les caves voûtées d'une ancienne maison de vins abritent les collections archéologiques provenant du site gallo-romain des Bolards, ainsi que du mobilier funéraire et des bijoux mérovingiens. *ℰ 03 80 62 01 37 - mai-oct. : tlj sf mar. 10h-12h, 14h-18h - 2,15 € (-12 ans gratuit).*

Après Nuits-St-Georges, l'itinéraire emprunte la D 8 et passe par **Chaux** et **Marey-lès-Fussey**, dans le vignoble des Hautes-Côtes de Nuits. Vous pouvez faire halte pour pique-niquer sur l'aire aménagée, très agréable, à la sortie de Marey-lès-Fussey. Remarquez les champs de cassis et de framboises qui bordent la route.

Gagnez Pernand-Vergelesses à 5 km au sud par la D 18.

EN MARGE DU VIGNOBLE

À la rencontre des moines de Cîteaux

23 km au S de Dijon par la D 996. ℰ 03 80 61 32 58 - www.citeaux-abbaye.com - visite guidée (1h15) en juil.-août. à 10h30, 11h30, et ttes les heures de 14h à 17h, dim. 12h15-17h ; mai-juin et sept. : tlj sf vend. 10h30, 11h30, et 14h30-16h45, dim. 12h15-17h - fermé lun., 15 août matin - 7 € (enf. 3,50 €).

Sous la prodigieuse impulsion de saint Bernard, venu y vivre en 1113 avant de devenir trois ans plus tard abbé de Clairvaux, ce rameau détaché de Cluny rayonna à son tour à travers le monde. Du patrimoine de ce haut lieu de l'Occident, il reste peu de chose : seuls demeurent les vestiges de l'ancienne bibliothèque, à façade de briques émaillées, qui date du 15e s. On peut voir encore un beau bâtiment du 18e s. où vivent les moines actuels, producteurs de l'excellent fromage de Cîteaux qui fait très bon ménage avec les vins de la région.

Dans la sobre **boutique** sise dans un bâtiment refait, vous trouverez, outre le fameux fromage, des bonbons au miel, des caramels et quelques produits d'autres monastères. *ℰ 03 80 61 34 28 - monastere@citeaux-abbaye.com - dim. 14h-18h30.*

👁 L'abbaye est toujours le lieu de vie d'une communauté monastique : respectez le climat de silence et de recueillement.

Les adresses de la côte de Nuits

NOS BONNES TABLES

⊜⊜ **Le Bistrot des Halles** – *10 r. Bannelier - 21000 Dijon - ℘ 03 80 49 94 15 - fermé dim. et lun. - 16 €.* Ce bistrot au décor 1900 est aménagé face aux halles. Tentez, parmi ses incontournables spécialités, le pâté en croûte, les escargots ou ce surprenant cabillaud « dijonnisé » avec sa crème de moutarde. À moins que l'originalité de certains intitulés ne titillât votre curiosité : canard rôti aux ananas et pain d'épice, etc.

⊜⊜ **La Toute Petite Auberge** – *Rte Nationale 74 - 21700 Vosne-Romanée - ℘ 03 80 61 02 03 - fermé en fév., mar. soir et merc. - 16/50 €.* Les plats régionaux et classiques servis dans les deux salles à manger ou sur la terrasse tournée vers le petit parc et les vignes constituent de vrais délices. L'aumônière de joue de bœuf à la bourguignonne, par exemple, croustille sous la dent et révèle de subtils arômes rehaussés par une succulente sauce au vin rouge.

⊜⊜ **Ma Bourgogne** – *1 av. Paul-Doumer - 21000 Dijon - ℘ 03 80 65 48 06 - fermé 10-25 août, dim. soir et sam. - 22/40 €.* Le chef de ce restaurant limite volontairement le nombre de ses couverts afin de pouvoir tout maîtriser de A à Z et mitonner des préparations régionales qui ne font pas mentir l'enseigne. Son épouse et sa fille assurent quant à elles l'accueil et le service avec le sourire dans une salle à manger sans luxe mais bien tenue.

⊜⊜ **Le Chambolle Musigny** – *28 r. Basse - 21220 Chambolle-Musigny - ℘ 03 80 62 86 26 - fermé 1er-6 juil., 19 déc.-20 janv., dim. soir déc.-avr., merc. et jeu. - 24/35 €.* Accueil tout sourire dans cette petite salle à manger où l'on propose des recettes inspirées du terroir. Œufs en meurette, escargots de Bourgogne, coq au vin et bœuf bourguignon sont mitonnés avec le plus grand soin par le chef qui vous conseillera d'arroser le tout, comme il se doit, avec un chambolle-musigny.

⊜⊜ **Les Deux Fontaines** – *16 pl. de la République - 21000 Dijon - ℘ 03 80 60 86 45 - fermé 1er-11 janv., 3 sem. en août, dim. et lun. - 25/40 €.* La carte de ce séduisant bistrot débute par un hommage à la grand-mère du patron, véritable « cordon-bleu ». Le décor de la salle à manger, aménagée dans un ancien garage, invite aussi à la nostalgie. Quant aux plats, inspirés des recettes d'antan, ils sont réactualisés en utilisant épices et saveurs du monde.

⊜⊜⊜ **Chez Guy** – *3 pl. de la Mairie - 21220 Gevrey-Chambertin - ℘ 03 80 58 51 51 - fermé merc. - 28/49 €.* Jambon persillé, pastilla d'escargots, joues de bœuf à la bourguignonne, financier au cassis ou glace au pain d'épice garnissent les assiettes des convives, tandis que leurs verres se remplissent des meilleurs crus : vous êtes ici dans l'un des plus célèbres villages viticoles de la Côte, et l'un des mieux… cotés !

NOS HÔTELS ET CHAMBRES D'HÔTE

⊝ **Chambre d'hôte Les Brugères** – *7 r. Jean-Jaurès - 21160 Couchey - 2 km au S de Marsannay par D 122 - ℘ 03 80 52 13 05 - www.francoisbrugere.com - fermé déc.-mars - 4 ch. 48/69 € □.* Étape parfaite pour parler vin et le goûter que cette charmante habitation du 17e s., propriété d'un viticulteur. Les chambres, joliment aménagées, s'agrémentent de poutres apparentes et de meubles chinés chez les antiquaires. Gracieuse salle des petits-déjeuners. Cave ouverte aux visites et aux dégustations.

⊝⊜ **Hôtel La Musarde** – *7 r. des Riottes - 21121 Hauteville-lès-Dijon - ℘ 03 80 56 22 82 - www.lamusarde.fr - fermé 23 déc.-15 janv. ; rest. fermé dim. soir et lun. - 🅿 - 12 ch. 57/67 € - □ 9 € - rest. 19/64 €.* Cyprès, noisetiers et chênes unissent leurs feuillages pour procurer à la terrasse de cet hôtel un ombrage bien agréable aux beaux jours, et la tranquillité du village où il se situe ajoute au charme des lieux. Les chambres, meublées simplement dans un esprit rustique, se tournent vers le paisible jardin.

⊝⊜ **Chambre d'hôte La Bonbonnière** – *24 r. des Orfèvres - 21240 Talant - ℘ 03 80 57 31 95 - labonbonniere@wanadoo.fr - fermé 1er-7 janv., 29 juil.-15 août et 23-31 déc. - 🅿 - 20 ch. 70/95 € - □ 9 €.* Maison particulière transformée en hôtel dans un joli village surplombant le lac Kir. L'aménagement intérieur ne fait pas mentir l'enseigne : meubles de style et tendres coloris donnent un petit côté « bonbonnière » à l'ensemble. Chambres spacieuses et calmes, salons bourgeois et accueillante salle des petits-déjeuners.

⊝⊜ **Hôtel Les Grands Crus** – *R. de Lavaux - 21220 Gevrey-Chambertin - ℘ 03 80 34 34 15 - www.*

hoteldesgrandscrus.com - fermé de déb. déc. au 1er mars - **P** *- 24 ch. 75/85 € -* ⊑ *12 €.* Accordez-vous donc cette halte au royaume du vin : le vieux village, tant de fois célébré par les écrivains - l'un d'eux, Gaston Roupnel, s'y essaya même à la viticulture - est justement apprécié par les amateurs. Les chambres de l'hôtel climatisées, bourgeoises ou rustiques, offrent de belles échappées sur les vignes.

P. Bénet / MICHELIN

NOS BONNES CAVES

CAVISTE

Nicot Yves *– 48 r. Jean-Jacques-Rousseau - 21000 Dijon -* ☎ *03 80 73 29 88 - nicotvins@infonie.fr - 8h-12h30 et 15h-20h, sam. 8h-20h, dim. 8h-12h30.* Monsieur Nicot voue une véritable passion au vin. La preuve en est cette maison qu'il a ouverte en 1985. 4 ans plus tard, il fonde une école du vin où il dispense des cours de dégustation et d'œnologie, puis, en l'an 2000, il crée une structure spécialisée dans l'expertise organoleptique de cave. Belle sélection de vin de Bourgogne.

DOMAINES

Domaine Bart *– 23 r. Moreau - 21160 Marsannay-la-Côte -* ☎ *03 80 51 49 76 - lun.-ven. 8h-12h, 14h-19h - sur RV.* À ses débuts en 1953, André Bart ne cultivait que 6 ha de vignes. Le domaine s'étend aujourd'hui sur 20,5 ha, dont 3,5 sont en location. Deux de leurs enfants, Odile et Martin, ont rejoint leurs parents en 1982, constituant une société en 1987. Martin assure la vinification et l'élevage, tandis qu'Odile gère la commercialisation des vins. Pierre, le fils d'Odile, a lui aussi rejoint le domaine en 2003. Après des études au lycée viticole de Beaune et deux stages en Nouvelle-Zélande et en Afrique du Sud, il apporte à son tour son savoir-faire à l'exploitation familiale. Le domaine produit un premier cru Les Hervelets en fixin. 🍷 bonnes-mares, bourgogne aligoté, chambertin-clos-de-bèze, chambolle-musigny, fixin, marsannay, santenay.

Château de Marsannay *– Rte des Grands-Crus - 21160 Marsannay-la-Côte -* ☎ *03 80 51 71 11 - www.chateau-marsannay.com - tlj sf dim. de nov. à mars 10h-12h, 14h-18h30 - fermé 23 déc.-14 janv.* Le domaine du château de Marsannay compte 38 ha plantés de vignes. La visite de l'ancienne cuverie et des caves à fûts et à bouteilles (environ 300 000) s'achève par une dégustation des vins de la propriété. Une salle d'exposition retrace l'histoire du tournoi de Marsannay (1443). 🍷 bourgogne, chambertin, clos-de-vougeot, fixin, gevrey-chambertin, marsannay, ruchottes-chambertin, vosne-romanée.

Domaine Philippe Naddef *– 30 rte des Grands-Crus - 21220 Fixin -* ☎ *03 80 51 45 99 - domaine.phil.naddef@wanadoo.fr - lun.-sam. 9h-12h, 14h-19h - sur RV.* En 1983,

Philippe Naddef reprend 2,5 ha de vignes en gevrey-chambertin provenant du domaine familial créé par son grand-père. Depuis, la propriété s'est étendue sur les terroirs de Fixin et de Marsannay et compte 5,8 ha dont 4 sont encépagés de pinot noir et le reste de chardonnay. Marque de tradition, c'est dans une cave du 17e s. que les vins sont élevés en fûts de chêne en provenance des meilleures forêts françaises. Le domaine produit deux premiers crus en gevrey-chambertin : Les Cazetiers et Champeaux. 🍷 bourgogne, fixin, gevrey-chambertin, marsannay, mazis-chambertin.

Domaine Trapet Père et Fils *– 53 rte de Beaune - 21220 Gevrey-Chambertin -* ☎ *03 80 34 30 40 - message@domaine-trapet.com - lun.-vend. 9h-11h, 14h-17h - sur RV.* Le vignoble, qui s'étend sur 14,5 ha, est conduit en biodynamie depuis 1998. Les vendanges sont manuelles, et respect du terroir et culture traditionnelle sont la règle au domaine. La famille Trapet produit des grands crus ainsi que des premiers crus : chambertin, chapelle-chambertin et latricières-chambertin en grands crus, Clos Prieur et Petite Chapelle en premiers crus de gevrey-chambertin. Les rouges sont élevés jusqu'à vingt mois, en fûts de chêne. 🍷 bourgogne, chambertin, gevrey-chambertin, latricières-chambertin, marsannay.

Domaine Louis Remy *– 1 pl. du Monument - 21200 Morey-Saint-Denis -* ☎ *03 80 34 34 08.* Le domaine, fondé en 1821 par la famille Riembault-Rodier, a été repris par les Remy, leurs descendants. Mme Louis Remy et sa fille Chantal Remy, qui a rejoint l'exploitation en 1988, gèrent désormais la propriété de 3 ha encépagés de pinot noir. Les vendanges sont manuelles, et les rendements restent faibles. La vinification est ensuite effectuée de manière traditionnelle, puis les vins sont élevés durant vingt-deux mois en fûts de chêne, neufs pour un tiers. Le domaine produit des premiers crus : Derrière-la-Grange en chambolle-musigny et Aux Chéseaux en morey-saint-denis. 🍷 chambertin, chambolle-musigny, clos-de-la-roche, latricières-chambertin, morey-saint-denis.

Domaine Christian Clerget – *21640 Vougeot* - *📞 03 80 62 87 37* - *domainechristianclerget@wanadoo.fr - sur RV.* Le vignoble du domaine s'étend sur 6 ha et produit deux premiers crus : Les Petits Vougeots en vougeot et Les Charmes en chambolle-musigny. Les vendanges sont manuelles avec taille de la vigne et ébourgeonnage. La vinification a ensuite lieu en cuves émail et en cuves béton dans la cuverie construite en 1999. L'élevage des vins se poursuit en fûts de chêne pendant dix-huit mois. La mise en bouteilles a lieu sur place, sans filtration, ni collage.

🍷 chambolle-musigny, échezeaux, morey-saint-denis, vosne-romanée, vougeot.

Domaine Amiot-Servelle – *21220 Chambolle-Musigny* - *📞 03 80 62 80 39* - *domaine@amiot-servelle.com - lun.-sam. - sur RV.* Après avoir conduit son vignoble de 7 ha en lutte raisonnée durant plus de dix ans, Christian Amiot s'est converti à l'agriculture biologique en 2003. Les rendements sont limités et les vendanges effectuées manuellement avec un tri rigoureux des raisins. La vinification est traditionnelle : contrôle des températures, remontage, pigeage, dans des cuves de bois ouvertes. Les vins vieillissent ensuite en fûts de chêne. Le domaine produit des premiers crus : les Charmes, Derrière-la-Grange, les Amoureuses, les Feusselottes et les Plantes en chambolle-musigny.

🍷 bourgogne, bourgogne-aligoté, chambolle-musigny, clos-de-vougeot.

La côte de Beaune

CARTE MICHELIN LOCAL 320 – CÔTE-D'OR (21)

La côte de Beaune, qui s'étire d'Aloxe-Corton à Santenay, se différencie de celle de Nuits par ses grands terroirs à vins blancs. Les noms des villages sont encore un festival à eux seuls. Et Beaune, qui recèle des trésors d'architecture, est un peu la « Mecque » des amateurs de grands vins.

LE TERROIR
Superficie : 4 467 ha.
Production : 178 120 hl.
Le vignoble est implanté sur des sols calcaires dans les hauteurs, des marnes et des cailloutis dans les pentes, et des calcaires et des argiles en contrebas.

LES VINS
La **côte de Beaune** produit de très grands vins rouges issus du pinot noir, et de magnifiques vins blancs dont le cépages sont le chardonnay et le pinot blanc. Ses crus les plus fameux portent le nom d'auxey-duresses, chassa-gne-montrachet, corton, corton-charlemagne, ladoix, meursault, puligny-montrachet, santenay…
Les rouges sont puissants et fruités, tout comme les blancs qui sont d'une fabuleuse richesse tant au nez qu'en bouche.

② De Pernand-Vergelesses à Santenay
▶ 40 km. Pernand-Vergelesses se trouve à 8 km au N de Beaune par la D 18. Carte Michelin Local I-J 7-8. Voir l'itinéraire ② sur le plan p. 167.

Pernand-Vergelesses
« Pernand je bois, verre je laisse ». Ce charmant village vigneron accroché à la côte, au creux d'une combe, a gardé toute son authenticité.
🍷 On y produit l'appellation **pernand-vergelesses** en vins rouges et blancs d'un bon rapport qualité-prix comme ceux du **domaine Rapet Père et Fils** *(voir nos bonnes caves)*.

Aloxe-Corton
Au pied de la « montagne de Corton », l'appellation **aloxe-corton** *(prononcer « alosse »)* produit surtout des vins rouges, mais elle est moins connue que les terroirs de **corton** et de **corton-charlemagne**. Le corton produit des rouges intenses de grande garde et le corton-charlemagne certains des plus grands vins blancs de Bourgogne.

🍷 Le **Château de Corton-André**, avec son toit de tuiles bourguignonnes polychromes, est l'un des bâtiments les plus photographiés de Bourgogne. Le domaine produit des vins de grande qualité que l'on peut acheter sur place et déguster dans une belle cave voûtée du 14ᵉ s. *21420 Aloxe-Corton - ☎ 03 80 26 44 25 - www.pierre-andre.com - 10h-18h - sur RV - visite payante.*

Aloxe-Corton se trouve à proximité des villages de **Chorey** et de **Ladoix-Serrigny**, qui partagent avec lui une partie des terroirs de corton et corton-charlemagne. Leurs vins rouges sont souples et leurs blanc légers. 🍷 Vous serez bien accueilli et conseillé au **domaine Edmond Cornu et Fils**, à Ladoix-Serrigny, ainsi qu'au **domaine Tollot-Beaut et Fils** *(voir nos bonnes caves).*

Savigny-lès-Beaune

Blotti au creux d'une combe, Savigny possède la plus grosse surface viticole de la Côte-d'Or avec plus de 600 ha. Les vins de l'appellation **savigny** rouges sont légers et fruités et se boivent plutôt jeunes. Les blancs sont vifs et s'arrondissent après deux à trois ans de bouteille. 🍷 Vous les trouverez au **domaine Simon Bize et Fils** *(voir nos bonnes caves).*

👥 Visitez également le **château** qui accueille de surprenantes collections. À l'entrée, le « petit château » (17ᵉ s.) a été aménagé pour recevoir un espace de dégustation-vente de vins ainsi qu'une exposition… de **voitures Abarth** de compétition (courses de côte et d'endurance). Le 2ᵉ étage est réservé à la **moto★**, réunissant plus de 500 modèles de tous les pays, des marques les plus prestigieuses aux plus éphémères. ☎ *03 80 21 55 03 - www.chateau-savigny.com - avr.-oct. : 9h-18h30 ; nov.-mars : 9h-12h, 14h-17h30 (dernière entrée 1h30 av. fermeture) - fermé 1ʳᵉ quinz. de janv. - 8 € (9-16 ans 4 €).*

Beaune★★

L'AOC **beaune** produit des vins rouges et blancs d'une grande finesse. Les crus les plus fameux sont les grèves, les bressandes et le clos-du-roy. Pour approfondir le sujet, vous pouvez apprendre l'art de la dégustation ou l'œnologie le temps d'un week-end sur place ou en parcourant le vignobles en 4x4 avec *Sensation Vins. 1 r. d'Enfer - 21200 Beaune - ☎ 03 80 22 17 57 - www.sensation-vin.com*

Beaune, prestigieuse cité du vin, est aussi une incomparable ville d'art. Son hôtel-Dieu, ses musées, son église Notre-Dame, sa ceinture de remparts dont les bastions abritent les caves les plus importantes, ses jardins, ses maisons anciennes en font le joyau de la Bourgogne. **Place de la Halle**, on est au cœur de la ville. L'hôtel-Dieu domine l'ensemble par sa belle toiture de tuiles vernissées. La place et les rues avoisinantes sont bordées de magasins de spécialités régionales : vins et alcools bien sûr, mais aussi confiseries.

Hôtel-Dieu★★★ – ☎ *03 80 24 45 00 - www.hospices-de-beaune.tm.fr - ♿ - possibilité de visite guidée (1h) de fin mars à mi-nov. : 9h-18h30 ; reste de l'année : 9h-11h30, 14h-17h30 - 5,60 € (enf. 2,80 €).* Merveille de l'art burgondo-flamand, l'hôtel-Dieu fut fondé en 1443 par Nicolas Rolin, chancelier de Philippe le Bon. À l'intérieur, un hôpital a fonctionné jusqu'en 1971. C'est en pénétrant dans la **cour d'honneur** que l'on prend la mesure de l'importance des bâtiments couverts de tuiles vernissées multicolores qui forment un ensemble « plutost logis de prince qu'hospital de pauvres ». Le vieux puits, avec son armature de fer forgé, complète ce qui est devenu un tableau classique.

La **grand'salle ou chambre des pauvres★★★** conserve une magnifique voûte en carène de navire renversée polychrome, dont les longues poutres transversales sont « avalées » à chaque extrémité par une gueule de monstre marin. L'ordonnance des ciels de lit, des courtines et de la literie, dans leur harmonie de tons blancs et rouges, est frappante. Au fond de la salle se dresse la statue plus grande que nature (1,76 m assis), en bois polychrome, d'un émouvant **Christ de pitié★** (15ᵉ s.). Dans la **salle du Polyptyque** se trouve le célèbre tableau du **Jugement dernier★★★** de Roger Van der Weyden, chef-d'œuvre de l'art flamand réalisé entre 1445 et 1448, qui représente le Christ présidant

Cérémonial

Chaque année, sous la halle médiévale, a lieu la célèbre vente aux enchères des vins des Hospices de Beaune, patronnée par deux célébrités. Les annonces du crieur sont guettées par les experts et sa durée est limitée à la combustion de deux petites chandelles, d'où son nom d'« enchères à la chandelle ». Le produit de ce qu'on a appelé « la plus grande vente de charité du monde » est consacré à des œuvres de bienfaisance, à la modernisation des installations chirurgicales et médicales ainsi qu'à l'entretien de l'hôtel-Dieu.

au Jugement dernier au-dessus de saint Michel qui pèse les âmes. On visite également la **cuisine** *(commentaire et animation de type « son et lumière » toutes les 15mn)* et la **pharmacie**.

Musée du Vin – ☎ 03 80 22 08 19 - avr.-nov. : 9h30-18h ; déc.-mars : tlj sf mar. 9h30-17h - fermé 1ᵉʳ janv. et 25 déc. - 5,40 € (10-18 ans 3,50 €). La cour intérieure de l'ancien hôtel des ducs de Bourgogne évoque un délicieux décor de théâtre. La cuverie (14ᵉ s.) abrite une impressionnante collection de pressoirs et de cuves. Au 1ᵉʳ étage, une grande salle, décorée de deux tapisseries des ateliers d'Aubusson, était le siège de l'« Ambassade des Vins de France ». L'histoire du vignoble bourguignon et de la culture de la vigne est retracée au rez-de-chaussée. On voit également une **Vierge au raisin** (N.-D.-de-Beaune), statue en pierre polychrome du 16ᵉ s.

Collégiale Notre-Dame★ – Commencée vers 1120, c'est un bel exemple d'art roman bourguignon. Après un large porche du 14ᵉ s., on pénètre dans la haute nef, flanquée d'étroits bas-côtés. De nombreuses sculptures de style bourguignon des 15ᵉ et 16ᵉ s. ornent les chapelles. Derrière le maître-autel se cache une magnifique suite de **tapisseries★★** dites « de la Vie de la Vierge », marquant le passage de l'art du Moyen Âge à la Renaissance.

P. Bénet / MICHELIN

La cour intérieure de l'hôtel-Dieu de Beaune.

Quittez Beaune au sud par la D 973.

Pommard

Pommard tire son nom d'un temple antique dédié à Pomone, divinité des fruits et des jardins. Les vins rouges de l'AOC **pommard**, « fermes, colorés, pleins de franchise et de bonne conservation », furent appréciés par Ronsard, Henri IV, Louis XV, Victor Hugo… Les premiers crus les épenots, les vaumuriens et les rugiens sont très recherchés. ☙ Le **Château de Pommard** est une belle bâtisse du 18ᵉ s., entourée d'un parc, où vécut le mathématicien Monge (1746-1818) ; le **Clos des Épeneaux** est aussi une valeur sûre de l'appellation *(voir nos bonnes caves)*.

Volnay

Ses vins, uniquement rouges, au bouquet très délicat et au goût suave, sont souvent décrits comme « féminins ». Ils furent, dit-on, très appréciés de Louis XI. L'appellation **volnay** ne compte pas moins de 34 premiers crus parmi lesquels les caillerets, les santenots et les champans. On a une belle vue sur les vignobles depuis l'esplanade, en contrebas de la petite église du 14ᵉ s. Le village a beaucoup de charme, avec ses rues aux noms pittoresques comme la rue d'Amour, la rue de l'Abreuvoir ou la rue de la Piture. ☙ Parmi les nombreux caveaux accueillants, signalons, entre autres, celui du **domaine de Montille** *(voir nos bonnes caves)*.

Meursault

Cette petite ville cossue, que domine une belle flèche gothique, devrait son nom à une coupure séparant la côte de Meursault et la côte de Beaune, appelée « saut du Rat », en latin *muris saltus*. D'où le nom des habitants : les Murisaltiens.

Bien qu'il existe aussi des **meursaults** rouges, l'appellation est dédiée aux vins blancs de grande qualité, caractérisés par des arômes de noisette et de raisin mur, qui peuvent vieillir jusqu'à quinze ans. Les lieux-dits les plus réputés sont les Perrières, les Genevrières et les Charmes.

☙ Le domaine du **Château de Meursault** est le plus grand de l'appellation. Il possède un beau bâtiment du 17ᵉ s. remanié, avec d'importantes caves beaucoup plus anciennes *(voir nos bonnes caves)*.

Gagnez St-Romain (6,5 km au N-O), en passant par Monthélie et Auxey-Duresses.

Les appellations **monthélie** et **auxey-duresses** ne sont pas les plus connues malgré leur qualité certaine. Elles produisent surtout des rouges bien charpentés avec un très bon potentiel de garde. Les blancs, assez fins, s'apparentent aux meursaults.

☙ À **Auxey-Duresses**, les domaines **Château de Melin** et **Michel Prunier** sont des haltes avenantes *(voir nos bonnes caves)*.

Saint-Romain

La localité se compose de deux villages distincts. St-Romain-le-Haut est situé sur un éperon calcaire au milieu d'un beau cirque de falaises, avec, sur le bord sud de l'éperon, les vestiges de son château des 12ᵉ et 13ᵉ s. *(site archéologique ; circuit de visite aménagé sur 200 m)*. Tout en haut, joliment restaurée, se dresse l'église du 15ᵉ s. En contrebas, à St-Romain-le-Bas, se trouve la mairie qui présente une **exposition** permanente sur l'archéologie et les traditions locales. ☎ *03 80 21 28 50 - visite guidée de déb. juil. à mi-sept. et journée du Patrimoine : 14h-18h ; reste de l'année : sur demande 48h av. - gratuit.*

Saint-Romain.

Les vins de l'appellation **saint-romain**, rouges et blancs, ont la réputation d'être fermés dans leur jeunesse mais de fort bien vieillir. Ils sont, généralement, d'un bon rapport qualité-prix. ☙ Le **domaine Alain Gras** compte parmi les valeurs sûres de l'appellation *(voir nos bonnes caves)*.

Prenez la direction de La Rochepot par la D 171.

La route offre, avant **Orches**, village bâti dans le rocher, une belle **vue★** sur St-Romain, Auxey, Meursault et le val de Saône (source entourée de stèles gallo-romaines).

Après Orches, poursuivez 4 km au sud.

Château de la Rochepot★

☎ *03 80 21 71 37 - www.larochepot.com - visite guidée (1h) juil.-août : 10h-18h ; avr.-juin et sept.-oct. : 10h-11h30, 14h-17h30 (oct. 16h30) - fermé mar. - 6 € (enf. 3,50 €).*
Le château émerge des bois, au sommet du piton de Nolay, comme une apparition féerique. La construction primitive date du 13ᵉ s., mais a été remaniée au 15ᵉ s. On visite la salle des gardes et son armurerie, la cuisine, avec son fourneau monumental, la salle à manger richement meublée, l'ancienne chapelle et le chemin de ronde.

Allez à Nolay par la D 973. Profitez de votre passage à **Nolay** pour faire connaissance avec les vins des Hautes-Côtes de Beaune.

Prenez ensuite la D 33 en direction de St-Aubin.

Saint-Aubin

Les vignes qui entourent ce joli village dominé par un clocher en forme de pain de sucre produisent en AOC **saint-aubin** de très bons vins blancs de grande garde sur des terroirs de qualité comme le pittoresque climat Murgers des Dents de Chien. St-Aubin compte aussi des vins rouges délicats et fruités. ☙ Les domaines **Henri Prudhon et Fils, Hubert Lamy** et **Patrick Miolane** font honneur à l'appellation *(voir nos bonnes caves)*.

Quittez St-Aubin en direction de Puligny-Montrachet, puis prenez la petite route qui passe par Blagny.

Au hameau de **Gamay**, dont le « château » a été immortalisé par le peintre Utrillo, une petite route en forte pente offre un beau panorama sur le vignoble et rejoint le hameau de **Blagny**, petite enclave de vignes à rouges, dans un territoire voué aux grands vins blancs.

Puligny-Montrachet

Vous êtes dans la capitale mondiale des grands vins blancs secs. Il semble que leur puissance provienne de sols cailouteux qui restituent mieux le soleil qu'ailleurs en Bourgogne. Leur vigoureux bouquet est très riche et leur robe presque verte. Les rares vins rouges de l'appellation ont beaucoup de finesse. Le terroir de Puligny se répartit en grands crus prestigieux aux noms mythiques : **montrachet**, bâtard-montrachet, chevalier-montrachet et bienvenue-bâtard-montrachet. Sur les hauteurs du village de Puligny, une petite route serpente entre les hauts murs qui protègent ces joyaux. ⚐ Pour vos achats, allez rendre visite au **domaine Louis Carillon et Fils** *(voir nos bonnes caves)*.

À 3 km au sud, le village de **Chassagne-Montrachet** a donné son nom à l'appellation **chassagne-montrachet** qui produit aussi de grands vins blancs, comme le cru criots-bâtard-montrachet.

Santenay

Dans un cirque de falaises, Santenay étend ses trois quartiers entre de vastes vignobles qui, avec les eaux minérales lithinées et son casino, font sa renommée. Isolée au pied des falaises, la petite **église St-Jean** possède une nef du 13e s.

Les vins de Santenay sont majoritairement rouges et se caractérisent par une grande diversité due à la variété des éléments géologiques de l'appellation. Les excellents blancs supportent bien le boisé de la barrique. ⚐ Les vins des domaines **Françoise et Denis Clair** et **Anne-Marie et Jean-Marc Vincent** comptent parmi les meilleurs rapports qualité-prix du **santenay** *(voir nos bonnes caves)*.

Malgré ses nombreux rajouts, le **Château de Santenay** (également appelé château de Philippe le Hardi, premier des ducs de Bourgogne), a fière allure avec son toit de tuiles multicolores. Le château et le domaine viticole appartiennent au Crédit agricole qui y organise des séminaires. *1 r. du Château - 21590 Santenay - ✆ 03 80 20 61 87 - www.chateau-de-santenay.com - avr.-oct. : 10h-18h ; nov.-mars. 9h-12h, 14h-17h - sur RV - visite payante.*

Les adresses de la côte de Beaune

NOS BONNES TABLES

😊🍴 **Aux Vignes rouges** – *45 r. Maufoux - 21200 Beaune - ✆ 03 80 24 71 28 - fermé 15-31 août et mar. - 17/36 €.* Une cuisine à vue sépare les deux salles de cette table traditionnelle au décor intimiste. Mobilier de bistrot à l'avant ; cadre plus rustique à l'arrière. Terrasse protégée.

😊🍴 **La Ciboulette** – *69 r. de Lorraine - 21200 Beaune - ✆ 03 80 24 70 72 - fermé 2-25 fév., 2-18 août, lun. et mar. - 20/26 €.* La cuisine de ce petit établissement convivial fleure bon la Bourgogne. La carte ne propose que des valeurs sûres de la gastronomie régionale comme les noix de joue de porc à la bourguignonne, le jambon persillé ou encore le pavé de bœuf charolais à l'époisses. Ce choix limité permet au chef de soigner ses préparations.

😊🍴 **Le Fleury** – *15 pl. Fleury - 21200 Beaune - ✆ 03 80 22 35 50 - www.lefleury. com - fermé 5-19 janv., mar. et merc. d'oct. à mai - formule déj. 17 € - 23/39,50 €.* Toiles d'artistes égayant des murs pastel et bœuf bourguignon longuement mijoté par un chef formé notamment chez Guy Savoy à Paris : ce restaurant ouvert sur une place animée du vieux Beaune concilie plaisir des yeux et des papilles. Appétissants menus inspirés par le terroir.

😊🍴 **La Bouzerotte** – *21200 Bouze-lès-Beaune - ✆ 03 80 26 01 37 - www.*
labouzerotte.com - fermé 2-20 janv., 1er-9 sept., 22 déc.-1er janv., lun. et mar. - 22/42 €. Les menus de ce restaurant au cadre rustique marient saveurs régionales et plats au goût du jour : on y déguste aussi bien le traditionnel coq au vin qu'un dos de julienne à l'émulsion de tilleul, ou de la pancetta associée à des noix de joues de porc confites et relevées d'un jus citron-girofle.

😊🍴 **La Cuverie** – *5 r. Chanoine-Donin - 21420 Savigny-lès-Beaune - ✆ 03 80 21 50 03 - fermé 20 déc.-20 janv., mar. et merc. - 17/39 €.* Ici, tout fait référence au terroir : l'enseigne évoque la pièce où fermente le vin (vous êtes au cœur du vignoble de Savigny), la spacieuse salle à manger se pare de meubles bourguignons et la cuisine est axée sur les produits régionaux (escargots en coquille ou en ragoût, jambon persillé, viande charolaise).

😊🍴 **Auberge des Vignes** – *Rte Nationale 74 - 21190 Volnay - ✆ 03 80 22 24 48 - elisabeth.leneuf@free.fr - fermé 3 fév.-3 mars, 29 nov.-9 déc., dim. soir, merc. soir et lun. - 14,50/36 €.* Aimé des rois, le vin rouge de Volnay a conquis ses lettres de noblesse depuis belle lurette. Pour vous initier à son bouquet suave tout en dégustant des œufs en meurette, du jarret de bœuf braisé à la compotée de joue ou un pavé de charolais, faites étape dans ce restaurant dont la véranda se tourne vers le vignoble.

😊😊 **Le Terroir** – *Pl. du Jet-d'Eau - 21590 Santenay - ℘ 03 80 20 63 47 - www. restaurantleterrroir.com - fermé 10 déc.- 10 janv., merc. soir nov.-mars, dim. soir et jeu. sf du 20 juil. au 20 août - 20/45 €.* Cette maison en pierre nichée dans un village tranquille qui ferme la prestigieuse route des grands crus abrite deux confortables salles à manger où l'on déguste une savoureuse cuisine conjuguant tradition et saveurs régionales. Complément indispensable à cette fête du palais : la cave, très fournie en crus locaux.

😊😊😊 **Le Chassagne** – *2 imp. des Chenevottes - 21190 Chassagne-Montrachet - ℘ 03 80 21 94 94 - www. restaulechassagne.com - fermé 25 juil.- 10 août, 19 déc.-12 janv., dim. soir, merc. soir et lun. - 32/69 €.* Lorsque le turbot sauvage se présente laqué à l'écorce d'orange confite au gingembre, que la salade de truffes s'associe aux chips d'artichaut, que le veau flirte avec les agrumes, et que le tout s'accompagne d'une très belle carte de chassagne-montrachet, on tutoie presque le paradis des gourmets !

NOS HÔTELS ET CHAMBRES D'HÔTE

😊😊 **Hôtel Grillon** – *21 r. Seurre - 21200 Beaune - ℘ 03 80 22 44 25 - www.hotel-grillon.fr - fermé fév. - 🅿 - 17 ch. 52/98 € - ☕ 9 €.* Cette pimpante maison rose aux volets vert amande blottie dans un jardin clos abrite des chambres printanières garnies en partie de meubles chinés chez les antiquaires. Salon-bar aménagé sous les voûtes d'un caveau et terrasse fleurie accueillant le service des petits-déjeuners aux beaux jours.

😊😊 **Hôtel La Villa Fleurie** – *19 pl. Colbert - 21200 Beaune - ℘ 03 80 22 66 00 - www.lavillafleurie.fr - fermé janv. - 🅿 - 10 ch. 68/78 € - ☕ 8,50 €.* Les rameaux d'une glycine odoriférante s'entrecroisent sur les grilles de cette petite villa 1900 qui propose trois types de chambres : contemporaines, bourgeoises ou familiales, ces dernières - deux duplex - installées au dernier étage. Salle des petits-déjeuners délicieusement « british ». Jardinet-terrasse.

😊😊 **Hôtel du Parc** – *13 r. du Golf - 21200 Levernois - 5 km au SE de Beaune par rte de Verdun-sur-le-Doubs, D 970 puis D 111ᴸ - ℘ 03 80 24 63 00 - www.hotelleparc.fr - fermé 28 nov.-27 janv. - 🅿 - 25 ch. 52/92 € - ☕ 7,50 €.* Une jolie cour agréablement fleurie sépare les deux bâtisses aux façades tapissées de vigne vierge qui composent l'hôtel. Dans les chambres, meubles anciens, luminaires « rétro » et tentures colorées créent une chaleureuse atmosphère. Le parc situé sur l'arrière est un gage de tranquillité. Accueil familial attentionné.

😊😊 **Domaine du Moulin aux Moines** – *Auxey-Duresses - 21190 Meursault - ℘ 03 80 21 60 79 - www.laterrasse.fr - 7 ch.*

et 1 appart. 76/125 € - ☕ 7 €. Cette belle demeure au milieu des vignes dépendait jadis de l'abbaye de Cluny. Ses chambres, spacieuses et décorées avec goût, ont beaucoup de charme. Celles aménagées dans le moulin s'avèrent particulièrement réussies. Caveaux de dégustation des vins de la propriété et petit musée viticole (joli pressoir).

😊😊 **Chambre d'hôte Au temps d'Autrefois** – *Pl. Monge - 21340 Nolay - ℘ 03 80 21 76 37 - www.terroirs-b.com/gite - ≠ - 3 ch., 1 suite et 1 gîte 54/64 € ☕.* Une atmosphère délicieusement surannée règne en cette jolie maison à colombages du 14ᵉ s. dressée sur une placette où coule une fontaine. L'intérieur est très chaleureux (poutres apparentes, mobilier ancien, carrelage de tomettes…) et les chambres sont coquettes et calmes. L'été, petits-déjeuners servis dans le jardin.

Entre Beaune et Dijon : le règne de la vigne.

A. Cassaigne / MICHELIN

NOS BONNES CAVES

CAVISTES

Cave des Cordeliers – *6 r. de l'Hôtel-Dieu - 21200 Beaune - ℘ 03 80 25 08 85 - oct.-avr. : 10h30-12h, 14h-18h ; mai-sept. : 9h30-12h, 14h-18h - fermé 1ᵉʳ-22 janv., 24, 25 et 31 déc.* L'ancien couvent des Cordeliers de Beaune (1243) abrite cette cave que l'on peut visiter avant de déguster quelques grands crus de Bourgogne. La maison propose 80 références parmi lesquelles des côtes-de-beaune, des côtes-de-nuits et les vins des Hospices de Beaune. Choix de produits régionaux en complément.

Marché aux Vins – *2 r. Nicolas-Rolin - 21200 Beaune - ℘ 03 80 25 08 20 - www. marcheauxvins.com - sept.-juin : 9h30-11h30, 14h-17h30 ; juil.-août : 9h30-17h30 - fermé 25 et 26 déc., 1ᵉʳ et 2 janv.* Le marché aux vins situé face aux célèbres Hospices occupe une partie de l'ancienne église des Cordeliers (13ᵉ et 14ᵉ s.). Le circuit de dégustation (18 crus bourguignons) débute par les caves et se poursuit dans les chapelles. Visite du caveau des vieux millésimes sur demande. Boutique en fin de parcours.

DOMAINES

Domaine Rapet Père et Fils – *21420 Pernand-Vergelesses - ℘ 03 80 21 59 94 - lun.-sam. - sur RV.* Le domaine de 18 ha (6 ha en blancs, 12 en rouges) s'étend sur les communes de Pernand-Vergelesses, Aloxe-Corton, Savigny-lès-Beaune et Beaune. Il est géré par Vincent Rapet. Le vignoble, encépagé de pinot noir et de chardonnay, est conduit en lutte raisonnée. Depuis leurs débuts, les Rapet privilégient le respect du terroir et la typicité des appellations. ⚐ aloxe-corton, beaune, bourgogne, bourgogne aligoté, corton, corton-charlemagne, pernand-vergelesses, savigny-lès-beaune.

Domaine Edmond Cornu et Fils – *Le Meix Gobillon - r. du Bief - 21550 Ladoix-Serrigny - ℘ 03 80 26 40 79 - lun.-sam. 9h-12h, 15h-18h - sur RV.* Exploitation familiale de plus de 14 ha se répartissant dans un rayon de 3 km, le domaine se dresse avec ses constructions successives au sein d'un clos de pierre. Les vendanges sont manuelles. Les raisins sont ensuite vinifiés en cuves et élevés en fûts. Le domaine produit des premiers crus en aloxe-corton et en ladoix, et un corton grand cru Les Bressandes. ⚐ aloxe-corton, bourgogne aligoté, chorey-lès-beaune, corton, côte-de-nuits-villages, ladoix, savigny-lès-beaune.

Domaine Tollot-Beaut et Fils – *R. Alexandre-Tollot - 21200 Chorey-lès-Beaune - ℘ 03 80 22 16 54 - tollot.beaut@wanadoo.fr - lun.-vend. 9h-12h, 14h-18h - sur RV.* Le vaste domaine familial bénéficie d'une clientèle fidèle notamment dans la grande restauration. Les 24 ha que compte le vignoble sont répartis sur les communes de Beaune, Savigny-lès-Beaune, Aloxe-Corton et Chorey-lès-Beaune. La propriété produit plusieurs grands crus en corton, corton-bressandes, corton-charlemagne ainsi que des premiers crus : Les Vercots et Les Fournières en aloxe-corton ; Grèves et Clos du Roi en beaune ; Les Lavières et Champ Chevrey en monopole en savigny-lès-beaune. ⚐ aloxe-corton, beaune, bourgogne, chorey-lès-beaune, corton, corton-charlemagne, savigny-lès-beaune.

Simon Bize et Fils – *12 r. Chanoine-Donin - 21420 Savigny-lès-Beaune - ℘ 03 80 21 50 57 - domaine.bize@wanadoo.fr - lun.-vend. 9h-12h, 15h-18h - sur RV.* Le vignoble du domaine s'étend sur 22 ha de sols argilo-calcaires. Pinot noir et chardonnay sont cultivés en lutte raisonnée et vendangés manuellement. La vinification traditionnelle est ensuite effectuée en cuves de bois pour les rouges et en cuves Inox pour les blancs. Respectueux des traditions bourguignonnes, Patrick Bize laisse vieillir ses vins un an minimum, en fûts de chêne. ⚐ aloxe-corton, chambertin, charlemagne, latricières-chambertin, savigny-lès-beaune.

Domaine du Clos des Épeneaux – *Pl. de l'Église - 21630 Pommard - ℘ 03 80 24 70 50 - contact@domaine-des-epeneaux.com - sur RV.* Longtemps fixée à 5 ha en monopole pour son domaine sur pommard premier cru Clos des Épeneaux, la superficie du domaine s'est accrue avec l'acquisition du premier cru Frémiets en volnay, de deux parcelles d'auxey-duresses premier cru en rouge Les Bréterins et Les Duresses et de quelques vignes en bourgogne-villages sur Auxey-Duresses et Volnay. L'ensemble demeure un patrimoine familial de 8,5 ha, dont la production est issue de l'agriculture biologique. ⚐ auxey-duresses, bourgogne, pommard, volnay.

Domaine de Montille – *R. du Pied-de-la-Vallée - 21190 Volnay - ℘ 03 80 21 62 67 - sur RV.* Le vignoble de 9,5 ha s'étend sur les communes de Volnay, de Pommard et de Puligny-Montrachet. Traitements écologiques et vendanges manuelles : le travail de la vigne et de la terre reste traditionnel. Les raisins sont ensuite vinifiés en cuves de bois, avec un minimum d'intervention, puis l'élevage a lieu en fûts de chêne. ⚐ beaune, pommard, puligny-montrachet, volnay.

Château de Meursault – *R. du Moulin-Foulot - 21190 Meursault - ℘ 03 80 26 22 75 - mitanchey.chateau.meursault@kriter.com - tlj 9h30-12h, 14h30-18h - sur RV.* Acheté par André Boisseaux en 1973, le domaine est aujourd'hui géré par son fils Jacques, secondé par Jean-Claude Mitanchey, œnologue régisseur. Le vignoble, encépagé de pinot noir et de chardonnay, s'étend sur 60 ha répartis sur plus de cent parcelles. Après un tri rigoureux des raisins, les rouges sont éraflés, vinifiés de douze à quinze jours, puis mis en fûts. Les blancs, pressés entiers, sont obtenus après fermentation de quinze à soixante jours, en cuves ou en fûts. ⚐ aloxe-corton, beaune, bourgogne, meursault, pommard, puligny-montrachet, savigny-lès-beaune, volnay.

Domaine du Château de Melin – *21190 Auxey-Duresses - ℘ 03 80 21 21 19 - derats@chateaudemelin.com - sur RV.* Propriété familiale, le domaine s'étend sur 23 ha. Les deux cépages, pinot noir pour le rouge et chardonnay pour le blanc, plongent leurs racines dans un sol argilo-calcaire. Les raisins sont vendangés mécaniquement et vinifiés de manière traditionnelle. Les vins sont ensuite élevés en fûts renouvelés par quart chaque année, durant environ quinze mois. ⚐ bourgogne-hautes-côtes-de-beaune, chambolle-musigny, chassagne-montrachet, gevrey-chambertin, maranges, meursault, pommard, puligny-montrachet, saint-romain, santenay.

Domaine Michel Prunier et Fille – *Rte de Beaune - 21190 Auxey-Duresses - ℘ 03 80 21 21 05 - lun.-sam. 9h-12h, 14h-19h - sur RV.* Le domaine, créé en 1968, s'étend aujourd'hui sur 12 ha, dont deux tiers sont encépagés de pinot noir et un tiers de chardonnay. Le vignoble produit plusieurs premiers crus : le Clos du Val en auxey-duresses ; Les Sizies en beaune et Les Caillerets en volnay. Il est cultivé en lutte raisonnée, avec vendanges manuelles pour les villages et les premiers crus, et mécaniques pour les appellations régionales. Le domaine est équipé d'une cuverie Inox thermorégulée, d'un pressoir pneumatique et de fûts de chêne. Diplômée d'un BTS de viticulture-œnologie, Estelle a rejoint son père en 2004 sur l'exploitation. 🍷 auxey-duresses, beaune, bourgogne, bourgogne-aligoté, bourgogne-hautes-côtes-de-beaune, bourgogne-passetoutgrain, chorey-lès-beaune, côte-de-beaune-villages, crémant-de-bourgogne, meursault, pommard, volnay.

Domaine Alain Gras – *21190 St-Romain-le-Haut* - ✆ *03 80 21 27 83 - sur RV.* Depuis la récolte de 1997, Alain Gras exploite près de 12 ha de vignes. Ce passionné effectue un travail qu'il qualifie de « rigoureux et classique », et utilise des méthodes traditionnelles : vendanges manuelles, rendements limités, pressurage pneumatique, contrôle des températures, etc. 🍷 auxey-duresses, meursault, saint-romain.

Henri Prudhon et Fils – *32 r. des Perrières - 21190 St-Aubin* - ✆ *03 80 21 36 70 - henri-prudhon@wanadoo.fr - lun.-sam. - sur RV.* Le domaine possède environ 14 ha, sur le triangle sacré de Saint-Aubin, Chassagne et Puligny-Montrachet, et produit à parts égales vins blancs et vins rouges. Ses coteaux à forte pente, aux sous-sols argilo-calcaires et formé de couches géologiques anciennes, magnifiquement exposés et ensoleillés, sont plantés de cépages nobles bourguignons : chardonnay et pinot noir. La fermentation alcoolique des blancs a lieu en fûts et celle du pinot noir en cuves. Les vins rouges sont ensuite élevés en fûts de chêne, de dix à dix-huit mois. Une nouvelle cuverie est en cours de construction. 🍷 chassagne-montrachet, puligny-montrachet, saint-aubin.

Domaine Hubert Lamy – *Le Paradis - 21190 St-Aubin* - ✆ *03 80 21 32 55 - sur RV.* Dans la famille Lamy, on est viticulteur de père en fils à Saint-Aubin depuis 1640. Le domaine de 17 ha, planté de pinot noir pour les rouges et de chardonnay pour les blancs, est aujourd'hui entre les mains d'Olivier Lamy, le fils d'Hubert. Il cultive le vignoble en lutte raisonnée et pratique une récolte manuelle. Les vins sont ensuite élevés en fûts et demi-muids de chêne dans des caves modernes agrandies en 2003. 🍷 chassagne-montrachet, criots-bâtard-montrachet, puligny-montrachet, saint-aubin, santenay.

Domaine Patrick Miolane – *21190 St-Aubin* - ✆ *03 80 21 31 94 - domainepatrick.miolane@wanadoo.fr - lun.-sam. 9h-12h, 14h-18h - sur RV.* Patrick Miolane a repris l'exploitation familiale en 1987, rejoint par sa fille Barbara en 2005. Elle compte aujourd'hui 9 ha répartis sur les villages de Saint-Aubin, Puligny-Montrachet et Chassagne-Montrachet. Les cépages, chardonnay et pinot noir, sont exposés sud-est sur un sol argilo-calcaire. Les vignes sont âgées de 15 ans, pour les blancs, et de 30 ans pour les rouges. Les raisins sont vendangés, puis triés et le pressurage s'effectue à basse pression. L'élevage des vins a lieu en fûts de chêne. 🍷 chassagne-montrachet, puligny-montrachet, saint-aubin.

SCEA Louis Carillon et Fils – *1 impasse Drouhin - 21190 Puligny-Montrachet* - ✆ *03 80 21 30 34.* La famille Carillon exploite 12 ha de vignes, encépagés de chardonnay pour les blancs et de pinot noir pour les rouges. La récolte est manuelle, puis la vinification est effectuée de manière traditionnelle. Élevés un an en fûts de chêne, les vins séjournent ensuite six mois en cuves Inox avant leur mise en bouteilles. Le domaine produit plusieurs premiers crus : Pitangeret en saint-aubin ; Champ-Canet, Les Combettes, Les Referts et Les Perrières en puligny-montrachet. 🍷 bienvenues-bâtard-montrachet, puligny-montrachet, saint-aubin.

Domaine Françoise et Denis Clair – *14 r. de la Chapelle - 21590 Santenay* - ✆ *03 80 20 61 96 - tlj 8h-12h, 14h-18h - sur RV.* Après avoir géré un domaine familial pendant dix ans, Françoise et Denis Clair ont créé leur propre exploitation de 5 ha en 1987. Aujourd'hui, le vignoble compte 14 ha. En 2000, Jean-Baptiste a rejoint ses parents sur l'exploitation où il met en pratique ses talents de vinificateur. Le domaine produit plusieurs premiers crus : Beaurepaire, Clos des Mouches, La Comme et Clos de Tavannes en santenay ; Sur le Sentier du Clou, Les Champlots, Les Frionnes, Murgers des Dents de Chien et En Rémilly en saint-aubin. 🍷 bourgogne aligoté, bourgogne-hautes-côtes-de-beaune, puligny-montrachet, saint-aubin, santenay.

Domaine Anne-Marie et Jean-Marc Vincent – *3 r. Ste-Agathe - 21590 Santenay* - ✆ *03 80 20 67 37 - vincent.j-m@wanadoo.fr - visite sur RV.* Propriété familiale, le domaine couvre 5 ha, dont 3,8 en santenay et 1,2 en auxey-duresses. Il produit les premiers crus Beaurepaire, Les Gravières et Passetemps en santenay, et Les Bréterins en auxey-duresses. La culture du vignoble est respectueuse de l'environnement avec labours et enherbement. La taille est courte et l'ébourgeonnage sévère. Les vins sont élevés en fûts de chêne, pendant quinze mois, avant d'être mis en bouteilles avec très peu de filtration. 🍷 auxey-duresses, santenay.

La côte chalonnaise

CARTE MICHELIN LOCAL 320 – SAÔNE-ET-LOIRE (71)

Au nord de la Saône-et-Loire, la côte chalonnaise s'étire à l'est de la D 981 sur une trentaine de kilomètres, dans un paysage où le vignoble alterne avec les pâturages des bœufs charolais. L'appellation côte chalonnaise concerne des vins rouges et blancs produits dans un secteur qui inclut aussi les appellations villageoises de bouzeron, rully, mercurey et givry, petites cités de caractère au cœur d'une région où les traditions rurales restent fortes.

LE TERROIR
Superficie : 2 090 ha.
Production : 110 300 hl.
Le vignoble est implanté sur des sols calcaires, argileux ou marneux.

LES VINS
La côte chalonnaise produit des vins aux caractères très divers ; les rouges se distinguent par leurs tanins souples, les blancs par leur caractère fruité.
AOC bourgogne-côte-chalonnaise, bourgogne-côtes-du-couchois, givry, mercurey, rully : cépage pinot noir pour les rouges et les rosés, cépage chardonnay pour les blancs.
AOC bouzeron : cépage aligoté pour les blancs.
AOC montagny : cépage chardonnay pour les blancs.

De Chagny à Chalon-sur-Saône (1ʳᵉ étape)

▶ 34 km. Chagny se trouve à 15 km au S de Beaune par la N 74. Carte Michelin Local 320 I 8-9.

Chagny
Cité paisible en bordure du canal de Bourgogne, Chagny est une étape gastronomique fameuse, avec son célèbre restaurant Lameloise.
Prenez la D 974 à l'ouest.

La route passe par **Remigny**, d'où vous pourrez décoller pour un survol du vignoble en **montgolfière**. *71150 Remigny -* ℰ *03 85 87 12 30 - www.air-escargot.com - avr.-oct.*

Les Maranges
Cette petite « république » viticole est constituée de 3 hameaux pittoresques, **Dezize-lès-Maranges**, **Sampigny-lès-Maranges** et **Cheilly-lès-Maranges**, qui émergent comme des îles au milieu d'une mer de vignes. L'AOC **maranges** inclut surtout des vins rouges à la fois fruités et charpentés et quelques vins blancs d'une grande finesse.
Revenez à Chagny, puis prenez la D 219 au sud pour rejoindre Bouzeron.

Bouzeron
Ce village tranquille entièrement dévolu à la viticulture possède une église du 12ᵉ s. dont la nef est pavée de stèles funéraires. Il se distingue par sa production d'aligoté, un cépage blanc qui s'épanouit sur les sols argilo-ferrugineux des environs pour donner des vins blancs floraux, à boire jeunes.
🍷 Le **domaine Chanzy** est une bonne référence *(voir nos bonnes caves)*.

De Bouzeron à Rully, une petite route grimpe à flanc de colline, avant de redescendre sur l'autre bord de la côte par une trouée dans la forêt.

Rully
L'AOC **rully** produit deux fois plus de blancs que de rouges. Les premiers sont « friands », à boire dans les trois ou quatre ans. Les seconds sont légers et fruités.
🍷 Rully est un gros bourg cossu dominé par son **château**, une forteresse édifiée à partir d'un donjon du 12ᵉ s. qui présente une intéressante architecture militaire. Promenez-vous dans le beau parc à l'anglaise et goûtez aux vins du domaine. *Maison Antonin Rodet - 71150 Rully -* ℰ *03 85 98 12 12 - lun.-vend. matin 9h-12h, 13h30-18h - sur RV.*

En quittant Rully au sud, prenez la petite route qui passe juste au pied du château. Elle est bordée sur environ 5 km par des murets de pierres protégeant les vignes et débouche dans une courbe offrant une très belle vue sur le vignoble et Mercurey.

Mercurey

Mercurey est la plus vaste et la plus connue des appellations villageoises de la côte chalonnaise. On y produit des vins rouges et blancs de garde moyenne, d'un prix très abordable. ♀ Le **domaine Michel Juillot** est une bonne adresse *(voir nos bonnes caves)*.

♀ Le **Château de Chamirey**, très belle bâtisse du 17ᵉ s., possède une cuverie classée Monument historique et produit des vins caractérisés par leur élevage en barrique. *71640 Mercurey - ℘ 03 85 98 12 12 - lun.-vend. midi 9h-12h, 13h30-18h - sur RV.*

Par la D 978 à l'est, on atteint Chalon-sur-Saône.

Chalon-sur-Saône

Au cœur du vignoble de la côte chalonnaise, Chalon est la capitale économique d'une région industrielle, mais aussi de culture et d'élevage. Ses foires et son carnaval sont très suivis. ♀ Vos achats de vins pourront se faire à la **Maison des vins de la côte chalonnaise** *(voir nos bonnes caves)*.

Certaines vielles demeures du vieux Chalon, et plus particulièrement du quartier St-Vincent, possèdent de belles façades à colombages. La **cathédrale St-Vincent** présente un aspect assez hétéroclite avec des éléments qui vont du 11ᵉ au 19ᵉ s. Dans la chapelle, beau vitrail de la « femme aux douze étoiles » de l'Apocalypse, dont la symbolique a inspiré le drapeau européen.

Roseraie St-Nicolas★ – *Des quais, 4 km par les ponts des îles de la Saône, au sud, puis par la rue Julien-Leneuveu, à gauche.* 🥾 *Au départ de l'aire de loisirs St-Nicolas, circuit pédestre de 5 km : 1h30 au cœur de la roseraie.* Cette prestigieuse roseraie (comptant quelque 25 000 plants) dissémine ses parterres au milieu d'immenses pelouses.

Musée Denon★ – *℘ 03 85 94 74 41 - tlj (sf mar. et j. fériés) 9h30-12h, 14h-17h30 - 3,10 € (-18 ans gratuit), gratuit merc. et 1ᵉʳ dim. du mois.* Installé dans une annexe (18ᵉ s.) de l'ancien couvent des Ursulines, il porte le nom d'une des gloires de la ville : Vivant Denon, graveur et peintre qui fit le relevé des monuments antiques lors de la campagne d'Égypte de Bonaparte. L'œuvre et la personnalité sont présentés à travers les collections de beaux-arts. Le musée possède aussi une intéressante collection archéologique qui permet d'évoquer les activités humaines dans la vallée de la Saône.

S. Sauvignier / MICHELIN

Musée Nicéphore-Niépce★★ – *℘ 03 85 48 41 98 - ww.museeniepce.com - juil.-août : 10h-18h ; sept.-juin : 9h30-11h45, 14h-17h45 - fermé mar. et j. fériés - 3,10 € (-18 ans gratuit), gratuit merc. et 1ᵉʳ dim. du mois.* Ce musée, soutenu par les usines Kodak de Chalon, est dédié au précurseur chalonnais de la photographie, Nicéphore Niépce (1765-1833). Situé dans l'hôtel des Messageries, il présente une très riche collection d'images et de matériels anciens, qui permet de suivre la découverte et les évolutions de la photographie.

Joseph Nicéphore Niépce.

EN MARGE DU VIGNOBLE

Visiter en cuisinant : Visit Bourgogne

18 km à l'O de Chalon-sur-Saône par la D 978. M. Carpentier - r. Ouches - 71510 Charrecey - ℘ 03 85 45 38 97 - fax 03 85 45 38 98. Leçons de cuisine dans les vignobles en pays de Beaune (demi-journée), circuits vélo (7 nuitées), circuits à thème.

Les adresses de Chagny à Chalon-sur-Saône

NOS BONNES TABLES

Le Bourgogne – 28 r. de Strasbourg - 71100 Chalon-sur-Saône - 03 85 48 89 18 - fermé 4-19 juil., 25-30 déc., dim. soir et lun. - 16/46 €. Dans un cadre offrant le charme des bâtisses anciennes, vous dégusterez des plats régionaux (escargots de Bourgogne, œufs en meurette ou tournedos de Charolais) et quelques recettes plus « tendance » telles que le bavarois de rouget, la brochette de St-Jacques aux épices ou le magret de canard aux pêches caramélisées.

Auberge du Camp Romain – 71150 Chassey-le-Camp - 03 85 87 09 91 - www.auberge-du-camp-romain.com - 19/47 €. Entre vignes et bois, près d'un camp néolithique. Le bâtiment principal abrite des chambres simples ; celles de l'annexe sont plus grandes et plus modernes. Généreuse cuisine traditionnelle servie dans une salle à manger rustique. Véranda pour les non-fumeurs.

L'Air du Temps – 7 r. de Strasbourg, Île St-Laurent - 71100 Chalon-sur-Saône - 03 85 93 39 01 - 23/28 €. Bistrot bien dans « l'air du temps » tant dans le décor des deux petites salles à manger que dans l'assiette avec ses savoureuses recettes du marché proposées à prix sages.

Le Vendangerot – 6 pl. Ste-Marie - 71150 Rully - 03 85 87 20 09 - www.vendangerot.com - fermé 2-15 janv., 15 fév.-10 mars, merc. sf le soir juil. à sept. et mar. - 25/43 €. Cette maison fleurie de géraniums vous attend au cœur d'un vrai village de vignerons. Dans sa salle à manger agrémentée d'une collection de vieilles photos sur la viticulture, vous découvrirez les petits plats bourguignons du chef qui réalise un mariage savoureux entre les produits du terroir et les vins de Rully.

NOS HÔTELS

Hôtel St-Jean – 24 quai Gambetta - 71100 Chalon-sur-Saône - 03 85 48 45 65 - 25 ch. 55 € - 6 €. Cet hôtel familial, bien placé en bordure de Saône, vous réservera un accueil plein d'attention. Chambres soigneusement tenues, décorées de motifs floraux, et salle des petits-déjeuners sous verrière, dans l'esprit jardin d'hiver.

Hostellerie du Château de Bellecroix – Rte de Chalon - 71150 Chagny - 18 km au SO de Beaune par N 74 puis N 6 - 03 85 87 13 86 - www.chateau-bellecroix.com - fermé 19 déc.-13 fév., et merc. hors sais. - 19 ch. 85/200 € - 17 € - rest. 47/61 €. Au fond d'un parc arboré se dressent les deux tours de ce château du 18e s. Derrière lui, celles d'une ancienne commanderie des Chevaliers de Malte du 12e s. Chambres meublées à l'ancienne. Belles imitations de boiseries médiévales en staff dans la salle à manger.

NOS BONNES CAVES

MAISON DES VINS

Maison des vins de la côte chalonnaise – 2 prom. Ste-Marie – 71100 Chalon-sur-Saône - 03 85 41 64 00 – tlj sf dim. 9h-19h. Cette maison réputée, tenue par une association de viticulteurs de la côte chalonnaise, ne propose que des vins régionaux aux prix de la propriété. Givry, montagny, rully ou mercurey, tous ont été choisis après dégustation à l'aveugle.

DOMAINES

Domaine Chanzy – 1 r. de la Fontaine - 71150 Bouzeron - 03 85 87 23 69 - daniel@chanzy.com - lun.-vend. 8h-12h, 14h-18h - sur RV le w.-end. Ce domaine, à la pointe du progrès, est exploité en famille par Catherine et Daniel Chanzy, champenois d'origine, secondé par leurs deux enfants Anne-Sophie et Olivier. Le vignoble s'étend sur 38 ha, encépagés d'aligoté, de chardonnay et de pinot noir. Il produit deux premiers crus, Clos du Roy en mercurey et Beaurepaire en santenay, et possède en monopole le Clos de la Fortune sur les appellations bourgogne et bouzeron. L'élevage d'une partie de la production est réalisé en fûts de chêne, dont un tiers de bois neuf. bourgogne, bouzeron, crémant-de-bourgogne, mercurey, puligny-montrachet, rully, santenay, vosne-romanée ;

Domaine Michel Juillot – 59 Grande-Rue - BP 10 - 71640 Mercurey - 03 85 98 99 89 - infos@domaine-michel-juillot.fr - tlj 9h-19h. Laurent Juillot a pris la succession de son père Michel en 2002 après avoir travaillé à ses côtés pendant près de quinze ans. Avec son épouse Carine, il exploite aujourd'hui 30 ha, dont 3 sur Aloxe-Corton. Le vignoble est conduit en lutte raisonnée et les vendanges sont manuelles. Les vins sont élevés en fûts : douze mois pour les blancs, de quinze à dix-huit mois pour les rouges. aloxe-corton, bourgogne, corton, corton-charlemagne, mercurey, santenay.

De Chalon-sur-Saône à Montagny (2e étape)

▶ 25 km. Chalon-sur-Saône se trouve à 59 km au N de Mâcon. Carte Michelin Local 320 I 8-9.

Quittez Chalon-sur-Saône par la D 69 pour rejoindre Givry, 9 km à l'ouest.

Givry
L'AOC **givry** produit des vins rouges et blancs qui constituaient l'ordinaire d'Henri IV. Leur caractère est proche de ceux de Mercurey. ♟ Pour vous en persuader, allez goûter ceux du **domaine Guillemette et Xavier Besson** *(voir nos bonnes caves)*.
La localité offre l'aspect d'une petite cité du 18e s., avec son hôtel de ville installé dans une porte monumentale de 1771, ses fontaines et son **église** couverte de coupoles. La **halle ronde**, ancienne halle aux grains, date du début du 19e s.

Quittez Givry à l'ouest par la D 170.

On traverse successivement les villages vignerons de **Jambles**, **Moroges** et **Bissey-sous-Cruchaud**, qui possèdent de nombreux caveaux accueillants. Pour admirer l'ensemble du vignoble, profitez de votre passage à Moroges pour faire une ascension en montgolfière avec **Bourgogne-Montgolfières** qui organise des survols de 3h en début et fin de journée. *71390 Moroges -* 📞 *03 85 47 99 85 - www.eole71.com - 180 € par pers.*

De Bissey, la D 125 au sud conduit à Buxy.

Buxy
♟ Ce gros village des confins du Mâconnais possède une importante cave coopérative, la **Cave des vignerons de Buxy** *(voir nos bonnes caves)*.
Le petit **musée du Vigneron** reconstitue les travaux de la vigne et du vin au cours de l'année. Expositions d'outils anciens. *Au centre du village.* 📞 *03 85 92 00 16 - juil.-août : mar.-sam. 14h-18h30 - gratuit.*

Prenez à l'ouest la D 977 sur 2 km.

Montagny-lès-Buxy
La petite appellation **montagny**, dévolue aux seuls vins blancs, entoure un village pittoresque accroché à une colline au-dessus de Buxy. Le caractère des vins oscille entre celui des mâcons blancs pour le fruité, et celui des chablis pour les arômes. Non loin du village, beau panorama coiffé d'une statue de la Vierge, aménagé en aire de pique-nique.

EN MARGE DU VIGNOBLE

Se dégourdir les jambes sur la Voie verte
Cette piste de 44 km aménagée entre Givry et Cluny suit le tracé d'une ancienne voie de chemin de fer et permet de relier le Mâconnais au Chalonnais. En grande partie goudronnée, elle est réservée aux piétons, rollers et cyclistes ; un chemin en terre est prévu pour les chevaux entre Massilly et Cluny.

Le *Guide de la Voie verte* est disponible gratuitement auprès du Comité départemental de tourisme. Il recense toutes les étapes, les hébergements, les restaurants ainsi que les loueurs de vélos. Des Kits Voie verte permettent de n'emprunter la Voie verte que dans un sens et de rallier son point de départ entre Dijon et Mâcon en mettant son vélo dans le bus ou le train. *Vente dans les gares SNCF, valables pour 1, 2 ou de 3 à 6 personnes - ligne de bus n° 7 entre Chalon et Mâcon : 6 bus par jour - TER à Dijon, Nuits-Saint-Georges, Beaune, Chagny, Chalon, Tournus, Mâcon - une quinzaine de trains par jour - de 7,50 € à 21 €.*

Parcourir la Voie verte en famille…

CDT Saône et Loire

Les adresses de Chalon-sur-Saône à Montagny

NOS BONNES TABLES

☺☺ **Le Magny** – 71530 Sassenay - 𝄯 03 85 91 61 58 - 19/43 €. Entre les vieilles armoires, la cheminée, les reproductions ayant pour thème la volaille et les compositions florales, ce restaurant cultive une atmosphère agréablement provinciale. Le terroir trouve également ses marques sur la carte : le chef s'appuie sur les produits et recettes du cru pour la composer.

☺☺ **Aux Années Vins** – 71390 Buxy - 𝄯 03 85 92 15 76 - www.aux.annees.vins. com - 20/59 €. Dans les anciens remparts de la ville, voici un restaurant bien agréable. Accédez par une cour intérieure sur l'arrière. Salle à manger aux couleurs chaudes, murs de pierres et cheminée. Terrasse sous les arcades surplombant le village. Cuisine soignée à prix sages.

NOS HÔTELS

☺☺ **Fontaine de Baranges** – R. Fontaine-de-Baranges - 71390 Buxy - 𝄯 03 85 94 10 70 - www.hotelfb.com - 🅿 - 18 ch. 57/107 € - ⌷ 9 €. Un maître vigneron occupait cette élégante demeure conservant son cachet du 19ᵉ s. Chambres spacieuses et personnalisées, dont un tiers offrent l'agrément d'une terrasse privative tournée vers le jardin romantique. Belle cave voûtée pour les petits-déjeuners.

☺☺ **Adélie** – 21200 Montagny-les-Beaune - 𝄯 03 80 22 37 74 - www.hotel-adélie-beaune.fr - 🅿 - 19 ch. 50/60 € - ⌷ 7 €. Cet hôtel familial situé au cœur d'un paisible village du pays beaunois propose de petites chambres rénovées, égayées de tons pastel et garnies de meubles en pin.

NOS BONNES CAVES

COOPÉRATIVE

Cave des vignerons de Buxy – Les Vignes-de-la-Croix - 71390 Buxy - 𝄯 03 85 92 03 03 - 9h-12h, 14h-18h - sur RV. Cette cave coopérative vinifie des bourgogne-côte-chalonnaise, des montagnys et des mercureys.

DOMAINE

Domaine Guillemette et Xavier Besson – 9 r. des Bois-Chevaux - 71640 Givry - 𝄯 03 85 44 42 44. Le vignoble de ce domaine familial couvre quelque 7 ha de pinot noir et de chardonnay, dont plusieurs parcelles de premiers crus : les Grands Prétans, le Petit Prétan en givry, et Champs Pimont en beaune. Les vendanges sont manuelles et la vinification reste traditionnelle avec éraflage total, contrôle des températures, pigeage, etc. Les vins sont ensuite élevés en fûts de chêne. 🍷 beaune, givry.

Le Mâconnais

CARTE MICHELIN LOCAL 320 – SAÔNE-ET-LOIRE

Bien que ses vins aient théoriquement droit à l'appellation **bourgogne**, le Mâconnais se distingue des côtes par son homogénéité géologique, dominée par le calcaire et l'argile rouge, la densité de la production, plus élevée, la présence du cépage gamay pour les vins rouges et la prédominance des vins blancs. C'est une belle région vallonnée que l'homme a façonnée depuis des millénaires, propice aux balades, dominée par les hautes « roches » de Vergisson et de Solutré.

1 De Tournus à Mâcon (1ʳᵉ étape)

▶ 43 km. Tournus se trouve à 37 km au N de Mâcon. Carte Michelin Local 320, I-J 10-12. Voir le circuit 1 sur le plan p. 187 ; le circuit 2 est une suggestion d'itinéraire dans le Mâconnais, mais en dehors du vignoble à proprement parler.

Tournus

Ville de passage entre pays d'oc et pays d'oïl, Tournus mérite une halte pour son caractère provincial, ses bonnes tables et sa remarquable abbaye romane.

Les bâtiments de l'église et de l'abbaye St-Philibert (10ᵉ-13ᵉ s.) sont intimement liés à l'histoire de Tournus. L'**église abbatiale St-Philibert**★★ est remarquable par sa nef d'une hauteur surprenante, et ses belles mosaïques du 12ᵉ s. illustrant les travaux des mois et des signes du zodiaque. La **crypte**★, à laquelle on accède sur la gauche du chœur, date de la fin du 10ᵉ s. La hauteur (3,50 m) est exceptionnelle. La fresque (12ᵉ s.) décorant la voûte de la chapelle de droite est la mieux conservée.

LE TERROIR
Superficie : 5 420 ha.
Production : 371 300 hl.
Le vignoble est implanté sur des sols siliceux, argileux ou sableux, mêlés à des grès.

LES VINS
En dehors de l'appellation mâcon, qui produit des vins rouges, rosés et blancs, toutes les autres appellations du Mâconnais ne donnent que des vins blancs.
AOC mâcon : cépage gamay pour les rouges, cépage chardonnay pour les blancs.
AOC mâcon-villages, pouilly-fuissé, pouily-loché, pouilly-vinzelles, saint-véran, viré-clessé : cépage chardonnay pour les blancs.

BON À SAVOIR
Le vignoble de pouilly-fuissé est le plus réputé de la région, au pied de la roche de Solutré ses climats, tels que les Perrières, Clos de la Chapelle, Les Chailloux… qui donnent des vins au bon potentiel de garde (5 à 10 ans).

Le **musée Bourguignon**, dans l'ancienne enceinte de l'abbaye, évoque des scènes quotidiennes de la vie paysanne d'autrefois, reconstituées par des mannequins de clre habillés en costumes régionaux. *℘ 03 85 51 29 68 - avr.-oct. : tlj sf lun. et mar. 10h-13h, 14h-17h - 2,50 €.*

♈ Vous pourrez vous procurer les vins de la région à la **Cave des vignerons de Mancey** *(voir nos bonnes caves).*

Quittez Tournus au sud-ouest par la D 14. Dans un vallon, vous traversez **Ozenay**, bourg possédant un petit castel du 13ᵉ s. et une église rustique du 12ᵉ s.
Au-delà d'Ozenay, on passe le col de Brancion.

Brancion★
L'accès de la localité est interdit aux voitures. Utilisez le parc de stationnement aménagé extra-muros.
Le vieux bourg féodal de Brancion est perché sur une arête dominant deux ravins profonds, ce qui en fait l'un des sites vertigineux du Mâconnais. Une fois franchie l'enceinte du 14ᵉ s. par la porte à herses, on découvre les restes imposants du château fort, les ruelles bordées de maisons médiévales, les halles et l'église fièrement perchée à l'extrémité du promontoire.
♟♙ Le **château** féodal remonte au début du 10ᵉ s. Remanié au 14ᵉ s. par Philippe le Hardi, il a été ruiné pendant la Ligue, en 1594. Le donjon a été restauré ainsi que quelques salles. De sa plate-forme (87 marches, table d'orientation), jolie **vue★** sur le village et les environs vallonnés. *℘ 03 85 32 19 70 - www.brancion.fr - du 15 avr. à fin sept. : 10h-13h et 14h-18h30 ; du 1ᵉʳ oct. au 5 nov. : 14h-17h30 - 4 € (5-16 ans à 2 €).*
L'**église St-Pierre** est un bâtiment trapu du 12ᵉ s., de style roman cistercien, surmonté d'un clocher carré. À l'intérieur, fresques de la fin du 13ᵉ s., et nombreuses pierres tombales. Depuis la terrasse de l'église, on découvre toute la vallée.

Quittez Brancion en direction de Tournus, puis prenez à droite la D 161.

Cruzille
Cette bourgade vigneronne productrice de mâcon-cruzille rouge et blanc (**AOC mâcon-villages**) possède un étonnant lavoir aux allures de temple antique.
Le **musée de l'Outillage artisanal rural bourguignon** rassemble une étonnante collection de plusieurs milliers d'outils anciens utilisés par 32 corps de métiers différents. Il est installé sur un domaine précurseur dans la viticulture biologique. *Domaine des Vignes du Maynes - ℘ 03 85 33 20 15 - www.vignes-du-maynes.com - visite guidée (1h) 9h30-11h30, 14h30-17h30 - fermé pendant les vendanges - gratuit.*

Continuez sur la D 161. À Bissy-la-Mâconnaise, prenez à gauche la D 82.

Lugny
Niché dans la verdure sur la « route des Vins du Mâconnais », Lugny produit un vin blanc très apprécié.
Revenez à Bissy, puis prenez au sud.

Azé

Azé produit principalement des vins blancs assez légers.

Mais Azé est surtout connu pour son **site préhistorique**. Le **musée** présente de très nombreuses pièces provenant en majeure partie des fouilles. Puis on accède aux **grottes** par un arboretum. La première grotte, longue de 208 m, fut successivement le refuge d'ours des cavernes (ossements vieux de 300 000 ans), d'hommes préhistoriques, de Gallo-Romains, etc. Dans une autre grotte coule une rivière souterraine qu'un parcours aménagé permet de suivre sur 800 m. ✆ 03 85 33 32 23 - *visite guidée (1h30) avr.-sept. : 10h-12h, 14h-17h30 ; oct. : dim. 10h-12h, 14h-18h - 6 € (enf. 4 €).*

Quittez Azé à l'Est par la D 15, puis tournez à droite dans la D 103.

Clessé

Ce village viticole possède une **église** de la fin du 11e s. que surmonte une élégante petite tour à pans et à flèche recouverts de tuiles vernissées.

Clessé est au cœur d'un des meilleurs terroirs à vins blancs du Mâconnais et forme, avec la commune voisine de Viré, l'appellation **viré-clessé** qui offre un remarquable rapport qualité-prix. 🍷 Vous serez étonné par la qualité des vins du **domaine de la Bongran** et ceux de la **cave coopérative de Clessé-La Vigne Blanche** *(voir nos bonnes caves).*

Poursuivez au sud par la D 103 jusqu'à Mâcon.

Mâcon

Entre Saône et monts plantés de vignes du Mâconnais, la ville a un petit air presque méridional avec ses maisons couvertes de tuiles rondes. Chaque année, au mois de mai, Mâcon accueille un des plus importants concours des vins de France.

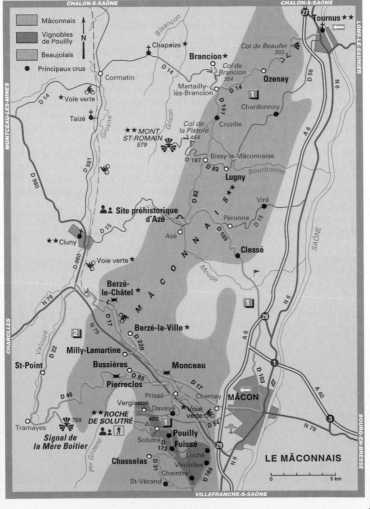

💡 La **Maison mâconnaise des vins** est une référence pour vos achats, comme pour votre documentation sur les vins de la région, en particulier l'AOC **mâcon** *(voir nos bonnes caves).*

Aménagé dans un ancien couvent (17ᵉ s.), le **musée des Ursulines**★ comporte des sections d'archéologie, d'ethnographie régionale, de peinture et de céramique. Une section de préhistoire présente des objets provenant des fouilles de Solutré et de sites régionaux. Les arts et traditions populaires sont à l'honneur, ainsi que le mobilier des 17ᵉ et 18ᵉ s., les faïences et les beaux-arts. *📞 03 85 39 90 38 - tlj sf lun. 10h-12h, 14h-18h, dim. et j. fériés 14h-18h - fermé 1ᵉʳ janv., 1ᵉʳ Mai, 14 Juil., 1ᵉʳ Nov., 25 déc. - 2,50 € (enf. gratuit).*

Dans l'**hôtel-Dieu**, l'**apothicairerie**★, de style Louis XV, conserve une belle collection de faïences. Outre les boiseries murales, celles des fenêtres, en parfaite harmonie avec le décor, sont particulièrement remarquables. Fresques dans la chapelle. *📞 03 85 39 90 38 - ♿ - juin-sept. : 14h-18h - fermé 14 Juil. - 1,60 € (enf. gratuit).*

EN MARGE DU VIGNOBLE

Retrouver l'ancienne abbaye de Cluny★★

26 km au N-O de Mâcon par les D 17, puis N 79 et D 980. 📞 03 85 59 15 93 - ♿ - possibilité de visite guidée (1h30) sur demande (15 j av.) - mai-août : 9h30-18h30 ; sept.-avr. : 9h30-12h, 13h30-17h - fermé 1ᵉʳ janv., 1ᵉʳ Mai, 1ᵉʳ et 11 Nov., 25 déc. - 6,50 € (-18 ans gratuit) billet combiné avec le musée d'Art et d'Archéologie.

Le nom de Cluny évoque l'ordre monastique clunisien qui a exercé une influence considérable sur la chrétienté de l'Occident au Moyen Âge. L'abbaye bénédictine, fondée en 910 par Guillaume d'Aquitaine, connaît durant deux siècles une prospérité inouïe qui se manifeste par la gigantesque église abbatiale achevée sous Pierre le Vénérable, abbé de 1122 à 1156.

Mais le train de vie des moines les expose aux stigmatisations de saint Bernard. La fondation de l'austère ordre cistercien, la guerre de Cent Ans puis les guerres de Religion vont progressivement réduire l'importance de l'abbaye qui sera finalement fermée en 1791. En 1793, la municipalité donne l'ordre de démolir les tombeaux et d'en vendre les matériaux. Dès lors, et jusqu'à la Restauration, l'abbaye va servir de carrière dont les pierres sont réemployées pour les constructions de la région. En 1823 ne restent debout que les parties encore visibles de nos jours, dont les vestiges de l'église St-Pierre-et-St-Paul. L'église comportait un narthex, cinq nefs, deux transepts, cinq clochers, deux tours, 301 fenêtres ; elle était meublée de 225 stalles ; la voûte de l'abside peinte était soutenue par une colonnade de marbre.

Installé dans l'ancien palais abbatial, gracieux logis du 15ᵉ s., le **musée d'Art et d'Archéologie**★ abrite les vestiges de l'abbaye découverts lors des fouilles. Des maquettes dans la salle d'entrée et, à l'étage, un audiovisuel **Maior Ecclesia**★ *(9mn)* reconstituant Cluny III en images de synthèse permettent de mieux appréhender la grandeur de l'abbatiale.

Pêcher au gros dans la Saône

Mâcon Pêche au gros – *4 r. de la Liberté - 71000 Mâcon - 📞 03 85 39 07 50 - www. peche-au-silure.com - mai-sept. : tlj.* L'association propose de découvrir la pêche au

L'ancienne abbaye de Cluny.

silure sur la Saône. Michel, guide de pêche, dévoile tous les secrets pour traquer ce géant des rivières qui peut atteindre plus de 2,50 m. Tout le matériel de pêche et un bateau spécialement équipé sont mis à votre disposition. Les repas sont pris sur le lieu de pêche. Initiation de 3h ou séjours à partir d'une journée, ouvert à tous.

Les adresses de Tournus à Mâcon

NOS BONNES TABLES

Au P'tit Pierre – 10 r. Gambetta - 71000 Mâcon - ℘ 03 85 39 48 84 - fermé 25 juil.-15 août, mar. soir, merc. sept. à juin, lun. midi et dim. en juil.-août - 16/31 €. Les Mâconnais fréquentent avec assiduité ce bistrot récent. Frais décor, tables joliment dressées, carte bien tournée et prix sages au regard de la qualité assurent son succès.

Le Restique – 56 r. St-Antoine - 71000 Mâcon - ℘ 03 85 38 38 76 - fermé 3 sem. en août, de fin déc. à déb. janv., lun. soir, mar. soir et dim. - 🍽 - 16,50/23 €. Ce restaurant à la décoration rustique propose 3 menus – terroir, matelot ou lyonnais – à des prix tout à fait abordables. Carrelage et mobilier en bois donnent au lieu un côté « bonne franquette », que ne dément pas la simplicité de l'accueil. Terrasse privative à l'étage.

Le Terminus – 21 av. Gambetta - 71700 Tournus - ℘ 03 85 51 05 54 - www.leterminustournus.com - fermé merc. - 24/41 €. Spacieuse salle à manger rénovée dans l'esprit contemporain et terrasse ombragée où l'on se sent parfaitement à l'aise pour apprécier la cuisine au goût du jour concoctée par le chef. Mention spéciale pour l'original menu « cent pour cent charolais ». Chambres toutes non-fumeurs.

Aux Terrasses – 18 av. du 23-Janvier - 71700 Tournus - ℘ 03 85 51 01 74 - www.aux-terrasses.com - fermé 2 janv.-2 fév., 6-14 juin, 16-22 nov., dim. soir, mar. midi et lun. - 23 € déj. - 28/60 €. Impossible de passer par Tournus sans goûter à la délicieuse cuisine traditionnelle de cette maison : pâté chaud de colvert, poulet de Bresse braisé au chardonnay ou sandre au jambon du Morvan, que vous prendrez soin d'escorter avec un cru choisi dans la belle carte des vins. Jolies salles à manger. Accueil aimable.

NOS CHAMBRES D'HÔTE

Chambre d'hôte Le Tinailler du Manoir de Champvent – Lieu-dit Champvent - 71700 Chardonnay - 11 km au SO de Tournus par D 56 puis D 463 - ℘ 03 85 40 50 23 - fermé nov.-fév. - 5 ch. 47/61 € 🍴. Beau manoir en pierre jaune dont les dépendances abritent des chambres agrémentées de meubles anciens, de natures mortes et de tableaux abstraits. Grand pré où peuvent se défouler les enfants et jolie cour fleurie. Un théâtre accueille régulièrement des spectacles (pièces, concerts, humour, etc.) et des expositions.

Chambre d'hôte Château de Salornay – 71870 Hurigny - 6 km à l'O de Mâcon par D 82 puis rte secondaire - ℘ 03 85 34 25 73 - 🍴 - 4 ch. et 2 gîtes 46/53 € 🍴. Ce château des 11e et 15e s. a beaucoup d'allure avec ses belles tours et ses épaisses murailles couronnées d'un chemin de ronde. Les chambres (l'une d'elles occupe le donjon), vastes et nanties de meubles anciens, ouvrent sur les champs alentour. Deux gîtes de caractère sont également disponibles.

NOS BONNES CAVES

CAVISTES

Caves de Saint-Valérien – 58 r. du Dr-Privey - 71700 Tournus - ℘ 03 85 51 78 74 - tlj sf lun. 9h-12h30, 14h30-19h30 ; dim. 9h-12h30. Dans sa cave qui compte plus de 1 000 références, M. Bayet, grand amoureux de son terroir et spécialiste des grands crus Bourguignons, fait la part belle aux vins du Mâconnais comme le pouilly-fuissé, le saint-véran ou le mâcon-solutré, tout en réservant une place de choix aux côtes chalonnaise et de Beaune.

Le Cellier de l'Abbaye – 13 r. Municipale et r. du 11-Août-1944 - 71250 Cluny - ℘ 03 85 59 04 00 - www.cellier-abbaye.com - tlj sf lun. 9h30-12h30, 14h30-19h ; dim. 10h-12h30 et lun. du 14 Juil. au 15 août ; j. fériés 10h-12h - fermé dim. de janv. à fin mars. Préférez l'entrée située rue du 11-Août-1944 pour pénétrer dans cette cave à la fois historique et prestigieuse. Un superbe couloir voûté en pierre conduit à la boutique où des casiers en bois, des étagères couvertes de bouteilles et quelques fûts composent le mobilier. On trouve ici plus de 300 références de vins locaux vendus au prix du domaine, mais aussi des whiskies, cognacs et liqueurs.

COOPÉRATIVE ET MAISON DES VINS

Caves des vignerons de Mancey – N 6 - 71700 Tournus - ℘ 03 85 51 00 83 - tlj 8h-12h, 14h-18h. Cette cave est la vitrine d'une association regroupant 80 vignerons qui cultivent 140 ha de vignes. L'offre est diverse et toujours de qualité. Citons parmi les réussites la plus belle gamme des Essentielles avec un mâcon-villages, un mâcon-mancey et un bourgogne-pinot noir remarquables, les crémants et les aligotés.

Cave coopérative de Clessé - La Vigne Blanche – Rte de la Vigne-Blanche - 71260 Clessé - ℘ 03 85 36 93 88 - cavecooperative.vigneblanche@wanadoo.fr - lun.-sam. La cave, fondée en 1927, s'étend sur 130 ha de vignes, encépagés de chardonnay, de pinot noir et de gamay (5 %). Le vignoble est conduit de manière traditionnelle. Les vendanges sont mécaniques, puis la vinification, traditionnelle, a lieu en cuves inox thermorégulées, avec pressurage pneumatique. Depuis 2006, les vins sont élevés en fûts de chêne. ♥ bourgogne, crémant-de-bourgogne, mâcon, mâcon-villages, viré-clessé.

Maison mâconnaise des vins – *484 av. de Lattre-de-Tassigny - 71000 Mâcon - ℘ 03 85 22 91 11 - www.maison-des-vins.com - 11h30-22h - fermé 1ᵉʳ-20 janv.* Salle d'exposition, librairie, boutique, dégustations menées par des professionnels… La Maison des vins de Mâcon mérite vraiment une visite. Son restaurant permet en outre de savourer quelques spécialités régionales (petit salé,

andouillette mâconnaise, entrecôte du Charollais…) et de les escorter de crus du Mâconnais sélectionnés.

DOMAINE

Domaine de la Bongran – *71260 Clessé - ℘ 03 85 36 94 03 - contact@bongran.com - sur RV.* Le domaine s'étend sur 10 ha, encépagés de chardonnay. Le vignoble, planté sur les sols argilo-calcaires, est vendangé manuellement. Jean Thévenet est adepte d'une culture respectant la nature : vignes désherbées mécaniquement et non chimiquement, fermentations lentes sans adjonction de levures, etc. Les rendements sont de 45 hl/ha. Les vins sont élevés en foudres, de dix-huit à vingt-quatre mois. Jean Thévenet est également propriétaire du domaine Émilian Gillet à Clessé. ♥ mâcon-villages, viré-clessé.

1 Boucle du sud mâconnais (2ᵉ étape)

▶ 36 km. Prissé se trouve se trouve à 8 km à l'O de Mâcon par la D 17. Carte Michelin Local 320, I-J 10-12. Voir le circuit 1 sur le plan p. 187.

Prissé

Ce village produit du vin blanc mâcon-prissé (AOC mâcon-villages). ♥ Le **Groupement des producteurs de Prissé-Sologny-Verzé** est l'une des plus importantes coopératives de la région *(voir nos bonnes caves).*

De Prissé, prenez au sud la D 209 qui passe sous la N 79.

Davayé

Agréable bourg vigneron, Davayé possède une église romane du 12ᵉ s. et deux châteaux du 17ᵉ s. Beaucoup de vignerons de la région sont passés par son lycée viticole.

La D 177 à l'ouest mène à Vergisson.

Vergisson

Ce village typique aux maisons de pierre ocre, blotti entre la roche de Solutré et celle de Vergisson, est dans l'appellation pouilly-fuissé. ♥ Le **domaine Barraud** est une bonne adresse *(voir nos bonnes caves).*

Comme Solutré, c'est un site préhistorique où l'on a retrouvé des restes de l'homme de Neandertal. Un menhir de 3 m de haut se dresse dans les vignes. ☁ Un **sentier pédestre**, à droite sur la route de Pierreclos, conduit au sommet de la roche de Vergisson. Des balades à dos d'âne sur les sentiers entre les vignes, au pied de la roche de Vergisson, sont proposées par **Ânes et Sentiers**. *Martelet - 71960 Vergisson - ℘ 03 85 35 84 28 - www.anes-sentiers.com - tlj 8h-20h - fermé oct.-avr. - à partir de 26 €.*

Rejoignez Solutré par l'ouest.

Roche de Solutré★★

Véritable symbole du sud-Mâconnais, aux confins du Beaujolais et au sein du cru pouilly-fuissé, la roche de Solutré s'observe depuis la Bresse, de Bourg à Mâcon. Ce superbe escarpement calcaire, à la silhouette élancée et au profil de sphinx, est un des hauts lieux de la préhistoire en France.

Avant le cimetière de Solutré, prenez la deuxième route à gauche qui aboutit au parking. Suivez les marques jaunes, 45mn à pied AR. ☁ Un sentier conduit au Crot-du-Charnier (où se trouve le musée) puis au sommet de la roche de Solutré (alt. 493 m) d'où l'on a une vue étendue sur la vallée de la Saône, la Bresse, le Jura et, par temps clair, sur les Alpes.

▲▲ Enterré au pied de la roche, le **musée départemental de Préhistoire** évoque successivement l'archéologie préhistorique du sud-Mâconnais, les chevaux et la chasses du paléolithique supérieur à Solutré, et enfin le solutréen dans le contexte européen. *℘ 03 85 35 85 24 - ৬ - avr.-sept. : 10h-18h ; oct. nov. et janv.-mars . 10h-12h, 14h-17h ; fermé déc., 1ᵉʳ Mai - 3,50 € (enf. 2 €), gratuit 1ᵉʳ dim. du mois.*

La roche de Solutré.

H. Champollion / MICHELIN

Pouilly

Ce hameau donne son nom à différents crus de vins blancs du Mâconnais : pouilly-fuissé, pouilly-loché, pouilly-vinzelles. Au-delà de ce village, le vignoble s'étage sur des coteaux aux formes très douces.

Fuissé *(1,5 km au sud de Pouilly)* partage avec Pouilly la renommée du **pouilly-fuissé**, le plus grand des vins blancs du Mâconnais, mais dont la qualité varie beaucoup d'un domaine à l'autre. ♟ Le **Château de Fuissé** est néanmoins une valeur sûre *(voir nos bonnes caves)*.

De Fuissé, prenez à l'ouest la D 172.

Chasselas

Ce bourg dominé par des rochers gris affleurant sous la lande est situé à la limite du Beaujolais. Il a fourni un cépage qui donne un raisin de table renommé.

Quittez Chasselas au sud-est par la D 31.

Saint-Vérand

♟ Personne ne sait au juste pourquoi St-Vérand a perdu son « d » en devenant l'AOC **st-véran**, qui produit des vins blancs secs et vifs, comme on en trouve au **domaine de l'Ermite de St-Véran** *(voir nos bonnes caves)*. Le , haut perché, a du caractère, avec son église romane et ses grosses maisons vigneronnes.

En passant par Chânes (à l'est), on gagne Vinzelles par la D 169.

Vinzelles

♟ Le principal centre d'intérêt de ce village des faubourgs de Mâcon est sa **Cave des Grands Crus Blancs** qui regroupe les vignerons de Vinzelles et de Loché ; le **domaine de la Soufrandière** est également une bonne adresse *(voir nos bonnes caves)*.

Revenez à Mâcon par la N 6.

Les adresses du Mâconnais

NOS BONNES TABLES

😊😊 **Pouilly Fuissé** – *Au bourg - 71960 Fuissé* - ✆ *03 85 35 60 68 - fermé 2-26 janv., 28 juil.-6 août, dim. soir, lun. soir, mar. soir et merc.* - *18/40 €.* Cette adresse portant le nom du fameux cru local ne peut que favoriser les vins régionaux. Servis au verre ou à la bouteille, ils accompagnent avec brio une goûteuse cuisine au bon rapport qualité-prix, mariant recettes traditionnelles et accents bourguignons :

andouillette à l'époisse, vacherin au marc de Bourgogne, etc.

😊😊 **Le Fin Bec** – *Pl. de la Mairie - 71570 Leynes* - ✆ *03 85 35 11 77 - fermé 25 juil.-10 août, 13-22 nov., 1ᵉʳ-11 janv., jeu. soir sauf juil.-août - 16/40 €.* Cette maison vous réserve un bon accueil dans sa chaleureuse salle à manger rustique ornée de tableaux en céramique sur le thème des crus du Beaujolais. Copieuse cuisine du terroir ; table d'hôte et repas spectacle en complément d'activité.

NOS HÔTELS ET CHAMBRES D'HÔTE

😋😋 **Chambre d'hôte Côté Vigne** – *Domange - 71960 Igé - ☎ 03 85 33 46 64 - www.cotevigne.fr - piscine chauffée - 🅿 - 5 ch. : 90/125 € - table d'hôte 25 € (sur réservation merc.-dim.).* Construite au début du 19ᵉ s., cette belle demeure, parfaitement restaurée, donne sur le vignoble. L'accueil y est chaleureux, les chambres confortables, et la table de très bon goût. Le soir, dégustation de vin dans les caves voûtées.

😋😋 **Auberge du St-Véran** – *71570 St-Vérand - ☎ 03 85 23 90 90 - www.auberge-saint-veran.com - fermé 9-29 janv., lun. midi et mar. midi hors sais. - 🅿 - 11 ch. 62/80 € - ☕ 10 € - rest. 29/52 €.* Au cœur des vignobles, ancien moulin à eau au charme campagnard et aux confortables chambres portant le nom de crus du terroir.

😋😋 **Chambre d'hôte Le Château d'Escolles** – *71960 Verzé - 2 km au N de la Roche-Vineuse par D 85 - ☎ 03 85 33 44 52 - www.gite-escolles.com - 🖊 - 4 ch. 55/70 € ☕.* Un accueil sympathique vous sera réservé en cette dépendance d'un château du 17ᵉ s. sise en bordure d'un parc de 5 ha. Les chambres, aménagées sous les toits, sont douillettes : moquette épaisse, poutres, mobilier ancien… Petits-déjeuners assortis de confitures maison et de jus de fruits frais. Délicieuse terrasse.

NOS BONNES CAVES

CAVES COOPÉRATIVES

Groupement de producteurs de Prissé-Sologny-Verzé – *Les Grandes Vignes - 71960 Prissé - ☎ 03 85 37 88 06 - cave. prisse@cavedeprisse.com - pas de visite.* Le Groupement de producteurs de Prissé-Sologny-Verzé résulte de la fusion de trois caves. Il regroupe 500 adhérents, et compte 1 000 ha de vignes. Cette structure est aujourd'hui la deuxième plus importante cave de Bourgogne, certifiée ISO 9002. Elle produit du mâcon en rouge. 🍷 bourgogne, bourgogne-aligoté, bourgogne-passe-tout-grain, crémant-de-bourgogne, mâcon, mâcon-villages, pouilly-fuissé, saint-véran.

Cave des Grands Crus Blancs – *Rte des Allemands - 71680 Vinzelles - ☎ 03 85 27 05 70.* Le caveau, très fréquenté, propose toute la gamme des vins blancs du Mâconnais à des prix très raisonnables.

DOMAINES

Domaine Barraud – *Le Bourg - 71960 Vergisson - ☎ 03 85 35 84 25 - contact@domainebarraud.com - lun.-vend. 9h-12h, 14h-18h - sur RV.* Le domaine s'étend sur 7 ha de sols argilo-calcaires exclusivement plantés de chardonnay et offre une large gamme de crus. Le vignoble est conduit en lutte raisonnée avec labours et vendanges manuelles. Les vins sont ensuite élevés en fûts de dix à douze mois selon les millésimes, avant d'être mis en bouteilles sans filtration. Fleuron de la production familiale : le pouilly-fuissé premier cru Les Crays. 🍷 mâcon-villages, pouilly-fuissé, saint-véran.

Château de Fuissé – *71960 Fuissé - ☎ 03 85 35 61 44 - lun.-jeu. 8h30-12h, 13h30-17h30, vend. jusqu'à 16h30.* Au cœur d'une propriété viticole de 30 ha, élégante demeure flanquée d'une tour du 15ᵉ s. dressée face à deux ifs taillés en forme de bouteille. Visite de la cuverie et dégustation de puilly-fuissé provenant de terroirs réputés dont certains sont des monopoles du domaine (le Clos, les Combettes, les Brûlés). 🍷 mâcon, mâcon-villages, pouilly-fuissé, saint-véran.

Domaine de l'Ermite de St-Véran – *Les Truges, rte de Pruzilly - 71570 St-Vérand - ☎ 03 85 36 51 09 - sur RV.* Le domaine créé en 1978 s'étend sur 12 ha. Les cépages blancs s'enracinent dans un sol argilo-calcaire et les rouges dans une terre sablonneuse, siliceuse et granitique. Ils sont cultivés de manière traditionnelle avec récolte manuelle. Les vins sont ensuite élevés en cuves époxy résine, en cuves émaillées et en foudres de chêne. La propriété produit également les appellations beaujolaises beaujolais-villages, juliénas et saint-amour. 🍷 saint-véran.

Domaine de la Soufrandière - Bret Brothers – *La Soufrandière - 71680 Vinzelles - ☎ 03 85 35 67 72 - contact@bretbrothers.com.* En 1947, Jules Bret, professeur de médecine, acquiert 1 ha de vignes, planté en AOC pouilly-vinzelles Les Quarts. Après avoir agrandi le vignoble, Jules le confie à son fils en 1969. En 1998, La Soufrandière se retire de la cave coopérative et accueille Jean-Guillaume et Jean-Philippe, deux des trois petits-enfants de Jules. Aujourd'hui, le vignoble couvre 4,5 ha plantés de chardonnay. Les méthodes de culture de la vigne allient modernité et tradition : travail mécanique du sol, réduction des rendements, conduite en biodynamie et vendanges manuelles en caissettes. Depuis 2001, les raisins de la Soufrandière sont vendus à Bret Brothers qui distribue les pouilly-vinzelles, pouilly-vinzelles Les Longeays et Les Quarts. 🍷 mâcon-villages, pouilly-fuissé, pouilly-loché, pouilly-vinzelles, saint-véran, viré-clessé.

LA CHAMPAGNE

« Vin des rois », vin de fête ou « vin du diable », le champagne fascine. Souvent imité, jamais égalé, ce vin est connu dans le monde entier comme la quintessence du raffinement français. Quitte parfois à oublier que le champagne est avant tout un produit de la terre et qu'il n'est champagne que de Champagne. C'est en effet l'assemblage des différents terroirs produisant le chardonnay, le pinot noir et le pinot meunier qui confère aux vins leur qualité incomparable. Morcelé, le vignoble champenois s'étend sur cinq départements, mais se concentre essentiellement sur les coteaux de la Marne et de l'Aube. C'est là que la vigne prend au soleil la force et les arômes qui mûriront ensuite dans le secret des caves et... Même s'il a traversé bien des crises, le vignoble champenois affiche aujourd'hui une prospérité presque insolente. Jamais, dans le monde, la demande de ce précieux breuvage n'a été aussi forte.

À Reims, à Épernay, dans les vallées de l'Aisne ou de la Marne et dans l'Aube, vous percerez les mystères d'un monde complexe, souvent atypique par rapport aux autres régions viticoles, et vous découvrirez avec bonheur que l'art de vivre autour du champagne reflète l'esprit d'une région tout en nuances, discrète sinon secrète.

Petit matin dans le vignoble de la côte des Blancs.

Comprendre

L'élaboration du champagne et ses mystères – Au commencement, il y a la grappe de raisin vendangée obligatoirement à la main pour que la peau des raisins noirs ne dégage pas de couleur. Les raisins sont ensuite pressés de manière très stricte. On ne peut presser que 4 000 kg de raisins en même temps pour obtenir une quantité de jus qui ne doit pas dépasser 2 050 l.

Les moûts ainsi récoltés fermentent de manière classique jusqu'à la fin de l'hiver, avant d'être assemblés. S'il s'agit d'un champagne millésimé, l'assemblage ne peut concerner que des vins de la même année. Le vin tranquille est ensuite mis en bouteilles champenoise avec une adjonction de « liqueur de tirage » composée de vin, de levures et de sucre. C'est cette liqueur qui va faire repartir la fermentation et donner au champagne ses bulles de gaz carbonique, qui restent prisonnières dans la bouteille.

La prise de mousse dure environ deux mois, puis les bouteilles sont empilées dans l'obscurité des caves durant au moins quinze mois pour les vins non millésimés et trois ans pour les champagnes millésimés. À l'issue de cette période, les bouteilles sont placées la tête en bas sur des pupitres pour le remuage à la main, dans des gyropalettes pour le remuage automatique. Cette opération consiste à faire descendre progressivement les lies vers le bouchon.

Vient ensuite le dégorgement au cours duquel le col de la bouteille est placé dans une solution réfrigérante qui fige les lies pour faciliter leur expulsion après décapsulage. Pour terminer, on rajoute quelques centilitres de « liqueur d'expédition », un mélange

LE TERROIR

Superficie : un peu plus de 31 000 ha sur une aire d'appellation qui en comprend 34 000.

Production : environ 2,3 millions d'hl par an.

Dans la Marne, le vignoble suit principalement le contour des côtes autour de la Montagne de Reims, dans la vallée de la Marne et dans le secteur d'Épernay avec la côte des Blancs. Il forme une entité à part dans le sud du département autour de Sézanne.

Dans l'Aisne, le vignoble domine la vallée de la Marne de Charly à Dormans.

Dans l'Aube, la vigne s'étend sur la côte des Bars avec un secteur viticole compact autour de Bar-sur-Seine et plus morcelé autour de Bar-sur-Aube. S'y ajoute, au sud, le secteur des Riceys.

Les sols sont à dominante crayeuse et argilo-calcaire dans la Marne, marneux dans l'Aube. Le climat est à la limite des zones océanique et semi-continentale. La rigueur de l'hiver et du printemps est compensée par la présence d'importants massifs forestiers qui adoucissent les températures par leur apport d'humidité. Les étés et les automnes sont tempérés et bien ensoleillés.

LES VINS

Il existe trois appellations d'origine contrôlée.

AOC champagne – Le champagne est un vin effervescent provenant de raisins de Champagne pressurés et vinifiés selon la méthode champenoise. Les cépages sont le chardonnay, qui apporte ses notes florales et sa fraîcheur, le pinot noir, pressé sans macération, qui donne un jus blanc et qui apporte du corps et du gras, le pinot meunier, cousin du pinot noir qui apporte de subtiles notes vineuses dans les assemblages.

AOC coteaux-champenois – Il s'agit de vins « tranquilles » rouges, blancs ou rosés, élaborés de manière traditionnelle. Les cépages sont le chardonnay (blancs) et les pinots noir et meunier (rouges et rosés).

AOC rosé-des-riceys – La seule appellation villageoise champenoise concerne des vins rosés élaborés à partir d'une courte macération de pinot noir.

BON À SAVOIR

« Il n'est champagne que de Champagne. » Seuls les vins effervescents récoltés dans l'aire d'appellation champagne ont droit à porter son nom. Pendant longtemps, on a tenté d'appeler champagne des vins élaborés dans différents pays, et notamment aux États-Unis. Mais le comité interprofessionnel du vin de Champagne (CIVC), qui veille à la protection de l'appellation, a obtenu, souvent par la voie juridique, que ces vins changent de dénomination.

Les trois dernières récoltes (2004, 2005 et 2006) ont été excellentes, tant en qualité qu'en quantité. Toutefois, la zone d'appellation étant bientôt totalement plantée et les ventes continuant d'augmenter (307,5 millions en 2005), on parle de pénurie et l'on envisage d'étendre l'aire d'appellation.

👁 **Comité interprofessionnel des vins de Champagne** – ☏ 03 26 55 19 79 - *www.champagne.fr*

👁 **Syndicat général des vignerons de la Champagne** – ☏ 03 26 59 55 00 - *www.champagnesdevignerons.com*

de vin vieux additionné d'une dose variable de sucre en fonction du goût recherché (demi-sec, sec, extra dry, brut, extra brut et dosage zéro). Les bouteilles sont ensuite bouchées, muselées, étiquetées et prêtes à l'expédition.

Les différents champagnes – Le champagne est un vin d'assemblage de différents cépages, de différents terroirs, et, le plus souvent, de différentes années. C'est en combinant ces facteurs que chaque marque réalise le style qui la caractérise.

Un **blanc de blancs** est un champagne élaboré uniquement à base de chardonnay.

Un **blanc de noirs** est un champagne qui ne contient que des vins de cépages noirs à jus blanc : pinot noir et pinot meunier.

Le **champagne rosé** est obtenu en ajoutant une dose de coteaux-champenois rouge avant la fermentation en bouteille.

Un **champagne millésimé** est issu d'un assemblage de vins de différents terroirs et/ou de différents cépages, mais exclusivement récoltés la même année. Dans le cas où plusieurs années sont assemblées, on parle parfois de « brut sans année ». Le terme « cuvée prestige » ou « cuvée spéciale » désigne un champagne le plus souvent millésimé, élaboré en assemblant les meilleurs crus.

	Caractéristiques	Garde	Prix
Champagne	Possède généralement une couleur dorée pâle ou rosée. Dans le verre, le cordon de bulles doit être persistant. La mousse est présente, sans être agressive. La palette d'arômes est très variée, allant du brioché au raisin mûr en passant par les fleurs blanches et les fruits rouges. En bouche, la saveur se décline en brut, sec ou demi-sec, selon la quantité de sucre contenue dans la liqueur d'expédition.	Se garde rarement au-delà de 5 ans.	Il ne faut donc pas compter à court terme sur une baisse des prix. Le champagne, vin de fête, coûte cher. **Champagne de vigneron** : en moyenne de 11 à 15 €. **Champagne de marque millésimé** : de 15 à 30 €. **Grande cuvée** : de 50 à 100 €.
Coteaux-champenois	Des vins « tranquilles », rouges, d'une très belle couleur rubis foncé, avec des arômes de framboise et de cerise.	Vieillissent de 5 à 8 ans.	15 à 20 €.
Rosé-des-riceys	Une teinte assez soutenue. C'est un vin fruité, intense, avec une légère pointe d'amertume.	Vieillissent de 5 à 8 ans.	15 à 20 €.

La Montagne de Reims

CARTES MICHELIN LOCAL 306 ET 313 – MARNE

La Montagne de Reims est le nom géographique d'un promontoire qui culmine à 287 m au sud de Reims. Couverte de forêt, elle est bordée par le vignoble sur ses pentes nord et sud-est. L'ensemble du secteur forme le parc régional de la Montagne de Reims. Ainsi, depuis Reims, le « vin du diable » entraîne de vastes caves en musées intimes, de maisons de champagne en coteaux tapissés de vignobles, où chaque cépage est représenté : pinot noir, pinot meunier, chardonnay.

Reims (1re étape)

▶ Reims se trouve à 144 km à l'E de Paris. Carte Michelin Local 306, F-G 7-8. Voir le circuit ① sur le plan p. 200-201.

Balade à travers Reims★★★

Champagne ou art gothique ? Et pourquoi pas les deux ! Reims est pour tous une étape inoubliable avec la visite de la cathédrale et du palais du Tau, de la basilique St-Remi, sans oublier bien sûr les grandes maisons de champagne à la renommée mondiale.

Cathédrale Notre-Dame★★★ – Joyau de l'art gothique et haut lieu de l'histoire de France, la cathédrale de Reims a connu une histoire mouvementée, marquée notamment par le bombardement allemand de 1914. Une première cathédrale avait été élevée en 401 par saint Nicaise, vraisemblablement sur un lieu de culte gallo-romain. Elle fut remplacée au 9e s. par un édifice plus vaste, détruit lors d'un incendie en 1210. L'archevêque Aubry de Humbert décida alors la construction d'une cathédrale gothique à l'image de celles qui étaient en chantier depuis la fin du 12e s. : Paris, Soissons et Chartres. La première pierre fut posée en 1211 et l'édification des tours, contrariée par un incendie, ne fut achevée qu'à la fin du 15e s. Au 19e s. fut menée une campagne de consolidation et de restauration. Elle s'achevait à peine lorsque la guerre de 1914-1918 la frappa de plein fouet. Le 19 septembre 1914, un bombardement mit le feu à la charpente et l'énorme brasier fit fondre les cloches, les plombs des verrières et éclater la pierre. Cependant, les murs tinrent bon et, à la fin de la guerre, une nouvelle restauration, financée en grande partie par la donation Rockefeller, fut entreprise.

À l'origine, l'**extérieur** de la cathédrale était orné de 2 300 statues. La plupart ont été remplacées par des copies. La **façade**, composée de trois portails, évoque Notre-Dame de Paris. Le portail central est consacré à Marie, avec une statuaire évoquant les différents épisodes de sa vie.

À l'intérieur, la **nef** s'élève sur trois étages. Les chapiteaux les plus anciens dessinent des feuilles d'acanthe, des monstres et même deux vignerons portant un panier de raisin *(6ᵉ pilier de la nef à droite)*. Les **vitraux★★**, créés au 13ᵉ s., ont beaucoup souffert. Il subsiste ceux de l'abside. La grande rosace de la façade, chef-d'œuvre du 13ᵉ s., est dédiée à la Vierge.

Palais du Tau★★ – *2 pl. du Cardinal-Luçon* - ℰ *03 26 47 81 79 - de déb. mai à déb. sept. : tlj sf lun. 9h30-18h30 ; reste de l'année : tlj sf lun. 9h30-12h30, 14h-17h30 - fermé 1ᵉʳ janv., 1ᵉʳ Mai, 1ᵉʳ et 11 Nov., 25 déc. - 6,50 € (-18 ans gratuit).*

Il s'agit de l'ancien palais des archevêques de Reims. Le bâtiment fut remanié au 15ᵉ s. dans le style gothique flamboyant, puis vers 1670 dans le style classique. Classé au Patrimoine mondial de l'Unesco, il abrite aujourd'hui le trésor de la cathédrale, et une partie de la statuaire originale.

Portail central de la cathédrale de Reims.

S. Sauvignier / MICHELIN

Basilique St-Remi★★ – *Pl. Saint-Remi*. C'est la plus ancienne église de Reims. En 533, saint Remi fut inhumé dans une petite chapelle dédiée à saint Christophe. Peu après, une basilique fut édifiée. Dans la seconde moitié du 8ᵉ s., une communauté bénédictine s'y installa et créa l'abbaye St-Remi.

La construction de la basilique actuelle débuta vers 1007 et l'église fut consacrée solennellement par le pape Léon IX les 1ᵉʳ et 2 octobre 1049. Elle fut par la suite modifiée aux 12ᵉ, 15ᵉ, 16ᵉ et 17ᵉ s. De nombreux archevêques de Reims et les premiers rois de France y furent inhumés ; la sainte ampoule utilisée lors des sacres y était conservée. À l'intérieur, derrière l'autel, le tombeau de saint Remi a été réédifié en 1847, bien que les statues des niches proviennent du tombeau antérieur (17ᵉ s.). Elles représentent saint Remi, Clovis et les douze pairs qui participèrent au sacre.

Chapelle Foujita★ – *33 r. du Champ-de-Mars* - ℰ *03 26 40 06 96 - www.reims.fr - mai-oct. : tlj sf merc. 14h-18h - fermé 1ᵉʳ janv., 1ᵉʳ Mai, 14 Juil., 1ᵉʳ et 11 Nov., 25 déc. - 3 €, gratuit 1ᵉʳ dim. du mois.*

Due au mécénat de la maison Mumm, cette chapelle a été entièrement conçue et décorée dans la tradition de l'art chrétien primitif par Léonard Foujita (1886-1968), peintre japonais de l'école de Paris, alors âgé de 80 ans. Inaugurée en 1966, elle commémore l'illumination mystique ressentie en la basilique St-Remi par ce peintre qui se convertit au catholicisme et fut baptisé dans la cathédrale.

Caves de Reims★★

Une demi-journée ou une journée de visite.

Profondes et étendues, les caves de Reims (quelque 250 km de galeries), où s'élabore le champagne, sont de réputation mondiale. Les grands établissements se groupent dans le quartier du Champ-de-Mars et sur les pentes crayeuses de la butte St-Nicaise, trouée de galeries, dites « crayères », souvent gallo-romaines.

♥ **Pommery** – *5 pl. du Gén.-Gouraud* - ℰ *03 26 61 62 56 - www.pommery.com - visite guidée (1h) mars-nov. : 9h30-19h (dern. visite 17h30) ; déc.-fév : 10h-18h - fermé pdt 2 sem. à Noël - 8 € (-12 ans gratuit).*

En 1836, Narcisse Gréno fonde une maison de champagne et s'associe à Louis-Alexandre Pommery. À la mort de ce dernier, sa veuve manifeste de grandes qualités de chef d'entreprise. Elle lance le champagne « brut », fait construire en 1878 les bâtiments actuels, et relier 120 anciennes crayères gallo-romaines par 18 km de galeries.

Pommery appartient aujourd'hui au groupe Vranken. La visite permet de découvrir l'élaboration du champagne à travers les crayères, ornées de sculptures du 19ᵉ s. À voir : un foudre de 75 000 l, œuvre d'Émile Gallé.

🍷 **Taittinger** – *9 pl. St-Nicaise -* 📞 *03 26 85 84 33 - visite guidée (1h) - de mi-mars à mi-nov. : 9h30-12h, 14h-16h30 ; reste de l'année : tlj sf w.-end et j. fériés 9h30-12h, 14h-16h30 - 7 € (-12 ans gratuit).*

Des négociants en vin rémois, les Fourneaux, se lancent dès 1734 dans la commercialisation des vins mousseux. En 1932, Pierre Taittinger arrive à la tête de la maison, qui prend son nom. Propriétaire de 250 ha de vignobles, de 6 vendangeoirs sur la Montagne de Reims, du château de la Marquetterie à Pierry et de l'hôtel des Comtes de Champagne à Reims, la maison Taittinger possède en outre de superbes caves. Leur visite permet de découvrir 15 millions de bouteilles dont le contenu vieillit dans la fraîcheur des crayères gallo-romaines creusées en pyramide, et dans les cryptes de l'ancienne abbaye St-Nicaise (13ᵉ s.) détruite à la Révolution.

🍷 **Veuve Clicquot-Ponsardin** – *1 pl. des Droits-de-l'Homme -* 📞 *03 26 89 53 90 - www.veuve-clicquot.fr -* ♿ *- avr.-oct. : visite guidée et dégustation (1h30) sur RV tlj sf dim. 10h-18h (dern. visite 16h15) ; nov.-mars : tlj sf w.-end. 10h-18h (dern. visite 16h15) - 7,50 € (enf. gratuit).*

La maison fut fondée en 1772 par Philippe Clicquot, mais c'est son fils qui la développa et surtout, la veuve de ce dernier, née Ponsardin, qui créa la société sous son nom actuel. « La Grande Dame du champagne » – son surnom a été donné à la cuvée spéciale – eut de remarquables initiatives dont celle du remuage, dès 1816. Aujourd'hui, avec 265 ha de vignes, cette marque, propriété du groupe LVMH, exporte les trois quarts de sa production. Ses caves sont aménagées dans des crayères gallo-romaines.

🍷 **Ruinart** – *4 r. des Crayères -* 📞 *03 26 77 51 21 - www.ruinart.com - visite guidée (1h30) sur RV - à partir de 12 €/pers.*

Créée en 1729 par le neveu du moine dom Thierry Ruinart, grand ami de dom Pérignon, cette maison prit son essor pendant la Restauration. Très affectée par les guerres mondiales, elle a retrouvé un nouvel élan à partir de 1949. Aujourd'hui, dans le cadre du groupe Moët-Hennessy, le champagne Ruinart représente le haut de gamme. Ses caves occupent 3 niveaux d'un ensemble exceptionnel de crayères gallo-romaines.

🍷 **Piper-Heidsieck** – *51 bd Henry-Vasnier -* 📞 *03 26 84 43 44 - www.piper-heidsieck.com - 9h30-12h30, 14h-18h (dernière entrée 1h av. fermeture) - fermé janv.-fév. et 25 déc. - 7 €.*

La maison, fondée en 1785 par Florens-Louis Heidsieck, appartient au groupe Rémy-Cointreau. Les différentes opérations de l'élaboration du champagne sont expliquées par un audiovisuel. La visite des caves, qui s'étendent sur 16 km à 20 m sous terre, se fait en nacelle.

🍷 **Mumm** – *34 r. du Champ-de-Mars -* 📞 *03 26 49 69 67 - www.mumm.com - mars-oct. : 9h-11h, 14h-17h ; nov.-déc. : tlj sf dim. 9h30-11h, 14h-17h - fermé 1ᵉʳ janv. et 25 déc. - 7,50 € (-16 ans gratuit).*

Créée en 1827 par une famille de négociants en vins allemands, cette maison connut de grandes heures au 19ᵉ s. en Europe et en Amérique. Aujourd'hui, elle possède 218 ha de vignes et 25 km de caves. Le Cordon Rouge, né en 1875 et devenu l'emblème de la marque, tire son origine du ruban dont la maison honorait les bouteilles de ses meilleurs clients, en hommage à la Légion d'honneur.

La visite des caves, précédée par un film, permet de voir les cuveries anciennes conservées en l'état, et se termine par une exposition d'outils liés à la profession.

🍷 **Maxim's** – *17 r. des Créneaux -* 📞 *03 26 82 70 67 -* ♿ *- visite guidée (1h) : 10h-19h (dernière entrée 1h av. femeture) - fermé 1ᵉʳ janv. et 25 déc. - 6 € (-12 ans gratuit).*

La maison ouvre ses crayères creusées entre le 4ᵉ et le 15ᵉ s. : visite des caves, présentation d'un film, dégustation. Son écomusée comporte une collection de machines et d'outils utilisés de la plantation jusqu'à la récolte.

Les adresses de Reims

NOS BONNES TABLES

⊖ **La Table Anna** – 6 r. Gambetta - 51100 Reims - ☎ 03 26 89 12 12 - www.latableanna.com - 13 € bc déj. - 23/37 €. La vitrine de ce restaurant jouxtant le conservatoire de musique met joliment en scène le champagne. Certains des tableaux ornant les deux belles salles à manger sont l'œuvre du patron, artiste dans l'âme. Un coup de patte que l'on retrouve à table, avec de bons petits plats traditionnels renouvelés au fil des saisons.

⊖ **Le Jamin** – 18 bd Jamin - 51100 Reims - ☎ 03 26 07 37 30 - www.surf-en-ville.com/le-jamin - fermé 15-29 janv., 14-31 août, dim. soir et lun. - 12,50 € bc déj. - 20/29 €. Monsieur Milon, cuisinier de métier, dirige avec passion ce petit restaurant de quartier. Dans le sage décor rustique de sa salle à manger, il sert à ses hôtes une cuisine traditionnelle parfaitement maîtrisée. Consultez les suggestions du jour affichées sur l'ardoise : elles offrent un excellent rapport qualité-prix.

⊖⊖ **Au Petit Comptoir** – 17 r. de Mars - 51100 Reims - ☎ 03 26 40 58 58 - aupetitcomptoir@wanadoo.fr - fermé 24 déc.-2 janv., sam. midi, lun. midi et dim. - 22/33 €. Les Rémois apprécient ce bistrot « branché » où, dans un cadre résolument contemporain, ils viennent déguster une cuisine revue et corrigée par Patrice Maillot. Les fourneaux étant visibles de la salle, vous pourrez suivre la préparation des plats. Une vinothèque riche de 170 références permet de choisir soi-même son vin.

⊖⊖ **Brasserie Le Boulingrin** – 48 r. de Mars - 51100 Reims - ☎ 03 26 40 96 22 - www.boulingrin.fr - fermé dim. - 18 bc/24 €. Le Boulingrin est depuis 1925 un des lieux de rendez-vous préférés des Rémois qui évoluent à leur aise dans son cadre Art déco égayé de fresques bachiques évoquant des scènes de vendanges. Vous y dégusterez de bons petits plats façon brasserie, à moins que vous ne soyez tenté par le riche banc d'écailler.

⊖⊖ **La Vigneraie** – 14 r. de Thillois - 51100 Reims - ☎ 03 26 88 67 27 - www.vigneraie.com - 16 € déj. - 30/62 €. Discothèque, théâtre, cinéma… La place Drouet-d'Erlon est le centre animé de la ville. La Vigneraie, dont la salle à manger s'agrémente d'une remarquable collection de carafes, se trouve juste à côté. Vous y dégusterez une goûteuse cuisine classique escortée d'une belle carte des vins. Excellent rapport qualité-prix.

⊖⊖🍽 **Café du Palais** – 14 pl. Myron-Herrick - 51100 Reims - ☎ 03 26 47 52 54 - www.cafedupalais.fr - fermé 1er-21 août, dim. et j. fériés - 30 €. L'ambiance est animée dans ce café fondé en 1930, situé près du palais de Justice. Les Rémois apprécient sa cuisine simple servie sous la verrière d'origine, dans un décor de tentures rouges : copieuses salades, assiettes composées, plat du jour et pâtisseries maison. On peut aussi y boire un verre de champagne à prix raisonnable.

⊖⊖🍽 **Grand Hôtel Continental** – 93 pl. Drouet-d'Erlon - 51100 Reims - ☎ 03 26 47 01 47 - www.le-continental.fr - 26/55 €. Les Rémois ont pris depuis bien longtemps leurs habitudes dans ce plaisant restaurant bourgeois bordant la place piétonne qui constitue le centre animé de la « cité des sacres ». Ils aiment à en retrouver le service impeccable, le personnel aux petits soins et la cuisine au goût du jour.

⊖⊖🍽 **Le Millénaire** – 4 r. Bertin - 51100 Reims - ☎ 03 26 08 26 62 - www.lemillenaire.com - 27/68 €. À deux pas de la place Royale, vaste salle à manger au cadre moderne agrémentée d'expositions de tableaux et complétée par une mezzanine formant deux petits salons indépendants. Les recettes au goût du jour du chef, riches d'astucieuses trouvailles, ont de quoi mettre l'eau à la bouche des gourmets de tous horizons.

NOS HÔTELS

⊖ **Ardenn'Hôtel** – 6 r. Caqué - 51100 Reims - ☎ 03 26 47 42 38 - ardennhotel@wanadoo.fr - 14 ch. 37/47 € - ⌂ 5,50 €. Cet établissement abrité derrière une avenante façade en brique ne manque pas d'atouts : sa situation dans une petite rue calme du centre-ville, la propreté irréprochable de ses chambres décorées avec goût et son accueil toujours souriant vous séduiront.

⊖⊖ **Hôtel Continental** – 93 pl. Drouet-d'Erlon - 51100 Reims - ☎ 03 26 40 39 35 - www.grandhotelcontinental.com - fermé 21 déc.-7 janv. - 50 ch. 70/180 € - ⌂ 11,50 €. La jolie façade fin 19e s. de cet hôtel borde une place piétonne, principal centre animé de la ville. Chambres rénovées de divers styles, desservies par un magnifique escalier (pour davantage de calme, évitez le côté donnant sur le boulevard du Gén.-Leclerc). Élégants salons Belle Époque.

⊖⊖ **Hôtel Crystal** – 86 pl. Drouet-d'Erlon - 51100 Reims - ☎ 03 26 88 44 44 - www.hotel-crystal.fr - 31 ch. 57/68 € - ⌂ 9 €. Un étonnant îlot de verdure et de calme en plein centre-ville : voilà ce que propose cette maison des années 1920 préservée de l'agitation urbaine. Les chambres, rajeunies, sont garnies d'excellentes literies. L'été, on sert les petits-déjeuners dans la charmante courette-jardin fleurie et arborée.

⊖⊖ **Hôtel de la Cathédrale** – 20 r. Libergier - 51100 Reims - ☎ 03 26 47 28 46 - hoteldelacathedrale@wanadoo.fr - 17 ch. 58/64 € - ⌂ 7 € Au bout de la rue où se trouve cet hôtel coquet apparaît, majestueuse, la cathédrale Notre-Dame. Les petites chambres aux lits capitonnés sont gaies, lumineuses et confortables. De jolies gravures anciennes décorent la salle des petits-déjeuners. Accueil chaleureux, tenue sans défaut.

⊖⊝ **Hôtel Porte Mars** – *2 pl. de la République - 51100 Reims -* ✆ *03 26 40 28 35 - www.hotelportemars.com - 24 ch. 77/110 € -* 🛏 *10 €.* Hôtel où il fait bon prendre un thé près de la cheminée du salon « cosy », ou un verre dans le cadre raffiné du bar. Les chambres, confortables et personnalisées, sont parfaitement insonorisées. Petit-déjeuner gourmand servi sous une verrière joliment agrémentée de photos et de miroirs anciens.

⊖⊝⊝⊝ **Assiette Champenoise** – *40 av. Paul-Vaillant-Couturier, à Tinqueux - 51100 Reims -* ✆ *03 26 84 64 64 - www. assiettechampenoise.com -* 🅿 *- 55 ch.*

132/252 € - 🛏 *14 € - rest. 95/120 €.* Dans un parc fleuri, ravissante maison de maître prolongée d'une aile récente abritant de plaisantes chambres rénovées ; certaines bénéficient d'un salon.

NOS BONNES CAVES

Une sélection de maisons de champagne se trouve dans le texte, p. 197.

CAVISTE

Les Délices Champenoises – *2 r. Rockfeller - 51100 Reims -* ✆ *03 26 47 35 25.* Tous les grands crus du vignoble champenois sont représentés, en rangs serrés et bien étiquetés, dans cette cave voisine de la cathédrale : Veuve Cliquot, Pommery, Perrier-Jouët, Taittinger, Jacquart, Bollinger, Mumm… À leur côté, vin de Bouzy, biscuits roses, moutarde de Reims et bouchons au marc de champagne.

---

1 La montagne de Reims (2ᵉ étape)

▶ 100 km. La montagne de Reims se trouve à une quinzaine de km au S de Reims. Carte Michelin Local 306, F-G 7-8. Voir le circuit 1 sur le plan p. 200-201.

Quittez Reims par la N 51 jusqu'à Montchenot, puis prenez la D 26 vers Villers-Allerand. La D 26 suit la côte nord de la Montagne de Reims et serpente parmi les vignes et les villages de Champagne.

Rilly-la-Montagne

De nombreux producteurs et négociants en champagne sont installés dans ce bourg cossu. 🍷 Citons, entre autres bonnes adresses, le **domaine Daniel Dumont** *(voir nos bonnes caves)*.

Depuis la D 26, on aperçoit, à droite au sommet de la colline, une sculpture contemporaine de Bernard Pages célébrant la Terre, évoquée par Bachelard dans *La Terre* et les *Rêveries de la volonté.*

Mailly-Champagne

🍷 Le nom de Mailly est associé à celui de sa cave coopérative, installée dans d'élégants locaux modernes et qui commercialise ses excellents champagnes sous le nom de **Mailly Grand Cru** *(voir nos bonnes caves)*.

Carrière pédagogique de Mailly-Champagne – ✆ *03 26 59 44 44 - accès libre au sentier de découverte des richesses géologiques. Dép. de la salle des fêtes de Mailly-Champagne. Il est conseillé de se procurer le* Guide géologique de la Montagne de Reims *(7 €) à la Maison du parc à Pourcy pour une visite sans accompagnateur. Des visites guidées sont organisées par le parc naturel régional de la Montagne de Reims (5,50 €) : selon une programmation annuelle.*

Ici, on remonte le temps ! 1 km après le village de Mailly, à travers les terrains de craies, de sables, d'argiles, de marnes et de calcaires, on est projeté des millions d'années en arrière, du temps où la mer n'était pas si loin… Le site présente une coupe complète des terrains tertiaires de l'est du Bassin parisien.

Verzenay

Ce bourg vigneron au coteau renommé est dominé par un moulin à vent à l'ouest et… un phare au milieu des vignobles !

Le phare de Verzenay.

S. Sauvignier / MICHELIN

Monument inattendu, à l'image de celui qui le fit édifier. Joseph Goulet fit en effet construire le phare en 1909, afin de promouvoir sa marque de champagne. À sa base, le bâtiment servait de guinguette, avec balançoires, jeux de croquet… Il fut même utilisé par les Anglais en 1940, qui y installèrent une mitrailleuse antiaérienne. Superbement restauré, il abrite aujourd'hui le **musée de la Vigne★**, auquel on accède par une passerelle suspendue ! À l'intérieur, on se familiarise avec l'univers du champagne : territoires, cycle végétatif de la vigne, fresque historique…, tous les secrets de la vigne sont passés en revue. *℘ 03 26 07 87 87 - www.lepharedeverzenay. com - & - mars-déc. : tlj sf lun. 10h-18h, w.-end et j. fériés 10h-18h30 (dernière entrée 1h av. fermeture) - fermé 25 déc. - 6 € (enf. 3 €, gratuit merc.).*

Verzy

Ce village vigneron très ancien se développa sous la protection de l'abbaye bénédictine St-Basle. Fondée au 7e s. par saint Nivard, archevêque de Reims, elle fut détruite en 1792. ♟ Ici encore, on trouvera des domaines de qualité comme celui d'**Étienne Lefevre**. Sous les bâtiments de la propriété érigés au 19e s. se trouvent d'étonnantes

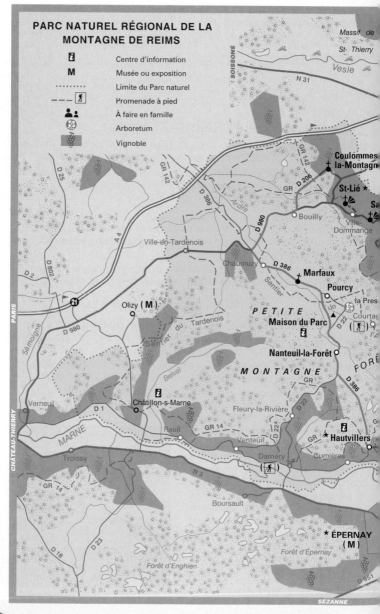

PARC NATUREL RÉGIONAL DE LA MONTAGNE DE REIMS

Caves à voûtes ogivales, creusées à plus de 15 m de profondeur. On y expose une collection d'outils de vigneron et des pressoirs dont le plus ancien date du 18e s. Dégustation et vente à l'issue de la visite. *30 r. de Villers - 51380 Verzy - ☎ 03 26 97 96 99 - www.champagne-etienne-lefevre.com - tlj sf dim. 9h-12h, 14h-19h - fermé 25 déc., Pâques et 3 sem. en août.*

Mais la grande curiosité du secteur, ce sont les **faux de Verzy**★. *Dans Verzy, prenez la D 34 vers Louvois. En arrivant sur le plateau, suivez la 2e route à gauche vers le parking des Pins.* 🚶‍♀️ *Du parking, empruntez le sentier sur 500 m - accès libre.* La forêt de Verzy (1 050 ha) est peuplée d'une espèce d'arbres très rare : un millier de faux (du latin *fagus*, « hêtre »). Il s'agit de hêtres tortillards au tronc noueux et difforme, à la cime en parasol, dont les branchages forment un étonnant entrelacs de feuillage. Il n'existe que deux autres peuplements de faux en Europe. ☎ *03 26 59 44 44 - le parc naturel régional de la Montagne de Reims organise des visites commentées selon une programmation annuelle : 5,50 € - renseignements et brochure à la Maison du parc.*

Reprenez la D 34 vers Louvois.

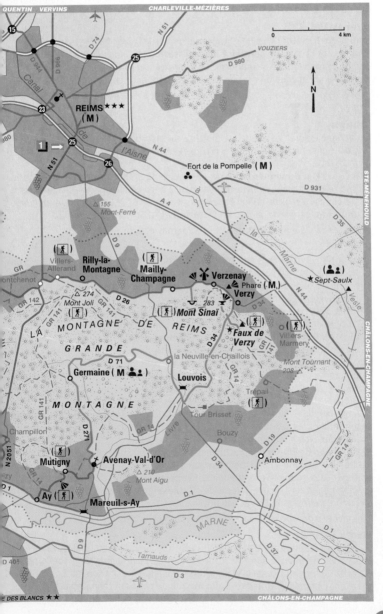

Château de Louvois

Ne se visite pas. Édifié par Mansart à l'intention du ministre de Louis XIV, il appartint à Mesdames, filles de Louis XV. Entouré d'un parc conçu par Le Nôtre, il fut en grande partie démoli de 1805 à 1812. Le château actuel est un vestige d'un pavillon partiellement reconstruit au 19e s.

🍷 De Louvois, ou pourra se rendre à **Bouzy** *(5 km au sud-est par la D 34)*, terroir réputé pour ses coteaux-champenois rouges d'une grande finesse, que l'on pourra goûter à la **Maison Brice** *(voir nos bonnes caves)*. Cette partie du vignoble a, pour des raisons inconnues, échappé au phylloxéra et continue d'être cultivée « en foule » comme au début du 19e s.

Ambonnay

🍷 Cette commune produit également des vins rouges, mais aussi et surtout de bons champagnes de raisins rouges à jus blanc, comme ceux de la maison **Égly-Ouriet** et des domaines **Serge Pierlot** et **Soutiran-Pelletier** *(voir nos bonnes caves)*.

De retour à Louvois, reprenez la D 9 au nord jusqu'à la Neuville-en-Chaillois, puis tournez à gauche dans la D 71 à travers la forêt en passant par Germaine (voir « retourner à la nature »).

Avenay-Val-d'Or

L'**église St-Trésain** (13e et 16e s.) conserve une belle façade flamboyante.

🐾 Depuis la gare, un **sentier d'interprétation** en boucle part à la découverte d'une commune rurale *(se procurer la brochure à la Maison du parc à Pourcy)*.

Avenay sait bien équilibrer ses cuvées entre chardonnay et pinot noir.

Face à la gare d'Avenay, prenez la D 201 et, après la voie ferrée, la route qui grimpe à Mutigny.

Mutigny

Entre vigne et forêt, ce village est implanté sur un promontoire, à 240 m d'altitude. Près de l'église rurale, vue sur Ay et la côte des Blancs à droite, la plaine vers Châlons en face.

🐾 Le **sentier du vigneron** forme une boucle de 2,2 km au départ du village, et comporte 12 panneaux : il invite le promeneur à découvrir le vignoble champenois et les différents travaux de la vigne au fil des saisons. 📞 03 26 52 31 37 - www.mutigny-en-champagne.com - de mi-avr. à Toussaint sur RV - 7,50 € (-12 ans gratuit).

En descendant sur Ay, points de vue vers Épernay et la côte des Blancs.

Ay

Dans un site abrité au pied du coteau, la cité des Agéens est placée au cœur d'un vignoble célèbre, déjà connu à l'époque gallo-romaine et très apprécié de nombreux rois. Henri IV se disait « sire d'Ay et de Gonesse », c'est-à-dire du bon vin et du bon pain (Gonesse, en Île-de-France, était réputé pour ses boulangers).

L'**église St-Brice** comporte un portail de style gothique flamboyant. Rue St-Vincent, une maison à pans de bois porte le nom de **pressoir Henri IV**.

🍷 L'**Institut international des vins de Champagne** (Villa Bissinger) est logé dans un ancien hôtel particulier du 19e s. Doté d'un centre de documentation, il se consacre à la recherche sur le champagne et propose aux visiteurs la découverte des vins de Champagne : présentation du vignoble et dégustation commentée. *15 r. Jeanson - 51160 Ay - 📞 03 26 55 78 78 - www.villabissinger.com - avr.-oct. : 1er sam. du mois à 14h30, dégustation commentée de 4 champagnes - 23 €.*

🍷 Au 69 rue Jules-Blondeau, la **maison Gosset**, dont le fondateur fut cité comme vigneron dans les registres d'Ay en 1584, s'enorgueillit d'être la plus ancienne de Champagne *(voir nos bonnes caves)*.

🍷 La **maison Bollinger** *(voir nos bonnes caves)*, bien qu'internationalement connue par les films de James Bond, demeure une affaire familiale où l'on est très attaché au respect des traditions champenoises. Elle possède une des dernières tonnelleries de Champagne ainsi qu'une parcelle de « Vieilles Vignes Françaises », constituées de pieds non greffés ayant survécu au phylloxéra.

À Ay, prenez à gauche la D 1 jusqu'à Mareuil-sur-Ay.

Mareuil-sur-Ay

Le château a été élevé au 18e s. pour J.-B. de Dommangeville dont la fille fut aimée du poète André Chénier. Le domaine fut acquis en 1830 par le duc de Montebello, fils du maréchal Lannes, qui y créa la marque de champagne portant son nom.

🍷 La maison familiale **Billecart-Salmon**, connue pour son champagne rosé, a été fondée en 1818 mais possède une remarquable cuverie alliant tradition et moder-

...té. Dans le jardin à la française, vous pourrez aller humer le parfum des roses. *40 r. Carnot - 51160 Mareuil-sur-Ay - ☎ 03 26 52 60 22 - billecart@champagne-billecart. fr - sur RV lun.-jeu. 9h30-11h30, 14h30-17h30 - visite payante.*

🍷 La cuvée Clos des Goisses est la perle du **domaine Philipponnat** *(voir nos bonnes caves)*.

Revenez à Ay et poursuivez vers Dizy, puis tournez dans la N 2051 vers Champillon. Entre Dizy et Champillon, la route gravit la côte. D'une terrasse aménagée au bord de la route, **vue★** sur le vignoble, la vallée de la Marne et Épernay.

Hautvillers★

Vous êtes au cœur de la tradition champenoise... et de sa légende. C'est ici que le célèbre moine dom Pérignon aurait inventé l'art de faire des bulles à la fin du 17e s. Il fut, pendant quarante-sept ans, le procureur et le cellérier de l'abbaye Saint-Pierre à Hautvillers. S'il n'a pas « découvert » le champagne, il a beaucoup contribué à faire de ce vin gris ou rouge, non mousseux à l'origine, un vin « saute bouchon ». Dom Pérignon fit des trouvailles essentielles : l'assemblage de raisins issus de différents terroirs pour former des « cuvées », le pressurage rapide et fractionné des raisins noirs pour extraire un jus blanc d'une limpidité parfaite, l'utilisation des premières bouteilles en verre épais et de bouchons en liège pour contenir la mousse, et le creusement des caves en pleine craie pour assurer le vieillissement des vins à température constante.

Il repose depuis 1715 dans l'église abbatiale St-Sindulphe : sa dalle funéraire de marbre noir se trouve au pied du maître-autel, à gauche. Un grand lustre (1950) formé de quatre roues de pressoir devance le maître-autel.

Fondée en 650 par saint Nivard, neveu du « bon roi Dagobert », l'**abbaye Saint-Pierre** est aujourd'hui la propriété de Moët et Chandon.

Au départ d'Hautvillers, prenez la D 386, puis tournez à droite dans la D 1 que vous empruntez jusqu'à Reuil (14 km).

Le vignoble d'Hautvillers.

S. Sauvignier / MICHELIN

Reuil

Arrivé à Reuil, garer votre voiture et laissez-vous entraîner par les pas lents d'un cheval. De la simple promenade en calèche jusqu'au circuit d'une journée, **Calèche Évasion** propose plusieurs formules originales pour découvrir les coteaux champe-nois. « Calèche et terroir » pour combiner balade et gourmandise, « calèche et danse » pour les amateurs de musique, ou encore « calèche et champagne » pour découvrir les caves..., il y en a pour tous les goûts ! *☎ 03 26 55 68 19 - www. caleche-evasion.net - de mi-avr. à mi-oct. : plusieurs formules vous sont proposées : calèche et dégustation de champagne au bord de l'eau, 11 € ; calèche et visite de cave, 14 € ; journée calèche avec déjeuner champenois, visites (musées et caves) et croisière, 46 €. Sur RV.*

Revenez sur vos pas par la D 1, puis tournez à gauche dans la D 22 (14 km). Rejoignez Venteuil, puis Nanteuil-la-Forêt.

Nanteuil-la-Forêt

Dans un site bucolique, au creux d'un vallon étroit que cerne la forêt, ce village eut jadis un prieuré de Templiers. Aujourd'hui, ce sont les plantes que l'on vient visiter au **Centre botanique de la Presle**. Des expositions sont organisées par un couple de pépiniéristes dans ce jardin qui rassemble une collection de spirées et de saules et une dizaine d'espèces de roses, dont la rose de la Marne. *Carrefour de la Presle. ☎ 03 26 59 43 39 - www.jardin-brochetlanvin.com - tlj sf dim. 14h-12h, sam. 9h-12h, 14h-18h - fermé j. fériés (sf certains dim. ap.-midi, se renseigner) - 4 € (enf. gratuit).*

Continuez sur la D 386 vers le nord, en passant par Pourcy, où se trouve la Maison du parc naturel régional de la Montagne de Reims (voir « retourner à la nature »).

Marfaux

À l'intérieur de l'**église**, beaux chapiteaux sculptés de feuilles d'acanthe et de petits personnages.

Après Chaumuzy, tournez à droite dans la D 980 puis à hauteur de Bouilly, prenez à gauche la D 206 vers Coulommes-la-Montagne.

Coulommes-la-Montagne

Ce village fleuri possède une belle **église** romane dont le clocher est éclairé d'une seule baie. Dans le transept et le chœur, chapiteaux à feuilles lisses et palmettes.

Tournez à droite pour rejoindre la D 980 en passant par Pargny-lès-Reims. 1,5 km plus loin, prenez à gauche vers St-Lié.

Chapelle Saint-Lié★

Bâtie sur une « motte » près de Ville-Dommange, cette chapelle se dissimule dans un bosquet – sans doute un ancien « bois sacré » gallo-romain. Dédiée à un ermite du 5e s., elle date des 12e, 13e et 16e s. et s'entoure d'un cimetière.
Vue★ sur Ville-Dommange, la côte d'Île-de-France, Reims dominé par sa cathédrale, la plaine jusqu'au massif de St-Thierry et le Tardenois.

Sacy

L'**église** St-Remi possède un chevet de la fin du 11e s. et une tour du 12e s. Du cimetière attenant, vue sur Reims.

Retour à Reims en passant par Bézannes (9 km).

EN MARGE DU VIGNOBLE

Découvrir la vie de bûcheron à Germaine

24 km au S de Reims par la N 51, puis la D 71 à gauche.

👥 La **Maison du bûcheron** Un petit musée bien sympathique qui évoque tous les aspects de l'exploitation de la forêt : du martelage au débroussaillage, en passant par l'abattage et le débardage, on y découvre les différents métiers de la vie forestière. Documents, outils et photographies illustrent le propos. Un sentier de découverte de la forêt se trouve à proximité. *R. du Pré-Michaux - ☎ 03 26 59 44 44 - www.parc-montagnedereims.fr - de Pâques au 11 Nov. : dim. et j. fériés 14h30-18h30 - 2 € (12-18 ans 0,50 €).*

Retourner à la nature :
le parc naturel régional de la Montagne de Reims

Créé en 1976, le **parc naturel** s'étend sur 50 000 ha entre Reims, Épernay et Châlons-en-Champagne. Le massif forestier (20 000 ha) est composé principalement de feuillus, parmi lesquels prédominent les chênes, les hêtres et les châtaigniers.

🐾 Le parc comporte de nombreuses boucles de randonnée pédestre, le sentier GR 14 et ses variantes 141 et 142, sans oublier les sentiers de pays. Des promenades découvertes sont proposées le long du canal latéral à la Marne : 41 panneaux d'information jalonnent le parcours entre Condé-sur-Marne et Damery et sensibilisent le promeneur au patrimoine (faune, flore, savoir-faire local, etc.). Des aires de pique-nique sont aménagées, et des sites panoramiques à Ville-Dommange, Hautvillers, Dizy, Verzy et Châtillon-sur-Marne.

S. Sauvignier / MICHELIN

Route forestière sur la Montagne de Reims.

Maison du parc à Pourcy – *21 km au S-O de Reims par la D 980, puis la D 386 à gauche. Chemin de Nanteuil - 51480 Pourcy - ☎ 03 26 59 44 44 - www.parc-montagnedereims.fr - de Pâques au 11 Nov. : 14h30-18h - gratuit.* L'adresse incontournable pour tous ceux qui désirent tout connaître du parc régional de la Montagne de Reims. Documentation sur la nature ou le patrimoine de la région, agenda des sorties et animations, expositions, topoguides…, la Maison du parc est une véritable mine d'informations. N'oubliez pas de demander le *Journal du parc*, qui vous dit tout sur l'actualité de la région.

Verger conservatoire de Pourcy – *Accès libre depuis la Maison du parc (voir ci-dessus).* En Champagne, certaines espèces d'arbres fruitiers sont aujourd'hui menacées au profit de variétés dominantes. Pour assurer leur sauvegarde, la Maison du parc a créé ce verger, il accueille la cerise Montmorency de Sauvigny, la poire de Rousselet ou la prune impériale de Boursault, parmi 25 espèces.

Les adresses de la Montagne de Reims

NOS BONNES TABLES

😊😊 **Au Chant des Galipes** – *2 r. Chanzy - 51380 Verzy - ☎ 03 26 97 91 40 - chantdesgalipes@wanadoo.fr - 14,50 € déj. - 24/37 €.* Cette maison vigneronne convertie en auberge abrite deux salles à manger contemporaines complétées par une agréable cour-terrasse. La cuisine au goût du jour, où pointe l'accent du terroir, réserve d'excellentes surprises, grâce notamment à une utilisation subtile du champagne, dans l'assiette comme dans le verre.

😊😊🛏 **Auberge Saint-Vincent** – *1 r. St-Vincent - 51150 Ambonnay - 20 km à l'E d'Épernay par D 201, D 1 et D 37 - ☎ 03 26 57 01 98 - www.auberge-st-vincent.com - fermé vac. de fév., 18 août-1er sept., dim. soir et lun. - 30/72 €.* Pimpante auberge champenoise sise au cœur d'un village entouré de vignes et de forêts. La ravissante façade fleurie abrite une lumineuse salle à manger agrémentée d'une cheminée et de vieux ustensiles de cuisine. Les bons petits plats traditionnels du chef sont préparés avec des produits du terroir. Chambres rénovées.

😊😊🛏 **Vieux Puits** – *18 r. Roger-Sondag - 51160 Ay - ☎ 03 26 56 96 53 - fermé 16-31 août, 23 déc.-7 janv., 26 fév.-11 mars, merc. et jeu. - 23 € déj. - 28/50 €.* Cette maison champenoise restaurée dispose d'une belle cour fleurie où trône un vieux puits et où l'on dresse la terrasse en été. Trois salles à manger rustiques très soignées.

😊😊🛏 **Le Cheval Blanc** – *51400 Sept-Saulx - ☎ 03 26 03 90 27 - www.chevalblanc-sept-saulx.com - 25 € déj. - 29/86 €.* Au cœur du prestigieux vignoble champenois, trois bâtiments dont un ancien relais de poste. Les chambres s'ouvrent sur un grand jardin calme longé par une rivière.

NOS HÔTELS ET CHAMBRES D'HÔTE

😊🛏 **La Famille Guy Charbaut** – *12 r. du Pont - 51160 Mareuil-sur-Ay - 8 km à l'E d'Épernay par D 1 - ☎ 03 26 52 60 59 - www.* champagne-guy-charbaut.com - *fermé 1er janv. et 25 déc. - 6 ch. 68 € 🖵 - repas 45 €.* Vignerons de père en fils depuis 1930, les Charbaut se mettent en quatre pour vous accueillir dans leur jolie maison du 19e s., vous faire visiter leurs caveaux taillés dans la craie et déguster leurs meilleures cuvées de champagne. Chambres garnies de meubles anciens. Repas servis dans un magnifique cellier.

😊😊 **Chambre d'hôte Delong** – *24 r. des Tilleuls - 51390 St-Euphraise-et-Clairizet - 16 km au SO de Reims par D 980 et D 206 - ☎ 03 26 49 74 90 - jdscom@wanadoo.fr - 4 ch. 58 € 🖵.* Sur une exploitation viticole, ancienne étable joliment ramenée à la vie : beaux murs de pierre et charpente apparente dans les chambres nanties en outre d'agréables salles de bains. Visite de la cave et du pressoir et dégustations du champagne de la propriété.

😊😊 **Hôtel du Cheval Blanc** – *51400 Sept-Saulx - 18 km au SE de Reims par N 44 puis D 37 - ☎ 03 26 03 90 27 - www.chevalblanc-sept-saulx.com - fermé fév., mar. et merc. d'oct. à mars - 🅿 - 20 ch. 78/118 € - 🖵 11 € - rest. 29/86 €.* Vous serez au calme dans cet ancien relais de poste situé à l'écart des grands axes. Agréables chambres ouvertes sur un joli jardin longé par un bras de la Vesle. Salle de restaurant au cadre cossu et courette fleurie aménagée en terrasse l'été. Tennis et minigolf.

😊😊 **Chambre d'hôte Lapie** – *1 r. Jeanne-d'Arc - 51360 Val-de-Vesle - 21 km au SE de Reims par N 44 et D 326 à gauche - ☎ 03 26 03 92 88 - joyhello@free.fr - fermé 15 déc.-15 janv. - 🚭 - 5 ch. 49 € 🖵.* Cinq belles chambres aux teintes pastel ont été aménagées dans ce noble corps de ferme niché au cœur du village. Agréable décor mêlant l'ancien au moderne. La grande salle du rez-de-chaussée, aux murs immaculés, est très agréable pour le petit-déjeuner.

😊😊🛏 **Les Barbotines** – *1 pl. A.-Tritant - 51150 Bouzy - ☎ 03 26 57 07 31 - www.lesbarbotines.com - fermé 1er-14 août et*

15 déc.-15 janv. - 🅿 - 5 ch. 78 € 🖵. La prestigieuse route du Champagne s'offre à votre curiosité depuis cette belle maison de vigneron du 19ᵉ s. Coquettes chambres personnalisées garnies de meubles chinés chez les antiquaires.

🛏🍽🖥 **Chambre d'hôte Manoir de Montflambert** – 51160 Mutigny - 7 km au NE d'Épernay par D 201 - ℘ 03 26 52 33 21 - manoir-de-montflambert@wanadoo.fr - 6 ch. 95/105 € 🖵. Ce manoir du 17ᵉ s., ancien relais de chasse des ducs de Gontant Biron, offre une vue panoramique sur la Marne et le vignoble. Les lambris, l'imposant escalier menant aux chambres, la tranquillité et la petite histoire du lieu, qui aurait abrité les amours de Henri IV et de la comtesse de Montflambert, justifient le prix de la nuitée. Dégustation et vente du vin de la propriété.

🛏🍽🖥 **Touraine Champenoise** – R. du Magasin - 51150 Tours-sur-Marne - ℘ 03 26 58 91 93 - touraine-champenoise@wanadoo.fr - fermé 1ᵉʳ-15 janv. et jeu. - 8 ch. 80 € 🖵. Au bord du canal, maison de pays tenue par la même famille depuis 1907. Cuisine du terroir servie dans une salle à manger gaiement rustique. Chambres campagnardes simples.

NOS BONNES CAVES

GROUPEMENT DE PRODUCTEURS

Mailly Grand Cru – 28 r. de la Libération - 51500 Mailly-Champagne - ℘ 03 26 49 41 10 - contact@champagne-mailly.com. En 1923, six viticulteurs se regroupent afin de presser en commun leurs raisins, de vinifier et de vendre au négoce leur production. Six ans plus tard, ils sont vingt et créent la Société de producteurs de Mailly-Champagne. L'entreprise, qui compte aujourd'hui 77 adhérents et exploite 70 ha de vignes, montre un visage particulièrement dynamique, alliant tradition, technologie de pointe et recherche permanente de l'excellence. 🍷 champagne, coteaux champenois.

DOMAINES

Daniel Dumont – 11 r. Gambetta - 51500 Rilly-la-Montagne - ℘ 03 26 03 40 67 - 8h-12h, 13h30-18h - sur RV. Daniel Dumont a créé son vignoble en 1962. En 1970, il commença à commercialiser sous son nom quelques centaines de bouteilles. Il est aujourd'hui entouré de ses trois enfants : Alain, Jean-Michel et Marie-Claire qui ont pris la relève. Leur vignoble s'étend sur 10 ha de premiers crus encépagés de chardonnay (40 %), pinot noir (40 %) et pinot meunier (20 %). Le centre de pressurage et le cellier revisité permettent d'allier modernité et tradition champenoise chère aux artisans du vin. La mise en bouteilles et le vieillissement (entre quatre et sept ans) s'effectuent en caves. La production annuelle oscille entre 75 000 et 90 000 bouteilles. 🍷 champagne.

Brice – 22 r. Gambetta - 51150 Bouzy - ℘ 03 26 52 06 60 - contact@champagnebrice.com - tlj 9h-18h - sur RV. Le domaine de 7 ha de vignes est une propriété familiale depuis le 17ᵉ s. Aujourd'hui, Jean-Paul Brice propose une gamme de quatre grands crus classés, produits sur sa petite exploitation : Bouzy, Ay, Cramant et Verzenay. La culture de la vigne et la vinification sont effectuées de façon traditionnelle. Pour compléter sa production, la maison s'appuie sur des approvisionnements en raisins issus d'une trentaine d'hectares. 🍷 champagne.

Égly-Ouriet – 15 r. de Trépail - 51150 Ambonnay - ℘ 03 26 57 00 70 - tlj 9h-12h, 14h-18h - sur RV. La maison, fondée en 1936 par Charles Égly, est aujourd'hui aux mains de son petit-fils Francis. Le vignoble compte 11,7 ha, dont 9,7 sont classés en grand gru. Pinot meunier, pinot noir et chardonnay sont cultivés de manière traditionnelle, avec un maximum de soins apportés à la vigne, en particulier au palissage et à l'éclaircissage. Toutes les cuvées produites au domaine séjournent au moins trois ans en cave avant d'être commercialisées. 🍷 champagne, coteaux champenois.

S. Sauvignier / MICHELIN

Serge Pierlot – 10 r. St-Vincent - 6,5 km au SE de Louvois par D 34 et D 19 - 51150 Ambonnay - ℘ 03 26 57 01 11 - champagne-serge-pierlot@wanadoo.fr - 9h-12h, 14h30-18h30, sam. 9h-12h, 14h30-18h, dim. 9h-12h - fermé de déb. à fin janv., de fin août à déb sept. La côte d'Ambonnay-Bouzy, favorisée par son exposition au sud et au sud-est, est réputée pour ses crus AOC champagne et « coteaux champenois rouge d'Ambonnay ». Vous pourrez les déguster chez Agnès et Serge Pierlot qui font aussi visiter leur musée exposant un pressoir du 18ᵉ s. et des outils de la vigne et du vin. 🍷 champagne, coteaux champenois.

Soutiran-Pelletier – 12 r. St-Vincent - 6,5 km au SE de Louvois par D 34 et D 19 - 51150 Ambonnay - ℘ 03 26 57 07 87 - www.soutiran.com - dégustation : tlj sf dim. 9h-12h, 14h-18h, sam. de Pâques à fin déc. 9h-

12h. Héritier du savoir-faire de 5 générations de vignerons, Alain Soutiran est un assembleur expérimenté, réputé pour ses crus AOC champagne « coteaux champenois rouge d'Ambonnay ». Dégustations. ♟ champagne, coteaux champenois.

Champagne Gosset – *69 r. Jules-Blondeau - BP 7 - 51160 Ay -* ℘ *03 26 56 99 56 - info@chamapagne-gosset.com - lun.-vend. 9h-11h, 14h-17h.* De Pierre Gosset, fondateur de la marque en 1584, à Béatrice Cointreau, la maison compte plus de quatre siècles d'existence. L'actuelle dirigeante souhaite avant tout que le champagne soit reconnu comme un grand vin et non plus comme une boisson seulement festive. Défi qu'elle relève avec cette détermination qui guidait déjà ses prédécesseurs, suivant leur devise : « Faire bien, très bien ». Le vignoble est encépagé de chardonnay et de pinot meunier. Les vendanges sont manuelles, puis la vinification a lieu en cuves Inox émaillé. Après fermentation, les vins effectuent un cours passage en fûts, pendant deux mois. Ils vieillissent ensuite en bouteilles, de trois à six ans selon les cuvées. ♟ champagne, coteaux champenois.

Bollinger – *16 r. Jules-Lobet - 51160 Ay -* ℘ *03 26 53 33 66 - contact@champagne-bollinger.fr.* Arrière-arrière-petit-fils du fondateur, Ghislain de Montgolfier dirige la maison depuis 1994. Avec 160 ha de vignes situés dans les meilleurs crus champenois, Bollinger est l'une des rares maisons en Champagne à couvrir 70 % de ses besoins en raisins. Le style Bollinger repose avant tout sur les arômes du pinot noir qui s'épanouit sur les premiers et les grands crus d'Ay, de Bouzy et de Verzenay. ♟ champagne, coteaux champenois.

Philipponnat – *Domaine Clos des Goisses - 13 r. du Pont - 51160 Mareuil-sur-Ay -* ℘ *03 26 56 93 18 - info@ champagnephilipponnat.com - lun.-vend. 9h-12h, 14h-17h - sur RV.* Implantée en Champagne depuis le début du 16ᵉ s., la famille Philipponnat s'est consacrée au fil du temps à l'élaboration et au commerce des vins. Aujourd'hui, la maison propose une gamme de vins, où prédomine le pinot noir. Elle complète la production des 17 ha de son vignoble par des approvisionnements en montagne de Reims, en côte des Blancs et dans la vallée de la Marne. La vinification se fait sous bois, sans fermentation malolactique. ♟ champagne.

La côte des Blancs

CARTE MICHELIN LOCAL 306 – MARNE (51)

D'Épernay à Vertus, la côte des Blancs, orientée nord-sud, s'appuie aux rebords du plateau de Brie. Elle tire son nom du chardonnay, cépage blanc dont elle est exclusivement plantée. Ses crus, d'une finesse élégante, sont utilisés dans l'élaboration des cuvées de prestige et la réalisation du « blanc de blancs ». La plupart des grandes marques de champagne y possèdent des vignes que l'on découvre en suivant cet itinéraire.

② D'Épernay au mont Aimé

▶ 28 km. Épernay se trouve à 29 km au S de Reims par la N 51. Carte Michelin Local 306, F-G 8-9. Voir l'itinéraire ② sur le plan p. 208-209.

Épernay★

Ne cherchez plus, vous y êtes : Moët et Chandon, Mercier… Épernay dispute à Reims, mais avec quelque avantage, le titre de capitale du champagne. En effet, les grands noms du champagne sont à Épernay. Les prestigieuses maisons – dont certaines remontent au 18ᵉ s. – s'alignent avenue de Champagne, à l'est de la ville. Elles sont situées au-dessus de la falaise de craie, trouée de dizaines de kilomètres de galeries à température constante (9-12 °C). Leurs caves sont ouvertes à la visite.

♟ **Moët et Chandon** – *20 av. de Champagne -* ℘ *03 26 51 20 20 - www.moet.com - visite guidée (1h) 9h30-11h30, 14h-16h30 (de mi-nov. à mars : fermé w.-end et j. fériés) - 8 €* (-18 ans 4,70 €). Première maison de champagne pour la quantité, Moët et Chandon tire son nom de Claude Moët, fondateur de la maison au 18ᵉ s., et de Pierre Gabriel Chandon, gendre de son petit-fils qui ajouta son nom à la raison sociale. Le groupe LVMH (Louis Vuitton Moët-Hennessy), propriétaire de la marque, porte haut les couleurs du luxe français en général et du champagne en particulier, avec, outre Moët et Chandon, les marques Veuve Clicquot, Dom Pérignon, Mercier, Ruinart…

Mercier – *73 av. de Champagne - parking et accueil face à l'établissement - 03 26 51 22 22 - www.champagnemercier.fr - visite guidée (45mn) 9h30-11h30, 14h-16h30 (de mi-nov. à mi-mars : fermé mar.-merc.) - fermé période Noël et 1er janv. - 7 € (enf. 3,50 €).* C'est en 1858 qu'Eugène Mercier créa sa maison. Il fit alors creuser 18 km de galeries. En 1889, à l'occasion de l'Exposition universelle, il demanda au sculpteur châlonnais Navlet de décorer un foudre géant d'une capacité de 215 000 bouteilles, et le plaça sur un chariot tiré par 24 bœufs et 18 chevaux de renfort dans les côtes. Ce « convoi exceptionnel » couvrit Épernay-Paris en vingt jours. Des ponts furent renforcés sur son passage et des murs abattus. Ce foudre de 34 tonnes est installé au centre de l'espace d'accueil.

De Castellane – *57 r. de Verdun - 03 26 51 19 11 - www.castellane.com - visite guidée (45mn) avr.-déc. : 10h-12h, 14h-18h (dernière entrée 45mn av. fermeture) - fermé janv.-mars - 7 € (enf. 4 €).* La tour, bâtie en 1900 par Marius Toudoire, architecte de la gare de Lyon à Paris, est un ancien réservoir d'eau. Elle est aménagée en lieu d'exposition. On y découvre un historique de la famille de Castellane – dont le célèbre collectionneur Boni de Castellane, mari de la milliardaire américaine Anna Gould. Le **musée de la Tradition champenoise** évoque les différentes étapes de l'élaboration du champagne grâce à des mannequins.

Musée municipal – *Fermé pour travaux.* Il est aménagé dans l'ancien château Perrier, pastiche d'un château Louis XIII construit au milieu du 19e s. par un négociant. Deux salles évoquent la vie et le travail du vigneron et du caviste. Collections de bouteilles et d'étiquettes de champagne.

Quittez Épernay au sud-ouest par la D 951.

Pierry

La grande fierté de Pierry, c'est d'abord son **château**, une belle demeure du 18e s., dans laquelle on visite les salons de réception, les petits appartements, la salle-musée du pressoir et les celliers. La « flûte de l'amitié » du domaine est offerte à l'issue de la visite. *03 26 54 02 87 - possibilité de visite guidée (1h30) avec dégustation sur réservaion - tlj sf lun. ap.-midi, merc. matin et sam. 9h-12h30, 14h-17h, sam. 9h-16h - 7 € (enf. 3,50 €).*

La cave du **domaine Henri Mandois** date du 18e s. et se situe sous l'église de Pierry. *66 r. du Gén.-De-Gaulle - BP 9 - 51530 Pierry - 03 26 54 03 18 - info@champagne-mandois.fr - lun.-sam. 10h-12h, 14h-17h - sur RV.*

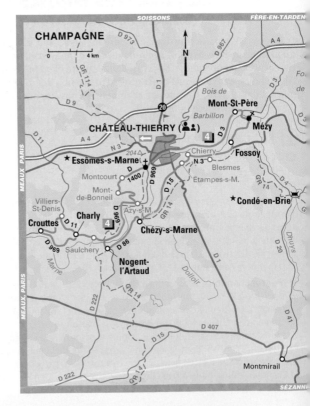

🍷 La maison **Vollereaux** est également une bonne adresse *(voir nos bonnes caves)*.

Les gourmands s'arrêteront également à la **Chocolaterie**, où un artisan chocolatier élabore devant vous sa spécialité : un chocolat en forme de bouchon de champagne fourré aux alcools de Champagne (ratafia, fine marne, marc de champagne). Visite et dégustation gratuite. *ZA de Pierry - pôle d'activités St-Julien - allée Maxenu - 51530 Pierry - ℘ 03 26 51 58 04 - lun.-sam. 9h-12h, 14h-19h - visite 9h-11h30, 14h-18h30 - arrêt des visites 15 j. avant Noël et 15 j. av. Pâques - fermé dernière sem. de janv. et j. fériés.*

Bifurquer sur la D 40 jusqu'à Cuis, surplombé par son église romane, puis suivre la D 10 jusqu'à Cramant.

Cramant★

Cramant occupe un site agréable sur une avancée de la côte. L'entrée du bourg est signalée par sa bouteille géante (un réhoboam, équivalent à 6 bouteilles) de plus de 8,60 m de haut et 7,9 m de circonférence à la base. 🍷 Cramant est un peu la capitale du chardonnay dont on trouve de belles bouteilles chez **Lilbert Fils** et **Bonnaire** *(voir nos bonnes caves)*.

Avize

Son église est du 12ᵉ s., exceptés le chœur et le transept qui datent du 15ᵉ s.

🍷 La découverte du village peut être complétée par une promenade côté ouest, qui offre une vue étendue sur la région, ou par une visite à **Marie-Hélène Waris-Larmandier**, **viticultrice**, **peintre-céramiste**, spécialiste de la peinture sur bouteille et du champagne. *608 rempart du Nord - 51100 Avize - ℘ 03 26 57 79 05 - sur RV.*

Connu par son cru, Avize forme dans son lycée viticole les futurs vignerons champenois. 🍷 Les champagnes **Jacques Selosse** et **Agrapart et Fils** sont les fleurons de ce terroir réputé *(voir nos bonnes caves)*.

🍷 Pour faire plus ample connaissance avec le champagne, la maison **Corbon** vous propose ses « Escapades champenoises », véritables initiations à la dégustation. Deux formules : l'une portant sur l'accord du champagne et des mets, l'autre sur l'apprentissage de la dégustation. L'ensemble des informations théoriques est jalonné de tests et d'essais pratiques. Les enfants peuvent également être initiés à cette découverte des arômes et des saveurs sur différents types de jus de fruits. Avant

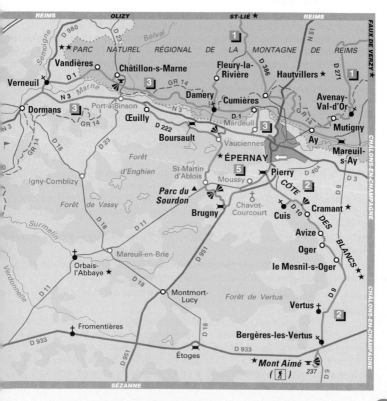

de venir, essayez de constituer un petit groupe d'amis ou de connaissances, de 6 personnes. MM. Corbon, forts d'une longue expérience, préfèrent avoir à faire à un groupe homogène. C'est plus sympathique et surtout plus efficace. Car vous êtes là pour apprendre et découvrir… *541 av. Jean-Jaurès -* ☏ *03 26 57 55 43 - www.champagne-corbon.com - uniquement sur réserv. - fermé de vac. de Noël à fin janv.*

Affiche ancienne.

Oger

Avec ses fontaines, ses lavoirs, ses girouettes, Oger n'est pas juste un superbe village fleuri (classé parmi les « Plus Beaux Villages de France »).

Il est aussi devenu capitale régionale du mariage grâce à son **musée des Traditions de l'Amour et du Champagne★**, vraiment original. Une telle appellation ne peut réserver que de bonnes surprises ! Les coutumes du mariage de 1820 à 1920 sont évoquées à travers des objets insolites (collection de globes de mariées par exemple). Une exceptionnelle exposition d'étiquettes, bouteilles et vieux outils du 19ᵉ s. évoquent également l'historique du champagne. Dégustation en fin de visite. ☏ *03 26 57 50 89 - www.mariage-et-champagne.com - avr.-nov. : 9h30-11h, 14h-18h ; reste de l'année : sur demande - possiblité de visite guidée (1h30) - 6 € (-12 ans gratuit).*

🍾 La **maison Milan**, fondée en 1864 et renommée pour ses blancs de blancs, convie les amateurs à une visite guidée de ses pressoirs, celliers et caves, suivie de la dégustation de crus. Ambiance conviviale garantie ! *6 r. d'Avize - 51190 Oger -* ☏ *03 26 57 50 09 - www.champagne-milan.com - oct.-mai : 10h-12h, 14h-17h ; juin-sept. : 10h-19h - fermé janv.*

Le Mesnil-sur-Oger

Ce village vigneron très étendu est bâti sur un plan irrégulier. Un paisible enclos ombragé entoure l'église romane ; on y entre par un portail Renaissance.

🍾 Les **Launois**, viticulteurs et producteurs, ont créé un attrayant petit **musée de la Vigne et du Vin★**. Hormis la prestigieuse collection de pressoirs des 17ᵉ, 18ᵉ et 19ᵉ s., on y admire de nombreuses pompes, boucheuses et autres machines à vinifier. Point d'orgue de la visite : l'entrée dans le caveau secret de dégustation. Puis balade dans le vignoble en petit train. ☏ *03 26 57 50 15 - www.champagne-launois.fr - visite guidée (2h) sur RV - fermé 1ᵉʳ janv., Pâques, 25 déc. - 7 € (avec dégustation).*

🍾 Fait rare, le **domaine Pierre Moncuit** propose à la vente des millésimes. Le **domaine Philippe Gonet** est également une bonne adresse *(voir nos bonnes caves).*

Par une petite route serpentant au flanc du coteau vineux, gagnez Vertus.

Vertus

Au pied de la côte des Blancs, Vertus est voué à la vigne (450 ha de vignobles) et offre l'image d'une petite ville aux rues irrégulières, entrecoupées de placettes et dotée de nombreuses fontaines d'eau vive. L'**église St-Martin** (11ᵉ et 12ᵉ s.), bâtie sur pilotis au-dessus de quatre cryptes. Restaurée après la dernière guerre, elle possède encore de belles voûtes d'ogives et une Pietà du 16ᵉ s.

🍾 On découvrira avec bonheur les champagnes **Veuve Fourny et Fils**, et **Duval Leroy** *(voir nos bonnes caves).*

Dans la descente vers **Bergères-lès-Vertus**, qui possède une charmante église romane de campagne, vues agréables sur les alentours.

Au sud de Bergères-lès-Vertus, prenez à droite la petite route vers le mont Aimé.

Mont Aimé★

Butte-témoin détachée de la falaise de l'Île-de-France, le « mont » Aimé atteint 240 m d'altitude. Occupé dès la préhistoire, il fut fortifié tour à tour par les Gaulois, les Romains et les comtes de Champagne qui y érigèrent un château féodal, dit de la Reine Blanche, et dont les ruines s'éparpillent aujourd'hui dans la verdure.

Un belvédère (table d'orientation) offre une vue étendue au nord sur la côte des Blancs, à l'est sur la plaine.

Les adresses de la côte des Blancs

NOS BONNES TABLES

La Cave à Champagne – *16 r. Gambetta - 51200 Épernay - ✆ 03 26 55 50 70 - www.la-cave-a-champagne.com - fermé mar. en juil.-août et merc. - 16/38 €.* Dans ce quartier riche en restaurants, La Cave à Champagne abat un atout maître pour distancer ses concurrents : une carte de vins régionaux… à prix raisonnables ! C'est le moment ou jamais d'effectuer un repas complet au champagne, dans sa petite salle à manger décorée d'une collection de bouteilles du précieux nectar.

Le Mesnil – *2 r. Pasteur - 51190 Le Mesnil-sur-Oger - ✆ 03 26 57 95 57 - mesnil@chez.com - fermé 16 août-7 sept., 22 janv.-8 fév., lun. soir, mar. soir et merc. - 22/66 €.* Vous ne pouvez traverser ce ravissant bourg viticole sans goûter à l'hospitalité du couple Jaillant. Claude et Yvette – Monsieur est derrière les fourneaux et Madame s'occupe de la salle – vous proposent avec le sourire une cuisine classique raffinée, superbement escortée par une judicieuse sélection de dives bouteilles.

Le Théâtre – *8 pl. Mendès-France - 51200 Épernay - ✆ 03 26 58 88 19 - www.epernay-rest-letheatre.com - 15/29 €.* Ce beau bâtiment du début du 20ᵉ s. abrite une salle à manger au cadre plaisant où le personnel assure un service efficace et entretient une agréable ambiance feutrée. Les recettes traditionnelles mises au goût du jour avec talent tiennent les premiers rôles du « spectacle culinaire » de ce Théâtre gourmand.

NOS HÔTELS ET CHAMBRES D'HÔTE

Hôtel Les Berceaux – *13 r. des Berceaux - 51200 Épernay - ✆ 03 26 55 28 84 - www.lesberceaux.com - 28 ch. 77/86 € - ⊐ 11 € - rest. 30/64 €.* Accueil chaleureux et service de qualité dans cette maison centenaire avenante et fleurie. Optez pour l'une des chambres joliment rénovées. Élégant restaurant où l'on propose de goûteuses recettes classiques escortées de crus AOC champagne ou coteaux-champenois. Vins au verre et carte plus simple au Wine Bar.

Clos Raymi – *3 r. Joseph-de-Venoge - 51200 Épernay - ✆ 03 26 51 00 58 - closraymi@wanadoo.fr - fermé dim. du 15 déc. au 15 fév. - 🅿 - 7 ch. 132/152 € - ⊐ 14 €.* La jolie maison de maître en briques rouges fut celle de la famille Chandon. Chambres personnalisées raffinées. Agréable salle des petits-déjeuners ouverte sur le jardin.

NOS BONNES CAVES

Champagne Vollereaux – *48 r. Léon-Bourgeois - BP 4 - 51530 Pierry - ✆ 03 26 54 03 05 - champagne.* vollereauxsa@wanadoo.fr - lun.-dim. midi 10h30-12h, 15h-18h - sur RV dim. La famille Vollereaux, vignerons installés à Pierry et Moussy depuis 1805, possède un vignoble de 40 ha répartis dans les principaux crus de la Champagne et plus particulièrement sur les côtes d'Épernay. Les trois cépages traditionnels sont cultivés, dans le respect des équilibres naturels et récoltés manuellement. Vinifiés en cuveries modernes, les champagnes vieillissent ensuite durant quatre ans dans les caves du domaine. ♟ champagne.

Lilbert Fils – *223 r. du Moutier - BP 14 - 51530 Cramant - ✆ 03 26 57 50 16 - info@champagne-lilbert.com - lun.-sam. 10h-12h, 14h-18h.* Chevalier blanc du chardonnay, Georges Lilbert a choisi de « rester complètement blanc » et de bannir le rosé de sa gamme. Issu d'une famille de vignerons de père en fils depuis 1746, il veille à la tradition : les bouteilles sont remuées à la main sur pupitres traditionnels et dégorgées à la volée, à l'ancienne. ♟ champagne.

Bonnaire – *120 r. d'Épernay - 51530 Cramant - ✆ 03 26 57 50 85 - info@champagne-bonnaire.com - tlj 8h30-11h30, 14h-16h30 - sur RV w.-end.* Trois générations de récoltants-manipulants se sont succédé depuis la création de la maison en 1932. Aujourd'hui, Champagne Bonnaire exploite un vignoble de 22 ha dont une grande partie est classée grand cru ou premier cru. ♟ champagne.

Jacques Selosse – *22 r. Ernest-Vallé - 51190 Avize - ✆ 03 26 57 53 56 - a.selosse@wanadoo.fr - lun.-sam. midi sur RV.* En 1980, Anselme Selosse, fils de Jacques, reprend l'exploitation du vignoble de 7 ha. Il produit entre 45 000 et 48 000 bouteilles par an. Fûts et barriques de chêne, régulièrement renouvelés, permettent aux vins d'évoluer, de respirer et de s'exprimer pleinement. ♟ champagne.

Agrapart et Fils – *57 av. Jean-Jaurès - 51190 Avize - ✆ 03 26 57 51 38 - champagne.agrapart@wanadoo.fr - lun.-sam. 9h-12h, 14h-17h - sur RV.* Pascal et Fabrice sont les héritiers de cette maison fondée en 1894 par Arthur Agrapart. Ils exploitent un vignoble de 9,6 ha, répartis sur les terroirs d'Avize (grands crus de la côte des Blancs), mais également d'Oger, de Cramant et d'Oiry. Le sol crayeux permet de travailler le chardonnay. Le vignoble est depuis toujours labouré pour maintenir une vie microbienne constante et permettre aux racines de puiser en profondeur les éléments minéraux qui leur sont nécessaires. Les vendanges sont manuelles et sélectives, en fonction de l'état sanitaire et de la maturité des parcelles. ♟ champagne, coteaux champenois.

Pierre Moncuit – *11 r. Persault-Maheu - 51190 Le Mesnil-sur-Oger - ℘ 03 26 57 52 65 - lun.-sam. 10h30-12h, 14h-15h30.* En 1982, Yves et Nicole Moncuit succèdent à leurs parents à la tête d'une exploitation qui connut son heure de gloire lors de l'inauguration de l'Exposition universelle de 1889. Yves s'occupe de l'aspect commercial et de l'accueil de la clientèle, tandis que sa sœur Nicole dirige et exploite les 19 ha de vignes exclusivement encépagés de chardonnay. Le domaine a conservé une vigne âgée de plus de 80 ans à l'origine de la cuvée « Pierre Moncuit - Deos ». ♇ champagne.

La côte des Blancs vers Cramant.

S. Sauvignier / MICHELIN

Philippe Gonet – *R. de La Brèche-d'Oger - BP 18 - 51190 Le Mesnil-sur-Oger - ℘ 03 26 57 53 47 - info@champagne-philippe-gonet. com - lun.-vend. 8h-12h, 14h-18h - sur RV w.-end.* La famille de Philippe Gonet est propriétaire au Mesnil-sur-Oger de parcelles classées grand cru. Le vignoble de 19 ha, réparti dans les différents crus de la Champagne, permet d'élaborer des cuvées de sélection. La septième génération de la famille vient de reprendre le domaine. Les champagnes reposent au minimum trois ans dans des caves typiquement champenoises. ♇ champagne.

Veuve Fourny et Fils – *5 r. du Mesnil - domaine du Clos du Faubourg-Notre-Dame - 51130 Vertus - ℘ 03 26 52 16 30 - info@champagne-veuve-fourny.com - lun.-sam. 9h-12h, 14h-18h.* La famille Fourny est établie depuis 1856 à Vertus sur les prestigieux terroirs de la côte des Blancs. Monique Fourny, représentant la quatrième génération, préside aujourd'hui aux destinées de La Maison aux côtés de ses deux fils, Charles-Henry et Emmanuel. Le vignoble classé premier cru est essentiellement encépagé de chardonnay, avec des vignes âgées en moyenne de 40 ans. La culture est respectueuse de l'environnement, les sols sont travaillés et les rendements limités. La vinification parcellaire fait l'objet des plus grands soins, puis les vins vieillissent de trois à neuf ans et même de dix à vingt-cinq pour la collection des champagnes millésimés. ♇ champagne, coteaux champenois.

Duval-Leroy – *69 av. de Bammental - BP 37 - 51130 Vertus - ℘ 03 26 52 10 75 - champagne@duval-leroy.com - lun.-vend. 9h-11h30, 14h-16h30 - sur RV.* Installée au cœur de la prestigieuse côte des Blancs depuis 1859, la maison possède et exploite aujourd'hui plus de 170 ha de vignes qui lui assurent un quart de ses approvisionnements annuels en raisins. Depuis 1991, Carol Duval-Leroy est entrée dans le cercle très restreint des femmes du champagne. Son dynamisme et celui de son équipe ne sont pas étrangers à la réussite de cette maison familiale, qui est l'une des dernières de cette importance. ♇ champagne.

La vallée de la Marne

CARTE MICHELIN LOCAL 306 – AISNE (02) ET MARNE (51)

Dans cette vallée bordée de vignes et couronnée de forêts, des villages s'étagent le long des deux rives de la Marne. Roi de ce vignoble, le pinot meunier est un cépage qui apporte au champagne du fruité, de la vivacité et du caractère.

3 Circuit au départ d'Épernay

▶ 63 km. Épernay se trouve à 29 km au S de Reims par la N 51. Carte Michelin Local 306, E-F 8. Voir le circuit **3** sur le plan p. 208-209.

Quittez Épernay à l'ouest par la N 3, tournez à droite vers Mardeuil.

Mardeuil

♇ Limitée au nord par la Marne et au sud par son vignoble, la vieille commune viticole abrite la **maison Beaumont des Crayères** et son musée viticole *(voir nos bonnes caves).*

Traversez la Marne pour longer la rive droite et gagner Cumières.

Cumières

♇ Situé en bas d'un cirque de vignes, ce bourg des bords de Marne est réputé pour son coteaux-champenois rouge dont **René Geoffroy**, outre un bon champagne, produit une cuvée élevée à la bourguignonne *(voir nos bonnes caves).*

Cumières est le point de départ de **croisières** au fil de l'eau. Le bateau *Champagne Vallée* vous emmène en promenade au pied des vignes, avec passage d'écluse. *℘ 03 26 54 49 51 - www.champagneetcroisiere.com - croisières-promenades (1h30) sur la Marne réservation à Croisi-Champagne, BP 22, 51480 Cumières.*

Damery

Sur les bords de la Marne, au pied du coteau, Damery constitue un but de promenade. À ses quais abordait jadis le coche d'eau. Dominant le village, l'**église** (12ᵉ-13ᵉ s.) abrite une *Vierge à l'Enfant* de Watteau (18ᵉ s.).

 Le bâtiment principal du **domaine A.-R. Lenoble**, ses caves voûtées du 18ᵉ s. et ses pressoirs en bois offrent un ensemble typique des maisons champenoises. *35 r. Paul-Douce - 51480 Damery - ℘ 03 26 58 42 60 - contact@champagne-lenoble. com - lun.-vend. 8h30-12h30, 13h30-17h - sur RV.*

 Autre adresse à retenir, celle du **domaine Louis Casters** *(voir nos bonnes caves).*

Tournez à droite vers Fleury-la-Rivière.

Fleury-la-Rivière

La **coopérative vinicole** est décorée d'une immense **fresque** (500 m²) réalisée par l'artiste mosellan Greg Gawra. Elle illustre en plusieurs tableaux l'histoire de la Champagne, le travail dans les vignes et les caves, l'époque du phylloxéra jusqu'à nos jours. Elle est progressivement transférée à l'intérieur où elle sera mieux protégée des intempéries. *℘ 03 26 58 42 53 - - visite guidée (45mn) sur demande : tlj sf lun. matin et merc. 8h30-12h30, 14h-17h15, sam. 9h-12h30, 14h-18h, dim. et j. fériés sur demande - fermé 1ᵉʳ janv., 1ᵉʳ Mai et 25 déc. - 4 €.*

La D 324 sillonne les villages entre vignes et champs. *À Cuchery, prenez à gauche vers Châtillon-sur-Marne.*

Châtillon-sur-Marne

Au débouché du vallon de Cuchery, à 148 m d'altitude, cette petite cité fortifiée couronne une colline couvertes de vignes, en vue de la Marne.

Laisser la voiture au parking ; prendre la rue de l'Église puis, à droite, la rue Berthe-Symonet.

Haute de 33 m sur son socle, la **statue du pape Urbain II** a été érigée en 1887 sur la motte féodale qui portait le donjon du château. Taillée dans le granite breton, elle est constituée de 80 blocs amenés de Port-à-Binson par des chars à bœufs : un hommage à Urbain II, cet enfant du pays qui fut l'initiateur de la première croisade. Un escalier intérieur permet d'accéder au bras de la statue. *℘ 03 26 58 32 86 - www.otchatillon51. com - mai-sept. : 10h-12h30, 14h30-18h ; mars-avr. : lun.-vend. 11h-17h, w.-end 10h-12h30, 14h30-18h - 1 € (enf. 0,50 €).* Aux abords, une table d'orientation précise le point de **vue★** sur les 22 villages de la vallée de la Marne et ses vignobles.

Prenez à l'ouest la D 1 en direction de Vandières.

Vandières

Son nom viendrait de *vinum dare* (« donner du vin ») ou de *vendemiare* (« vendanger »), en tout cas le rapport au vin est limpide ! En haut du village, au milieu d'un parc,

Sur le mur de la coopérative vinicole de Fleury-la-Rivière, une fresque illustre le travail de la vigne.

P. Gajic / MICHELIN

s'élève le château du 18e s. L'église du 11e s. est ornée d'un beau porche. Vues sur la vallée et les collines qui la bordent au sud.

Continuez sur la D 1.

Verneuil

La petite **église** des 12e et 13e s. a été restaurée. Elle est agréablement située au bord de la Semoigne, au nord de la Marne.

Après Vincelles, on atteint Dormans.

Dormans

À l'intérieur d'un parc ombragé d'arbres majestueux, dont un séquoïa près du pont chinois, le **château** sert de cadre à des réceptions et des expositions temporaires. L'office de tourisme y est également installé. Au fond du parc, le **mémorial des Deux Batailles de la Marne** a été élevé à un emplacement désigné par le maréchal Foch. ℘ *03 26 58 22 31 - de déb. avr. à mi-nov : 14h30-18h30, dim. 10h-12h, 14h30-18h30 - possibilité de visite guidée sur demande - gratuit.*

Le **moulin d'En Haut**, ancien moulin banal du château, abrite une grande roue à aubes. La remise aux outils champenois regroupe plus de 3 000 outils qui témoignent de l'activité rurale jusqu'à une époque récente. ℘ *03 26 58 85 46 - juin-août : 11h-18h, sam. 14h30-18h, dim. et j. fériés 15h-18h ; mai et de mi-sept. à fin oct. : 14h30-18h, dim. et j. fériés 15h-18h - fermé lun., nov.-avr. et 1re quinz. de sept. - 4 € (-15 ans gratuit).*

⚑ Faites un détour au village de Trélou-sur-Marne pour une dégustation chez la **Veuve Olivier et Fils** *(voir nos bonnes caves).*

Suivez la N 3 jusqu'à Port-à-Binson. On aperçoit Châtillon dominé par la statue d'Urbain II. Prenez la N 3 vers Œuilly.

Œuilly

Cet ancien bourg fortifié, à flanc de coteau, possède plusieurs musées. La **Maison champenoise** (1642) fait revivre le quotidien d'une famille de vignerons à la fin du 19e s. Le **musée de la Goutte**, dédié au fameux alcool tiré des marcs de raisin, comporte l'ancien alambic du village (1850) et une exposition consacrée aux émeutes de 1911 en Champagne et aux techniques de la tonnellerie. L'**École communale 1900** a gardé ses pupitres, son poêle et son tableau noir, et même un bonnet d'âne. ℘ *03 26 57 10 30 - avr.-oct. : visite guidée (1h15) tlj sf mar. 10h-12h, 14h-18h ; nov.-mars : tlj sf mar. 14h-17h - fermé vac. de Noël, 1er Mai - 6,50 € (enf. 4 €).*

Prenez la D 222 en direction de Boursault.

Château de Boursault

Bâti en 1848 par l'architecte Arveuf pour la célèbre veuve Clicquot, ce vaste château est inspiré du style Renaissance, avec 365 ouvertures. Il fut le cadre de fastueuses réceptions organisées par Mme Clicquot. Le domaine produit un blanc de blancs d'une grande finesse.

Poursuivez jusqu'à Vauciennes et prenez la D 22 qui mène vers la Marne, puis la N 3 vers Épernay. De belles vues s'offrent sur la vallée de la Marne, Damery et la Montagne de Reims.

Les adresses de la vallée de la Marne

♿ Voir le carnet de la côte des Blancs p. 221 pour les adresses à **Épernay**.

NOS BONNES TABLES

⊖ **Auberge de la Chaussée** – *La Chaussée de Damery - 51480 Vauciennes - 6 km à l'O d'Épernay par N 3 - ℘ 03 26 58 40 66 - fermé 1 sem. en fév., dim. soir et vend. - 11,50/45 € - 9 ch. 28/50 € - ⊡ 7 €.* Les amateurs de tête de veau et autres petits plats traditionnels trouveront leur bonheur dans cette auberge très facile d'accès de par sa situation en bordure de la RN 3. Cadre sans façon agrémenté d'un sol en damier noir et blanc. Chambres simples et nettes.

⊖ **Au Bateau Lavoir** – *3 r. Port-au-Bois - 51480 Damery - 8 km à l'O d'Épernay par N 3 puis D 22 - ℘ 03 26 58 40 88 - www.au-bateau-lavoir.com - fermé 1 sem. en fév., 2 sem. en août et lun. - 11,50/58 €.* Cette jolie maisonnette à la façade fleurie jouit d'une belle situation sur les bords de la Marne, au cœur du village natal de l'illustre comédienne Adrienne Lecouvreur. La plaisante salle à manger moderne éclairée par de grandes baies vitrées sert de cadre à la dégustation de recettes traditionnelles.

⊖⊜ **Le Caveau** – *R. de la Coopérative - 51480 Cumières 5 km au NO d'Épernay par D 301 - ℘ 03 26 54 83 23 - www.lecaveau-*

cumieres.com - fermé dim. soir, lun. soir, mar. soir et merc. - 16/55 €. Il vous faudra franchir une première petite salle décorée sur le thème de la vigne, puis un long couloir avant de découvrir ce superbe restaurant aménagé sous les voûtes d'un caveau taillé dans la craie. Tables dressées avec soin. Spécialités champenoises.

⊖⊜ **La Table Sourdet** – *6 r. du Dr-Moret - 51700 Dormans - ℘ 03 26 58 20 57 - fermé 1er-15 juil. et vend. - 16/60 €.* L'on est cuisinier de père en fils depuis six générations à la Table Sourdet. Le restaurant gastronomique propose, dans une salle à manger bourgeoise, d'attrayantes recettes traditionnelles. La Petite Table, installée dans une véranda, sert à l'heure du déjeuner des menus simples à prix doux.

NOS CHAMBRES D'HÔTE

⊖ **Chambre d'hôte « Terroirs de Champagne »** – *R. de la Coopérative - 51480 Œuilly - 13 km à l'O d'Épernay par N 3 (rte de Dormans) - ℘ 03 26 58 30 60 - www.tarlant.com - fermé oct.-mars - 4 ch. 39/55 € ⊊.* En étant logé chez un vigneron, vous aurez l'opportunité de déguster son champagne et de visiter sa cave. Le pavillon est simple mais les chambres, vastes et de plain-pied, jouissent d'un calme bienfaiteur et de la vue sur le vignoble. Accueil courtois et ambiance familiale.

⊖⊜ **Chambre d'hôte La Boursaultière** – *44 r. de la Duchesse-d'Uzès - 51480 Boursault - 9 km à l'O d'Épernay par N 3 et D 222 - ℘ 03 26 58 47 76 - fermé fév. - ⊘ - 2 ch. 58 € ⊊.* Accueil exemplaire dans cette jolie maison en pierres de pays disposant de ravissantes chambres tendues de tissus imprimés à motifs médiévaux ou Renaissance. Les salles de bains, haut de gamme, sont égayées de beaux carreaux en faïence venant d'Italie. De superbes plantes grasses s'épanouissent dans la cour pavée.

NOS BONNES CAVES

DOMAINES

Beaumont des Crayères – *64 r. de la Liberté - 51530 Mardeuil - ℘ 03 26 55 29 40 - www.champagne-beaumont.com - tlj sf dim. 9h-12h, 13h30-17h (sam. 10h-12h, 14h-17h sur RV) - fermé 2 sem. en août, 1er janv. et 25 déc.* La maison Beaumont, qui élabore des vins de haute expression, s'est vue décerner en 2004 un grand prix d'excellence par l'Union des œnologues. Son Musée champenois expose notamment la plus grosse bouteille de champagne au monde. Dégustation, vente et visite guidée des caves.
🍷 champagne.

Champagne René Geoffroy – *150 r. du Bois-des-Jots - 51480 Cumières - ℘ 03 26 55 32 31 - info@champagne-geoffroy.com - lun.-sam. 9h-12h, 14h-18h.* Depuis le 17e s., la maison se transmet de génération en génération. En vignerons passionnés, René Geoffroy et son fils Jean-Baptiste veillent avec ferveur aux différents stades d'élaboration de leurs vins. Ils sont les véritables chefs d'orchestre de leur marque depuis les racines de leurs vignes jusqu'à la bouteille. Les 13 ha du vignoble encépagés de pinot noir, de pinot meunier et de chardonnay sont conduits en lutte raisonnée, et les vendanges sont manuelles avec un tri sévère. La vinification s'effectue essentiellement en foudres de chêne de petits volumes.
🍷 champagne, coteaux champenois.

Louis Casters – *26 r. Pasteur - 51480 Damery - ℘ 03 26 58 43 02 - champagne.louis.casters@wanadoo.fr - lun.-sam. 10h-12h, 14h-18h - sur RV.* Le vignoble de 10 ha est situé sur les communes de Damery, Vauciennes, Reuil, Binson-Orquigny et Villers-sous-Châtillon. En 1985, cette maison traditionnelle et familiale a adopté le statut de négociant-manipulant. Depuis, elle s'approvisionne sur 25 ha complémentaires sélectionnés avec soin. 🍷 champagne.

Veuve Olivier & Fils – *10 rte de Dormans - 2,5 km à l'O de Dormans par D 6 - 02850 Trélou-sur-Marne - ℘ 03 23 70 24 01 - www.champagne-veuve-olivier.com - tlj sf dim. 9h-12h, 14h-17h, sam. 9h-12h, apr.-midi sur demande préalable - fermé août et j. fériés.* Cette propriété admirablement située offre un très vaste panorama sur la vallée de la Marne. Une vidéo et une visite commentée des installations, où subsiste un pressoir traditionnel, vous expliqueront tout des procédés de fabrication du champagne. Dégustation et vente sur place. 🍷 champagne.

④ Circuit au départ de Château-Thierry

▶ 60 km. Château-Thierry se trouve à 58 km au S-O de Reims par l'A 4 et la D 1. Carte Michelin Local 306, B-D 8-9. Voir le circuit ④ sur le plan p. 208-209.

Le vignoble de l'Aisne, accompagnant le sillon de la Marne depuis Crouttes à Trélou, près de Dormans, appartient à la Champagne viticole délimitée.

Château-Thierry

Bien que situé dans l'Aisne, Château-Thierry est bel et bien champenois, non seulement par ses origines, mais également par son vignoble. La ville est bâtie au flanc d'une butte isolée que couronne l'ancien **château** (fin du 14ᵉ s.). Ce dernier est devenu une promenade procurant de belles vues sur la vallée de la Marne.

En descendant de la butte depuis la tour de Bouillon, on passe devant la **maison natale de Jean de La Fontaine**. 👥 Elle présente, dans de petits salons meublés dans le goût de l'époque, de magnifiques éditions des *Fables* et des *Contes*, volumes illustrés par Oudry (1755) et Gustave Doré (1868). Distrayant échantillonnage d'objets les plus divers décorés de scènes des *Fables*. 📞 *03 23 69 05 60 - avr.-sept. : tlj sf mar. 9h-12h, 14h-18h ; oct.-mars : tlj sf mar. 10h-12h, 14h-17h - fermé 1ᵉʳ janv., 1ᵉʳ Mai, 1ᵉʳ nov. et 25 déc. - 3,20 € (enf. 1,70 €) - gratuit merc.*

Au musée Jean de la Fontaine à Château-Thierry : illustration de la fable « Le Corbeau et le Renard ».

🍷 Terminez votre découverte de Château-Thierry par la visite des **caves de champagne Pannier**, aménagées dans des carrières de pierre du 13ᵉ s. ; montage audiovisuel et visite guidée permettent de suivre l'élaboration du champagne. *23 r. Roger-Catillon, à l'ouest de la ville - 📞 03 23 69 51 33 - www.champagnepannier.com - ♿ - visite guidée (1h) sur demande - tlj sf dim. et j. fériés 9h-12h30, 14h-18h30 - 5 €.*

Quittez Château-Thierry à l'ouest par l'avenue J.-Lefebvre, puis prenez la D 969.

Essômes-sur-Marne

L'**église abbatiale St-Ferréol★**, fondée en 1090, possède un **intérieur★** caractéristique du style gothique lancéolé. Les 38 stalles du chœur sont de style Renaissance. 📞 *03 23 83 08 31 - possibilité de visite guidée sur demande préalable à la mairie (sf juil.-août) - lun. et mar. 10h-12h, 14h-18h, jeu. et sam. 9h-12h, vend. 9h-12h, 14h-17h.*

D'Essômes, gagnez Montcourt, puis prenez à gauche la D 1400. La route traverse le vignoble. Après le hameau de Mont-de-Bonneil sur la route d'Azy, **panorama** sur la boucle de Chézy et les lointains assez boisés de la Brie.

À Azy, reprenez la D 969. Après la longue agglomération de Saulchery, on atteint Charly.

Charly-sur-Marne

C'est la plus importante commune viticole de l'Aisne. Au centre, trône la statue d'Émile Morlot, député et maire qui fut à l'origine du classement du vignoble de l'Aisne en appellation champagne.

Prenez la D 11 vers Villiers-Saint-Denis, puis la D 842 vers Crouttes. Cette route procure une vue étendue, au sud, sur la boucle de la Marne.

Crouttes

Ce village vigneron doit son nom aux caves forées dans le rocher (du latin *cryptæ*). Sur la place de la mairie, laisser la voiture et grimper jusqu'au site escarpé de l'église.

De Crouttes, revenez à Charly par la D 969, puis traversez la Marne. Sur l'autre rive, suivez la D 86 vers Nogent-l'Artaud.

Nogent-l'Artaud

Ce fut le siège d'une ancienne abbaye des Clarisses, fondée à la fin du 13ᵉ s. par Blanche d'Artois, reine de Navarre : quelques vestiges de cette abbaye subsistent dans le quartier du Couvent, près de l'école.

Emprunter la D 86. Le parcours dégagé au-dessus de la Marne, face aux pentes du vignoble, est agréable. On traverse **Chézy-sur-Marne**, village de caractère qui attire peintres et promeneurs le long d'un chemin aménagé sur les rives du Dolloir.

Prenez la D 15. La route passe sous la D 1 pour gagner Étampes-sur-Marne, puis Chierry où l'on rejoint la N 3. De Chierry à Blesmes, **panorama** *sur la vallée de la Marne. 1,5 km après Blesmes, suivez la petite route à gauche.*

Fossoy

🍷 La maison Déhu, septième génération de vignerons, est un point d'accueil sur la route touristique du champagne. Elle a créé un petit **musée de la Vigne et du Vin (Le Varocien)** dans une ancienne écurie. Après une explication sur les trois cépages, on découvre les outils et machines utilisés autrefois par les vignerons. On remarque un réfractomètre de 1863 servant à mesurer le degré d'alcool. 📞 *03 23 71 90 47 - &. - visite guidée (20mn) sur demande préalable auprès de M. Dehu, 3 r. St-Georges, 02650 Fossoy - fermé w.-end et j. fériés - 4 € (-15 ans gratuit).*

Poursuivez sur cette petite route jusqu'à Mézy (église gothique), puis traversez la Marne pour tourner ensuite à gauche dans la D 3 pour longer la rive droite.

Mont-Saint-Père

Né dans ce village, l'artiste Léon Lhermitte (1844-1925) s'est inspiré de la vie rurale et des paysages de sa région natale, laissant quelque 1 000 tableaux. C'est dans la ferme fortifiée du ru Chailly, à Fossoy, sur la rive sud de la Marne, qu'il a peint *La Paye des moissonneurs* (au musée d'Orsay, à Paris).

La D 3 longe le bois de Barbillon avant de regagner Château-Thierry.

Les adresses de Château-Thierry

NOS BONNES TABLES

🍴 **L'Estoril** – *1 pl. des Granges - 02400 Château-Thierry - 📞 03 23 83 64 16 - norberto.fran@wanadoo.fr - 14/25 €.* Couleurs ensoleillées, murs peints à l'éponge, azulejos… Ce petit restaurant bordant une placette adresse un bien joli clin d'œil décoratif et culinaire au Portugal. Dans ce cadre lumineux, poissons et crustacés côtoient spécialités lusitaniennes et plats traditionnels, pour le plus grand bonheur des papilles délicates.

🍴🛏 **Auberge Jean de La Fontaine** – *10 r. des Filoirs - 02400 Château-Thierry - 📞 03 23 83 63 89 - infos@auberge-jean-de-la-fontaine.com - fermé 2 sem. en déc. - 15/25 €.* Les nombreuses peintures sur bois de la petite salle à manger illustrent les plus belles œuvres de Jean de La Fontaine. Que vous soyez rat de ville, rat des champs, loup, agneau, cigale ou fourmi, vous apprécierez pareillement la cuisine traditionnelle du chef. Ces leçons gustatives valent bien un fromage, sans doute…

🍴🛏🍽 **Auberge Le Relais** – *2 r. de Paris - 02850 Reuilly-Sauvigny - 📞 03 23 70 35 36 - auberge.relais.de.reuilly@wanadoo.fr - fermé 20 août-7 sept., 28 janv.-2 mars, mar. et merc. - 29/75 €.* Nouvel intérieur actuel et élégant, belle véranda entourée de verdure, cuisine mariant habilement tradition et modernité : on passe un bon moment en cette coquette auberge.

NOS CHAMBRES D'HÔTE

🛏 **Chambre d'hôte La Grange du Moulin** – *15 r. du Moulin - 02810 Bussiares - 13 km à l'O de Château-Thierry par N 3 et D 9 - 📞 03 23 70 92 60 - lagrangedumoulin@hotmail.fr - fermé 15 déc.-15 janv. -🚫- 4 ch. 47 € 🍽 - repas 16 €.* Cette maison de caractère tapissée de lierre abrite des chambres de bon confort, parfaitement rénovées, et une plaisante salle à manger agrémentée de poutres apparentes et de meubles anciens. Le jardinet est très apprécié à la belle saison.

🛏 **Chambre d'hôte M. et Mme Leclère** – *1 r. de Launay - 02330 Connigis - 12 km à l'E de Château-Thierry par N 3 et D 4 - 📞 03 23 71 90 51 - fermé 24 déc.-1er janv. - réserv. obligatoire le soir - 5 ch. 46/55 € 🍽 - repas 16 €.* L'ancien château de Connigis, datant du 16e s., s'élève au cœur d'un vaste parc entouré de vignes. Ses propriétaires élaborent leur propre champagne et en proposent la dégustation à l'apéritif. Les espaces intérieurs ont conservé leur atmosphère campagnarde. À table, produits maison et vin à discrétion.

NOS BONNES CAVES

🍷 Les adresses des domaines – Champagne Pannier, Maison Déhu – sont données dans le texte du circuit.

La côte des Bars

CARTE MICHELIN LOCAL 313 – AUBE (10) ET HAUTE-MARNE (52)

Longtemps regardé de haut par les producteurs marnais, le vignoble de la Champagne auboise s'est imposé et produit aujourd'hui près du quart de la production des vins de Champagne. Aux confins de la Bourgogne, l'Aube est le royaume du pinot noir qui apporte de la structure aux assemblages. Le vignoble morcelé flirte avec la forêt et grimpe, aux environs de Bar-sur-Seine et de Bar-sur-Aube sur de hautes pentes au sommet desquelles poussent gentianes et genevriers. On trouve aussi des vignes sur la butte de Montgueux, près de Troyes, aux environs de Villenauxe-la-Grande au sud du département, et dans les régions des Riceys.

Le Barséquanais : circuit au départ de Bar-sur-Seine

▶ 56 km. Bar-sur-Seine se trouve à 32 km au S-E de Troyes par la N 71. Carte Michelin Local 313, G-H 5-6.

Dès le Bas-Empire, la vigne fut cultivée sur les coteaux aubois. Le vignoble barséquanais représente aujourd'hui la plus grosse partie du vignoble de la côte des Bars (7 000 ha).

Bar-sur-Seine

Cette petite ville, au pied d'un coteau, est traversée par la Seine. Dans la Grande-Rue, des maisons anciennes à pans de bois (16e et 17e s.) rappellent sa prospérité d'antan.

L'**église St-Étienne** a été bâtie entre 1505 à 1616. Très vaste, elle associe le gothique flamboyant au style Renaissance. À l'**Intérieur★**, ses vitraux et verrières en grisaille sont caractéristiques de l'école troyenne du 16e s. *☎ 03 25 29 94 43 - possibilité de visite guidée sur demande préalable à l'office de tourisme.*

Traversez la place et prendre à gauche la cour de la Mironne, puis un petit passage couvert. Dans la **rue de la République**, à gauche du passage, belle maison de pierre. En face, la plus grande maison de Bar a été le casino de la ville. Sur la droite, le passage de la Poste présente des maisons à colombages aux poutres sculptées. Au n° 17, la maison Renaissance comporte, à l'angle, une petite niche qui abrite saint Roch et son chien.

Tournez à droite dans l'avenue Paul-Portier. À l'angle de ces deux rues s'élève la **maison de l'Apothicaire** (15e s.), l'une des plus vieilles de Bar-sur-Seine. Au passage, on découvre à droite, au bout de la rue Lagesse, la **maison du Charron**, ainsi appelée en raison de la charpente qui donne l'effet d'une roue.

Prenez la rue des Fossés, créée sur l'emplacement d'anciens fossés, puis tournez à droite dans la **rue de la Résistance**. Remarquez au **n° 118** les pilastres d'ordre corinthien de la chapelle de la Passion, fondée au 12e s. Au **n° 135** de la **Grande-Rue**, derrière le portail, un escalier de pierre *(173 marches)* à flanc de coteau mène à l'ancien château des comtes de Bar : ne subsiste que la **tour de l'Horloge** ou tour du Lion, reconstruite en 1948.

Quittez Bar-sur-Seine au sud par la N 71 et rejoignez Celles-sur-Ource par la D 67.

Celles-sur-Ource

Une quarantaine de vignerons habitent ce village accueillant.

🐾 Un **chemin du vigneron** *(11 km, 3h30)* permet de parcourir le vignoble et de profiter de beaux points de vue sur les vallées de l'Ource et de la Seine. *Carte-dépliant à la mairie, ☎ 03 25 38 52 68.*

🍷 Pendant la période des vendanges, l'après-midi, sur rendez-vous, la Maison **Marcel Vezien et Fils** propose une initiation à la récolte du raisin et au pressurage. Au terme de la journée, vos efforts seront gratifiés par une bouteille de champagne ! *68 Grande-Rue - 10110 Celles-sur-Ource - ☎ 03 25 38 50 22 - www.champagne-vezien. com - lun.-vend. 10h-17h, w.-end sur RV - fermé 15 août au 2 sept. et dim. apr.-midi.*

Rejoignez Landreville par la D 67.

Landreville

Ce charmant bourg, avec son dédale de ruelles, abrite un patrimoine intéressant : le château, le calvaire, la chapelle et l'église furent bâtis du 12e au 16e s. Cette dernière comporte un retable de Bouchardon.

Le rosé-des-riceys

Boire ce vin est un privilège ! La situation géographique du vignoble et la réglementation qui s'y attache, particulièrement sévère, ne permettent pas aux vignerons d'en produire chaque année. C'est aussi l'un des vins les plus contrôlés de France. Il est élaboré exclusivement à partir de raisins de pinot noir, provenant des coteaux les plus pentus et les plus ensoleillés. La vendange se fait uniquement par temps sec et seules les plus belles grappes sont cueillies.

La vinification est difficile : après une macération courte, la fermentation est rapide, accélérée par le foulage léger d'une partie des raisins. C'est la phase la plus délicate, que le vigneron surveille avec le plus grand soin. Il s'agit de guetter le moment précis, c'est-à-dire l'heure où apparaît le goût qui fait la particularité du rosé-des-riceys : un délicat bouquet de fleurs sauvages, de violettes et de noisettes.

☞ **René Jolly** produit un très intéressant champagne rosé ; après la visite de ses caves du 18ᵉ s., petit détour indispensable par le musée : les méthodes d'élaboration du champagne n'auront alors plus de secrets pour vous. *10 r. de la Gare - 10110 Landreville - ℘ 03 25 38 50 91 - lun.-sam. 10h-16h - fermé j. fériés.*

☞ Quant à **Richardot,** il vous recevra dans ses caves à **Loches-sur-Ource** *(voir nos bonnes caves).*

Continuez sur la D 67 jusqu'à Essoyes.

Essoyes

Auguste Renoir (1841-1919) avait acheté une maison en 1895 dans le village natal de sa femme. Pendant vingt-cinq ans, il vint y passer chaque été en famille. Nombre de ses tableaux évoquent ce coin de campagne. Dans son **atelier**, photos, documents et objets personnels du peintre sont rassemblés, évoquant son inspiration champenoise. Le site va être enrichi d'un jardin-promenade et d'un café-galerie d'art. *7 r. Extra - ℘ 03 25 38 56 28 - mai-sept. : tlj sf lun. mat. 10h30-12h30, 14h-18h30 ; avr. et oct. : 14h-18h30 - 2 € (-12 ans gratuit).*

Continuez votre pèlerinage par le **cimetière**. Comme le rappellent des bustes en bronze de Guino, c'est ici que reposent Auguste Renoir, sa femme ainsi que leurs trois fils, Pierre, le comédien, Jean, le cinéaste, et Claude, le céramiste.

Prenez la D 79 vers le sud, puis aussitôt à droite la D 117 à travers la forêt, et enfin la D 17 à droite.

Mussy-sur-Seine

Ancienne résidence d'été des évêques de Langres, cette localité a conservé des maisons anciennes des 15ᵉ et 16ᵉ s., dont un ancien grenier à sel.

Édifiée à la fin du 13ᵉ s., l'**église St-Pierre-ès-Liens** frappe par ses vastes dimensions. Dans la chapelle des fonts baptismaux, le saint Jean Baptiste, haut de 2 m, est l'une des sculptures réalisées au 14ᵉ s. par des imagiers, dont l'atelier eut un rayonnement sur tout le territoire de l'Aube et en Bourgogne. *℘ 03 25 38 42 08 - possibilité de visite guidée sur demande à l'office de tourisme.*

Poursuivez au sud-ouest par la D 17. Après avoir traversé la forêt, la route arrive en vue des coteaux couverts de vignobles des Riceys. Au cours de la descente, on distingue bien les trois villages, dominés chacun par leur église Renaissance.

Les Riceys

Aux confins de la Bourgogne, ce village singulier est formé de trois bourgs qui ponctuent le cours de la rivière Laignes. On y compte trois églises classées, deux châteaux, six chapelles et sept lavoirs ! Mais on y vient surtout pour son délicieux rosé de pinot noir, considéré comme l'un des meilleurs de France.

L'**église St-Pierre-ès-Liens** (à Ricey-Bas), bel édifice du 16ᵉ s., possède une riche façade à portail. Sa partie la plus ancienne remonte au 13ᵉ s. À l'intérieur, dans les chapelles de la Passion des bas-

Vignoble et village des Riceys.

S. Sauvignier / MICHELIN

côtés nord et sud, on peut voir deux retables en bois sculpté. *☎ 03 25 29 15 38 - sur demande à l'office de tourisme.*

L'**église St-Vincent** (à Ricey-Haut) présente la particularité d'être composée de deux églises combinées, une seconde ayant été aménagée en allongeant le transept. Sur la place, remarquer la **halle au vin**, à la charpente imposante (18e s.), où se tient chaque année la foire du Grand Jeudi.

🍷 Les **Morel**, **Gallimard**, **Morize** et **Coquet** sont des producteurs en vue *(voir nos bonnes caves).*

Des Riceys, prendre au nord la D 452 jusqu'à Polisy, puis la D 207 qui passe par **Polisot**, village entouré de vignes et de bois.

Rejoignez Bar-sur-Seine par la N 71.

Les adresses de la côte des Bars

NOS BONNES TABLES

🍴 **Le Commerce** – *30 pl. de la République - 10110 Bar-sur-Seine - ☎ 03 25 29 86 36 - hotelducommerce.bar-sur-seine@wanadoo. fr - fermé vac. de fév., 21-28 août, 25-31 déc., vend. soir en juil.-août et dim. - 12/37 €.* La petite capitale auboise du champagne abrite cet établissement tout simple, parfaitement entretenu par un couple de propriétaires volontaire et passionné. Attablé dans sa salle à manger agrémentée de poutres apparentes et d'une cheminée, vous partirez à la découverte de recettes traditionnelles au caractère bien trempé.

🍴 **Le Magny** – *38 r. du Gén.-Leclerc - 10340 Les Riceys - ☎ 03 25 29 38 39 - www.le-magny.com - fermé sept.-mars, dim. soir, mar. soir hors sais. et merc. - 14/40 €.* Cette auberge campagnarde entourée d'un jardin a bénéficié d'une belle restauration. Vous y dégusterez, dans une confortable salle à manger et autour de bons petits plats traditionnels, les excellents vins AOC du terroir : rosé des Riceys, coteaux champenois et champagne. Chambres calmes. Piscine.

🍴🍴 **Auberge de la Seine** – *1 fg de Bourgogne - 10260 Fouchères - ☎ 03 25 40 71 11 - contact@aubergedelaseine.com - fermé 21-28 août, 19 févr.-11 mars, dim. soir et merc. - 19/65 €.* Relais de poste (18e s.) agrandi d'une belle terrasse surplombant la Seine. Cuisine traditionnelle servie sous les poutres de la salle à manger actuelle, sobre et « cosy ».

🍴🍴🍴 **Parentèle** – *32 r. Marcellin-Lévêque - 10260 Villemoyenne - ☎ 03 25 43 68 68 - fermé 24 juill.-12 août, 2-10 janv., 26 fév.-15 mars, dim. soir, lun. et mar. sauf j. fériés - 26/76 €.* Cette « maison de famille » restaurée fait honneur à la parentèle : jolie salle à manger, jardin-terrasse, cuisine fine et soignée, et passion du vin (conseils et belle carte).

NOS HÔTELS

🛏 **Le Val Moret** – *10110 Magnant - 9 km au NE de Bar-sur-Seine près échangeur autoroute - ☎ 03 25 29 85 12 - www.le-val-moret.com - 🅿 - 42 ch. 45/76 € - 🍽 7 € - rest. 16/50 €.* Cette grande bâtisse

moderne et fleurie opte pour le style motel. Les chambres, simples et fonctionnelles, sont toutes en rez-de-chaussée. Bonne insonorisation et rapport qualité-prix attractif. Cuisine traditionnelle sans prétention.

🛏🍴 **Les Voyageurs** – *6 r. de la Nation - 10250 Gyé-sur-Seine - ☎ 03 25 38 20 09 - hotel-voyageurs-gye@wanadoo.fr - fermé 16-24 août et vac. de fév. - 7 ch. 48 € - 🍽 8 € - rest. 15/36 €.* Des petites chambres fraîches et colorées vous attendent dans ce relais de poste bâti à la fin du 19e s. et doté d'une avenante façade en pierre.

NOS BONNES CAVES

DOMAINES

Champagne Richardot – *38 r. René-Quinton - 10110 Loches-sur-Ource - ☎ 03 25 29 71 20 - champagne. richardot@wanadoo.fr - 9h-11h30, 14h-18h, w.-end et j. fériés sur RV uniquement - fermé 1er janv. et 25 déc.* Les belles caves voûtées de la maison Richardot sont agrémentées d'une collection de vieux outils de vigneron. La vue magnifique sur le vignoble compose le petit « plus » de l'agréable salle de dégustation. 🍷 champagne.

Champagne Morel Père et Fils – *93 r. du Gén.-de-Gaulle - 10340 Les Riceys - ☎ 03 25 29 10 88 - www.champagnemorelpereetfils. com - tlj sur RV - fermé de mi à fin août, pdt les vendanges et dim.* Un magnifique bâtiment de style régional s'élève au cœur de ce domaine géré par la même famille depuis cinq générations. Dans ses belles caves voûtées, vous assisterez à quelques démonstrations et serez convié à l'incontournable dégustation de rosé des Riceys, de champagne rosé ou de champagne tout court. 🍷 champagne, rosé-des-riceys.

Gallimard Père et Fils – *18-20 r. Gaston-Cheq - Le Magny - BP 23 - 10340 Les Riceys - ☎ 03 25 29 32 44 - lun.-vend. 9h-12h, 14h-17h30.* La famille Gallimard élabore du champagne depuis 1930, date à laquelle Jules et Ernest Gallimard, vignerons, décident de manipuler leurs premières bouteilles. Aujourd'hui, Didier est à la tête d'une exploitation de 10 ha situés sur le terroir des Riceys. Le vignoble, âgé de 3 à 40 ans et encépagé de pinot noir (90 %) et de chardonnay (10 %), est conduit en lutte intégrée. Les champagnes sont élevés en cuves thermorégulées en acier émaillé. 🍷 champagne, coteaux champenois, rosé-des-riceys.

Champagne Morize Père et Fils – *122 r. du Gén.-de-Gaulle - 10340 Les Riceys - ✆ 03 25 29 30 02 - www.*

champagnemorize.com - *tlj sf dim. 9h-11h, 14h30-18h - fermé j. fériés.* Ces caves datant du 12ᵉ s. sont aussi charmantes qu'accueillantes. Après le rituel petit tour du propriétaire, vous vous accouderez un moment au comptoir en pierre, ou prendrez place autour d'une table… Impossible de ne pas trouver son bonheur parmi ces 100 000 flacons remplis de bulles ! 🍷 champagne, coteaux champenois, rosé-des-riceys.

Le pays baralbin : circuit au départ de Bar-sur-Aube

⦿ 70 km. Bar-sur-Aube se trouve à 53 km à l'E de Troyes par la N 19. Carte Michelin Local 313, I4.

Plus disséminé que celui du Barséquanais, le vignoble des environs de Bar-sur-Aube s'étend sur les coteaux les mieux exposés jusqu'aux confins du département de la Haute-Marne.

Bar-sur-Aube

Le négoce, toujours le négoce ! Sous les comtes de Champagne, au Bas Moyen Âge, Bar-sur-Aube était célèbre pour ses foires. Très importantes, elles rentraient dans le cycle annuel des six grandes foires de Champagne, réputées dans toute l'Europe. La foire aux Bulles, début septembre, perpétue la tradition : c'est le moment de déguster le champagne de Bar-sur-Aube, dont le vignoble s'étale sur les coteaux avoisinants. Ceinturée de boulevards établis sur l'emplacement des remparts disparus, la ville a conservé quelques belles maisons anciennes (16ᵉ et 18ᵉ s.).

L'**église St-Pierre**★ (12ᵉ s.) fut construite à l'emplacement d'un sanctuaire dont on aurait conservé le sol : chose inhabituelle, il faut descendre huit marches pour accéder à la nef. Le maître-autel provient de l'abbaye de Clairvaux et l'orgue, de celle de Remiremont. Une cinquantaine de pierres tombales marquent l'emplacement des sépultures de seigneurs locaux et de riches commerçants.

Aux nᵒˢ 16 et 18, **rue d'Aube**, où se trouve l'actuel hôtel de la poste, on admire une demeure du 18ᵉ s. ornée de beaux balcons en fer forgé. L'**église St-Maclou** ne se visite pas ; c'est l'ancienne chapelle du château des comtes de Bar, détruit à la fin du 16ᵉ s. Son clocher du 12ᵉ s. formait le donjon du château.

La **rue Nationale** est la principale rue commerçante. Au nᵒ 14, remarquez la **chapelle St-Jean** (11ᵉ-12ᵉ s.), aujourd'hui désaffectée. Dans le **cellier aux Moines**, ancienne maison de ville des moines de Clairvaux, vous trouverez un beau cellier voûté d'ogives du 12ᵉ s. aujourd'hui aménagé en restaurant. C'est dans ce cellier que se réunirent les vignerons lors de la révolte de 1912 qui permit à la côte de Bar de conserver l'appellation champagne.

Quittez Bar-sur-Aube au sud par la D 4. À 3 km, prenez à gauche, dans un virage, un chemin en forte montée et y laisser sa voiture.

Chapelle Sainte-Germaine

Le chemin, que l'on prend à pied, aboutit à une chapelle de pèlerinage élevée pour sainte Germaine, vierge martyrisée à cet emplacement par les Vandales en 407. Après cette chapelle et en contournant la maison, on parvient à une table d'orientation : **vue** sur Bar-sur-Aube, la vallée, Colombey-les-Deux-Églises et sa croix de Lorraine, les forêts des Dhuits et de Clairvaux.

🥾 La boucle pédestre « Côte d'Aube » *(10 km, 2h30)* permet de rejoindre la colline depuis Bar-sur-Aube et de poursuivre dans le vignoble. *Renseignements à l'office du tourisme de Bar-sur-Aube.*

Reprenez la D 4 et faites 6 km jusqu'à Meurville.

Meurville

Ce bourg rassemble plusieurs producteurs de champagne. Un beau point de vue sur le village s'offre depuis le lieu-dit les Quatre-Napoléon aménagé avec aire de pique-nique.

Prenez au nord la D 44 jusqu'à Spoy. **Spoy** est un joli village fleuri qui possède un pont romain récemment restauré.

Revenez vers Meurville et prenez la D 4 jusqu'à Bligny.

Château de Bligny

☏ 03 25 27 40 11 - juin-août : lun.-sam. 10h30-18h30 - 3 €.

C'est l'un des rares châteaux à donner son nom à un champagne. Le bâtiment, édifié au 18e s. par le marquis de Dampierre, a subi plusieurs modifications au 19e s. Restauré en 1999, il possède des plafonds peints et de belles verrières néogothiques. La visite comprend un tour des pièces du château, de la cave et une dégustation.

Reprenez la D 4 vers Meurville, puis tournez à droite dans la D 44 vers Urville.

Urville

Village vigneron, Urville possède quelques vieilles maisons typiques. 🍷 Vous y trouverez les caves de la **Maison Drappier**, domaine familial qui fournissait son champagne au général de Gaulle et qui est aujourd'hui référencé à l'Élysée. On y produit plusieurs cuvées de grande qualité et l'on peut visiter de belles caves voûtées construites par les moines de Clairvaux. Autre singularité, cette maison est la seule au monde à effectuer la prise de mousse dans le flacon d'origine. *Grande-Rue - 10200 Urville - ☏ 03 25 27 40 15 - www.champagne-drappier.com - lun.-sam. sur RV - fermé j. fériés.*

Continuez sur la D 44, puis prenez à droite la D 70 jusqu'à Champignol-lez-Mondeville.

Champignol-lez-Mondeville

Ce village tranquille possède une chapelle du 12e s. avec porte en bois clouté, ainsi qu'une église du 18e s. contenant un retable baroque et des bâtons de confréries. 🍷 La Maison **Dumont** est une bonne adresse *(voir nos bonnes adresses).*

Rejoignez Baroville au nord-est par la D 70.

Baroville

Les producteurs de champagne sont la principale attraction de Baroville, où l'on produit non seulement des bulles mais aussi de bons coteaux-champenois rouges.

Prenez à l'est la D 170, puis la D 396 à gauche.

Bayel

Créée en 1666 par le maître verrier vénitien Jean-Baptiste Mazzolay grâce à une lettre patente de Louis XIV, la **Cristallerie royale de Champagne** est réputée pour sa production. Depuis sa fondation, elle n'a jamais éteint ses fours... Tailleurs et souffleurs y perpétuent la tradition. Dans des fours chauffés à 1 450 °C, un mélange de sable, de chaux, de soude et de plomb permet d'obtenir, au bout de 12h de cuisson, une matière prête à être travaillée. Moulées ou soufflées, les pièces sont toutes faites à la main. *☏ 03 25 92 42 68 - www.bayel-cristal-com - ♿ - visite guidée (1h30) tlj sf w.-end 9h30 et 11h - fermé en août, j. fériés, 25 déc.-1er janv. - 5,30 € (enf. 2,30 €) ; 7,60 € (3,80 €) billet combiné cristallerie et écomusée.*

Un des souffleurs de verre de la Cristallerie de Bayel.

Cristalleries royales de Champagne

L'**écomusée du Cristal** est aménagé dans trois petites maisons ouvrières *(entrée par l'office de tourisme)*. Il permet de découvrir, grâce à des maquettes, le verre et ses différents composants, l'histoire du cristal depuis l'Antiquité, son processus de fabrication ainsi que les différentes techniques d'ornementation comme le guillochage, la gravure... Un film (15mn) présente la cristallerie, la ville de Bayel et ses environs, ainsi que les pièces de cristal réalisées par les Meilleurs Ouvriers de France. *2 r. Belle-Verrière - ☏ 03 25 92 42 68 - avr.-sept. : lun.-sam. 9h15-13h, 14h15-18h, dim. et j. fériés 14h15-18h - fermé dim. le reste de l'année, 1er Mai, 1er Nov., 25 déc.-1er janv. - 3,80 € (enf. 2,30 €) ; 7,60 € (enf. 3,80 €) billet combiné écomusée et cristallerie.*

Quittez Bayel au nord-est par la D 47 et rejoignez Rouvres-les-Vignes en passant par Lignol-le-Château. À Rouvres, prenez à gauche la D 74.

Après avoir traversé la forêt, la route rejoint le vignoble dans un beau paysage de collines à partir de Rouvres-les-Vignes. Vous êtes dans la partie la plus ancienne du vignoble baralbin, cultivé par les moines dès le Haut Moyen Âge.

Colombé-le-Sec

Malgré son nom, ce pittoreque village fleuri humectait le gosier des moines de l'abbaye de Clairvaux, qui y avaient aménagé un cellier au 12ᵉ s. ♟ Les producteurs regroupés sous la marque **Charles-Clément** maintiennent la tradition *(voir nos bonnes caves)*.

♟ Pour une visite commentée, sonnez chez **Bernard Breuzon** qui vous présentera les différents stades d'élaboration du champagne. À la fin, dégustation de la Colombine, en hommage à la gent féminine ! *R. St-Antoine - 10200 Colombé-le-Sec - ☎ 03 25 27 02 06 - breuzon@wanadoo.fr*

Le village possède des fontaines et un curieux lavoir octogonal qui daterait du 12ᵉ s. L'église, très remaniée au 16ᵉ s., conserve un linteau roman décoré d'une croix grecque, entourée d'un agneau pascal et d'un loup.

Revenez à Bar-sur-Aube par la D 13.

EN MARGE DU VIGNOBLE

Faire plaisir aux petits à Nigloland★

À Dolancourt, 9 km au nord-ouest de Bar-sur-Aube par la N 19. ☎ 03 25 27 94 52 - www. nigloland.fr - dernière entrée suivant sais. 16h, 17h ou 17h30 - de mi-juil. à fin août : 10h-19h ; de déb. avr. à déb. mai et de mi-juin à mi-juil. : 10h-18h (dim. 19h) ; de déb. mai à mi-juin : tlj sf merc. et w.-end 10h-18h, dim. 10h-19h ; sept. : w.-end 10h-18h ; oct. et vac. Toussaint : dim. 10h30-17h30 - 17 € (-12 ans 15,50 €, -1 m gratuit).

👫 Ce parc d'attractions, le 4ᵉ de France, est traversé par la rivière du Landion. Le petit train emmène petits et grands en balade. Les amateurs de sensations fortes s'en donneront à cœur joie en prenant la Navette de l'Espace, le Train de la Mine ou en descendant la Rivière canadienne. Le train du Bat Coaster, avec ses voitures suspendues, se lance à près de 100 km/h sur des pentes impressionnantes… Ne manquez pas le Niglo-show qui met en scène des automates électroniques, dans le village canadien. Pour prendre de la hauteur, faites un tour en ballon.

S'aérer au lac d'Orient

43 km au nord-ouest de Bar-sur-Aube par la N 19 et la D 1ᴳ. S'étalant sur 2 500 ha, le lac d'Orient, aménagé en 1966, forme un superbe plan d'eau dans son écrin de forêt, que seuls viennent perturber les milliers d'oiseaux en périodes migratoires (réserve ornithologique au nord-est) et les voiles blanches des bateaux, planches, catamarans et autres dériveurs silencieux. C'est ici aussi que vous pourrez vous prélasser au soleil et piquer une tête, puisqu'en plus d'un port de plaisance, trois plages de sable fin *(surveillées juil.-août)* ont été aménagées à Géraudot, Lusigny-sur-Barse et à proximité de la capitainerie de Port-Mesnil.

Si le bateau vous tente davantage, des promenades commentées à partir de Port-Mesnil offrent de superbes panoramas sur les environs du lac.

Le Bateau Ivre – *☎ 03 25 41 20 72 - www.la-mangeoire.fr - de mi-mars à mi-sept. : promenade (1h) 9h-19h ; croisière-repas 11h-14h et 18h30-20h30 sur RV - promenade 8 € (enf. 4 €), déj. 38 €, dîner 48 € (enf. 20 €).* Au départ du port de Mesnil-St-Père, promenades commentées et promenades-repas sur le lac d'Orient à bord du *Bateau Ivre*.

CNA Voile École française de voile – *Plage de Mesnil-St-Père - 10140 Mesnil-St-Père - ☎ 03 25 41 27 37 - www.cnavoile. com - mars-oct. : 9h-18h ; juil.-août : 9h-19h.* Pour explorer le lac par la voie du vent, louer votre matériel ou suivre des stages de planche à voile, de catamaran et de kayak à la demi-journée.

Lac d'Orient.

S. Sauvignier / MICHELIN

Les adresses du pays baralbin

NOS BONNES TABLES

◎ **Auberge de la Plaine** – *10500 La Rothière - ℘ 03 25 92 21 79 - www.auberge-plaine.com - 12,50/32 €.* Chaleureuse petite auberge de bord de route, à l'orée du parc régional de la Forêt d'Orient. Chambres d'esprit campagnard. Salle à manger meublée simplement et décorée d'objets paysans. La cuisine honore le terroir.

◎◎ **La Toque Baralbine** – *18 r. Nationale - 10200 Bar-sur-Aube - ℘ 03 25 27 20 34 - toquebaralbine@wanadoo.fr - fermé 5-25 janv., dim. soir et lun. - 18/55 €.* Restaurant installé sur la principale avenue commerçante du centre-ville. Vous y dégusterez une cuisine au goût du jour mettant en valeur les produits du terroir. Salle à manger au cadre soigné et plaisante terrasse fleurie.

◎◎◎ **Natali et Hostellerie de la Montagne** – *17 r. Argentolles - 52330 Colombey-les-Deux-Églises - ℘ 03 25 01 51 69 - www.hostellerielamontagne.com - fermé 17 janv.-2 fév., 8-16 mars, 13-21 sept., 20-29 déc., lun. et mar. - 28/53 €.* Belle auberge tranquille où l'on propose une savoureuse cuisine inventive dans un décor de pierres et de poutres apparentes. Après avoir choisi une chambre s'ouvrant sur la campagne champenoise, vous aurez peut-être envie de vous plonger dans les mémoires du Général…

NOS HÔTELS

◎◎ **Le St-Nicolas** – *2 r. du Gén.-de-Gaulle - 10200 Bar-sur-Aube - ℘ 03 25 27 08 65 - www.lesaintnicolas.com - 🅿 - 27 ch. 62/88 € - ☐ 8 €.* Trois jolies maisons – le bâtiment principal datant du 18ᵉ s. et deux annexes tournées vers la piscine – composent cet établissement du centre-ville. Les chambres, toutes rénovées, sont équipées de meubles fonctionnels en bois peint. Charmant espace petit-déjeuner. Sauna à disposition.

◎◎ **Moulin du Landion** – *R. St-Léger - 10200 Dolancourt - 9 km NO de Bar-sur-Aube par N 19 dir. Troyes - ℘ 03 25 27 92 17 - www.moulindulandion.com - fermé 15 nov.-15 fév. - 🅿 - 16 ch. 72/84 € - ☐ 9 € - rest. 22/49 €.* Dans cet ancien moulin à colombage, tout est calme et douceur. Les chambres s'ouvrent sur un parc paysagé. Les baies vitrées de la salle à manger à deux niveaux surplombent la grande roue à aubes et le cours d'eau. Belle piscine d'été.

NOS BONNES CAVES

CAVISTE

Confrérie la St-Vincent de Rizaucourt et Argentolles – *Cellier St-Vincent - musée de la Vigne et du Vin - 52330 Argentolles - ℘ 03 25 02 58 05 - jeanbernard.godin@wanadoo.fr - avr.-nov. : w.-end et j. fériés 11h-12h, 14h-18h (20h en été) ; téléphoner 48h à l'avance.* Rien d'étonnant à ce qu'une confrérie œnophile se réclame de saint Vincent : c'est le patron des vignerons, dont la fête se célèbre fin janvier, période où la vigne nécessite le moins de travail. Le cellier, qui accueille un petit musée viticole, commercialise la production locale de champagne.

DOMAINE

Champagne Dumont et Fils – *R. de Champagne - 10200 Champignol-les-Mondeville - rdumontetfils@wanadoo.fr - ℘ 03 25 27 45 95 - 9h-18h ; w.-end et j. fériés sur RV.* Cette famille de propriétaires-récoltants cultive la vigne depuis plus de deux siècles. Très attachée aux méthodes traditionnelles, elle a su introduire récemment ce qu'il fallait de technologies nouvelles pour maintenir son rang dans la profession. Visite des chais (pressoir, cuveries…) et dégustation de champagne. 🍷 champagne, coteaux-champenois.

CAVE COOPÉRATIVE

Champagne Charles-Clément – *R. Saint-Antoine - 10200 Colombé-le-Sec - ℘ 03 25 92 50 70 - www.champagne-charles-clement.fr - de mi-juin à août : 8h-12h, 13h30-17h30 ; dim. 10h-12h, 14h-18h30 ; reste de l'année : 8h-12h, 13h30-17h30 (vend. 16h30). Visite des caves : 10h ; dernière visite l'apr.-midi : 15h30 - fermé 14 Juil.* Dans cette cave coopérative, l'ancien côtoie le moderne, avec des pressoirs à la fois pneumatiques et traditionnels. Vous pourrez y faire provision de champagnes rosés et de vins tranquilles AOC coteaux champenois. Gage de qualité : de nombreuses cuvées ont été primées. 🍷 champagne, coteaux-champenois.

LE VIGNOBLE DE COGNAC

La Charente est un petit fleuve tranquille qui a donné naissance au cognac. Sans cette voie d'eau navigable d'Angoulême à la mer, le cognac n'aurait pu conquérir aussi facilement le reste du monde. Extraordinaire destin que celui de cette eau de vie charentaise devenue nom commun au point qu'aujourd'hui ses producteurs doivent se battre sur tous les fronts pour la ramener dans le giron des appellations protégées. C'est cette histoire étonnante que vous raconte la Charente sur les 80 km qui séparent Saintes d'Angoulême. Vous découvrirez, sur ses rives paisibles et verdoyantes, la silhouette massive des chais noircis par la « part des anges », de splendides églises romanes, des bourgades tranquilles aux toits de tuiles rouges, et partout, un art de vivre avec la douce lenteur charentaise qui permet de savourer tous les plaisirs d'une région faite de subtils assemblages entre nature et culture.

LE TERROIR
Superficie : le vignoble comprend 79 636 ha répartis en six zones qualitatives : Grande Champagne (13 629 ha), Petite Champagne (15 891 ha), Borderies (4 133 ha), Fins Bois (33 13 ha), Bons Bois (10 395 ha), Bois ordinaires (1 912 ha).
Production : 587 000 hl d'alcool pur. Compte tenu des plafonds de production fixés par la réglementation en vigueur, seule une partie des volumes récoltés peuvent être distillés.
Le climat est océanique tempéré, avec des hivers relativement doux, des étés tempérés à chauds, des printemps pluvieux et des automnes souvent ensoleillés. Les terres sont calcaires ou argilo-calcaires, les meilleurs terroirs se situant sur les zones les plus calcaires.

LES VINS ET EAUX-DE-VIE
Le vignoble cognaçais est presque exclusivement composé de cépages blancs ugni blanc (ou st-émilion des Charentes), très majoritaire, folle blanche et colombard. Ces cépages produisent des vins blancs légers et acides propices à la distillation.
Depuis quelques années, de nouveaux cépages ont été introduits pour produire des **vins de pays charentais**. Il s'agit pour les blancs du chardonnay et du sauvignon, et, pour les rouges et rosés, du merlot et du cabernet.
Le **pineau des Charentes** est exclusivement produit à base de jus de raisin blanc ou rouge qui tire son degré alcoolique d'un apport de cognac ayant au moins un an de vieillissement.

BON À SAVOIR
Si vous suivez la route du cognac en été, profitez des nombreuses aires de pique-nique aménagées sur les bords de la Charente. C'est un ravissement que de passer un moment tranquille et au calme sous les ombrages. Vous n'aurez aucun mal à vous approvisionner en délicieux produits charentais dans les nombreux marchés de la région.
👁 **Bureau national interprofessionnel du cognac (BNIC)** – 📞 05 45 35 60 00 - www.cognac.fr
👁 **Comité national du pineau-des-charentes** – 📞 05 45 32 09 27 - www. pineau.fr

Comprendre
Le cognac est une eau-de-vie issue de la distillation du vin blanc des terroirs charentais. La distillation, qui a lieu jusqu'à fin mars, s'effectue en deux temps : la première chauffe où l'on récolte le brouillis, une eau-de-vie légère titrant environ 30° ; la seconde chauffe où l'on distille le brouillis pour obtenir une eau-de-vie incolore titrant jusqu'à 72°. Celle-ci est ensuite stockée dans des fûts de chêne où elle va prendre sa couleur et vieillir lentement en perdant progressivement de sa force. Pour être commercialisé, un cognac doit avoir vieilli au moins trente mois et titrer au minimum 40°. Comme

il faut beaucoup de temps pour réduire une eau-de-vie à 40°, les producteurs sont autorisés à procéder à la réduction du degré par adjonction d'eau distillée. Il en est de même pour la couleur qui peut être rectifiée par adjonction d'infusion de copeaux de chêne ou de caramel. Le secret des bons cognacs vient de l'assemblage de différents crus et de différents millésimes.

	Caractéristiques	Garde	Prix
Cognac	Sur l'étiquette on distingue les mentions suivantes : **VSOP (Very Special Old Pale) ou ★★★** : l'eau-de-vie la plus jeune a au moins quatre ans et demi. **VSOP Reserve** : l'âge de la plus jeune eau-de-vie est compris entre quatre ans et demi et six ans et demi. **Napoléon, XO, Hors d'âge** : la plus jeune eau-de-vie est au minimum supérieure à six ans et demi. Le terme « fine » est autorisé pour les eaux-de-vie désignant une AOC comme grande champagne.	Ne peut être vendu sans être âgé d'au moins deux ans et demi comptés à partir du 1er octobre de l'année de la vendange. C'est l'âge de l'eau-de-vie la plus jeune entrant dans l'assemblage qui est déterminant.	À partir de 15 €.
Vins de pays	Blancs légers et de couleur vert pâle. Rouges et rosés, légers et souples. Des vins faciles à boire.	Ils se boivent jeunes.	À partir de 3 €.
Pineau des Charentes	Des vins de liqueur, ou mistelles, obtenus en mélangeant du jus de raisin frais à du cognac. Ils sont blancs ou rosés.	À boire à partir de 2 ans. ; vieux pineau : plus de 5 ans ; très vieux pineau : plus de 10 ans.	De 8 à 15 €.

Au fil de la Charente

CARTE MICHELIN LOCAL 324 – CHARENTE (16) ET CHARENTE-MARITIME (17)

De Saintes aux portes d'Angoulême, le cours sinueux de la Charente que jalonnent écluses, ponts et bacs, raconte, d'une rive à l'autre, l'histoire écrite par les gabares, ces barques à fond plat qui remontaient le courant chargées de sel et d'épices et redescendaient vers la mer, lestées d'or brun.

De Saintes à Cognac (1re étape)

▶ 27 km. Saintes se trouve à 70 km au S-E de La Rochelle par la N 137. Carte Michelin Local 324, G-H-I 5, J-K 6.

Saintes★★
Des platanes et des maisons blanches à toits de tuiles donnent à Saintes un air méridional. On ne sait plus où donner de la tête tant le patrimoine historique et artistique de la ville est riche. Prenez le temps de vous promener dans la **vieille ville★**, riche d'une profusion de sites remarquables. La **cathédrale St-Pierre** a été édifiée sur les bases d'un édifice roman, dont il reste une coupole. Sa construction date en majeure partie du 15e s. Un dôme de plomb remplace la flèche. Ce clocher abrite un porche, dont le portail de style flamboyant est richement orné.
Le **Présidial** (r. Victor-Hugo, en retrait au fond d'un jardin), érigé en 1605, abrite aujourd'hui le **musée des Beaux-Arts★**, principalement consacré à la peinture du 15e au 18e s. Une salle rassemble des céramiques saintongeaises du 14e au 19e s. ℘ 05 46 93 03 94 - www.saintes.fr - juin-sept. : tlj sf lun. 13h30h-18h ; oct.-mai : tlj sf lun. 13h30-17h - fermé 1er Mai - 1,60 € (-18 ans gratuit), gratuit merc. et dim.
Il faut traverser la vieille ville d'est en ouest pour rejoindre l'**église St-Eutrope** (11e s.), qui a été une importante étape sur la route de St-Jacques-de-Compostelle. L'édifice n'a conservé que le transept et l'ancien chœur roman, aux magnifi-

ques **chapiteaux** historiés. La **crypte★** reproduit à l'identique le plan de l'église haute. De l'église suivre le fléchage pour rejoindre les **arènes★** *(accès par les rues St-Eutrope et Lacurie).* Cet amphithéâtre élevé au début du 1ᵉʳ s. compte parmi les plus anciens du monde romain ; 20 000 spectateurs pouvaient y prendre place. $\mathscr{C}$ 05 46 97 73 85 - juin-sept. : 10h-20h ; oct.-mai : 10h-17h, dim. 13h30-17h - fermé 1ᵉʳ janv., 1ᵉʳ Mai, 1ᵉʳ nov. et 25 déc. - 2 € (-10 ans gratuit).

Sur la rive opposée de la Charente se dresse l'**arc de Germanicus★**, à double arcade, érigé en l'an 19. Ce n'était pas un arc de triomphe, mais un arc votif. En arrière se trouve le **musée Archéologique★** qui renferme une intéressante collection lapidaire romaine et les vestiges métalliques d'un **char de parade★** (fin du 1ᵉʳ s.). $\mathscr{C}$ 05 46 74 20 97 - www.ville-saintes.fr - juin-sept. : 10h-18h, dim. 13h30-18h ; oct.-mai. : 10h-17h, dim. 13h30-17h - fermé 1ᵉʳ janv., 1ᵉʳ Mai, 25 déc. - 1,60 € (-18 ans gratuit), gratuit dim. et merc.

À quelques centaines de mètres à l'est se dressent l'importante **abbaye aux Dames**, consacrée en 1047. Confiée à des religieuses bénédictines, elle avait la charge d'éduquer les jeunes filles nobles. L'**église abbatiale★** autour de laquelle s'ordonnent les bâtiments conventuels est de style roman saintongeais. Le **portail** central est richement orné de sculptures. Remarquez les chapiteaux historiés (chevaliers, petits monstres). À l'intérieur, treize tapisseries illustrent la Genèse. $\mathscr{C}$ 05 46 97 48 48 - possibilité de visite guidée (1h30) de fin juin au 3ᵉ vend. de sept. - avr.-sept. : 10h-12h30, 14h-19h ; oct.-mars : 14h-18h - fermé 25 déc.-1ᵉʳ janv. - 2 € (-16 ans gratuit).

Quittez Saintes au sud-est par la D 128. On part de Saintes en longeant les quais de la rive gauche de la Charente où s'alignent de riches demeures de négociants, puis l'agglomération cède peu à peu son espace aux pâturages avant de rejoindre le vignoble aux environs de **Courcoury** où de hautes maisons encadrées de chais témoignent de l'activité viticole. D'avril à fin octobre, vous pouvez prendre le bac pour rejoindre **Chaniers** et sa jolie l'église romane.

Sinon, continuez sur la D 128, puis tournez à gauche vers Beillan, et, une fois passée la Charente, suivez à droite la D 24 en direction de Cognac.

Dompierre-sur-Charente

Les chais en bordure de la Charente témoignent d'une activité viticole ancienne. Le bac à chaîne qui rejoint l'autre rive est le dernier de ce type en France. 🍷 Le **domaine de Flaville**, que l'on rejoint par une petite route, propose un excellent choix de pineau, cognac et vins de pays dont un intéressant chardonnay moelleux. *GAEC Bureau - 302 rte du Pineau - 17610 Dompierre-sur-Charente -* $\mathscr{C}$ 05 46 91 00 45 - de mi-juin à mi-sept. : 8h30-19h30 ; de mi-sept. à mi-juin : lun.-sam. 8h30-19h, dim. 8h30-12h30.

De Dompierre à Cognac, la jolie route longe la Charente et ses rives ombragées.

Cognac★

À Cognac, sans doute la ville française la plus connue dans le monde, la noirceur est de rigueur. Noirceur des bâtiments envahis par *Torula compniacensis*, une moisissure qui se développe dans les vapeurs libérées par la « part des anges » ; noirceur toute poétique du Festival international du film policier qui se tient chaque printemps dans la ville ; noirceur des chais, enfin, où à l'abri de la lumière mûrissent les précieux nectars.

Vignoble et village de Bourg-Charente.

Entre les quais et l'église St-Léger s'élèvent les rues en pente du vieux Cognac auquel on accédait par la **porte St-Jacques** (15e s.). Elle donne accès à la **rue Grande** et au quartier ancien. La rue Grande est la voie principale du Cognac d'autrefois. Il y subsiste quelques maisons du 15e s. à pans de bois. Dans la rue Saulnier, c'est le style Renaissance qui prédomine. Son nom rappelle une des activités traditionnelles de Cognac, le commerce du sel. Elle a gardé ses vieux pavés disjoints et ses hôtels des 16e et 17e s. La **rue du Palais**, la **rue Henri-Germain**, la **rue Magdeleine** et sa maison de la Salamandre sont également à parcourir.

L'**Espace découverte en pays du Cognac**, aménagé dans les locaux d'une ancienne maison de négoce, est le prélude indispensable à la découverte des richesses de Cognac et de sa région. Vous vous familiariserez avec les paysages du Cognaçais grâce à une maquette, des bornes interactives et un excellent audiovisuel. *Pl. de la Salle-Verte -* 📞 *05 45 36 03 65 - www.espace-decouverte.fr - juil.-août : 10h-18h30 ; juin et sept. : tlj sf lun. 10h-18h30 ; avr.-mai et oct. : tlj sf lun. 10h30-18h ; mars et nov. : tlj sf lun. 14h-18h - gratuit.*

Le **musée des Arts du Cognac**★★, unique en France, installé près des quais de la Charente, est entièrement dédié au cognac et à son histoire. Il fait prendre conscience de son importance économique grâce à l'évocation très complète des différents métiers et techniques qui lui sont liés : viticulture, distillation, verrerie, tonnellerie, bouchons, étiquettage, etc. Une salle projette un choix d'extraits de films célèbres dans lesquels le cognac est évoqué. *Pl. de la Salle-Verte -* 📞 *05 45 32 07 25 - www. ville-cognac.fr - juil.-août : 10h-18h ; avr.-juin et sept.-oct. : tlj sf lun. 11h-18h ; nov.-mars. : tlj sf lun. 14h-17h30 - fermé 1er janv., 1er nov., 25 déc. - 4,50 €.*

Les **Maisons de cognac**★ ouvrent leurs chais à la visite. Elle sont réparties sur les quais, près du port et dans les faubourgs.

🍷 **Camus** – 📞 *05 45 32 28 28 - www.camus.fr - visite guidée (45mn) juin-sept. : tlj sf dim. 10h-17h ; oct.-avr. : sur RV tlj sf w.-end - fermé j. fériés - 5 € (enf. gratuit).* La maison, fondée en 1863, permet de se familiariser avec l'histoire du cognac, sa distillation, son vieillissement et son assemblage. On entre ensuite dans la tonnellerie et dans les chais avant d'assister à l'embouteillage.

🍷 **Otard** – *Dans l'ancien château -* 📞 *05 45 36 88 86 - www.otard.com - visite guidée (1h, dernier dép. 1h av. fermeture) - avr.-oct : 11h-12h, 14h-18h ; nov.-déc. : tlj sf w.-end et j. fériés 11h-12h, 14h-17h - fermé 1er Mai - 6,50 € (12-18 ans 3,50 €).* L'ancien château des 15e et 16e s. évoque le souvenir des Valois et de François Ier qui y naquit. Il fut mis sous séquestre à la Révolution avant d'être racheté en 1795 par le baron Otard, charentais d'origine norvégienne et écossaise. La visite comprend les anciennes salles du château. Dans la salle au Casque, Richard Cœur de Lion maria son fils Philippe avec Amélie de Cognac. Elle conserve une magnifique cheminée. De grandes pièces voûtées d'ogives, dont la salle des Gardes, sont également visibles. Le parcours se termine par les chais et une dégustation.

🍷 **Hennessy** – 📞 *05 45 35 72 68 - www.hennessy-cognac.com -* ♿ *- visite guidée (1h15) juin-sept. : 10h-18h (dernier dép.) ; mars-mai et oct.-déc. : 10h-17h - fermé 1er Mai, 25 déc. - 6 € (-16 ans gratuit).* Ancien capitaine de la brigade irlandaise de Louis XV, Richard Hennessy s'installe à Cognac en 1760. En 1765, il fonde une société de négoce qui connaîtra une grande prospérité. Les chais de cette maison s'étendent de part et d'autre de la Charente que l'on traverse en bateau. Le bâtiment reprend les trois symboles du cognac : le cuivre (alambic), le chêne (tonnellerie), le verre (bouteille). Appuyés par des scénographies (sons, odeurs), les chais dévoilent les étapes de l'élaboration du cognac. La visite de l'exposition précède la dégustation.

🍷 **Martell** – 📞 *05 45 36 33 33 - www. visitez-martell.com -* ♿ *- visite guidée (1h, réservation conseillée) avr.-oct. : 10h-17h, w.-end et j. fériés 12h-17h - 5,50 € (12-18 ans 3 €).* Jean Martell, natif de l'île de Jersey,

L'alambic des chais Hennessy.

s'installa dans le pays en 1715. On visite la chaîne d'embouteillage, presque entièrement automatisée, puis des chais de stockage et de vieillissement. Dans le chai d'assemblage, on réalise les coupes, mariages de cognacs de différentes origines. Certaines coupes, tel le Cordon bleu, ont une immense renommée. La maison du fondateur restitue l'atmosphère de vie et de travail d'un entrepreneur du début du 18e s.

🍷 **Rémy Martin** – *4 km au S-O par la D 732. Prenez la direction de Pons, puis tournez à gauche dans la D 47 vers Merpins.* 𝄐 *05 45 35 76 66 - www.remy.com - visite guidée 1h30 - mai-sept. - sur réservation.* Cette entreprise fondée en 1724 élabore exclusivement ses cognacs à partir des deux premiers crus de la région : la Grande et la Petite Champagne. La visite s'effectue à bord d'un train. On traverse la tonnellerie, puis une parcelle de vigne et des chais de vieillissement.

De Cognac à Angoulême (2e étape)

▶ 48 km. Angoulême se trouve à 105 km à l'O de Limoges par la N 141. Carte Michelin Local 324, G-H-I 5, J-K 6.

Rejoignez Jarnac à l'est par St-Brice (D 157).

La petite route épouse la forme sinueuse de la Charente. Près du magnifique **logis de Garde-Épée** (16e s.), on aperçoit un dolmen. Non loin de là se dresse en plein champ la belle **église de Châtre**★. C'était l'abbatiale d'un couvent dévasté lors des guerres de Religion. Admirez la découpe des festons du portail central et la finesse des motifs sculptés.

Bourg-Charente

Sur la rive gauche de la Charente, Bourg-Charente regarde la rivière qui se divise en plusieurs bras, enserrant des îles basses, tapissées de prairies.

De style roman saintongeais, la façade à trois étages de l'**église** est surmontée d'un fronton triangulaire. Remarquez son plan en forme de croix latine et l'alignement des trois coupoles sur pendentifs. Sur le mur de gauche de la nef, une fresque du 13e s. représente l'Adoration des Mages.

Élevé sur une butte, de l'autre côté de la Charente, le **château** date d'Henri IV. Son pavillon, imposante bâtisse à baies surmontées de frontons et de hauts toits à la française, est caractéristique de l'époque.

🍷 Vous pourrez visiter le très accueillant **domaine de la Grange du Bois**, qui produit notamment un très bon pineau charentais vieilli dix ans en fût. *SCEA Cartais-Lamaure - 16200 Bourg-Charente -* 𝄐 *05 45 81 10 17 - 10h-19h - sur RV.*

Jarnac

La ville natale de François Mitterrand, dont la famille exploitait une vinaigrerie, pourrait servir de décor à un film des années 1930 tant rien ne semble y avoir bougé depuis des lustres. Une **promenade commentée** à bord du *Chabot*, de Jarnac à Bourg-Charente, permet de découvrir l'histoire de la route du sel et du cognac. *Départ sous le pont de Jarnac.* 𝄐 *05 45 82 09 35 - juil.-août : dép. à 11h, 14h30, 16h ; mai et juin : 15h30 - réservation conseillée.*

On pourra aussi découvrir l'origine de la tonnellerie charentaise en suivant le **circuit du chêne** (2h30) : c'est une façon originale de découvrir l'élaboration du pineau et du cognac dans les traditions ancestrales, et de mieux comprendre la curieuse alchimie entre l'alcool et le bois, dont dépend largement la qualité finale du cognac. Vous rendrez d'abord visite à un fendeur de merrain ; chez le tonnelier, vous assisterez ensuite au cerclage des douelles ; et vous finirez votre circuit par la distillerie avant de conclure par une traditionnelle dégustation. *Renseignements auprès de l'office de tourisme qui vous indiquera aussi les différentes visites de distilleries et de chais possibles dans la région de Jarnac, et vous fournira sur demande la liste des producteurs de cognac et de pineau des Charentes effectuant la vente directe de leurs produits.*

L'ancienne **église abbatiale** du 11ᵉ s., présente un clocher carré. La crypte du 13ᵉ s. renferme des vestiges de peintures murales. Le sobre **temple protestant** de 1820 est ouvert à la visite en été.

Le **musée François-Mitterrand** est installée au bord de la Charente dans un chai de cognac réhabilité en espace culturel dit de l'Orangerie. L'exposition rassemble une partie des œuvres provenant du monde entier, offertes au président pendant ses quatorze années de mandat. 🕿 05 45 81 38 88 - juil.-août : 10h-12h, 14h30-18h ; sept.-oct. et janv.-juin : tlj sf lun. et mar. 14h-18h - fermé 1ᵉʳ Mai - 5 € (enf. 3 €).

En sortant, ne manquez pas la lecture du livre d'or, ni la maison natale du président non loin de là. La tombe de l'ancien président est visible au cimetière des Grands-Maison, à l'ouest de Jarnac.

🍷 La **Maison Courvoisier** est installée dans un ancien entrepôt agréablement modernisé. Son musée propose un parcours intéressant : l'atelier d'assemblage ressemble à celui d'un parfumeur, alambics et des barriques apportent des informations sur l'élaboration du cognac. Un beau chai reconstitué vous imprégnera des senteurs de la « part des anges ». *Pl. du Château.* 🕿 05 45 35 56 16 - www.courvoisier.com - ♿ - visite guidée (1h) mai-sept : 10h-13h, 14h-18h - fermé sam. en mai et sept. - 4 € (-18 ans gratuit).

🍷 En pénétrant dans la **Maison Louis Royer** par une entrée décorée d'une belle marqueterie, le visiteur découvre « l'Espace Voyage », qui présente l'univers du cognac dans le monde entier. Après ce voyage initiatique, on part à la découverte des chais de vieillissement. *Quai de la Charmille.* 🕿 05 45 81 02 72 - www.louis-royer.com - ♿ - juil.-août : merc.-vend. 10h-12h, 14h-17h, sam. 10h-12h, 14h-18h, dim. 14h-18h - gratuit.

Quittez Jarnac à l'est par la D 22 jusqu'à Bassac.

Abbaye de Bassac

🕿 05 45 81 94 22 - www.abbayedebassac.com - ♿ - 15h-19h - fermé du 25 déc. au 2 janv. - 4 € (enf. 2 €).

Désaffectée à la Révolution, l'abbaye fut rendue à la vie religieuse en 1947 par les frères missionnaires de Ste-Thérèse-de-l'Enfant-Jésus. Durant la Révolution, une main patriote grava sur la façade de l'**église**★ de style roman (15ᵉ s.) la parole de Robespierre : « Le peuple français reconnaît l'Être suprême et l'immortalité de l'âme. » À l'intérieur, la nef unique témoigne de l'expansion du style gothique angevin. à droite, la statue de saint Nicolas (probablement du 13ᵉ s.) a les pieds rognés par la caresse de jeunes filles laides désireuses de trouver un mari.

Poursuivez sur la D 22.

Châteauneuf-sur-Charente

L'**église St-Pierre** présente une façade saintongeaise : portail à voussures richement sculptées de feuillages, d'animaux, de personnages, et flanqué de deux arcatures aveugles. Le premier étage, séparé du rez-de-chaussée par une corniche soutenue par des modillons sculptés (amusants personnages) est percé d'une baie encadrée de deux statues d'apôtres. À gauche, statue équestre de l'empereur Constantin (décapité).

Rejoignez Angoulême par la D 699.

Angoulême★★

On parcourt Angoulême à pied pour le plaisir de découvrir un lacis de rues étroites, de beaux édifices anciens, de vastes horizons du haut de ses remparts dans la **ville haute**★★, ou encore pour se plonger dans l'atmosphère fébrile du Festival de la bande dessinée, fin janvier. La ville porte d'ailleurs l'empreinte de ce festival, depuis les peintures reproduites sur ses **murs peints**, jusqu'aux plaques de ses rues en forme de bulles de BD.

👥 Au **Centre national de la bande dessinée et de l'image (CNBDI)**★, un hommage y est rendu aux grands auteurs de la BD : Töpffer, Christophe (*La Famille Fenouillard*), Pinchon (*Bécassine*), Forton (*Les Pieds Nickelés*), Alain St-Ogan (*Zig et*

Puce), les Belges Hergé (*Tintin*) et Franquin (*Gaston Lagaffe*), Raymond (*Flash Gordon*), Schulz (*Peanuts*), Goscinny et Uderzo (*Astérix*), Gotlib, Bretécher, Reiser, Bourgeon, Wolinski, Loustal, Bilal, Baudoin, Tardi… *Entrée : 121 r. de Bordeaux -* ℘ *05 45 38 65 65 - www.cnbdi. fr -* ᵫ *- juil.-août : tlj 10h-19h, w.-end 14h-19h ; sep.-juin : tlj sf lun. 10h-18h, w.-end 14h-18h - fermé 1er janv., 1er Mai, 25 déc. - 5 € (7-18 ans 2,50 €).*

La **cathédrale St-Pierre★** date du 12e s. En partie détruite en 1562 par les calvinistes, elle a été restaurée en 1634 et, surtout, à partir de 1866, par Abadie. Les sculptures de la **façade★★** apparaissent comme un lointain ancêtre de la BD… Admirez la vie de ce grand tableau sculpté de style poitevin, où plus de 70 personnages, statues et bas-reliefs, illustrent le thème du Jugement dernier. Un Christ en majesté, entouré des symboles des évangélistes, d'anges et de saints dans des médaillons, préside

Amateurs de BD, entrez au CNBDI, à Angoulême.

l'ensemble. Remarquez aussi les archivoltes et les frises des portails latéraux sculptés de feuillages, d'animaux et de figures d'une grande finesse. Au linteau du premier portail latéral aveugle, à droite, observez les curieuses scènes de combat, tirées d'épisodes de la *Chanson de Roland.*

Le **musée du Papier « Le Nil »** est aménagé dans une ancienne papeterie qui était spécialisée dans la fabrication de papier à cigaretttes. Vous découvrirez ici l'activité traditionnelle d'Angoulême, l'industrie papetière. Au 17e s., imaginez que près de 100 moulins de la ville fournissaient du papier filigrané à la Hollande. Les différentes phases de la fabrication industrielle du papier et du carton, jusqu'à l'invention de la machine à papier qui produit une feuille en ruban continu, vous découvrirez tous les traitements et secrets de fabrication en matière de papeterie. ℘ *05 45 92 73 43 - www.alienor.org -* ᵫ *- juil.-sept. : mar.-sam. 12h-18h30 ; oct.-juin : tlj sf lun. 14h-18h - gratuit.*

Le vignoble de Cognac pratique

NOS BONNES TABLES

🍽 **L'Amaryllis de Courcoury** – *pl. de l'Église - 17100 Courcoury -* ℘ *05 46 74 09 91 - amaryllisdecourcoury@wanadoo.fr - 13/23 €.* Maison de pays veillée par l'église romane d'un village proche de la Charente. Le décor de la salle panache style rustique et touches méridionales. Carte traditionnelle.

🍽 **Taverne du Coq d'Or** – *Pl. François-Ier - 16100 Cognac -* ℘ *05 45 82 02 56 - formule déj. 8 € - 13,80/41,90 €.* Le coq en mosaïque de l'enseigne (fondée en 1908) est toujours aussi fier d'accueillir les clients venus ici pour la tête de veau sauce gribiche ou la fameuse côte de veau aux cèpes, déglacée au pineau. Ingrédients frais et viande exclusivement limousine assurent le succès de la table. Cadre Art déco rénové.

🍽🍽 **Les Pigeons Blancs** – *110 r. J.-Brisson - 16100 Cognac -* ℘ *05 45 82 16 36 - pigeonsblancs@wanadoo.fr - fermé*

1er-15 janv., dim. soir et lun. midi - 22/35 €. Ce relais de poste bénéficie du calme d'un quartier résidentiel. Plaisante salle à manger bourgeoise, terrasse-pergola face au jardin et chambres personnalisées.

🍽🍽 **Le Bistrot Galant** – *28 r. St-Michel - 17100 Saintes -* ℘ *05 46 93 08 51 - bistrot. galant@club-internet.fr - fermé dim. sf le midi les j. fériés et lun. - 16/32 €.* Le chef Patrick Aumon élabore en fonction du marché une cuisine pleine d'inventivité et de saveurs que vous savourerez dans l'une des lumineuses salles à manger de la maison. À vous le croustillant de grenadier aux artichauts et jus à la barigoule ou la salade de cailles confites et légumes au vinaigre balsamique !

🍽🍽 **Le Saintonge** – *Rte de Royan, au Complexe Stes-Végas - 17100 Saintes -* ℘ *05 46 97 00 00 - le-saintonge@yahoo.fr - fermé dim. soir. soir - 23/43 €.* Décor très marqué « seventies » et mise en place soignée : c'est le cadre choisi par Guy Gireau pour ses préparations classiques.

Vous y dégusterez donc : tempura de langoustines, pièce de boucher à la plancha, blanquette de saumon et de moules, caille désossée au jus de truffes et autres gourmandises. Bon appétit !

⊖⊜⊜ **Château** – *15 pl. du Château - 16200 Jarnac - ℘ 05 45 81 07 17 - fermé 17-31 janv., 9-31 août, dim. soir, mar. soir, merc. soir et lun. - 26/60 €.* Cette maison de ville joliment tapissée de vigne vierge se trouve sur la place du château disparu. Elle abrite une salle à manger fraîche et coquette, où l'on sert une cuisine traditionnelle personnalisée, à l'accent charentais : chaudrée de poissons rochelaise, côtelettes de cerf aux airelles sauce poivrade, etc.

NOS HÔTELS ET CHAMBRES D'HÔTE

⊖ **Chambre d'hôte Anne et Dominique Trouvé** – *5 r. de l'Église - 17810 St-Georges-des Coteaux - 9 km au NO de Saintes dir. Rochefort par N 137 puis D 127 - ℘ 05 46 92 96 66 - adtrouve@yahoo.fr - fermé 15 nov.-28 mars - ⌿ - 4 ch. 49 € ⌷.* Une halte s'impose dans cette ferme charentaise du 18e s. entourée d'un grand jardin. L'étable et la grange à foin sont devenues une vaste pièce multi-usages (salon, bibliothèque, billard). Quant aux chambres garnies de meubles régionaux, elles ont chacune été baptisées du nom d'un auteur célèbre.

⊖⊜ **Valois** – *35 r. du 14-Juillet - 16100 Cognac - ℘ 05 45 36 83 00 - hotel.le-valois@wanadoo.fr - fermé 24 déc.-2 janv. - ℗ - 45 ch. 71 € - ⌷ 7,80 €.* Cette construction récente idéalement située à deux pas des chais, en plein centre-ville, propose de spacieuses chambres au mobilier fonctionnel. Un salon-bar plaisamment redécoré est aménagé dans le hall et des équipements de loisirs (sauna, salle de gym) sont à la disposition de la clientèle.

⊖⊜ **Hôtel Résidence** – *25 av. Victor-Hugo - 16100 Cognac - ℘ 05 45 36 62 40 - www.hotellaresidence-cognac.com - fermé 20 déc.-3 janv. - 18 ch. 48 € - ⌷ 6,50 €.* La façade sobre aux pierres apparentes contraste avec les couleurs qui habillent l'intérieur de cet hôtel. Salon à dominantes verte et rouge grenat, salle des petits-déjeuners moderne aux tons rose et fuschia et chambres fonctionnelles aux tissus très colorés. Accueil chaleureux.

⊖⊜ **Messageries** – *R. des Messageries - 17100 Saintes - ℘ 05 46 93 64 99 - www.hotel-des-messageries.com - fermé 19 déc.-7 janv. - 33 ch. 50/60 € - ⌷ 7 €.* Cet ancien relais de diligences datant de 1792 s'agence autour d'une cour intérieure idéalement située en plein cœur de la vieille ville. Le calme règne sur la demeure, d'autant plus qu'elle donne sur une ruelle paisible. Chambres au cadre rustique. Garage très pratique.

⊖⊜ **Hôtel Avenue** – *114 av. Gambetta - 17100 Saintes - ℘ 05 46 74 05 91 - www.hoteldelavenue.com - fermé 24 déc.-3 janv. - ℗ - 15 ch. 51/54 € - ⌷ 7 €.* Dans cet hôtel des années 1970 construit dans le quartier de l'abbaye aux Dames, vous serez relativement au calme car les chambres sont toutes tournées vers l'arrière ; une rénovation progressive leur confère chaleur et personnalisation. Belle salle des petits-déjeuners.

⊖⊜⊜ **Logis de l'Astrée** – *17770 St-Bris-des-Bois - ℘ 05 46 93 44 07 - www.logisdelastree.com - ⌿ - 4 ch. 82/92 € - ⌷ 7 €.* Cette belle demeure nichée dans un jardin clos, respire l'élégance et le bon goût. Ses chambres, spacieuses, s'agrémentent d'un beau mobilier ancien. Le petit-déjeuner est servi face aux vignes.

NOS BONNES CAVES

⌖ Les grandes maisons de cognac sont décrites dans le texte, à **Cognac** et à **Jarnac**.

LA CORSE

L'île de Beauté est une montagne dans la Méditerranée où la vigne fait partie du décor depuis l'époque phénicienne. Toutefois, le vignoble corse ne s'est vraiment développé qu'à une époque récente grâce à la mécanisation qui a permis de travailler des pentes caillouteuses, des ravines inondées de soleil, des terres âpres où la vigne souffre pour donner le meilleur d'elle-même. Celle-ci est présente sur tout le pourtour de l'île, si bien que faire le tour du vignoble, c'est faire le tour de Corse. D'un bout à l'autre de l'île, on découvrira des vignerons passionnés, fiers de produire des vins de qualité qui sont l'une des facettes des mille et un éclats dont resplendit ce joyau posé sur la grande bleue.

LE TERROIR

Superficie : environ 6 800 ha répartis sur tout le pourtour de l'île.

Production : environ 385 000 hl, dont 45 % de rosés, 40 % de rouges, 10 % de blancs et 5 % de muscat-du-cap-corse. Le climat méditerranéen a des étés chauds et secs, des demi-saisons tempérées et des hivers froids en altitude. L'ensoleillement est tempéré par l'altitude et l'influence maritime. Les sols sont à dominante de schistes au nord, granitiques au sud et à l'ouest, calcaires dans le secteur de Patrimonio et argilo-sablonneux sur la côte orientale.

LES VINS

Les vins corses sont des vins de soleil, généralement marqués par un degré assez élevé. Ils sont issus de cépages traditionnels : vermentino pour les blancs, nielluccio et sciaccarello pour les rouges et rosés. Des cépages continentaux sont utilisés dans les vins de pays de l'Île-de-Beauté : chardonnay, pinot noir, cinsault, grenache.

Le beau millésime 2006 a bénéficié de bonnes conditions climatiques.

AOC – corse, corse-coteaux-du-cap-corse, muscat-du-cap-corse, corse-calvi, corse-sartène, corse-figari, corse-porto-vecchio, ajaccio, patrimonio.

Vins de pays – vins de pays de l'île-de-beauté produits dans toute l'île.

BON À SAVOIR

C'est durant les mois de mai et juin, ou de septembre et octobre, lorsque les hordes touristiques sont absentes, que les vignerons corses vous réserveront le meilleur accueil et que le climat sera le plus propice à la dégustation.

👁 **Comité intersyndical des vins de Corse** – ✆ 04 95 32 91 32 - www. vinsdecorse.com

Le vignoble du cap Corse

CARTE MICHELIN LOCAL 345 – HAUTE-CORSE (2B)

L'extrémité nord du cap Corse possède l'un des vignobles les plus anciens de l'île, réputé pour ses vins doux naturels de muscat. On y produit aussi des vins traditonnels sous l'appellation corse-coteaux-du-cap-corse. C'est une région magnifique, souvent venteuse, offrant certains des plus beaux paysages de Corse.

1 De Luri à Macinaggio

⏺ 53 km. Luri se trouve à 30 km au N de Bastia par la D 80. Carte Michelin Local 345, F2. Voir le circuit 1 sur le plan p. 241.

Luri

Cette commune s'éparpille en plusieurs hameaux dans une vallée verdoyante abritée des vents. 🍷 Le **domaine Pieretti** poduit un bon muscat *(voir nos bonnes caves)*.

Prenez la D 180 à l'ouest en direction de Pino. Dans un **site★** sauvage, sur un pic du Monte Rottu (alt.564 m), se dresse une tour de guet à demi ruinée, datant du Moyen Âge, connue sous le nom de **tour de Sénèque**.

	Caractéristiques	Garde	Prix
Vins rouges	Vins assez forts en degré, bien charpentés et puissants. Leur couleur est grenat foncé à violet sombre. Ils se caractérisent par des arômes de fruits cuits, de pruneau, qui évoluent vers des notes chocolatées, épicées et giboyeuses.	Grands vins rouges : 10 ans et plus. Les autres : au moins 5 ans.	**Vin-de-corse :** de 5 à 10 €. **Patrimonio :** de 8 à 20 €. **Ajaccio :** de 8 à 15 €.
Vins rosés	Couleur assez soutenue avec parfois des reflets orangés. Ils expriment des notes de fruits rouges, d'agrumes et d'épices.	À boire jeunes.	De 5 à 15 €.
Vins blancs	Généralement lumineux, bien structurés, avec des arômes d'agrumes, de fruits blancs et de miel.	Blancs de bonne facture : dans les 5 ans. Les autres dans les 2 ans.	**Vin-de-corse :** de 5 à 10 €. **Patrimonio :** de 10 à 20 €. **Ajaccio :** de 8 à 20 €.
Muscat-du-cap-corse	Vins généreux, suaves, avec de beaux arômes de cédrat confit, de miel et d'épices.		Entre 10 et 20 €.

Au col de Ste-Lucie, prenez la route qui s'amorce près de la chapelle, route qui s'achève sur un vaste parking ; y laisser la voiture. 🚶 *1h15 à pied AR par un sentier raide à l'extrémité sud-ouest du terre-plein.* La **vue★** par temps clair s'étend jusqu'aux îles d'Elbe et de Capraia et à la côte italienne.

Pino★

Les maisons de ce charmant village, les tours génoises, l'église et les nombreuses chapelles funéraires s'étagent à flanc de montagne au milieu d'une riche végétation.

Poursuivez au nord par la D 80. **Morsiglia** s'étage jusqu'à la mer. Son hameau principal, ceint de hautes falaises, est gardé par de grosses tours carrées. La route devient plus étroite et domine de façon spectaculaire les indentations de la côte. Les pentes forment un moutonnement vert où dominent houx et cistes blancs.

Centuri★★

C'est l'un des plus charmants villages du cap Corse, avec en contrebas par la D 35, sa **marine★★** qui constitue un agréable lieu de séjour.

Sur la gauche, après Centuri, une petite route conduit au très beau village de **Cannelle★**, avec ses venelles fleuries à l'écart de la circulation motorisée.

Une occasion de balade s'offre, un peu plus loin, au **belvédère du moulin Mattei.** 🚶 *30mn à pied AR. Du col (parking),* suivre le chemin sur la droite qui monte au vieux moulin émergeant du maquis à 404 m d'altitude. Restauré par Mattei, fabriquant du fameux apéritif Cap Corse Mattei, cet ancien moulin à vent devint un symbole de l'enseigne publicitaire moderne. Il offre un **panorama★★** très étendu se développant de l'île de la Giraglia au nord à l'anse de Centuri et à la côte rocheuse de l'ouest.

Rogliano★

La commune de Rogliano, habitée dès l'époque romaine, est formée de sept hameaux disséminés sur plusieurs éperons. Rogliano étage ses tours, les façades de ses églises et ses hautes demeures anciennes dans une conque verdoyante à l'abri du Monte Poggio. 🍷 Le **Clos Nicrosi** produit du muscat et des coteaux-du-cap-corse *(voir nos bonnes caves).*

Quittez la D 80 avant Macinaggio et prenez à gauche la D 353.

Tomino

Du parvis de l'église, la **vue★★** plonge sur la baie et le port de Macinaggio et s'étend au loin sur les îles Finocchiarola et Capraia. Les habitants de Tomino partagent avec leurs voisins de Rogliano l'exploitation du vignoble.

Macinaggio

Cette station balnéaire peut abriter 600 bateaux dans son port moderne. Un splendide **sentier des douaniers★** jalonné de tours génoises part de la plage et épouse le littoral protégé. 🚶 *3h à pied environ de Macinaggio à Barcaggio – 45mn jusqu'à la chapelle Santa Maria. Randonnée sans difficulté particulière. L'itinéraire est praticable toute l'année, mais plus agréable au printemps et à l'automne. S'informer au préalable des conditions météo -* 📞 *08 36 68 02 20. Être bien chaussé et emporter de l'eau.*

Les adresses du cap Corse

NOS BONNES TABLES

La Table du Marché St Jean – Pl. du Marché - 20200 Bastia - ℘ 04 95 31 64 25 - fermé dim. - 25/35 €. Ce sympathique restaurant présente un cadre « cosy » et une cuisine irréprochable ; on n'y travaille que des produits frais. Poissons à l'aïoli, charcuterie corse de village ou tripette à la bastiaise composent ainsi autant de petits plats soignés et savoureux à déguster, aux beaux jours, sur la jolie terrasse.

Le Guaïtella – 10 hameau de Guaïtella - 20200 Ville-di-Pietrabugno - ℘ 04 95 34 20 51 - www.leguaitella.com - fermé le midi - 🖼 - 24 €. Juché sur les hauteurs de Bastia, le Gaïtella offre une vue spectaculaire sur la ville et le port. Dans l'assiette, les plats simples et bien maîtrisés - filet de bœuf avec tranche de foie gras à la châtaigne, pavé d'espadon aux câpres, etc. - sont composés de produits bien choisis. Ambiance jeune et conviviale.

La Corniche – Castagneto - 20200 San-Martino-di-Lota - ℘ 04 95 31 40 98 - www.hotel-lacorniche.com - fermé 1er janv.- 15 fév., mar. midi et lun. - 26/46 €. Comme les Bastiais, n'hésitez pas à « grimper » jusqu'à cet établissement pour prendre place sous les vieux platanes de sa terrasse. Vous vous régalerez de savoureux petits plats traditionnels devant un panorama inoubliable : celui du pittoresque village de San Martino et des reliefs environnants qui plongent dans la mer.

NOS HÔTELS ET CHAMBRES D'HÔTE

Hôtel Les Voyageurs – 9 av. du Mar.-Sébastiani - 20200 Bastia - ℘ 04 95 34 90 80 - www.hotel-lesvoyageurs.com - fermé 20 déc.-10 janv. - 🅿 - 24 ch. 70/90 € - 🍽 8 €. Une bonne adresse de Bastia. Sur une des grandes avenues de la ville, cet hôtel moderne accueille ses hôtes dans d'agréables chambres au goût du jour, décorées de jaune et de bleu.

Chambre d'hôte Château Cagninacci – 20200 San-Martino-di-Lota - 8 km au NO de Bastia par D 80 (vers cap Corse) puis D 131 à Pietranera - ℘ 06 78 29 03 94 - www.chateaucagninacci.com - fermé oct.-14 mai - 🖼 - 4 ch. 85/110 € 🍽. Agrippé à flanc de montagne, divin couvent de capucins du 17e s. remanié au 19e s. dans l'esprit des demeures toscanes. Rénové avec goût, il offre des chambres spacieuses meublées à l'ancienne et des salles de bains modernes impeccablement tenues. Le calme y est absolu et le panorama superbe.

NOS BONNES CAVES

Domaine Pieretti – Santa-Severa - croisement de la D 80 et de la D 180 - 20228 Luri - ℘ 04 95 35 01 03 - juin-sept. : 10h-13h, 16h30-20h30 ; hors sais. : sur demande préalable. La cinquième génération de Pieretti entretient aujourd'hui les 9 ha de vignes (nielluccio, vermentino) du domaine familial, situé au bord de la mer. Vous y dégusterez de délicieux crus comme les fameux muscats ou ceux de l'appellation corse-coteaux du Cap Corse. 🍷 coteaux-du-cap-corse.

Clos Nicrosi – 20247 Rogliano - ℘ 04 95 35 41 17 - clos.nicrosi@worldonlinc.fr. En 1959, le vignoble du Clos Nicrosi a été entièrement recréé au pied du village de Rogliano par Toussaint et Paul Luigi. Il est aujourd'hui dirigé par son fils, Jean-Noël. Le domaine est encépagé de vermentino, de muscat à petits grains, mais aussi de sciaccarello, de nielluccio et de grenache. Jean-Noël pratique le passerillage. Les raisins sont laissés au soleil dans des cagettes, afin d'augmenter la concentration des sucres naturels et des arômes. 🍷 coteaux-du-cap-corse, muscat-du-cap-corse.

Le vignoble de Patrimonio

CARTE MICHELIN LOCAL 345 – HAUTE-CORSE (2B)

Entourant le golfe de St-Florent, le vignoble de l'AOC patrimonio doit sa réputation à ses vins rouges qui naissent sur une enclave de sols calcaires dont la surface totale dépasse à peine 400 ha. Son succès tient également au talent de vignerons qui ont su les premiers jouer la carte de la qualité. Une balade dans ce secteur permet non seulement de découvrir de bons vins mais aussi de très beaux paysages et des villages perchés qui semblent braver le temps.

2 De St-Florent à Patrimonio

▶ 60 km. St-Florent se trouve à 23 km à l'O de Bastia par la D 80. Carte Michelin Local 345, E-F 3-4. Voir le circuit 2 sur le plan p. 241.

Saint-Florent★

Au creux d'un très beau **golfe★**, St-Florent est une station balnéaire et un port de plaisance bordé de maisons colorées, dominé par les remparts de sa citadelle. Le vignoble le plus proche est celui du ♟ **domaine Gentile** au lieu-dit Olzo *(voir nos bonnes caves)*.

La **vieille ville★** se rassemble autour de l'église dont le clocher domine le port abrité par une longue jetée. La **place des Portes**, bordée par les terrasses des cafés, est le véritable centre de la cité. Bâtie par les Génois sur un promontoire, la **citadelle** génoise fondée en 1439 domine la ville et le port.

L'**ancienne cathédrale du Nebbio★★ (église Santa-Maria-Assunta)** est l'un des plus importants témoignages de l'architecture religieuse en Corse. Représentative du roman pisan, elle fut probablement achevée vers 1140. *Accès 1 km par la petite rue face au monument aux morts vers Poggio-d'Oletta. S'adresser au syndicat d'initiative - ☎ 04 95 37 06 04.*

Quittez St-Florent au sud par la D 82.

Pays de vignobles, d'oliveraies, de vergers et de pâturages, quadrillé de murets en pierres sèches, le **Nebbio** mérite son surnom de « conque d'or ». La région compte de nombreux petits villages accueillants, posés en observatoires sur les hauteurs.

Oletta★

Accroché à une colline verdoyante, Oletta étage ses hautes maisons blanches, ocre et roses. Une **vue★** plaisante se déploie sur le golfe de St-Florent et le Nebbio. Les alentours d'Oletta sont réputés pour leur fromage de brebis. Celui-ci s'accorde bien avec les vins puissants que l'on produit au village voisin de **Poggio-d'Oletta** où le ♟ **domaine Leccia** fait partie du « top ten » des producteurs de patrimonio *(voir nos bonnes caves)*.

Revenez sur la D 38 que l'on prend à droite. La route offre sur 9 km des **vues★** étendues. À 536 m d'altitude, le **col de Teghime★★** est souvent balayé avec violence par le *libecciu* soufflant de l'ouest. Le **panorama★★** se développe sur le golfe de St-Florent, le Nebbio, Bastia et la plaine orientale.

Du col, prenez à gauche la D 81 vers Patrimonio.

Patrimonio

Patrimonio dissémine ses maisons et sa grande église sur les versants d'une colline prospère plantée de vergers et de vignes. De longue date, le patrimonio se classe parmi les meilleurs crus de Corse. Les domaines en vue ne manquent pas. ♟ Citons entre autre le domaine **Antoine Arena** *(voir nos bonnes caves)*. La plupart des vignerons du secteur produisent également du muscat-du-cap-corse.

L'**église St-Martin★** (16e et 19e s.) compose une des « images » touristiques les plus connues de la Corse. À côté du monument aux morts, un abri grillagé protège la statue-menhir en calcaire du **Nativu**. Cette statue mesure 2,29 m de hauteur et se caractérise par des épaules et des oreilles proéminentes, un menton accusé et une mystérieuse gravure sur le torse. *Rejoignez St-Florent par la D 81.*

Le vignoble de Patrimonio.

S. Sauvignier / MICHELIN

Les adresses de Patrimonio

NOTRE BONNE TABLE

🍴🍴 **Osteria di San Martinu** – *20253 Patrimonio* - ☎ *04 95 37 11 93* - *fermé oct.-mars, merc. midi en avr., mai et sept.* - *20 €*. Cette petite « osteria » est à fréquenter l'été : tout se passe alors sur la terrasse, dressée sous une pergola et animée par la présence du barbecue. Plats corses et grillades s'arrosent alors avec le patrimonio produit sur le domaine du frère du patron.

NOTRE HÔTEL

🛏️🛏️ **Hôtel Thalassa** – *Rte de Propriano* - *20217 St-Florent* - ☎ *04 95 37 17 17* - **P** - *41 ch. 50/104 €* - ☕ *7 €*. Installez-vous tranquillement au bord de la piscine, bordée des trois bâtiments qui composent l'hôtel, et profitez de son cadre verdoyant et fleuri. Équipements récents, chambres spacieuses et confortables. La plage de sable fin se trouve à deux pas.

NOS BONNES CAVES

Domaine Gentile – *Olzo - 20217 St-Florent* - ☎ *04 95 37 01 54 et 04 95 37 20 20* - *domaine.gentile@wanadoo.fr - lun.-vend. 8h-12h, 14h-18h*. Dominique Gentile a créé ce domaine en 1970 et s'est associé, depuis, à Jean-Paul Gentile, œnologue. Aujourd'hui, le vignoble compte 30 ha plantés sur des coteaux argilo-calcaires. Outre le patrimonio élaboré dans les trois couleurs, les vignes du domaine produisent du muscat et une petite quantité de rappu, vin doux obtenu par assemblage de trois cépages cueillis en surmaturité : muscat à petits grains, nielluccio et malvoisie. 🍷 muscat-du-cap-corse, patrimonio.

Domaine Leccia – *20232 Poggio-d'Oletta* - ☎ *04 95 37 11 35* - *domaine.leccia.y@wanadoo.fr - lun.-sam. 9h-12h, 15h-18h - sur RV*. Le vignoble de 13 ha est encépagé de nielluccio, de vermentino et de muscat à petits grains. Les vignes, plantées sur un sol argilo-calcaire et schisteux, sont palissées et taillées en cordon de Royat. Depuis la restructuration du vignoble et la construction du nouveau chai, le domaine propose la nouvelle cuvée Petra Bianca en rouge. 🍷 muscat-du-cap-corse, patrimonio.

Domaine Arena – *Morta-Majo - à l'entrée sud du village - 20253 Patrimonio* - ☎ *04 95 37 08 27 - sur RV*. Monsieur Arena ne travaille que pour les connaisseurs et les passionnés. Il compose pour eux des vins de très grande qualité et entièrement naturels comme le muscat-du-cap-corse, le patrimonio 100 % vermentino et 100 % nielluccio, ou le « bianco gentile » (cépage local qu'il a fait renaître). 🍷 muscat-du-cap-corse, patrimonio, vin de pays de l'Île de Beauté, vin de pays des Portes de la Méditerranée.

Le vignoble de la Balagne

CARTE MICHELIN LOCAL 345 – HAUTE-CORSE (2B)

Le vignoble de la Balagne est une bonne occasion de découvrir les splendides paysages de montagne, où la vigne grimpe à l'assaut de la caillasse, entre Lumio et Belgodère. On y produit des vins de l'AOC corse-calvi et des vins de pays.

③ De Calvi à Lavatoggio

▶ 63 km. Calvi se trouve à 75 km au N de Porto par la D 81 et la N 197. Carte Michelin Local 345 B-C 4. Voir le circuit ③ sur le plan p. 241.

Calvi★

Fièrement campée sur sa rade lumineuse dans un cadre de montagnes souvent enneigées, Calvi compte parmi les plus beaux sites de Corse. La **citadelle★★** dresse ses murailles ocre au-dessus de la ville basse. Une promenade sur le chemin de ronde réserve de belles **vues★**. Les **fortifications★** ont été élevées par Gênes à la fin du 15ᵉ s. Dominant la place d'Armes, l'**église St-Jean-Baptiste** (13ᵉ s.) fut reconstruite en 1570 après avoir été gravement endommagée par l'explosion d'une poudrière. Avec ses cafés et ses restaurants, sur les quais plantés de palmiers, la **marine★** offre une animation permanente.

Quittez Calvi par la N 197 en direction de L'Île-Rousse.

Lumio★

Groupé en amphithéâtre au-dessus de sa grande église baroque flanquée d'un haut campanile ajouré, ce bourg opulent de Balagne forme un belvédère sur le golfe de

Calvi, au milieu des oliviers et des vergers. On prend plaisir à flâner dans sa longue rue sinueuse. 🍷 Le **Clos Culombu** fait partie des bonnes références en matière de vin *(voir nos bonnes caves)*.

Marine de Sant'Ambroggio

Le port de plaisance de Sant'Ambroggio offre toutes les facilités recherchées par les plaisanciers. Le site a conservé un cadre naturel autour d'une belle plage de sable, au fond de la baie.

Prenez à droite la petite D 313, puis encore à droite la D 151 en direction de Pigna.

Couvent de Corbara

À 2 km prendre la petite route à gauche (statue de saint Dominique). L'entrée du couvent se situe au centre de la façade principale. ☎ 04 95 60 06 73 - visite guidée du cloître et de l'église en juil.-août : 15h, 16h et 17h ; reste de l'année : visite guidée possible à 15h sur demande. L'église seule peut se visiter librement en été.

Ancien orphelinat fondé en 1430 au pied du Monte Sant'Angelo, transformé en couvent en 1456, l'établissement, ruiné sous la Révolution, a été reconstruit et agrandi par les dominicains à partir de 1857. L'**église conventuelle**, construite en 1735, domine le bassin d'Algajola, la basse Balagne et le charmant village de Pigna.

Pigna★

Ses ruelles tortueuses, pavées ou en escalier, bordées de maisons soigneusement rénovées et fleuries, et la place joliment dallée présentent un caractère authentique. Depuis la fin des années 1960, Pigna est devenu un symbole du renouveau des traditions artisanales et musicales. Les activités artisanales corses sont mises en valeur à la **Casa di l'artigiani**. *☎ 04 95 61 75 55 - juil.-août : 10h-13h30, 14h-20h ; avr.-juin et sept.-oct. : tlj sf dim. 10h30-12h30, 14h30-18h30.*

Tournez à gauche dans la route de crête qui sépare les bassins de Regino et d'Algajola et donne accès au village perché de Sant'Antonino.

Sant'Antonino★★

Culminant à 500 m d'altitude sur les dernières pentes de la Balagne, le village en nid d'aigle est un harmonieux dédale de ruelles pavées et de passages voûtés. Sa restauration très réussie en fait un des pôles d'attraction du tourisme et de la renaissance de l'artisanat corse. Contournez le village dans le sens des aiguilles d'une montre pour admirer le remarquable **tour d'horizon★★** sur la vallée du Regino, la Balagne vallonnée de Belgodère à Lumio, les hautes montagnes enneigées, le bassin d'Algajola et la mer.

Revenez à la D 151, puis prenez à gauche la D 71.

Feliceto

Ce village entouré de vergers s'étale au-dessus du bassin du Regino qui produit d'excellents vins comme ceux du 🍷 **Clos Reginu e Prove** *(voir nos bonnes caves)*. En contrebas s'élève son église baroque au clocher étagé et coiffé d'une coupole.

Faites demi-tour et au croisement, continuez sur la D 71 en direction de Lumio.

Cateri

Niché dans les oliviers, Cateri s'étage au-dessus du bassin d'Algajola. Gagnez l'extrémité du village par des ruelles étroites, pavées, reliées par des passages voûtés et bordées de hautes maisons de granite où travaillent plusieurs artisans.

Lavatoggio

De la terrasse de l'église ou de celle du restaurant Le Belvédère *(100 m plus loin)*, la **vue★** s'étend sur la belle plage d'Algajola, la côte et les dernières pentes de la Balagne, à l'ouest de la ligne de crêtes qui les sépare du bassin du Regino. Le village était jadis renommé pour la qualité de ses sources.

Rejoignez Lumio, puis Calvi par la N 197.

Vignoble et vins de Balagne.

Les adresses de la Balagne

NOS BONNES TABLES

⊜⊜ **Aux Bons Amis** – *R. Georges-Clemenceau - 20260 Calvi - ℰ 04 95 65 05 01 - fermé 16 oct.-31 mars, jeu. hors sais. et dim. midi en sais. - 17/26 €.* Ici, on travaille en famille… Le père de la patronne fournit le poisson qui entre dans la composition des bouillabaisses, paellas et autres spécialités de la mer servies dans le sympathique petit restaurant. Le décor, comme il se doit, rend hommage à l'univers de la pêche (filets, ustensiles, bibelots, etc.).

⊜⊜ **Chez Charles** – *20260 Lumio - ℰ 04 95 60 61 71 - www.hotel-chezcharles. com - ouvert mi-mars à mi-nov. - 45/65 €.* Avenante maison située en bord de route. Agréable salle à manger et terrasse panoramique ombragée ; cuisine au goût du jour. Chambres confortables. Belle piscine à débordement.

NOS HÔTELS ET CHAMBRES D'HÔTE

⊜⊜ **Hôtel Mare E Monti** – *20225 Feliceto - ℰ 04 95 63 02 00 - archi. renucci@wanadoo.fr - fermé 16 oct.-mars -* 🅿 *- 16 ch. 58/114 € - ⊐ 7 €.* Cette belle demeure familiale fut construite au 19ᵉ s. par les ancêtres revenus fortunés de Porto-Rico. Demandez au maître des lieux de vous faire visiter la petite chapelle et le salon-musée. Chambres joliment personnalisées (meubles chinés, tableaux).

⊜⊜⊜ **Hôtel Balanea** – *6 r. Georges-Clemenceau - 20260 Calvi - ℰ 04 95 65 94 94 - www.hotel-balnea.com - 38 ch.* *89/299 € - ⊐ 12 €.* Sur le port de plaisance de Calvi, ce petit hôtel à la façade ocre et rose est accessible par une rue piétonne. Ses chambres spacieuses, parfois avec balcon ou même terrasse, ouvrent leurs fenêtres sur les bateaux et la baie. Mention spéciale à leur décoration originale associant couleurs vives et mobilier éclectique.

NOS BONNES CAVES

Clos Culombu – *Chemin San-Petru - 1,5 km de Lumio dir. Calvi, prendre la rte du cimetière à gauche - 20260 Lumio - ℰ 04 95 60 70 68 - www.closculombu.com - tlj sf dim. 9h-12h, 15h-19h.* Cette exploitation de 55 ha s'étend sur les communes de Lumio et Montegrosso. Le succès grandissant de ses deux cuvées, Clos et Domaine (chacune en blanc, rouge et rosé), est un encouragement pour Étienne Suzzoni, qui met un point d'honneur à entretenir ses vignes de la façon la plus raisonnée possible. ♟ corse-calvi.

Clos Reginu e Prove – *Domaine Maestracci - En quittant Feliceto vers Muro prendre la D 215 dir. Santa-Reparata. - 20225 Feliceto - ℰ 04 95 61 72 11 - www. clos-reginu-eprove.com - été : tlj sf dim. 9h-12h, 14h-19h30, hors sais. : merc.-sam. 9h-12h, 14h-17h.* Située sur une ancienne moraine glaciaire, la vigne de ce domaine de la vallée du Reginu produit deux très bonnes cuvées (gardées trois ans en foudre et en barrique). Vous pourrez les déguster sur place, après avoir suivi Michel Raoust dans la visite de ses caves. ♟ corse-calvi.

Les vignobles d'Ajaccio et de Sartène

CARTE MICHELIN LOCAL 345 – CORSE-DU-SUD (2A)

Avec Napoléon, l'autre fierté d'Ajaccio est son petit vignoble, à peine plus de 20 ha d'AOC ajaccio sur les pentes qui dominent les golfes d'Ajaccio et de Sagone. Les vignes palissées donnent des vins expressifs, que ce soient les rouges de bonne garde, les rosés ou les blancs, également aromatiques.

④ De Sagone à Porticcio (1ʳᵉ étape)

▶ 47 km. Sagone se trouve à 36 km au N d'Ajaccio par la D 81. Carte Michelin Local 345, A-B 7-8. Voir l'itinéraire ④ sur le plan p. 241.

Sagone

Sagone offre une vaste plage, un port de plaisance et divers sports nautiques (école de voile, de plongée). La **tour génoise**, à l'ouest de l'agglomération, surveille l'anse de Sagone et le port.

Tiuccia

Cette petite station balnéaire s'allonge au fond du **golfe de la Liscia** ; elle est dominée par les ruines du château de Capraja.

Prenez à gauche la D 601.

Sari-d'Orcino

On y cultive en terrasses les oliviers, les orangers et les citronniers. La vigne est encore bien présente, grâce au travail des vignerons.

Prenez au sud la D 101.

Calcatoggio

Ce gros hameau agrémenté de jardins fruitiers est construit en balcon sur le golfe de Sagone et son arrière-pays. Belle **vue★**.

Tournez à gauche dans la D 81.

Ajaccio★★

Dans la **vieille ville★**, qui correspond à l'ancienne cité génoise, la jetée de la citadelle, longue de 200 m, offre une excellente **vue★** sur le front de mer. C'est dans la **cathédrale** Renaissance qu'en juillet 1771, Napoléon, âgé de 2 ans, reçut le baptême. Par la rue Bonaparte, on rejoint la place du Maréchal-Foch, lieu central de la vie ajaccienne. La statue de **Bonaparte Premier consul** surmonte la fontaine des Quatre-Lions. L'hôtel de ville abrite le **Salon napoléonien★** qui conserve des souvenirs se rapportant à l'Empereur et à sa famille. *℘ 04 95 51 52 62 - ♿ - de mi-juin à mi-sept. : tlj sf w.-end 9h-11h45, 14h-17h45 ; de mi-sept. à mi-juin : tlj sf w.-end 9h-11h45, 14h-16h45 - fermé j. fériés - 2,30 € (-15 ans gratuit).*

La **rue du Cardinal-Fesch (U Borgu)**, longue rue commerçante très animée, traverse l'ancien « Borgo ». Le **musée Fesch★★** abrite la plus importante collection de **peintures italiennes★★★** de France, après celle du Louvre. *℘ 04 95 21 48 17 - www.musee-fesch. com - ♿ - juil.-août : lun. 14h-18h, mar.-jeu. et w.-end 10h30-18h, vend. 14h-21h30 ; avr.-juin et sept. : tlj sf lun. 9h30-12h, 14h-18h ; oct.-mars : tlj sf dim. et lun. 9h30-12h, 14h-17h30 - fermé 1er janv., 18 mars, 1er et 11 Nov., 25 déc. - 5,35 € (-15 ans gratuit).*

Quittez Ajaccio par la N 193 puis suivez la route de Sartène (N 196). Au carrefour de la N 196 et de la D 302, au lieu-dit Pisciatello, se trouve le 🍷 **Clos Capitoro** *(voir nos bonnes caves). Revenez en arrière pour prendre à gauche la D 55 vers Porticcio.*

Les adresses de Sagone à Porticcio

NOS BONNES TABLES

😊🍽 **Le Grand Café Napoléon** – *10 cours Napoléon - 20000 Ajaccio - ℘ 04 95 21 42 54 - cafe.napoleon@wanadoo.fr - fermé 24 déc.-1er janv., sam. soir, dim. et j. fériés - 18 € déj. - 30/45 €.* Une belle terrasse de grand café pour l'apéro, une immense salle de style Second Empire pour déjeuner, dîner ou prendre une collation l'après-midi… Cette prestigieuse maison, l'une des plus anciennes d'Ajaccio, est depuis peu dirigée par un jeune chef prometteur.

😊🍽🛏 **U Licettu** – *Plaine-de-Cuttoli - 20167 Mezzavia - 15 km au NE d'Ajaccio par rte de Bastia, puis rte de Cuttoli (D 1) et rte de Bastelicaccia - ℘ 04 95 25 61 57 - fermé janv., dim. soir et lun. sf juil.-août - réserv. obligatoire - 35 €.* Quel bonheur de trouver cette jolie villa perdue dans le maquis et de s'y attabler autour d'une généreuse cuisine corse ! Terrasse, jardin fleuri et grande cheminée où rôtissent les viandes : rien n'y manque, jusqu'à l'accueil chaleureux garanti. Un seul menu gourmand incluant les boissons.

NOS HÔTELS ET CHAMBRES D'HÔTE

😊🍽 **Hôtel Marengo** – *2 r. Marengo - 20000 Ajaccio - ℘ 04 95 21 43 66 - www. hotel-marengo.com - fermé 6 nov.-24 mars - 17 ch. 61/79 € - ☕ 7 €.* Voilà une petite adresse pas chère, dans un quartier légèrement excentré mais plutôt calme. Ses chambres claires sont simples et bien entretenues. Accueil aimable.

😊🍽🛏 **Kallisté** – *Rte du Vieux-Molini, Agosta-Plage - 20166 Porticcio - ℘ 04 95 25 54 19 - www.hotels-kalliste.com - fermé 12 nov.-14 mars - 🅿 - 9 ch. 92/124 € - ☕ 10 €.* Un joli jardin clos assure la tranquillité de cette villa nichée au cœur d'un quartier résidentiel, dans la très prisée station balnéaire de Porticcio. Chambres sobrement décorées ; expositions (mer ou verdure) et ampleurs diverses.

NOTRE BONNE CAVE

Clos Capitoro – *Rte de Sartène, lieu-dit Pisciatella - carrefour N 196/D 302 - 20166 Porticcio - ℘ 04 95 25 19 61 - www.clos-capitoro.com - tlj sf dim. 9h-12h, 14h-18h - fermé j. fériés.* Dans la famille Bianchetti depuis 1856, le clos Capitoro produit des vins AOC ajaccio et des vins doux naturels d'apéritif (à base de cépage grenache) et de dessert (les malvoisies : vins moelleux pouvant aussi accompagner foie gras et viandes blanches). Visite de la cave, dégustation et vente. 🍷 ajaccio.

4 De Porticcio à Sartène (2ᵉ étape)

▶ 90 km. Porticcio se trouve à 17 km au S-E d'Ajaccio par la N 193, la N 196 et la D 55. Carte Michelin Local 345, B-C 8-10. Voir l'itinéraire 4 sur le plan ci-dessous.

Porticcio

Cette station balnéaire, admirablement située face à Ajaccio, connaît un grand essor touristique. Plages de sable, multiples hôtels et restaurants, institut de thalassothérapie et ensembles résidentiels attirent de nombreux estivants. De l'extrémité de la pointe, la vue s'étend sur la rade d'Ajaccio et les îles Sanguinaires.

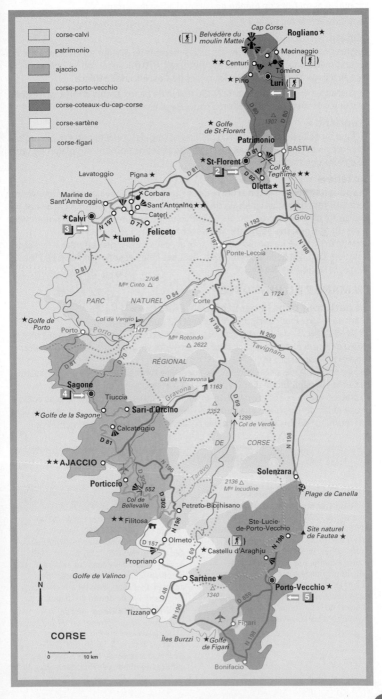

SUR LES CHEMINS DES VIGNES

À la sortie de Porticcio, la route borde la longue **plage d'Agosta**.

Prenez à gauche la D 255^A. Au bout de la route, le **col de Bellevalle** offre une belle vue sur le golfe et la plaine alluviale de la Gravona.

Tournez à droite dans la D 302. En chemin, arrêtez-vous à **Pila-Canale** au ☙ **domaine Alain Courrèges** *(voir nos bonnes caves).*

7 km plus loin, tournez à gauche dans la D 757.

Petreto-Bicchisano

Situé à un important carrefour, ce bourg se compose de deux villages : Bicchisano, celui d'en bas, sur la N 196, et Petreto, celui d'en haut, sur la D 420. Bicchisano dissémine ses massives maisons de granite de part et d'autre de la route.

Continuez vers le sud sur la N 196.

Olmeto

Ce gros bourg groupe en étages ses belles maisons de granite sur la forte pente du versant méridional de la Punta di Buturettu (alt. 870 m). Sur la colline isolée qui fait face au village à l'est se dressent les ruines du **Castello della Rocca**.

La descente vers Propriano par la N 196 révèle de beaux **coups d'œil**★ sur le golfe de Valinco et sur la plaine de Baracci couverte d'oliviers.

Propriano★

Au fond du golfe de Valinco aux eaux calmes et limpides, ce petit port est aujourd'hui un centre actif de tourisme. Les sports nautiques et de nombreuses plages de sable fin en font une station appréciée.

Sartène★

L'**appellation corse-sartène** couvre une zone relativement vaste qui va des rives du golfe de Propriano à l'arrière-pays de Sartène. C'est le vignoble le plus chaud de l'île. Une petite dizaine de producteurs y obtiennent de bons résultats. C'est notamment le cas du ☙ **domaine Saparale** *(voir nos bonnes caves).*

Sartène a conservé beaucoup de caractère avec ses vieilles demeures austères et ses tradition. La place de la Libération est, avec ses cafés et son marché, le lieu le plus animé de la **vieille ville**★★.

EN MARGE DU VIGNOBLE

Un petit tour dans le néolithique à Filitosa★★

17 km au N-O de Propriano par la N 196, la D 157, puis la D 57.

☏ 04 95 74 00 91 - *de déb. avr. à mi-oct. : de 8h au coucher du soleil. De préférence en milieu de journée : bon éclairage pour l'examen des sculptures et des gravures. Bornes sonores en 4 langues. 5 €.*

Ce site offre, à travers ses précieux vestiges, une synthèse des origines de l'histoire en Corse, du néolithique (6000-2000 av. J.-C.) à l'époque romaine.

70 statues-menhirs ont été découvertes, parmi lesquelles Filitosa V, la plus volumineuse et la mieux armée : elle porte une longue épée et un poignard oblique dans son fourreau ; de dos apparaissent des détails anatomiques et vestimentaires.

Les adresses de Porticcio à Sartène

NOTRE BONNE TABLE

⊜⊜🛏 **Auberge Santa Barbara** – *Rte de Propriano - 20100 Sartène -* ☏ *04 95 77 09 06 - aubergesantabarbara@wanadoo. fr - fermé 16 oct.-14 mars et lun. sf le soir en sais. - 28 €.* Derrière sa façade anodine, cette auberge à la sortie du village dissimule une terrasse qui ouvre sur un beau jardin verdoyant. De là, vous pourrez admirer le village de Sartène et savourer la cuisine de la patronne qui pianote gentiment sur les saveurs d'ici…

NOS HÔTELS ET CHAMBRES D'HÔTE

⊜ **Santa Maria** – *Pl. de l'Église - 20210 Olmeto -* ☏ *04 95 74 65 59 - www.hotel-restaurant-santa-maria.com - fermé nov.-déc. - 12 ch. 40/53 € -* ⊇ *6 € - rest. 23 €.* Ambiance familiale dans cet ancien moulin à huile veillé par l'église. Une envolée d'escaliers menant aux chambres fonctionnelles lui donne du cachet.

⊜⊜ **Hôtel Villa Piana** – *Rte de Propriano - 20100 Sartène -* ☏ *04 95 77 07 04 - www.lavillapiana.com - fermé 25 oct.-31 mars -* 🅿 *- 32 ch. 58/110 € -* ⊇ *9 €.* Que rêver de mieux à quelques minutes des plages de Propriano : face au ravissant village de Sartène, cet hôtel vous ouvre ses délicieuses chambres… Quelques terrasses privatives bordées de lauriers roses et une très belle vue depuis la piscine à débordement.

NOS BONNES CAVES

Domaine Alain-Courrèges – *A Cantina - domaine de Vaccelli - 20123 Pila-Canale - 🖉 04 95 24 35 54 - vaccelli@aol.com - tlj sf dim. 8h30-12h, 15h30-19h, j. fériés sur demande préalable.* D'une superficie de 27 ha, le domaine Alain-Courrèges produit un excellent vin rouge, classé AOC ajaccio et primé au Concours général. Il réalise aussi un intéressant muscat, un blanc et un rosé élaborés selon la méthode traditionnelle. Visite de cave, dégustation et vente au domaine. Un point de vente appelé « A Cantina » est ouvert aux marines de Porticcio. 🍷 *corse-sartène.*

Domaine Saparale – *5 cours Bonaparte - 20100 Sartène - 🖉 04 95 77 15 52 - pfarinelli@wanadoo.fr.* Le domaine s'étend sur 35 ha, sur des arènes granitiques et des coteaux exposés au sud-est. Le vignoble est encépagé de sciaccarello, de vermentino et de nielluccio. Pour les vins blancs et rosés, la vinification a lieu en cuves Inox thermorégulées, avec pressurage direct. Ils sont ensuite élevés sur lies fines et mis en bouteilles précocement. Pour les vins rouges, les vendanges sont manuelles et les raisins sont foulés et égrappés. La cuvaison dure quinze jours. Une cuvée spéciale est élaborée dans les trois couleurs : la cuvée Casteddu. 🍷 *corse-sartène.*

Le vignoble de Porto-Vecchio

CARTE MICHELIN LOCAL 345 – CORSE-DU-SUD (2A)

L'AOC corse-porto-vecchio est disséminée autour de la ville du même nom ; c'est la plus petite des appellations corses. Issus de vignes cultivées sur de fortes pentes d'éboulis granitiques qui surplombent parfois la mer, les vins sont généralement d'une grande finesse.

⑤ De Porto-Vecchio à Solenzara

⊙ 46 km. Porto-Vecchio se trouve à 27 km au N de Bonifacio par la N 198. Carte Michelin Local 345, E-F 8-10. Voir l'itinéraire ⑤ sur le plan p. 241.

Porto-Vecchio★

Située au fond d'un vaste golfe très découpé et fermé, Porto-Vecchio, station balnéaire en pleine expansion, est la troisième ville de Corse. Sur son littoral se nichent certaines des plus belles plages de Corse.

La vieille ville est traversée par le cours Napoléon autour duquel se regroupent des ruelles, des passages voûtés et des montées en escalier. Dans le centre, la place de la République, ombragée, est animée par les terrasses des cafés. Des anciennes fortifications génoises subsistent encore les bastions et les échauguettes dominant la marines.

Quittez Porto-Vecchio au nord par la D 368 en direction de l'Ospédale. Après 4 km, tournez à droite dans la D 759 en direction d'Araggio.

Castellu d'Araghju★

À l'entrée du hameau, laisser la voiture au parking aménagé sur la droite et s'équiper de chaussures de marche. Le sentier conduisant au site s'amorce dans le hameau (fléchage). 👣 *1h AR.* Bâti sur un éperon rocheux, véritable vigie au-dessus du golfe de Porto-Vecchio, le *castellu* (forteresse) d'Araghju est l'un des plus représentatifs des grands édifices torréens. La **vue★★** s'étend sur la plaine littorale et le golfe.

Au bout de la D 759, tournez à droite dans la N 198. Pour tromper l'ennui de la route, vous vous arrêterez à **Lecci** pour déguster les vins du 🍷 **domaine de Torraccia** *(voir nos bonnes caves).*

La plage de Cala Rossa.

Site naturel de Fautea★

Les deux anses, bornées au nord par la **tour génoise** (*illuminée le soir par panneaux solaires*), constituent un des sites protégés du Conservatoire du littoral. Abritée entre deux pointes rocheuses, la plage de Fautea est tapissée de sable fin. La proximité de la réserve de Cerbicale permet d'apercevoir le manège des **cormorans huppés** noirs (*marangone* en corse) qui, après un vol en rase-mottes au-dessus de la mer, plongent pour attraper leur nourriture.

Solenzara

Cette station balnéaire sépare la **côte rocheuse des Nacres** au sud, de la côte plate, au nord. Elle offre un port de plaisance et allie les plaisirs de la mer avec ceux de la montagne toute proche. Elle est également appréciée pour son vin, comme celui du ♇ **domaine de Solenzara** (*voir nos bonnes caves*).

EN MARGE DU VIGNOBLE

Dire bonjour aux mérous

Les rivages corses sont réputés pour la richesse et la diversité de leur flore et de leur faune sous-marines. Avec un simple masque et un tuba, on peut bénéficier d'une vue claire jusqu'à 15 m. Les meilleurs spots sont le golfe de Valinco, le secteur de Tizzano, la baie de Figari, les îles Burzzi jusqu'à Porto-Vecchio et le secteur de Centuri dans le cap Corse. Pour les plongées avec bouteilles, contacter le **comité corse de la Fédération française de sports sous-marin**, BP 12 - 20145 Solenzara - ℘ 04 95 57 48 31 - fax 04 95 57 48 32 - www.plongee-corse.org. Il fournit la liste des clubs de plongée et tous renseignements sur la législation locale.

Les adresses de Porto-Vecchio

NOS BONNES TABLES

◔◖◗ **L'Antigu** – *51 r. Borgo - 20137 Porto-Vecchio -* ℘ *04 95 70 39 33 - fermé de janv. à mi-fév., dim. sf soir de déb. avr. à Toussaint et lun. - réserv. conseillée le soir - 17,50/22 €.* Ici, vous profiterez en même temps d'une superbe vue et d'une savoureuse assiette. Depuis le toit-terrasse, le panorama sur le golfe de Porto-Vecchio se révèle en effet magnifique et côté papilles, les plats régionaux, à la fois copieux, bien préparés et présentés avec soin, mettent le palais en joie. Que du bonheur !

◔◗ **A Mandria** – *Rte de Ghisonaccia, pont-de-Solenzara - 20145 Solenzara -* ℘ *04 95 57 41 95 - Sirius1@wanadoo.fr - fermé janv., dim. soir et lun. hors sais. - ⊁ - 20 €.* Cette ex-bergerie a troqué avec succès ses moutons contre une carte de savoureuses recettes corses, soigneusement mitonnées et escortées d'un bon choix de grillades cuites au feu de bois. Autres atouts : les prix sages, avec un premier menu qui s'avère être une véritable bonne affaire, et la terrasse sous treille.

NOTRE HÔTEL

◔◗ **Hôtel San Giovanni** – *20137 Porto-Vecchio - 3 km au SO de Porto-Vecchio par rte d'Arca D 659 -* ℘ *04 95 70 22 25 - www.hotel-san-giovanni.com - fermé 3 nov.-26 fév. -* ▣ *- 30 ch. 60/140 € - ⊡ 9 €.* Le patron de cet hôtel prisé des amateurs de grand calme bichonne avec beaucoup de passion le vaste parc qui entoure le San Giovanni : essences rares, fleurs méditerranéennes, joli bassin et belle piscine. Chambres sobrement aménagées. Cuisine traditionnelle.

NOS BONNES CAVES

Domaine de Torraccia – *N 198 - Lecci - 20137 Porto-Vecchio -* ℘ *04 95 71 43 50 - tlj sf dim. 8h-12h, 14h-18h - fermé j. fériés.* Monsieur Imbert, en 1964, a planté les 43 ha de vignes du domaine sur un site magnifique dominant la mer Tyrrhénienne, se donnant pour objectif la création d'un vignoble de qualité mettant en avant les cépages corses. Vignes labourées et travaillées à la main, sans pesticides, méritant avant l'heure leur certification biologique. Le résultat ? Des vins rouges (spécialement la cuvée ORIU), rosés et blancs AOC, désormais réputés. La propriété produit aussi de l'huile d'olive fort appréciée. ♇ corse-porto-vecchio.

Domaine de Solenzara – *20145 Solenzara -* ℘ *04 95 57 89 69 - juin-sept. : tlj 9h-12h, 16h30-19h ; oct.-mai : tjl sf dim. et lun. 9h-12h.* Unique à Solenzara, ce vignoble d'une superficie de 16 ha est classé AOC corso porto-vecchio. À partir de cépages traditionnels (nielluccio, sciaccarello, vermentino…), il produit des vins blancs, rosés et rouges que Madame Lucchini se fera un plaisir de vous faire découvrir lors d'une dégustation. ♇ corse-porto-vecchio.

LE JURA

Discret, sinon secret, le vignoble jurassien possède une forte identité marquée par des vins aux noms chargés de mystère : vin de paille, vin jaune, vin d'Arbois, produits à partir de cépages qui n'existent nulle part ailleurs. Le vignoble s'étire du nord au sud, sur près de 100 km, adossé au Revermont, plateau calcaire que forment les contreforts du Jura, et qui descend jusqu'à la lisière orientale de la plaine de Bresse. On y rencontre partout des vignerons passionnés, fiers de leur identité et accueillants. Les fromages de Comté, les poissons d'eau douce et la charcuterie fumée font de la région un véritable paradis pour les gastronomes. Mais le Jura offre aussi, pour se dégourdir les jambes, d'innombrables possibilités de balade dans le vignoble ou dans les forêts. Avec les salines d'Arc-et-Senans, Arbois, Poligny et Lons-le-Saunier, la région possède également un patrimoine historique et architectural de premier plan.

LE TERROIR

Superficie : environ 1 850 ha – soit l'équivalent de 2 % du vignoble bordelais – situés à une altitude moyenne de 250 m à 400 m et répartis sur 81 communes.

Production : environ 90 000 hl.

Les sols sont constitués principalement d'argiles et de marnes, avec d'importantes zones calcaires au sud du vignoble. Le climat est continental avec des hivers froids, des précipitations relativement faibles, un bon ensoleillement et des étés tempérés à chauds.

LES VINS

Côtes-du-jura – Du nord d'Arbois au sud de Lons-le-Saunier. Vins blancs (cépages chardonnay et savagnin, ce dernier étant typiquement jurassien) et rouges (pinot noir, poulsard et trousseau).

Arbois – Vins blancs (cépages chardonnay et savagnin) et rouges (pinot noir, poulsard et trousseau. **Arbois-pupillin** est une dénomination locale dévolue aux seuls vins rouges et rosés.

Château-chalon – Au nord de Lons-le-Saunier, où l'on ne produit que du vin jaune (cépage savagnin).

L'étoile – Au sud-ouest de Château-Chalon, où l'on ne vinifie que des vins blancs traditionnels, des vins jaunes et des crémants à partir des cépages chardonnay (90 %), poulsard et savagnin.

BON À SAVOIR

👁 **Comité interprofessionnel des vins du Jura** – ☎ *03 84 66 26 14 - www. jura-vins.com*

Comprendre

Vin jaune, vin de paille, crémant et macvin – Outre leurs noms d'appellation d'origine, les vins du Jura sont également désignés selon leur mode d'élaboration. Le **vin jaune**, vin unique au monde, est un vin blanc provenant exclusivement du cépage savagnin qui vieillit durant six ans et trois mois dans des pièces de 228 l sans ouillage, c'est-à-dire en laissant le vin s'évaporer lentement. Au contact de l'air, une pellicule de levures, « le voile », se forme à la surface du vin. Celle-ci le protège de l'oxydation et développe des éléments aromatiques caractéristiques, qui vont de la noix fraîche au curry en passant par des arômes « pétrolés ». Le vin jaune est donc un vin très sec qui peut surprendre les non-initiés par sa forte personnalité. Il est conditionné dans une bouteille spécifique appelée clavelin, ne contenant que 62 cl.

Le **vin de paille** tire son nom des raisins les plus sains, cueillis au début des vendanges, que l'on étalait jadis sur un lit de paille où ils se desséchaient lentement pour se concentrer en sucre. Aujourd'hui, ce procédé a été remplacé par une ventilation des raisins. Produit unique, le vin de paille est un vin liquoreux aux arômes subtils de raisin de Corinthe et de noix.

Le **crémant-du-jura** est un vin mousseux de grande qualité élaboré, comme en Champagne, selon la méthode traditionnelle, avec remuage en cave. On en produit dans toute la région.

Le **macvin** est un vin de liqueur rouge ou blanc provenant de jus de raisin frais additionné d'eau-de-vie de marc du Jura. C'est un vin d'apéritif ou de dessert aux subtils arômes d'épices.

Les fruitières – Le Jura fut une des premières régions de France à créer des caves coopératives. On les appelle ici fruitières, nom emprunté au vocabulaire du fromage, le « fruit » désignant d'une manière générale le produit du travail. Les cinq fruitières du Jura sont celles d'Arbois, de Pupillin, de Poligny, de Voiteur et le caveau des Byards.

	Caractéristiques	Garde	Prix
Vins blancs de savagnin	Des vins généralement typés « jaune » marqués par un goût de noix et d'épices en vieillissant. Un bouquet particulier à nul autre pareil. Le **château-chalon** a une robe dorée, un nez de noix et se boit chambré.	Les vins blancs de savagnin se gardent jusqu'à 10 ans. Les **vins jaunes** ont une capacité de garde exceptionnelle, pouvant dépasser un siècle. Les **vins de paille** se conservent 10 ans.	**Vin jaune et château-chalon** (62 cl) : 20 à 30 €. **Vin de paille** : 11 à 20 € (50 cl).
Vins blancs de chardonnay	Des vins blancs secs aux arômes floraux dans leur jeunesse, qui vieillissent en prenant une belle tinte dorée et des arômes de miel.	Ils se gardent 3 à 5 ans.	5 à 8 €.
Crémant-du-jura	Cet effervescent, blanc ou rosé, est élaboré selon la méthode traditionnelle.	Se boit jeune.	5 à 8 €.
Macvin	En **rouges**, ils ont des teintes tuilées et sont très aromatiques. En **rosés**, ils sont pâles et fruités. En **blancs**, ils sont ronds, riches et fruités.	Repose pendant 1 an en fût de chêne avant d'être commercialisé. Ensuite se garde 30 ans. Se boit très frais.	8 à 13 €.
Vins rouges	Le **poulsard** donne des vins rouges légers en couleur avec des arômes de fumée et de fruits rouges. Le **trousseau** donne des vins rouges colorés marqués par des arômes de cerise dans leur jeunesse et de gibier en vieillissant. Le **pinot noir** donne des vins très colorés aux arômes de fruits rouges dans leur jeunesse et de kirsch en vieillissant.	Ils ont une durée de vie moyenne de 3 à 5 ans.	5 à 8 €.

La route des vins du Jura

CARTE MICHELIN LOCAL 321 – DOUBS (25) ET JURA (39)

En partant de la saline d'Arc-et-Senans, vous ne rencontrerez le vignoble qu'à quelques kilomètres, dans une boucle de la Loue, près de Port-Lesney. Les vignes se feront plus rares autour de Salins-les-Bains, mais vous ne les quitterez plus de Montigny-les-Arsures à Poligny.

1 D'Arc-et-Senans à Poligny (1re étape)

▶ 45 km. Arc-et-Senans se trouve à 37 km au S-O de Besançon par la N 57, la N 83 et la D 17. Carte Michelin Local 321, E-F 4-7. Voir l'itinéraire 1 sur le plan p. 248.

Saline royale d'Arc-et-Senans★★

🕿 03 81 54 45 45 - www.salineroyale.com - possibilité visite guidée (1h) - juil.-août : 9h-19h ; avr.-juin et sept.-oct. : 9h-12h, 14h-18h ; fév.-mars et nov.-dév. : 10h-12h, 14h-17h - prévoir un vêtement chaud : 12 °C - fermé 25 déc. - 7 € (6-15 ans 2,80 €, 16-25 ans 4,50 €).

Entre la Loue et la forêt de Chaux se dresse l'ancienne Saline royale, fleuron de l'architecture industrielle du 18ᵉ s. inscrit au Patrimoine mondial de l'Unesco. La saline était une fabrique où l'on produisait du sel par évaporation en faisant bouillir dans d'immenses chaudrons la saumure puisée à Salins-les-Bains. Celle-ci circulait par gravitation dans des « saumoducs », sorte de pipe-line en bois enfouis sous la terre. Ce lieu étonnant vaut autant pour la beauté de ses volumes géométriques en arc de cercle que pour le sens de son architecture « futuriste ». L'architecte Claude Nicolas Ledoux avait en effet conçu un lieu communautaire rassemblant les logements de 250 ouvriers, ceux de la direction, les ateliers, et même une prison pour enfermer les voleurs de sel, denrée très convoitée à l'époque. La saline fonctionna jusqu'à la fin du 19ᵉ s. mais ne fut jamais très rentable. Sa grande consommation en bois de chauffe fut à l'origine de la quasi-destruction de la forêt de Chaux. Tombée en ruine, la saline fut utilisée par le régime de Vichy comme camp d'internement pour les Tziganes, avant de faire l'objet d'une restauration intensive achevée en 1996.

Claude Nicolas Ledoux (1736-1806)

Inspecteur général des Salines de Lorraine et de Franche-Comté, Ledoux est un architecte visionnaire très influencé par les idées du Siècle des lumières. Sa réalisation majeure reste la saline d'Arc-et-Senans, mais il est à l'origine de projets très audacieux *(voir son musée dans la saline)* et de réalisations très originales : les pavillons de l'enceinte parisienne dite des Fermiers Généraux – et notamment les rotondes de La Villette et du parc Monceau, le château de Bénouville (Calvados), le théâtre de Besançon (aujourd'hui disparu), de nombreux hôtels particuliers… En 1804 paraît son traité *De l'architecture sous le rapport des arts, de la législation et des mœurs* qui présente très largement le projet de la Cité idéale de Chaux.

Chemin des Gabelous d'Arc-et-Senans – 🚶‍♂️ *En sortant des Salines, prendre à gauche, puis au rond-point à droite, la rue des Graduations. Le parcours fléché commence à la hauteur du camping. 5h30 à pied, 2h30 à vélo.* Ce parcours balisé de 24 km suit à peu près le tracé historique du saumoduc qui, depuis la saline de Salins acheminait le sel jusqu'à Arc-et-Senans.

Prenez la D 17ᴱ puis la D 121 et la D 48ᴱ jusqu'à Port-Lesney.

Port-Lesney★

On découvre le vignoble enserré dans une boucle de la Loue, avant d'arriver dans ce joli village, au bord de la rivière. Port-Lesney s'honore d'avoir eu pour maire le président Edgar Faure, incontournable personnage politique des IVᵉ et Vᵉ Républiques. Le dimanche, pêcheurs, amateurs de canotage, gourmands de truites et de friture y affluent. Le quartier du port, sur la rive gauche de la Loue, possède quelques belles maisons vigneronnes.

🚶‍♂️ De la chapelle de Lorette par un sentier en sous-bois *(1h AR)*, on accède au **belvédère Edgar-Faure** qui domine le village et toute la vallée.

De Port-Lesney, prenez la D 48 jusqu'au hameau de Pagnoz, puis la D 472 jusqu'à Salins-les-Bains.

Salins-les-Bains★

Comme son nom l'indique, la ville doit sa prospérité ancienne au sel, source inépuisable d'impôt sous l'Ancien Régime, grâce à la gabelle. Dominé par les **forts Belin** et **Saint-André**, Salins s'étire au fond de la vallée de la Furieuse. La cité a conservé des fragments de remparts et de vieilles tours. Elle est aujourd'hui une agréable station thermale dont les eaux salées soignent les rhumatismes et les affections gynécologiques *(voir « mettre les pieds dans l'eau »)*.

Les imposants bâtiments et les hautes cheminées des **salines** se dressent toujours sur les bords de la Furieuse. Leur visite est complémentaire de celle d'Arc-et-Senans. C'est ici que l'on extrayait la saumure acheminée par saumoducs jusqu'à la Saline royale. L'exploitation du sel a cessé, mais la source salée est toujours utilisée par les thermes. Longues de 200 m et soutenues par d'imposantes voûtes médiévales, les galeries souterraines (13ᵉ s.) sont intéressantes à parcourir. 📞 03 84 73 01 34 - www.salins-les-bains.com - visite guidée (1h) se renseigner pour les horaires - juil.-août : 10h-17h (dern. visite) ; de mi-avr. à fin juin : 10h, 11h30, 14h30-17h30 (dern. visite) ; sept.-oct. : 10h, 11h30, 14h30-16h30 (dern. visite) ; nov.-fév. : w.-end et vac. scol. 10h30 et 15h - de déb. mars à mi-avr. : 10h30 et 15h - prévoir un vêtement chaud : 12 °C - fermé 25 déc. - 4,50 € (enf. 2,50 €).

Quittez Salins au sud par la D 472, tournez à droite dans la D 94, puis à droite dans la D 271. À Marnoz, prenez la D 105 en direction d'Arbois puis la D 249 en direction de Montigny-lès-Arsures.

Montigny-lès-Arsures

Cet authentique village vigneron, où chaque maison possède une cave, est adossé au Revermont. Il possède une belle église romane. Au lieu-dit Rosières *(en contrebas du village près de la N 83)*, un panneau signale la **« Vigne historique Pasteur »**, propriété de l'Académie des sciences. Pasteur y fit ses premières expériences sur les levures, en démontrant, après les avoir enveloppées de coton, que les grappes de raisin qui n'étaient pas au contact de l'air, et donc des levures contenues dans l'atmosphère, donnaient un jus qui ne fermentait pas, à l'inverse des grappes laissées à l'air libre. 🍷 La commune est située dans l'appellation arbois et compte une bonne dizaine de vignerons assurant la vente au domaine. Le terroir est réputé pour ses rouges issus du cépage trousseau qui exprime tout son caractère dans les vins d'**André et Mireille Tissot** *(voir Nos bonnes caves)*.

🍷 Le **domaine Frédéric Lornet** est installé dans une ancienne abbaye du 16e s. Les dégustations se font dans la chapelle. *Abbaye de la Boutière - 39600 Montigny-lès-Arsures -* 📞 *03 84 37 44 95 - tlj 9h-12h, 14h-18h - visite gratuite.*

Si le temps le permet, on peut pique-niquer sur une aire, avec vue sur le vignoble, aménagée à la sortie du village, sur la droite en direction d'Arbois.

Rejoignez Arbois par la N 83.

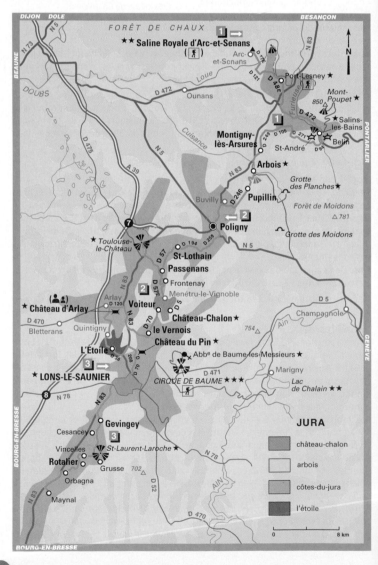

Vignoble et village d'Arbois.

Arbois★

Site prédestiné s'il en est, Arbois doit son nom à deux mots celtes, *Ar* et *Bos*, qui signifient « terre fertile ». Ville phare du vignoble jurassien, Arbois donna son nom à la première appellation d'origine contrôlée (AOC) en 1936. Dans le passé, son vin fut célébré par Rabelais, Voltaire et Henry IV, qui s'y connaissait en bonnes choses. Ce qui n'empêcha pas le Vert Galant d'assiéger la ville en 1595 et de la livrer au pillage. Arbois recèle nombre de caves, caveaux et boutiques situés près de la place de la Liberté. C'est aussi une halte gastronomique réputée, avec la table de Jean-Paul Jeunet et le chocolatier Claude Hirsinger. Mais Arbois doit également beaucoup au grand **Louis Pasteur** qui a largement contribué, par ses recherches et ses conseils, à la renaissance du vignoble dévasté par le phylloxéra.

Il faut prendre le temps de se promener dans Arbois et de s'imprégner de son élégance rustique. Un circuit de l'ancienne enceinte *(carte dépliant à l'office de tourisme)* permet de découvrir la pittoresque **tour Gloriette** et le **pont des Capucins** en longeant la Cuisance, petite rivière jadis bordée de moulins à papier et de tanneries. Promenez-vous aussi dans le **faubourg Faramand**, l'ancien quartier vigneron, où l'on aperçoit, au pied de chaque façade, l'entrée d'une cave fermée par un « trappon ». Aujourd'hui, seules quelques dizaines de vignerons habitent Arbois mais au 18ᵉ s., ils étaient plus d'un millier.

🍷 Aujourd'hui, on apprécie l'accueil chaleureux du caveau de la célèbre **Maison Henri Maire**, ou celui des **domaines Jacques Tissot** et **Rolet Père et Fils** *(voir nos bonnes caves)*.

🍷 **Fruitière vinicole Château Béthanie** – *2 r. des Fossés - 39600 Arbois - ℰ 03 84 66 11 67 - www.chateau-bethanie.com - visites des caves : tlj sf lun. (juil.-août) 11h, 14h30, 16h30 - fermé 1ᵉʳ Mai et 25 déc.* Fondée en 1906 par 26 vignerons accablés par la concurrence des vins du Midi, cette fruitière fut la deuxième cave coopérative fondée en France. Aujourd'hui, c'est une entreprise très bien équipée qui produit des vins sur environ 200 ha et a acquis une solide réputation avec sa cuvée Béthanie, agréable vin blanc de savagnin et de chardonnay à l'accent marqué de « jaune ». Une visite de la cave vous permettra de parfaire vos connaissances sur l'élaboration du vin jaune et vous pourrez déguster les vins de la cave dans une ancienne chapelle.

🍷 **Musée du Vin et de la Vigne** – *ℰ 03 84 66 40 45 - possibilité de visite guidée (1h) en été - juil.-août : 10h-12h30, 14h-18h ; mars-juin et sept.-oct. : tlj sf mar. 10h-12h, 14h-18h ; nov.-fév. : tlj sf mar. 14h-18h - fermé janv., 1ᵉʳ Mai, 25 déc. - 3,40 €.* Vestige des anciennes défenses d'Arbois, le **château Pécauld** abrite le musée et l'Institut des vins du Jura. Un parcours extérieur, organisé en petites parcelles de différents cépages, initie aux activités du vigneron. À l'intérieur, de beaux portraits de vignerons et des objets illustrent l'histoire du vignoble et de la communauté vigneronne d'hier et d'aujourd'hui. La visite comprend une dégustation de certains vins sélectionnés.

Maison de Louis Pasteur★ – *ℰ 03 84 66 11 72 - www.academie-sciences.fr/pasteur. htm - juin-sept. : visite guidée (30mn) 9h45, 10h45, 11h45 et toutes les h. 14h-18h ; avr.-mai et de déb. oct. à mi-oct. : 14h15, 15h15, 16h15, 17h15 - 5,80 € (enf. 2,90 €).* Émouvant pèlerinage que la visite de la maison où Pasteur passa une partie de sa vie. Située au bord de la Cuisance, la tannerie de son père n'avait pas l'importance actuelle. C'est l'illustre savant qui l'a progressivement agrandie et modernisée. La maison a gardé ses décors cossus et la visite restitue fidèlement l'univers familial. Sa chambre semble intacte : le porte-plume, l'encrier et le sous-main attendent sur le bureau ; la toque familière est là. Dans le laboratoire sont conservés les instruments et appareils que le savant utilisait pour ses expériences.

Église St-Just★ – Une esplanade la borde, offrant une vue sur la Cuisance. Cette priorale (12e-13e s.) vaut surtout pour son clocher qui domine la ville de ses 60 m. Élevé au 16e s., en pierre de couleur ocre doré, il se termine par un dôme bulbeux et un campanile qui abrite un carillon. Chaque année, le premier dimanche de septembre, les vignerons rendent hommage au patron de la paroisse. Ils apportent en procession à l'église St-Just une grappe géante, le Biou, tressée de raisins de toute la commune. Cette tradition, qui remonte à la nuit des temps, est un moment de fête pour la ville qui s'associe étroitement à la vie de ses vignerons.

Quittez Arbois au sud par la D 246.

Pupillin

Après avoir grimpé sur le plateau en laissant derrière vous un beau panorama sur les toits rouges d'Arbois, vous atteignez Pupillin, village 100 % vigneron. Il s'est d'ailleurs baptisé « capitale mondiale » du poulsard, ou ploussard, cépage qui se plaît bien sur les marnes bleues et rouges des environs. Il produit des vins légers à la couleur peu intense, qui expriment d'agréables arômes de cerise et de fumée. ♟ Parmi les domaines d'arbois-pupillin, ceux de **Pierre Overnoy** et de **la Borde** sont des valeurs sûres. Autre bonne adresse, la **fruitière vinicole de Pupillin** ; on peut la visiter sur demande selon l'affluence et durant les journées portes ouvertes le 2e w.-end de juin. *R. Poulssard - 39600 Pupillin - 🖉 03 84 66 12 88.*

Pupillin est aussi un centre de culture de la noisette. Vous apercevrez des noiseraies de part et d'autre de la route, en direction de Poligny. Un belvédère a été aménagé à la sortie du village : belle vue sur une partie du vignoble.

Poursuivez sur la D 246 jusqu'à Buvilly, puis prendre à gauche la N 83 vers Poligny.

Poligny

Pour le plus grand plaisir des gastronomes avertis, Poligny associe avec bonheur la production de ses vins réputés à la fabrication du comté dont la ville est devenue la capitale. La richesse de ses terres, au cœur d'un vignoble classé dans l'AOC côtes-du-jura, lui vaut depuis des siècles une réelle prospérité comme en témoigne encore son important patrimoine.

♟ Sa principale curiosité est le **Caveau des Jacobins**. C'est un lieu unique. Cette ancienne église du 13e s., désaffectée à la Révolution, devint bien communal et fut rachetée par les vignerons de la coopérative, pour s'en servir de cave de vinification. Le mariage entre Bacchus et le Christ n'est pas trop mal réussi car le caveau propose d'excellents vins jaunes ainsi que toute une gamme de côtes-du-jura de très bon niveau. *R. Nicolas-Appert - 39800 Poligny - 🖉 03 84 37 01 37 - www.caveaudesjacobins. com - lun.-sam. matin 9h30-12h, 14h-18h30, dim. 10h-12h ; juil.-août : tlj 9h30-12h, 14h-18h30 - fermé 25 déc. et 1er janv.*

♟ Vous trouverez aussi dans la cité même plusieurs caveaux de vignerons réputés comme les domaines **Xavier Reverchon** et **Benoît Badoz** *(voir nos bonnes caves).*

Après le vin, le fromage : lors de la visite de la **Maison du comté**, qui abrite également le comité interprofessionnel du comté, sont expliquées les différentes opérations de fabrication du fromage, de l'apport du lait à l'affinage. De quoi vous mettre en appétit. *🖉 03 84 37 23 51 - ⅙ - visite guidée (1h15) juil.-août : tlj sf lun. 10h-11h30, 14h-18h (dern. visite) ; avr.-juin et sept.-oct. et vac. scol. : tlj sf lun. 14h-17h (dern. visite) - fermé 1er janv., 1er Mai, 25 déc. - 4 € (6-16 ans 2,50 €).*

Il vous reste sans doute encore un peu de temps pour voir la **collégiale St-Hippolyte**. À l'extérieur, sous le porche, le portail, dont le trumeau supporte une Vierge en pierre polychrome du 15e s., est surmonté d'un bas-relief figurant l'écartèlement de saint Hippolyte. Au portail de droite, une Pietà du 15e s. est placée sur une console. À l'intérieur, remarquable **calvaire** en bois, sur poutre de gloire, dominant l'entrée du chœur, et belle collection de statues de l'école bourguignonne du 15e s.

Circuit des remparts – *2h environ. Plan à l'office de tourisme.* Un parcours historique à travers le vieux Poligny permet de découvrir les vestiges des anciens remparts avec le donjon Saint-Laurent et la tour de la Sergenterie qui ont encore fière allure. On peut monter jusqu'à l'emplacement de l'ancien château de Grimont pour profiter d'une belle vue sur la ville.

EN MARGE DU VIGNOBLE

Voler au-dessus du mont Poupet★

10 km au N de Salins-les-Bains par la D 492. À 5,5 km, prenez à gauche la D 273, puis 1 km plus loin, toujours à gauche, une route arrive au pied de la croix du mont Poupet (parc de stationnement).

🐾 Du belvédère (alt. 803 m), on découvre *(15mn à pied AR)* une belle **vue★** (table d'orientation et croix) sur le bassin de Salins et le fort St-André ; au loin, le regard porte sur le mont Blanc, les Alpes et le Jura. À l'opposé, on contemple la plaine de Bresse avec, au fond, les monts de la côte bourguignonne et du Beaujolais.

École de vol libre du Poupet – *9 r. du Poupet - 39110 Saint-Thiébaud - ☎ 03 84 73 04 56 - www.poupetvollibre.com. Baptêmes de l'air en biplace, stages d'initiation et de perfectionnement de mars-sept.*

S'aventurer au fort Saint-André

4 km au S de Salins-les-Bains par la D 472, la D 94 à droite, puis la D 271 à droite et encore une fois à droite.

Le fort – *☎ 03 84 73 16 61 - juil.-août : 10h-18h ; avr.-juin, sept. et jusqu'à mi-oct. : w.-end et j. fériés 10h-18h - 2 €.* Construit en 1674 sur les plans de Vauban, le fort est un bel exemple d'architecture militaire du 17ᵉ s. À droite au pied des remparts, un belvédère offre une belle **vue★** sur Salins.

👥 **Salins Forts Aventure** – *39110 Salins-les-Bains - ☎ 03 84 73 06 79 ou 06 89 71 39 44 - www.salins-aventure.com. De mi-juin à mi-sept. : 10h-19h (dernier dép. à 17h) ; de mi-sept. à mi-juin : w.-end et j. fériés 10h-18h.* Les amateurs de sensations fortes découvriront le paysage grandiose autour du fort Saint-André en jouant à Tarzan et Jane dans les arbres ou en escaladant les rochers, en empruntant différents parcours selon leur niveau d'entraînement et leur maîtrise du vertige.

Se détendre
aux thermes de Salins

Pl. des Alliés - 39110 Salins-les-Bains - ☎ 03 84 73 04 63 - www.thermes-salins. com - 14h30-18h30, dim. 10h-11h45, 14h30-17h30 ; j. fériés sur RV - fermé janv., 1 sem. en fév., 1ᵉʳ Mai - 9 €. Centre agréé pour cures spécialisées : rhumatologie, gynécologie, enfants. L'établissement complètement rénové vous accueille aussi pour des séjours de remise en forme (fatigue, stress, minceur).

Dominer
le cirque du Fer à Cheval★★

7 km au S-E d'Arbois Arbois par la D 469.
🐾 *10mn AR. Laissez la voiture à hauteur d'une auberge et suivez le sentier signalé qui s'amorce à gauche.*

Aux thermes de Salins.

On traverse un petit bois à la lisière duquel le cirque s'ouvre, béant *(barrière de protection)*. Du belvédère dominant de près de 200 m le fond de la vallée, superbe perspective sur la reculée des Planches.

Descendre sous terre

Grotte des Planches★ – *6 km au S-E d'Arbois par la D 107. À Mesnay, prenez à droite, à hauteur de l'église, la D 247 qui pénètre bientôt dans la reculée des Planches. Aux Planches-près-Arbois, après l'église, passez un pont de pierre et prenez, tout à fait à gauche, une route étroite, revêtue, qui longe le pied des falaises. Laissez la voiture 600 m plus loin (buvette). ☎ 03 84 66 13 74 - visite guidée (1h) de mi-juil. à fin août : 9h30-18h (dern. visite) ; de déb. avr. à mi-juil. et de fin août à fin oct. : 10h-12h, 14h-17h (dern. visite) - fermé lun. en oct. 6 € (4-12 ans 3 €).*

Dans cette grotte creusée au fond de la reculée, sous un impressionnant surplomb, les galeries aménagées à 250 m sous le plateau jurassien illustrent le travail de l'eau. La galerie inférieure, cours de la Cuisance en période de crue, est occupée en période sèche par un chapelet de **marmites de géants**, sorte de lacs creusés par les remous de l'eau, qui frappent par la couleur bleutée de leurs eaux. Dans une galerie annexe sont retracés l'exploration, la formation et l'aménagement de la grotte ainsi que la formation de la reculée. Sous le porche de sortie, des fouilles ont mis au jour des couches d'habitats de l'âge du bronze, du néolithique et du paléolithique.

La visite de la grotte des Planches n'est pas du tout la même en été et à l'automne ; en période de crue, une partie du circuit est inondée, mais le grondement et le débit de la Cuisance en furie constituent un spectacle vraiment saisissant.

Grottes d'Osselle★ – *16 km au N d'Arc-et-Senans par les D 17, D 12 et D 13.* ☏ *03 81 63 62 09 - http://grottes.osselle.free.fr - visite guidée (1h10) juin-août : 9h-18h ; avr.-mai : 9h-12h, 14h-18h ; sept. : 9h-12h, 14h-18h ; oct. à déb. nov. : 14h-17h, dim. et j. fériés 9h-12h, 14h-17h - 6,50 € (enf. 3,50 €).*

🚹🚺 Les grottes d'Osselle s'ouvrent dans la falaise qui domine un méandre du Doubs. Découvertes au 13ᵉ s., elles se visitent depuis 1504. Leurs galeries sèches servirent de refuge et de chapelle aux prêtres pendant la Révolution. On peut encore voir un autel d'argile. Un squelette d'ours des cavernes y a été reconstitué avec des ossements trouvés sous les éboulis.

Sur un total de 8 km, 1 300 m de galeries longues et régulières, suivant le faîte de la montagne, ont été aménagés. Les premières salles, aux concrétions encore alimentées par des eaux vives, ont été ternies par la fumée des torches de résine ; puis apparaissent, après un passage bas, des stalagmites blanches de calcite presque pure ou diversement colorées par des oxydes de fer, de cuivre ou de manganèse.

Descendre la Loue en canoë-kayak

Descente de la Loue en canoë ou kayak sur 21 km entre Port-Lesney et Ounans pendant 6h, dans un très beau paysage entre monts et vignoble. L'association **Val Nature Loisirs sportifs** organise également des initiations aux différentes techniques de pêche. *39380 Ounans -* ☏ *03 84 37 72 04.*

Les adresses d'Arc-et-Senans à Poligny

NOS BONNES TABLES

🍽 **Le Relais** – *9 pl. de l'Église - 25610 Arc-et-Senans -* ☏ *03 81 57 40 60 - relais.hotel. restaurant@wanadoo.fr - fermé 15 déc.-15 janv. et dim. soir - 12/30 €.* Cette auberge familiale proche de la magnifique Saline royale dessinée par Ledoux dispose d'une agréable terrasse en façade. Si le soleil n'est pas de la partie, c'est sous les poutres d'une des trois salles à manger rustiques en enfilade que vous goûterez aux roboratives spécialités comtoises du chef.

🍽 **Le Chalet** – *7 rte de Genève - 39800 Poligny -* ☏ *03 84 37 13 28 - restaurant. lechalet-monsite.wanadoo.fr - fermé merc. soir, jeu. soir et dim. - 11,50 € déj. - 17,20/38,50 €.* Escalope polinoise, coq au vin jaune ou encore Tourmonier (gratin de pommes de terre avec saucisse de Montbéliard et fromage de Tourmont) : les spécialités locales sont à l'honneur dans ce restaurant simple et sympathique. Vous les dégusterez avec les meilleurs vins du Jura, en bouteille, en pichet ou au verre.

🍽 **SARL Le Grapiot** – *R. Bagier - 39600 Pupillin - 3 km au S d'Arbois par D 246 -* ☏ *03 84 37 49 44 - fermé jeu. soir, dim. soir et lun. - réserv. conseillée - 14/38 €.* Au cœur d'un village vigneron, sympathique petite auberge reflétant bien le style architectural du pays. En hiver, vous dégusterez des recettes franc-comtoises auprès de la grande cheminée et, en été, une cuisine de type « plancha et grillades ».

🍽🍽 **La Balance Mets et Vins** – *R. de Courcelles - 39600 Arbois -* ☏ *03 84 37 45 00 - fermé 30 juin-7 juil., 12 déc.-28 janv., dim. soir, mar. soir et merc. sf j. fériés -*

22/55 €. La cuisine du patron est mijotée en cocotte, sous vos yeux, au coin d'un vieux fourneau, et ses recettes sont souvent accordées à des crus du terroir franc-comtois (belle carte de vins régionaux) proposés, pour certains, à des prix très raisonnables. Décor épuré, agréable terrasse.

🍽🍽 **Le Caveau d'Arbois** – *3 rte de Besançon - 39600 Arbois -* ☏ *03 84 66 10 70 - contact@caveau-arbois.com - fermé dim. soir et lun. - 19/28 €.* À l'orée d'Arbois, célèbre pour son vignoble, maison de pays dont la cuisine traditionnelle, agrémentée de spécialités du terroir, se déguste avec un vin du cru dans une salle lumineuse sobrement aménagée.

🍽🍽 **Chalet Bel'Air** – *39330 Mouchard -* ☏ *03 84 37 80 34 - tourisme@waldalmour. com - 23/74 €.* La confortable salle à manger et l'accueil attentionné font de cet établissement situé au cœur de la Franche-Comté une étape agréable. À la rôtisserie, les viandes sont rôties sous vos yeux dans l'imposante cheminée ; terrasse en surplomb de la route.

🍽🍽 **Le Relais de Pont d'Héry** – *Rte de Champagnole - 39110 Salins-les-Bains -* ☏ *03 84 73 06 54 - www.relaispondhery. com - fermé 18 oct.-4 nov., 15 fév -3 mars, mar. de sept. à mai et lun. - 18/70 €.* Derrière la façade anodine de cette petite maison, on découvre deux salles à manger fort agréables où est servie une appétissante cuisine traditionnelle : filets de cailles panés à la noisette, lotte rôtie aux herbes, noix de Saint-Jacques en millefeuille aux citrons confits, soufflé au foie gras, gratin d'écrevisses, etc.

⊖⊗ **Les Bains** – *Pl. des Alliés - 39110 Salins-les-Bains - ℘ 03 84 73 07 54 - hotel. bains@wanadoo.fr - fermé 1er-16 janv., mar. midi, dim. soir et lun. - ⊬ - 18/47 €*. La « morillette » et la « comtine » sont deux des inventions gourmandes sorties de l'imagination de Maurice Marchand, le chef de ce restaurant qui mitonne bien d'autres tours savoureux dans sa marmite. Cuisine classique servie dans la salle à manger de style rustique et plats régionaux proposés à la brasserie.

NOS HÔTELS ET CHAMBRES D'HÔTE

⊖ **Chambre d'hôte Les Traversins du Val d'Amour** – *29 rte de Salins - 39380 Ounans - 13 km au SO d'Arc-et-Senans par D 17E puis D 32 et D 472 - ℘ 03 84 37 62 28 - lestraversins@wanadoo.fr - ⊬ - 4 ch. 45 € ⊑ - repas 19 €*. Vous serez accueilli amicalement dans cette paisible maison particulière située non loin d'Arc-et-Senans. Par beau temps, petit-déjeuner sur la terrasse, avec vue sur champs et prés alentour. Chambres simples mais douillettes.

⊖⊗ **Hôtel des Messageries** – *R. de Courcelles - 39600 Arbois - ℘ 03 84 66 15 45 - www.hotellesmessageries.com - fermé janv. et déc. - 26 ch. 54/59 €*. Sur une artère fréquentée du centre-ville, ancien relais de poste à la jolie façade tapissée de lierre. Chambres progressivement rénovées. Réservez de préférence une de celles qui donnent sur l'arrière, plus tranquilles et dotées d'équipements sanitaires complets.

⊖⊗ **La Ferme du Château** – *R. de la Poste - 39800 Bersaillin - 9 km à l'O de Poligny par N 83 puis D 22 - ℘ 03 84 25 91 31 - fermé janv. - 9 ch. 51/64 € - ⊑ 9,50 €*. Cette ferme du 18e s. remarquablement restaurée a conservé nombre de ses aménagements d'origine dont la salle des colonnes, dotée de magnifiques voûtes et piliers, qui accueille en été expositions de peinture et concerts. Les chambres, sobres mais élégantes, ouvrent leurs fenêtres sur la campagne.

⊖⊗⊗ **Annexe Le Prieuré** – *R. de l'Hôtel-de-Ville - 39600 Arbois - ℘ 03 84 66 05 67 - www.jeanpauljeunet.com - fermé déc., janv., merc. de sept. à juin et mar. - ⊬ - 7 ch.* Cette bâtisse du 17e s. au confort bourgeois est l'annexe de l'hôtel-restaurant Jean-Paul Jeunet distant d'environ 200 m. Ses chambres sont garnies de meubles de style. Certaines donnent sur un reposant jardin fleuri.

NOS BONNES CAVES

Domaine André et Mireille Tissot – *Quartier Bernard - 39600 Montigny-lès-Arsures - ℘ 03 84 66 08 27 - lun.-sam. 9h-12h, 14h-19h - sur RV*. Créé en 1962 avec seulement 25 ares de vignes, le domaine compte aujourd'hui 33 ha. Depuis le départ à la retraite « active » d'André et

Mireille Tissot en 1995, il est géré par leur fils Stéphane. Le vignoble, dont Le Clos de la Tour de Curon replanté en 2002 sur 0,8 ha a produit son premier millésime en 2004, est conduit en biodynamie. Le pinot noir et le trousseau sont vinifiés en cuves de bois ouvertes tronconiques et, chose rare dans le Jura, 80 % des rouges bénéficient d'une vinification avec pigeage. L'élevage a ensuite lieu en demi-muids pour le trousseau, en barriques pour le pinot noir et en foudres pour le poulsard. Les blancs sont vinifiés séparément. ♟ arbois, côtes-du-jura, crémant-du-jura, macvin-du-jura.

S.Sauvignier / MICHELIN

Henri Maire, Les Deux Tonneaux – *Pl. de la Liberté - 39600 Arbois - ℘ 03 84 66 15 27 - www.henri-maire.fr - 9h-19h mais variable selon sais - fermé 1er janv*. Impossible de manquer l'enseigne Henri Maire à Arbois, car les publicités et ses immenses et alléchantes vitrines sont à la mesure de son implantation dans la région. Films, dégustations et possibilités de visite de caves et de domaines. ♟ arbois, château-chalon, côtes-du-jura, crémant-du-jura, l'étoile, macvin-du-jura.

Domaine Jacques Tissot – *39 r. de Courcelles - 39600 Arbois - ℘ 03 84 66 14 27 - courrier@domaine_jacques_tissot. fr - sur RV*. Créé en 1962 par Jacques Tissot, le domaine s'étend aujourd'hui sur 30 ha. Vendanges manuelles et vinification traditionnelle en fûts de chêne restent de rigueur à la propriété. Les vins sont ensuite élevés durant trois à quatre ans en fûts, et jusqu'à sept ans pour le vin jaune. ♟ arbois, arbois-pupillin, côtes-du-jura, crémant-du-jura, macvin-du-jura.

Domaine Rolet Père et Fils – *11 r. de l'Hôtel-de-Ville - 39600 Arbois - ℘ 03 84 66 08 89 - www.rolet-arbois.com - 9h30-12h, 14h-18h30 - fermé 25 déc. et 1er janv*. Ce domaine de 62 ha, le deuxième du Jura, vendange exclusivement à la main et produit des crus AOC côtes-du-jura, étoile et arbois, des vins jaunes et de paille, des crémants blancs ou rosés et du marc vieilli en fût de chêne. Il a été récompensé par de nombreuses médailles au Concours Général Agricole. ♟ arbois, côtes-du-jura, crémant-du-jura, l'étoile, macvin-du-jura.

Pierre Overnoy – R. de l'Abbé-Guichard - 39600 Pupillin - ✆ 03 84 66 24 27 - emmanuel.houillon@wanadoo.fr - sur RV. Le vignoble du domaine s'étend sur 5,5 ha de sols argilo-calcaires, encépagés de poulsard, de chardonnay et de savagnin. Reprise en janvier 2001 par Emmanuel Houillon, l'exploitation est conduite en agrobiologie, avec labour des sols et sans utilisation d'engrais chimiques. Les vins sont élaborés de façon naturelle sans usage de soufre. La vinification a lieu en cuves Inox, puis les vins sont élevés en foudres, en barriques ou en demi-muids. ♟ arbois, arbois-pupillin.

Domaine de la Borde – Chemin des Vignes - 39600 Pupillin - ✆ 03 84 66 25 61 - julien.mareschal@wanadoo.fr - sur RV. Créé en 1983 par Julien Mareschal, le domaine s'étend sur 4,5 ha de vignes âgées de 22 à 50 ans. Le vignoble, orienté sud-ouest, est conduit en lutte raisonnée avec travail du sol. Chardonnay, savagnin, poulsard et pinot noir sont ensuite vinifiés de manière traditionnelle en cuves, puis toutes les cuvées bénéficient d'un élevage en fûts de chêne. ♟ arbois, arbois-pupillin.

Domaine Xavier Reverchon - EARL Chantemerle – 2 r. du Clos - 39800 Poligny - ✆ 03 84 37 02 58 - reverchon. chantemerle@wanadoo.fr - tlj 14h-19h - sur RV. Cette exploitation familiale cultive depuis quatre générations 6,6 ha répartis en poulsard (1,4 ha), trousseau (0,25 ha) et pinot noir (0,75 ha) pour les vins rouges ; et en chardonnay (2,5 ha) et savagnin (1,7 ha) pour les blancs. La petite taille du vignoble permet à Xavier Reverchon de vinifier séparément les vendanges issues des différentes vignes. ♟ arbois, côtes-du-jura, crémant-du-jura, macvin-du-jura.

Benoit Badoz – 15 r. du Collège - 39800 Poligny - ✆ 03 84 37 11 85 - infos@badoz. fr - lun.-sam. 8h-19h - sur RV. Viticulteurs de père en fils depuis 1659, les Badoz cultivent 8 ha de vignes encépagés de poulsard, de trousseau, de pinot noir, de chardonnay et de savagnin. Le domaine est conduit en culture « qualitative », avec une observation attentive de la vigne et des raisins. Les vendanges sont manuelles. Le domaine produit également des vins jaunes et de paille. ♟ côtes-du-jura, crémant-du-jura, macvin-du-jura.

② De Poligny à Lons-le-Saunier (2ᵉ étape)

▶ 45 km. Poligny se trouve à 46 km au S-E de Dole par la N 5, l'A 39 et la N 83. Carte Michelin Local 321, E-F 4-7. Voir l'itinéraire ② sur le plan p. 248.

À partir de Poligny, l'itinéraire emprunte de petites routes qui longent la corniche du Revermont dans un paysage où la vigne s'accroche parfois à de fortes pentes.

De Poligny, prenez au sud la D 259 puis la D 194 sur environ 8 km.

Saint-Lothain

Blotti au pied d'une colline, ce village, qui porte le nom d'un saint typiquement jurassien, est dominé par un paysage de vignes d'altitude qui se glissent entre prairies et forêts de sapins. Le village possède d'imposantes maisons vigneronnes et une intéressante petite église de style roman tardif franc-comtois. À la sortie du village, sur la droite en direction de Passenans, vous trouverez une aire de pique-nique bien aménagée.

Poursuivez 3 km sur la D 57 jusqu'à Passenans.

Passenans

Ce joli village fleuri possède de solides maisons de pierre aux toits pentus bordés de pas de moineaux. ♟ Dans une ambiance au goût du jour, vous pourrez découvrir les très bons crémants et côtes-du-jura du **domaine Grand Frères**, à la sortie du village *(voir nos bonnes caves)*.

Grimpez ensuite par une petite route jusqu'au site de **Frontenay** où une belle église du 15ᵉ s. entourée d'un cimetière est précédée d'une allée de tilleuls centenaires. Le **château**, au-dessus de l'église, est une ancienne maison forte des comtes de Frontenay, qui protégeait la route du sel. Il a conservé un donjon du 14ᵉ s. Devant l'entrée du château, située à environ 1 km de l'église en montant par la route, vous trouverez un panneau indiquant les itinéraires de plusieurs randonnées pédestres.

De Passenans, vous pouvez faire un crochet par **Toulouse-le-Château**, en revenant sur la N 83. Montez au **belvédère★** au sommet duquel se dresse une église de style franc-comtois du 15ᵉ s., près des ruines de l'ancien château, et profiter d'une vue splendide sur le Revermont et la plaine de Bresse.

Gagnez Menétru-le-Vignoble par la D 57ᴱ¹, puis grimpez à Château-Chalon par la D 5.

Château-Chalon★

Ancienne place forte solidement ancrée sur son escarpement rocheux, ce superbe village règne sur un petit territoire au renom prestigieux. L'appellation château-chalon, qui ne couvre que 50 ha répartis sur les communes de Menétru-le-Vignoble, Nevy-sur-Seille, Voiteur et Domblans, ne s'applique en effet qu'au vin jaune. C'est d'abord un terroir atypique de marnes dont les pentes ensoleillées sont couvertes de vignes. Mais la magie opère également dans le secret des caves sèches et bien ventilées, avec de gros écarts de tempé-

rature, où s'élabore lentement ce « vin en or massif » qui semble se jouer des outrages du temps.

♈ Le **domaine Berthet-Bondet**, installé dans une belle demeure du 16ᵉ s. dans le haut du village compte parmi les plus représentatifs de l'appellation. Le **domaine Jean-Claude Crédoz** est également une bonne adresse *(voir nos bonnes caves)*.

On ne saurait résumer le site à son précieux breuvage : omniprésents, les témoignages du passé rappellent le destin du village qui a été fortifié dès l'époque gallo-romaine avant de recevoir un château fort et une abbaye de bénédictines (7ᵉ s.). Très fleuries, les **rues** ne manquent pas de caractère. Elles sont jalonnées de hautes maisons vigneronnes, dont certaines sont dotées d'un perron et d'un accès extérieur aux caves.

Au-dessus du vignoble : Château-Chalon.

Pour vous convaincre que le vin jaune se marie bien avec le fromage de Comté, rendez-vous à la **fromagerie Vagne**. Installée dans les caves mêmes de l'ancienne fromagerie de l'abbaye, cette « fructerie » propose aux amateurs des comtés ayant jusqu'à vingt-quatre mois d'affinage. Une visite guidée explique tous les mystères du fameux fromage. *R. St-Jean - 39210 Château-Chalon - ℘ 03 84 44 92 25 - visite guidée avec dégustation de mi-juin à mi-sept. : 14h30-18h30 ; de mi-sept. à mi-juin : mer., vend., sam., dim. et j. fériés 14h30, 15h30 - magasin : 11h-12h30, 14h-19h.*

Quittez Château-Chalon par la D 5.

Voiteur

♈ La **fruitière vinicole** est la principale curiosité de ce bourg commerçant situé au pied de Château-Chalon, au carrefour de plusieurs sites importants. Elle rassemble une cinquantaine de vignerons propriétaires de 75 ha dont 13 ha en château-chalon. Les marnes bleues des terroirs environnants conviennent au savagnin, tandis que le chardonnay se comporte bien sur les éboulis calcaires. *Rte de Nevy - 39210 Voiteur - ℘ 03 84 85 21 29 - www.fruitiere-vinicole-voiteur.fr - lun.-sam. 8h30-12h, 13h30-18h (19h en juil.-août), dim. et j. fériés 10h-12h, 14h-19h.*

Prenez au sud la D 70 en direction du Vernois.

Le Vernois

Ce minuscule village est un peu la « Mecque » du vignoble jurassien tant il compte de domaines de qualité. ♈ Celui des **Baud Père et Fils** *(voir nos bonnes caves)*, comme tant d'autres, est issu d'une dynastie de vignerons qui ont su, pour l'essentiel, tirer le meilleur parti du chardonnay et du savagnin, cépages qui trouvent ici leurs terres d'élection sur les sols argilo-calcaires et des marnes bleues.

♈ On aura un bon aperçu de la production locale en faisant une halte au **Caveau des Byards**. La plus petite cave coopérative de France ne regroupe que 15 sociétaires dont près de la moitié appartiennent à la même famille. On y produit essentiellement des côtes-du-jura blancs issus du chardonnay, qui ont une bonne aptitude à la garde *(voir nos bonnes caves)*.

À la sortie sud du Vernois, prenez à droite en direction de Plainoiseau, puis suivez la N 83 vers Arlay.

Château d'Arlay★

☏ 03 84 85 04 22 - www.arlay.com - de mi-juin à mi-sept. : visite guidée (30mn) château, visite libre parc et jardin 14h-18h - 8 € ou 6 € selon visite (enf. 6,70 € ou 5 €). Accueil au caveau de préférence sur RV.

Au bord de la Seille, au cœur d'un vignoble réputé, le nom d'Arlay résonne encore des hauts faits de la puissante famille de Chalon. La forteresse médiévale a été abandonnée au 17ᵉ s. et remplacée par un imposant château édifié au 18ᵉ s. Le **mobilier** de style Restauration forme un bel ensemble. Remarquez en particulier la bibliothèque et la chambre de poupée.

♣♣ Le **parc** offre une agréable promenade par un chemin gravissant une colline jusqu'aux ruines médiévales de la forteresse. Le parcours est agrémenté de grandes allées bordées de tilleuls, de nombreux éléments décoratifs (grotte, théâtre de verdure, boulingrin…) et de beaux points de vue sur la Bresse, le Revermont et le vignoble du château. Les vestiges de l'ancien château offrent un cadre romantique à la volerie de rapaces de **Jurafaune**. Les démonstrations sont toujours impressionnantes et très prisées des enfants.

La famille de Laguiche, propriétaire des lieux, est originaire de Bourgogne. 🍷 C'est sans doute pour cela que le **domaine viticole** de 30 ha compte 45 % de pinot noir, ce qui est exceptionnel dans le Jura. Outre ses rouges aux arômes de kirsch, Alain de Laguiche, qui dirige le vignoble, propose un très agréable « rosé corail » et un macvin rouge de grande classe *(voir nos bonnes caves)*.

D'Arlay, prenez à l'ouest la D 120 en direction de Bletterans, puis tournez tout de suite à gauche et faites 7 km jusqu'à L'Étoile, en passant par Quintigny.

L'Étoile

Le village doit son nom de « star » à une algue fossile, la crinoïde, dont les segments en forme d'étoile à cinq branches se trouvent en abondance dans le sol. C'est un excellent terroir à chardonnay et savagnin et l'AOC l'étoile ne produit que des vins blancs plus ou moins marqués par le « goût de jaune ». 🍷 Parmi les caveaux les plus pittoresques, on retiendra celui de la famille Vandelle au **Château de L'Étoile**. Le **domaine de Montbourgeau** est également une valeur sûre *(voir nos bonnes caves)*.

Quittez L'Étoile au sud pour rejoindre la D 38. Prenez la N 83 au nord sur environ 1 km avant de tourner à droite vers le château du Pin.

Château du Pin★

☏ 03 84 25 32 95 - de déb. juil. à fin sept. : 13h-19h. 4 € (enf. 1,50 €).

Il s'élève dans un cadre de pâturages et de vignes. Construit au 13ᵉ s. par Jean de Chalon, comte de Bourgogne et seigneur d'Arlay, détruit par Louis XI, il a été rebâti au 15ᵉ s. et restauré de nos jours. Le donjon du 15ᵉ s. offre une belle vue sur les environs.

Rejoignez Lons-le-Saunier par la D 208, puis la D 70.

Lons-le-Saunier★

Les collines qui entourent la ville étaient autrefois couvertes de vignes. Seules les maisons vigneronnes de la place de la Comédie rappellent l'importance de cette activité. En effet, l'urbanisation a peu à peu éloigné Lons-le-Saunier du vignoble.

Véritable cœur de la ville, la **place de la Liberté** concentre une bonne part de l'animation lédonienne. À l'une des extrémités, la place est fermée par l'imposante façade rococo du **théâtre★**, dont l'horloge égrène deux mesures de *La Marseillaise* avant de sonner les heures. Pourquoi cet air ? Simplement parce que Rouget de l'Isle, l'auteur de l'hymne national, est né à Lons (statue sur la promenade de la Chevalerie).

Les 146 arcades sur rue et sous couvert datant de la seconde moitié du 17ᵉ s. donnent à la **rue du Commerce★** un aspect très pittoresque. Au n° 24, la maison natale de Rouget de Lisle est devenue le **musée Rouget-de-Lisle**. Il reste peu de mobilier, mais les souvenirs et documents présentent l'étonnant destin de l'artiste et de *La Marseillaise*. Un film vidéo anime ces salles. *☏ 03 84 47 29 16 - de mi-juin à mi-sept. : 10h-12h, 14h-18h, w.-end et j. fériés 14h-17h - gratuit.*

Construit à partir de 1735, l'**hôtel-Dieu** (18ᵉ s.) est fermé par une très belle **grille** en fer forgé. Aujourd'hui désaffecté, il a conservé une superbe **pharmacie★** dont les boiseries mettent en valeur les collections de pots de faïence, d'étain et de cuivre. *☏ 03 84 24 65 01 - de mi-juil. à mi-sept. : visite guidée (1h) mar. 10h et sam. 15h, dép. devant les grilles anciennes - 5 € (-12 ans gratuit).*

La **place de la Comédie**, à droite en allant vers la rue du Puits-Salé, est bordée d'anciennes maisons vigneronnes. Les linteaux de porte des nᵒˢ 20 et 22 sont décorés de serpettes, outils des vignerons. En contrebas de la rue du Puits-Salé, au cœur d'un petit parc, coule la source salée appelée **Puits-Salé**, déjà utilisée par les Romains ; elle est à l'origine du développement de la ville. Enfin, pas de visite de Lons sans passer par le **musée d'Archéologie** où vous serez accueilli par le fameux platéosaurus, fossile découvert dans la région. Le musée attend de nouveaux locaux pour exposer ses riches collections parmi lesquelles figure une exceptionnelle pirogue, datant de l'âge du bronze et trouvée dans le lac de Chalain. Pour patienter, d'intéressantes expositions temporaires puisent dans le fonds du musée. *25 r. Richebourg - ℘ 03 84 47 12 13 - tlj sf mar. 10h-12h, 14h-18h, w.-end et j. fériés 14h-17h - fermé 1ᵉʳ janv., 1ᵉʳ Mai, 25 déc. - 2 € (enf. gratuit), gratuit merc. et 1ᵉʳ dim. du mois.*

🍷 Bon échantillonnage des vins de la région à la **Maison du vigneron** *(voir nos bonnes caves).*

EN MARGE DU VIGNOBLE

Prendre de la hauteur au cirque de Baume★★★

12 km au N-E de Lons-le-Saunier par la D 471. Peu avant Crançot, tournez à gauche dans la D 471, sur laquelle on prendra à droite pour gagner le belvédère des roches de Baume.

Belvédère des roches de Baume★★★ – 🔭 Longer à pied le bord de la falaise qui forme le fameux belvédère des roches de Baume, encore appelé belvédère de Crançot. L'entaille est prodigieuse ; découverte au dernier moment, elle donne une impression exaltante. Près du point de vue le plus à droite s'amorce un sentier coupé de marches taillées dans le roc : ce sont les **Échelles de Crançot** qui conduisent au fond du cirque *(attention ! descente difficile).*

Se recueillir à l'abbaye de Baume-les-Messieurs★

7 km au S-E de Voiteur par la D 70. ℘ 03 84 44 95 45 - de mi-juin à fin sept. : 10h-12h, 14h-17h - 3,50 € (-10 ans gratuit).

L'histoire de l'abbaye commence en 890. Elle obtient l'autonomie de 1157 à 1186 grâce à Frédéric Barberousse, empereur germanique qui a épousé l'héritière du comté de Bourgogne : c'est de cette période que l'abbaye tire son nom d'abbaye impériale. À partir du 16ᵉ s., les humbles moines sont remplacés par de nobles chanoines. Ces hauts « Messieurs » corrigent le nom de leur maison. Baume-les-Moines, devient Baume-les-Messieurs. En 1793, fin de partie, les biens de l'abbaye sont dispersés lors d'une vente au flambeau.

Au portail de la façade (15ᵉ s.) de l'**église** est représenté Dieu le père bénissant, et, dans les niches latérales, des anges soufflant dans des instruments. Dans la **chapelle de Chalon** *(à gauche)* et de chaque côté du chœur, bel ensemble de **statues bourguignonnes** du 15ᵉ s. Le principal trésor de l'abbaye est le magnifique **retable anversois★★** du début du 16ᵉ s. *(accessible lors des visites guidées).* Son thème central est la Passion du Christ.

À droite, une porte donne accès à ce qui fut le **cloître**. Le dortoir et le réfectoire des moines s'ouvraient sur cette cour qui a conservé sa fontaine. Passez sous une voûte, à gauche. On pénètre alors dans une autre cour dont les bâtiments abritaient les

Un site magnifique : le cirque de Baume.

appartements des nobles chanoines. On revient à l'ancien cloître puis à la 1re cour par un passage voûté ouvert dans l'ancien cellier (13e s.).

S'enfoncer dans les grottes des Moidons

10 km au S-E d'Arbois par la D 469. ℘ 03 84 51 74 94 - www.grottesdesmoidons.com - visite guidée (45mn) juil.-août : 9h30-17h30 (dernier dép.) ; de mi-juin à fin juin et de déb. sept. à mi-sept. : 10h-12h, 14h-17h ; de déb. juin à mi-juin : tlj sf mer. 10h-12h, 14h-17h. ; mi-sept. à fin sept. tlj sauf mer. : 14h-17h ; avr.-mai : tlj sf mer. 14h-17h - 6 € (enf. 3,20 €).
Au cœur de la forêt des Moidons, ces grottes présentent un nombre particulièrement important de concrétions. Leur visite s'achève par un son et lumière mettant remarquablement en valeur les bassins d'eau.

Se ressourcer aux thermes de Lons-le-Saunier

Valvital Thermes – *Parc des Bains - 39000 Lons-le-Saunier - ℘ 03 84 24 20 34 - www. valvital.fr - lun.-jeu. 13h-20h, vend. 13h-19h, sam. 12h-19h ; ouv. mat. pour les cures thermales - fermé nov.-mars.* L'établissement utilise des eaux chlorurées sodiques fortes (305 g/l) ou moyennes (10 g/l). Elles sont indiquées pour le traitement de la rhumatologie, les troubles du développement de l'enfant et le psoriasis (demande d'agrément en cours). Comme dans la plupart des stations thermales, un secteur de remise en forme est ouvert à tous l'après-midi. De nombreux forfaits facilitent le choix des soins. Un parc arboré de 7 ha invite à la promenade autour des installations.

Les adresses de Poligny à Lons-le-Saunier

NOS BONNES TABLES

Le Mirabilis – *41 Grande-Rue - 39570 Mirebel - 15 km à l'E de Lons-le-Saunier par D 471 - ℘ 03 84 48 24 36 - www.lemiralis. com - fermé 2-10 janv., lun., mar. et merc. midi hors sais. - 13/50 €.* Cette adresse bien connue des gourmets de la région se cache dans un petit village de la verte campagne jurassienne. Sophie et Hugo Meyer vous invitent à déguster une savoureuse cuisine préparée avec des produits du terroir : suprême de pintade aux morilles et vin jaune, truite rôtie flambée aux vieux pontarlier, etc.

Les Grottes – *Aux grottes - 39210 Baume-les-Messieurs - 9 km au NE de Lons-le-Saunier - ℘ 03 84 48 23 15 - www. restaurantdesgrottes.com - fermé 16 oct.-19 mars et lun. sf juil.-août - réserv. obligatoire - 22/35 €.* Le bel emplacement de ce pavillon 1900 vous permettra de ne rien perdre du site naturel exceptionnel de Baume-les-Messieurs et d'admirer en été, de la terrasse ombragée, le spectacle des cascades. À table, cuisine du terroir pleine de goût : terrine comtoise, émincé de volaille au macvin, entrecôte aux morilles, etc.

Les 16 Quartiers – *Pl. de l'Église - 39210 Château-Chalon - ℘ 03 84 44 68 23 - seizequartiers@wanadoo.fr - fermé de mi-nov. à fin mars, le soir sf w.-end de mars à juin et jeu. soir en juil.-août - 15/28 €.* Sur la terrasse ombragée ou dans la jolie salle à manger semi-troglodyte, le temps semble s'être arrêté : venez profiter du charme de cette maisonnette du 16e s. nichée au cœur de la petite capitale du vin jaune, et de sa bonne cuisine locale et… médiévale (sur réservation). Vins du Jura à déguster au verre.

La Bonne Étoile – *1 r. de la Poste - 45460 Les Bordes - ℘ 02 38 35 52 15 - fermé 22-28 août, 1er-7 fév., mar. soir, dim. soir et lun. 15/34 €.* Engageante petite auberge champêtre au bord d'une route passagère. La salle à manger, au décor rustique et coloré, est très chaleureuse. Cuisine traditionnelle.

NOS HÔTELS ET CHAMBRES D'HÔTE

Chambre d'hôte Le Jardin de Misette – *R. Honoré-Chapuis - 39140 Arlay - 12 km à l'O de Château-Chalon par D 5 jusq. Voiteur puis D 120 - ℘ 03 84 85 15 72 - http://misette.blog.lemonde.fr/misette - 4 ch. 48 € - repas 23 €.* Anciens restaurateurs et auteurs de l'ouvrage Saveurs Comtoises, Misette et son mari ont eu le coup de foudre pour cette habitation vigneronne des bords de Seille. Chambres calmes et confortables. La « Chabotte », aménagée dans une maisonnette au fond du jardin, est la plus plaisante. Ambiance conviviale, cuisine familiale.

Hôtel Le Parc – *9 av. Jean-Moulin - 39000 Lons-le-Saunier - ℘ 03 84 86 10 20 - 16 ch. 54 € - 6 € - rest. 14/25 €.* Chambres actuelles et fonctionnelles et réveil au son de la Marseillaise que carillonne l'horloge du théâtre voisin dans cet hôtel qui est un centre d'aide par le travail. Sobre salle à manger et cuisine simple utilisant quelques produits régionaux.

Nouvel Hôtel – *50 r. Lecourbe - 39000 Lons-le-Saunier - ℘ 03 84 47 20 67 - www. nouvel-hotel-lons.fr - fermé 17 déc.-9 janv. - 26 ch. 43/52 € - 7,50 €.* De superbes maquettes de navires de guerre de la Marine française, confectionnées par le maître des lieux, agrémentent le hall de cet hôtel du centre-ville. Chambres d'ampleur diverse, garnies de meubles rustiques. Celles du 3e étage sont les moins spacieuses.

⊜⊜⊜ **Hôtel La Parenthèse** – *300 chemin du Pin - 39570 Chille - 3 km au N de Lons-le-Saunier par D 157 - ✆ 03 84 47 55 44 - www.hotelparenthese.com - 🅿 - 34 ch. 89/138 € - ⊡ 11 € - rest. 25/47 €.* Sur la route du vignoble jurassien, hôtellerie contemporaine dont les chambres offrent deux niveaux de confort différents. La plupart possèdent un balcon et profitent de la vue sur le parc arboré de l'établissement. Le restaurant concocte des recettes mariant produits d'ici et saveurs d'ailleurs.

NOS BONNES CAVES

COOPÉRATIVE

Maison du Vigneron – *23 r. du Commerce - 39000 Lons-le-Saunier - ✆ 03 84 24 44 60 - mbailly@cguj.fr - tlj sf dim. et lun. 10h-12h, 14h-19h - fermé j. fériés.* Cette cave qui s'ouvre en face de la maison de Rouget de Lisle regroupe la production d'environ 150 viticulteurs. La diversité du vignoble jurassien s'y exprime à travers une riche gamme de crus AOC : côtes-du-jura, arbois, vin jaune, vin de paille… Liqueurs et eaux-de-vie garnissent également les casiers.

DOMAINES

Domaine Grand – *139 r. du Savagnin - 39230 Passenans - ✆ 03 84 85 28 88 - domaine-grand@wanadoo.fr - sur RV.* La famille Grand se consacre à la culture de la vigne depuis 1976 sur une exploitation familiale, dont les origines remontent au 17e s. Planté sur des marnes grises particulièrement bien adaptées au savagnin et au trousseau, le vignoble s'étend sur 24 ha encépagés de chardonnay et de savagnin pour les blancs ; de poulsard, de trousseau et de pinot noir pour les rouges et les rosés. La vinification, réalisée séparément ou par assemblage pour les blancs, a lieu en cuves thermorégulées, puis les vins sont élevés en barriques et en foudres de bois. En 2004, le domaine a modernisé ses caves et sa cuverie, aujourd'hui équipée de cuves Inox thermorégulées. 🍷 château-chalon, côtes-du-jura, crémant-du-jura, l'étoile, macvin-du-jura.

Domaine Berthet-Bondet – *39210 Château-Chalon - ✆ 03 84 44 60 48 - domaine.berthet.bondet@wanadoo.fr - tlj 10h-12h, 14h-19h - sur RV.* Après avoir suivi une formation d'ingénieur agronome et effectué une série de stages, Jean Berthet-Bondet crée ce domaine en 1985. Aujourd'hui, la propriété s'étend sur 10 ha de sols marneux, recouverts d'éboulis calcaires. L'exposition sud et ouest du vignoble participe à la bonne maturation du chardonnay et du savagnin pour les blancs ; du poulsard, du trousseau et du pinot noir pour les rouges et les rosés. Après pressurage et fermentations, les vins blancs et jaunes vieillissent en fûts de chêne. 🍷 château-chalon, côtes-du-jura, crémant-du-jura, l'étoile, macvin-du-jura.

Domaine Jean-Claude Crédoz – *R. des Chèvres - 39210 Château-Chalon - ✆ 03 84 44 64 91 - domjccredoz@aol.com - tlj 8h-12h, 13h30-20h.* Fondé en 1859 par Victor Crédoz, le domaine compte aujourd'hui 6 ha. La propriété, exploitée par son fils Jean-Claude, est en pleine restructuration. Depuis 2004, la vinification, le stockage en cave voûtée et la commercialisation se font à Château-Chalon. Les vins sont élevés en fûts de chêne pendant plusieurs années, deux années minimum et jusqu'à sept ans pour le vin de paille. 🍷 château-chalon, côtes-du-jura, crémant-du-jura, l'étoile, macvin-du-jura.

Domaine Baud Père et Fils – *222 rte de Voiteur - 39210 Le Vernois - ✆ 03 84 25 31 41 - lun.-sam. 8h-12h, 14h-18h -sur RV.* À sa création en 1790, le vignoble comptait 6 ha. Toujours exploité par la famille Baud, il s'étend aujourd'hui sur 18 ha encépagés de chardonnay et de savagnin pour les blancs, de pinot noir, de poulsard et de trousseau pour les rouges. Les vignes sont cultivées en lutte raisonnée avec enherbement un rang sur deux, et les vendanges sont manuelles. La vinification est traditionnelle avec thermorégulation. 🍷 château-chalon, côtes-du-jura, crémant-du-jura, l'étoile, macvin-du-jura.

Caveau des Byards – *D 70 - 39210 Le Vernois - ✆ 03 84 25 33 52 - info@caveau-des-byards.fr - tlj 9h-12h, 14h-18h - sur RV - visite payante.* Créé en 1953, ce vignoble de 30 ha s'étend au cœur du massif jurassien et bénéficie d'un très bon ensoleillement. L'encépagement est composé de chardonnay, de savagnin, de poulsard, de trousseau et de pinot noir. L'élevage a lieu ensuite en fûts de chêne pour les vins de garde. Le domaine, où ont été créés de nouveaux chais en 1998, produit également du vin de paille et du vin jaune. 🍷 arbois, château-chalon, côtes-du-jura, crémant-du-jura, l'étoile, macvin-du-jura.

Château d'Arlay – *39140 Arlay - ✆ 03 84 85 04 22 - alaindelaguiche@aol.com -lun.-sam. 9h-12h, 14h-18h.* Ce vignoble, déjà exploité au Moyen Âge, est l'un des plus anciens du Jura. Planté sur des sols argilo-calcaires, il s'étend sur 27 ha encépagés de pinot noir, de trousseau, de poulsard, de savagnin et de chardonnay. Les vendanges sont manuelles, puis la vinification est réalisée en cuves thermorégulées. Les vins sont ensuite élevés en vieux fûts, pendant au moins trois ans. 🍷 côtes-du-jura, macvin-du-jura.

Château de L'Étoile – *994 r. Bouillod - 39570 L'Étoile - ✆ 03 84 47 33 07 - info@chateau-etoile.com - tlj 9h-12h, 14h-19h - sur RV.* Ce domaine, transmis de génération en génération et acquis par Auguste Vandelle en 1883, est aujourd'hui

dirigé par Georges, Béatrice et leurs deux fils. Le vignoble est situé sur la colline du mont Muzard, dont les flancs exposés sud et ouest, au sous-sol marneux, conviennent particulièrement à la vigne. Les 16 ha sont encépagés de chardonnay, de savagnin, de poulsard et de trousseau.
🍷 côtes-du-jura, crémant-du-jura, l'étoile, macvin-du-jura.

Domaine de Montbourgeau – 53 r. de Montbourgeau - 39570 L'Étoile - ✆ 03 84 47 32 96 - domaine.montbourgeau@wanadoo.fr - lun.-sam. 9h-12h, 14h-19h - sur RV. Le vignoble de cette propriété familiale, achetée en 1920, s'étend sur 30 ha dont 8,2 sont en production. Les vignes, encépagées de chardonnay, de poulsard et de savagnin, sont cultivées en lutte raisonnée et vendangées manuellement. Le domaine produit, en plus des vins blancs, du vin de paille et du vin jaune.
🍷 crémant-du-jura, l'étoile, macvin-du-jura.

③ Villages vignerons du sud-Revermont (3ᵉ étape)

▶ Gevingey se trouve à 7 km au S de Lons-le-Saunier. Carte Michelin Local 321, E-F 4-7. Voir l'itinéraire ③ sur le plan p. 248.

Le vignoble des côtes du Jura reprend vigueur dans un paysage sillonné de routes tortueuses, à quelques kilomètres au sud de Lons-le-Saunier. La région produit majoritairement des vins blancs, mais le pinot noir y donne aussi de bons résultats. Ici commence le sud-Revermont où s'égraine sur une vingtaine de kilomètres un chapelet de villages vignerons fleuris blottis au fond de combes verdoyantes.

Quittez Lons-le-Saunier au sud par la N 83.

Gevingey

Ce village pittoresque fut le cadre d'un terrible drame durant la Seconde Guerre mondiale, comme le rappelle une plaque sur la façade de la mairie.
Les sols mêlés d'éboulis calcaires et de marnes bleues donnent de bons vins blancs de Savagnin.

Poursuivre en direction de Cesancey.

De petites routes traversent les charmants villages de **Cesancey**, **Grusse**, **Vincelles**, **Rotalier** et **Orbagna**, dont l'histoire est intimement liée au vignoble. Ils possèdent tous de belles fontaines et des lavoirs anciens.
À Grusse, vous pouvez monter jusqu'au **belvédère★** de **Saint-Laurent-Laroche** *(2,5 km)* pour profiter d'un magnifique panorama sur les villages du sud-Revermont et la plaine de Bresse.
Vous pouvez ensuite poursuivre vers le sud jusqu'à **Maynal**, qui possède également un beau point de vue et une intéressante église surmontée d'un imposant clocher fortifié que l'on aperçoit de loin. 🍷 Une visite s'impose au **domaine Claude Buchot** *(voir nos bonnes caves).*

Base nautique du lac de Chalain.

Les propriétés viticoles de cette région sont de très petite taille mais leur production est fort variée. 🍷 On retiendra le **domaine Labet** à **Rotalier**, pour ses pinots et chardonnays, ainsi que le **domaine Ganevat** *(voir nos bonnes caves)*.

EN MARGE DU VIGNOBLE

Baignade et archéologie au lac de Chalain★★

26 km à l'E de Lons-le-Saunier par les D 471 et D 39. Stationnement interdit autour du lac, parkings payants près des plages.

Ce vaste lac de 232 ha est sans doute le plus beau et le plus impressionnant des lacs jurassiens. Nos ancêtres ne s'y sont d'ailleurs pas trompés en y installant très tôt un village lacustre.

Sur la **base de loisirs**, on pratique la planche à voile, le canoë ou plus simplement la baignade. Mais l'eau n'est pas chaude toute l'année et les pêcheurs en profitent pour tester leur adresse ou leur patience ; le lac est classé en 2ᵉ catégorie et regorge de brochets et de perches…

Chalain n'est pas seulement un lieu de détente, c'est également un trésor pour les amateurs d'archéologie : le **site archéologique** permet de voir le village lacustre. Des **maisons néolithiques sur pilotis** ont été reconstituées au bord du lac avec les techniques de l'époque. À des fins d'expérimentation archéologique, on les laisse se dégrader naturellement. *Accès par le camping La Pergola (parking payant) à Marigny. Trois rares visites guidées et une conférence par été. Une exposition doit aussi rendre compte annuellement des résultats des fouilles. Renseignements à l'office du tourisme de Clairvaux-les-Lacs.*

Les adresses du sud-Revermont

NOS BONNES TABLES

◖🍽 **Ferme-auberge La Grange Rouge** – 39570 Geruge - 9 km au SO de Lons-le-Saunier par D 117 - ☎ 03 84 47 00 44 - fermé 25 août-17 sept. - ⊐ - réserv. conseillée - 15/25 € - 5 ch. 46 € ⊡. Cette ferme perchée à 500 m d'altitude attire les amateurs de bonne chère de toute la région avec son poulet à la crème et aux morilles et ses croûtes aux champignons. Élevage de poulets, de pintades et de porcs. Les chambres, spacieuses et confortables, jouissent d'un calme champêtre.

NOS HÔTELS ET CHAMBRES D'HÔTE

◖🍽 **Le Comtois** – 39130 Doucier - ☎ 03 84 25 71 21 - restaurant. comtois@wanadoo.fr - fermé 28 nov.-11 fév., dim. soir, mar. soir et merc. sf du 15 juin au 15 sept. - 8 ch. 50 € - ⊐ 7 € - rest. 20/50 €. Plaisant décor campagnard, chambres confortables, généreuse cuisine du terroir et très bon accueil font la réputation de cette coquette auberge. Attrayante sélection de vins du jura.

NOS BONNES CAVES

Domaine Claude Buchot – 4A, Grande-Rue - 39190 Maynal - ☎ 03 84 85 94 27 - sam. 9h-19h. Le domaine compte 5,5 ha de vignes, encépagées de chardonnay et de savagnin pour les blancs ; de pinot noir et de poulsard pour les rouges. Le vignoble est conduit en culture biologique, avec vendanges manuelles. La vinification a lieu ensuite en cuves Inox sous contrôle des températures, puis l'élevage se poursuit de dix-huit à trente mois en fûts de chêne bourguignons de 228 l. Claude Buchot produit également du vin de paille. 🍷 côtes-du-jura, crémant-du-jura, macvin-du-jura.

Domaine Labet – Pl. du Village - 39190 Rotalier - ☎ 03 84 25 11 13 - sur RV. Les vignes du domaine s'étendent sur 12 ha, cultivés sans engrais, avec taille courte, palissage soigné et sols labourés. Le vignoble, encépagé de chardonnay, de pinot noir, de trousseau et de poulsard et dont les vignes sont âgées en moyenne de 60 ans, est vendangé manuellement. Afin de respecter le caractère de chaque climat, les parcelles de chardonnay sont vinifiées séparément. Les vins sont ensuite élevés en barriques récentes et en foudres anciens. 🍷 côtes-du-jura.

Domaine Ganevat – R. du Pont - La Combe - 39190 Rotalier - ☎ 03 84 25 02 69 - 10h-19h - sur RV. Après avoir été pendant dix ans maître de chai à Chassagne-Montrachet, Jean-François Ganevat a repris en 1998 le domaine familial transmis de père en fils depuis… 1650 ! Conduit en biologie depuis 2001, le vignoble est encépagé de pinot noir, de savagnin, de trousseau et de chardonnay. Les vendanges sont manuelles. En marge des traditionnels vins de paille et vins jaunes, le domaine produit aussi une liqueur originale, la cuvée Zarby. 🍷 côtes-du-jura, crémant-du-jura, macvin-du-jura.

9

LE LANGUEDOC
ET LE ROUSSILLON

Cultivée par les Ibères dès le 7ᵉ s. avant J.-C., la vigne est ici plus qu'ailleurs synonyme de vie. Étendu par les Romains puis par les moines, le vignoble est pourtant resté confiné dans ses limites antiques jusqu'au percement du canal du Midi au 17ᵉ s, qui permit une meilleure circulation des vins. Mais c'est surtout l'apparition du chemin de fer, au 19ᵉ s., qui a rendu possible l'extraordinaire extension du vignoble. Entre 1850 et 1870, la production passe de 4 millions d'hectolitres à 15 millions. C'est, pour la région, une véritable révolution culturelle et économique. De Carcassonne à la mer, de Banyuls à Nîmes, le Languedoc et le Roussillon se couvrent d'une mer de vigne qui vient submerger les plaines jusque-là vouées aux cultures céréalières. Les routes des vins sont nombreuses, mais chacune traverse des paysages de caractère, où le patrimoine construit vaut autant que les richesses naturelles.

Cucugnan en son vignoble.

Comprendre

La révolution qualitative – Lorsqu'apparaît la crise du phylloxéra, à la fin du 19ᵉ s., c'est une catastrophe pour le Languedoc. En 1907, les vignerons, acculés à la misère par la concurrence des vins d'Algérie ou celle de « bibines » artificielles fabriquées par les marchands de vins, se révoltent. Emmenés par le bistrotier charismatique Marcelin Albert, des centaines de milliers de manifestants se heurtent à la troupe, qui se mutine par solidarité à Narbonne. Il faudra toute l'habileté manœuvrière d'un Clemenceau pour ramener l'ordre. Dès lors, plutôt que de s'engager dans un combat sans issue, les vignerons les plus avisés créent les premières coopératives. Ce n'est cependant que deux générations plus tard que l'on verra émerger une production de qualité. Jusqu'aux années 1980, en effet, le Midi viticole s'était contenté de faire « pisser la vigne » pour satisfaire la demande en gros rouge des populations laborieuses. Mais avec le brusque changement des modes de consommation, il a fallu entreprendre une reconversion qualitative qui a pris ici l'aspect d'une vraie révolution. Le remplacement des cépages traditionnels par des cépages

Le vignoble en bref

Superficie : Le vignoble du Languedoc couvre 300 000 ha dans l'Hérault, l'Aude et le Gard ; le vignoble du Roussillon s'étend sur 9 000 ha dans les Pyrénées-Orientales.

Production : 40 % des vins français, soit environ 20 millions d'hl, dont 90 % en vins de pays et vins de table.

👁 **Conseil interprofessionnel des vins du Languedoc** – ☎ 04 68 90 38 30 - www.languedoc-wines.com

	Caractéristiques	Garde	Prix
Vins rouges	Pourpre à violet profond dans leur jeunesse ; rubis sombre à acajou foncé en vieillissant. Arômes de fruits noirs ou rouges, de réglisse, de fenouil et d'épices les premières années. Notes truffées, giboyeuses et chocolat en vieillissant. En bouche, généralement ronds et parfois très tanniques dans leur jeunesse, s'assouplissent assez vite en vieillisssant.	Très variable selon les appellations. La plupart peuvent se conserver au moins 5 ans, rarement plus de 10 ans.	5 à 20 € ; les **pic-st-loup et la clape** peuvent monter à 45 € ; les **costières-de-nîmes** tournent autour de 5-15 €.
Vins blancs secs	Doré clair jeunes, paille plus ou moins foncé en vieillissant. Arômes d'agrumes, de fruits exotiques, de raisin mûr, de poire dans leur jeunesse. Épices, raisin de Corinthe en vieillissant.	La plupart se boivent dans les 5 ans.	5 à 20 € ; les **costières-de-nîmes et côtes-du-roussillon** tournent autour de 10-15 €.
Vins doux naturels et vins pétillants	Les muscats ont des notes citronnées et mentholées ; les rivesaltes, les maurys et les banyuls ont des notes de cacao et de cerise dans leur jeunesse, puis évoluent vers des arômes et des saveurs d'amande grillée, de kirsch, de miel et d'encens.	Très bonne garde de 10 à 20 ans pour la plupart des maurys, rivesaltes et banyuls. La plupart des muscats se boivent jeunes.	**Vins doux naturels** : 5 à 20 € ; les maury tournent autour de 10-30 €. **Blanquette-de-limoux** : 15 à 20 €.
Vins rosés	D'une couleur généralement bien soutenue, ils sont fruités avec des notes de framboise et de groseille.	La plupart se boivent dans les 5 ans.	5 à 8 €. **Faugères** : 10 à 15 €.

qualitatifs, la baisse des rendements et la création d'appellations d'origine contrôlée furent les clés du renouveau. Aujourd'hui, les quatre départements du Midi viticole produisent encore 40 % du vin français. Et malgré l'immensité des efforts consentis, la concurrence des vins du « Nouveau Monde » frappe à présent de plein fouet les vins du Languedoc-Roussillon. Avec un des taux de chômage les plus forts de France, le Midi viticole, s'il perd le vin, perd tout. Et tant que de nouvelles activités ne viendront pas soutenir significativement l'économie régionale, la viticulture demeura à la fois sa force et sa faiblesse.

Les coteaux du Languedoc

CARTES MICHELIN LOCAL 339 – GARD (33), HÉRAULT (34)

Au nord de Montpellier, le pic St-Loup dresse sa dent de 658 m au-dessus de la garrigue. En face, la masse blanche de l'Hortus lui donne la réplique. Leurs abords nord et ouest ont des sols argilo-calcaires dévolus au vignoble de l'AOC coteaux-du-languedoc-pic-st-loup.

1 Le pic St-Loup (1ʳᵉ étape)

▶ 60 km. Montpellier se trouve à 96 km au N-E de Narbonne par l'A 9. Carte Michelin Local 339, F-I 6-7. Voir le circuit 1 sur le plan p. 276-277.

Montpellier★★
Baignée par la douce lumière méditerranéenne, la capitale de la région Languedoc-Roussillon multiplie les clins d'œil charmeurs. Ses quartiers anciens et ses superbes jardins agrémentent les promenades en journée, tandis que théâtres, cinémas et Opéra animent longuement la nuit. L'air humecté de sel annonce déjà la mer toute proche. Montpellier regarde cependant le vignoble de loin car son économie n'a jamais dépendu de la vigne. Sa modernité ne s'embarrasse guère du paysage, avec un urbanisme qui dévore peu à peu la campagne environnante. Il faudra faire quelques kilomètres pour trouver la sérénité et le chant de cigales.
Entre la place de la Comédie et l'arc de triomphe du Peyrou, de part et d'autre de la trouée de la rue Foch, s'étendent les **vieux quartiers★★** de Montpellier, aux rues

LES TERROIRS

Superficie : le vigoble couvre 15 600 ha.
Production : 460 000 hl.
Le climat est méditerranéen avec des hivers doux et des étés chauds et secs.
Les précipitations sont faibles mais parfois violentes. Les terrains sont soit
schisteux, soit composés de cailloutis calcaires, ou encore argilo-calcaires.

LES VINS

Les coteaux du Languedoc, implantés sur les garrigues, donnent des vins
rouges, rosés et blancs secs, vins issus d'au moins deux cépages.
AOC coteaux-du-languedoc : cépages grenache noir, syrah, mourvèdre,
carignan, cinsault et iladoner pour les rouges, cépages clairette, grenache
blanc, bourboulen, picpoul, marsanne et roussanne pour les blancs.

BON À SAVOIR

L'AOC coteaux-du-languedoc est répartie sur 12 terroirs dont les dénomi-
nations peuvent compléter l'appellation. Vous les découvrirez au long des
itinéraires de ce chapitre.
👁 **Maison des vins du Languedoc** – 📞 04 67 06 04 44 - www.coteaux-lan-
guedoc.com
👁 **Syndicat de défense du picpoul-de-pinet** – 📞 04 67 77 03 10 - www.
picpoul-de-pinet.com
👁 **Syndicat des vignerons du Pic St-Loup** – 📞 04 67 55 16 96 - www.pic-
saint-loup.com

tortueuses et étroites, selon le plan de la cité médiévale. Le long de ces rues furent
édifiés aux 17ᵉ et 18ᵉ s. de superbes hôtels particuliers qui cachent leurs façades
principales et leurs remarquables escaliers à l'intérieur des cours. *Itinéraire disponible
à l'office de tourisme.*
L'**hôtel des Trésoriers de France** accueille le **Musée languedocien★**. Ce fut l'hôtel
Jacques-Cœur quand celui-ci y résidait au 15ᵉ s. Au 17ᵉ s., il devint l'hôtel des Trésoriers
de France, hauts magistrats chargés d'administrer les domaines royaux en Languedoc.
La salle médiévale abrite des sculptures romanes de l'abbaye de Fontcaude et du
cloître de St-Guilhem-le-Désert, du mobilier et des faïences languedociennes. Le
2ᵉ étage est consacré aux fouilles archéologiques et aux arts et traditions populaires.
*7 r. Jacques-Cœur - 📞 04 67 52 93 03 - juil.-sept. : tlj sf dim. 15h-18h ; le reste de l'année :
tlj sf dim. et j. fériés 14h30-17h30 - 6 € (enf. gratuit).*
La **promenade du Peyrou★★** fut aménagée à la fin du 17ᵉ s. pour accueillir une
statue monumentale de Louis XIV ; détruite à la Révolution, cette dernière fut
remplacée par la statue actuelle en 1838. De la terrasse supérieure, on a une
vue★ étendue au nord sur les garrigues et les Cévennes, au sud sur la mer et, par
temps clair, sur le Canigou. Des escaliers
monumentaux conduisent aux terrasses
basses ornées de grilles en fer forgé.
L'**arc de triomphe**, construit à la fin du
17ᵉ s., est décoré de bas-reliefs figurant
les victoires de Louis XIV.
Adossé au complexe de commerces et
de bureaux du Polygone *(en partant de
la place de la Comédie, on peut passer
par le centre commercial Le Polygone)*,
le **quartier Antigone★** est une réalisation de l'architecte catalan Ricardo
Bofill. S'étendant sur les 40 ha de l'ancien polygone de manœuvre de l'armée,
ce vaste ensemble néoclassique allie la
technique de la préfabrication (le béton
précontraint a ici le grain et la couleur de
la pierre) à la recherche d'une harmonie
rigoureuse et gigantesque.
Enfin, donnez-vous le temps de visiter
l'**Agropolis Museum★**, passionnant

Le « Midi rouge »

Cette expression désigne à la fois une
couleur politique et celle du vin. Elle
date du début du 20ᵉ s. alors que le
Languedoc envoyait siéger des dépu-
tés socialistes – dont Léon Blum – à
la Chambre. La crise viticole, une
tradition d'opposition à Paris, l'atta-
chement à la République, les vieilles
racines cathares, l'influence du protestantisme et la capacité du vin à
enflammer les esprits sont autant
d'explications parcellaires à cette
propension politique. En fait, le Midi
viticole, pays de petits propriétaires,
a toujours été plus rosé que rouge
et met de plus en plus d'eau dans sa
potion politique.

musée consacré aux agricultures et aux nourritures du monde. Il est présenté de façon aussi attrayante que didactique. Une section fait l'inventaire des aliments et boissons du monde, et de leur infinie variété. Des expositions thématiques, un Cyber-museum et des animations pour les plus jeunes complètent le lieu. *À 6 km au nord du quartier des Hôpitaux-Facultés. Accès en voiture ou en tram, station St-Éloi, puis navette en direction d'Agropolis-Lavalette.* 📞 *04 67 04 75 00 - www.agropolis.fr - tlj sf mar. 14h-18h - 7 € (-10 ans gratuit).*

Quittez Montpellier au nord-ouest par la D 986, faites 10 km, et prenez à droite vers les Matelles.

Les Matelles

Le village, fortifié, recèle de belles maisons pourvues d'escaliers extérieurs. Le site fut, au néolithique, un lieu de sédentarisation des pasteurs nomades, période évoquée au **musée municipal de Préhistoire**. 📞 *04 67 84 18 68 - de mi-juin à mi-sept. : tlj sf mar. et vend. 15h-18h ; de mi-sept. à mi-juin : vend.-dim. 15h-18h.*

Continuez vers l'est par la D 17^{E3} sur 3 km, puis tournez à gauche dans la D 113^{E3}.

Saint-Jean-de-Cuculles

Ce minuscule village possède une jolie église romane. 🍷 On y produit un très honorable coteaux-du-languedoc rosé au **domaine Haut-Lirou** *(voir nos bonnes caves).*

Poursuivez vers St-Mathieu-de-Tréviers par la D 113^{E4}.

Saint-Mathieu-de-Tréviers

🚶 Une **promenade à pied** dans la garrigue permet de grimper *(2h AR)* jusqu'aux ruines de l'ancien château de Montferrand. Beau point de vue sur le vignoble.

Par la D 17, on rejoint Valflaunès.

Valflaunès

Ici se concentrent la plupart des domaines de l'appellation coteaux-du-languedoc-pic-st-loup. 🍷 Le **domaine Mas Bruguière** a de très bons résultats, et le **domaine de l'Hortus** demeure une référence *(voir nos bonnes caves).*

Quittez Valflaunès au sud-ouest par la D 1^{E9} qui rejoint la D 1 puis la D 122 pour atteindre St-Martin-de-Londres.

Saint-Martin-de-Londres★

La vigne se fait plus rare sur le versant sud du causse de l'Hortus et cède la place à un austère paysage de garrigue. « Londres » n'évoque pas la capitale britannique, mais le mot celtique *lund* qui signifie « marais ». Au centre du vieux village, le « vieux fort » est un ancien **« enclos »** fortifié au 12e s. et limité par une porte. L'**église★** romane (11e s.) est charmante.

Prenez la D 32 en direction de Viols-le-Fort, puis tournez à gauche dans la D 113.

Village préhistorique de Cambous

Le chemin d'accès est assez chaotique (chemin de pierre). Laissez la voiture au parking de Cambous et allez au village préhistorique à pied. 📞 *04 67 86 34 37 - juil.-août : tlj sf lun. 14h-19h ; sept.-oct. : w.-end et j. fériés 14h-19h ; avr.-juin : w.-end et j. fériés 14h-18h - 2,50 € (12-16 ans 1,50 €).*

Les restes conséquents de maisons en pierre datent de 2800 à 2300 av. J.-C. Les murs épais de 2,50 m sont en pierres sèches et les ouvertures forment de véritables couloirs. Une habitation préhistorique a été reconstituée.

Une des maisons préhistoriques de Cambous.

L.Campion / MICHELIN

Continuez sur la D 113 jusqu'à Cazevieille, où on laisse la voiture au parking.

Pic Saint-Loup★

🚶 *Suivez le balisage vers le pic St-Loup. Attention, les couches calcaires sont très glissantes par temps de pluie. Le large chemin de pierre monte jusqu'à un calvaire. De là, prenez un petit sentier qui monte en zigzaguant jusqu'à la chapelle et l'observatoire. Comptez 3h AR. Du pic, magnifique* **panorama★★** *sur toute la région.*

Revenez à Cambous par la même route. Rejoignez la D 32 que l'on prend à gauche.

Les adresses du pic Saint-Loup

NOS BONNES TABLES

⊖ **Simple Simon** – *1 r. des Trésoriers-de-France - 34000 Montpellier - ☏ 04 67 66 03 43 - www.simple-simon.fr - fermé dim. de mai à oct. et le soir - réserv. conseillée - 10/13,50 €. Simply british !* Un patchwork de pâtisseries anglaises, un plat indien ou sucré-salé pour le lunch, des salades en été, des soupes en hiver. Le tout dans un cadre cosy à souhait, entre napperons et moquette épaisse. Et pour la *french touch*, des vins du Languedoc au verre.

⊖⊖ **Le Pastis** – *3 r. du Terral - 34000 Montpellier - ☏ 04 67 66 37 26 - fermé déb. janv., août, sam. et dim. - 22/28 €.* Ce restaurant est apprécié des œnophiles pour sa cave dédiée aux crus du vignoble languedocien. Mais tous les gourmets y trouvent leur compte, car sa cuisine du marché, que l'on découvre chaque jour sur l'ardoise, met les papilles en joie : loup rôti au fenouil, poêlée de St-Jacques et gambas, millefeuille de chèvre, etc.

⊖⊖ **Lennys** – *266 av. Louis-Cancel - 34270 St-Mathieu-de-Tréviers - ☏ 04 67 55 37 97 - ludovic.dziewulski@wanadoo.fr - 18 € déj. - 39/82 €.* Sympathique auberge proche du pic St-Loup qui donne également son nom au vin local : le pic-saint-loup. Cadre méridional, terrasse ombragée et appétissante cuisine au goût du jour.

NOS HÔTELS ET CHAMBRES D'HÔTE

⊖ **Hôtel de la Comédie** – *1 bis r. Baudin - 34000 Montpellier - ☏ 04 67 58 43 64 - hoteldelacomedie@cegetel.net - 20 ch. 42/69 € - ☕ 6 €.* À une enjambée de la place du même nom, derrière une belle façade du 19e s., les chambres de cet hôtel récemment refait affichent une douce modernité. Idéal pour partir à la découverte de Montpellier, il est au cœur de l'animation. Ambiance décontractée.

⊖⊖ **Hôtel du Parc** – *8 r. Achille-Bège - 34000 Montpellier - ☏ 04 67 41 16 49 - www.hotelduparc-montpellier.com - P - 19 ch. 65/75 € - ☕ 9,50 €.* Ancienne demeure seigneuriale (18e s.) voisine du centre historique. Plaisantes chambres personnalisées ; cour-terrasse où l'on petit-déjeune l'été. Accueil aimable.

NOS BONNES CAVES

Domaine Haut-Lirou – *34270 St-Jean-de-Cuculles - ☏ 04 67 55 38 50 - domaine.haut.lirou@mnet.fr - lun.-sam. (tlj en été) - sur RV.* La famille Rambier cultive ce vignoble depuis plus de cinq générations. Niché au cœur de la garrigue, le domaine s'étend sur 60 ha de vignes, encépagés de grenache, de syrah, de mourvèdre, de cabernet-sauvignon et de sauvignon blanc, avec quelques parcelles de vieux carignan et de cinsault, situés sur les pentes argilo-calcaires du pic Saint-Loup. Le vignoble est conduit en lutte raisonnée et les vendanges sont manuelles, en cagettes. La vinification, traditionnelle, s'effectue cépage par cépage. Les vins sont ensuite élevés dans un chai souterrain, de douze à seize mois, en barriques de chêne français. 🍷 coteaux-du-languedoc-pic-saint-loup.

Mas Bruguière – *Hameau de La Plaine - 34270 Valflaunès - ☏ 04 67 55 20 97 - lun.-sam. 10h-12h, 15h-19h, dim. sur RV.* Propriété de la famille Bruguière depuis la Révolution, le vignoble couvre 20 ha. Les vignes, encépagées de grenache, de syrah, de mourvèdre, de roussanne et de marsanne, s'étendent sur des sols argilo-calcaires et d'éboulis caillouteux bien drainés. Les vins du domaine vieillissent en cuves ou en fûts de chêne, dans un chai enterré. 🍷 coteaux-du-languedoc-pic-saint-loup.

Domaine de l'Hortus – *34270 Valflaunès - ☏ 04 67 55 31 20 - domaine.hortus@wanadoo.fr - lun.-sam. 8h-12h, 15h-18h - sur RV dim.* Le vignoble du domaine, créé en 1978, couvre 55 ha encépagés de mourvèdre, de syrah et de grenache pour les rouges ; de chardonnay, de viognier, de roussanne et de sauvignon pour les blancs. Ils s'enracinent dans des sols argilo-calcaires. L'un des deux rouges est élevé en fûts de chêne de treize à quinze mois, tandis qu'un des deux blancs fermente en barriques neuves. La famille Orliac cultive un autre domaine, le Clos du Prieur, qui s'étend sur 10 ha à St-Jean-de-Buèges, au pied du Larzac. 🍷 coteaux-du-languedoc-pic-saint-loup.

1 Les terrasses de l'Hérault (2e étape)

▶ 25 km. Aniane se trouve à 37 km au N-O de Montpellier par la N 109 et la D 32. Carte Michelin Local 339, F-I 6-7. Voir le circuit 1 sur le plan p. 276-277.

Aniane

Aniane ne conserve rien de l'abbaye fondée au 8e s. par saint Benoît. En flânant, on découvre l'église St-Jean-Baptiste-des-Pénitents, ensemble hétéroclite abritant des expositions temporaires.

Le terroir d'Aniane se partage entre les coteaux-du-languedoc et les vins de pays. 🍷 Le **Mas de Daumas Gassac** produit de grands vins rouges et blancs de pays, au caractère aussi atypique que leur prix *(voir nos bonnes caves)*.

Allez vers le nord par la D 32, puis prenez à gauche la D 27.

On traverse l'Hérault sur un pont moderne construit près du **pont du Diable**, œuvre des moines bénédictins au début du 11ᵉ s. Vue sur les gorges de l'Hérault et le pont-acqueduc qui permet d'irriguer les vignobles de la région de St-Jean-de-Fos.

Grotte de Clamouse★★★

 04 67 57 71 05 - www.clamouse.com - visite guidée (1h) juil.-août : 10h-19h ; juin et sept. : 10h-18h ; mars-mai et oct. : 10h-17h - 8 € (6-14 ans 4,50 €).

Cette grotte se distingue par l'abondance de ses cristallisations. Elle a pris le nom de la résurgence, dont les eaux vont, lors des fortes pluies, se briser avec fracas dans l'Hérault, d'où le nom occitan de *Clamosa*, la « hurleuse ».

Poursuivez sur 4 km par la D 4 jusqu'à St-Guilhem-le-Désert.

Saint-Guilhem-le-Désert★★

Le village, oasis resserrée autour d'une ancienne abbaye, marque l'entrée de gorges sauvages, au confluent du Verdus et de l'Hérault. Son histoire résonne encore de la légendre propagée par la chanson de geste de Guillaume d'Orange. Celle-ci rapporte que Guilhem, lieutenant de Charlemagne, aurait fondé l'abbaye après y avoir rapporté un morceau de la vraie Croix. Cette relique est exposée dans l'**église abbatiale★** (11ᵉ s.). Elle est portée en procession sur la place du village tous les ans au mois de mai.

De la ruelle bordée de maisons anciennes, on peut admirer la richesse de la décoration du **chevet★** de l'église. Flanqué de deux absidioles, il est éclairé par trois baies. Une suite d'arcades séparées par de fines colonnettes aux curieux chapiteaux les surmontent. Il est souligné par une frise en dents d'engrenage qui rappelle celle du portail.

Saint-Guilhem-le-Désert.

Reprenez la D 4 en sens inverse jusqu'à St-Jean-de-Fos.

Saint-Jean-de-Fos

Cet ancien village fortifié fut un important centre de poterie vernissée. L'église romane est intéressante.

Poursuivez sur la D 141 jusqu'à Montpeyroux.

Montpeyroux

Au pied d'une ancienne forteresse en ruine, Montpeyroux a donné son nom à l'**AOC coteaux-du-languedoc-montpeyroux**. On y produit des vins rouges corsés et intenses comme ceux du réputé **domaine d'Aupilhac** *(voir nos bonnes caves)*.

Prenez au nord la D 9 jusqu'à Arboras.

Arboras

Des terrasses de l'ancien château, dont il ne subsiste qu'une tour, vous profiterez d'un splendide **panorama★★**.

Rejoignez St-Saturnin-de-Lucian au sud-ouest par la D 130.

Saint-Saturnin-de-Lucian

Le vieux bourg a conservé quelques demeures anciennes. St-Saturnin ajoute son nom à l'**AOC coteaux-du-languedoc-saint-saturnin**. Le **domaine Virgile Joly**, créé en 2000, est une adresse à visiter *(voir nos bonnes caves)*.

Du village, une petite route monte jusqu'au **rocher des Vierges**, lieu de pèlerinage qui offre un extraordinaire **panorama★★**.

Gagnez Clermont-l'Hérault par la D 130 et la D 141 jusqu'à Ceyras. Prenez alors à droite la D 908.

Clermont-l'Hérault

Comme Lodève, Clermont-l'Hérault fut longtemps spécialisé dans la fabrication de draps militaires. C'est actuellement un important centre viticole et un marché de raisins de table.

Les ruelles étroites escaladent la colline couronnée des ruines d'un château du 12e s. Belle vue sur le village et les environs. L'**église St-Paul**★, fortifiée (13e-14e s.), donne une impression de puissance.

Villeneuvette

☏ 04 67 96 06 00 – juil.-sept. : visite guidée de la cité (2h) 15h30, tlj sf lun. et w.-end 10h30 ; oct.-juin : sur demande à la mairie - 4 €.

Cette ancienne manufacture textile royale fut fondée au 17e s. par Colbert. Elle a conservé son unité architecturale. La place, la rue principale et les abords des maisons d'ouvriers ont été repavés comme au 17e s. et ces dernières, transformées en résidences s'ornent de jardins agréablement fleuris.

Après Villeneuvette, tournez à gauche dans la D 15.

Cabrières

Les schistes en décomposition et les hautes pentes font la qualité des **coteaux-du-languedoc-cabrières**, vins rouges puissants de haute garde. Les environs produisent aussi l'**AOC clairette-du-languedoc**, un vin blanc sec ou moelleux qui prend en vieillissant des notes « rancio » caractérisées par des arômes de noisette. Profitez de votre passage à Cabrières pour faire une balade dans un paysage splendide jusqu'au hameau des **Crozes**, tout entier construit en schiste. Vous pouvez également aller visiter l'ancienne **mine de cuivre de Pioch-Farrus**, qui fut exploitée dès les temps préhistoriques. *☏ 06 14 91 46 02 - ♿ - visite guidée (45mn) mars-oct. : 10h-19h dernier dép. 1h av. fermeture) - 7 € (enf. 4 €).*

Pour retourner à Montpellier, remontez par la D 908 jusqu'à Gignac où vous prendrez la N 109.

Les adresses des terrasses de l'Hérault

♿ Vous trouverez des adresses à **Montpellier** dans le carnet du pic Saint-Loup, p. 266.

NOS BONNES TABLES

⊝⊜ **Le Fontenay** – *Rte du Lac de Salagou - 34800 Clermont-l'Hérault - ☏ 04 67 88 04 06 - www.fontenay.net - fermé 3-16 juill., sam. midi, dim. soir et merc. soir - 14 € déj. - 25/43 €.* Au cœur d'un quartier résidentiel, dans un environnement fleuri, façade de style méditerranéen protégeant des regards une belle terrasse intérieure et une lumineuse salle à manger agrémentée d'expositions de tableaux, où l'on s'applique à satisfaire la clientèle en mettant au goût du jour les recettes languedociennes.

⊝⊜🍽 **Mimosa** – *34725 St-Guiraud - 7,5 km au N de Clermont-l'Hérault par N 9, N 109 puis D 130e - ☏ 04 67 96 67 96 - le.mimosa@free.fr - 12 mars-31 oct. ; fermé dim. soir sf juil.-août, le midi sf dim. et lun. - 44/81 €.* Cette ancienne maison de vigneron se niche au cœur du village. Dans sa coquette salle à manger au cadre contemporain, vous dégusterez une sympathique cuisine du marché d'inspiration méditerranéenne, escortée d'un bon choix de vins régionaux.

NOTRE HÔTEL

⊝⊜ **Hôtel du Mimosa** – *10 pl. de la Fontaine - 34725 St-Saturnin-de-Lucian - ☏ 04 67 88 62 62 - fermé 6 nov.-16 mars - 7 ch. 68/95 € - 🛏 9,50 €.* Ravissante demeure séculaire sur la place du village.

Chambres spacieuses où s'harmonisent mobilier design, vieilles pierres et cheminées d'origine. Accueil à partir de 17h.

NOS BONNES CAVES

Mas de Daumas Gassac – *Daumas Gassac - 34150 Aniane - ☏ 04 67 57 71 28 - contact@daumas-gassac.com - lun.-sam. 9h30-12h30, 14h-18h30.* Bien avant tout le monde, Aimé Guibert a compris l'extraordinaire potentiel qualitatif de la vallée du Gassac en Languedoc. Son domaine de 100 ha compte 45 ha de vignes cultivées « à l'ancienne » : labourage à la charrue et pas « la moindre utilisation de produit chimique ». Depuis septembre 2003, le domaine propose une cuvée Émile Peynaud, issue à 100 % de cabernet-sauvignon. 🍷 vin de pays de l'Hérault.

Domaine d'Aupilhac – *28 r. du Plô - 34150 Montpeyroux - ☏ 04 67 96 61 19 - aupilhac@wanadoo.fr.* Le vignoble s'étend sur 22 ha, situés essentiellement sur le lieu-dit Aupilhac. Les vignes se répartissent sur des terrasses, sous le château du Castellas, et bénéficient d'une exposition sud-est. Sylvain Fadat est aujourd'hui l'un des vignerons les plus médiatiques du Languedoc. 🍷 coteaux-du-languedoc-montpeyroux, vin de pays de l'Hérault, vin de pays du mont Baudile.

Domaine Virgile Joly – *22 r. du Portail - 34725 St-Saturnin-de-Lucian - ☏ 04 67 44 52 21 - virgilejoly@wanadoo.fr - merc. et sam. (lun.-sam. en été) 15h-19h - sur RV.* Le domaine a été créé par Magdalena et Virgile Joly en mars 2000. Les 8,5 ha de vignes, qui s'étendent sur des sols argilo-calcaires avec des cailloutis calcaires, sont encépagés de syrah, de grenache, de carignan et de cinsault. Le vignoble est conduit selon les méthodes de l'agriculture biologique, certifié Écocert depuis 2001. Les vendanges sont manuelles, puis la vinification reste traditionnelle. Les vins sont ensuite élevés jusqu'à deux ans, en cuves béton et fûts de chêne. 🍷 coteaux-du-languedoc-saint-saturnin, vin de pays de l'Hérault.

2 Route des vins et des coquillages, de Montpellier à Frontignan (1ʳᵉ étape)

▶ 40 km. Carte Michelin Local 339, F-I 7-8. Voir l'itinéraire 2 sur le plan p. 276-277.

Très « mité » par l'urbanisme, le vignoble ne trouve sa plénitude qu'à une dizaine de kilomètres à l'ouest de Montpellier. Plus loin encore, les rives de l'étang de Thau ont conservé quelques bribes d'espaces protégés où viennent s'ébattre les flamants roses. Les amateurs de coquillages trouveront leur bonheur avec les huîtres de Bouzigues et autres coquillages que l'on déguste, accompagnés de l'**AOC coteaux-du-langue-doc-picpoul-de-pinet**.

Sortez de Montpellier par la D 5 en direction de Lavérune, puis prenez la D 5ᴱ à droite.

Château de l'Engarran

34880 Lavérune - 🕾 04 67 47 00 02 - lengarran@wanadoo.fr - 10h-13h, 15h-19h.

🍷 Derrière la superbe grille d'entrée se détache un bâtiment de style Louis XV. Seul le caveau du domaine est ouvert au public. Vous y trouverez un bon coteaux-du-languedoc-st-georges-d'orques rouge.

Faites demi-tour et poursuivez sur la D 5. Le château de Lavérune se trouve à l'extrémité ouest du village.

Château de Lavérune

🕾 04 99 51 20 00 (mairie) ou 04 99 51 20 25 (musée) - w.-end 15h-18h - 2 € (- 12 ans 1 €).

L'ancienne résidence des évêques de Montpellier (17ᵉ-18ᵉ s.) s'élève au milieu d'un parc et accueille des œuvres d'artistes contemporains.

Suivez la direction de St-Georges-d'Orques. Avant le village, prenez à droite la D 5ᴱ⁵.

Abbaye de Vignogoul

Lun.-vend. 10h-12h, 14h-17h - pour une visite guidée, contactez l'association culturelle de l'abbaye de Vignogoul au 04 67 42 76 68.

Il ne reste pas grand-chose de l'abbaye cistercienne du 11ᵉ s. L'église gothique (13ᵉ s.) se dresse dans un paysage de vignobles où l'on voit de vieux ceps de carignan.

Pignan

Ce bourg vigneron anciennement fortifié est au cœur de l'appellation **coteaux-du-languedoc-saint-georges-d'orques**.

Prenez la D 27 au nord-ouest vers Murviel.

Murviel-lès-Montpellier

Une partie du résultat des fouilles de l'oppidum gallo-romain du Castellas est exposée au musée municipal d'archéologie. *🕾 04 67 47 05 14 - sur RV.*

🍷 Vous en saurez plus en vous rendant au **domaine des Belles Pierres** où l'on discute archéologie devant un verre de coteaux-du-languedoc blanc. *24 r. des Clauzes - 🕾 04 67 47 30 43 - merc., sam. 9h-19h, mar., jeu., vend. 17h-19h.*

Rejoignez Cournonterral au sud par la D 102.

Cournonterral

Chaque année, à l'automne, durant la fête des Pailhasses, des monstres couverts de paille font la chasse à des jeunes gens tout de blanc vêtus qu'ils plongent dans un bain de lie de vin. Ambiance pataugeante et violacée garantie…

De Cournonterral, rejoignez Mireval au sud-est par la D 114, puis la N 112 à gauche.

Mireval

Le village doit sa renommée à l'**AOC muscat-de-mireval**, dont le vignoble pousse entre l'étang de Vic et les pentes de la Gardiole. 🍷 Vous en aurez un bon exemple au **domaine de la Capelle** *(voir nos bonnes caves)*.

Frontignan

Frontignan attache son nom à un muscat aussi doré que réputé dont les 800 ha poussent au bord de l'étang d'Ingril. Le portail de l'**église gothique** (12e-14e s.) possède une belle frise de poissons et de bateaux.

🍷 La **cave coopérative de Frontignan**, dont on peut suivre la visite guidée, élabore 80 % de l'appellation **muscat-de-frontignan**. Elle propose plusieurs cuvées correspondant à différentes maturités, ainsi que des « vins oubliés », c'est-à-dire vieillis pendant de longues années en foudre de chêne *(voir nos bonnes caves)*.

Le **musée d'Histoire locale** présente des collections de préhistoire et évoque l'élaboration du muscat. *4 bis r. Lucien-Salette, à côté de l'église. ☎ 04 67 18 50 05 - juil.-août : 10h-12h, 14h30-18h30 ; avr.-juin et sept.-nov. : tlj sf mar. 10h-12h, 14h-18h - gratuit.*

Frontignan-Plage et les Aresquiers

De la plage de Frontignan *(2 km au sud)*, on peut rejoindre par l'étroit cordon littoral la plage de galets des Aresquiers, appréciée des naturistes. Les guinguettes où l'on sert la bouillabaisse donnent parfois des soirées musicales en été.

EN MARGE DU VIGNOBLE

Au bout du monde à l'abbaye de Maguelone★

16 km au S de Montpellier par la D 986, puis une petite route à l'O à partir de Palavas-les-Flots. ☎ 04 67 50 63 63 - www.espace-maguelone.com - 9h-19h (de mi-mai à déb. sept. : halte obligatoire au parking et poursuite du trajet en petit train) - gratuit.

Une cathédrale sur une île, perdue parmi les étangs, voilà une image d'une beauté aussi insolite que sereine ! C'est Maguelone, dont les restes des bâtiments se dressent sur une légère éminence, au milieu d'un bouquet de pins parasols, de cèdres et d'eucalyptus. Cette cathédrale romane était puissamment fortifiée, comme en témoignent les hautes murailles très épaisses et percées d'étroites meurtrières asymétriques. On remarquera, en entrant dans l'église, le magnifique portail sculpté : le tympan porte un Christ entouré des saints Marc (le lion), Matthieu (l'homme ailé), Jean (l'aigle) et Luc (le bœuf).

Les adresses de Montpellier à Frontignan

♿ Vous trouverez des adresses à **Montpellier** dans le carnet du pic Saint-Loup, p. 266.

NOS BONNES TABLES

🍴 **Hôtellerie de Balajan** – *41 rte de Montpellier - 34110 Frontignan - ☎ 04 67 48 13 99 - www.hotel-balajan.com - fermé 26 déc.-5 janv., dim. soir hors sais., lun. midi et sam. midi - 23/50 €.* Étape gourmande postée sur la RN 112, au milieu des vignes qui produisent le célèbre muscat de Frontignan. Le bâtiment, aux lignes modernes, abrite une salle à manger égayée de chauds coloris, où il fait bon s'attabler pour déguster des recettes traditionnelles mâtinées de saveurs méridionales.

🍴 **Le Bistrot d'Ariane** – *34970 Lattes - ☎ 04 67 20 01 27 - 18 € déj. - 26/36 €.* Idéalement situé sur le port de plaisance, le Bistrot d'Ariane ne désemplit pas. Les habitués du quartier et les touristes viennent en effet nombreux goûter à son atmosphère « brasserie » autour de petits plats régionaux. Pensez à réserver, en salle ou sur la terrasse, afin d'éviter les mauvaises surprises.

🍴 **Mazerand** – *rte de Fréjorgues - 34970 Lattes - 5 km au S de Montpellier par D 986 et D 172 - ☎ 04 67 64 82 10 - www.le mazerand.com - fermé dim. soir hors sais.,* sam. midi et lun. *- 19/56 €.* Les frères Mazerand vous accueillent dans leur mas du 19e s., ancienne propriété viticole. Vous passerez un agréable moment sur l'une des jolies terrasses dressées face au parc ou dans la salle à manger aux tables bien espacées. Cuisine au goût du jour.

NOS HÔTELS ET CHAMBRES D'HÔTE

🛏 **Les Tritons** – *Bd Joliot-Curie - 34200 Sète - ☎ 04 67 53 03 98 - www.hotellestritons.com -* 🅿 *- 40 ch. 45/135 € -* ☕ *7 €.* Les chambres sont fonctionnelles et colorées ; climatisation et vue sur mer en façade, fraîcheur et calme sur l'arrière. Décor marin dans le hall.

🛏 **Le Moulin d'Issanka** – *Rte d'Issanka - 34540 Balaruc-le-Vieux - ☎ 04 67 53 00 06 - http://moulindissanka. monsite.wanadoo.fr -* 🚫 *- 3 ch. et 1 suite 50/72 €* ☕*.* Cette ancienne bâtisse du 10e s. abrite des chambres au charme rustique. Salles de bains habillées de faïences décorées à la main par Madame Cervera, qui expose également quelques-unes de ses œuvres de peinture sur porcelaine. Petits déjeuners servis près de la piscine ou au coin de la cheminée, selon la saison. Aux beaux jours, vous apprécierez l'ombrage du parc.

⊖⊜ **Hôtel Port Marine** – *Môle St-Louis - 34200 Sète -* ℘ *04 67 74 92 34 - www.hotel-port-marine.com -* 🅿 *- 46 ch. 76/99 € - ⌷ 9 € - rest. 25/41 €.* Hôtel de construction moderne proche du port de plaisance et de la jetée. Chambres fonctionnelles évoquant sobrement l'intérieur d'une cabine de bateau. Six appartements ouvrent leurs fenêtres côté mer. Cuisine régionale au restaurant Bleu Marine.

NOS BONNES CAVES

COOPÉRATIVE

Cave coopérative du muscat de Frontignan – *14 av. du Muscat - 34110 Frontignan -* ℘ *04 67 48 12 26 / 04 67 48 93 20 - www.frontignan-coopérative.fr -*

juin-sept. : visite guidée (20mn) : 10h, 11h, 15h30, 16h30 ; magasin : juin-sept. : 9h30-12h30, 15h-19h30 ; oct.-mai : 9h30-12h30, 14h30-18h30 - fermé 1ᵉʳ janv. et 25 déc.

DOMAINE

Domaine de la Capelle – *34110 Mireval -* ℘ *04 67 78 15 14 - lun.-sam. 10h-19h.* Le domaine appartient à la famille Maraval depuis 1865. Les vieilles vignes, plantées sur des sols très rocailleux, s'étendent sur 20 ha encépagés de muscat, de cabernet franc et de grenache. La culture est traditionnelle, puis la vinification et la mise en bouteilles se font dans les chais de la cave. Le domaine produit également des vins de table en rouge. ☙ muscat-de-mireval, vin de pays d'Oc.

② Route des vins et des coquillages, de Frontignan à Pézenas (2ᵉ étape)

▶ 45 km. Frontignan se trouve à 24 km au S-O de Montpellier par la N 113 puis la N 112. Carte Michelin Local 339, F-I 7-8. Voir l'itinéraire ② sur le plan p. 276-277.

De Frontignan, prenez à l'ouest la D 2, puis tournez à droite dans la D 2ᴱ qui longe l'étang de Thau.

Balaruc-le-Vieux

Sur une éminence dominant l'étang, le village a gardé son plan circulaire. Quelques maisons se distinguent encore par leurs nobles portes cintrées.

Par la D 2, puis la N 113 à gauche, on rejoint Bouzigues.

Bouzigues

L'évolution des techniques de pêche et d'élevage des coquillages est évoquée au **musée de l'Étang de Thau** *(sur le quai du port de pêche).* ℘ *04 67 78 33 57 -* ♿ *- juil.-août : 10h-12h30, 14h30-19h ; mars-juin et sept.-oct. : 10h-12h, 14h-18h ; nov.-fév. : 10h-12h, 14h-17h - fermé 1ᵉʳ janv., 25 déc. - 4 € (enf. 3 €).*

On peut gagner les rives du petit golfe que forme l'extrême nord de l'étang pour apercevoir des groupes de flamants roses, tout en profitant d'une vue sur Balaruc-le-Vieux.

Rejoignez Mèze par la N 113.

Mèze

Le port de Mèze, ses rues étroites, son église du 15ᵉ s., ses huîtres et ses bistrots accueillants attirent de nombreux touristes. L'**étang de Thau** est à portée de main. Ce vaste étang (8 000 ha) s'étire confortablement le long de la côte languedocienne, tenu à distance de la mer par l'isthme des Onglous, autrement dit la plage de Sète. Sur la rive nord, quelques villages, nés de la pêche, avec leurs cabanes cachées dans les roseaux, vivent de l'élevage d'huîtres et de moules. C'est à eux qu'on doit la géométrie rigoureuse des parcs conchylicoles, et à eux encore le plaisir de ces dégustations à consommer sans retenue, accompagnées d'un petit blanc frais du pays… un picpoul-de-pinet par exemple !

Prenez à l'ouest la D 159, puis tournez à gauche dans la D 51.

Marseillan

☙ Probablement fondé au 6ᵉ s. avant J.-C. par des marins massaliotes, Marseillan est le berceau du **Noilly-Prat** dont on peut visiter les **chais** *(à proximité du port).* L'une des phases caractéristiques de la fabrication du vermouth dry est le vieillissement en plein air du mélange de cépages dans des fûts de 600 l. ℘ *04 67 77 75 19 - www.noillyprat.com -* ♿ *- visite guidée (1h) mai-sept. : 10h-11h, 14h30-18h ; mars-avr. et oct.-nov. : 10h-11h, 14h30-16h30 - fermé 1ᵉʳ Mai - 3,50 € (-12 ans gratuit, 12-18 ans 2 €).*

À 6 km au sud, **Marseillan-Plage** offre des kilomètres de plages de sable.

Reprenez la D 51 en sens inverse, puis tournez à gauche la D 18ᴱ¹ jusqu'à Pinet.

Les parcs à huîtres du bassin de Thau.

Pinet

Ce petit village doit sa célébrité au cépage picpoul (ou piquepoul), jadis utilisé pour élaborer les vermouths. La mode du vermouth étant passée, on en fait désormais un agréable vin blanc, sec et fruité, apprécié avec les coquillages.

🍷 L'accueillant **Château de Pinet** élabore des coteaux-du-languedoc-picpoul-de-pinet dont elle produit plusieurs cuvées de grande qualité *(voir nos bonnes caves)*.

La D 161^{E2} au nord-ouest, puis la D 161 mènent à Castelnau-de-Guers. Prenez ensuite la D 32^{E5} au nord.

Pézenas★★

Cette petite ville d'art est bâtie dans le « jardin de l'Hérault », plaine fertile où les vignes prospèrent. Dans le **vieux Pézenas★★**, on flâne parmi les magnifiques demeures seigneuriales, les hôtels du 17e s., les cours intérieures et les rues restaurées où abondent les échoppes d'artisans et d'antiquaires *(dépliant du circuit historique disponible à l'office de tourisme)*. Pézenas s'honore de deux gloires littéraires : Molière, qui y séjourna de 1653 à 1657, et le pétulant parolier et chanteur Boby Lapointe. Ne manquez pas de goûter à la délicieuse spécialité locale, les petits pâtés à base de viande de mouton, de zeste de citrons confits et de curry.

🍷 Les propriétaires passionnés du **Prieuré St-Jean-de-Bébian** élaborent des coteaux-du-languedoc de grande qualité *(voir nos bonnes caves)*.

Les adresses de Frontignan à Pézenas

NOS BONNES TABLES

⊖⊖ Après le Déluge – *5 av. du Mar.-Plantavit - 34120 Pézenas - ✆ 04 67 98 10 77 - www.apres-le-deluge.com - mi-janv.-mi-mars - 16,50/29 €.* La Table de Noé ou la salle de Perrault ? Ce restaurant propose à ses hôtes cinq décors différents pour goûter les recettes de son chef, puisées dans des livres anciens… Une occasion unique de déguster le gâteau préféré du marquis de Sade ! Cadre vraiment amusant complété par deux terrasses fleuries. Salon fumoir. Soirées musicales.

⊖⊖ Le Pré Saint Jean – *18 av. du Mar.-Leclerc - 34120 Pézenas - ✆ 04 67 98 15 31 - leprest.jean@wanadoo.fr - fermé vac. de fév., vac. de Toussaint, jeu. soir, dim. soir et lun. - 22/40 €.* Cette discrète façade bordant une route passante dissimule une accueillante salle de style jardin d'hiver. Cuisine régionale actualisée et belle sélection de vins du pays.

NOS HÔTELS ET CHAMBRES D'HÔTE

⊖ Chambre d'hôte M. Gener – *34 av. Pierre-Sirven - 34530 Montagnac - 6,5 km au NO de Pézenas par N 9 puis N 113 - ✆ 04 67 24 03 21 - ⊭ - 4 ch. 45/48 € ☕.* Les chambres sont aménagées dans les anciennes écuries de ce bâtiment de 1750, autrefois occupé par la maréchaussée. Elles sont toutes climatisées et tournées vers une grande cour intérieure, calme et ombragée. Aux beaux jours, les petits-déjeuners sont servis en terrasse.

⊖⊖ Hôtel Le Molière – *Pl. du 14 Juillet - 34120 Pézenas - ✆ 04 67 98 14 00 - www.hotel-le-moliere.com - 🅿 - 21 ch. 60/100 € -*

☕ *8 €*. Ravissant hôtel du centre-ville à la façade ornée de sculptures. Ses chambres, confortables et climatisées, ont été revues dans un esprit méridional. Le coin salon, logé dans un superbe patio, est décoré de jolies fresques murales évoquant les pièces de Molière.

NOS BONNES CAVES

Château de Pinet – *34850 Pinet - ℘ 04 68 32 16 67 - chateaudepinet@voila.fr - ouv. de mai à sept. ; oct.-avr. : sur RV.* Transmis de père en fils depuis deux cent cinquante ans, le domaine se conjugue aujourd'hui au féminin : à sa tête, Simone Arnaud-Gaujal aidée par sa fille, pharmacien-œnologue. Le vignoble de 50 ha encépagés de picpoul, merlot, syrah, cabernet-sauvignon, grenache et cinsault couvre des sols argilo-calcaires. Les vignes sont exposées sud, sud-est et sont âgées de 25 à 50 ans en moyenne. La production du château se caractérise par de petits rendements. ♟ coteaux-du-languedoc.

Prieuré de Saint-Jean de Bébian – *Rte de Nizas - 34120 Pézenas - ℘ 04 67 98 13 60 - bebian@wanadoo.fr - lun.-sam. 9h-12h, 15h-18h - sur RV en hiver.* Chantal Lecouty et Jean-Claude Le Brun, anciens dirigeants de la *Revue du vin de France*, ont repris ce domaine en 1994. Le vignoble, très morcelé, compte 32 ha en production. Il est conduit en lutte raisonnée et entièrement vendangé à la main. Déjà réputés dans le monde entier, les vins de Bébian progressent encore grâce à la passion de leurs propriétaires.

Depuis 2004, le domaine produit un rosé issu d'une vieille vigne de cinsault. ♟ coteaux-du-languedoc.

Vignobles de Saint-Chinian et de Faugères

CARTE MICHELIN LOCAL 339 – HÉRAULT (34)

La bordure sud-ouest du Larzac forme une masse hérissée de plcs qui culminent entre 600 et 700 m. Dans ses parties les plus basses, la vigne s'épanouit sur des schistes qui alternent avec des éboulis calcaires. Ce pays à l'aspect parfois austère tire sa seule ressource du vignoble qui produit des vins rouges réputés pour leur caractère puissant sur les terroirs de Faugères et de St-Chinian, et depuis peu des vins blancs au bouquet aromatique d'une grande complexité.

LES TERROIRS

Superficie : le vigoble couvre 5 500 ha dans l'Hérault.

Production : Saint-chinian est la 4e appellation en volume du Languedoc avec 135 000 hl, tandis que l'AOC faugères donne 80 000 hl.

Les sols couverts de garrigues sont d'une grande diversité géologique, souvent schisteux ou argilo-calcaires.

LES VINS

Les vignobles donnent des vins rouges, rosés et blancs depuis 2004 dans l'appellation saint-chinian et depuis 2005 dans l'appellation faugères. Les rouges sont riches, élégants ; s'ils peuvent être consommés jeunes, les vins rouges peuvent aussi se garder 5 ans à 10 ans. Les vins blancs se distinguent par leur bouquet de fruits et de fleurs.

AOC faugères et saint-chinian : cépages grenache, syrah, mourvèdre, carignan et cinsault pour les rouges, cépages grenache, marsanne, roussanne, vermentino pour les blancs.

BON À SAVOIR

L'année 2004 a donné des vins très différents d'un terroir à l'autre. En revanche, l'année 2005 se distingue par la belle qualité générale de la production.

👁 **Syndicat des vins AOC faugères** – *www.faugeres.com*

👁 **Syndicat du cru AOC saint-chinian** – *℘ 04 67 38 11 69 - www.saint-chinian.com*

③ De Saint-Chinian à Faugères

▶ 125 km. Béziers se trouve à 74 km au S-O de Montpellier par la N 9 et la N 113. Carte Michelin Local 339, C-E 7-9. Voir l'itinéraire ③ sur le plan p. 276-277.

Béziers★

Béziers, c'est une cathédrale posée tout en haut de la ville et qui descend abruptement vers la plaine où serpente le long couloir argenté du canal du Midi. Amateurs de belles photos, à vos appareils ! C'est également la capitale du vignoble languedocien, qui s'étend jusqu'à Carcassonne et Narbonne. C'est ensuite la ville natale de Pierre Paul de Riquet, l'illustre inventeur du canal du Midi. Enfin, c'est une ville qui s'enflamme en août pour la féria et tous les dimanches pour sa légendaire équipe de rugby, l'ASB.

Les **allées Paul-Riquet**, large promenade ombragée de platanes et bordée de cafés et de restaurants, furent, en 1907, le théâtre de la mutinerie du 17e régiment d'infanterie, composé de fils de vignerons qui refusèrent de tirer sur la foule des viticulteurs en colère.

La **cathédrale St-Nazaire★**, perchée sur une terrasse au-dessus de l'Orb, fut le symbole de la puissance des évêques du diocèse de Béziers de 760 à 1789. L'édifice roman, endommagé en 1209 lors de la croisade contre les albigeois, reçut des modifications dès 1215 et jusqu'au 15e s. En contournant la cathédrale par le sud, on atteint le **cloître**, puis, par un escalier, on gagne le jardin de l'Évêché : jolie vue sur l'église St-Jude et sur l'Orb qu'enjambe le Pont-Vieux du 13e s.

Aménagé dans l'ancienne caserne St-Jacques, le **musée du Biterrois★** regroupe d'importantes collections d'archéologie, d'ethnologie et d'histoire naturelle propres au Biterrois. Une section importante est consacrée à l'héritage gallo-romain. Le fleuron est le « trésor de Béziers », composé de trois grands plats en argent ciselé, découverts en 1983 dans une vigne aux alentours de la ville. Enfin, la vie économique est aussi évoquée (pêche, viticulture, creusement du canal du Midi). *℘ 04 67 36 81 69 - juil.-août : tlj sf lun. 10h-18h ; avr.-juin et sept.-oct. : tlj sf lun. 9h-12h, 14h-18h ; nov.-mars : tlj sf lun. 9h-12h, 14h-17h - fermé 1er janv., dim. de Pâques, 1er Mai, 25 déc. - 2,45 € (-12 ans gratuit).*

Béziers est dominé par la cathédrale St-Nazaire.

Quittez Béziers à l'ouest par la D 14 sur 15 km puis tournez à gauche dans la D 134E1. On entre dans le territoire du saint-chinian. L'**AOC saint-chinian** couvre 3 300 ha disséminés sur une vaste zone de schistes, d'éboulis calcaires, de grès et d'argiles rouges. Les vins de St-Chinian, appréciés depuis le Moyen Âge, avaient la réputation d'être robustes. Le renouvellement de l'encépagement et l'appui de nouvelles techniques permettent désormais de faire des vins rouges plus souples et fruités.

Abbaye de Fontcaude

℘ 04 67 38 23 85 - juil.-août : 10h-19h ; juin et sept. : 10h-12h, 14h30-19h, w.-end et j. fériés 14h30-19h ; oct.-mai : 10h-12h, 14h30-17h30, w.-end et j. fériés 14h30-17h30 - fermé

janv., 25 déc. - 4 € (enf. 2 €). Située sur le chemin de St-Jacques, l'abbaye connut un grand rayonnement au Moyen Âge avant d'être ruinée. En été, elle accueille des concerts. Un **musée** est installé dans la grande salle où les religieux enluminaient les manuscrits. Une fonderie de cloches du 12e s. existe encore ainsi qu'un moulin à huile des chanoines.

🍷 Si vous voulez faire un détour pour déguster les vins du **domaine Cazal-Vieil**, prenez la D 38 vers le nord-est puis la D 14 jusqu'à **Cessenon-sur-Orb** *(voir nos bonnes caves).*

Au bout de la D 134^{E1}, prenez à droite la D 134. Avant d'atteindre St-Chinian, on traverse les jolis villages de pierres rouges de **Cazedarnes** et **Pierrerue**.

Tournez à gauche dans la D 20.

Saint-Chinian

Ce bourg tout entier voué au culte de Bacchus exhale la douceur de vivre, avec ses placettes bordées de platanes et ses cafés au décor à la Pagnol. Bel orgue baroque dans l'église.

🍷 Vous aurez un bon aperçu de la production de l'AOC à l'accueillante **Maison des vins** qui propose la dégustation-vente de plus de 180 références à prix producteur, mais également des stages d'initiation à la dégustation, des idées de week-end, et des circuits de découverte du vignoble. *1 av. de la Promenade - 34360 St-Chinian - 📞 04 67 38 11 69 - www.vin-saintchinian.com - 9h-12h, 14h-18h30.*

🍷 Le **domaine de la Madura** produit de bons vins *(voir nos bonnes caves).*

Prenez à l'est la D 20, puis la D 117 à gauche. La petite route offre des paysages splendides où de petits arpents de vieux ceps accrochés aux terres rouges jouent à cache-cache avec une garrigue d'où surgissent quelques oliviers.

Berlou

🍷 Arrêtez-vous à la **Cave des Coteaux du Rieu**, pour comprendre la nature du terroir grâce une exposition de fossiles. La cave a également balisé quatre circuits VTT dans le vignoble. *34360 Berlou - 📞 04 67 89 58 58 - www.berloup.com - 9h30-12h, 14h30-18h, dim. 10h-13h, 14h30-18h - fermé 1er janv., 1er Mai et 25 déc.*

Continuez vers le nord par la D 177.

La route en corniche devient de plus en plus étroite et offre des vues photogéniques sur **Escagnès**, puis sur le village perché médiéval de **Vieussan**.

Prenez la D 14 au sud jusqu'à Roquebrun.

Au fond de la vallée coule l'Orb, parfois impétueux, parfois plus calme, sur lequel glissent des canoës, tandis que les berges, aménagées en certains points (comme aux abords de **Ceps** et de Roquebrun) accueillent les adeptes de la baignade, du bronzage et du pique-nique.

Roquebrun

Adossé à un cirque montagneux, le village est dominé par une tour médiévale. Son climat exceptionnel lui permet d'entretenir un **Jardin méditerranéen** qui rassemble 400 espèces méditerranéennes et exotiques. *📞 04 67 89 55 29 - www.jardin-mediter-raneen.fr - juil.-août : 9h-19h ; de mi-fév. à fin juin et de déb. sept. à mi-nov. : dim.-vend. 9h-12h, 13h30-17h30, sam. 13h30-17h30 - 4,50 € (enf. 2,50 €).*

Prenez la D 19 jusqu'à Causses-et-Veyran.

L'excellent terroir calcaire de **Causses-et-Veyran** donne le meilleur de lui-même au **Château Maurel Fonsalade**, un des musts de l'AOC st-chinian.

Par une petite route à la sortie est de Causses-et-Veyran, on rejoint la D 136^{E2}, qui devient la D 136 en traversant le bois de Fabrègues.

Vous pénétrez dans le terroir de l'**AOC faugères**. L'appellation couvre 1 870 ha répartis sur sept communes. Le vignoble grimpe sur de fortes pentes schisteuses et produit des vins rouges, sombres et corsés.

Lenthéric

🍷 Vous pourrez vous arrêter pour les vins du réputé **Château des Estanilles** *(voir nos bonnes caves).*

Par la D 136^{E6}, qui devient D 154, vous atteignez ensuite **Cabrerolles**, haut lieu de l'appellation faugères avec 🍷 le **Château de la Liquière** *(voir nos bonnes caves).* Par la D 154, on gagne Caussiniojouls dans un paysage sauvage.

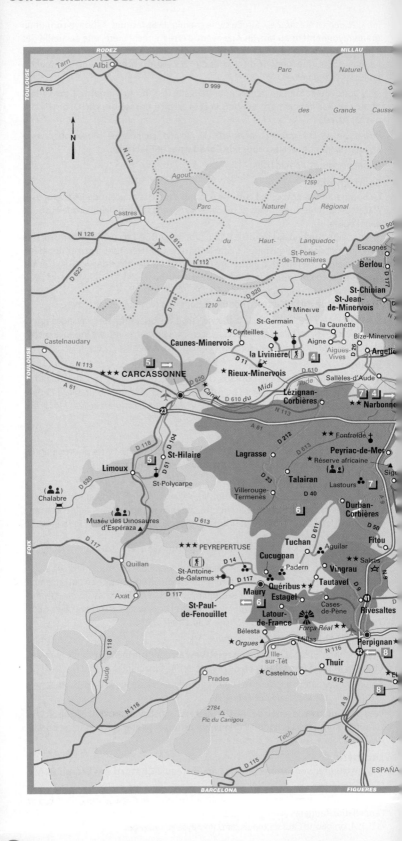

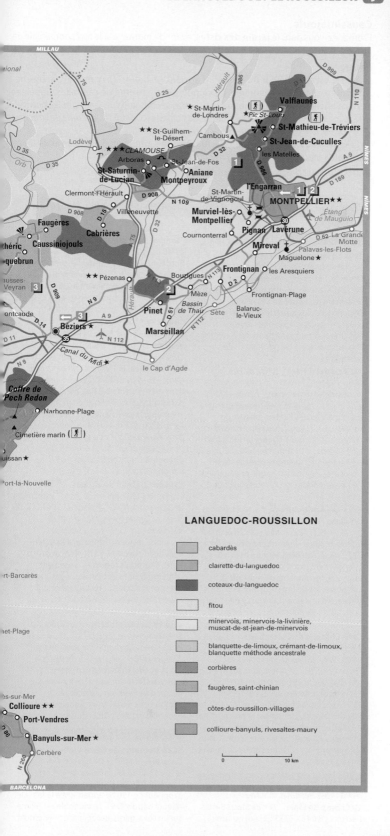

LANGUEDOC-ROUSSILLON

cabardès

clairette-du-languedoc

coteaux-du-languedoc

fitou

minervois, minervois-la-livinière,
muscat-de-st-jean-de-minervois

blanquette-de-limoux, crémant-de-limoux,
blanquette méthode ancestrale

corbières

faugères, saint-chinian

côtes-du-roussillon-villages

collioure-banyuls, rivesaltes-maury

0   10 km

Caussiniojouls

Promenez-vous dans le **jardin des cistes**, avant de monter par la forêt domaniale de St-Michel, jusqu'au relais radio d'où l'on a une **vue★★** grandiose.

Faugères

Le bourg est dominé par trois moulins anciens restaurés. On y monte par un chemin botanique. Beau panorama. Le vignoble est parsemé de capitelles, appelées aussi calabelles, anciennes cabanes de pierres sèches jadis utilisées par les bergers. Une association les restaure et organise des balades. *Contacter la mairie de Faugères* 📞 *04 67 90 15 79 ou www.pierreseche.net/circuit.htm*

🍷 Les vins du **domaine Jean-Michel Alquier** vous attendent derrière un magnifique comptoir à tissus de 3 m de long *(voir nos bonnes caves)*.

La D 909 permet de rejoindre Béziers directement.

Les adresses de St-Chinian à Faugères

NOS BONNES TABLES

🍽️ **La Potinière** – 15 r. Alfred-de-Musset - 34500 Béziers - 📞 04 67 11 95 25 - fermé 19 juin-19 juil., lun. midi et dim. - 24/51 €. Dans une petite rue de la ville, ce restaurant est apprécié des habitants de Béziers. Sa salle coquette et son menu alléchant, composé de plats plutôt élaborés, sauront sans doute vous séduire à votre tour, vous, les gourmands de passage…

🍽️ **Le Val d'Héry** – 67 av. du Prés.-Wilson - 34500 Béziers - 📞 04 67 76 56 73 - www.valdhery.com - fermé 20 juin-11 juil., dim. et lun. - 19/38 €. Une balade apéritive sur le plateau des Poètes, joli parc du centre-ville, et vous voici parvenu dans ce restaurant aux murs égayés de tableaux : n'hésitez pas à complimenter le chef, car il est l'auteur de quelques-unes des toiles exposées… et maîtrise aussi parfaitement l'art d'accommoder des recettes au goût du jour.

🍽️ **Les Antiquaires** – 4 r. Bagatelle, bas des Allées Paul Riquet - 34500 Béziers - 📞 04 67 49 31 10 - fermé 2 sem. en août pdt la féria, le midi et lun. - réserv. obligatoire - 22,50/34 €. Attablez-vous au milieu des faïences anciennes, photos noir et blanc, tableaux, instruments de musique et autres trésors de broc' qui font le charme de ce petit restaurant… Vous y dégusterez une cuisine de marché arrosée de crus de la région.

🍽️ **Château de Colombiers** – 1 r. du Château - 34440 Colombiers - 📞 04 67 37 06 93 - www.chateau-colombiers.com - fermé 1er-10 janv., 2-8 nov., dim. soir, merc. soir et jeu. de novembre à mai - 20 € déj. - 25/55 €. Bâti sur des caves voûtées du 12e s., ce château fut édifié aux 16e et 17e s. Plaisanciers, un ponton sur le proche canal du Midi vous attend. Comme les « terriens » appréciez la belle terrasse sous les marronniers et l'atmosphère châtelaine du restaurant.

NOS HÔTELS ET CHAMBRES D'HÔTE

🛏️ **Champ de Mars** – 17 r. de Metz - 34500 Béziers - 📞 04 67 28 35 53 - www.hotel-champdemars.com - fermé 12-20 fév. - 10 ch. 38/48 € - ⬛ 5,50 €. Petit hôtel familial bordant une ruelle tranquille, près de la place où se tient chaque vendredi le plus grand marché non alimentaire de la ville. D'ampleur moyenne, les chambres, sobrement décorées, bénéficient d'un équipement complet.

🛏️ **Chambre d'hôte La Bastide Vieille** – La Bastide Vieille - 34310 Capestang - 13 km à l'O de Béziers par D 11 - 📞 04 67 93 46 23 - fermé de fin oct. à déb. mars - 🍴 - 3 ch. 55 € - ⬛. Calme garanti dans cette sereine bastide qui dresse parmi les vignes, à l'écart du monde, sa vénérable façade flanquée d'une tour du 12e s. Les spacieuses chambres aménagées dans les anciennes dépendances possèdent un joli décor provençal. Charmant salon-bibliothèque où l'on s'adonne aux joies de la lecture.

🛏️ **Château de Lignan** – Pl. de l'Église - 34490 Lignan-sur-Orb - 7 km au NO de Béziers par D 19 - 📞 04 67 37 91 47 - chateau.lignan@wanadoo.fr - 49 ch. 92/150 € - ⬛ 13 € - rest. 25/62 €. Ancienne résidence épiscopale à la tête d'un beau parc de 6 ha bordant le cours de l'Orb. Chambres rénovées, sagement contemporaines et bien équipées. Jacuzzi, hammam, piscine et restaurant grand ouvert sur une terrasse offrant la vue sur le domaine et ses arbres centenaires.

🛏️ **La Chamberte** – R. de la Source - 34420 Villeneuve-lès-Béziers - 📞 04 67 39 84 83 - www.la-chamberte.com - fermé 1er-12 mars et 1er-15 oct. - 🍴 - 5 ch. 90/98 € - ⬛ 15 €. Un jardin méditerranéen annonce cette ancienne cave à vins. La décoration intérieure, mélange d'influences mauresque, andalouse et exotique, est des plus séduisante.

NOS BONNES CAVES

SCEA Domaine de Cazal Viel – Hameau Cazal Viel - 34460 Cessenon-sur-Orb - 📞 04 67 89 63 15 - info@cazal-viel.com - 9h-12h, 14h-17h - sur RV le w.-end. Cette propriété de 150 ha appartient à la famille Miquel depuis 1791. Le vignoble est planté sur un sol argilo-calcaire, particulièrement adapté à la viticulture. Le domaine s'est spécialisé dans la production de vins à base de viognier et de syrah. Son chai compte aujourd'hui près de 1 000 barriques de chêne. 🍷 saint-chinian.

Domaine La Madura – *12 r. de la Digue - 34360 St-Chinian - 𝄞 04 67 38 17 85 - lamadura@wanadoo.fr - sur RV.* Le vignoble acquis par Nadia et Cyril Bourgne en 1998 est situé en périphérie de Saint-Chinian sur des coteaux argilo-calcaires, de schistes et de grès, à des altitudes variant de 150 à 300 m. Le domaine s'étend sur 14 ha, encépagés de grenache, de syrah, de mourvèdre, de carignan et de sauvignon blanc. Les vignes sont cultivées dans le respect de la nature et de l'environnement. La vinification reste traditionnelle, tout comme l'élevage effectué en cuves ou en barriques. 🍷 coteaux-du-langudedoc, saint-chinian, vin de pays d'Oc.

Château des Estanilles – *34480 Lenthéric - 𝄞 04 67 90 29 25 - lun.-vend. 9h30-17h - sur RV.* En 1976, Michel Louison quitte la Savoie pour se retrouver à Lenthéric, en pays Faugéroisen, à la tête de 20 ha de vignes plus ou moins abandonnés. Sa fille Sophie le rejoint en 1996. Le vignoble de 32 ha, plantés en coteaux sur des sols schisteux, est cultivé en lutte raisonnée. Le domaine est équipé d'une cave très moderne abritant des cuves Inox thermorégulées. 🍷 coteaux-du-languedoc, faugères.

Château de la Liquière – *34480 Cabrerolles - 𝄞 04 67 90 29 20 - info@chateaulaliquiere.com – lun.-vend. sur RV.* Le château compte parmi les plus anciennes exploitations du Faugérois (17ᵉ s.). Le domaine couvre 60 ha encépagés de grenache, de syrah, de carignan, de mourvèdre et de cinsault pour les rouges ; de grenache blanc, de roussanne, de terret et de clairette pour les blancs. La vigne, en coteaux et terrasses, s'enracine dans un sol schisteux et caillouteux. Le domaine est conduit en lutte raisonnée et vendangé manuellement. Il dispose de deux caves de vinification : l'une est ancienne, équipée de cuves enterrées permettant un travail par gravité, l'autre moderne, plus fonctionnelle. 🍷 coteaux-du-langudedoc, faugères.

Domaine Jean-Michel Alquier – *34600 Faugères - 𝄞 04 67 23 07 89 - jmalquier@yahoo.fr - sur RV.* Jean-Michel Alquier exploite un domaine de 12 ha, dont 11 sont dédiés à la production de vin rouge et 1 à celle du blanc. Syrah, grenaches noir et blanc, mourvèdre, marsanne et viognier plantés à 80 % en coteau et exposés sud-est s'enracinent dans un sol schisteux. La récolte est manuelle et la vinification en semi-égrappage reste traditionnelle, avec des cuvaisons longues. L'élevage est ensuite réalisé en barriques. 🍷 faugères.

Le Minervois

CARTE MICHELIN LOCAL 344 – AUDE (11), HÉRAULT (34)

Le pays de Minerve, à cheval sur l'Hérault et l'Aude, est placé sous les auspices de l'antique déesse de la Guerre et de la Raison. C'est une vaste région qui s'étend sur les contreforts de la Montagne Noire, entre Narbonne et Carcassonne. Haut lieu de l'austère catharisme au Moyen Âge, le Minervois a su, malgré les guerres, conserver intacte sa tradition viticole tout en entrant dans la modernité.

④ De Narbonne à Carcassonne

▶ 123 km. Narbonne se trouve à 64 km au N de Perpignan par la N 9. Carte Michelin Local 344, G-I 2-3. Voir l'itinéraire ④ sur le plan p. 276-277.

Narbonne★★

Sous la chaude caresse du soleil, Narbonne égrène les témoins architecturaux de son glorieux passé de capitale de la Gaule narbonnaise, de résidence des rois wisigoths et de cité archiépiscopale. Elle présente au visiteur le visage animé d'une ville méditerranéenne, important centre viticole et carrefour de communications.

Le **palais des Archevêques★** domine la **place de l'Hôtel-de-Ville**, cœur animé de la cité, à l'emplacement duquel on a récemment découvert un tronçon de la

Le pont des Marchands à Narbonne.

LES TERROIRS

Superficie : le vigoble couvre 7 600 ha.

Production : 170 000 hl.

Les sols cailouteux des collines au nord sont calcaires, tandis que vers le sud on trouve des terrasses de galets, de grès, de schistes ou de calcaires.

LES VINS

La région comprend trois AOC : **minervois**, **minervois-la-livinière** et **muscat-de-saint-jean-de-minervois**. On y produit aussi des vins de pays.

L'**AOC minervois** donne des vins rouges, rosés et blancs. Cépages syrah, mourvèdre, grenache, carignan, cinsault, picpoul pour les rouges, cépages marsanne, roussanne, macabeu, bourboulenc, clairette, grenache, vermentino pour les blancs.

L'**AOC minervois-la-livinière** ne donne que des vins rouges, à partir des cépages carignan, grenache, syrah, mourvèdre, picpoul. L'élevage des vins dure au moins 15 mois.

L'**AOC muscat-de-saint-jean-de-minervois** a pour unique cépage le muscat à petits grains, qui donne un vin très minéral.

BON À SAVOIR

👁 **Syndicat du cru minervois** – ☏ *04 68 27 80 00.*

Via Domitia *(visible sur la place).* À l'origine modeste résidence ecclésiastique, le palais compose un ensemble architectural religieux, militaire et civil complexe où les siècles ont laissé leur empreinte (du 12ᵉ s. avec le Palais vieux au 19ᵉ s. avec l'hôtel de ville).

Le **donjon Gilles-Aycelin**★ *(entrée à gauche dans l'hôtel de ville)* est établi sur les restes du rempart gallo-romain qui défendait jadis le cœur de la ville antique. Du chemin de ronde de la plate-forme *(162 marches)*, le **panorama**★ se développe sur Narbonne et sa cathédrale, la plaine alentour, la montagne de la Clape, les Corbières, les étangs marins et les Pyrénées à l'horizon. ☏ *04 68 90 30 65 - juil.-sept. : 10h-18h; oct.-juin : 9h-12h, 14h-18h - fermé 1ᵉʳ janv., 25 déc. - 2,20 € (-10 ans gratuit).*

Dans le Palais neuf se trouve le **Musée archéologique**★★. Il possède sans doute la plus riche collection de France de **peintures romaines**★★. Provenant pour la plupart du site archéologique du Clos de la Lombarde (au nord de la ville antique), elles servaient de décoration aux habitations aisées de Narbo Martius. Une importante collection lapidaire évoque la Narbonne romaine, ses institutions, sa vie quotidienne, ses cultes et ses activités commerciales. ☏ *04 68 90 30 54 - avr.-sept. : 9h30-12h15, 14h-18h; oct.-mars : tlj sf lun. 10h-12h, 14h-17h - possibilité de visite guidée sur demande* ☏ *04 68 90 30 66 - fermé 1ᵉʳ janv., 1ᵉʳ Mai, 1ᵉʳ et 11 Nov., 25 déc. - 3,70 €.*

Le palais communique avec la **cathédrale St-Just-et-St-Pasteur**★★, dont la première pierre, posée le 3 avril 1272, avait été envoyée de Rome par le pape Clément IV, ancien archevêque de la cité (mais elle ne fut achevée qu'au 18ᵉ s.). Le **cloître** fleuri (14ᵉ s.), situé au pied du côté sud de la cathédrale, est un havre de paix et de fraîcheur. L'**intérieur** de la cathédrale se caractérise par la hauteur des voûtes du chœur (41 m), qui n'est dépassée que par celles d'Amiens (42 m) et de Beauvais (48 m). La chapelle axiale de Ste-Marie-de-Bethléem a retrouvé son **grand retable gothique**★, redécouvert fortuitement en 1981 sous une couche de stuc. Ne manquez pas d'observer avec attention les damnés poussant des cris d'effroi dans la charrette qui les conduit aux Enfers ! Vision terrifiante, contrastant avec celle, nettement plus sereine, des élus gagnant par un escalier le royaume céleste.

Quittez Narbonne au nord par la D 13. À Cuxac-d'Aude, prenez à gauche la D 1118.

Sallèles-d'Aude

On aura plaisir à flâner ou à pique-niquer sur les rives ombragées de pins parasols du canal du Midi avant de se rendre à **Amphoralis**★, le **musée des Potiers gallo-romains** *(accès par la D 1626 au nord-est de Sallèles-d'Aude, où l'on suit le balisage « musée des Potiers »; la route suit le canal de jonction entre le canal du Midi et le canal de la Robine).* La visite fait découvrir, sur le site de fouilles, la production antique de céramiques domestiques, tuiles et amphores vinaires. La civilisation du vin, la vie quotidienne et les échanges commerciaux dans l'Empire romain y sont évoqués. ☏ *04 68 46 89 48 -* ♿ *- juil.-sept. : 10h-12h, 15h-19h; oct.-juin : tlj sf lun. 14h-18h,* *w.-end et j. fériés 10h-12h, 14h-18h - possibilité de visite guidée - fermé 1ᵉʳ janv., 1ᵉʳ Mai et 25 déc. - 4 € (enf. 2,50 €).*

Poursuivez sur la D 1626 jusqu'à Argeliers.

Argeliers

🍷 La cave coopérative **Les Vignerons réunis** continue de rendre hommage, dans un petit musée, à **Marcelin Albert**, bistrotier d'Argeliers qui enflamma les foules lors de la révolte des « gueux du Midi » en 1907. *11120 Argeliers - ☎ 04 68 46 11 14 - 9h-12h, 15h-18h.*

Prenez au sud la D 426, puis la D 5 à droite jusqu'à Cabezac. Et de là, la D 26 à droite.

Bize-Minervois

Le village entouré de collines est un centre de culture de l'olivier dont l'huile est commercialisée par la coopérative l'**Oulibo**. Visite guidée de la coopérative en été *(gratuit). Hameau de Cabezac - 11120 Bize-Minervois - ☎ 04 68 41 88 88 - loulibo.com - hiver : lun.-vend. 8h-12h, 14h-18h ; été : lun.-vend. 8h-12h, 14h-19h, sam. et dim. à partir de 10h - fermé Noël et Nouvel An.*

Continuez sur la D 26, puis tournez à gauche dans la D 177.

Saint-Jean-de-Minervois

Dans un paysage de causse austère où se dressent quelques capitelles, les vieux ceps tordus de muscat tirent le meilleur de la caillasse calcaire pour donner un vin doux naturel au parfum incomparable. 🍷 La **coopérative du Muscat de St-Jean-de-Minervois** vous réserve un très bon accueil. *34360 St-Jean-de-Minervois - ☎ 04 67 38 03 24 - lun.-vend. 8h-12h, 14h-18h ; w.-end 14h-18h. En cas de fermeture, il existe plusieurs points de vente dans le village.*

🍷 Le **domaine de Barroubio**, à l'écart du village, est une maison d'excellence *(voir nos bonnes caves).*

Par la D 176 au sud, puis la D 175 à gauche, allez à Aigues-Vives. On atteint Aigne par la D 910.

Aigne

La vigne est tellement présente dans ce joli bourg que ses armoiries, sur le bénitier de l'église, s'ornent d'un cep portant des grappes. On flânera dans les rues tortueuses avant d'admirer le panorama sur la route de Minerve.

Gagnez La Caunette par la D 177, puis la D 907.

La Caunette

Cet ancien village fortifié a conservé une porte monumentale du 13ᵉ s. Un peu à l'écart, l'église romane Notre-Dame se dresse dans un charmant paysage.

Rejoignez La Caunette par la D 10.

Minerve★

Minerve s'étire sur un promontoire rocheux, véritable île détachée du causse sous les effets conjugués de l'érosion glaciaire, puis fluviale. Dominant un passage aride et comme brûlé, entaillé de gorges sauvages, la cité bénéficie d'un **site★★** très pitto-

On ne peut atteindre Minerve qu'en enjambant le canyon de la Cesse.

A.Thuillier / MICHELIN

resque, truffé de curiosités rares, tels ses **ponts naturels★**. De la fière forteresse qui se dressait sur cet éperon au Moyen Âge, il ne reste plus rien. L'écho de la tragédie cathare causée ici par Simon de Montfort est à présent assourdi par un océan de vignobles. Dans l'étroite rue des Martyrs se sont installés quelques artisans et nombre d'échoppes de viticulteurs.

Quittez Minerve à l'ouest par la D 10^{E1} puis prenez la D 182 vers Cesseras.

Canyon de la Cesse
Au début du quaternaire, les eaux de cette rivière ont creusé la vallée en canyon, agrandi les grottes existantes et en ont percé de nouvelles.

Prenez à gauche la route de Cesseras qui descend vers la plaine et les vignes. Traversez Cesseras et prenez à droite la D 168 vers Siran. 2 km plus loin, tournez à droite.

Chapelle de Saint-Germain
Nichée dans un bouquet de pins, cette chapelle romane est remarquable pour le décor de son abside.

Revenez à la D 168 et poursuivez vers Siran.

Chapelle de Centeilles★
Au nord de Siran. ☎ 04 68 91 50 07 (Mme Lignères) - dim. 15h-17h.
Entourée de cyprès, de chênes verts et de vignes, cette chapelle (13ᵉ s.) embrasse un vaste panorama. À l'intérieur, belles **fresques★** du 14ᵉ-15ᵉ s.

Rejoignez La Livinière par la D 168.

La Livinière
Ce village viticole a donné son nom à l'AOC minervois-la-livinière qui ne produit que des vins rouges sur cinq communes. 🍷 Ils se distinguent par une puissance et un fruité dont l'**Oustal blanc** donne de bons exemples *(voir nos bonnes caves)*.

Prenez au sud-ouest la D 168.

🚶 Au départ de **Félines-Minervois**, un **sentier** de 12 km *(3h30, difficulté moyenne)* permet de découvrir bois, capitelles et vignes du Minervois. 🍷 Le **domaine Borie de Maurel** a bonne réputation *(voir nos bonnes caves)*.

Faites demi-tour, puis tournez à droite dans la D 52, avant de tourner à gauche vers Rieux-Minervois.

Rieux-Minervois
Rieux possède une belle **église★** du 12ᵉ s. dont l'intérieur est orné de remarquables chapiteaux sculptés.

Rejoignez Caunes-Minervois par la D 11, puis la D 620 à droite.

Caunes-Minervois
Le village a connu une certaine notoriété grâce à l'exploitation de son marbre rouge orangé, veiné de gris et de blanc, très recherché au 18ᵉ s. Deux beaux hôtels bordent la place de la Mairie : l'hôtel Sicard (14ᵉ s.), avec sa fenêtre d'angle à meneaux, et l'**hôtel d'Alibert** (16ᵉ s.), aujourd'hui hôtel de charme et bonne table, qui s'ouvre sur un ravissante cour Renaissance. L'abbatiale de l'ancienne abbaye bénédictine conserve du 11ᵉ s. un beau chevet roman.

🍷 À l'écart du village, l'accueillant caveau du splendide **Château Villerambert-Julien** (16ᵉ s.) est une bonne halte pour découvrir une large palette de vins du cru. Le château abrite un petit conservatoire d'outillage vigneron aménagé avec goût. *11160 Caunes-Minervois - ☎ 04 68 78 00 01 - contact@villerambert-julien.com - 9h-11h30, 13h30-18h30 - sur RV le w.-end - visite gratuite.*

Vous pouvez rejoindre Carcassonne au sud-ouest par la D 620.

EN MARGE DU VIGNOBLE

Écluser sur le canal du Midi
On aime le canal pour la beauté de ses berges, la tranquillité de son cours qui nous fait traverser, de bout en bout, tout le Languedoc, happant au passage de bucoliques paysages et des cités pleines d'histoire et de monuments intéressants. Vous faut-il d'autres arguments pour vous inciter à venir flâner au fil de l'eau, à goûter à un rythme de vie hors du temps qui vous fera oublier jusqu'au plus petit de vos tracas ?

Béziers Croisières – *3 r. René-Réaumur - 34545 Béziers cedex - ☎ 04 67 49 08 23 - horaires, tarifs et réserv. par téléphone.* Croisière-promenade et croisière-déjeuner sur le canal du Midi de Béziers à Poilhès.

Croisières du Midi (Luc Lines) – *35 quai des Tonneliers - 11200 Homps -* 📞 *04 68 91 33 00 - d'avr. à déb. nov. - sur réserv. - 10,70 € (enf. 5,90 €).* Croisière commentée en gabare sur le canal du Midi (2h) au départ de Homps.

Castel Nautique – *Port de Bram - 11150 Bram -* 📞 *04 68 76 73 34 - www.castelnautique.com com - de fin mars à déb. nov.* Pas besoin de louer un bateau habitable pour découvrir le canal du Midi. Cette société loue des bateaux électriques sans permis, à l'heure ou à la demi-journée.

Les adresses du Minervois

♿ Vous trouverez des adresses à **Carcassonne** dans le carnet du vignoble de Limoux, p. 286.

NOS BONNES TABLES

🍴 **Relais Chantovent** – *17 Grand-Rue - 34210 Minerve -* 📞 *04 68 91 14 18 - bertet. relais@wanadoo.fr - fermé 16 déc.-14 mars, dim. soir et lun. - 18/36 €.* Interdit aux voitures : c'est donc à pied que vous atteindrez ce village cathare étiré sur un promontoire rocheux. Au Relais Chantovent, sympathique auberge dont la terrasse offre une vue imprenable sur les gorges du Brian, vous goûterez de bons petits plats régionaux arrosés comme il se doit de vins du Minervois.

🍴 **Bistrot du Chef... en gare** – *1 av. Carnot - 11100 Narbonne -* 📞 *04 68 32 14 52 - media.restauration@wanadoo.fr - fermé mar. soir et merc. - 20/24 €.* C'est un bistrot extraordinaire situé dans l'ex-buffet de la gare du cher pays de l'enfance de Charles Trenet. Décor et fond musical dédiés au « fou chantant ». Y'a d'la joie !

🍴 **L'Estagnol** – *5 bis cours Mirabeau - 11100 Narbonne -* 📞 *04 68 65 09 27 - fabricemeynadier@wanadoo.fr - fermé lun. soir et dim. - 17/28 €.* Cette brasserie animée est située à proximité des halles, sur une placette qui accueille dès les premiers rayons de soleil son agréable terrasse. Il suffit de s'y rendre pour s'en convaincre : les Narbonnais apprécient ses bons petits plats traditionnels placés sous « influence régionale ».

NOS HÔTELS ET CHAMBRES D'HÔTE

🛏 **Hostellerie St-Martin** – *Au hameau de Montredon - 11000 Carcassonne -* 📞 *04 68 47 44 41 - 15 ch. 65/90 € -* 🍴 *9 €.* Cette bâtisse récente de style régional se situe dans un paisible parc entouré par la campagne. Les chambres, mi-provençales, mi-rustiques, sont plaisantes.

🛏 **Chambre d'hôte Nuitées Vigneronne de Beaupré** – *Rte d'Armissan - 11100 Narbonne -* 📞 *04 68 65 85 57 -*≠*- 4 ch. 55/65 € -* 🛏*.* Les amateurs de vin prendront plaisir à découvrir les secrets de sa fabrication au cœur de ce domaine de 9 ha, proche du centre de Narbonne. L'annexe aménagée dispose d'une salle à manger vaste et lumineuse et de 4 chambres décorées chacune selon une dominante de couleur. Belle terrasse avec piscine sécurisée.

NOS BONNES CAVES

Domaine de Barroubio – *34360 St-Jean-de-Minervois -* 📞 *04 67 38 14 06 - 9h-12h, 15h-19h.* Le domaine, familial depuis le 15ᵉ s., est situé sur un plateau calcaire. Il s'étend sur 27 ha, encépagés de muscat à petits grains, de carignan, de syrah et de grenache. Le terroir est propice à la production du vin du pays, élevé à l'ancienne. Les rouges vieillissent en barriques. 🍷 minervois, muscat-de-saint-jean-de-minervois, vin de pays d'Oc.

L'Oustal Blanc – *Chem. des Condomines - 34210 La Livinière -* 📞 *06 10 50 41 23 - lun.-vend. sur RV.* Un véritable retour aux sources pour Claude Fonquerle, vigneron natif de la région. Après douze années passées dans la vallée du Rhône, il s'associe en 2002 à Philippe Cambie pour racheter ce domaine. Les 10 ha du vignoble, encépagés de vieilles vignes de grenaches noir et blanc, de vieux carignan et de syrah, est cultivé dans le respect de la nature, sans herbicide, ni produits systémiques. Les raisins sont ensuite triés grain par grain, puis vinifiés durant soixante jours en cuves béton. Le domaine produit également du vin de table en rouge et blanc. 🍷 minervois, minervois-la-livinière.

Domaine Borie de Maurel – *34210 Félines-Minervois -* 📞 *04 68 91 68 58 - contact@boriedemaurel.fr - lun.-vend. 9h-12h, 15h-18h - sur RV le w.-end.* En 1989, Sylvie et Michel Escande, aujourd'hui rejoints par leur fils Gabriel, ont acquis ce domaine qui couvre 33 ha. Les vignes, encépagées de syrah, de grenache et de mourvèdre et situées au pied de la montagne Noire, sont constituées de petites parcelles entourées de garrigue. Certaines opérations, tant dans le vignoble qu'à la cave, sont menées en fonction des phases de la lune : implantation d'un pied de vignes, soutirage, mise en bouteilles, etc. Le domaine produit un vin entre rouge et rosé, dit « Vin de Café », à boire très frais. 🍷 minervois, minervois-la-livinière.

Le vignoble de Limoux

CARTE MICHELIN LOCAL 344 – AUDE (11)

Au sud de Carcassonne, la région de Limoux reste très attachée à ses traditions festives et culturelles. Sur le plan viticole, sa grande originalité est de produire essentiellement des vins effervescents. La région produit aussi des vins tranquilles blancs ou rouges de bonne facture sous l'appellation **limoux**.

LE TERROIR

Superficie : le vignoble couvre 145 ha.
Production : 5 853 hl.
Les vignes sont implantées entre 200 m et 400 m d'altitude sur des terroirs paysagers de coteaux verdoyants.

LES VINS

La blanquette se trouve sous trois appellations différentes : **blanquette-de-limoux**, **crémant-de-limoux** et **blanquette méthode ancestrale**. Elle est élaborée essentiellement à base de cépage mauzac, tandis que le crémant contient une bonne proportion de chardonnay.
L'**AOC limoux rouge** est issue de merlot, côt, syrah, grenache, carignan, cabernet-franc et cabernet sauvignon. Tandis les cépages des **limoux blancs** sont le chardonnay, le chenin et le mauzac.

BON À SAVOIR

👁 **Syndicat des vins AOC limoux** – 📞 *04 68 31 12 83 - www.limoux-aoc. com*

5️⃣ La route de la blanquette

▶ 60 km. Carcassonne se trouve à 57 km à l'O de Narbonne par la N 9 et la N 113. Carte Michelin Local 344, E 3-4. Voir l'itinéraire 5️⃣ sur le plan p. 276-277.

Carcassonne★★★

Lorsqu'on parvient aux abords de Carcassonne ou que, depuis l'autoroute, on aperçoit sa silhouette, on ne peut s'empêcher d'éprouver un sentiment d'admiration face à cette cité, rénovée au 19ᵉ s. par l'architecte Viollet-le-Duc, qui s'impose d'emblée dans la plaine viticole derrière laquelle se profilent les montagnes des Corbières.
La cité de Carcassonne est la plus grande forteresse d'Europe. Elle se compose d'un noyau fortifié, le Château comtal, et d'une double enceinte : l'enceinte extérieure, qui compte 14 tours, séparée de l'enceinte intérieure (24 tours) par les lices. On pénètre par la **porte Narbonnaise**, l'entrée principale entourée de deux tours massives accueillant des expositions temporaires de peinture moderne.
On accède au château par la **rue Cros-Mayrevieille**. On peut cependant préférer flâner à son gré dans le bourg médiéval en empruntant ses ruelles tortueuses, bordées de nombreuses boutiques (artisanat, souvenirs). À droite de la place du Château se situe un grand puits profond de près de 40 m.
Érigé au 12ᵉ s. par Bernard Aton Trencavel, le **Château comtal** était à l'origine le palais des vicomtes, adossé à l'enceinte gallo-romaine. Il fut transformé en citadelle après le rattachement de Carcassonne au domaine royal en 1226. 📞 *04 68 11 70 70 - possibilité de visite guidée (45mn ou 1h30) - avr.-sept. : 9h30-18h (dern. entrée 45mn avant) ; oct.-mars : 9h30-17h - fermé 1ᵉʳ janv., 1ᵉʳ Mai, 1ᵉʳ et 11 Nov., 25 déc. 6,50 € (gratuit -18 ans et 1ᵉʳ dim. en oct.-mars).*
Sortir du château et prendre à gauche la rue de la Porte-d'Aude. La **porte d'Aude** est l'élément majeur des **lices**, partie comprise entre les deux enceintes. Un chemin fortifié y donne accès depuis la ville basse. De tous côtés, elle est puissamment défendue : grand châtelet, petit châtelet, place d'armes et portes. Le tour des lices se termine à la **tour St-Nazaire**, bel ouvrage de plan carré dont la poterne n'était accessible qu'avec des échelles. Table d'orientation au sommet.
Entrez dans la cité par la porte St-Nazaire. De l'ancienne basilique **St-Nazaire★** consacrée en 1006 ne subsiste que la nef. L'intérieur réunit l'art roman et le gothique.

P.Blot / MICHELIN

La cité médiévale de Carcassonne, dans toute sa majesté.

Les **vitraux**★★ (13ᵉ et 14ᵉ s.) sont considérés comme les plus intéressants du Midi. De remarquables **statues**★★ ornent le pourtour du chœur.

Quittez Carcassonne au sud par la D 104.

Saint-Hilaire

La tradition attribue aux moines bénédictins de St-Hilaire la découverte de la montée en mousse de la blanquette.

Du pied de l'abside de l'église, prendre une rampe aboutissant au **cloître** en forme de trapèze. On passe ensuite dans l'**église** romane – très remaniée – pour y voir surtout, dans la chapelle orientée de droite, l'« ossuaire de saint Sernin », sarcophage à l'antique exécuté au 12ᵉ s. par le maître de Cabestany : vie et martyre du fondateur de l'église de Toulouse vers le milieu du 3ᵉ s.

Rejoignez St-Polycarpe au sud par la D 51.

Saint-Polycarpe

Sous le maître-autel de l'**église fortifiée** sont exposées des pièces de l'ancien trésor : chef-reliquaire (tête nue) de saint Polycarpe, chef-reliquaire de saint Benoît, reliquaire de la Sainte-Épine, toutes œuvres du 14ᵉ s. ; tissus du 8ᵉ s. Les deux autels latéraux présentent un décor carolingien sculpté d'entrelacs et de palmettes. Sur les murs et les voûtes, vestiges de fresques, restaurées, du 14ᵉ s.

Prenez la D 129 à l'ouest.

Limoux

Limoux est réputée facétieuse pour son carnaval, dont les cortèges de « masques » (les « fécos ») dansent tous les dimanches de janvier à avril sous les couverts de la place de la République. La ville n'en a pas moins une silhouette monumentale, qu'elle doit à la flèche gothique de l'église St-Martin, qui s'élance au-dessus de la rivière. Ses petites rues étroites et animées sont encore en partie encloses dans une enceinte élevée au 14ᵉ s.

♇ L'importante cave coopérative **Sieur d'Arques** est le principal producteur de blanquette et de crémant-de-limoux. Grâce à un travail de sélection minutieux, elle propose des cuvées de grande qualité. Des visites individuelles et des dégustations commentées sont proposées sur rendez-vous. La cave organise une vente aux enchères de ces vins blancs en AOC limoux et consacre une partie des fonds recueillis à la protection du patrimoine architectural local. Des cours d'initiation à l'œnologie et à la dégustation sont organisés. *Av. de Carcassonne - 11300 Limoux - ℘ 04 68 74 63 00 - vpc@sieurdarques.com - 9h-12h, 14h-18h.*

EN MARGE DU VIGNOBLE

Jouer l'histoire au château de Chalabre

25 km au S-O de Limoux par la D 620. ℘ 04 68 69 37 85 - www.chateau-chalabre.com - de Pâques à fin août, vac. scol., j. fériés et w.-ends à pont : 12h-18h30 - fermé sam. en juil.-août - 12,50 € (4-12 ans 8 €). 👥 Dans un château du pays cathare, les Chevaliers du Kercorb vous initient à la vie médiévale avec des démonstrations de joutes équestres, des exercices d'armes, de la voltige à cheval, et vous invitent à revêtir la cape et l'épée de chevalier pour un voyage ludique dans le Moyen Âge. Ateliers (calligraphie, mosaïque, poterie, héraldique, cote de mailles) et visite guidée du château.

Rencontrer les dinosaures d'Espéraza

20 km au S de Limoux par la D 118. ℘ *04 68 74 26 88 - www.dinosauria.org - ⚹ - juil.-août : 10h-19h (dernière entrée 1h av. fermeture) ; sept.-juin : 10h30-12h30, 13h30-17h30, dim. 10h30-17h30 ; vac. scol. Toussaint : 10h30-17h30 - fermé 1er janv., 25 déc. - 7 € (enf. 5 €) en juil.-août en plus chantier de fouilles, hors saison 4,90 € (enf. 3,90 €).*

👥 L'extinction, à la fin de l'ère secondaire, des dinosaures est restée inexpliquée. Aussi est-ce avec un vif intérêt que les chercheurs se penchent sur les restes fossilisés qu'ils découvrent, notamment sur le plateau surplombant Espéraza. Installé dans l'ancienne gare, le musée présente entre autres la reconstitution d'une zone de fouilles, des ossements (pour la plupart des moulages) et des œufs à demi fossilisés, dans des vitrines. Le squelette d'un dinosaure de 11 m de long, trouvé dans la région et se rattachant à l'espèce américaine des titanosaures, a été reconstitué.

Les adresses de la route de la blanquette

NOS BONNES TABLES

⊖ **Auberge de Dame Carcas** – *3 pl. du Château - 11000 Carcassonne -* ℘ *04 68 71 23 23 - fermé 29 janv.-19 fév., 5-11 juin, 2-8 oct. et merc. - 14/25 €.* Une adresse sympathique dans la Cité. Ambiance bon enfant et carte copieuse contribuent à son succès et ses salles, installées sur deux niveaux, sont régulièrement bondées… Grill-rôtisserie au rez-de-chaussée.

⊖⊖ **La Maison de la Blanquette** – *46 bis prom. du Tivoli - 11300 Limoux -* ℘ *04 68 31 01 63 - fermé merc. soir hors sais. - 16/36 € bc.* Les boissons sont incluses dans les menus de ce restaurant : une bonne occasion de découvrir, ou de redécouvrir, la blanquette de Limoux et autres crus locaux, tout en dégustant de pétillantes recettes du terroir. Avant de repartir, prévoyez un crochet par la boutique des vins, richement pourvue.

⊖⊖ **La Marquière** – *13 r. St-Jean - 11000 Carcassonne -* ℘ *04 68 71 52 00 - lamarquiere@wanadoo.fr - fermé 15 janv.-15 fév., merc. et jeudi - 20/50 €.* Maison crépie située près des remparts nord. Pause gourmande à l'étage, dans un décor rustique et feutré, ou dans la petite cour-terrasse. Cuisine traditionnelle.

NOS HÔTELS ET CHAMBRES D'HÔTE

⊖ **Le Mauzac** – *9 av. Camille-Bouche - 11300 Limoux - RD 118 -* ℘ *04 68 31 12 77 - www.hotel-le-mauzac.com -* **P** *- 21 ch. 36/46 € -* ⬜ *6,50 €.* Étape pratique sur la route de Carcassonne, cet hôtel bâti à flanc de colline propose des chambres de bon confort, garnies de meubles en pin, climatisées et insonorisées. Préférez celles tournées vers l'arrière. Coquette salle des petits-déjeuners. Accueil charmant.

D.Pazery / MICHELIN

⊖⊖ **Chambre d'hôte La Maison sur la Colline** – *Lieu-dit Ste-Croix - 11000 Carcassonne - 1 km 500 au S de la Cité par rte de Ste-Croix -* ℘ *04 68 47 57 94 ou 06 85 90 70 58 - www. lamaisonsurlacolline.com - fermé de fin déc. à mi-fév. -* ⚠ *- réserv. conseillée - 6 ch. 65/90 € -* ⬜ *- repas 30 €.* Perchée au sommet d'une colline, cette vieille ferme restaurée offre un point de vue enchanteur sur la cité médiévale. Ses chambres spacieuses, meublées d'objets chinés dans les brocantes, possèdent chacune leur couleur : bleu, jaune, beige, blanc… Petit-déjeuner au bord de la piscine en été.

⊖⊖⊖ **Château de Cavanac** – *11570 Cavanac -* ℘ *04 68 79 61 04 - 24 ch. 110/150 € -* ⬜ *10 € - rest. 38 € bc.* Château du 17e s. sur un domaine viticole. Belles chambres personnalisées avec vue sur les vignes ou la campagne, plaisante salle des petits-déjeuners et billard. Écuries aménagées en restaurant ; plats traditionnels, grillades et vins de la propriété.

Les Corbières

CARTE MICHELIN LOCAL 344 – AUDE (11), PYRÉNÉES-ORIENTALES (66)

Les Corbières, région montagneuse de l'Aude mordant sur les Pyrénées-Orientales, dominent de leurs hautes barres le sillon du Fenouillèdes. C'est là que se dressent les « citadelles du vertige », théâtres d'épisodes fameux du drame cathare. La garrigue épineuse et parfumée est à l'image de la vie de ses habitants : belle, austère et sans artifice… mais bien arrosée.

LE TERROIR
Superficie : le vignoble couvre 19 000 ha.
Production : 607 000 hl.
Les sols argilo-calcaires dominent, et l'on trouve des grès rouges à Boutenac, des terrasses caillouteuses à Lézignan, des marnes à Quéribus…

LES VINS
Les vins des Corbières sont produits en rouges, rosés et blancs.
AOC corbières : cépages carignan, syrah, grenache noir, llenor, mourvèdre, picpoul, cinsault et terret noir pour les rouges ; cépages malvoisie, grenache blanc, macabeu, clairette, muscat, picpoul, terret blanc, marsanne, roussanne, vermentino.

BON À SAVOIR
L'**AOC** corbières est la plus vaste du Languedoc. Longtemps vouée à produire des vins de table, la région s'est radicalement transformée dans les années 1980-1990 et produit désormais des vins de qualité en s'efforçant de mettre en valeur le particularisme de ses terroirs.

👁 **Maison des terroirs en Corbières** – ☎ 04 68 27 73 00 - www.aoc-corbieres. com

⑥ De Maury à Tuchan (1ʳᵉ étape)

▶ 60 km. Maury se trouve à 35 km au N-O de Perpignan par la N 9 et la D 117. Carte Michelin Local 344, F-H 3-6. Voir l'itinéraire ⑥ sur le plan p. 276-277.

Maury
Au pied de l'aride grau de Maury, ce village a donné son nom à une appellation de vin doux naturel, le maury, obtenu sur 1 700 ha, à partir de raisins de grenache noir poussant sur des schistes.

🍷 Le **Mas Amiel** est le domaine vedette de l'appellation. Vous pourrez visiter son parc de bonbonnes (3 000 au total !) dont le vieillissement se fait en plein air. Possibilité également de faire une balade guidée dans le vignoble. 66460 Maury - ☎ 04 68 29 01 02 - 9h-12h, 14h-17h30.

🍷 On pourra également rendre visite à la coopérative des **Vignerons de Maury** (voir nos bonnes caves).

Prenez la D 117 à l'ouest.

Saint-Paul-de-Fenouillet
Cette paisible localité était jadis ville frontière entre la France et le Roussillon. On y déguste le biscottin, sorte de croquant aux amandes.

La D 7 vers Cubières suit un tracé sinueux avant de se faufiler parmi les vignes. Dans un grand virage, vue à gauche sur le Canigou.

Ermitage Saint-Antoine-de-Galamus
🚶 Laissez la voiture au parking situé avant le tunnel. 30mn à pied AR.
On y descend depuis le terre-plein de l'ermitage (vue sur le Canigou). La construction de l'ermitage masque la chapelle aménagée dans la pénombre d'une grotte naturelle.

Un bon conseil

Cette balade permet de visiter plusieurs châteaux ayant participé à l'épopée cathare. Le vent peut, lors de leur visite, souffler très fort. Chapeau, bonnes chaussures, crème solaire et eau à boire sont indispensables. Une paire de jumelles peut être utile.

La route pénètre dans les **gorges de Galamus**★★. Le parcours se fait sur une corniche très étroite. On n'aperçoit que très rarement le torrent tant le trait de scie au fond duquel il coule est étroit et abrupt.

À Cubières, tournez à droite dans la D 14.

Château de Peyrepertuse★★★

De l'aire de stationnement, suivez un sentier en forte montée aboutissant à la porte d'entrée (30mn à pied ; bonnes chaussures conseillées). Prudence en cas de « cers », vent du sud-ouest plutôt décoiffant. Visite interdite par temps d'orage. ☎ 04 68 45 40 55 - www. chateau-peyrepertuse.com - juin-sept. : 9h-20h ; avr.-mai et oct. : 9h-19h ; nov.-mars : 10h-17h - fermé janv. - 5 € (enf. 3 €).

Le château découpe, sur son éperon rocheux, une silhouette hardie qui apparaît pleinement aux abords de Rouffiac, au nord. C'est l'un des plus beaux exemples de fortification des Corbières, le plus vaste et sans doute le plus évocateur des châteaux cathares.

Peyrepertuse comprend deux ouvrages distincts séparés par une esplanade, ancrés à l'est (Peyrepertuse proprement dit) et St-Georges, à l'ouest de l'éperon, mesurant 300 m dans sa plus grande longueur.

Château de Quéribus★★

Visite libre ou audioguidée. ☎ 04 68 45 03 69 - juil.-août : 9h-20h ; avr.-juin et sept. : 9h30-19h ; oct. : 10h-18h30 ; nov.-janv. : 10h-17h ; fév. : 10h-17h30 ; mars : 10h-18h - fermé janv. hors vac. scol., 1er janv., 25 déc - 5 € (enf. 2 €) billet combiné avec le théâtre Achille-Mir à Cucugnan.

Le château semble se fondre dans la roche, aérien, tel un dé posé sur un doigt. À 729 m d'altitude, la sentinelle surveille la plaine du Roussillon sans craindre les assauts du vent. En 1255, ce fut la dernière forteresse cathare prise par les croisés. Trois enceintes protègent le donjon polygonal à deux étages. La haute **salle gothique**★ est voûtée d'ogives.

Cucugnan

Dominé par son moulin restauré, le village est bien connu pour le sermon de son curé, pièce d'anthologie du folklore

Le château de Quéribus.

d'oc, adaptée par Alphonse Daudet. Dans le **théâtre de poche Achille-Mir**, place du Platane, est donné un spectacle de théâtre virtuel sur le thème du « Sermon du curé de Cucugnan ». *☎ 04 68 45 03 69 - &. - juil.-août : 10h-21h ; avr.-juin et sept. : 10h-20h ; oct. : 10h-19h ; mars : 10h-19h ; fév. : 10h-18h30 ; nov.-déc. : 10h-18h - fermé janv. hors vac. scol., 1er janv., 25 déc. - 5 € (enf. 2 €) billet combiné avec le château de Quéribus.*

Sous la double protection du curé et du château de Quéribus, le village de Cucugnan peut s'occuper tranquillement de ses vignes dont le vin est en grande partie produit par la cave coopérative.

Continuez sur la D 14.

Padern

Pour monter au château, suivez les balises jaunes du « sentier cathare », 20mn à pied AR. Attention aux ruines dangereuses par endroits. Le château de Padern, aujourd'hui en ruine, avait été reconstruit au 17e s. Belle vue sur le village et le Verdouble.

Au terme de la D 14, prenez à gauche la D 611.

Tuchan

Tuchan est dans la partie intérieure du vignoble de fitou. ♟ On produit aussi de bons muscat-de-rivesaltes et des rivesaltes à la **Cave des producteurs du Mont Tauch**. Les visiteurs sont accueillis dans le caveau réaménagé ; un film retrace le cycle de la vigne et livre les secrets de la vinification. *11350 Tuchan ☎ 04 68 45 44 73 - www. mont-tauch.com - lun.-sam. 9h-12h, 14h-18h.*

Un chemin de vignes goudronné, s'embranchant à gauche de la D 39, à l'est de Tuchan, mène au château d'Aguilar.

Château d'Aguilar
Du parking, 10mn à pied AR. Pénétrer dans l'enceinte par le sud-ouest. Aguilar devint forteresse royale en 1257. Construite sur un modeste pog (éminence) émergeant d'un océan de vignes, elle fut renforcée au 13e s. sur l'ordre de Louis IX. Vue agréable sur le vignoble du bassin de Tuchan et, à l'ouest, sur les ruines du château de Donneuve.

Revenez vers Tuchan et prenez la D 611 à droite vers Durban.

Les adresses de Maury à Tuchan

NOTRE BONNE TABLE

⊜⊜ **Auberge de Cucugnan** – *2 pl. de la Fontaine - 11350 Cucugnan - ℘ 04 68 45 40 84 - fermé 1er janv.-15 mars – 17/44 €.* Il faut parcourir, plutôt à pied qu'en voiture, un dédale de ruelles pour parvenir jusqu'à cette grange aménagée. Son cadre authentique, son atmosphère campagnarde et sa cave à vin riche de crus régionaux permettent d'apprécier pleinement la généreuse cuisine mi-terroir, mi-traditionnelle mitonnée par le chef.

NOTRE HÔTEL

⊜⊜ **Auberge du Vigneron** – *2 r. Achille-Mir - 11350 Cucugnan - ℘ 04 68 45 03 00 - auberge.vigneron@ataraxie.fr - fermé 13 nov.-28 fév., lun. sf le soir en juil-août et dim. soir - 6 ch. 46/65 € - ⌑ 7 € - rest. 19/38 €.* Une maison de village où l'on compte bien vous faire découvrir les plaisirs d'une table simple, d'un vin des Corbières et des petites chambres chaleureuses… Son restaurant, dans un ancien chai, s'installe en été sur une belle terrasse avec vue sur les montagnes…

NOTRE BONNE CAVE

Domaine Pouderoux – *2 r. Émile-Zola - 66460 Maury - ℘ 04 68 57 22 02 - 123pou@wanadoo.fr - visite sur RV.* Propriété de 15 ha, le domaine Pouderoux est planté sur des sols schisteux et argilo-calcaires. L'encépagement est composé de grenache, de syrah, de mourvèdre, de carignan et de muscat à petits grains et les cépages sont vinifiés séparément. Le domaine est doté de deux chais de vieillissement, dont l'un a été créé en 2003. ♉ côtes-du-roussillon-villages, maury, muscat-de-rivesaltes, vin de pays de la côte catalane.

---

⑥ De Tuchan à Narbonne (2e étape)

▶ 81 km. Tuchan se trouve à 37 km au N-O de Perpignan par la N 9, la D 12, la D 9, la D 39 et la D 611. Carte Michelin Local 344, F-H 3-6. Voir l'itinéraire ⑥ sur le plan p. 276-277.

Durban-Corbières
Situé en haut du village, le château se compose d'un bâtiment rectangulaire à deux étages. Durban est un des terroirs mis en valeur par l'appellation corbières.

♉ Le schiste noir et les sols argilo-calcaires s'y mêlent pour donner des cuvées de haut vol comme celles du **Château Haut-Gléon**. Chaque été, une exposition réunit les œuvres de jeunes artistes invités au château pour peindre sur le thème de la vigne. *CD 611 - Villesèque-des-Corbières - 11360 Durban-Corbières - ℘ 04 68 48 85 95 - contact@hautgleon.com - 9h-12h30, 13h30-18h.*

Quittez Durban à l'ouest par la D 40.

Villerouge-Termenès
Au cœur du village s'élève le **château** à quatre tours (12e et 14e s.). Propriété des archevêques de Narbonne, il fut le théâtre en 1321 du bûcher du dernier parfait cathare connu, Guillaume Bélibaste. Le château a été réhabilité pour recevoir une exposition audiovisuelle sur Bélibaste et sur la vie quotidienne au Moyen Âge. Une aile du château abrite un restaurant médiéval (La Rôtisserie) qui propose des mets des 13e et 14e s. dans le même décorum, ainsi que de l'hypocras, un vin aromatisé aux plantes et aux épices. *℘ 04 68 70 09 11 - juil.-août : 9h30-19h30 (dernière entrée 1h av. fermeture) ; avr.-juin, et de déb. sept. à mi-oct. : 10h-18h ; fév.-mars, de mi-oct. à fin déc. : certains w.-end, j. fériés et vac. scol. : 10h-17h - fermé janv. - 6 € (enf. 2 €).*

Poursuivez jusqu'à Talairan au nord par la D 613.

Talairan

La chapelle Notre-Dame-de-l'Aire (13e-14e s.), qui domine le village, contient un touchant saint Vincent tenant deux grappes de raisin. Pour la visiter, contactez Jean-Pierre Mazard au ♟ **domaine Serres-Mazard**. Il vous parlera de la vigne, mais aussi des orchidées sauvages de la région dont il est passionné. *11220 Talairan - ☏ 04 68 44 02 22 - www.serres-mazard.com - 9h-19h.*

Faites demi-tour sur 5 km et prenez à droite la D 23.

Lagrasse★

Avec ses ponts délicats, ses vestiges de remparts et ses maisons anciennes, Lagrasse ménage bien ses effets. Posée au bord de l'Orbieu, la ville sert d'écrin à une célèbre abbaye. ♟ Ses environs constituent un des meilleurs terroirs des Corbières, illustré notamment par le **Château Pech-Latt** *(voir nos bonnes caves)*.

Vous prendrez d'autant plus plaisir à flâner dans les ruelles de la cité que nombre d'artisans se sont installés dans les échoppes des maisons médiévales.

L'**abbaye Ste-Marie-d'Orbieu** est composée d'un palais et d'une église avec une **tour-clocher** (13e s.) du haut de laquelle on découvre une jolie vue. La **chapelle abbatiale★** s'ouvre sur la cour du **Palais vieux** et présente un précieux pavement de céramique à motifs géométriques du 14e s. À l'étage du Palais vieux se trouve le dortoir des moines avec sa belle charpente. Par la « tour préromane », un escalier vous conduira au niveau inférieur où vous visiterez les celliers, les caves et la boulangerie. *☏ 04 68 43 15 99 - juil.-août : 10h30-18h15 ; juin et sept. : 10h30-11h45, 14h-18h ; avr.-mai et oct. : 10h30-11h45, 14h-17h30 ; de déb. nov. à mi-déc. et fév.-mars : 14h-16h30   3,50 € (enf. 1 €).*

Au nord de Lagrasse, prenez la D 212. ♟ Passé Fabrezan, vous pouvez faire un détour par la D 161 à droite *(direction Ferrals-les-Corbières, puis Boutenac)* pour allez goûter les vins du **Château La Voulte Gasparets** à **Boutenac** *(voir nos bonnes caves)*.

Lézignan-Corbières

Dans le relief chaotique des Corbières, à mi-chemin entre Carcassonne et la mer, Lézignan s'active autour de ses vignes et de leur commerce. L'église St-Félix est cerclée de placettes et de ruelles où il fait bon déambuler, comme il est doux de se protéger du soleil sous les promenades bordées de larges platanes.

Le **musée de la Vigne et du Vin** a pour cadre une ancienne exploitation viticole. Autour de la grande cour, outre la sellerie et l'écurie, on verra un pressoir et, sous un auvent, les outils du métier, aujourd'hui disparu, de tonnelier. La cave de vinification expose un grand cuvier à vendange pour le foulage au pied et une échaudeuse à l'attelage. Au premier étage, les outils nécessaires au travail de la vigne sont rassemblés selon le cycle des saisons : araires, ciseaux à tailler la vigne, couteaux à greffer, hottes et comportes, entonnoirs, marques à feu… Près de l'accueil, une salle est consacrée au transport des vins du Languedoc sur le canal du Midi du 18e s. à nos jours. Le musée propose également une initiation aux goûts et aux odeurs. *En face de la gare - ☏ 04 68 27 07 57 (fermé actuellement pour travaux, réouverture prévue en 2007).*

Les adresses de Tuchan à Narbonne

 Vous trouverez des adresses à **Narbonne** dans le carnet du Minervois, p. 285.

NOTRE BONNE TABLE

 La Balade Gourmande – *Bd Léon-Castel - RN 113 - 11200 Lézignan-Corbières - ☏ 04 68 27 22 18 - fermé 1 sem. vac. de fév., lun. soir, mar. soir et merc. soir - réserv. conseillée - 14/34 €.* Cette maison moderne de couleur rose abrite deux salles à manger au décor méridional (murs jaunes et tissus provençaux). Cuisine traditionnelle et bons produits du pays – pour les amateurs, cassoulet de rigueur ! – à déguster dans une ambiance animée et conviviale.

NOS HÔTELS ET CHAMBRES D'HÔTE

 Chambre d'hôte Domaine Grand Guilhem – *Chemin du Col de la Serre -11360 Cascastel-des-Corbières - ☏ 04 68 45 86 67 - 4 ch. 78/150 € - ⊐ 4 €.* Habilement restaurée, cette demeure du 19e s. a gardé toute son authenticité. Chambres pétries de charme, d'une tenue impeccable. Dégustation de vins dans le caveau.

 Chambre d'hôte Les Palombières d'Estarac – *Estarac, au SO - 11100 Bages - ☏ 04 68 42 45 56 - 4 ch. 70/130 € - ⊐ 4 € - repas 21 € bc.* Cette maison du début du 20e s. récemment restaurée abrite des chambres joliment colorées et impeccablement tenues. La salle à manger, grande ouverte sur le parc, est réchauffée l'hiver par de belles flambées. Vous y dégusterez des plats méditerranéens.

NOS BONNES CAVES

Château Pech-Latt – *11220 Lagrasse - ✆ 04 68 58 11 40 - 8h-12h, 14h-18h - sur RV le w.-end*. Le domaine de 100 ha est enserré dans un cirque de collines, au pied de la montagne d'Alaric, sur un sol de calcaire et de marnes rouges. Le vignoble est encépagé de carignan, de grenache noir, de syrah et de mourvèdre pour les rouges ; de marsanne et de vermentino pour les blancs. Les vignes sont conduites selon les méthodes de l'agriculture biologique, certifiées Écocert

depuis 1990 : engrais organiques et désherbants chimiques prohibés, vendanges manuelles, etc. ♟ corbières.
Château La Voulte Gasparets – *11200 Boutenac - ✆ 04 68 27 07 86 - chateaulavoulte@wanadoo.fr - 9h-12h, 14h-18h*. Grand défenseur du carignan, Patrick Reverdy dirige l'un des domaines phares de l'appellation. Situé sur une terrasse d'alluvions anciennes, le vignoble de 60 ha est encépagé de carignan, de grenache, de mourvèdre et de syrah pour les rouges ; de rolle et de grenache pour les blancs. Les vignes sont taillées en gobelet et vendangées manuellement. Les raisins sont ensuite vinifiés en cuves béton et Inox, puis sont élevés en barriques. ♟ corbières.

La Clape et Fitou

CARTE MICHELIN LOCAL 344 – AUDE (11)

À l'ouest et au sud de Narbonne, le vignoble vient à la rencontre de la mer et couvre les pentes qui surplombent les étangs. L'influence maritime tempère quelque peu les ardeurs du soleil, ce qui n'empêche pas les vins d'avoir du caractère. L'îlot calcaire qui forme aujourd'hui la montagne de la Clape s'est amarré au continent à force d'ensablement. Ce gros tas de cailloux culminant à 214 m est coiffé d'une chevelure ébouriffée de pins et de garrigue qui s'ordonne en vignes bien peignées descendant vers la mer.

LE TERROIR
Superficie : le vignoble couvre 625 ha pour la clape dans l'Aude.
Production : 26 000 hl pour la clape.
Les sols sont divers, argilo-calcaires, schisteux, ou même caillouteux.

LES VINS
L'AOC **coteaux-du-languedoc-la-clape** produit des rouges capiteux, des rosés fruités et des blancs vivaces. Les cépages en rouges sont le grenache, le mourvèdre, la syrah, le carignan et le cinsault. Les cépages en blancs sont le bourboulenc, la clairette, le grenache blanc, la marsanne, le picpoul et la roussanne.
Le territoire du **fitou**, scindé en deux parties, donne des vins rouges corsés, à base de carignan, mourvèdre, grenache noir et syrah.

BON À SAVOIR
👁 **Maison des vignerons du Fitou** – *✆ 04 68 40 42 77 - www.cru-fitou. com*
👁 **Les vignerons de la Clape** – *✆ 04 68 90 22 22 - www.clape.net*

⑦ Montagne de la Clape (1re étape)

▶ 45 km. Narbonne se trouve à 65 km au N de Perpignan par la N 9. Carte Michelin Local 344, I-J 3-5. Voir l'itinéraire ⑦ sur le plan p. 276-277.
Sortez de Narbonne à l'est par la D 168.

Narbonne-Plage
La station s'étire en bordure du littoral ; elle est caractéristique des stations traditionnelles du littoral languedocien.
La D 332 au sud mène à Gruissan.

Cité de la vigne et du vin

Domaine INRA de Pech Rouge - ☏ 04 68 75 22 62 - juil.-août : tlj 10h-20h, juin, sept.-déc. :
w.-end et j. fériés 14h-17h - 5 € (enf. 3 €).

👥 Implanté au cœur du vignoble languedocien, sur le domaine de l'Institut national de recherche agronomique, cet espace muséographique comprend plusieurs niveaux de lecture, du plus généraliste au plus technique. La visite s'articule autour de différents thèmes de la viticulture à l'œnologie. Une serre évoque l'évolution de la vigne au fil des saisons, un vignoble de 5 000 m² présente les différents cépages ainsi que les techniques d'irrigation ou de taille, enfin une salle équipée de machines manipulables par le visiteur dévoile les secrets de la vinification. Projections vidéos, bornes interactives et jeux sensoriels rendent la visite particulièrement ludique. Ici, vous pouvez voir, sentir, toucher, expérimenter mais aussi déguster !

Gruissan★

Gruissan n'est plus isolé au milieu des étangs comme il l'était autrefois. Autour des ruines de son château s'enroulent des maisons de pêcheurs et de vignerons au fort cachet. Le **vieux village** de pêcheurs et de sauniers, aux maisons emboîtées en cercles concentriques, est dominé par les ruines de la tour Barberousse.

Cimetière marin

🚗🚶 *4 km, puis 30mn à pied AR. Prenez la D 32 vers Narbonne ; au carrefour après les tennis suivez la route signalée N.-D.- des-Auzils qui pénètre dans le massif de la Clape. Allez à gauche. Laissez la voiture au parking avant la pépinière du Rec d'Argent et montez à pied jusqu'à la chapelle. Ou,*

Cabanes de vignerons.

en voiture, suivez la piste forestière des Auzils ; laissez la voiture sur un terre-plein, et terminez à pied.

Le long d'un chemin pierreux, parmi les genêts, les pins parasols, les chênes verts et les cyprès, d'émouvantes stèles rappellent le souvenir des marins disparus en mer. De la **chapelle Notre-Dame-des-Auzils**, au sommet de la montée, au cœur d'un bosquet, vue étendue sur le site de Gruissan et la montagne de la Clape.

Suivez la petite route tracée sur les dernières pentes de la Clape. En débouchant sur la D 32, allez à droite vers Narbonne. À Ricardelle, prenez à droite, une petite route étroite et en forte montée.

Coffre de Pech Redon

Point culminant de la montagne de la Clape, il apparaît au sommet de la montée. Vue pittoresque sur les étangs et Narbonne. Le terroir cailouteux, d'apparence peu hospitalière, accueille cependant avec bonheur le vignoble le plus élevé du massif de la Clape.

Faites demi-tour et regagnez Narbonne par la D 32.

Les adresses de la montagne de la Clape

♿ Vous trouverez des adresses à **Narbonne** dans le carnet du Minervois, p. 283.

NOS BONNES TABLES

🍽️ **L'Os à Table** – *Rte de Salles-d'Aude - 11110 Coursan - 7 km au NE de Narbonne dir. Béziers par N 9 -* ☏ *04 68 33 55 72 - losatable-coursan@wanadoo.fr - fermé dim. soir et lun. - 22/43 €.* Étape gourmande en vue dans ce restaurant qui abrite deux salles à manger au décor actuel et dresse en été sa terrasse face à

un petit jardin. Ce cadre plaisant convient parfaitement à la dégustation de la savoureuse cuisine au goût du jour du chef, qui ne manque pas une occasion de mettre en valeur les produits régionaux.

🍽️ **L'Estagnol** – *12 av. de Narbonne - 11430 Gruissan -* ☏ *04 68 49 01 27 - fermé d'oct. à fin mars, dim. soir et lun. - 15 € déj. - 23/29 €.* Retrouvez toute la vie du vieux village dans cette ancienne maison de pêcheur faisant face à l'étang : décor provençal, spécialités de poissons, bonhomie méridionale.

**NOS HÔTELS
ET CHAMBRES D'HÔTE**

◎⊖ **Hôtel de la Plage** – *R. Bernard-l'Hermite, à la plage - 11430 Gruissan -* 📞 *04 68 49 00 75 - fermé 6 nov.-31 mars -* 🅿 *- 17 ch. 58/62 € ⌴. De la terrasse de cet hôtel logé dans un petit immeuble des années 1960, on aperçoit les fameuses maisons sur pilotis immortalisées par le film de Jean-Jacques Beineix 37°2 le matin. Chambres claires et bien tenues, mais modestement meublées. Accueil sympathique.*

◎⊖ **Chambre d'hôte Domaine de St-Jean** – *11200 Bizanet - 10 km au SO de Narbonne par N 9, N 113, D 613 puis D 224 -* 📞 *04 68 45 17 31 - didierdelbourgbizanet@ yahoo.fr -⊄- 4 ch 55/70 € ⌴. Cette grande maison vigneronne ouvre ses portes aux amateurs de calme et d'authenticité. Ses chambres confortables s'agrémentent de motifs peints à la main sur meubles et murs. Celle dotée d'une terrasse privative offre une jolie vue sur le massif de Fontfroide. Plaisant jardin entretenu par le patron pépiniériste.*

7 Fitou et les Corbières orientales (2ᵉ étape)

▶ 86 km. Peyriac-de-Mer se trouve à 14 km au S de Narbonne par la N 9 et la D 105. Carte Michelin Local 344, I-J 3-5. Voir l'itinéraire 7 sur le plan p. 276-277.

De Narbonne, gagnez au sud la N 9. Prenez à gauche la D 105 passant sous l'autoroute. La route longe l'étang de Bages.

Peyriac-de-Mer

Le village, qui possède une église fortifiée (14ᵉ s.), est situé en bordure du petit étang du Doul, halte accueillante pour les oiseaux migrateurs.

🍷 Le **domaine des Deux Ânes**, cultivé aux environs en agriculture biologique, produit des rouges intéressants *(voir nos bonnes caves)*.

Suivez la D 105 puis la N 9 vers la Réserve africaine de Sigean.

Réserve africaine de Sigean★

📞 *04 68 48 20 20 - www.reserveafricainesigean.fr - &. - avr.-sept. : 9h-18h30 ; reste de l'année : 9h-16h - 22 € (4-14 ans 18 €).*

👥 Paradis des flamants roses, des aigrettes et des goélands, cette réserve au caractère sauvage s'étend sur 300 ha, le long du littoral. Les garrigues éclaboussées d'étangs sont aménagées pour recréer de grands espaces évoquant au plus près le milieu d'origine des espèces. Avec un peu de patience, du silence et de bonnes jumelles, on ne peut manquer lions, zèbres, antilopes… Un spectacle rare.

Quittez la Réserve africaine vers l'ouest pour gagner Portel-des-Corbières par la D 611 ᴬ.

Portel-des-Corbières

🍷 Un sentier botanique mène à **Terra Vinea**, une carrière de gypse aménagée en chais de vieillissement pour les caves vigneronnes regroupées sous le nom de Rocbère. Le parcours qui permet de découvrir l'activité viticole se fait le long des anciennes galeries d'extraction. Une villa gallo-romaine évoque la vie dans l'Antiquité et le musée des Platrières raconte l'exploitation souterraine du gypse. Dégustation en fin de visite. 📞 *04 68 48 64 90 - www.terra-vinea.com - &. - visite guidée (1h15) juin-août : 10h30-18h30 (dern. visite) ; avr.-mai et sept. : 10h-12h, 14h-17h30 (dern. visite) ; oct.-mars : 10h-12h, 14h30-16h (dern. visite) - fermé 1ᵉʳ janv., 25 déc. - 7,50 € (enf. 3,75 €).*

Prenez au sud-est la D 3 jusqu'à Sigean. Suivre la direction de Port-la-Nouvelle avant d'emprunter à droite le chemin de Lapalme. Au premier rond-point, prenez à gauche pour suivre la route qui passe au-dessus de la nationale jusqu'au petit pont. Continuez à pied, le sentier monte vers la garrigue.

Parc éolien des Corbières maritimes★

👥 C'est depuis le sommet de la colline de la Castanière, dans le territoire limitrophe de Sigean et de Port-la-Nouvelle, que le parc éolien alimente le réseau national et fournit environ 25 millions de kilowatts, soit la consommation annuelle électrique de 10 000 personnes, hors chauffage. Installés depuis 1991, les cinq premiers aérogénérateurs de 660 kW ont été rejoints, en 2000, par dix nouvelles demoiselles ailées. Sur le site, des panneaux vous donnent toutes les explications techniques. Dans ce curieux décor aux allures futuristes, la puissance presque silencieuse des pales dont certaines culminent à 60 mètres est à couper le souffle !

Revenez à Sigean et prenez la N 9 à gauche, puis la D 175 à gauche.

Lapalme

♇ Dans ce village au bord de l'étang de Lapalme, vous pourrez faire une excellente dégustation au **domaine des Mille Vignes** *(voir nos bonnes caves).*

Prenez la D 709 qui longe l'étang, tournez à gauche dans la N 9, prenez à droite la D 27 qui va vers Treilles puis la D 50 vers Fitou. La route serpente sur une scène rocailleuse où les pins et les chênes verts ont bien du mal à tenir leur rôle d'arbres tant le vent souffle fort. Puis les ceps en foule compacte envahissent le paysage sur les terres rouges que se partagent les appellations fitou et corbières. Dans une lutte héroïque contre le vent, la vigne, protégée par des haies de cyprès, se niche dans les recoins les mieux abrités de la montagne pelée environnante. Entre Treilles et Fitou, le paysage est sublime.

Fitou

Ce village du bord de mer a donné son nom à une appellation qui couvre 2 600 ha sur deux zones distinctes : le Fitou maritime et le Haut Fitou. Le fitou traditionnel, élevé en foudre, a ses amateurs pour son côté tuilé, légèrement oxydatif. Le fitou nouvelle manière, plus fruité, ne se distingue guère du corbières.

Rejoignez Perpignan au sud par la N 9.

EN MARGE DU VIGNOBLE

Humer les roses à l'abbaye de Fontfroide★★

15 km au S-O de Narbonne, par la N 113, puis la D 613 à gauche, et une toute petite route, toujours à gauche. L'accueil est situé dans la ferme de l'abbaye, à une centaine de mètres en contrebas de celle-ci. Ce bâtiment, édifié à partir du 13e s., comprend la billetterie, une librairie, une cave et un restaurant. ☎ *04 68 45 11 08 - www.fontfroide.com - visite guidée (1h10) de mi-juil. à fin août : 10h-18h ; de déb. avr. à mi-juil. et sept.-oct. : 10h-12h15, 13h-17h30 ; nov.-mars : 10h-12h, 14h-16h - 9 € (10-18 ans 2 €).*

Cette ancienne abbaye cistercienne, secrètement nichée au creux d'un vallon, occupe un site paisible, peuplé de cyprès. Les belles tonalités flammées ocre et rose du grès des Corbières, dont l'édifice est construit, contribuent à créer une atmosphère de grande sérénité au couchant. L'essentiel des bâtiments a été érigé aux 12e et 13e s. Les bâtiments conventuels ont été restaurés aux 17e et 18e s. Des cours fleuries de roses, de beaux jardins en terrasses en font un cadre enchanteur.

L'abbaye de Fontfroide.

H.Champollion - MICHELIN

🥖 *Des chemins piétonniers permettent d'effectuer des promenades autour de l'abbaye, et de mieux goûter ainsi au charme des lieux.*

Les adresses de Fitou

NOTRE BONNE TABLE

😊😊 **Cave d'Agnès** – *29 r. Gilbert-Salamo - 11510 Fitou - ☎ 04 68 45 75 91 - fermé 13 nov.-31 mars - réserv. obligatoire - 21/30 €.* Une fois que vous aurez goûté à la douceur de vivre de cette vieille grange retranchée sur les hauteurs du village, vous aurez du mal à la quitter. Outre les grillades préparées sous vos yeux dans la salle à manger rustique, le chef mitonne de généreuses recettes régionales. Un bon fitou en constituera l'escorte idéale…

NOTRE HÔTEL

😊😊 **Hôtel Des Deux Golfs** – *Sur le port - 11370 Port-Leucate - ☎ 04 68 40 99 42 - ouvert 15 mars-15 nov. - 30 ch. 47/63 € - ⌁ 6 €.* Dans la marina bâtie entre l'étang et la mer, immeuble récent aux chambres fonctionnelles dotées de loggias privatives majoritairement tournées vers le port de plaisance.

NOS BONNES CAVES

Domaine des Deux Ânes – *Rte de Sainte-Eugénie - 11440 Peyriac-de-Mer - ☎ 04 68*

41 67 79 - mag-terrier@wanadoo.fr.
Vignerons itinérants, Magali et Dominique ont exploité des vignobles dans le Jura, le Mâconnais puis le Beaujolais. Ce parcours original a conduit ces amateurs de tous les vins à découvrir le fort potentiel des terroirs languedociens, et c'est en 2000 qu'ils ont acheté une vingtaine d'hectares sur des coteaux surplombant les étangs de Bages et la mer. Le vignoble, converti à l'agriculture biologique depuis 2002, bénéficie d'un ensoleillement important et de faibles pluies. Le vignoble produit essentiellement des vins rouges issus de quatre cépages : grenache noir, carignan, mourvèdre et syrah. Les vendanges sont manuelles et s'étalent sur un mois. La vinification a lieu en cuves Inox thermorégulées, puis les vins sont élevés en barriques. ♀ corbières

Domaine Les Mille Vignes – *24 av. de St-Pancrace - 11480 Lapalme - ℘ 04 68 48 57 14 et 06 07 75 58 68 - tjl en été 9h-19h sur RV.* Ancien professeur de viticulture dans la vallée du Rhône, Jacques Guérin s'est installé à La Palme en 1980. Les 7,5 ha du vignoble, encépagés de mourvèdre, de grenache et de carignan, sont cultivés dans le respect du sol et de la vigne : fertilisation organique, taille courte, rendements limités (9 à 25 hl/ha) et vendanges en vert. Les macérations sont longues, jusqu'à trente-trois jours, en cuves de petits volumes, avec de nombreux pigeages et remontages. L'usage des bois est dosé : le court passage se fait dans des demi-muids de chêne. ♀ fitou, muscat-de-rivesaltes, rivesaltes, vin de pays de l'Aude.

Le vignoble du Roussillon

CARTE MICHELIN LOCAL 344 – PYRÉNÉES-ORIENTALES (66)

Le Roussillon, rattaché à la France sous Louis XIV, a longtemps tiré profit de ses vins doux dont l'Espagne était friande. Fière de son identité catalane, la région a beaucoup de charme et réserve au visiteur un accueil toujours chaleureux.

LES TERROIRS
Superficie : le vignoble couvre 40 000 ha.
Production : 1 500 000 hl.
Les sols sont arides, calcaires, schisteux, granitiques… en fait, très variés.

LES VINS
On distingue trois grandes zones de production : les **côtes-du-roussillon-villages** au nord de Perpignan, les **côtes-du-roussillon** au sud, et **collioure** et **banyuls** sur le littoral à la frontière espagnole. Les vins doux naturels **rivesaltes** et **muscat-de-rivesaltes** sont produits sur l'ensemble du Roussillon.
AOC côtes-du-roussillon et côtes-du-roussillon-villages : cépages carignan, grenache noir, syrah et mourvèdre pour les rouges, cépages macabeu, grenache, malvoisie, marsanne, roussanne et vermentino pour les blancs.
AOC collioure : cépages grenache noir, mourvèdre, syrah et carignan pour les rouges, grenaches blanc et gris, vermentino, marsanne ou roussanne pour les blancs, dont la production est confidentielle.
AOC rivesaltes, maury, banyuls : cépages grenaches blanc et gris, macabeu, malvoisie, muscats pour les blancs ambrés, cépage grenache noir pour les rouges tuilés.
AOC muscat de rivesaltes : cépages muscat à petits grains et muscat d'Alexandrie.

BON À SAVOIR
👁 **Conseil interprofessionnel des vins du Roussillon** – *℘ 04 68 51 21 22 - www.vins-du-roussillon.com*

8 Les côtes du Roussillon (1re étape)

▶ 125 km. Perpignan se trouve à 65 km au S de Narbonne par la N 9. Carte Michelin Local 344, G-J 5-8. Voir l'itinéraire 8 sur le plan p. 276-277.

Perpignan★★

À la fois proche de la mer et des sommets pyrénéens, Perpignan, c'est encore la France, mais c'est aussi la Catalogne. Perpignan a plus d'un atour : l'ombre de ses promenades plantées de platanes, ses cafés où l'on vient boire l'apéritif en dégustant des tapas, son rythme de vie, entre sieste et effervescence nocturne… Ici, l'architecture parle du passé : des comtes de Roussillon et des rois de Majorque, des Catalans et des Aragonais, puis des Français.

Le Castillet★, emblème de Perpignan, domine la place de la Victoire de ses deux tours couronnées de créneaux et de mâchicoulis. À l'intérieur se trouve la Casa Pairal, consacrée aux arts et traditions populaires catalans.

La **place de la Loge**, et sa rue piétonne, constituent le centre d'animation de la ville. Au centre, la **Loge de Mer★** était au 16e s. le siège d'un tribunal de commerce maritime. Dans la cour à arcades de l'**hôtel de ville★**, allez voir le bronze de Maillol, *La Méditerranée*.

La **cathédrale St-Jean★**, commencée en 1324 par Sanche, 2e roi de Majorque, a été consacrée en 1509. La façade, de galets

Le drapeau catalan sur le Castillet.

et de briques, est flanquée d'une tour carrée dotée d'un beau campanile de fer forgé (18e s.). La nef, imposante, repose sur de robustes contreforts intérieurs séparant les chapelles ornées de riches retables (16e-17e s.).

Un peu à l'écart du centre-ville, on atteint le **palais des rois de Majorque★**, construit sur la colline du Puig del Rey sous le règne des rois de Majorque (1276-1344). On y visite aujourd'hui les appartements de la reine (beau plafond peint aux couleurs catalanes), ainsi que le donjon-chapelle de style gothique flamboyant. *☎ 04 68 34 96 26 - possibilité de visite guidée sur demande préalable - juin-sept. : 10h-18h (dernière entrée 30mn av. fermeture) ; oct.-mai : 9h-17h - fermé 1er janv., 1er Mai, 1er nov., 25 déc. - 4 € (-12 ans gratuit).*

🍷 Pour revenir dans l'univers du vin, nous vous proposons d'aller faire un tour au **Comptoir des Crus**, où les terroirs du Roussillon vous sont présentés à l'aide d'échantillons géologiques ; dégustations de vins en compagnie des producteurs et magnifique choix de vins de la région. *67 av. du Gén.-Leclerc - 66000 Perpignan - ☎ 04 68 35 54 44 - comptoir-des-crus@wanadoo.fr - tlj sf dim. et lun. 9h30-12h30, 14h30-19h30 - fermé j. fériés.*

Quittez Perpignan au nord-ouest par la D 117.

Rivesaltes

L'une des capitales viticoles du Roussillon est la ville natale du maréchal Joffre (1852-1931) dont la statue s'élève sur la place centrale. Le nom de Rivesaltes est attaché à celui de muscat, bien que le muscat-de-rivesaltes soit produit dans tout le département. On trouvera plusieurs producteurs sur les belles allées du centre-ville. 🍷 Le **domaine Cazes** est une valeur sûre *(voir nos bonnes caves).*

Prenez la D 12 au nord-ouest jusqu'à Vingrau.

Vingrau

L'homme de Tautavel, le plus vieux fossile humain européen, aurait pu s'appeler l'homme de Vingrau puisque la grotte de la Caune de l'Arago où il fut découvert est plus proche de Vingrau que de Tautavel. On y grimpe par un étroit sentier à flanc de montagne, mais le chantier de fouilles est fermé au public.

🍷 L'homme de Vingrau actuel est surtout viticulteur et produit de bons rivesalts comme ceux du **domaine des Chênes** *(voir nos bonnes caves).*

Rejoignez Tautavel au sud par la D 9.

Tautavel

Le nom de Tautavel est lié à celui de son homme qui vivait dans les parages 700 000 ans avant J.-C. Le **Centre européen de préhistoire★★** permet d'apprécier la richesse de ce haut lieu de notre passé. Les salles, équipées de consoles interactives et d'écrans vidéo, instruisent sur la place de l'homme dans l'univers, et le mode de vie de l'homme de Tautavel. L'attraction principale est le fac-similé de la caune de l'Arago. ℘ *04 68 29 07 76 - www.tautavel.com -* &. *- juil.-août : 10h-19h ; avr.-juin et sept. : 10h-12h30, 14h-18h ; oct.-mars : 10h-12h30, 14h-17h - fermé 1ᵉʳ janv., 25 déc. - 7 € (enf. 3,50 €).*

Autre musée traitant du sujet, le **musée de la Préhistoire européenne – Préhistorama**. Cinq « théâtres virtuels » vous présentent en 3D la vie quotidienne des premiers habitants de l'Europe. ℘ *04 68 29 07 76 -* &. *- juil.-août : visite guidée (1h30) 10h-19h ; avr.-juin et sept. : 10h-12h30, 14h-18h ; oct.-mars : 10h-12h30, 14h-17h - 7 € (enf. 3,50 €).*

🍷 **Les Maîtres Vignerons de Tautavel**, à côté du Centre de préhistoire, vous réservent un excellent accueil et proposent un grand nombre de cuvées intéressantes. Visite gratuite d'une exposition sur les travaux des vignerons au rythme des saisons. *24 av. Jean-Badia - 66720 Tautavel -* ℘ *04 68 29 12 03 - www.vignerons-tautavel.com - 8h-12h, 14h-18h.*

Prenez au sud la D 59.

Cases-de-Pène

Une route pittoresque rejoint la vallée de l'Agly à Cases-de-Pène, localité vigneronne dont 🍷 le **Château de Jau** est le plus beau fleuron *(voir nos bonnes caves)*. Une promenade permet de rejoindre l'**ermitage Notre-Dame-de-Pène** pour profiter d'un beau panorama.

Estagel

La patrie du grand physicien et homme politique **François Arago** (1786-1853) est un important centre viticole où l'on produit de bons côtes-du-roussillon-villages.

Poursuivez à l'ouest vers Latour-de-France par la D 17.

Latour-de-France

Ce village, jadis frontière, possède les vestiges d'un château. Le cépage macabeu y réussit très bien sur le schiste pour donner de remarquables rivesaltes.

Par la D 79, rejoignez la D 612 que l'on prend à droite. Au col de la Bataille, tournez à gauche dans la D 38.

Ermitage de Força Réal

Le sommet (alt. 507 m) est occupé par une chapelle du 17ᵉ s. **Panorama**★★ grandiose sur la plaine, la côte du cap Leucate au cap Béar, les Albères, le Canigou.

Revenez au col de la Bataille et prenez tout droit.

🍷 Par un agréable tracé de crête entre les vallées de la Têt et de l'Agly, on atteint le col puis, de là, le **Château de Caladroy**, au milieu d'un parc planté d'essences exotiques *(voir nos bonnes caves)*.

Bélesta

Village remarquablement groupé sur un nez rocheux surgissant des vignes, Bélesta est une ancienne ville-frontière entre les royaumes d'Aragon et de France.

Le bourg est connu depuis longtemps par les archéologues, qui ont répertorié de nombreux vestiges préhistoriques, dont une sépulture collective vieille de 6 000 ans environ (néolithique moyen). On peut voir la reconstitution du site archéologique au **château-musée**. ℘ *04 68 84 55 55 - de mi-juin à mi-sept. : 14h-19h ; de mi-sept. à mi-juin tlj sf mar. et sam. : 14h-17h30 - fermé du 24 déc. au 1ᵉʳ janv. - 4,50 € (enf. 3,50 €).*

Prenez au sud la D 21. La route se replie dans un vallon dominé par les **Orgues**★ **d'Ille-sur-Têt**, étonnante formation géologique constituée de cheminées de fées, colonnes de roches tendres érodées par les pluies et couronnées d'un conglomérat de galets, roche dure résistant plus facilement à l'érosion. Les Orgues se groupent sur deux sites, dont l'un, à l'est, est accessible au public. Au centre s'élève une imposante cheminée de fée appelée « la Sibylle ». *15mn à pied pour accéder au site.* ℘ *04 68 84 13 13 - juil.-août : 9h30-20h ; avr.-juin et sept. : 10h-18h30 ; fév.-mars : 10h-12h30, vac. scol. : 10h-17h30 ; oct. : 10h-12h30, 14h-18h ; nov.-janv. : 14h-17h - 3,50 € (10-13 ans 2 €).*

Allez jusqu'à Ille-sur-Têt, puis prenez à gauche la D 916. 🍷 Vous pouvez vous arrêter une ultime fois à **Millas**, au **domaine Força Réal**, d'où la vue sur la plaine du Roussillon est extraordinaire *(voir nos bonnes caves)*.

Prenez au sud-est la D 612, à droite la D 58 pour arriver à Castelnou.

Calstelnou★

Le splendide village fortifié aux ruelles pavées se masse au pied du **château** féodal (10ᵉ s.), remanié au 19ᵉ s. Plusieurs salles se visitent. ℘ *04 68 53 22 91 - juil.-sept. : 10h-19h ; avr.-juin et oct. : 10h30-18h ; nov.-mars : 11h-17h - fermé janv. - 4,50 €. (enf. 3,20 €).*

Prenez la D 48 à l'est.

Les Orgues d'Ille-sur-Têt.

Thuir

♀ Connu surtout pour ses **caves Byrrh**. Le Cellier des Aspres offre une documentation sur les vins locaux et sur le développement de l'artisanat dans les villages voisins. ♪ 04 68 53 05 42 - www.byrrh.com - ♿ - *visite guidée (45mn) juil.-août : 10h-11h45, 14h-18h45 ; avr.-juin et sept.-oct. : 9h-11h45, 14h30-17h45 ; nov.-mars : 10h45, 14h30 et 16h - fermé lun. de nov. à fin mars, 1ᵉʳ janv., 1ᵉʳ Mai, 25 déc. - 1,70 € (enf. gratuit).*

Prenez la D 612ᴬ pour aller à Perpignan.

EN MARGE DU VIGNOBLE

Assiéger le fort de Salses★★

16 km au N de Perpignan par la N 9. ♪ 04 68 38 60 13 - visite guidée (pour les parties hautes, 50mn) sur demande 15 j. avant - juin-sept. : 9h30-19h (dernier dép. 1h av. fermeture) ; oct.-mai : 10h-12h15, 14h-17h, dim. 11h30-16h30 - fermé 1ᵉʳ janv., 1ᵉʳ Mai, 1ᵉʳ et 11 Nov., 25 déc. - 6,50 € (-18 ans gratuit), gratuit 1ᵉʳ dim. du mois (oct.-mars).

Émergeant des vignes, cette forteresse à demi enterrée affiche d'imposantes dimensions. Le grès rose des pierres et le rouge patiné des briques adoucissent aujourd'hui sa rigueur. Le fort de Salses, élevé au 15ᵉ s., reste un spécimen unique en France de l'architecture militaire médiévale espagnole, adaptée par Vauban aux exigences de l'artillerie moderne.

Randonner de vignes en caves

Six jours de randonnée pédestre libre ou accompagnée, dans l'aire d'appellation côtes-du-roussillon. Chaque jour, découverte d'un terroir, du patrimoine naturel et historique, accueil, pique-nique vigneron et dégustation. Nombreuses possibilités d'hébergement dans les vignobles. Un itinéraire similaire est proposé en collioure et banyuls. *Rens. et réservation au CDT des Pyrénées-Orientales - ♪ 04 68 51 52 53.*

Les adresses des côtes-du-roussillon

NOS BONNES TABLES

⊜ **Casa Bonet** – *2 r. du Chevalet - 66000 Perpignan - ♪ 04 68 34 19 45 - casa. bonet@wanadoo.fr - 12/36 €.* Dans un quartier piéton de la ville, cette maison catalane abrite un restaurant proposant un buffet à volonté, des tapas et une douzaine de « broches à l'épée ».

⊜ **Le Petit Gris** – *66720 Tautavel - ♪ 04 68 29 42 42 - 12/30 €.* À l'écart du village,

restaurant tout simple dont les baies offrent de belles échappées sur les vignes et les Pyrénées. Grillades préparées en salle et spécialités catalanes.

⊜⊜ **Auberge du Cellier** – *1 r. Ste-Eugénie - 66720 Montner - ♪ 04 68 29 09 78 - fermé 7-22 mars, 14-29 nov., mar. et merc. - 29/65 € - 6 ch. 45/56 €.* Enseigne, salle à manger aménagée dans un ancien cellier et belle carte de côtes du

Roussillon : ce restaurant s'inspire du monde de la vigne. Cuisine régionale revisitée.

😋🍴 **Les Antiquaires** – *Pl. Desprès - 66000 Perpignan - ℘ 04 68 34 06 58 - fermé 19 juin-9 juil., dim. soir et lun. - 22/40 €*. Ce restaurant familial est tenu par un couple charmant. Madame enrichit le décor de la salle à manger rustico-bourgeoise avec des objets chinés chez les antiquaires, tandis que Monsieur propose aux habitués et hôtes de passage de bons petits plats traditionnels copieux et bien tournés.

NOTRE CHAMBRE D'HÔTE

😋😋🛏 **Chambre d'hôte Domaine du Mas Boluix** – *Chemin du Pou-de-les-Colobres - 66000 Perpignan - 3 km au S de Perpignan dir. Argelès puis à gauche dir. Cabestany - ℘ 04 68 08 17 70 - www.domaine-de-boluix.com - ⚲ - 6 ch. dont 1 suite 82 € ☑*. Une atmosphère paisible règne en ce mas du 18ᵉ s. perdu au milieu des vignes de Cabestany. Ses chambres aux murs immaculés, égayées de superbes tissus catalans, portent chacune le nom d'un artiste du pays. Vue étendue sur le Roussillon. Dégustation et vente des vins du domaine.

NOS BONNES CAVES

Domaine Cazes – *4 r. Francisco-Ferrer - BP 61 - 66000 Rivesaltes - ℘ 04 68 64 08 26 - info@cazes-rivesaltes.com - lun.-sam. 8h-12h (12h30 en été), 14h-18h (19h en été) - sur RV*. Le vignoble, créé au début du 20ᵉ s., couvre aujourd'hui 160 ha. Près de douze cépages sont plantés sur ses sols argilo-calcaires et donnent naissance, chaque année, à une quinzaine de vins. Le domaine est cultivé en biodynamie. 🍷 côtes-du-roussillon, côtes-du-roussillon-villages, muscat-de-rivesaltes, vin de pays de la côte catalane, vin de pays d'Oc.

Domaine des Chênes – *7 r. du Mar.-Joffre - 66600 Vingrau - ℘ 04 68 29 40 21 - domainedeschenes@wanadoo.fr*. Acquis en 1919 par la famille Razungles, le domaine a trouvé un nouveau souffle à la fin des années 1980 sous l'impulsion de Gilbert, de Simone et de leur fils Alain. Le vignoble compte 30 ha situés sur des terroirs exceptionnels, face au massif du Canigou, sur les contreforts escarpés des hautes Corbières. Les rendements sont

volontairement limités et les vendanges sont manuelles. Les labours réguliers permettent de limiter l'enherbement. 🍷 côtes-du-roussillon, côtes-du-roussillon-villages, muscat-de-rivesaltes, vin de pays d'Oc.

Château de Jau – *66600 Cases-de-Pène - ℘ 04 68 38 90 10 - daure@wanadoo.fr - lun.-vend. (tlj en été) - 10h-19h (en été) ; 8h-17h (en hiver)*. Le vignoble du château couvre 134 ha sur les communes de Cases-de-Pène, de Tautavel et d'Estagel. Les vignes encépagées de syrah, de mourvèdre, de grenache, de carignan, de muscat, de vermentino et de macabeu s'enracinent dans des plateaux calcaires, des marnes schisteuses et des sols argilo-calcaires et graveleux. La culture reste traditionnelle, avec des vendanges en partie manuelles et en partie mécaniques. 🍷 côtes-du-roussillon, côtes-du-roussillon-villages, muscat-de-rivesaltes.

Château de Caladroy – *66720 Bélesta - ℘ 04 68 57 10 25 - chateau.caladroy@wanadoo.fr - lun.-vend. 8h-12h, 13h30-17h30 - sur RV sam*. Le domaine a été racheté par Michel Mézerette en 1999. Les 130 ha de vignes sont situés à 350 m d'altitude, sur un terrain schisteux et caillouteux. Le vignoble est conduit selon des méthodes raisonnées, avec labour des sols et limitation des traitements. La vinification traditionnelle dure de dix-huit à vingt et un jours. Les vins sont ensuite élevés en cuves Inox et en fûts de chêne, pour les hauts de gamme. 🍷 côtes-du-roussillon, côtes-du-roussillon-villages, muscat-de-rivesaltes, rivesaltes, vin de pays de la côte catalane.

Domaine Força-Réal – *Mas de la Garrigue - 66170 Millas - ℘ 04 68 85 06 07 - info@força-real.com*. De vieilles vignes qui permettent de résister à la sécheresse s'enracinent dans ce vignoble de 40 ha aux rendements faibles (30 hl/ha en moyenne). Le vignoble, cultivé de manière traditionnelle, est vendangé manuellement, puis les vins sont élaborés en cuves Inox. Le rivesaltes de douze ans d'âge et la cuvée Les Hauts de Força-Réal en côtes-du-roussillon-villages profitent d'un élevage de douze mois en foudres et en fûts de chêne. Un chai de vieillissement enterré et un caveau de dégustation ont été construits en 2002. 🍷 côtes-du-roussillon-villages, muscat-de-rivesaltes, rivesaltes.

⑧ Collioure et Banyuls (2ᵉ étape)

▶ 47 km. Elne se trouve à 15 km au S-E de Perpignan par la N 114. Carte Michelin Local 344, G-J 5-8. Voir l'itinéraire ⑧ sur le plan p. 276-277.

Elne★

Cette petite ville emprisonnée par des remparts est la cité la plus ancienne du Roussillon. Vestige de cette splendeur : le superbe **cloître★★** de la **cathédrale Ste-Eulalie-et-Ste-Julie★**. Sa construction remonte au 11ᵉ s., mais elle fut complétée aux 14ᵉ-15ᵉ s. Les très beaux chapiteaux (12ᵉ-14ᵉ s.) des colonnes portent des animaux fantastiques, des personnages bibliques et des décors végétaux particulièrement imagés. De la galerie est, un escalier à vis monte à une terrasse d'où l'on découvre une belle vue sur les environs. *☎ 04 68 22 70 90 - juin-sept. : 9h30-18h45 ; avr.-mai : 9h30-17h45 ; oct. : 9h30-12h15, 14h-17h45, nov.-mars : 9h30-11h45, 14h-16h45 - fermé 1er janv., 1er Mai, 25 déc. - 4 € (enf. 1,50 €).*

Gagnez Collioure par la N 114. Après Argelès, la route s'élève sur les premiers contreforts des Albères. Elle ne cessera désormais d'en recouper les éperons, à la racine des caps baignés par la Méditerranée.

Collioure★★

Avec son église fortifiée avançant vers la mer, ses deux petits ports où dansent les barques catalanes, son vieux château, ses anchois et ses vins, Collioure a tout d'un tableau où le régal des yeux le dispute à celui des papilles.

L'AOC collioure ne compte que 480 ha et couvre le même territoire que celle de l'AOC banyuls. Depuis peu, le collioure blanc est venu s'ajouter aux rouges et rosés.

♟ L'église de l'ancien couvent des Dominicains (13e s.), sur la route de Port-Vendres, est à présent désaffectée et abrite la coopérative **Le Dominicain**. *Rte de Port-Vendres - 66190 Collioure - ☎ 04 68 82 05 63 - www.dominicain.com - 8h-12h, 14h-18h - sept.-avr. : fermé dim.*

Pour visiter Collioure, empruntez le **chemin du Fauvisme**, qui permet de découvrir des vues peintes par Henri Matisse et André Derain. Chaque étape (20 au total) est signalée par la reproduction d'un tableau affichée sur un panneau. *☎ 04 68 98 07 16 - visites libres ou guidées (jeu.) - se renseigner à l'office de tourisme ou à l'Espace Fauve.*

Port-Vendres

Port-Vendres, né autour d'une anse où les galères trouvaient abri, s'est développé sous l'impulsion de Vauban à partir de 1679, comme port militaire et place fortifiée. C'est aujourd'hui le port de pêche le plus actif de la côte roussillonnaise.

♟ En continuant sur la N 114, ne manquez pas de vous arrêter au domaine des **Clos de Paulilles**, qui non seulement produit de bons banyuls et collioures, mais fait également ferme-auberge *(voir le carnet pratique et nos bonnes caves).*

Banyuls-sur-Mer

Cette charmante station balnéaire est la plus méridionale de France. Elle s'allonge au bord d'une jolie baie, surplombée par les vignobles en terrasses, et qui produisent les vins doux naturels de l'AOC banyuls, mais aussi le collioure.

Les banyuls les plus jeunes et les plus fruités sont appelés « rimage ». Lorsqu'ils ont au moins trente mois d'élevage en foudre, ils deviennent des banyuls grand cru. Les grappes macèrent avec une adjonction d'alcool vinique : c'est le mutage qui favorise l'extraction des arômes. Après un long vieillissement en cuve de chêne ou dans des bonbonnes de verre exposées au soleil, le banyuls se consomme à l'apéritif comme au dessert. ♟ Le **domaine Traginer** est une bonne adresse *(voir nos bonnes caves).*

♟ La **Grande Cave** propose la projection d'un film sur l'histoire du banyuls et une visite guidée de l'allée des cuves de chêne, du parc de vieillissement au soleil et de la cave des foudres centenaires. *☎ 04 68 98 36 92 - www.banyuls.com - visite guidée (1h) avr.-oct. : 10h-19h30 ; nov.-mars : tlj sf dim. 10h-13h, 14h30-18h30 - gratuit.*

Le Cellier des Templiers à Banyuls.

J.Malburet / MICHELIN

Prenez, à la sortie sud-ouest de Banyuls, la petite D 86. La route, pittoresque grâce aux vues renouvelées sur les versants, passe devant la cave souterraine du Mas Reig, aménagée dans le plus ancien domaine vigneron du terroir de Banyuls. ♟ Le **Cellier des Templiers-cave du Mas Reig** date en effet des Templiers (13e s.), dont le château féodal et la sous-commanderie (Mas Reig) se trouvent tout à côté. *☎ 04 68 98 36 70 - www.banyuls.com - ♿ - visite guidée (45mn) 1er avr.-31 oct. : 10h15-19h30 ; 1er nov.-31 mars : 10h-13h, 14h30-18h30 - fermé 25 déc.-1er janv. - gratuit.*

Continuez sur la D 86 jusqu'à Collioure. Si vous voulez rentrer à Perpignan, traversez la plaine du Roussillon par la N 114.

EN MARGE DU VIGNOBLE

Entre mer et rochers sur la côte Vermeille

En Languedoc-Roussillon, la mer n'est jamais très loin du vignoble. À Banyuls et Collioure, les vignes dégringolent même jusqu'à la mer. En général, les plages sont surveillées et bénéficient de tous les services et activités nautiques. Des contrôles de qualité des eaux de baignade sont effectués dès le mois de juin.

De La Grande-Motte à Argelès-Plage, les stations balnéaires du golfe du Lion offrent leurs dizaines de kilomètres de plage de sable.

De Collioure à Cerbère, le sable laisse la place aux rochers de la Côte Vermeille ; les plages sont plus petites, mais pleines de charme.

Les adresses de Collioure et Banyuls

NOS BONNES TABLES

Al Fanal et Hôtel El Llagut – *18 av. du Fontaulé - 66650 Banyuls-sur-Mer -* 04 68 88 00 81 *- al.fanal@wanadoo.fr - fermé 1ᵉʳ-20 fév. et 1ᵉʳ-20 déc. - 18 € déj. - 24/36 €.* Le décor maritime de la salle à manger, la terrasse ombragée tournée vers le port, le va-et-vient des bateaux et les reflets argentés : les vacances, quoi ! Pour rester dans le ton, choisissez un banyuls de la petite sélection maison avant de savourer les délicieux plats régionaux du chef. Chambres pratiques.

Le Cèdre – *29 rte Banyuls - 66660 Port-Vendres -* 04 68 82 01 05 *- www.hotel-le-cedre.com - fermé 20 nov.-5 fév. - 25/46 €.* Coquet restaurant et charmante terrasse avec vue étendue sur le port et la mer ; carte et menu composés de plats traditionnels. Chambres modernes et agréablement colorées.

Ferme-auberge Les Clos de Paulilles – *Baie de Paulilles - 66660 Port-Vendres - 3 km au N de Banyuls par N 114 -* 04 68 98 07 58 *- daure@wanadoo.fr - ouv. le soir de juin à sept. et dim. midi - réserv. obligatoire - 38 € bc.* Au cœur d'une propriété viticole, ce restaurant sert une cuisine campagnarde… et arrose chaque plat d'un vin du domaine différent ! Pour ne pas vous enivrer trop vite, installez-vous sur la terrasse ombragée, rafraîchie d'une brise marine salvatrice !

NOS HÔTELS ET CHAMBRES D'HÔTE

Hôtel Le Catalan – *Rte Cerbère - 66650 Banyuls -* 04 68 88 02 80 *- fermé de fin nov. à fin avr. - 23 ch. 60/94 € -* 7 €. Ce bâtiment des années 1970 propose des chambres sobres et pratiques, toutes pourvues de balcons. Jardin en terrasses. Solarium. Garage pratique.

Hôtel Méditerranée – *Av. Aristide-Maillol - 66190 Collioure -* 04 68 82 08 60 *- www.mediterranee-hotel.com - fermé de mi-nov. à fin déc. et 8 janv.-12 mars - 35 ch. 60/126 € -* 11,50 € *- rest. 25/45 €.* Cet imposant immeuble en arc de cercle arrimé à la colline domine la station et la mer. Chambres fraîches, équipées d'un mobilier catalan ou plus actuel. Salle à manger bourgeoise et terrasse offrent un superbe panorama sur la côte Vermeille ; carte classique.

NOS BONNES CAVES

Les Clos de Paulilles – *Baie de Paulilles - 66660 Port-Vendres -* 04 68 98 07 58 *- daure@wanadoo.fr - en été.* Le domaine, propriété de la famille Dauré, s'étend sur 90 ha d'un seul tenant. Le vignoble est conduit en lutte raisonnée, à l'exception des parcelles en terrasse, puis les vendanges sont manuelles. La vinification a lieu en cuves Inox, puis les vins sont élevés de dix à onze mois, en barriques. banyuls, collioure.

Domaine du Traginer – *16 av. du Puig-del-Mas - 66650 Banyuls-sur-Mer -* 04 68 88 15 11 *- www.traginer.com - 10h-12h45, 16h-19h30.* Jean-François Deu cultive ses vignes sur le mode biologique. Le sol est labouré avec un mulet conduit par un « traginer » (muletier en catalan), et les cépages vendangés à la main. Les banyuls et les collioures qui en sont issus, d'une qualité remarquable, ont été plusieurs fois primés au Concours Général Agricole. banyuls, collioure.

10 LA VALLÉE DE LA LOIRE

Musarder de vallées en coteaux à la découverte des vignobles de Loire, c'est découvrir une palette de vins d'une extraordinaire diversité, reflet de la mosaïque de paysages qui jalonnent les rives du dernier fleuve sauvage d'Europe et de ses affluents. C'est aussi suivre un fil d'Ariane qui vous mène de donjon en château Renaissance, de jardin en abbaye royale, de village vigneron en ville historique… si nombreux dans le Val de Loire classé au Patrimoine mondial de l'humanité par l'Unesco, de Sully-sur-Loire à Chalonnes. Balades à fleur d'eau ou plongées dans l'univers troglodytique pimentent l'aventure.

Le vignoble et la ville de Sancerre.

Comprendre

La découverte, près d'Azay-le-Rideau, des restes d'un vieux pressoir en pierre témoigne de la culture de la vigne en Val de Loire dès l'époque romaine. Au 4e s., saint Martin fait, sans doute, planter les premières vignes sur les côtes de Vouvray. Moines et princes vont ensuite favoriser l'expansion du vignoble. Lorsque le comte d'Anjou accède au trône d'Angleterre en 1154, sous le nom de Henri II Plantagenêt, il lance l'habitude de servir les vins d'Anjou à la Cour. Ce sont alors les blancs moelleux qui consacrent la réputation du vin d'Anjou, ceux dont le bon roi René dira au 15e s. : « De tous les vins de mon cellier Anjou, Lorraine et Provence, le meilleur est le premier. » La présence de la Loire, moyen de circulation idéal, joue aussi un rôle essentiel dans l'essor des exportations vers le nord de l'Europe. La demande des marchands hollandais favorise l'épanouissement de la viticulture dans le Sèvre-et-Maine, le Layon, le Saumurois et le Vouvray. Parallèlement, l'obligation faite en 1577 aux marchands de vins de s'approvisionner à plus de vingt lieues de la capitale entraîne le développement de la viticulture autour de Blois et d'Orléans, dans la vallée du Cher et en Sologne. La Révolution française, en particulier les terribles guerres de Vendée, puis la crise du phylloxéra à la fin du 19e s. mettent à très dure épreuve les vignobles du Val de Loire. Depuis lors, la recherche de qualité devient un objectif majeur des viticulteurs ligériens.

La Loire en bref

Superficie : plus de 70 000 ha sur une bande de près de 600 km de long.

Production : 4 000 000 hl.

Les vins du Val de Loire se répartissent en quatre grandes régions : le Centre, la Touraine, l'Anjou-Saumur et le pays nantais.

Les **Maisons des vins** ont l'avantage de proposer un bon choix de vins de leur appellation au même prix qu'à la propriété. Elles donnent également de bonnes informations sur le vignoble.

	Caractéristiques	Garde	Prix
Vins blancs	**Centre :** fins et alertes ; arômes de pierre à fusil, fruits (agrumes, cassis, litchi, goyave), fleurs, végétaux (genêt, rhubarbe) et musc. **Touraine :** arômes de genêt, chèvrefeuille, fruits exotiques. Vouvray : arômes d'acacia, rose, agrumes évoluant sur des notes confites d'abricot, de coing et surtout de miel. Jasnières et coteaux-du-loir : arômes floraux et fruités évoluant vers les fruits secs et le miel. **Anjou et Saumur :** anjou aux arômes de miel et d'abricot (sol schisteux) ou plus floraux (présence de sauvignon et/ou de chardonnay) ; saumur aux arômes de fruits et fleurs blanches, note minérale fine ; coteaux-du-layon : nez intense et complexe, miel d'acacia, citronelle, fruits confits ; bonnezeaux, quarts-de-chaume, savennières : nez intense et complexe, arômes de fleurs, fruits blancs et fruits exotiques (tilleul et anis pour les savennières) évoluant vers des notes de bois précieux, de fruits secs ou confits, de miel et d'amande, avec une minéralité marquée. **Pays nantais :** muscadet frais (perlant pour les muscadets sur lie) ; discret parfum floral et fruité, parfois minéral ; gros-plant : vif ; coteaux-d'ancenis : fruités.	Les vins issus du sauvignon blanc s'épanouissent rapidement lorsqu'ils proviennent de terrains calcaires ; ceux qui proviennent des sols marneux et argilo-siliceux sont plus longs à s'affirmer et ont un meilleur potentiel de conservation (2 à 5 ans, voire 10 ans et plus). Les muscadets sont des vins à boire rapidement, certains millésimes peuvent se garder 10 ans. Pour les meilleurs millésimes, les jasnières, bonnezeaux, coteaux-du-layon, montlouis moelleux, quarts-de-chaume, savennières, vouvray, (potentiel de garde de 8 ans minimum).	On trouve de très bons vins de Touraine, d'Anjou ou du pays nantais à moins de 5 €. Les prix moyens oscillent entre 8 et 20 €. Certains **pouilly-fumé, sancerre et chinon** peuvent dépasser 30-40 €. Les meilleurs **bonnezeaux, quarts-de-chaume, savennières ou vouvrays** ayant déjà un peu d'âge atteignent 45-75 €.
Vins rouges	**Centre :** pleins et longs en bouche ; arômes de griotte, de violette, de bois précieux sur les vins jeunes, évoluant vers cerises à l'eau-de-vie, gibier et truffe en vieillissant. **Anjou et saumur :** arômes de fruits rouges, d'iris et de violette ; Anjou-gamay : frais et très aromatique ; notes de bonbon anglais. **Touraine :** issus du gamay, légers et frais ; chinon, bourgueil et saint-nicolas-de-bourgueil : vins de graviers légers et très aromatiques (petits fruits rouges), vins d'argile à silex et de tuffeau corsés et charpentés évoluant vers des arômes de fruits noirs, d'épices douces et de gibier.	Les bourgueil, saint-nicolas-de-bourgueil et chinon, les vins de graviers se consomment jeunes, les vins de tuffeau gagnent à s'épanouir et peuvent se garder plusieurs décennies.	5 à 10 €. Le **chinon** et le **bourgueil** peuvent atteindre 20 €, comme descendre à moins de 5 €. Le **saumur** se situe plutôt vers 15 €.
Vins effervescents	**Touraine :** arômes de brioche, de pomme verte et de miel. **Saumur brut et crémant-de-loire :** arômes de fruits blancs, de mélisse, de noisette, d'amande.	Saumur brut, crémant, mousseux doivent se consommer généralement dans les 2 ou 3 ans.	5 à 8 €.

Le Centre-Loire

CARTE MICHELIN LOCAL 318 – CHER (18), NIÈVRE (58)

La route traverse une mer de vignes bordée parfois de massifs forestiers. Vignes qui donnent des vins très aromatiques et d'une grande finesse, issus surtout du sauvignon, cépage noble au goût de pierre à fusil.

LE TERROIR
Superficie : 5 000 ha.
Production : 245 000 hl.
Dans le Centre, le vignoble de Sancerre s'étend à l'ouest sur des terres argilo-calcaires, au cœur de l'appellation sur des caillottes et griottes calcaires et à l'est sur des terrains siliceux. Sur la rive droite de la Loire, le vignoble de Pouilly est planté sur des calcaires, argiles ou silex avec prédominance de marnes kimméridgiennes. Plus à l'ouest, les vignes de Quincy se situent sur des sols de graves et de sables siliceux sur les bords du Cher.

LES VINS
Le sauvignon est le cépage roi des vins blancs : **AOC sancerre, pouilly-fumé, menetou-salon, quincy, reuilly, coteaux-du-giennois**.
Excepté le **pouilly** et le **quincy** cantonnés dans les blancs, ces mêmes AOC produisent aussi des vins rouges à partir du cépage pinot noir, et des rosés. Plus au sud, citons les **côtes-roannaises** et l'**AOVDQS châteaumeillant** (rouges et rosés).

BON À SAVOIR
👁 **Bureau interprofessionnel des vins du Centre –** ☎ 02 48 78 51 07 - www.vins-centre-loire.com

① De Sancerre à Bourges (1ʳᵉ étape)

▶ 97 km. Sancerre se trouve à 46 km au N-E de Bourges par la D 955. Carte Michelin Local 318, M-O 8, J-L 9. Voir l'itinéraire ① sur le plan p. 312-313.

Sancerre★
Perché sur un piton au milieu d'un océan de vignes, Sancerre embrasse du regard la vallée la Loire et le Nivernais vers l'est, le Berry à l'ouest. Le **panorama★★** depuis l'esplanade de la porte César (318 m) permet d'apercevoir les petits villages du nord sancerrois, de St-Satur à St-Gemmes, qui jalonnent la route des Vignobles (ne manquez pas de suivre le circuit qui descend sur St-Satur). Une promenade à pied dans la vieille ville vous réserve de charmantes surprises. 🍷 En matière de vins, les valeurs sûres de l'**AOC sancerre** sont les **domaines Vacheron** et **Henri Bourgeois**, familles enracinées ici depuis la nuit des temps *(voir nos bonnes caves)*.
🍷 À deux pas de l'église, la maison Farnault (14ᵉ s.), qui servit de tonnellerie au 18ᵉ s., a été restaurée pour abriter la **Maison des sancerre**. Vous trouverez ici toutes les informations sur les caves de la région. Une scénographie originale (plan-relief animé, bornes audio, dispositifs vidéo) a été conçue pour vous révéler l'univers de la vigne et du vin de Sancerre. Vous découvrirez donc l'histoire géologique de la terre de Sancerre, ses différents terroirs, le travail de la vigne et l'élaboration des vins blancs, rouges et rosés. Des témoignanges d'hommes et de femmes du métier apportent une dimension humaine à cette visite qui se conclut par une véritable dégustation de sancerre. *3 r. du Méridien - 18100 Sancerre -* ☎ *02 48 54 11 35 - www.maison-des-sancerre. com - juin-sept. : 10h-19h ; avr.-mai, de déb. oct. à mi-nov. : 10h-18h.*

Quittez Sancerre à l'ouest par la D 7, puis tournez à droite dans la D 923. À ce carrefour, ne manquez pas la **vue★★** remarquable sur le site de Sancerre, les vignobles, St-Satur et la vallée de la Loire. La route traverse une mer de vignes, puis descend en serpentant des hautes collines argilo-calcaires appelées « terres blanches », dont le vignoble produit des vins corsés.

Tournez à droite vers Chavignol. La route passe par **Chavignol** dont le fameux crottin, fromage de chèvre mou, sec ou repassé selon l'affinage, se marie parfaitement bien avec le sancerre.

S. Sauvignier / MICHELIN

Continuez sur la D 183 pour rejoindre St-Satur, puis traversez la Loire et tournez à droite dans la D 553. La route pénètre dans l'aire d'appellation pouilly-sur-loire, qui compte 50 ha de chasselas produisant l'**appellation pouilly-sur-loire** à proprement parler, et 1 220 ha de sauvignon produisant le fameux pouilly-fumé.

🍷 Le **château de Tracy** (15e-16e s.) ne se visite pas, mais on peut profiter de la dégustation-vente des vins de la propriété pour apercevoir le parc magnifique où les cèdres flirtent avec les ceps et d'où la vue s'étend jusqu'à Sancerre *(voir nos bonnes caves).*

À Bois-Gibault, prenez à droite la D 243 vers les Loges. Attention à ne pas manquer la bifurcation vers les Loges à gauche sous le pont du chemin de fer. Hameau vigneron, **les Loges** doit son nom aux « loges de vigne », petites constructions qui servaient d'abri au milieu des vignes. Remarquez les maisons vigneronnes typiques du 19e s. avec leurs caves voûtées sous les escaliers.

Pouilly-sur-Loire

🍷 Pour bien commencer votre découverte des vins du Centre, allez voir les **Caves de Pouilly-sur-Loire** *(voir nos bonnes caves).*

En bord de Loire, le **Pavillon du milieu de Loire** présente faune et flore ligériennes et consacre une salle à la vigne. Vous y trouverez des informations sur la **réserve naturelle du Val-de-Loire** et des dépliants *(gratuits)* sur les **sentiers du Milieu de Loire** dont deux passent dans le vignoble en surplombant la Loire. 📞 03 86 39 54 54 - www.pavillon-pouilly.com - audioguides - ♿ - juil.-août : 10h-12h30, 14h-19h ; avr.-juin : tlj sf mar. 10h-12h30, 14h-18h ; sept.-oct. : tlj sf mar. 10h-12h30, 14h-17h30 ; vac. scol. Noël : tlj sf mar. 14h-17h30 ; fermé janv.-mars, 1er janv., 25 déc. - 4,50 € (enf. 3 €).

Traversez la Loire et suivez la D 59. À Vinon, tournez à droite dans la D 10 vers Sancerre. Après 2 km environ, grimpez sur la gauche par la toute petite route fléchée « route des Vignobles » qui monte en pente raide et offre une **vue★** *magnifique sur les collines du Sancerrois. Arrivé sur la D 955, faites une halte à* **Bué** *pour une dégustation au* **domaine Pinard** *(voir nos bonnes caves). Suivez sur la D 955 vers les Aix-d'Angillon, et tournez à droite dans la D 22.*

La Borne

Réputé pour son grès, ce village s'est fait une renommée internationale dans la céramique contemporaine. Il regroupe une cinquantaine d'artistes et d'artisans originaires d'une dizaine de pays. On peut voir leurs créations dans nombre d'ateliers, au **Centre de création céramique**. 📞 02 48 26 96 21 - tlj sf mar. 14h-19h sf mar. hors vac. scol.) - gratuit et au **musée de la Poterie**. 📞 02 48 26 73 76 - ♿ - de Pâques à mi-nov. : 15h-19h - 3 € (-14 ans gratuit).

Quittez La Borne au sud-est par la D 46.

Morogues

Fierté du Berry viticole, le vignoble qui tapisse les coteaux de Morogues à Menetou était, au temps de Jacques Cœur, l'un des plus appréciés de France. Aujourd'hui, il s'étend sur plus de 400 ha et produit des vins blancs frais et épicés, des rouges souples et parfumés et des rosés fruités.

Château de Maupas

📞 02 48 64 41 71 - www.chateaudemaupas.fr - ♿ - visite guidée (45mn) de Pâques à fin sept. : 14h-19h, dim. et j. fériés : 10h-12h et 14h-19h - 7 € (enf. 5 €).

Appartenant à la famille Maupas depuis Louis XV, il abrite une impressionnante **collection d'assiettes★**. Le château produit un bon menetou rouge.

Menetou-Salon

📞 02 48 64 80 54 - www.chateau-menetou-salon.com - ♿ - visite guidée (1h30) juil.-août : 10h-19h ; mai-juin et sept. : 14h-18h (dern. entrée 1h av. fermeture) - 8,50 € (enf. 5,50 €). Un moment propriété de Jacques Cœur, le **château de Menetou-Salon** fut reconstruit au 19e s. Dans les communs, vous pourrez voir une collection de voitures anciennes.

Quittez Menetou vers Saint-Martin-d'Auxigny (D 59), pour rejoindre Bourges.

Les adresses de Sancerre à Bourges

♿ Vous trouverez des adresses à **Bourges** dans le carnet « de Bourges à Reuilly », p. 308.

NOS BONNES TABLES

⊜⊜ **La Pomme d'Or** – *Pl. de la Mairie - 18300 Sancerre - ℘ 02 48 54 13 30 - fermé dim. soir d'oct. à fin mars, mar. et merc. - réserv. obligatoire - 18/43 €.* On mange souvent à guichets fermés à l'heure du déjeuner dans ce restaurant prisé. Il faut dire que ris de veau poêlé au basilic, sandre rôti sauce au sancerre ou magret de canard au miel, non contents d'être goûteux et attrayants, sont très accessibles. Cadre de style bistrot et fresque évoquant le Sancerrois.

⊜⊜⊜ **Côte des Monts Damnés** – *18300 Chavignol - 4 km à l'O de Sancerre par D 183 - ℘ 02 48 54 01 72 - restaurantcmd@wanadoo.fr - fermé fév., 26 juin-6 juil., dim. soir, lun. soir sf juil.-août, mar. soir et merc. - réserv. obligatoire - 27/50 €.* N'hésitez pas à faire une sympathique halte dans ce restaurant situé dans la rue principale du village viticole. Sur sa terrasse ombragée ou dans la plaisante salle à manger rustique, vous pourrez savourer une cuisine régionale soignée et déguster l'un des crus de la riche carte des vins locaux.

NOTRE HÔTEL

⊜⊜ **Hôtel de la Loire** – *2 quai de la Loire - 18300 St-Thibault - ℘ 02 48 78 22 22 - www.hotel-de-la-loire.com - fermé 21 déc.-7 janv. - 🅿 - 11 ch. 65/88 € - ⊡ 8 €.* Georges Simenon séjourna plusieurs fois dans cet hôtel. Vous pourrez dormir dans la chambre qu'il occupa au cours des années 1930, dont le joli style « rétro » respecte l'esprit de l'époque. Le décor des autres décline différents thèmes : Afrique, Provence, Régence, etc. Toutes bénéficient d'un confort actuel.

NOS BONNES CAVES

CAVISTE ET COOPÉRATIVE

Aux Trésors de Bacchus – *Nouvelle-Place - 18300 Sancerre - ℘ 02 48 54 17 45 - www.fournier-pere-fils.fr - ouv. tlj 10h-19h.* Cave tenue par un vigneron, évidemment très grand connaisseur des crus de sa région. Outre ses propres bouteilles, il met en avant les sancerres, pouilly-fumé et coteaux-du-giennois, tous issus de vignobles de propriétaires et choisis avec soin. Belle sélection de vins de Loire.

Caves de Pouilly-sur-Loire – *39 av. de la Tuilerie, lieu-dit : les Moulins à Vento - 58150 Pouilly-sur-Loire - ℘ 03 86 39 10 99 - caves.pouilly.loire@wanadoo.fr - 8h-12h, 13h30-18h, sam. 9h-12h30, 14h-18h, dim. en sais. 10h-12h30, 14h30-18h30 - fermé 1er janv. et 25 déc.* La cave, créée en 1948, compte aujourd'hui 100 adhérents et représente l'un des principaux producteurs de pouilly-fumé et de coteaux-du-giennois. Le caveau qui y est aménagé abrite un grand comptoir de dégustation où vous pourrez tester ces vins blancs, rouges ou rosés au goût de terroir si caractéristique.

DOMAINES

Domaine Vacheron – *1 r. du Puits-Poulton - 18300 Sancerre - ℘ 02 48 54 09 93 - vacheron.sa@wanadoo.fr.* Groupés autour de la butte de Sancerre, les 42 ha du vignoble familial se situent sur la faille géologique de Sancerre. Les vignes sont encépagées de pinot noir pour les rouges et de sauvignon pour les blancs, sur des sols à proportions équivalentes de calcaire kimméridgien et de silex éocène. Conduit en biodynamie, le vignoble est en cours de certification Biodyvin. Les raisins sont vendangés en caissette à la main. Les rouges sont ensuite élevés en fûts de chêne pendant douze mois environ, tandis que l'élevage des blancs a lieu sur lies pendant huit mois, à l'exception de la cuvée Les Romains, qui repose durant un an en cuves de bois. ♟ sancerre.

Domaine Henri Bourgeois – *Chavignol - 18300 Sancerre - ℘ 02 48 78 53 20 - domaine@henribourgeois.com - 9h-12h, 14h-18h - sur RV.* La propriété, située sur les meilleurs coteaux de Sancerre, appartient à la famille Bourgeois depuis dix générations. Le vignoble s'étend sur 65 ha, encépagés de pinot noir, de sauvignon et de cabernet franc, répartis sur des sols argilo-calcaires, de silex et de marnes kimméridgiennes. La vinification a lieu en cuves ou en barriques, puis les vins sont élevés de trois à douze mois, selon les cuvées. Le domaine dispose depuis 2004 d'un chai moderne et d'un nouveau caveau de dégustation. ♟ coteaux-du-giennois, menetou-salon, pouilly-fumé, quincy, sancerre.

Domaine Pinard – *42 r. St-Vincent - 18300 Bué - ℘ 02 48 54 33 89 - lun.-sam. 9h-12h, 14h-18h30 - sur RV.* Depuis 1789, l'exploitation familiale se transmet de père en fils. Elle compte 16 ha plantés de sauvignon et de pinot noir. La recherche de la qualité y reste constante : vendanges manuelles, pressurage pneumatique, fermentations avec contrôle automatique des températures, remontages des lies, filtrage et mise en bouteilles au domaine. ♟ sancerre.

Château de Tracy – *Tracy-sur-Loire - 58150 Pouilly-sur-Loire - ℘ 03 86 26 15 12 - tracy@wanadoo.fr.* Les 31 ha de cette propriété, transmise depuis 1936, sont encépagés de sauvignon et se répartissent sur des calcaires du kimméridgien et des argiles à silex. L'exploitation est conduite en lutte raisonnée depuis 1994. Les vendanges des vignes, âgées en moyenne de 24 ans, sont manuelles ou mécaniques, selon les millésimes. ♟ pouilly-fumé.

1 De Bourges à Reuilly (2ᵉ étape)

▶ 43 km. Bourges se trouve à 108 km au S d'Orléans par la N 20, la D 944 et la N 76. Carte Michelin Local 318, M-O 8, J-L 9. Voir l'itinéraire 1 sur le plan p. 312-313.

Bourges★★★

Âme de Bourges, la cathédrale St-Étienne et le palais Jacques Cœur ont tous deux bénéficié du goût pour la belle architecture d'un fils de marchand de fourrure ! Étonnamment doué pour les affaires, Jacques Cœur (1395-1456) réussit en effet à amasser une colossale fortune au point de gagner bientôt la confiance du roi, Charles VII, dont il devint l'argentier en 1439.

La **cathédrale Saint-Étienne★★★** a été construite en deux campagnes (1195-1215 et 1225-1260) ; elle est classée au Patrimoine mondial de l'Unesco. Son **portail central**, consacré au Jugement dernier, est un chef-d'œuvre de la sculpture gothique (13ᵉ s.). Ne manquez pas de faire le tour des **vitraux★★★** (en majorité du début 13ᵉ s.), de visiter la **crypte★★** et de contempler l'**horloge astronomique★**, qui date de 1424.

La place Gordaine, à Bourges.

Commencé en 1443, le **palais Jacques-Cœur★★** est l'un des plus beaux édifices civils de l'époque gothique. La façade séduit par la richesse de sa décoration. De part et d'autre de la loge à festons apparaissent, dans l'entrebâillement de fenêtres simulées, le maître et la maîtresse de maison. Découvrez dans la cour les galeries réservées au négoce et le grand corps de logis. La tourelle centrale est décorée d'arbres exotiques : palmiers, orangers, dattiers, qui évoquent les pays d'Orient où Jacques Cœur a voyagé. Son immense fortune lui permit de satisfaire son goût du beau et du confort : l'agencement du palais témoigne d'une réussite exceptionnelle à cet égard. ✆ 02 48 24 79 41 - 🚹 - *juil.-août : 9h-13h, 14h-19h ; mai-juin : 9h30-12h15, 14h-18h15 ; sept.-avr. : 9h30-12h15, 14h-17h15 - fermé 1ᵉʳ janv., 1ᵉʳ Mai, 1ᵉʳ et 11 Nov., 25 déc. - 6,50 € (-18 ans gratuit).*

Parmi les autres « incontournables » de Bourges, citons, en vrac, les **maisons à colombages★** (15ᵉ-16ᵉ s.) dans le quartier ancien au nord de la cathédrale, la **promenade des Remparts★** et le **musée Estève★★** (œuvres abstraites du peintre berrichon Maurice Estève, né en 1904). Le festival de musique du Printemps de Bourges *(3ᵉ sem. d'avr.)* attire des chanteurs du monde entier.

Quittez Bourges au nord-ouest par la N 76 pour rejoindre la région de Quincy-Reuilly.

Mehun-sur-Yèvre★

Dans cette jolie ville, il faut suivre la promenade ombragée qui longe le canal du Berry : vues sur les vestiges du château de Jean de Berry et l'église.

Depuis le 19ᵉ s. les porcelainiers du Berry sont installés à Foëcy, Noirlac et Mehun. Le **Pôle de la porcelaine** de Mehun, agréable construction de verre, présente de belles pièces de collection aussi diverses qu'insolites. ✆ 02 48 57 06 19 - 🚹 - *juil.-août : 10h30-12h, 14h30-18h30 ; mai-juin et sept. : tlj sf lun. 14h30-18h ; mars-avr. et oct. : w.-end 14h30-18h - 4,60 € (-10 ans gratuit).*

Quincy

Étendu sur Quincy et Brinay, l'**AOC quincy** compte 210 ha plantés en cépage sauvignon qui donnent un vin blanc sec, fin et élégant, à boire généralement dans les deux à trois ans. Le dernier week-end d'août, Quincy accueille les Fêtes de l'océan, qui célèbrent le mariage des fruits de mer et du vin.

Brinay

La petite **église** abrite une intéressante série de **fresques★** du 12ᵉ s., dont un rare calendrier des travaux des mois (en septembre, un personnage foule les raisins dans un grand bac), et une représentation des noces de Cana, petit clin d'œil au thème du vin…

À Brinay, prenez à gauche la D18ᴱ (route du Vignoble) vers Méreau. À Méreau, tournez à gauche la D 918 vers Lury-sur-Arnon et Reuilly.

Reuilly

Réparti sur les deux rives de l'Arnon, le vignoble de l'**AOC reuilly** couvre 167 ha qui produisent des vins blancs (sauvignon) secs et fruités remarquables, mais aussi des rosés et des rouges de grande qualité (pinot gris et pinot noir). Vous pourrez visiter le petit **musée de la Vigne et du Vin de Reuilly** consacré au matériel viticole. *5 r. Rabelais - ℘ 02 54 49 24 94 - www.ot-reuilly.fr -de mi-mai à mi-oct. : tlj sf lun. 10h-12h, 15h-19h, vend. 9h-12h, 15h-19h ; de mi oct.- à mi-mai : tlj sf lun. et j. fériés 10h-12h, 14h-18h, vend. 9h-12h, 14h-18h - gratuit.*

Les adresses de Bourges à Reuilly

NOS BONNES TABLES

⊖ **Le Bourbonnoux** – *44 r. Bourbonnoux - 18000 Bourges - ℘ 02 48 24 14 76 - restaurant.bourbonnoux@wanadoo.fr - fermé 23 fév.-5 mars, 21 avr.-2 mai, 15 août-4 sept., sam. midi, dim. soir et vend. - 13/30 €.* Restaurant situé dans une rue jalonnée de boutiques d'artisans, à quelques pas de la cathédrale St-Étienne. Accueil aimable et plaisant intérieur agrémenté de coloris vifs et de colombages : l'adresse est appréciée par les Berruyers. Cuisine classique sagement personnalisée.

⊖⊖ **Les Saisons Gourmandes** – *Pl. des Tilleuls - 36260 St-Pierre-de-Jard - ℘ 02 54 49 37 67 - fermé 9-26 oct., 8 janv.-1er fév., lun. soir, mar. soir et merc. sauf juil.-août - 19/35 €.* Maison berrichonne du début du 20e s., reconvertie en restaurant. On y sert, en terrasse ou sous les poutres d'origine peintes en « bleu berrichon », des plats classiques.

NOS HÔTELS ET CHAMBRES D'HÔTE

⊖⊖ **Chambre d'hôte Domaine de l'Ermitage** – *L'Ermitage - 18500 Berry-Bouy - 6 km au NO de Bourges par D 60 - ℘ 02 48 26 87 46 - domaine-ermitage@wanadoo.fr - fermé vac. de Noël -*⊘*- 5 ch. 59/62 € ⊐.* Cette ancienne maison de maître et son moulin attenant se dressent au milieu d'un parc aux arbres centenaires. Les chambres, plutôt spacieuses et décorées avec soin, profitent du calme ambiant.

⊖⊖ **Le Christina** – *5 r. Halle - 18000 Bourges - ℘ 02 48 70 56 50 - www.le-christina.com - 71 ch. 48/75 € - ⊐ 7,50 €.* Cet hôtel est le point de départ idéal pour découvrir le centre-ville. Les chambres, bien entretenues, sont de deux catégories : cossues et soignées ou, plus petites et fonctionnelles.

La Touraine

CARTE MICHELIN LOCAL 323 –INDRE (36), INDRE-ET-LOIRE (37), LOIR-ET-CHER (41)

En Touraine, l'opulence du « jardin de la France » enchante le visiteur séduit par la douceur de la lumière, la multitude de demeures Renaissance, où résida une cour fastueuse, et les coteaux qui portent les fameux vignobles de Vouvray et de Montlouis.

② De Valençay à Amboise (1ʳᵉ étape)

▶ 77 km. Valençay se trouve à 70 km à l'O de Bourges par la D 23, la D 918, la D 28, la D 68, la D 16, et la D 960. Carte Michelin Local 323, A-F 1-4. Voir l'itinéraire ② sur le plan p. 312-313.

Valençay s'enorgueillit de deux AOC portant son nom : pour ses fromages de chèvre, en forme de pyramide tronquée, et pour ses vins, très proches des touraines par leur encépagement (sauvignon et chardonnay).

Château et parc de Valençay★★★

℘ 02 54 00 10 66 - www.chateau-valencay.com - juil.-août : 9h30-19h ; juin et sept. : 10h-18h ; de fin mars à fin mai : 10h30-18h ; de déb. oct. à déb. nov. : 10h30-17h30 - château et spectacle 9 € (enf. 6,70 €) - soirées aux chandelles : de fin juil. à fin août, sam. 21h30 13,50 € (enf. 10 €).

Bâti vers 1540, Valençay est un fleuron de la Renaissance. Acheté en 1803 par Talleyrand, sur ordre de Bonaparte, pour y organiser de fastueuses réceptions, c'est aussi un haut lieu de l'histoire napoléonienne. Somptueusement meublé et très riche en souvenirs, le château est entouré d'un beau **parc★**… Labyrinthe de Napoléon, petite ferme, château des enfants, aire de pique-nique, restaurant font de Valençay l'un des plus vivants châteaux de la Loire. Une dégustation du Clos du château de Valençay

LE TERROIR

Superficie : 13 760 ha, dont 5 500 ha pour l'AOC touraine.

Production : 840 100 hl, dont 335 000 hl pour l'AOC touraine.

Les vignes plantées sur les coteaux de la Loire, du Cher, de l'Indre et du Loir poussent sur des sols très variés allant des aubuis (argilo-calcaire sur sous-sol crayeux) aux perruches (argiles à silex) en passant par les sables sur argiles ou les graviers légers.

LES VINS

Les **AOC chinon, bourgueil et saint-nicolas-de-bourgueil** produisent des vins rouges, issus du cabernet franc, ou breton, ainsi que des rosés. On trouve aussi du chinon blanc issu du chenin blanc, ou pineau-de-loire.

Les **AOC vouvray et montlouis**, plantées à 100 % en chenin blanc, produisent des blancs de fines bulles (55 %) et des blancs tranquilles (45 %), de secs à liquoreux. La Touraine regroupe de nombreuses autres AOC, qui pratiquent souvent des assemblages avec une dominante de gamay pour les rouges et de sauvignon pour les blancs : **touraine** (rouges, rosés, blancs effervescents), **touraine-azay-le-rideau** (blancs 100 % chenin, rosés à dominante grolleau), **touraine-mesland, touraine-amboise, touraine-noble-joué** (vin gris issu de trois pinots), **jasnières** (blancs issus du chenin), **coteaux-du-loir.**

À quoi s'ajoutent les **AOC valençay**, proches des touraine par leur encépagement et, en Sologne viticole, les **cheverny** et les **cour-cheverny** (blancs issus majoritairement du cépage romorantin).

BON À SAVOIR

👁 **Bureau interprofessionnel des vins de la Touraine** – ☎ 02 47 60 55 00 - *www.interloire.com*

cloture la saynète évoquant les fastueux repas préparés par le cuisinier Carême pour les invités de Talleyrand.

Quittez Valençay par la route de Blois (D 956). Après Fontguenand, tournez à gauche vers Meusnes en suivant la route des Vignobles Touraine-Val de Loire. On quitte l'AOC valençay pour entrer dans l'**AOC touraine**.

Laissez Meusnes sur votre droite pour suivre encore l'itinéraire fléché (les panneaux portent seulement une grappe) qui serpente joliment à travers les vignobles. Après avoir traversé le Cher, prenez à gauche dans Châtillon-sur-Cher en suivant toujours la route des Vignobles. Après une alternance de vignes et de bois, le panorama s'ouvre sur une mer de vignes doucement vallonnée.

À la sortie de Noyers-sur-Cher, la route des Vignobles part dans deux directions opposées. Laissez sur votre droite celle qui va vers Blois et tournez à gauche vers Saint-Aignan.

Saint-Aignan★

Dominée par son gracieux château Renaissance et sa **collégiale★**, joyau de l'art roman (remarquables **fresques★★** des 12e-15e s.), Saint-Aignan marque la frontière entre le Berry et la Touraine. Point de départ du Cher canalisé jusqu'à Nitray (37), c'est aussi un des pôles du tourisme fluvial de la région.

Longez le Cher par la D 17 en direction de Mareuil-sur-Cher. Quelques kilomètres après Mareuil, tournez sur la gauche en suivant la route des Vignobles qui vous conduira sur des plateaux couverts de vignes avant de redescendre dans des vallées sinueuses et boisées. La route traverse Thésée-la-Romaine (site gallo-romain), puis elle monte sur le coteau viticole de Monthou-sur-Cher en offrant un superbe panorama sur la vallée. Dans un vallon, on aperçoit le **château du Gué-Péan** *(16e-17e s.).* Puis retour sur les bords du Cher.

Bourré

À hauteur de Bourré, la vallée se rétrécit. Comme souvent en Touraine et dans le Saumurois, le coteau est creusé d'anciennes carrières de tuffeau transformées en habitations troglodytiques, en caves à vin ou en champignonnières, comme c'est le cas ici avec les **caves champignonnières des Roches**.

La Ville Souterraine★ est une vivante reproduction d'une place de village modelée dans la pierre. *Pour ces deux sites :* ☎ 02 54 32 95 33 - www.le-champignon.com - *visite guidée (1h pour chaque) de Pâques à la Toussaint, départ toutes les heures : 10h-17h - 6 €*

ou 10 € pour les deux sites (7-14 ans 4 € ou 6 €). Prévoir vêtements chauds en raison des températures peu élevées (13 °C).

Montrichard★

Montez au sommet du **donjon★** de cette petite ville médiévale pour jouir du très beau **panorama★★** sur la vallée. ℘ 02 54 32 05 10 - juin-août : 10h-18h ; avr.-mai et sept. : 10h-12h, 14h-17h - visite sonorisée du donjon de Pâques à fin sept. - 5 € (7-12 ans 3 €). De mi-juil. à mi-août : visite animée avec personnages en costumes à 16h30 - 10 € (7-12 ans 8 €) - spectacle nocturne vend. et sam. (même période) - 15 € (7-12 ans 8 €). Et à la belle saison, faites une **promenade en bateau** sur le Léonard de Vinci. Quai du Cher - ℘ 02 54 75 41 53 - juil.-août : dép. à 15h et 17h ; de mi-avr. à mi-oct. : w.-end et j. fériés dép. à 15h et 17h - 9,50 € (enf. 5 €) - durée 1h30.

🍷 Les **Caves Monmousseau** offrent 15 km de galeries souterraines pour découvrir les étapes de l'élaboration des vins effervescents. 71 rte de Vierzon - ℘ 02 54 71 66 64 - www.monmousseau.com - d'avr. à fin oct. : 10h-18h ; de nov. à fin mars : tlj sf w.-end 10h-12h, 14h-17h.

Le château de Chenonceau enjambe le Cher.

Château de Chenonceau★★★

℘ 0 820 20 90 90 - www.chenonceau.com - de mi-mars à mi-sept. : 9h-19h ; de mi-sept. à fin sept. : 9h-18h30 ; de déb. mars à mi-mars et de déb. oct. à mi-oct. : 9h-18h ; de mi-oct. à fin oct. et de mi-fév. à fin fév. : 9h-17h30 ; de déb. fév. à mi-fév. et de déb. nov. à mi-nov. : 9h-17h ; de mi-nov. à fin janv. : 9h-16h30 - 9 € château, jardins et musée de Cires (7-18 ans 7,50 €).

Joyau de la Renaissance bâti au-dessus du Cher, Chenonceau est surnommé « le château des Dames » pour avoir presque toujours appartenu à des femmes, dont Diane de Poitiers et Catherine de Médicis. Les **jardins★★** et bords du Cher offrent de beaux points de vue sur le château. Aires de pique-nique le long des douves.

🍷 Le vignoble du château (30 ha) donne de bons petits vins en dégustation-vente à la **Cave des Dômes**. Horaires et ouverture : se renseigner au château.

Quittez Chenonceaux par la D 40 en direction de Civray-de-Touraine, puis d'Amboise (D 31). 3 km avant Amboise, sur la gauche, apparaît la **pagode de Chanteloup★**. Le duc de Choiseul fit édifier au 18e s. cette superbe chinoiserie, seul vestige du château. Possibilité de pique-niquer dans le parc. ℘ 02 47 57 20 97 - www.pagode-chanteloup. com - juil.-août : 9h30-19h30 ; juin : 10h-19h ; mai et sept. : 10h-18h30 ; avr. : 10h-12h, 14h-18h, w.-end et j. fériés et vac. scol. 10h-18h ; oct.-nov. : w.-end et j. fériés 10h-17h (dern. entrée 30mn av. fermeture) - 6,90 € (enf. 4,70 €).

Amboise★★

La cité du bord de Loire, qui a conservé son ancienne structure féodale, est dominée par le plus italien des châteaux de la Loire. François Ier y célébra d'extravagantes fêtes que Léonard de Vinci organisait. Mais c'est au 15e s. qu'Amboise connut son âge d'or, lorsque Charles VIII décida de rénover le **château★★** de son enfance en faisant venir des artistes et artisans d'Italie. L'intérieur renferme une exceptionnelle collection de meubles gothiques et Renaissance. **Vue★★** superbe depuis la terrasse.

Ne manquez pas la **chapelle St-Hubert**, où repose Léonard de Vinci. Si vous venez l'été, vous aurez la chance d'assister au superbe son et lumière. *✆ 0 820 20 50 50 - www. chateau-amboise.com - juil.-août : 9h-19h ; avr.-juin : 9h-18h30 ; de mi-mars à fin mars et sept.-oct. : 9h-18h ; de déb. nov. à mi-nov. : 9h-17h30 ; de mi-nov. à fin janv. : 9h-12h, 14h-16h45 ; de déb. fév. à mi-mars : 9h-12h, 13h30-17h30 - fermé 1ᵉʳ janv., 25 déc. - 8 € (7-14 ans 4,80 €).*

🍷 Pour goûter les vins de Touraine-Amboise dans un cadre agréable, entrez au **Caveau des vignerons d'Amboise**, au pied du château *(voir nos bonnes caves)*.

Le **château du Clos-Lucé★★** est la demeure où Léonard de Vinci passa les trois derniè-res années de sa vie. On y voit la chambre du Maître et, au sous-sol, 40 reconstitutions de ses « fabuleuses machines ». Dans le **parc Léonardo da Vinci**, une somptueuse mise en scène vous entraine à la découverte du génie éclectique de cet artiste-ingé-nieur-architecte. Magique et ludique ! Dans la halle, spectacle-images, films vidéo et kiosques thématiques invitent à plonger plus avant dans l'univers de la Renaissance et dans celui de Léonard. *✆ 02 47 57 00 73 - www.vinci-closluce.com - juil.-août : 9h-20h ; avr.-juin et sept.-oct. : 9h-19h ; fév.-mars et nov.-déc. : 9h-18h ; janv. : 10h-17h - fermé 1ᵉʳ janv., 25 déc. - 9 ou 12 € (enf. 7 ou 6 €) suiv. sais.*

EN MARGE DU VIGNOBLE

Rencontrer le tigre aux yeux bleus du zoo-parc de Beauval★

4 km au S de Saint-Aignan par la D 675. ✆ 02 54 75 50 00 - www.zoobeauval.com - tte l'année de 9h à la tombée de la nuit - 18 € (3-10 ans 12,50 €).

👥 Un parc de 22 ha fleuri et varié (forêt amazonienne, savane, cours d'eau, serres tro-picales, etc.) où vivent 4 000 animaux, dont de nombreuses espèces rares : lamantins, tigres blancs aux yeux bleus, lions blancs, koalas, kookaburas, etc. Et aussi panthères noires, pumas, hyènes et lycaons, ouistitis, gorilles et orangs-outans, crocodiles et tortues, perroquets, girafes, etc. Spectacles de rapaces en vol libre et d'otaries.

Les adresses de Valençay à Amboise

NOS BONNES TABLES

🍴 **L'Épicerie** – *46 pl. Michel-Debré - 37400 Amboise - ✆ 02 47 57 08 94 - fermé 26 oct.-18 déc., lun. et mar. - 11 € déj. - 20/37 €.* Bien situé au pied du château, ce restaurant a bonne réputation. Les couleurs chaudes du décor et le grand miroir mural donnent une belle luminosité à sa salle à manger. Cuisine régionale et accueil sympathique.

🍴🍴 **Bellevue** – *24 quai de la République - 41400 Montrichard - ✆ 02 54 32 06 17 - 16/55 € - 29 ch. 72/92 €.* Au restaurant, belles boiseries, baies vitrées sur la riante vallée et cuisine traditionnelle. La plupart des chambres offrent une vue panoramique sur le Cher.

NOS HÔTELS

🍴🍴 **Domaine de l'Arbrelle** – *Rte des Ormeaux, par D 31 - 37400 Amboise - ✆ 02 47 57 57 17 - 20 ch. 63/89 € - ☕ 9 € - rest. 26/42 €.* Au cœur d'un parc situé en lisière de forêt, établissement récent aménagé autour d'une ancienne ferme. Salon cossu et agréables chambres de style contemporain. Plaisante salle à manger rustique, véranda et terrasse tournées sur le jardin.

🍴🍴 **Le Moulin de la Renne** – *11 rte de Vierzon - 41140 Thésée - entre Montrichard et Noyers-sur-Cher, par la D 176, au bord de la Renne - ✆ 02 54 71 41 56 - www.moulindelarenne.com - fermé 10 janv.-10 fév., lun. midi et mar. midi - 🅿 - 13 ch. 52 € - ☕ 8,50 € - rest. 17/42 €.* Vieux moulin entouré d'un jardin ombragé traversé par la Renne. Les chambres, simplement aménagées, sont rénovées tout comme la salle à manger égayée de couleurs vives. Le salon de repos arbore une cheminée et un aquarium. Des jeux pour enfants et une terrasse dressée au bord du bief complètent l'offre.

NOTRE BONNE CAVE

Caveau des vignerons d'Amboise – *Pl. Michel-Debré - 37400 Amboise - ✆ 02 47 57 23 69 - de mi-mars à mi-nov. : 10h-19h.* Douze viticulteurs présentent leurs vins : blancs, rosés, rouges, effervescents (méthode traditionnelle) et crémants. Vente de produits locaux.

2 D'Amboise à Blois (2e étape)

▶ 114 km. Amboise se trouve à 26 km à l'E de Tours par la N 152 ou la D 751. Carte Michelin Local 323, A-F 1-4. Voir l'itinéraire 2 sur le plan p. 312-313.

Quittez Amboise par la D 751 en direction de Montlouis. La route longe la Loire et laisse souvent découvrir le fleuve avec ses îles et ses bancs de sables dorés. À la hauteur du joli petit village de **Lussault-sur-Loire**, on entre dans l'**AOC montlouis** qui s'étend entre Loire et Cher.

Montlouis-sur-Loire

La petite cité s'étage sur des pentes de tuffeau creusées de caves.

♀ La Maison des vins, qui se situe quai Albert-Baillet, fait face à la coopérative. Au **domaine de la Taille aux Loups**, vous aurez le choix entre les montlouis moelleux, secs ou pétillants ; visitez également le **domaine François Chidaine** *(voir nos bonnes caves).*

À deux pas de Montlouis sur la route d'Amboise, au milieu du vignoble, le **château de la Bourdaisière** cultive dans son **potager★** plus de 400 espèces différentes de tomates ! ✆ 02 47 45 16 31 - www.chateaulabourdaisiere.com - &. - visite guidée (45mn) mai-sept. : 10h-19h ; avr. et 1re quinz. oct : 10h-12h, 14h-18h - 2e quinz. oct. : parc seulement - 7 € (8-18 ans 6 €) - visite libre du parc et du potager.

Quittez Montlouis pour rejoindre Vouvray sur l'autre rive de la Loire.

Vouvray

Effervescents ou tranquilles, secs, tendres ou moelleux, les **vouvrays** comptent parmi les plus fameux vins blancs de Touraine. Étagée sur les coteaux, la petite ville de tuffeau blanc recèle nombre d'anciennes maisons de vignerons plus ou moins troglodytiques. ♀ Ne manquez pas de faire le tour du bourg par la route des Vignobles qui vous conduira, notamment, aux **Caves des producteurs de Vouvray**, au **Clos Naudin** ou encore au **domaine Huet** *(voir nos bonnes caves).*

🐾 Suivez le GR 33 et deux sentiers balisés *(6 à 18 km)* à la découverte de l'architecture du bourg et des panoramas sur la Loire et le vignoble. Baladez-vous jusqu'à **Rochecorbon** : le coteau qui surplombe le fleuve est creusé de maisons troglodytiques, mais il a aussi des allures de riviera méditerranéenne avec ses riches demeures

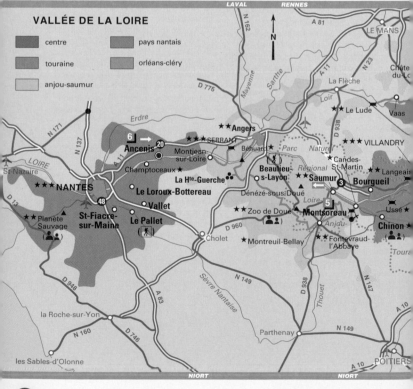

et ses palmiers qui bénéficient ici d'un microclimat. 🍷 C'est là que se trouvent les caves de **Marc Brédif**. Creusées entre le 8ᵉ et le 10ᵉ s., longues de 2 km, elles abritent plus d'un million de bouteilles, dont les plus vieilles datent de 1873. Parcours très bien mis en scène, jeu œnologique. Dégustation-vente : vouvray, chinon, bourgueil et saumur-champigny. *87 quai de la Loire - 37210 Rochecorbon - ☎ 02 47 52 50 07 - avr.-oct. : 10h30-12h30, 15h-18h - 5 €.*

🍷 Le **Château Moncontour** (fin 15ᵉ-18ᵉ s.), que Balzac rêva d'acheter et où il situe certaines scènes de *La Femme de trente ans,* possède un très ancien vignoble et un chai moderne. Son très beau musée du Vin recèle une incroyable ribambelle d'outils : plus de 2 000 ! *Les Patys - 37210 Vouvray - ☎ 02 47 52 60 77 - www.moncontour.com - ♿ - avr.-sept. : 9h-13h, 14h-19h, w.-end 10h-13h, 15h-19h ; oct.-mars : lun.-vend. 9h-13h, 14h-18h, sam. 10h-12h - 4 € (enf. gratuit).*

Quittez Vouvray à l'est par la route touristique de la Vallée de la Brenne (D 46). Dépassez Vernou-sur-Brenne (nombreuses caves et charmantes maisons anciennes) et dirigez-vous vers Chançay. Le **château de Jallanges** est une jolie construction Renaissance en brique et pierre blanche donnant sur le vignoble et sur un joli parc. *☎ 02 47 52 06 66 - www.chateaudejallanges.fr - mars-oct. : 10h-12h, 14h-18h - 7,50 € (enf. 5,50 €) - dégustation.*

🍷 Quelques kilomètres plus loin, vous pourrez visiter les jardins Renaissance du **Château de Valmer**, étagés dans un site remarquable qui domine la Brenne. La chapelle est troglodytique (vitraux du 16ᵉ s) et le château est producteur de vouvray. *☎ 02 47 52 93 12 - www.chateau-de-valmer. com - juil.-août : tlj sf lun. 10h-19h ; mai-juin : w.-end et j. fériés 10h-12h30, 14h-19h ; sept. : tlj sf lun. 10h-12h30, 14h-18h - 7,50 € (-16 ans 4 €).*

Prenez la D 79, puis tournez à gauche dans la D 1. La route longe la vallée de la Cisse et traverse l'**AOC touraine-amboise** qui s'étend sur les deux rives de la Loire.
À Pocé-sur-Cisse, prenez à gauche la route du Vignoble (D 431) pour grimper sur les beaux plateaux couverts de vignes avant de redescendre sur Limeray.
Quelques kilomètres plus loin, on quitte l'Indre-et-Loire pour le Loir-et-Cher et on entre dans l'**AOC touraine-mesland** par le bourg de Monteaux. La route du Vignoble qui monte sur le coteau jusqu'au pittoresque village de **Mesland** offre un beau point de **vue** sur le château de Chaumont de l'autre côté de la Loire.

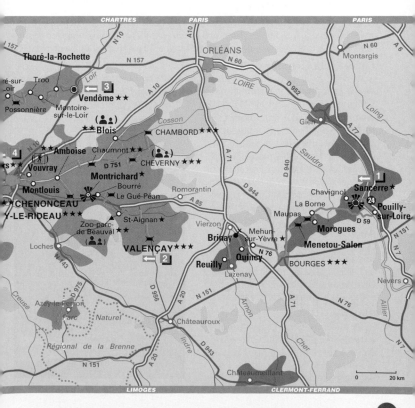

Château de Chaumont-sur-Loire★★

02 54 51 26 26 - de la 2ᵉ sem. de mai à mi-sept. : 9h30-18h30 ; avr. et la 1ʳᵉ sem. de mai et de mi-sept. à fin sept. : 10h30-17h30 ; oct.-mars : 10h-12h30, 13h30-17h (dern. entrée 30mn av. fermeture) - fermé 1ᵉʳ janv., 1ᵉʳ Mai, 1ᵉʳ et 11 Nov., 25 déc. - 6,50 € (-18 ans gratuit), gratuit 1ᵉʳ dim. du mois.

Bâti de 1445 à 1510, ce château d'apparence féodale subit déjà l'influence de la Renaissance. Propriété de Catherine de Médicis et de Diane de Poitiers, il accueillit en 1810 Mme de Staël envoyée en exil par Napoléon.

Le **parc** est magnifique. *02 54 51 26 26 - &. - de 9h à la tombée de la nuit - fermé 1ᵉʳ janv., 1ᵉʳ Mai, 1ᵉʳ et 11 Nov., 25 déc. - gratuit.*

La ferme du château abrite le **Conservatoire international des parcs et jardins et du paysage** où, de la mi-mai à mi-octobre, se déroule le **Festival international des jardins**, qui attire des milliers de visiteurs. *02 54 20 99 20 - www.chaumont-jardins. com - 9h30 à la tombée de nuit.*

À Candé-sur-Beuvron, on quitte la vallée de la Loire et ses maisons de tuffeau aux toits d'ardoise, pour rejoindre au sud-est la Sologne viticole à partir de Valaire. Les vignes alternent avec les cultures d'asperges et de fraises. L'**AOC cheverny** s'étend sur plus de 2 000 ha (mais 488 ha en production) sur la rive gauche de la Loire depuis la Sologne blésoise jusqu'aux portes de l'Orléanais. Sur ce terroir à dominante sableuse, les cépages sont nombreux. C'est de leur assemblage qu'est né le « style » cheverny.

Château de Cheverny★★★

02 54 79 96 29 - www.chateau-cheverny.com - Juil.-août : 9h15-18h45 ; avr.-juin et sept. : 9h15-18h15 ; oct. et mars : 9h15-17h ; nov.-fév. : 9h45-17h. Soupe des chiens : de déb. avr. à mi-sept. à 17h ; de mi-sept. à fin mars : tlj sf mar., w.-end et j. fériés à 15h - 6,50 € (château et parc), 11,50 € (château et exposition permanente), 11,20 € (château et découverte insolite du parc et du canal).

Le château, construit d'un seul jet de 1604 à 1634, et les terres qui l'entourent appartiennent à la même famille depuis 1338. Merveilleusement meublé et entretenu, c'est un remarquable exemple de classicisme. 👥 Le bâtiment vous rappelle quelque chose ? Mais oui, c'est lui le célèbre Moulinsart de *Tintin* (exposition permanente dans les communs sur les aventures qu'y vécut le jeune héros). Le parc (100 ha) peut se visiter en voiture électrique ou en barque sur le canal. Le **chenil** fascine les enfants à l'heure du repas des 90 chiens.

La route passe par **Cour-Cheverny**, cœur de l'**AOC cour-cheverny**, réservée aux vins blancs de cépage romorantin. *Prenez la D 102 au nord-est ; à Bracieux, tournez à gauche dans la D 112.* On traverse le **parc de Chambord** et sa réserve nationale de chasse.

Château de Chambord★★★

02 54 50 40 00 - www.chambord.org - de mi-juil. à fin août : 9h-19h30 ; de déb. avr. à mi-juil. et de fin août à fin sept. : 9h-18h15 ; oct.-mars : 9h-17h15 (dern. entrée 30mn av. fermeture - fermé 1ᵉʳ janv., 1ᵉʳ Mai, 25 déc. - 8,50 ou 9,50 € suiv. sais. (-18 ans gratuit), gratuit 1ᵉʳ dim. du mois (nov.-mars). Cons-

truit de 1518 à 1545, sans doute sous une conception initiale de Léonard de Vinci, Chambord compte 440 pièces, 365 cheminées et 83 escaliers ! Entouré d'un parc de 5 000 ha, le château est classé au Patrimoine mondial par l'Unesco. L'été, ne manquez pas le superbe son et lumière et le spectacle d'art équestre dans les écuries du maréchal de Saxe. Le **parc** du domaine de Chambord offre une foule d'activités : randonnées à vélo, à cheval, à pied, en roller, en voiture à cheval, barque sur le Cosson, sorties pour écouter le brame des cerfs, etc.

Blois★★

Rues piétonnes, ruelles tortueuses, hôtels particuliers, jardins et terrasses, Blois se prête merveilleusement à la promenade.

👥 Merveilleuse aussi, la **Maison de la magie Robert-Houdin★** vous entraîne

Promenade en barque à Chambord.

S. Sauvignier / MICHELIN

dans un kaléïdoscope géant, un cabinet des images et un **théâtre des Magiciens★** 02 54 55 26 26 - www.maisondelamagie.fr - 🔾 - juil.-août : 10h-12h30, 14h-18h30 ; de fin mars à fin juin et sept. et vac. scol. Toussaint : tlj sf lun. 10h-12h30, 14h-18h - spectacles (30mn) tlj - fermé de déb. nov à mars - 7,50 € (6-11 ans 5 €).

Au **château de Blois★★★** sont associés les noms de Louis XII qui, vers 1500, y intégra les premiers signes de l'art italien ; François Ier, qui fit construire le célèbre escalier à vis ; Catherine de Médicis, qui fit installer un cabinet à 237 panneaux sculptés contenant, selon Alexandre Dumas, des armoires secrètes à poison ; Henri III qui y fit assassiner son rival, le duc de Guise ; et Gaston d'Orléans qui y fit travailler le célèbre architecte Mansart… Au premier étage de l'**aile Louis XII** est installé le **musée des Beaux-Arts★**. 02 54 90 33 33 - www.ville-blois.fr - avr.-sept. : 9h-18h30 ; oct.-mars : 9h-12h30, 14h-17h30 (dern. entrée 30mn av. fermeture) - fermé 1er janv., 25 déc. - 6,50 € (enf. 3 €), gratuit 1er dim. du mois (oct.-mars).

🍷 Place du Château, vous pourrez pousser la porte de la **Maison des vins de Loir-et-Cher** pour déguster et acheter des vins de la région (voir nos bonnes caves).

🚲 « Le pays des châteaux à vélo » propose 300 km d'itinéraires cyclables sécurisés et balisés du côté de Blois, Chambord et Cheverny, dont deux itinéraires à travers les vignobles. Carte et itinéraire disponibles dans les offices de tourisme de la région ou sur le site www.chateauxavelo.com

EN MARGE DU VIGNOBLE

Caresser les poissons de l'aquarium du Val de Loire★

8 km à l'O d'Amboise par la D 751. À la sortie de Lussault-sur-Loire, prendre la D 283 et suivre le fléchage. 0 825 08 25 22 - www.aquariumduvaldeloire.com - de mi-juil. à mi-août : 10h-20h ; de déb. avr. à mi-juil. et de mi-août à fin août : 10h-19h ; de fin janv. à fin mars, de déb. sept. à mi-nov. et déc. : 10h30-18h - fermé 3 sem. en janv. apr. vac. de Noël. 👥 Très moderne dans sa conception, ce bel aquarium a pour particularité de présenter de nombreux poissons d'eau douce, goujon ou vairon, brochet, carpe, truite ou saumon. Des espèces locales insoupçonnées aux espèces tropicales les plus étonnantes. Tunnel à brochet et esturgeons, tunnel à requins, bassin tactile pour caresser les poissons.

Se prendre pour Gulliver au parc des Mini-Châteaux

Accès au S d'Amboise, par la D 81. 0 825 08 25 22 - www.mini-chateaux.com - de mi-juil. à mi-août : 10h-19h ; de déb. avr. à mi-juil. et de mi-août à fin août : 10h-19h ; de fin janv. à fin mars, de déb. sept. à mi-nov. et déc. : 10h30-18h - fermé 3 sem. en janv. 👥 Sur 2 ha, tous les plus beaux châteaux de la Loire, demeures et manoirs, sont reproduits sous forme de maquettes au 1/25 (donc pas si petites). Le soir, elles sont illuminées.

Les adresses d'Amboise à Blois

NOS BONNES TABLES

🍴 **Les Banquettes Rouges** – 16 r. des Trois-Marchands - 41000 Blois - 02 54 78 74 92 - fermé dim., lun. et vac. de Noël - 13,50/28 €. D'entrée, on éprouve de la sympathie pour ce petit restaurant à la jolie devanture rouge. Le cadre est très chaleureux : murs jaunes, chaises bistrot, tables au coude à coude et, bien sûr, banquettes rouges. Dans l'assiette, tout est fait maison.

🍴🍴 **Côté Loire** – 2 pl. de la Grève - 41000 Blois - 02 54 78 07 86 - www.coteloire. com - fermé 5 janv.-6 fév., 27 août-4 sept. et dim. et lun. - 23 €. Chaleureuse auberge du 16e s. située à proximité des quais de la Loire. Intérieur rénové avec beaucoup de goût et cuisine traditionnelle (brochet au beurre blanc, coq au vin, blanquette de veau, etc.) proposée sous la forme d'un menu unique qui change chaque jour. Terrasse et chambres douillettes en sus.

🍴🍴 **Le Grand Vatel** – 8 av. Brûlé - 37210 Vouvray - 02 47 52 70 32 - fermé 23-30 déc., dim. soir et lun. - 20/68 €. La délicieuse cuisine de Frédéric Scicluna s'inspire du terroir - laitue braisée et farcie de pieds de cochon aux herbes, ragoût fin de lotte au pistil de safran, tourte de sandre aux trois couleurs - et s'accorde à merveille avec une très belle sélection de vouvray blanc, tranquille ou effervescent. Agréable terrasse.

🍴🍴🍴 **La Tourangelle** – 47 quai Albert-Baillet - 37270 Montlouis-sur-Loire - 02 47 50 97 35 - fermé 7-14 fév., 30 juin-7 juil., 15-22 nov., dim. soir et lun. sf j. fériés - 28/50 €. La savoureuse cuisine au goût du jour que l'on déguste ici (aiguillettes de canettes aux champignons de saison, turbot poché à la réglisse, géline de Touraine rôtie au miel) est préparée en fonction du marché et s'accommode volontiers d'un verre de montlouis choisi sur la belle carte des vins.

NOS HÔTELS ET CHAMBRES D'HÔTE

Hôtel Anne de Bretagne – *31 av. J.-Laigret - 41000 Blois -* 🕿 *02 54 78 05 38 - 28 ch. 52/58 € -* 🍴 *6 €.* Cette adresse voisine du château rénove peu à peu ses chambres ; mobilier rustique, fonctionnel ou en rotin et couleurs pimpantes. Le petit-déjeuner se prend dehors en saison.

Chambre d'hôte La Rabouillière – *Chemin de Marçon - 41700 Contres - 10 km au S de Cheverny par D 102 et rte secondaire -* 🕿 *02 54 79 05 14 - www.larabouillere.com - 5 ch. dont 1 suite 60/90 €* 🍴*.* Cette belle longère solognote est en fait une pure reconstitution ! Bâtie à partir de matériaux anciens glanés dans les fermes voisines, on jurerait qu'elle est authentique ! Chambres sobrement meublées. Petit-déjeuner servi près du feu en hiver ou dans le jardin en été. Promenade à l'ombre des chênes autour de l'étang.

Hôtel St-Hubert – *122 r. Nationale - 41700 Cour-Cheverny -* 🕿 *02 54 79 96 60 - www.hotel-sthubert. com -* 🅿 *- 21 ch. 46/57 € -* 🍴 *8 € - rest. 20/38 €.* Cet hôtel proche du centre-ville abrite des chambres à l'atmosphère agréablement provinciale ; certaines, rénovées, sont fraîches et plaisantes. Salon-cheminée. Vaste salle de restaurant lambrissée. Cuisine traditionnelle et gibier en saison.

Hôtel Le Monarque – *61 r. Porte-Chartraine - 37270 Montlouis-sur-Loire -* 🕿 *02 54 78 02 35 - lemonarque@free.fr - fermé 4 déc.-8 janv. - 22 ch. 52/54 € -* 🍴 *6 € - rest. 11/25 €.* Moquette épaisse, literie de qualité, bonne insonorisation, couleurs tendres, etc. : vous ne serez pas déçu par le confort des chambres de cet hôtel entièrement rénové. La salle de restaurant, décorée de lithographies sur la batellerie, est agréable. Plats du terroir.

NOS BONNES CAVES

CAVISTE

La Cave de Louis XII – *10 r. Émile-Laurens - 41000 Blois -* 🕿 *02 54 74 28 18 - tlj sf dim. et lun. 8h30-12h30, 14h30-19h - fermé j. fériés.* La cave de M. Soyer renferme de précieuses bouteilles de vins de producteurs locaux - menetou-salon, muscadets - ainsi qu'une belle sélection de crus du Languedoc, de la vallée du Rhône, de Bourgogne et du Bordelais. Autres surprises : la présence d'articles d'épicerie fine et d'un rayon consacré aux fromages.

GROUPEMENT DE PRODUCTEURS

Caves des producteurs de Vouvray – *« La Vallée Coquette » - N 152 entre Tours et Amboise - 37210 Vouvray -* 🕿 *02 47 52 75 03 - www.cp-vouvray.com - 9h-12h30, 14h-19h ; 15 mai-15 sept. : 9h-19h - fermé 1er janv. et 25 déc.* La visite de ces caves viticoles creusées dans le tuffeau est passionnante : vous pourrez découvrir toutes les étapes de l'élaboration du vouvray, effervescent ou tranquille. Dégustation et vente des vins de la coopérative et d'autres producteurs du Val de Loire. Également, vente d'articles de cave et de produits locaux.

MAISON DES VINS

Maison du vin de Loir-et-Cher – *11 pl. du Château - 41000 Blois -* 🕿 *02 54 74 76 66 - tlj sf w.-end 9h-12h, 14h-17h (18h en été) - fermé 25 déc., 1er janv., 1er et 11 nov.*

DOMAINES

Domaine de la Taille aux Loups – *8 r. des Aîtres - 37270 Montlouis-sur-Loire -* 🕿 *02 47 45 11 11 - lataille auxloups@jackyblot.com - tlj 9h-19h.* Créé il y a une quinzaine d'années, le domaine compte aujourd'hui 25 ha encépagés de chenin. Le vignoble est cultivé en lutte raisonnée avec retour aux labours afin d'éviter l'apport de produits chimiques. Les vendanges sont manuelles par tris successifs et la vinification est traditionnelle. 🍷 montlouis, touraine, vouvray.

Domaine François Chidaine – *5 Grande-Rue - Husseau - 37270 Montlouis-sur-Loire -* 🕿 *02 47 45 10 20 - françois. chidaine@wanadoo.fr - tlj sf dim. en hiver 10h-12h, 14h30-19h.* Les vignes du domaine sont encépagées de chenin et plantées sur diverses parcelles argileuses à silex et calcaires. La culture du vignoble, conduit en biodynamie, est traditionnelle : labours, griffage, vendanges manuelles. En 2002, François et Manuella Chidaine se sont associés à Nicolas Martin et ont acquis 10 ha de vignes supplémentaires, soit 32 au total, sur l'aire d'appellation vouvray. 🍷 montlouis, vouvray.

Domaine du Clos Naudin – *14 r. de la Croix-Buisée - 37210 Vouvray -* 🕿 *02 47 52 71 46 - lun.-sam. 9h-12h, 14h-18h - sur RV.* Le domaine s'étend sur 12 ha, conduits selon les méthodes de l'agriculture biologique. Philippe Foreau reste fidèle aux méthodes de ses grands-parents : il pratique le chaussage d'automne et le déchaussage de printemps ! Les désherbants chimiques sont prohibés. Les vendanges sont manuelles, puis la vinification a lieu en barriques, avec fermentation pendant deux mois, sans levurage ni chaptalisation. 🍷 vouvray.

Domaine Huet – *11 r. de la Croix-Buisée - 37210 Vouvray -* 🕿 *02 47 52 78 87 - contact@huet-echansonne.com - lun.-sam. 9h-12h, 14h-18h - sur RV.* Le domaine familial a été créé en 1928. Depuis 1990, Noël Pinguet conduit en biodynamie les 35 ha de vignes, uniquement encépagés de chenin blanc. Les vendanges sont manuelles, par tris successifs. Les vignes sont âgées pour moitié de 30 à 50 ans. Les vins sont ensuite élevés pendant six mois, en fûts de chêne et en cuves Inox. 🍷 vouvray.

③ De Vendôme au Lude

▶ 95 km. Vendôme se trouve à 55 km au N-E de Tours par la N 10. Carte Michelin Local 317, K-P 2-3. Voir l'itinéraire ③ sur le plan p. 312-313.

Vendôme★★

Petite Venise aux charmes secrets, Vendôme peut se visiter la nuit aux flambeaux. *℘ 02 54 77 05 07 - visite (1h30) - dép. devant l'office de tourisme - juil : jeu. à 22h ; août : jeu. à 21h30 - 5 €.*

On peut même la visiter dans une barque emplie de fleurs qui vous emmène sur le Loir à la découverte de la porte d'Eau et du chevet de l'abbatiale. *℘ 02 54 77 05 07 - juil.-août : 14h30-19h - dép. de l'embarcadère du Moulin Perrin, par la rue du Change - 5 € (point d'information face à l'embarcadère).*

La tour de l'Islette, à Vendôme.

Quittez Vendôme à l'ouest par la D 2 ; à Villiers-sur-Loir, tournez à gauche dans la D 5 pour prendre la D 67 en direction de Thoré, puis tournez à gauche tout de suite après le pont sur le Loir. La route traverse le village de **Rochambeau**, *semi-troglodytique.*

Thoré-la-Rochette

Cœur de l'**appellation coteaux-du-vendômois**.

♟ L'ancienne gare, qui héberge une petite **Maison du vin et des produits des terroirs vendômois**, est le point de départ du **Train touristique de la vallée du Loir** qui vous entraîne jusqu'à Troo, soit un trajet de 36 km ponctué de nombreuses haltes. *℘ 02 54 72 80 82 ou 02 54 77 05 07 - www.tourisme.fr/train-touristique - voyage commenté (3h) de Thoré à Troo - de déb. juin à mi-sept. : w.-end et j. fériés.*

La route passe par **Lavardin★**, *que surplombent les ruines de son château féodal. Gagnez Montoire par l'agréable petite route qui longe la rive gauche du Loir.*

Montoire-sur-le-Loir

On aimerait oublier sa gare « historique », tristement célèbre pour l'entrevue Hitler-Pétain de 1940, et ne retenir que ses vieilles maisons, son ravissant pont sur le Loir et son adorable **chapelle St-Gilles★**, ornée de **fresques★★** aux superbes couleurs. Musée-spectacle des musiques traditionnelles, **Musikenfête** recèle plus de 500 instruments qu'on peut entendre jouer grâce à des casques audio. *Espace de l'Europe - quartier Marescot - 41800 Montoire-sur-le-Loir - ℘ 02 54 85 28 95 - musikenfete@wanadoo. fr - tlj sf lun. 10h-12h, 14h-18h ; oct.-déc. : tlj sf lun. 14h-18h - fermé janv., fév., 24-25 déc. et 30-31 déc.*

Troo

Village troglodytique, Troo surplombe le Loir, avec ses maisons disposées en étages que relient des ruelles, des escaliers et des passages mystérieux… En face, la charmante église **St-Jacques-des-Guérets** conserve des **peintures murales★** (12e-13e s.) aux allures byzantines, d'une exquise fraîcheur.

*Continuez sur la D 917 et à Sougé, prenez à gauche la route touristique fléchée vers Artins. Tournez à droite dans la D 10, puis à droite encore dans la route de l'Isle Verte ; 100 m plus loin, prenez à gauche la route qui passe devant le château du Pin. Du pont situé en face du château, on aperçoit en amont l'**Isle Verte** placée au confluent du Loir et « de s'amie la Braye », et où Ronsard voulait être enterré. À* **Couture-sur-Loir**, *l'**église** (chœur gothique à voûtes angevines) abrite les gisants des parents de Ronsard.*

Manoir de la Possonnière★

℘ 02 54 85 23 30 - visite libre matin, guidée ap.-midi (50mn) - juil.-août : 10h-19h ; de mi-mars à fin juin et de déb. sept. à mi-nov. : vend., w.-end, lun. et j. fériés 14h-18h - dernière entrée 1h av. fermeture - 6 € (-12 ans gratuit).

C'est ici que naquit en 1524 le poète Pierre de Ronsard, chef de file de la Pléiade.

Revenez à Couture et prenez au nord la D 57, qui franchit le Loir. Tournez à gauche.

Poncé-sur-le-Loir

Petite cité de caractère, Poncé abrite un château Renaissance et un remarquable ensemble de fresques du 12e s. dans son église. Le **centre de création artisanale « Les Moulins de Paillard »** est dédié aux arts de la table (poterie et verre soufflé).

SUR LES CHEMINS DES VIGNES

☎ 02 43 44 45 31 - &. - de déb. mai à mi-sept. : tlj sf dim. et lun. 10h-12h, 14h-19h ; reste de l'année : tlj sf dim. et lun. 14h-18h - fermé janv. et j. fériés.

Construit en 1542, le **château de Poncé** renferme un magnifique **escalier Renaissance★★** aux voûtes sculptées avec une fantaisie et une science des perspectives rarement atteintes. Charmille et labyrinthe agrémentent les jardins. Le colombier a conservé ses 1 800 niches et ses échelles tournantes. Les communs abritent le musée du Folklore sarthois. *☎ 02 43 44 24 02 - de déb. avr. à mi-nov. : 14h-18h30, vend., sam. et j. fériés 10h30-12h, 14h-18h30 - 5,50 €.*

Suivez la route du Vignoble (D 919). Elle vous entraîne à Ruillé-sur-Loir et à Lhomme, au cœur de l'**appellation jasnières**, dont Curnonsky disait que « trois fois par siècle, c'est le meilleur vin blanc du monde. » L'été, le **musée de la Vigne** de **Lhomme** propose des balades dans les vignes. *☎ 02 43 44 55 38.*

Château-du-Loir

Le donjon est le seul vestige du château féodal qui donna son nom à la ville. Dans l'**église St-Guingalois**, Pietà du 17e s. et panneaux de l'école maniériste flamande. À proximité de la ville s'étend la magnifique forêt de Bercé.

Quittez Château-du-Loir par la D 10 vers Château-la-Vallière. Après le pont de Nogent, tournez tout de suite à droite dans le C 2 vers La Bruère-sur-Loir. Prenez la D 11 puis à droite la D 30 vers Vaas.

Vaas

En bordure de Loir se côtoient maisons et jardinets, église et lavoirs. Avant d'arriver au pont, ne manquez pas à gauche l'ancien **moulin à blé de Rotrou**. *☎ 02 43 46 70 22 - visite guidée 1h30 - juil.-août : 14h30-17h30 ; de Pâques à fin juin et sept.-oct. : dim. et j. fériés 14h30-17h30 - 3,20 € (8-16 ans 1,50 €).*

Tournez à gauche dans la D 305. On passe devant le **site archéologique de Cherré**. Cet ensemble gallo-romain des 1er et 2e s. apr. J.-C. comprend un temple, des thermes, deux autres bâtiments et le **théâtre** en grès roussard jointoyé.

Château du Lude★★

☎ 02 43 94 60 09 - www.lelude.com - &. - juil.-août : visite de l'extérieur 10h-12h30, 14h-18h, visite guidée du château (45mn) 14h-18h ; avr.-juin et sept. : extérieur tlj sf merc. 10h-12h, 14h-18h, intérieur visite guidée tlj sf merc. 14h30-18h - 6 € (7-15 ans 3,40 €).

Magnifique château campé en bordure du Loir, Le Lude offre plusieurs visages : médiéval et gothique avec ses grosses tours rondes, Renaissance italienne par son aménagement, ses lucarnes et ses médaillons, Louis XVI avec son harmonieuse façade côté rivière. L'intérieur abrite un mobilier exceptionnel.

Les adresses de Vendôme au Lude

NOS BONNES TABLES

La Renaissance – *2 av. de la Libération - 72800 Le Lude - ☎ 02 43 94 63 10 - lelude. renaissance@wanadoo.fr - fermé vac. de fév., vac. de Toussaint, 31 juil.-7 août, dim. soir et lun. (sf hôtel) - 13,50/35 €.* Faites une halte à deux pas du château, dans ce restaurant servant une cuisine au goût du jour. Salle à manger moderne et terrasse dressée dans la cour en été.

Le Petit Bilboquet – *Ancienne route de Tours - 41100 Vendôme - ☎ 02 54 77 16 60 - fermé merc. soir, dim. soir et lun. - réserv. obligatoire le w.-end - 17/34 €.* La façade de bois de ce petit restaurant, ancien mess pour officiers, date du 19e s. Dès les beaux jours, deux terrasses vous attendent : agréable sur l'arrière du bâtiment et plus animée sur l'avant. La cuisine bien tournée et le décor jouent la simplicité.

NOTRE HÔTEL

Le Vedaquais – *Pl. de la Liberté – 72500 Vaas - ☎ 02 43 46 01 41 - 12 ch. 46/58 € - ☐ 7 € - rest. 10/30 €.* L'ancienne mairie-école du village abrite des chambres et un restaurant joliment décoré, un espace Internet et une boutique. Cuisine au goût du jour rehaussée d'épices.

4 De Tours à St-Nicolas-de-Bourgueil

▶ 25 km. Tours se trouve à 60 km au S-O de Blois par la N 152 et l'A 10. Carte Michelin Local 317, J-N 4-6. Voir l'itinéraire 4 sur le plan p. 312-313.

Tours★★

Tours conserve pas moins de trois quartiers anciens : le **vieux Tours★★★** avec sa place Plumereau et ses maisons médiévales ou Renaissance, le **quartier Saint-Julien★** au centre, et le **quartier de la cathédrale★★** plus à l'est, avec son archevêché. Dans les celliers de l'église St-Julien (12e s.) se trouve le **musée des Vins de Touraine** (outils, alambics, pressoirs et costumes). *☎ 02 47 61 07 93 - tlj sf mar 9h-12h, 14h-18h (dernière entrée 30mn avant fermeture) - fermé 1er janv., 1er Mai, 14 Juil., 1er et 11 Nov., 25 déc. - 2,80 € (-12 ans gratuit).*

Quittez Tours à l'ouest par la D 88. La route passe à proximité du **prieuré de Saint-Cosme★**, où est inhumé Ronsard. *☎ 02 47 37 32 70 - mai-août : 10h-19h ; de mi-mars à fin avr. et de déb. sept. à mi-oct. : 10h-18h ; de mi-oct. à mi-mars : tlj sf mar. 10h-12h30, 14h-17h - fermé 1er janv., 25 déc. - 4,50 € (12-18 ans 3 €).*

Continuez sur la D 88, puis à l'Aireau-des-Bergeons, prenez à gauche.

À **Savonnières**, visitez des étonnantes **grottes pétrifiantes**. À côté d'une cascade pétrifiante avec gours et draperies, vous y découvrirez un cimetière, des vestiges gallo-romains et des objets actuels en cours de pétrification. Dégustation de vins au fond des grottes. *☎ 02 47 50 00 09 - www.grottes-savonnieres.com - visite guidée (1h) avr.-sept. : 9h-18h30 ; fév.-mars et de déb. oct. à mi-déc. : 9h30-12h, 14h-17h30 ; de mi-nov. à mi-déc. : tlj sf jeu. - 5,60 € (enf. 4,10 €).*

Jardins et château de Villandry★★★

☎ 02 47 50 02 09 - www.chateauvillandry. com - visite guidée 1h15 - juil.-août : 9h-18h ; de fin mars à fin juin et sept.-oct. : 9h-18h ; de déb. mars à fin mars : 9h-17h - 5,50 € jardins (enf. 3,50 €), 8 € château et jardins (enf. 5 €).

Les **jardins★★★** de Villandry restituent somptueusement l'ordonnance architecturale adoptée à la Renaissance, sous l'influence des jardiniers italiens emmenés en France par Charles VIII.

Bâti au 16e s. autour d'un donjon primitif, le **château★★** est décoré de meubles espagnols et d'une intéressante collection de peintures. Salle au **plafond mudéjar★**.

Le potager et le château de Villandry.

Continuez sur la D 7 jusqu'à Lignières, puis traversez le pont vers Langeais.

Château de Langeais★★

☎ 02 47 96 72 60 - www.chateau-de-langeais.com - juil.-août : 9h-19h ; fév.-juin et de déb. sept. à mi-nov. : 9h30-18h30 ; de mi-nov. à fin janv. : 10h-17h ; 25 déc. : 14h-17h - 7,20 € (10-17 ans 4 €).

Imposante forteresse médiévale, Langeais a traversé les siècles sans altération. Les **appartements★★★** richement meublés nous plongent dans l'atmosphère de la vie seigneuriale au 15e s. et au début de la Renaissance.

Traversez de nouveau la Loire vers le sud et tournez tout de suite à droite dans la D 16.

Château d'Ussé★★

☎ 02 47 95 54 05 - visite guidée (45mn) juil.-août : 9h30-19h ; avr.-juin : 10h-19h ; de mi-fév. à fin mars et de déb. sept. au 11 nov. : 10h-18h (dern. entrée 1h av. fermeture) - 11 € (8-16 ans 3 €).

👥 Bâti au 15e s., il inspira Charles Perrault pour sa *Belle au bois dormant*. Le donjon abrite une très intéressante **salle de jeux★**. Le long du chemin de ronde, on retrouve la princesse Aurore, la fée Carabosse, et le Prince charmant…

Rivarennes

Le village comptait jadis une soixantaine de fours pour la fabrication de « poires tapées ». Aujourd'hui, vous découvrirez cette goûteuse spécialité dans une cave troglodytique, **La Poire Tapée à l'Ancienne**. R. de Quinçay - *☎ 02 47 95 45 19 - www. poirestapees.com - 10h-12h, 14h-19h (18h en hiver).*

Vous voilà dans l'aire d'**appellation touraine-azay-le-rideau**, un vignoble relativement petit (100 ha), mais dont l'encépagement est original : chenin pour les blancs et grolleau en assemblage pour les rosés.

Marnay : musée Maurice-Dufresne★

℘ 02 47 45 36 18 - ⌕ - avr.-sept. : 9h15-19h ; fév.-mars et oct.-nov. : 10h-18h - 10 € (6-15 ans 5 €).

≗ L'avion de Blériot de 1909, une guillotine de 1792, un traîneau russe de 1908, une pompe à incendie de 1850, une locomotive à vapeur de 1912, une voiture Morgan de 1950 et des véhicules militaires des deux guerres transformés en machines agricoles… Dans le cadre verdoyant d'un ancien moulin papetier, ce musée rassemble plus de 3 000 machines anciennes dans une sorte de bric à brac merveilleux, à la limite du surréalisme.

En sortant du musée, tournez à droite (D 120, puis D 57) pour rejoindre Azay.

Château d'Azay-le-Rideau★★★

℘ 02 47 45 42 04 - www.monum.fr - juil.-août : 9h30-19h ; avr.-juin et sept. : 9h30-18h ; oct.-mars : 10h-12h30, 14h-17h30 (dern. entrée 45mn av. fermeture) - fermé 1er janv., 1er Mai, 25 déc. - 7,50 € (-18 ans gratuit), gratuit 1er dim. du mois (nov.-mars).

Fleuron de la Renaissance, bâti au 16e s. sur une île de l'Indre, Azay abrite un décor et un mobilier d'une très grande richesse, en particulier des **tapisseries★**. Miroirs d'eau, arbres, architecture… Ici, tout participe de l'émerveillement.

Quittez Azay au sud, franchissez le pont sur l'Indre, prenez à gauche la D 17, puis à droite la D 57. La route traverse **Villaines-les-Rochers**, pittoresque village troglodytique devenu la capitale de la vannerie, puis **Crissay-sur-Manse**, village de carte postale avec ses vieilles maisons en tuffeau, à tourelles carrées (15e s.), à fenêtres à meneaux et aux jardins secrets, surmontées par les ruines imposantes du château (15e s.).

En poursuivant sur la D 21 à l'ouest, on entre dans l'**appellation chinon**. Le vignoble, qui s'étend sur plus de 2 000 ha de part et d'autre de la Vienne, devient omniprésent tout au long de la route de Panzoult, Cravant-les-Coteaux, puis Chinon.

Chinon★★

Chinon est étagé entre la Vienne et le coteau calcaire que couronne une impressionnante **forteresse médiévale★★**, que l'on peut visiter. *Travaux de restauration en cours : le château se visite partiellement.* *℘ 02 47 93 13 45 - avr.-sept. : 9h-19h ; oct.-mars : 9h30-17h - fermé 1er janv., 25 déc. - 3 € (-12 ans gratuit).*

Le dépliant « Circuit-découverte » *(disponible à l'office de tourisme)* vous guidera dans le **vieux Chinon★★**.

Les **Caves painctes**, où Rabelais raconte que Pantagruel but maint verre de vin frais, sont toujours un temple de la dive bouteille. Plusieurs fois par an *(janv., juin, sept., déc.)* ont lieu des chapitres d'intronisation

Sainte-maure-de-touraine et chinon : pour un en-cas gourmand.

sation des Bons Entonneurs rabelaisiens au cours de dîners de gala avec animation. À condition de réserver suffisamment tôt, il est tout à fait possible de participer à ces réjouissances rabelaisiennes ! *Secrétariat de la Confrérie - imp. des Caves-Painctes - 37500 Chinon - ℘ 02 47 93 30 44.*

≗ Le **musée du Vin et de la Tonnellerie** est animé par des automates grandeur nature : Rabelais et ses disciples vous initient aux travaux de la vigne, à la vinification et à la fabrication des barriques. *℘ 02 47 93 25 63 - mars-sept. : 10h-22h - 4,50 € (enf. 3,50 €).*

♀ Place maintenant à la dégustation en vous rendant aux **Caves Couly Dutheil** ou à la **Cave Montplaisir** *(voir nos bonnes caves)*.

La **Maison de la rivière** propose toutes sortes de balades en bateaux traditionnels : croisières sur le site du confluent Loire/Vienne, croisières à la carte et balades programmées thématiques. *12 quai Pasteur - ℘ 02 47 93 21 34 - www.cpie-val-de-loire. org - téléphoner pour connaître les horaires.*

♀ À 4,5 km à l'ouest de Chinon *(D 8)*, sur la droite, vous pourrez visiter le **Château de Coulaine** *(voir nos bonnes caves)*. *Tournez à droite dans la D 749.*

S. Sauvignier / MICHELIN

🍷 Un petit crochet par **Beaumont-en-Véron** vous permettra de déguster et d'acheter tout un choix de vins de Chinon au tarif de la propriété à la **Maison des vins et du tourisme** *(voir nos bonnes caves)*. Compétents et dynamiques, les animateurs vous fourniront aussi une mine d'informations sur le tourisme viticole dans la région.

De retour sur la D 8, on traverse bientôt Savigny-en-Véron, qui rejoint la D 7. L'arrivée par le pont permet d'apprécier le superbe **site**★ *de Candes-St-Martin au confluent de la Loire et de la Vienne, qui encadre la plaine du Véron.*

Candes-Saint-Martin★

Bâtie aux 12e-13e s. sur le lieu où mourut saint Martin en 397, la **collégiale**★ fut munie de défenses au 15e s. Un petit chemin *(à droite de l'église)* mène au sommet du coteau d'où l'on jouit d'un très beau panorama. La rue St-Martin en contrebas de l'église mène aux berges.

Quittez Candes par la D 7 qui franchit le pont sur la Vienne et longe ensuite la Loire. Le premier pont sur la gauche vous permet de rejoindre Bourgueil (D 749).

Les deux **appellations bourgueil** et **saint-nicolas-de-bourgueil** sont unies par le même cépage (cabernet franc) qui se distinguent surtout par les terroirs : graviers aux abords du fleuve ou tuffeau sur le coteau.

Bourgueil

Célèbre pour son vin à la robe rubis dont Rabelais vantait déjà les qualités réjouissantes, Bourgueil abrite une ancienne **abbaye vigneronne** fondée à la fin du 10e s. C'était l'une des plus riches d'Anjou : son vignoble s'étendait sur tout le coteau. Elle renferme aujourd'hui un musée des Arts et Traditions populaires. *À la sortie est de la ville, sur la route de Restigné.* 📞 02 47 97 73 35 - visite guidée (1h) juil.-août : tlj sf mar. 14h-18h ; avr.-juin et sept.-oct. : dim. et j. fériés 14h-18h - 5,30 € (enf. 3,70 €).

🍷 La **Maison des vins de Bourgueil** propose un petit choix de vins et vous fournira toutes les informations sur l'intéressant sentier pédestre du vignoble qui parcourt le coteau viticole de Benais *(à quelques kilomètres à l'est de Bourgueil)* ; vous pouvez aussi vous rendre au **domaine Yannick Amirault** *(voir nos bonnes caves)*.

🍷 En quittant Bourgueil, passez à **Chevrette**, où se trouve la **Cave touristique du pays de Bourgueil** avec son musée du Vin. 📞 02 47 58 58 40 - avr.-oct. : 9h30-12h30, 14h30-18h30 ; nov.-mars : w.-end et j. fériés 14h -18h.

Saint-Nicolas-de-Bourgueil

🍷 Au **Caveau des vignerons**, *Le Saint Nicolas Gourmand,* on goûte les vins à table – le restaurant est excellent – et on peut ensuite les acheter dans le caveau contigu, qui vend toute la production de saint-nicolas-de-bourgueil.

EN MARGE DU VIGNOBLE

Sur la piste de l'enfant Roy

👫 Plus de 50 sites d'Anjou et de Touraine (châteaux, musées, parcs animaliers, souterrains, etc.) proposent aux enfants des jeux découverte et autres animations conçus pour rendre les visites plus ludiques. Brochure *(gratuite)* auprès du comité départemental du tourisme de l'Anjou *(pl. Kennedy - BP 32147 - 49021 Angers Cedex 02 -* 📞 *02 41 23 51 51 - www.anjou-tourisme.com)* ou de celui de la Touraine *(9 r. Buffon - BP 3217 - 37032 Tours Cedex -* 📞 *02 47 31 47 48 - www.tourism-touraine.com).*

Sur les pas de Balzac… au château de Saché

7 km à l'E d'Azay-le-Rideau par la D 84. 📞 *02 47 26 86 50 - juil.-août : 9h-19h ; avr.-juin et sept. : 10h-18h ; oct.-mars : tlj sf mar. 10h-12h30, 14h-17h - fermé 1er janv., 25 déc. - 4,50 € (12-18 ans 3 €).*
Balzac, né à Tours en 1799, adorait séjourner à Saché (qui se trouvait alors à 23h de trajet de Paris !). Cette demeure des 16e et 18e s. appartenait au 19e s. à un ami de l'écrivain, M. de Margonne. Elle est entourée d'un très beau parc, imprégné d'un vrai charme romantique, inspirant les paysages du *Lys dans la vallée*. Plusieurs salles présentent des manuscrits et divers souvenirs liés aux séjours de Balzac.

Sur les pas de Rabelais… La Devinière

7 km au S-O de Chinon par la D 117. 📞 *02 47 95 91 18 - juil.-août : 10h-19h ; avr.-juin et sept. : tlj sf mar. 10h-12h30, 14h-18h ; oct.-mars : tlj sf mar. 10h-12h30, 14h-17h - fermé 1er janv., 25 déc. - 4,50 € (12-18 ans 3 €).*
C'est dans cette charmante métairie que François Rabelais, fils d'un avocat de Chinon, est né en 1494. Il faut visiter la chambre du créateur de Gargantua et voir le petit musée illustrant sa vie et son œuvre.

Les adresses de Tours à St-Nicolas-de-Bourgueil

NOS BONNES TABLES

La Crémaillère – 22 r. du Commerce - 37000 Chinon - ✆ *02 47 98 47 15 - fermé merc. - formule déj. 8 € - 12/25,50 €. Ce petit restaurant tout en longueur est pour le moins original : salle tout bois compartimentée en boxes, frisette, murs peints à motif floral… on se croirait dans un chalet savoyard ! Sympathique petite terrasse pour l'été. Cuisine traditionnelle et vins au verre.*

Bistrot de la Tranchée – 103 av. Tranchée - 37000 Tours - ✆ *02 47 41 09 08 - charles-barrier@yahoo.fr - fermé 3-24 août, dim. et lun. - 12 € déj. - 20/27 €. Lambris bordeaux, bouteilles de vin, confortables banquettes et ancien four à pizza (vestige de l'ancien restaurant) composent le décor de cet agréable bistrot où l'on sert de bons petits plats typiques du genre.*

Le Moulin Bleu – 7 r. du Moulin-Bleu - 37140 Bourgueil - ✆ *02 47 97 73 13 - www.lemoulinbleu.com - fermé 20 juin-7 juil., de mi-nov. à mi-mars, dim. soir hors sais., mar. soir et merc. - 19/50 €. Escargots de Saint-Michel au beurre de noix, sandre braisé au bourgueil ou pigeonneau rôti en croûte de noix : Michel Breton élabore une cuisine traditionnelle qui s'accorde à merveille aux vins des petits propriétaires de la région. Repas sur la terrasse panoramique ou à l'intérieur des moulins du 15ᵉ s.*

La Maison Rouge – 38 r. Voltaire - 37500 Chinon - ✆ *02 47 98 43 65 - fermé 5 sem. en hiver - 14,50/25 €. Dans le quartier médiéval, cette maison à colombages abrite un restaurant, où vous pourrez déguster de copieuses assiettes rabelaisiennes (assortiment de spécialités régionales), et un bar à vins proposant 16 variétés de vin au verre à accompagner d'une sélection de fromages AOC.*

La Mère Hamard – Pl. de l'Église - 37360 Semblançay - ✆ *02 47 56 62 04 - reservation@lamerehamard.com - fermé 15 fév.-15 mars, mar. midi du 15 juin au 30 sept., dim. soir et lun. - 19/50 €. Monique et Patrick Pégué vous réserveront un accueil attentionné avant de vous proposer leur délicieuse cuisine classique aux accents régionaux (pigeonneau du pays de Racan au poivre de Séchuan, poêlée de grosses langoustines au velouté d'artichaut, etc.), qu'ils accompagnent d'une belle carte des vins du Val de Loire.*

Cap Sud – 88 r. Colbert - 37000 Tours - ✆ *02 47 05 24 81 - fermé 12 août-7 sept., 24 déc.-8 janv. et w.-end - 16 € déj. - 24/29 €. Dans un décor simple et chaleureux à dominante jaune et rouge, vous dépayserez vos papilles en goûtant une cuisine aussi ensoleillée que raffinée. Sauté d'épaule d'agneau au citron, pavé de saumon à la mousse de lavande, cuisse* de lapin laquée au miel-romarin-lavande : on énoncerait presque les plats « avé l'assent » !

Le Vieux Comptoir – 10 r. de la Rôtisserie - 37000 Tours - ✆ *02 47 64 11 29 - fermé janv., dim., lun. sf en été et j. fériés - réserv. conseillée - 15/25 €. Sympathique petit bistrot familial niché dans une rue du vieux Tours. Salle à manger intime, ornée de belles toiles contemporaines et agrémentée d'un joli comptoir en bois. Cuisine traditionnelle et carte des vins faisant honneur au Val de Loire.*

NOS HÔTELS ET CHAMBRES D'HÔTE

Chambre d'hôte La Meulière – 10 r. de la Gare - 37130 Cinq-Mars-la-Pile - 19 km au NO de Tours par N 152 - ✆ *02 47 96 53 63 - lameuliere.free.fr - ⌷ - 3 ch. 44/52 € ⌷. Cette belle demeure du 19ᵉ s. a l'avantage d'être située tout près de la gare sans en subir les désagréments. Ses chambres, colorées, bien insonorisées et garnies de meubles de style, sont desservies par un bel escalier. Les petits-déjeuners ont pour cadre une plaisante salle à manger bourgeoise. Agréable jardin.*

Chambre d'hôte La Milaudière – 5 r. St-Martin - 37500 Ligré - 8 km au SE de Chinon dir. L'Île-Bouchard par D 749 puis D 29 - ✆ *02 47 98 37 53 - www.milaudiere.com - ⌷ - 7 ch. 45/60 € ⌷. L'accueil charmant, les chambres décorées avec goût et l'agréable salon agrémenté d'un vieux four à pain font de cette ferme du 18ᵉ s. en pierre blanche une étape de choix dans la contrée de Chinon. Cuisine à disposition des hôtes.*

Hôtel de Biencourt – 7 r. Balzac - 37190 Azay-le-Rideau - ✆ *02 47 45 20 75 - www.hotelbiencourt.com - fermé 26 juin-28 fév. et 14 nov.-29 janv - 15 ch. 47/53 € - ⌷ 7 €. Maison du 18ᵉ s. proche du château. Chambres égayées de tons pastel et garnies de meubles rustiques ou de style Directoire. Petit-déjeuner servi sous une véranda.*

Chambre d'hôte La Butte de l'Épine – 37340 Continvoir - 2 km à l'E de Gizeux par D 15 - ✆ *02 47 96 62 25 - www.labutte-de-lepine.com - fermé de mi-déc. à déb. mars - ⌷ - 3 ch. 65 € ⌷. Charmante demeure d'inspiration 16ᵉ et 17ᵉ s., reconstituée à partir de matériaux anciens. Salle des petits-déjeuners et salon sont aménagés dans une pièce agrémentée de meubles de diverses époques et d'une grande cheminée. Les chambres, impeccables, ressemblent à des bonbonnières. Parc très fleuri.*

Chambre d'hôte La Pilletrie – 8 rte de Chinon, D 16 - 37420 Huismes - 6 km au N de Chinon - ✆ *02 47 95 58 07 - www.lapilletrie.com - ⌷ - 4 ch. 60/70 € ⌷.*

Cette propriété située en pleine campagne est un bonheur pour qui recherche le calme absolu. Chambres de style rustique, très agréables à vivre. Le domaine est aussi celui des moutons, oies et autres animaux de la ferme réunis dans un enclos pour la grande joie des enfants.

NOS BONNES CAVES

CAVISTE

Les Belles Caves – *15 pl. des Halles - 37000 Tours - ☞ 02 47 38 73 18 - tlj sf dim. et lun. 9h-12h30, 15h-19h - fermé j. fériés.* Cette belle cave offre une intéressante sélection de vins de Loire. Vous serez accueilli avec chaleur et découvrirez les nombreux trésors rigoureusement sélectionnés par le maître des lieux. Le coin « vins en vrac », où l'on trouve des crus de Bourgueil, de Chinon, d'Anjou, etc. a de nombreux adeptes. Whiskies, spiritueux et champagnes figurent également en bonne place parmi les 1 000 références de la boutique.

MAISONS DES VINS

La Maison des vins et du tourisme – *14 r. du 8-Mai-1945 - 37420 Beaumont-en-Véron - ☞ 02 47 58 86 17 - tlj sf dim. 9h30-12h30, 14h30-18h30 - fermé 1er janv. et 25 déc. et j. fériés.*

Maison des vins de Bourgueil Jean Carmet – *18 pl. de l'Église - 37140 Bourgueil - ☞ 02 47 97 92 20 - mdv.bourgueil@wanadoo.fr - de mi-mai à mi-sept. : tlj sf dim. et lun. 10h-12h30, 15h-19h ; de mi-sept. à mi-mai : vend. 14h-18h, sam. 10h-12h, 14h-18h - fermé sem. de Noël.*

REGROUPEMENT DE VIGNERONS

La Cave Montplaisir – *Quai Pasteur - 37500 Chinon - ☞ 02 47 93 20 75 - 15 mars-15 juin et 15 sept.-15 nov. : tlj sf le merc. 10h30-12h30, 14h30-18h, 15 juin-15 sept. : tlj 10h-19h30.* Cette immense cave (2 500 m²) appartient à 3 viticulteurs de la région. La visite de son dédale de galeries creusées dans le tuffeau et abritant bouteilles, barriques et foudres vous incitera sûrement à vous attarder au comptoir de dégustation pour découvrir les vins de Chinon, blanc, rouge ou rosé.

DOMAINES

Caves Couly Dutheil – *12 r. Diderot - 37500 Chinon - ☞ 02 47 97 20 20 - www.coulydutheil-chinon.com - tlj sf w.-end 9h-13h, 14h-17h30 - fermé j. fériés.* Maison familiale depuis 1921, ce vignoble prestigieux qui produit des vins légers et fruités vient de fêter ses 85 ans. Passez un petit moment dans leur salle de dégustation ! ☙ bourgueil, chinon.

S. Sauvignier / MICHELIN

Château de Coulaine – *2 r. de Coulaine - 37420 Beaumont-en-Véron - ☞ 02 47 98 44 51 - chateaudecoulaine@club-internet.fr - visite sur RV.* Patrimoine familial depuis plusieurs siècles, le château compte 20 ha. Le vignoble est conduit en culture biologique depuis 1997. Les vignes encépagées de cabernet franc et de chenin s'enracinent dans des sols argilo-siliceux, argilo-calcaires et sableux. Les vendanges sont manuelles, puis la vinification a lieu en barriques avec macération longue et fermentation malolactique tardive. Certaines cuvées vieillissent en fûts de chêne. ☙ bourgueil, chinon, touraine.

Domaine Yannick Amirault – *5 pavillon du Grand-Clos - 37140 Bourgueil - ☞ 02 47 97 78 07 - lun.-sam. 8h-12h, 14h-18h - sur RV uniquement.* Le vignoble de 19 ha s'étend sur des sols argilo-siliceux et de graviers. Les vignes plantées de cabernet franc sont exposées au sud et bénéficient d'un bon ensoleillement. Les raisins sont vinifiés en cuves thermorégulées. ☙ bourgueil, saint-nicolas-de-bourgueil.

Anjou-Saumur

CARTE MICHELIN LOCAL 317 – MAINE-ET-LOIRE (49)

Au pays de la « douceur angevine », célébrée par Du Bellay, les vignes s'étendent de part et d'autre de la Loire, au sud jusqu'à la vallée du Layon et ses coteaux qui produisent d'excellents vins, au nord au pied des collines sablonneuses qui donnent, notamment, en aval d'Angers le fameux savennières.

⑤ De Saumur à Beaulieu-sur-Layon (1re étape)

▶ 85 km. Saumur se trouve à 48 km au S-E d'Angers par la D 952 et la N 147. Carte Michelin Local 317, D-J 4-5. Voir l'itinéraire ⑤ sur le plan p. 312-313.

LE TERROIR

Superficie : 1 100 ha.

Production : 103 000 hl.

Le Saumurois, ou « Anjou blanc », se caractérise par la craie tuffeau, tandis que l'ouest de l'Anjou, ou « Anjou noir », repose sur des terrains schisteux du Massif armoricain comme d'ailleurs l'ensemble du pays nantais.

LES VINS

Avec une trentaine d'AOC, le vignoble d'Anjou et de Saumur offre une extraordinaire palette de saveurs. Les deux principaux cépages sont le chenin blanc pour les vins blancs et le cabernet franc pour les vins rouges et rosés. Parmi les AOC figurent les **saumur** et **anjou** (rouges, blancs et vins de fines bulles), **saumur-champigny** (rouges), **coteaux-de-l'aubance** (blancs tendres), **coteaux-du-layon** (blancs liquoreux), **bonnezeaux**, **quarts-de-chaume** et **chaume** (blancs liquoreux), ainsi que les **savennières** (blancs demi-secs ou secs dont la célèbre coulée-de-serrant).

BON À SAVOIR

👁 **Bureau interprofessionnel des vins d'Anjou et de Saumur** – 📞 *02 41 87 62 57 - www.interloire.com*

Saumur★★

Perché sur son coteau de tuffeau, le château de Saumur semble échappé des miniatures des *Très Riches Heures du duc de Berry*. Renommée pour ses fameux vins effervescents, la ville est aussi la capitale du cheval.

Dans le **vieux Saumur★**, entre le château et le pont, les ruelles tortueuses ont gardé leur tracé médiéval. Le **château★★**, pratiquement inchangé depuis sa reconstruction (fin 14e s.), cache derrière son allure de forteresse un logis de plaisance richement orné. Il abrite le **musée d'Arts décoratifs★★** et le **musée du Cheval★**. *Suite à l'effondrement du rempart nord-ouest en 2001, les musées sont fermés à la visite. Avr.-sept. : tlj sf mar. 10h-13h, 14h-17h30 - 2 € (-11 ans gratuit).*

🍷 Modèle du genre, la **Maison du vin de Saumur** est une mine d'informations sur le vin et le tourisme viticole *(voir nos bonnes caves)*.

Ne quittez pas la ville sans visiter l'une des nombreuses caves où s'élaborent lentement les vins de fines bulles. 🍷 Les plus curieuses sont sans doute les **Caves Louis de Grenelle**, véritable ville sous la ville. Visite guidée suivie d'une dégustation commentée. Espace ludique de découverte de la vigne et du vin. Vins de fines bulles et sélection de vins de Loire. *20 r. Marceau - 49400 Saumur -* 📞 *02 41 50 17 63 - www.louisdegrenelle. fr - sais. : tlj 9h30-18h30 ; hors sais. : tlj sf w.-end 9h30-12h, 13h30-18h - fermé j. fériés.*

Saint-Hilaire-Saint-Florent

🍷 Les **Caves Bouvet-Ladubay** comptent parmi les plus intéressantes avec leur caves creusées dans la falaise. École de dégustation ouverte aux amateurs. Exceptionnelle collection d'étiquettes. Galerie d'art contemporain. 📞 *02 41 83 83 83 - www.bouvet-ladubay.fr -* ♿ *- visite guidée (1h) juin-sept. : 8h30-19h, dim. 9h30-19h ; oct.-mai : 8h30-12h30, 14h-18h, sam. 9h-12h30, 14h-18h, dim. et j. fériés 9h30-12h30, 14h30-18h - fermé 1er janv., 25 déc. - 1 €.*

Revenez au rond-point en face du château de Saumur et longez la Loire par la D 942.

Souzay-Champigny

Levez les yeux pour pour admirer le **château** de Marguerite d'Anjou relié par une tourelle à un logis troglodytique du 13e-14e s. La commune est également célèbre pour son Clos Cristal (aujourd'hui propriété des Hospices de Saumur) dont la vigne palissée traverse un mur afin d'avoir le pied au nord et la tête au sud. 🍷 Vous pourrez faire une halte au **Château de Villeneuve** *(voir nos bonnes caves)*.

Parnay

La délicieuse petite **église romane** perchée sur le coteau au milieu des vignes offre l'occasion d'une jolie balade à pied. En face du village, une réserve ornithologique est établie sur un banc de sable au milieu de la Loire.

Turquant

On entre dans l'aire d'**appellation saumur-champigny**, qui couvre 1 400 ha, répartis sur 9 communes. Mais pour voir les vignes, il faut monter sur le coteau. 🐾 Les **sentiers de randonnée** GR 3 et GR 36 passent à travers les vignobles.

Arrêtez-vous à **La Grande Vignolle (domaine Filliatreaux)**, un rare exemple de logis seigneurial troglodytique avec sa fuye (colombier) et sa chapelle du 16ᵉ s. ✆ 02 41 38 16 44 ou 02 41 52 90 84 - www.filliatreau.fr - avr.-sept. : 10h-18h ; oct. : jeu. et vend. 14h-18h, w.-end 10h-18h - 4 € (enf. 2 €).

Tout à côté, au Val-Hulin, le **Troglo des pommes tapées** mérite doublement la visite : pour sa cave superbement décorée dans une ambiance 19ᵉ s., et pour ses pommes tapées, savoureuse spécialité locale qui connut un formidable essor dans les années 1880, lorsque la crise du phylloxéra obligea les vignerons à se reconvertir. ✆ 02 41 51 48 30 - tél. pour connaître les horaires.

Le long de la D 947, le coteau est bordé d'habitations troglodytiques, de blanches maisons Renaissance, de caves et d'anciennes carrières, souvent converties en champignonnières. Celle du **Saut-aux-Loups**, sur la rive droite de la Loire (franchir la Loire après Turquant et prendre à droite la N 152), permet de découvrir les différents stades de culture du champignon, mais aussi de déguster (en saison) les délicieuses « galipettes », de grands champignons cuits dans des fours à pain. ✆ 02 41 51 70 30 - www.troglo-sautauxloups.com - ♿ - visite guidée (1h15) juil.-août : 10h-18h30 ; mars-juin et de déb. sept. à mi-nov. : 10h-12h, 14h15-18h - 5,50 € (6-14 ans 4 €).

Montsoreau

Au bord de la Loire, Montsoreau doit surtout sa notoriété au **château** (15ᵉ s.), mi-forteresse mi-château d'agrément, qui se mire dans la Loire. Parcours audiovisuel, « **Les imaginaires de Loire★** ». ✆ 02 41 67 12 60 - www.chateau-montsoreau.com - mai-sept. : 10h-19h ; de déb. oct. à mi-nov. et déb. fév. à fin avr. : 14h-18h - dernière entrée 45mn av. fermeture - 8,10 € (5-14 ans 5 €).

Prenez au sud la direction de Fontevraud (D 947).

Abbaye de Fontevraud★★

✆ 02 41 51 71 41 - www.abbaye-fontevraud.com - juin-sept. : 9h-18h30 ; avr.-mai, oct. : 10h-18h ; nov.-mars 10h-17h30 - fermé 1ᵉʳ janv., 1ᵉʳ Mai, 1ᵉʳ et 11 Nov., 25 déc. - 6,50 € à 7,90 € en sais. (-18 ans gratuit).

Lieu de sépulture des Plantagenêts, cette abbaye royale reste l'un des plus importants ensembles monastiques de France. Convertie en prison de 1904 à 1963 (l'écrivain Jean Genêt y fut prisonnier), elle conserve, malgré ses mutilations, quelques purs joyaux de l'architecture angevine, avec son abbatiale aux voûtes aériennes, ses **gisants polychromes★** et son impressionnante **cuisine★★**.

Dans le village, l'**église St-Michel★** (12ᵉ-15ᵉ s.) abrite un ensemble exceptionnel d'**œuvres d'art★**.

Prenez, à la sortie sud de Fontevraud, la D 945 qui traverse la forêt de Fontevraud et mène à Champigny. Au-delà de Champigny, tournez à gauche vers Chaintre et Varrains.

Varrains, l'une des plus petites communes de l'**appellation saumur-champigny**, mais celle qui compte le plus grand nombre de viticulteurs. ♟ Parmi ceux-ci, rendez visite au **domaine des Roches Neuves** (voir nos bonnes caves).

Au sud à Saumoussay, prenez la première à gauche, vers Saint-Cyr-en-Bourg.

♟ La route passe devant la **Cave des vignerons de Saumur** qui recèle plus de 10 km de galeries souterraines. Vous y découvrirez l'histoire du vignoble, les secrets de la vinification et une gamme complète de vins de saumur : saumur brut, crémant-de-loire, saumur-champigny, cabernet-de-saumur, etc. R. de Saumoussay - 49260 St-Cyr-en-Bourg - ✆ 02 41 53 06 18 - visite guidée (1h) mai-sept. : 9h30-12h30, 14h-18h30 ; oct.-avr. : tlj sf dim. et j. fériés : 9h30-12h30, 14h-18h - 2,50 €.

Château de Brézé★★

✆ 02 41 51 60 15 - www.chateaudebreze.com - visite libre des souterrains, visite guidée du château (1h) : avr.-sept. : 10h-18h30 ; oct.-déc. et fév.-mars : tlj sf lun. 14h-18h, w.-end 10h-18h - fermé 1ᵉʳ nov., 24-25 déc. - 8,15 € souterrains, 14 € château et souterrains (6-14 ans 3,75 € souterrains, 6,15 € château et souterrains).

Cet élégant château Renaissance remanié au 19ᵉ s., élégamment meublé et entouré d'un océan de vignes cache un secret : un fabuleux **ensemble troglodytique★★** ! Plus d'un kilomètre de parcours souterrain recèle des caves à vin, un pressoir destiné aux fameux vins blancs de Brézé, des celliers dont trois sont aujourd'hui transformés en **cathédrales d'images★**, un **fournil★**… et la plus importante forteresse souterraine connue à ce jour !

Quittez Brézé en direction de Montreuil-Bellay, tournez à droite (D 178) vers St-Just-en-Dive, puis à gauche (D 162). Le Coudray-Macouard est un des plus pittoresques villages d'Anjou avec ses ruelles médiévales bordées de maisons des 15e-18e s., son château, son église et ses nombreuses caves.

Prenez au sud la petite route qui longe le Thouet.

Montreuil-Bellay★

Berges verdoyantes baignées par le Thouet, vieilles ruelles, maisons anciennes et jardins, enceinte et portes fortifiées : Montreuil-Bellay possède un vrai cachet médiéval. Belle demeure du 15e s., son **château★★** a conservé une cuisine médiévale. *☎ 02 41 52 33 06 - www.chateau-de-montreuil-bellay.fr - visite guidée (1h) juil.-août : 10h-18h30 ; avr.-juin et sept.-oct. : tlj sf mar. 10h-12h, 14h-18h - 7,50 € (6-14 ans 4 €).*

Quittez Montreuil-Bellay par le pont qui traverse le Thouet (direction Doué-la-Fontaine) et tournez à gauche dans la D 88 vers Sanziers, puis à droite dans la D 178.

Le Puy-Notre-Dame

Construite au 13e s., la **collégiale★** attirait au Moyen Âge des foules de pèlerins qui venaient y vénérer la ceinture de la Vierge, rapportée de Jérusalem au 12e s. Au cœur du village, le **musée de la Soie vivante** vous initiera aux mystères du ver à soie. *☎ 02 41 38 28 25 - www.relais-du-bien-etre.com - ♿ - visite guidée (1h15) de déb. mai au 11 nov. : 10h-12h, 14h-18h, dim. et lun. 14h-18h ; reste de l'année sur simple appel - 4,50 € (enf. 3 €).*

À l'ouest du Puy, la D 178 est bordée de vignobles à perte de vue. Elle traverse le joli petit village d'Argentay, puis pénètre dans l'**AOC coteaux-du-layon** à la hauteur des Verchers-sur-Layon. Vin blanc moelleux ou liquoreux, fin et délicat, le coteaux-du-layon est produit par le cépage chenin blanc (ou pineau-de-la-loire), vendangé tard en septembre, lorsque le grain commence à se couvrir de pourriture noble. L'appellation s'étend sur 1 350 ha et 27 communes qui bordent le Layon, petit affluent de la Loire. On y distingue six communes dont les sols particulièrement bien exposés peuvent accoler leur nom à celui de l'AOC en guise de label de qualité : Rochefort-sur-Loire, St-Aubin-de-Luigné, St-Lambert-du-Lattay, Beaulieu-sur-Layon, Faye-d'Anjou et Rablay-sur-Layon. Sur la commune de Rochefort, certains vins très spécifiques de la butte de Chaume ont droit à l'**appellation chaume**.

De Concourson, la route grimpe le coteau escarpé couvert de ceps jusqu'à St-Georges-sur-Layon, ancienne ville minière. *Prenez à gauche la D 84 jusqu'à Tigné, puis allez au nord par la D 167.*

Martigné-Briand

Ravagé par les guerres de Vendée, le **château** conserve néanmoins de majestueux vestiges de sa splendeur flamboyante du 16e s. Il est ouvert à la visite toute l'année, mais il faut le voir revivre chaque premier dimanche d'octobre quand il accueille les Vendanges de la Belle Époque.

Prenez à gauche la D 125. **Thouarcé** est au cœur de l'**AOC bonnezeaux** (120 ha). Ce « nectar divin », mêlant des arômes de fruits confits à des notes minérales et de miel, est produit seulement sur trois petits coteaux abrupts orientés plein sud. Récoltées par tries successives pour mieux tirer parti de la pourriture noble, la vendange donne des

Pressoir et vignoble des coteaux du Layon.

vins moelleux qui en vieillissant allient intensité, complexité, fraîcheur et élégance. À **Rablay-sur-Layon**, remarquez la maison de la Dîme (15ᵉ s.), dans la Grand-Rue, et un bâtiment du 17ᵉ s. qui accueille des échoppes d'artistes.

Les adresses de Saumur à Beaulieu-sur-Layon

NOS BONNES TABLES

L'Abbaye Le Délice – 8 av. des Roches - 49590 Fontevraud-l'Abbaye - ℘ 02 41 51 71 04 - fermé 4 fév.-10 mars, 2-10 juil., 25 oct.-2 nov., mar. soir et merc. - 13/27 €. Le décor de ce restaurant bordant la rue principale de Fontevraud semble n'avoir plus bougé depuis des décennies : l'entrée se fait par un pittoresque café et la salle à manger possède un charme suranné. En cuisine, les produits du terroir sont à l'honneur.

Auberge Saint-Pierre – 6 pl. St-Pierre - 49400 Saumur - ℘ 02 41 51 26 25 - auberge. st.pierre@wanadoo.fr - fermé dim. et lun. - 13,50 € déj. - 14,50/25 €. Au pied de l'église St-Pierre, maison du 15ᵉ s. dotée d'une jolie façade mariant colombages et briques rouges. Vous pourrez y faire une petite pause gourmande dans un cadre de style bistrot. La cuisine, traditionnelle, a l'élégance d'être proposée à des prix sages.

Auberge Bienvenue – 104 rte de Cholet (face au zoo) - 49700 Doué-la-Fontaine - ℘ 02 41 59 22 44 - auberge. bienvenue@wanadoo.fr - 20/50 €. Cette sympathique auberge fleurie située à proximité du zoo propose un programme des plus alléchants : salles à manger confortables et chaleureuses, terrasse ombragée et fleurie, cuisine traditionnelle soignée (confit de langue, joue et queue de bœuf, râble de lapin rôti), belle carte des vins et chambres spacieuses.

Le Pyrène – 42 r. du Mar.-Leclerc - 49400 Saumur - ℘ 02 41 51 31 45 - fermé vac. de fév., 10-28 juil., sam. midi, dim. soir et lun. - 14,50/38 €. Sous le patronage de Pyrène, on ne pouvait déguster ici qu'une cuisine inspirée des pays d'oc et de Catalogne… La salle à manger, récemment rénovée, arbore un cadre résolument contemporain rehaussé d'expositions de tableaux et de céramiques.

NOS HÔTELS ET CHAMBRES D'HÔTE

Chambre d'hôte Domaine de Mestré – 49590 Fontevraud-l'Abbaye - 1 km au N de Fontevraud par D 947 dir. Montsoreau - ℘ 02 41 51 72 32 - www. fontevraud.com - fermé 20 déc.-1ᵉʳ avr. - 12 ch. 70 € - 8 € - repas 24 €. Comme les pèlerins de Compostelle, faites de ce domaine l'étape privilégiée de votre séjour dans la vallée des rois. Dormez tranquille et dégustez les produits de cette ancienne ferme de l'abbaye royale au décor raffiné. Très joli parc planté de cèdres et de tilleuls séculaires.

Hôtel Le Bussy – 4 r. Jeanne-d'Arc - 49730 Montsoreau - ℘ 02 41 38 11 11 - www.hotel-lebussy.fr - fermé janv. et merc. sf de mai à fin oct. - 12 ch. 50/65 € - 8,50 €. L'enseigne de cette maison du 18ᵉ s. évoque le souvenir de Bussy d'Amboise, amant de la Dame de Monsoreau. Les croisées de la plupart des chambres, garnies de meubles Louis-Philippe, ouvrent sur le château et la Loire. Petit-déjeuner dans une salle troglodytique ou dans le jardin fleuri. Accueil très aimable.

NOS BONNES CAVES

CAVISTE

Aux Saveurs de la Tonnelle – 4 r. de la Tonnelle - 49400 Saumur - ℘ 02 41 52 86 62 - auxsaveursdelatonnelle@cegetel. net - tlj sf dim. et lun. (sf en été) 9h30-13h, 14h30-19h30 - fermé 2 sem. en fév. La boutique met l'accent sur la sélection rigoureuse des meilleurs crus du Val de Loire : chinon, menetou-salon, sancerre, saumur-champigny, rosé d'Anjou, vouvray, coteaux-du-layon… Elle ne néglige pas pour autant les trésors issus d'autres vignobles français, comme ce pomerol de 1988 ou ce haut-médoc de 1995.

MAISON DES VINS

Maison du vin de Saumur – Quai Lucien-Gautier - 49400 Saumur - ℘ 02 41 38 45 83 - mdesvins-saumur@vinsvaldeloire.fr - avr.-sept. : 9h30-13h, 14h-19h, dim. 9h30-13h, lun. 14h-19h ; oct.-mars : tlj sf dim. et lun. 10h30-12h30, 15h-18h - fermé de mi-janv. à mi-fév., 1ᵉʳ Mai, 8 Mai et 1ᵉʳ nov.

DOMAINES

Château de Villeneuve – 3 r. Jean-Brevet - 49400 Souzay-Champigny - ℘ 02 41 51 14 04 - lun.-sam. 9h-12h, 14h-18h. Le domaine appartient à la famille Chevallier depuis 1969. Les 32 ha de vignes, âgées en moyenne de 30 à 35 ans, sont encépagés de cabernet franc et de chenin s'enracinant dans un sol argilo-calcaire du turonien. La récolte est manuelle avec tris rigoureux. L'élevage se fait en cuves de bois, en barriques de 500 l et en fûts. ♟ saumur, saumur-champigny.

Domaine des Roches Neuves – 56 bd St-Vincent - 49400 Varrains - ℘ 02 41 52 94 02 - thierry-germain@wanadoo.fr - 8h-12h, 14h-18h - sur RV. Propriété viticole depuis 1850, le domaine s'étend sur 22 ha plantés de cabernet franc et de chenin. Dans la nouvelle cuverie, le tri est minutieux avant l'égrappage et le passage en cuves de bois. Les raisins sont vinifiés séparément. ♟ saumur-champigny.

⑤ De Beaulieu-sur-Layon à Montjean-sur-Loire (2ᵉ étape)

▶ 34 km. Beaulieu-sur-Layon se trouve à 21 km au S d'Angers par la N 160 et la D 54. Carte Michelin Local 317, D-J 4-5. Voir l'itinéraire ⑤ sur le plan p. 312-313.

Beaulieu-sur-Layon

Cette autre petite cité vigneronne, qui domine les coteaux du Layon (table d'orientation), conserve quelques maisons à la Mansart et des fresques du 13ᵉ s. dans son église. ☞ Une ancienne ligne de chemin de fer aménagée en sentier de randonnée pédestre longe le Layon sur 25 km.

🍷 Le **Château Pierre-Bise** fait un excellent chaume premier cru et offre un panorama exceptionnel *(voir nos bonnes caves)*.

La grande route descend dans une vallée aux parois creusées de caves et de carrières. Au lieu-dit **Pont-Barré**, joli coup d'œil sur le cours resserré du Layon et sur un pont médiéval ruiné, témoin, en 1793, d'un violent combat entre les Blancs et les Bleus.

Saint-Lambert-du-Lattay

👥 Installé dans les celliers de la Coudraye, le **musée de la Vigne et du Vin d'Anjou** évoque l'univers du vigneron angevin. Outils de vignerons et de tonneliers, illustrations, collection de pressoirs. Dans la salle intitulée « l'Imaginaire du vin », c'est à vous d'exercer votre nez, vos yeux et vos papilles… Un jeu d'observation et de découverte baptisé « Les Clefs du musée » a été spécialement conçu pour les enfants (7-14 ans). ☎ 02 41 78 42 75 - www.mvanjou.com - ♿ - juil. août : 11h-13h, 15h-19h ; avr.-juin et de déb. sept. au 11 nov. : w.-end et j. fériés 14h30-18h30 - 5 € (enf. 3,30 €).

🍷 En sortant, vous pourrez aller mettre vos connaissances en pratique au **domaine Ogereau** *(voir nos bonnes caves)*.

La route de St-Aubin-de-Luigné, sinueuse et accidentée, borde les vignobles de la butte de Chaume où sont produits, sur quelques rares parcelles, les fameux **quarts-de-chaume**.

Peu avant St-Aubin, tournez à gauche dans la D 106, puis bientôt à droite.

Château de la Haute-Guerche

☎ 02 41 78 41 48 - juil.-août : 9h-12h, 14h-18h - gratuit.
Bâtie sous Charles VII, cette forteresse, ruinée par les guerres de Vendée, abritait autrefois les seigneurs à qui appartenait les terres de Chaume. Ils les louaient contre paiement en nature du meilleur quart de la récolte du vignoble, d'où l'appellation quarts-de-chaume.

Revenez à St-Aubin et prenez la D 125 jusqu'à Chaudefonds-sur-Layon. 🍷 Une belle halte est à faire au **domaine Patrick Baudouin** pour y déguster ses grands vins liquoreux « au naturel », ainsi que ses vins blancs secs *(voir nos bonnes caves)*.

Suivez la D 121, traversez Ardenay et prenez à droite la D 751 menant à la Haie-Longue. On rejoint la **corniche angevine★** *(D 751)*, qui offre des vues plongeantes sur toute la largeur du Val. à la hauteur de **la Haie-Longue**, **vue★** remarquable sur la Loire et ses « boires », nappes paresseusement étalées sous une lumière argentée. À la sortie du bourg, chapelle dédiée à N.-D.-de-Lorette et monument à René Gasnier, pionnier de l'aviation. Plus loin, **Rochefort-sur-Loire** conserve quelques maisons anciennes, mais sa renommée tient surtout aux coteaux qui le surplombent, dont certains privilégiés bénéficent des appellations quarts-de-chaume et chaume premier cru coteaux-du-layon. 🍷 À 150 m de l'église, le **domaine des Baumard** propose quarts-de-chaume, savennières et autres vins *(voir nos bonnes caves)*.

Traversez la Loire par la D 106.

Béhuard★

La charmante île de Béhuard s'est constituée autour d'un rocher où campe la petite **église Notre-Dame**. Érigée au 15ᵉ s. par Louis XI, cette église devint un but de pèlerinage populaire à la Vierge, protectrice des voyageurs. Promenez-vous aussi dans le vieux village aux maisons des 15ᵉ et 16ᵉ s., et le long du calvaire.

Savennières

L'**église** du village présente un joli chevet roman aux modillons sculptés, et un portail sud de la même époque. Remarquez le décor de briques en « arête de poisson » qui orne le mur en schiste (10ᵉ s.) de la nef.
Les terroirs de l'**AOC savennières** sont perchés sur les coteaux abrupts qui surplombent la Loire, aux sols composés de schistes, de filons volcaniques et de sables,

admirablement exposés. Ils donnent des grands vins blancs essentiellement vinifiés en secs, amples et gras avec une finale tonique et des arômes intenses et complexes. Le savennières possède deux crus de réputation mondiale : la coulée-de-serrant et la roche-aux-moines.

Cultivée en biodynamie depuis 1980, la fameuse coulée-de-serrant s'étend sur 7 ha de coteau abrupt surplombant la Loire. ♟ Le **domaine Vignobles de la Coulée de Serrant** abrite un ancien monastère, les ruines de l'ancien château fort et une allée de cyprès celtiques *(voir nos bonnes caves)*.

♟ Au cœur même de Savennières, le **domaine du Closel** vous invite à une dégustation-vente de ses savennières et anjous. Après quoi, on vous propose de visiter le parc à l'anglaise (aire de pique-nique) et les vignes à l'aide d'un plan assorti d'explications sur le terroir, le paysage, le travail de la vigne, etc. *1 pl. du Mail - 49170 Savennières - ℘ 02 41 72 81 00 - visite sur RV 9h-12h30, 13h30-19h - 6 €.*

La route qui longe la Loire en direction d'**Epiré** grimpe à travers les vignes en dominant le vallon profond d'un petit affluent de la Loire. ♟ L'un des plus anciens vignobles de l'appellation savennières, le **Château de Chamboureau** est une belle demeure du 15ᵉ s. *(voir nos bonnes caves)*.

Après la Pointe, la route retrouve la rive du Maine pour rejoindre Angers.

Le château d'Angers et ses jardins.

Angers★★

Sa colossale forteresse médiévale rappelle qu'Angers fut la capitale d'un royaume qui comprit l'Angleterre et la Sicile. Construit par Saint Louis de 1228 à 1238, ce **château★★★** a échappé de peu à la destruction pendant les guerres de Religion : ses 17 tours ont seulement été découronnées. Son joyau, la **Tenture de l'Apocalypse★★★** (14ᵉ s.), longue à l'origine de 133 m et haute de 6 m, illustre de façon colorée et grandiose le texte de l'Apocalypse de saint Jean. Le logis royal abrite une superbe collection de tapisseries des 15ᵉ et 16ᵉ s., dont la **Tenture de la Passion et tapisseries mille-fleurs★★**. *℘ 02 41 87 43 47 - www.monum.fr - mai-août : 9h30-18h30 ; sept.-avr. : 10h-17h30 - fermé 1ᵉʳ janv., 1ᵉʳ Mai, 1ᵉʳ et 11 Nov., 25 déc. - 7 € (-18 ans gratuit).*

Pour en finir avec les tapisseries, ne manquez pas la visite du **musée Jean-Lurçat et de la Tapisserie contemporaine★★**. Il occupe l'**hôpital St-Jean★**, fondé en 1174, et abrite la série de tapisseries de Jean Lurçat (1892-1966) intitulée le *Chant du monde★★*. *℘ 02 41 24 18 45 - & - juin-sept. : 10h-19h ; oct.-mai : tlj sf lun. 10h-12h, 14h-18h - fermé 1ᵉʳ janv., 1ᵉʳ Mai, 1ᵉʳ et 11 Nov., 25 déc. - 4 € (-18 ans gratuit).*

Cathédrale Saint-Maurice★ (12ᵉ-13ᵉ s., 16ᵉ s.), maisons à pans de bois du 16ᵉ s. dont la **maison d'Adam★**, église Saint-Serge (chœur du 13ᵉ s.), **galerie David-d'Angers★**, **hôtel Pincé★**... la promenade dans le **vieil Angers★** est si riche que vous aurez peut-être envie de couper la journée par une pause dans l'un des nombreux jardins de cette ville réputée pour ses fleurs et ses espaces verts : jardin des Plantes, jardin du Mail, Arboretum...

🍷 Et pour ne pas perdre la main en matière de vins, n'oubliez pas d'aller à la **Maison du vin de l'Anjou** *(voir nos bonnes caves)*. 🍷 à l'**Académie des vins du Val de Loire**, des cycles de formation, stages intensifs, rendez-vous, animations, dégustations et formations à la carte sont dispensés. *Hôtel des Vins La Godeline - 73 r. Plantagenêt - 49023 Angers Cedex 02 - ℘ 02 41 87 62 57 - www.interloire.com.*

Quittez Angers à l'ouest par la N 23.

Château de Serrant★★★

℘ *02 41 39 13 01 - visite guidée (1h) juil.-août : 9h45-17h15 ; de mi-mars à fin juin et sept. : 9h45-17h15 ; de déb. oct.à mi-nov. : tlj sf lun. et mar. 9h45-12h, 14h-17h15 - 9,50 € (6-18 ans 6 €).*

Commencé en 1546, ce château Renaissance recèle des **appartements★★★** magnifiques : la collection de mobilier est si riche et d'une telle qualité qu'elle est classée Monument historique, une première du genre.

Quittez St-Georges-sur-Loire au sud par la D 961.

🍷 L'été, le petit **Train touristique Chalonnes par vignes et vallées** vous promène dans les vieilles rues de **Chalonnes-sur-Loire** et grimpe les raidillons du vignoble pour vous faire découvrir quelques superbes panoramas des coteaux du Layon. La randonnée s'achève en trinquant au caveau ! *Rens. et réserv. ℘ 02 41 78 25 62 - juil.-août : 16h, dim. 15h30-17h - durée 1h15 - 6,50 € (enf. 3,50 €).*

Prenez à l'ouest la D 751.

La route suit le bord du plateau, coupé de petites vallées affluentes. On est ici dans l'aire d'**appellation coteaux-de-la-loire**. Perché sur son promontoire, **Montjean-sur-Loire** abrite encore des fours à chaux.

Pour gagner Ancenis prenez vers l'ouest la N 23.

EN MARGE DU VIGNOBLE

Découvrir les troglodytes de plaine

À Doué et dans ses alentours, les caves sont creusées non pas à flanc de coteau, mais en plaine, sous le sol même.

Village troglodytique Rochemenier – *À Louresse. 27 km au N-O de Beaulieu-sur-Layon par la D 83 et la D 125. ℘ 02 41 59 18 15 - www.troglodyte.info - avr.-oct. : 9h30-19h ; fév.-mars et nov. : w.-end et j. fériés 14h-18h - 4,80 € (7-16 ans 2,50 €).*

On visite deux fermes troglodytiques (logis et dépendances), abandonnées depuis 1930 environ.

Maisons troglodytes de Forges – *34 km au N-O de Beaulieu-sur-Layon par la D 83 et la D 125. ℘ 02 41 59 00 32 - mai-sept. : 9h30-19h ; de mi-mars à fin avr. et oct. : 9h30-12h30, 14h-18h30 - 5 € (10-18 ans 3 €).*

En 1979, des fouilles ont permis de réaménager ce hameau, occupé autrefois par trois familles et abandonné comme la plupart en 1940.

Caverne sculptée de Dénezé-sous-Doué – *31 km au N-O de Beaulieu-sur-Layon par la D 83 et la D 125. ℘ 02 41 59 15 40 - visite guidée (1h) avr.-oct. : 10h30-13h, 14h-18h30 - fermé lun. (sf si férié) - 4 € (enf. 2,50 €).*

Cette cave *(couvrez-vous, il fait 14°)* aux parois sculptées de centaines de figurines insolites a longtemps constitué un mystère. Après une étude des costumes, des instruments de musique et des attitudes, des archéologues l'ont datée du 16ᵉ s. ; elle aurait abrité une communauté secrète de tailleurs de pierre, dont les œuvres représenteraient les rites initiatiques.

Zoo de Doué★★ – *À la sortie de Doué, sur la route de Cholet - ℘ 02 41 59 18 58 - www.zoodoue.fr - juil.-août : 9h-19h30 ; printemps et automne : 9h-19h ; hiver : 10h-18h30 - fermé de fin vac. de Toussaint à déb. vac. de fév - 15 € (3-10 ans 9 €).*

👥 Le zoo occupe un **site★** troglodytique exceptionnel : d'anciennes carrières de pierre coquillière, avec leurs grottes « en cathédrale » et leurs fours à chaux. Acacias, bambous, cascades et rochers forment un cadre naturel pour l'évolution des 500 animaux qui vivent ici en semi-liberté et appartiennent souvent à des espèces menacées. Parmi les vedettes figurent les vautours, panthères des neiges, léopards et manchots.

Les adresses de Beaulieu-sur-Layon à Montjean

NOS BONNES TABLES

➔🍽 **La Ferme** – *2 pl. Freppel - 49000 Angers -* 📞 *02 41 87 09 90 - www.la-ferme. fr - fermé 20 juil.-12 août, dim. soir et merc. - réserv. obligatoire - formule déj. 12 € - 17/33 €.* Dans ce restaurant bien connu situé au pied de la cathédrale, vous dégusterez une cuisine du terroir traditionnelle dans un décor simple. Sa terrasse est l'une des plus agréables de la ville.

➔🍽 **Le Relais** – *9 r. de la Gare - 49000 Angers -* 📞 *02 41 88 42 51 - le.relais@libertysurf.fr - fermé 6-29 août, 24 déc.-8 janv., dim., lun. et j. fériés - 21/36 €.* Banquettes rouges, boiseries, comptoir en bois et fresques murales sur le thème du vin caractérisent le sobre décor contemporain de ce sympathique restaurant apprécié des gourmets. On y propose une appétissante cuisine actuelle et une carte des vins bien composée.

NOS HÔTELS ET CHAMBRES D'HÔTE

➔🍽 **Chambre d'hôte Le Grand Talon** – *3 rte des Chapelles - 49800 Andard - 11 km à l'E d'Angers par N 147 dir. Saumur puis D 4 -* 📞 *02 41 80 42 85 -* 🚳 *- 3 ch. 57/65 €* 🖵*.* Élégante demeure du 18e s. tapissée de vigne vierge et précédée d'une plaisante cour carrée. Ses chambres, décorées avec beaucoup de goût, sont agréables à vivre. Aux beaux jours, vous prendrez le petit-déjeuner sous les parasols du joli jardin. Accueil charmant.

➔🍽 **Hôtel Le Progrès** – *26 r. Denis-Papin - 49000 Angers -* 📞 *02 41 88 10 14 - info@hotelleprogres.com - fermé 7-15 août et 24 déc.-1er janv. - 41 ch. 54/62 € -* 🖵 *7,50 €.* À deux pas de la gare, adresse accueillante mettant à votre disposition ses chambres actuelles, claires et pratiques. Avant de visiter le château, requinquez-vous grâce au copieux buffet des petits-déjeuners.

➔🍽 **Auberge Bienvenue** – *104 rte de Cholet - 49700 Doué-la-Fontaine -* 📞 *02 41 59 22 44 - auberge.bienvenue@wanadoo. fr -* 🅿 *- 10 ch. 52/60 € -* 🖵 *7 € - rest. 20/50 €.* Cette auberge aux spacieuses chambres récentes, invite à faire le plein de saveurs. Goûteux plats traditionnels, terrasse fleurie.

NOS BONNES CAVES

MAISON DES VINS

Maison du vin de l'Anjou – *5 bis pl. Kennedy - 49000 Angers -* 📞 *02 41 88 81 13 - www.vinsvaldeloire.fr - d'avr. à fin sept. : tlj sf dim. apr.-midi et lun. mat. 9h-13h, 14h-19h ; de déb. oct. à fin mars : tlj sf dim. et lun. 10h30-12h30, 15h-18h - fermé 15 janv.-15 fév., 1er janv., 1er Mai et 25 déc.*

DOMAINES

Château Pierre-Bise – *49750 Beaulieu-sur-Layon -* 📞 *02 41 78 31 44   lun.-sam. 8h-12h, 14h-18h - sur RV.* Le vignoble de ce domaine familial s'étend sur 54 ha encépagés de chenin, de cabernet franc et de cabernet-sauvignon. Les rendements sont faibles, et les vignes sont enherbées naturellement. Les vendanges sont manuelle avec tris successifs. À une fermentation lente sans levurage ni chaptalisation succède un élevage long. 🍷 anjou, anjou-villages, cabernet-d'anjou, chaume 1er cru, coteaux-du-layon, crémant-de-loire, quarts-de-chaume, rosé-de-loire, savennières.

Domaine Ogereau – *44 r. de la Belle-Angevine - 49750 Saint-Lambert-du-Lattay -* 📞 *02 41 78 30 53 - visite lun.-sam. 9h-12h, 14h-19h sur RV.* Le vignoble du domaine s'étend sur quelque 24 ha, encépagés de chenin, de chardonnay, de cabernet franc, de cabernet-sauvignon et de grolleau. La vigne plonge ses racines dans des sols argilo-schisteux. Vincent Ogereau la cultive selon les méthodes traditionnelles : sans désherbant, en lutte raisonnée et avec vendanges manuelles par tris successifs. 🍷 anjou, anjou-villages, cabernet-d'anjou, coteaux-du-layon, crémant-de-loire, rosé-de-loire, savennières.

Domaine des Baumard – *La Giraudière - 8 r. de l'Abbaye - 49190 Rochefort-sur-Loire -* 📞 *02 41 78 70 03 - contact@baumard.fr - lun.-sam. 10h-12h, 14h-17h30 - sur RV.* D'après des documents anciens, la famille Baumard produit du vin à Rochefort-sur-Loire depuis 1634. Au cours des années 1950 et 1960, Jean Baumard a fait de sa propriété un domaine de pointe. Son fils, Florent, propose aujourd'hui une large gamme de vins : des secs, des moelleux, des crémants-de-loire et même une eau-de-vie. La quarantaine d'hectares de vignes est cultivée en lutte raisonnée. 🍷 anjou, cabernet-d'anjou, coteaux-du-layon, crémant-de-loire, quarts-de-chaume, rosé de Loire, savennières.

Vignobles de la Coulée de Serrant – *Château de La Roche-aux-Moines - 49170 Savennières -* 📞 *02 41 72 22 32 - coulée-de-serrant@wanadoo.fr - lun.-sam. 8h30-12h, 14h-17h45.* Le vignoble compte 14 ha. La coulée-de-serrant constitue à elle seule une AOC de 7 ha, propriété exclusive de la famille Joly. L'exploitation est conduite en biodynamie depuis 1980. Fermentation et élevage sont opérés en fûts jusqu'à douze mois, puis en cuves jusqu'à dix-huit mois. 🍷 savennières, savennières-coulée-de-serrant, savennières-roche-aux-moines.

Château de Chamboureau – *Épiré - 49170 Savennières -* 📞 *02 41 77 20 04 - lun.-sam. 10h-12h, 14h-18h - sur RV.* L'exploitation compte 25 ha, dont 20 en production. Pierre et Hervé, deux des onze enfants de

Michel et Anne Soulez, exploitent le domaine avec l'un de leurs petits-enfants, Hugues Daubercies, maître de chai et œnologue. La vinification est traditionnelle avec une fermentation lente de trois à cinq mois, en fûts de chêne. Les vins sont ensuite élevés en fûts, jusqu'à douze mois, puis en cuves jusqu'à dix-huit mois. 🏆 anjou, anjou-villages, savennières, savennières-roche-aux-moines.

Domaine Patrick Baudouin – *Princé - 49290 Chaudefonds-sur-Layon - 🖉 02 41 78 66 04 - contact@patrick-baudouin-layon. com - sur RV.* En 1990, après avoir exercé différentes activités professionnelles, Patrick Baudouin reprend le domaine familial créé par ses arrières grands-parents dans les années 1920. Il replante le vignoble et, huit ans plus tard, achète un vieux chai, entouré de coteaux en friche, et le réaménage. Son domaine de 10 ha en production dont 7 sont encépagés de chenin et 3 de cabernet franc et de sauvignon, s'étend sur les communes de Chaudefonds-sur-Layon, St-Aubin-de-Luigné, Rochefort-sur-Loire et St-Germain-des-Prés. En 2006, il est passé à l'agriculture biologique. 🏆 anjou, coteaux-du-layon.

Le pays nantais

CARTE MICHELIN LOCAL 316 – LOIRE-ATLANTIQUE (44), MAINE-ET-LOIRE (49)

La Bretagne s'enorgueillit d'un seul vignoble, celui du muscadet. Il est implanté en contrebas des reliefs de la Vendée et des Mauges. Son cépage, le melon, cultivé depuis le début du 17e s. donne un vin blanc sec et fruité qui accompagne volontiers un plateau de fruits de mer.

LE TERROIR
Superficie : 15 700 ha.
Production : 850 000 hl.
Ils bénéficient d'un climat océanique, peu arrosé, largement ensoleillé. Les sols sont composés de sables, de graviers, de granites et de gneiss.

LES VINS
La principale production est le muscadet (blanc), issu du melon-de-bourgogne, dans les **AOC muscadet-sèvres-et-maine, muscadet-coteaux-de-la-loire et muscadet-côtes-de-grandlieu**. à quoi s'ajoutent les **AOVDQS gros-plant du pays nantais** (blanc), issus du cépage folle blanche, entre Nantes et l'Océan, les **coteaux-d'ancenis** (blanc, rouge et rosé) à l'est de Nantes et, au sud, les **fiefs vendéens** (blancs, rouges et rosés).

BON À SAVOIR
👁 **Conseil interprofessionnel des vins de Nantes** – 🖉 02 40 36 90 10 - www.vinsdenantes.fr

⑥ D'Ancenis à Nantes

▶ 73 km. Ancenis se trouve à 53 km à l'O d'Angers par la N 23. Carte Michelin Local 316, G-I 3-5. Voir l'itinéraire ⑥ sur le plan p. 312-313.

Ancenis
Nous sommes dans l'aire d'**appellation coteaux-d'ancenis**. Ancenis fut longtemps un port très actif dans le trafic des vins. Le groupement de producteurs « les Vignerons de La Noëlle » cultive 350 ha de vignes et produit du gros-plant et du coteaux-d'ancenis.
Prenez au sud d'Ancenis la D 763.

Liré
Liré doit sa célébrité au poète Joachim Du Bellay (1522-1560), qui, lors d'un voyage à Rome, chanta la nostalgie de son village natal dans un sonnet resté fameux. Installé dans un logis du 16e s., le **musée Joachim-Du-Bellay** conserve des souvenirs ayant trait au poète. 🖉 02 40 09 04 13 - www.musee-du-bellay.fr.st - juil.-août : tlj sf lun. et mar.

10h30-12h30, 14h30-18h ; avr.-juin : tlj sf lun. et mar. 10h30-12h30, 14h30-18h, sam. 14h30-18h ; sept.-oct. : tlj sf lun. et mar. 10h30-12h30, 14h30-18h, sam. 14h30-18h ; mars : dim. 14h30-18h - possibilité de visite guidée 11h, 15h, 17h en été - 4,40 € (10-18 ans 2,80 €).

La D 751 à l'ouest mène à Champtoceaux.

Champtoceaux★

Site★ admirable, juché au faîte d'un piton dominant le Val de Loire. Derrière l'église, la **promenade de Champalud★★** offre un balcon panoramique sur la Loire, divisée en bras et en vastes îles sablonneuses. De là, on peut aussi visiter les ruines de la citadelle démolie en 1420, ainsi qu'un ancien péage fluvial.

Après La Varenne, tournez à gauche dans la D 7. On quitte la Loire pour grimper sur le plateau : c'est l'entrée dans le pays de l'**AOC muscadet-sèvre-et-maine**, l'un des vignobles les plus denses du Val de Loire. Il doit son nom à la Petite Maine et à la Sèvre Nantaise qui le traversent.

Le Loroux-Bottereau

Formant un corps d'élite lors de l'insurrection de 1793, les habitants déclenchèrent les foudres de Turreau qui fit détruire la ville en 1794. Le Loroux conserve néanmoins une fresque du 13ᵉ s. dans son église ; belle vue sur le vignoble depuis son clocher. Procurez-vous à l'office de tourisme la plaquette gratuite *Bienvenue dans nos caves* donnant la liste des vignerons de la région qui ouvrent tour à tour leur cave. Vous pourrez aussi y acheter le topoguide *Randonnées, Détours en vignoble*.

Prenez la D 307 (route du Vignoble) en direction de Vallet. Sur la gauche, une petite route mène au **moulin du Pé** du sommet duquel on a une vue prenante sur le vignoble et les marais de Goulaine. 🍷 Au **Landreau**, vous pouvez rendre visite au **domaine de l'Écu** *(voir nos bonnes caves)*.

Prenez au sud-est la D 37.

Vallet

C'est la capitale du muscadet. 🍷 Aussi, vous ne manquerez pas d'aller voir la **Maison du muscadet** et le **domaine du Moulin-David** *(voir nos bonnes caves)*. Au **Château de Fromenteau**, la visite de l'exploitation viticole se fait ludique grâce à un labyrinthe dans les vignes. *Fromenteau - 44330 Vallet - 🕾 02 40 36 23 75 - www.chateaudefromenteau.fr - juil.-août : apr.-midi, sinon sur RV.*

La route passe ensuite par **Mouzillon** qui célèbre début juillet la **Nuit du muscadet** et où se trouve une fabrique de **Petits Mouzillons**, des biscuits qui se dégustent avec le muscadet. *ZA des Quatre-Chemins (la biscuiterie borde la route) - 44330 Mouzillon - 🕾 02 40 33 77 77 - visite guidée (25mn) lun.-vend. 9h30-12h30, 14h-18h30.*

Tournez à droite vers Le Pallet.

Le Pallet

🍷 Au **musée du Vignoble nantais**, plus de 1 000 outils et machines (du 17ᵉ s. à nos jours) racontent la vie du vigneron ; la salle des cinq sens permet d'explorer la richesse du vin par des expériences ludiques. Suivent les travaux pratiques avec la dégustation d'un verre de muscadet. 🕾 02 40 80 90 13 - ♿ - *de mi-juin à mi-sept. : 11h-18h ; de déb. mars à mi-juin et de mi-sept. à mi-nov. : 14h-18h ; possibilité de visite guidée tlj à 16h en été, le dimanche à 16h pendant les autres périodes - fermé 1ᵉʳ et 11 Nov. - 4 € (-12 ans gratuit).*

🚶 Au départ de la chapelle Saint-Michel, un circuit de 7 km balisé d'un rectangle orange se perd dans le vignoble alentour.

La Haye-Fouassière

🍷 Les trois gloires du bourg sont le muscadet, l'usine de biscuits LU et la fouace, gâteau en forme d'étoile à six branches qui se marie merveilleusement au muscadet, et que l'on trouve à la **Maison des vins de Nantes** *(voir nos bonnes caves)*.

Saint-Fiacre-sur-Maine

C'est la commune où la densité de vignes est la plus importante de France. C'est aussi la ville natale de Sophie Trébuchet, la mère de Victor Hugo, qui foulait de ses pieds le raisin dans le pressoir de son grand-père.

Nantes★★★

Nantes est la capitale historique des ducs de Bretagne. Des splendeurs de cette époque, la ville a conservé deux témoins majeurs : la **cathédrale★** (commencée en 1434 et achevée en 1891), dont l'**intérieur★★** gothique très pur abrite le **tombeau de François II★★**, et le **château des ducs de Bretagne★★**, puissante forteresse qui date pour l'essentiel de sa reconstruction par François II (1466). 🕾 02 51 17 49 00 - de *mi-mai à mi-sept. : 9h-19h ; de mi-sept. à mi-mai : tlj sf mar. 10h-18h - fermé 1er janv., 1er Mai, 1er nov. 25 déc. - 6 € (-18 ans gratuit).*

L'autre grande époque architecturale de Nantes se situe aux 18e-19e s., quand la ville tirait ses richesses de la traite négrière, puis se tourna vers l'industrie, après l'abolition de la traite. L'ancienne **île Feydeau★** et le **quartier Graslin★** témoignent de cette prospérité.

Les adresses d'Ancenis à Nantes

NOS BONNES TABLES

Le Gressin – *40 bis r. Fouré - 44000 Nantes - 02 40 48 26 24 - legressin@wanadoo.fr - fermé 1er-20 août, lun. soir et dim. - 12/21 €.* Restaurant de quartier récemment rénové : pierres apparentes, mobilier rustique, jonc de mer, expositions de tableaux, etc. Les menus, traditionnels, évoluent avec les saisons.

La Toile à Beurre – *82 r. St-Pierre - 44150 Ancenis - 02 40 98 89 64 - latoileabeurre@wanadoo.fr - fermé dim. soir, merc. soir et lun. - 15 € déj. - 25/45 €.* Au fil des saisons, vous succomberez aux délicieux petits plats traditionnels de Jean-Charles Baron qui prépare comme personne la ventrèche de thon aux légumes d'été confits, les asperges de la vallée sauce mousseline, les rognons de veau au chinon, etc. Maison de 1753 rénovée avec beaucoup de goût. Terrasse d'été.

L'Embellie – *14 r. Armand-Brossard - 44000 Nantes - 02 40 48 20 02 - fermé 1er-21 août, dim. et lun. - 22/28 €.* Prix sages, recettes dans l'air du temps préparées avec soin, courte sélection de vins bien choisis et chaleureux intérieur moderne : l'Embellie… de la journée !

NOS HÔTELS ET CHAMBRES D'HÔTE

Chambre d'hôte L'Orangerie du Parc – *195 r. Grignon - 44115 Basse-Goulaine - 02 40 54 91 30 - www.gites-de-france-44.fr/lorangerie - 5 ch. 69/75 € .* L'orangerie de cette demeure de 1850, ex-propriété d'un ministre de Napoléon, abrite de belles chambres, toutes de plain-pied et harmonieusement décorées d'ancien et de moderne.

Hôtel des Colonies – *5 r. du Chapeau-Rouge - 44000 Nantes - 02 40 48 79 76 - www.hoteldescolonies.fr - 38 ch. 59/63 € - 8 €.* Des expositions d'œuvres d'art égayent le petit hall d'accueil de cet hôtel situé dans une rue peu passante. Chambres relookées dans un esprit contemporain.

NOS BONNES CAVES

MAISONS DES VINS

Maison des vins de Nantes – *Bellevue - 44690 La Haye-Fouassière - 02 40 36 90 10 - tlj sf dim. 8h30-12h30, 14h-18h (sam. 11h-18h en juil.-août) - fermé j. fériés.*

Maison du muscadet – *4 rte d'Ancenis - 44330 Vallet - 02 40 36 25 95 - 10h-12h, 14h-18h (19h en été) ; mars et déc. : tlj sf dim. et merc - fermé de janv. au 15 fév., 1er Nov. et 25 déc.*

DOMAINES

Domaine de l'Écu – *La Bretonnière - 44430 Le Landreau - 02 40 06 40 91 - bossard. guy.muscadet@wanadoo.fr - tlj sf dim. et j. fériés 9h-12h, 14h-18h - sur RV.* Cette exploitation familiale de 21 ha est encépagée de melon-de-Bourgogne, de folle blanche, de cabernet franc, de cabernet-sauvignon et de chardonnay. Le vignoble est conduit en agriculture biologique depuis 1975 et en biodynamie depuis 1996. Les vendanges sont manuelles, puis la vinification a lieu en cuves souterraines, avec débourbage statique, régulation des températures, pressurage pneumatique, etc. Les vins sont ensuite élevés sur lies, de six à douze mois, selon les cuvées. ♀ gros-plant du pays nantais, muscadet-sèvre-et-maine, vin de pays du Jardin de la France.

Domaine du Moulin David – *104 Les Corbeillères - 44330 Vallet - 02 40 33 91 23 - dblanloeil@infonie.fr - visite sur RV lun.-sam. 9h-12h, 14h-18h.* Le domaine a été créé il y a environ un siècle. Didier Blanlœil, issu d'une famille de vignerons, a repris l'exploitation il y a treize ans. Le vignoble de 30 ha est planté de cabernet franc, de cabernet-sauvignon, de gamay, de merlot, de pinot noir et de portan (cépage agréé par l'Onivin) pour les rouges ; de melon de bourgogne, de chardonnay et de sauvignon, entre autres, pour les blancs. Les parcelles sont exposées sur des plateaux en altitude et les vignes s'enracinent dans des sols schisteux et argilo-limoneux en surface. Ces vignes se situent autour du moulin de la propriété, les rendant ainsi peu sensibles aux gelées de printemps. Les vendanges sont mécaniques, avec tris. ♀ muscadet-sèvre-et-maine, vin de pays du Jardin de la France.

LA PROVENCE

Prenez le chant des cigales. Ajoutez la caresse du soleil et la douceur du farniente sur les plages. Incorporez des ceps centenaires sur fond de Méditerranée et de champs d'oliviers. Servez avec une bouteille de rosé à partager… Voilà, c'est prêt ! Vous obtenez le cocktail provençal idéal, sur un terroir qui semble fait sur mesure pour la culture de la vigne. Les Phocéens, qui fondèrent Massalia il y a 2 600 ans, ne s'y étaient pas trompés, apportant dans leurs bagages les premières vignes de France. Transplantation réussie : aujourd'hui, le plus vieux vignoble français est également l'un des plus variés et des plus beaux, produisant les fameux rosés, mais aussi des rouges et des blancs renommés. S'étendant des Alpilles aux collines niçoises, ce vignoble plonge aux racines de la Provence éternelle. Avec, en prime, la vue sur mer à tous les étages.

Comprendre

Berceau du vin – Implantée par les Phocéens en 600 av. J.-C., la vigne provençale a prospéré grâce aux appuis successifs des Romains (César aurait donné des vins provençaux à ses légionnaires de retour de la conquête des Gaules), des ordres monastiques, des aristocrates ou du roi René d'Anjou. Ce dernier, comte de Provence de 1447 à 1480, était surnommé le roi vigneron tant il s'est investi dans le

La Provence en bref

Superficie : 110 000 ha.

Production : 5 millions d'hl/an.

Le rosé représente encore aujourd'hui la majorité de la production provençale, avec 60 % des volumes. La Provence fournit à elle seule 8 % de la production mondiale de rosés ! Ici, les vins sont traditionnellement d'assemblage.

développement du vignoble. Au début du 20e s., une crise de surproduction et une baisse de qualité des vins affecta durablement leur image. Les vignerons ont depuis fait de nombreux efforts : baisse des rendements, recherche de finesse, limitation de la surexposition au soleil… L'arrivée récente d'investisseurs est le symbole du renouveau. Ces « estrangers » voient un nouvel eldorado dans le vignoble provençal. Le secteur emploie plus de 20 000 personnes, mais doit faire face à une pression foncière croissante.

La vie en rose – S'il reste en France le symbole d'un vin facile, celui des barbecues d'été, le rosé s'anoblit à l'étranger, en particulier aux États-Unis et au Japon, où il se fait l'ambassadeur de la Provence.

	Caractéristiques	Garde	Prix
Vins rosés	Ils sont frais et fruités, faciles à boire, accessibles aux néophytes comme aux amateurs.	**Baux-de-provence** : 2-3 ans. **Coteaux-d'aix-en-provence** : 2-5 ans. **Côtes-de-provence** : à boire dans l'année. **Coteaux-varois** : à boire jeune.	**Bandol** : 8-15 €. **Baux-de-provence** : 2-3 ans. **Coteaux-d'aix-en-provence** : 5-15 €. **Côtes-de-provence** : 5-15 €.
Vins rouges	Moins connus, ils connaissent pourtant un succès croissant : ils peuvent être souples et friands, aux parfums de fruits rouges, mais la région produit aussi des rouges de garde, structurés et expressifs, élevés en foudres et en barriques.	**Baux-de-provence** : 5-10 ans. **Bellet** : 10-15 ans. **Coteaux-d'aix-en-provence** : 10-15 ans. **Côtes-de-provence** : 5-10 ans. **Coteaux-varois** : jusqu'à 10 ans. **Palette** : 10-15 ans.	**Bandol** : 10-30 €. **Baux-de-provence** : 10-25 €. **Bellet** : 10-30 €. **Coteaux-d'aix-en-provence** : 5-25 €. **Côtes-de-provence** : 5-20 €. **Coteaux-varois** : 8-10 €.
Vins blancs	Ne représentant qu'un faible pourcentage de la production, ils ne sont pas à dédaigner : complexes et aromatiques, ils dégagent des senteurs de garrigue, des arômes de fruits blancs, des notes de miel et de fruits secs.	**Bellet** : 2 à 10 ans. **Cassis** : jusqu'à 10 ans. **Coteaux-d'aix-en-provence** : 2 à 5 ans. **Côtes-de-provence** : à boire dans l'année. **Coteaux-varois** : 2 à 3 ans.	**Bellet** : 15-30 €. **Cassis** : 8-20 €. **Coteaux-d'aix-en-provence** : 5-20 €. **Côtes-de-provence** : 5-20 €. **Coteaux-varois** : 5-8 €. **Palette** : 20-30 €.

Question de vocabulaire – En provençal, sachez qu'un « avis » est un sarment, une « tine », une cuve, et une « crotte », une cave. Les cépages ont aussi leurs petits noms : le « pecoui-touar » (queue tordue) ou « ginou d'agasso » (genou de pie) est ainsi surnommé pour la forme particulière du pédoncule de sa grappe.

Le vignoble des Baux-de-Provence

CARTE MICHELIN LOCAL 340 – BOUCHES-DU-RHÔNE (13)

Entre les Alpilles, à l'ouest, et la Sainte-Baume, à l'est, de superbes vignobles s'accrochent aux reliefs calcaires, entre les champs d'oliviers et de lavande. Des Baux-de-Provence à Aix-en-Provence, ce circuit vous emmène au fil des AOC **baux-de-provence** et **coteaux-d'aix-en-provence**, sans oublier l'appellation **palette**, aussi petite que célèbre.

LE TERROIR
Production : 8 500 hl, dont 75 % en rouge.
Superficie : 320 ha.
Les vignobles sont implantés sur des sols calcaires caillouteux.

LES VINS
Séparée de l'AOC coteaux-d'aix-en-provence depuis 1995, cette petite appellation s'alanguit au pied des champs d'oliviers des Alpilles. Les vins rouges charpentés et les rosés sont issus des cépages grenache, syrah, mourvèdre, cinsault, carignan, counoise et cabernet-sauvignon.

1️⃣ Les Alpilles

▶ 43 km. St-Rémy-de-Provence se trouve à 20 km au S d'Avignon par la D 571 et la N 570. Carte Michelin Local 340, D-E 3. Voir le circuit 1️⃣ sur le plan p. 342-343.

Heureux vignerons des Alpilles : ils ont non seulement obtenu une appellation pour leurs rouges et leurs rosés (AOC **baux-de-provence** datant de 1995, les blancs restant en AOC coteaux-d'aix) et ils travaillent de surcroît dans un décor exceptionnel, un concentré de Provence éternelle. Le terroir ? Des sols argilo-calcaires d'une blancheur aveuglante, des vagues de pierre pétrifiées étirant leurs sommets érodés sur une trentaine de kilomètres, un océan de vignes et d'oliviers tressaillant sous la claque du mistral… Éparpillés sur huit communes, les domaines sont magnifiques, de vieilles propriétés familiales transmises de génération en génération, isolées au milieu des vignes. Les rouges représentent le gros de la production, mais la majorité des domaines possèdent plusieurs cuvées dans les trois couleurs.

Saint-Rémy-de-Provence★★
Passés les premiers vignobles, ceux que vous longez quelle que soit la route d'accès choisie, voilà Saint-Rémy, petite cité éminemment provençale avec sa ceinture de boulevards ombragée de platanes, son lacis de ruelles au parcours fantaisiste, ses maisons anciennes souvent investies par des galeries d'art… Bordant le boulevard circulaire, la **place de la République** anime le centre-ville avec ses terrasses de cafés et les couleurs des jours de marché. Les autres jours, elle devient parking. Prenez le temps de flâner dans les ruelles, à la découverte de l'imposante **collégiale St-Martin** (à l'intérieur, exceptionnel buffet d'orgues polychrome), de la **maison natale de Nostradamus** (dont il ne reste que la façade) ou des élégants hôtels particuliers.

Quittez St-Rémy à l'ouest par la D 99, puis tournez à gauche dans la D 27.

En chemin, vous longerez les vignobles AOC baux-de-provence du versant nord de la chaîne des Alpilles.

Les Baux-de-Provence★★★
Merci la D 27 ! Cette adorable et sinueuse départementale vous ménage une spectaculaire arrivée sur les Baux, livrant soudain, au détour d'un énième virage, un époustouflant **panorama★★★** sur le site : l'éperon dénudé des Baux se détache des

S. Sauvignier / MICHELIN

Paysage des Alpilles.

Alpilles, bordé de ravins à pic et coiffé d'un château fort en ruine et de vieilles maisons de pierre. Les ceps ont cédé la place à d'étranges paysages d'une extraordinaire minéralité, où la roche adopte les formes les plus fantasques, comme sculptée par le ciseau d'un carrier frappé de démence.

En arrivant aux Baux (entièrement piéton), entrez dans le village par la porte Mage, pour prendre la rue à gauche vers la place Louis-Jou. Essayez de venir hors saison, quand le village retrouve la sérénité. Désertées, les **ruelles** vous catapultent hors du temps. Glissez un œil sur les trois salles voûtées de l'ancien **hôtel de ville** du 17ᵉ s. Une ruelle à droite, la Calade, permet d'atteindre la porte d'Eyguières, décorée de blasons, jadis la seule entrée dans la cité. Au coin de la Calade, la rue de l'Église conduit à la **place St-Vincent★**, avec de belles vues sur le vallon de la Fontaine et le Val d'Enfer. Flanquée sur la gauche d'une gracieuse lanterne des morts, l'**église romane St-Vincent★**, en partie creusée au 12ᵉ s. dans le rocher, émeut par sa simplicité lumineuse.

Quittez les Baux au sud-est par la D 27, puis tournez à gauche dans la D 5.

🍷 Le **Mas de la Dame** (17ᵉ s.) apparaît comme une île perdue dans la houle des ceps et des oliviers, dans un cirque de collines calcaires, au pied des Baux… Un vrai tableau, d'ailleurs immortalisé par Van Gogh en 1889. Volée à son propriétaire dans les années 1960, l'œuvre a disparu. Le domaine viticole et oléicole a connu une histoire plus heureuse : dirigé par les deux petites-filles du propriétaire originel, ses vins (rouges, rosés et blancs) sont salués comme des réussites. Passez au caveau en décider par vous-même, tout en profitant du site, l'un des plus beaux des Alpilles. *D 5 - 13520 Les Baux-de-Provence - ☏ 04 90 54 32 24 - www.masdeladame.com - 8h30-19h - fermé J. de l'an et Noël.*

Reprenez la D 5 en sens inverse. À Maussane-les-Alpilles, tournez à gauche dans la D 17.

Mouriès

Avec 80 000 oliviers, Mouriès se targue d'avoir la plus forte densité oléicole du sud de la France. Pour s'en convaincre, on ira visiter le **moulin à huile coopératif du Mas Neuf**. Onctueuse, subtile ou ardente, cette huile d'olive AOC de la vallée des Baux-de-Provence collectionne les médailles dans les concours de dégustation. *13890 Mouriès - ☏ 04 90 54 32 37 - tlj sf dim. ap.-midi 9h-12h, 14h-18h.*

Prenez la D 24 au nord. 🍷 Vous pourrez vous arrêter au **domaine Gourgonnier**, au **Destet** *(voir nos bonnes caves)*.

Au terme de la D 24, tournez à droite dans la D 99. À 3 km, suivez à gauche l'accès fléché.

🍷 Sur le versant nord des Alpilles, le **Château Romanin** est isolé au milieu des vignes, des amandiers et des oliviers (il produit aussi son huile d'olive). Le caveau de dégustation est enterré sous la roche, sous les ruines d'un château templier du 13ᵉ s., flanqué d'un monumental chai d'élevage dessiné sur le modèle d'une cathédrale. Dehors, belle vue sur le mont Ventoux et les Alpilles. 🥾 Le **parcours pédestre** commenté *(25mn de marche, facile)* déroule 11 panneaux explicatifs sur la vigne et la biodynamie. *Rte de Cavaillon - 13210 St-Rémy-de-Provence - ☎ 04 90 92 45 87 - contact@romanin.com - avr.-sept. : 9h30-19h ; oct.-mars : 9h30-13h, 14h-18h ; w.-end et j. fériés : 11h-19h.*

Rentrez à St-Rémy par la D 99. ♟ En chemin, vous pouvez vous arrêter au lieu-dit la Galine pour faire des achats au **domaine Hauvette** *(voir nos bonnes caves).*

EN MARGE DU VIGNOBLE

Arpenter le plateau des Antiques★★ à St-Rémy-de-Provence

☎ 04 90 91 08 76 - avr.-août : 10h-18h30 ; sept.-mars : tlj sf lun. : 10h30-17h - fermé 1er janv., 1er Mai, 1er et 11 Nov., 25 déc. - 6,50 € (-18 ans gratuit).

À 1 km au sud de St-Rémy, parmi pinèdes et olivettes, s'élevait la riche cité de Glanum. Abandonnée à la suite des destructions barbares de la fin du 3e s., il en subsiste deux magnifiques monuments et le grand site archéologique de **Glanum★**.

À l'exception de la pomme de pin qui coiffait sa coupole, ce **mausolée★★** de 18 m de haut, un des plus beaux du monde romain, nous est parvenu intact. On sait aujourd'hui qu'il ne s'agissait pas d'un tombeau, mais d'un monument élevé à la mémoire d'un défunt, vers 30 av. J.-C. Remarquez les bas-reliefs représentant des scènes de batailles et de chasse sur les quatre faces du socle.

Sur le passage de la grande voie des Alpes, l'**arc municipal★** marquait l'entrée de la cité. Ses proportions parfaites et la qualité exceptionnelle de son décor sculpté dénotent une influence grecque : ravissante guirlande de fruits et de feuilles, voûte ornée de caissons hexagonaux finement ciselés, et, sur les côtés, captifs, hommes et femmes, au pied de trophées, laissant transparaître leur abattement.

Les adresses des Baux-de-Provence

NOS BONNES TABLES

⌔ **La Pitchoune** – 21 pl. de l'Église - 13520 Maussane-les-Alpilles - ☎ 04 90 54 34 84 - fermé de mi-nov. à mi-janv., vend. midi et lun. - 14/28 €. Cette demeure bourgeoise du 19e s. jouxtant l'église renferme de mignonnes salles à manger dotées de sols à petits carreaux imitant la mosaïque. Terrasse ombragée de pins. Cuisine familiale.

⌔⌔ **Alain Assaud** – 13 bd Marceau - 13210 St-Rémy-de-Provence - ☎ 04 90 92 37 11 - fermé 5 janv.-15 mars et 15 nov.-15 déc. - 25/40 €. Papeton d'aubergine ou soupe au pistou, loup grillé ou aïoli de morue fraîche ? Cette ancienne boutique est devenue le rendez-vous des gourmets saint-rémois.

NOS HÔTELS

⌔⌔🏚 **Cheval Blanc** – Pl. de l'Église - 13210 St-Rémy-de-Provence - ☎ 02 47 30 30 14 - le.cheval.blanc.blere@wanadoo. fr - fermé 1er janv.-14 fév. - 🅿 - 12 ch. 62/75 € - ⊇ 8 € - rest. 41/57 €. Chambres colorées rajeunies, véranda ou terrasse pour le petit-déjeuner et prix doux font l'attrait de cette maison familiale à la fois calme et proche du vieux St-Rémy.

⌔⌔🏚 **Terriciaë** – Rte de Maussane - 13890 Mouriès - ☎ 04 90 97 06 70 - terriciaehotel@aol.com - 🅿 - 27 ch. 86/130 € - ⊇ 12 €. L'enseigne évoque l'ancien nom romain de Mouriès. Chambres provençales bien tenues, dont certaines regardent la piscine. D'autres peuvent accueillir des personnes handicapées.

NOS BONNES CAVES

Domaine Hauvette – La Haute-Galine - 13210 St-Rémy-de-Provence - ☎ 04 90 92 03 90 - vente sur RV. Dominique Hauvette a repris ce domaine en 1988. Le vignoble s'étend sur 14 ha, encépagés de marsanne, de roussanne et de clairette pour les blancs ; de grenache, de syrah, de cabernet-sauvignon, de cinsault et de carignan pour les rouges. Le domaine est conduit en culture biodynamique et les vendanges sont manuelles. La vinification est traditionnelle. La production est maîtrisée : pas plus de 40 000 bouteilles par an. ♟ baux-de-provence, coteaux-d'aix-en-provence, vin de pays des Bouches-du-Rhône.

Mas de Gourgonnier – Le Destet - 13890 Mouriès – ☎ 04 90 47 50 45 - contact@gourgonnier.com - visite sur RV 9h-12h, 14h-18h - fermé dim. janv.-mars. Le domaine, propriété familiale depuis cinq générations, s'étend sur 46 ha encépagés de grenache, syrah, cinsault, carignan, mourvèdre et cabernet-sauvignon pour les rouges ; de sauvignon, grenache et rolle pour les blancs. Le vignoble est conduit selon les méthodes de l'agriculture biologique, certifié Écocert depuis 1975 : suppression des engrais chimiques, des herbicides et des insecticides, apport régulier de compost et de fumier. La vinification reste traditionnelle, avec pressurage direct, débourbage et contrôle des températures. Les vins sont ensuite élevés pendant douze mois environ, en barriques. ♟ baux-de-provence, coteaux-d'aix-en-provence.

Les coteaux d'Aix-en-Provence

CARTE MICHELIN LOCAL 340 – BOUCHES-DU-RHÔNE (13)

Le fief du roi René d'Anjou est aujourd'hui celui des nobles bastides viticoles. Coiffée par la rugueuse silhouette de la montagne Sainte-Victoire, la vigne s'épanouit sur 4 000 ha et 49 communes. Au cœur d'un territoire très urbanisé, de nombreux domaines ont réussi à préserver une atmosphère hors du temps. Le vignoble butte au nord sur la Durance et la chaîne de la Trévaresse s'étend vers l'est autour du pays salonnais et de l'étang de Berre.

LE TERROIR
Production : 180 000 hl.
Superficie : 3 800 ha.
Les sols sont argilo-calcaires caillouteux, sableux, souvent graveleux sur molasses et grès.

LES VINS
La 2e appellation provençale – l'**AOC coteaux-d'aix-en-provence** – en volume appartient à la Provence calcaire, posée entre la Durance, la chaîne des Alpilles et la montagne Sainte-Victoire. Le rosé est majoritaire (65 %).
Les rouges et les rosés sont issus des cépages grenache, cabernet-sauvignon, carignan, cinsault, syrah, counoise, mourvèdre.
Les blancs sont issus des cépages bourboulenc, clairette, vermentino, grenache, ugni blanc.
Aux portes d'Aix, l'une des plus petites AOC de France, **palette**, produit un rouge tannique et raffiné, parfois qualifié de « bordeaux de la Provence ».

BON À SAVOIR
👁 **Syndicat des vins des coteaux d'Aix** – 📞 04 42 23 57 14 - *www. coteauxaixenprovence.com*

② De St-Chamas au Château Simone

▶ 85 km. St-Chamas se trouve à 38 km à l'O d'Aix-en-Provence par la D 10. Carte Michelin Local 340, F-H 3-5. Voir l'itinéraire ② sur le plan p. 342-343.

Saint-Chamas
Curieux village que ce dernier port de pêche (hormis Martigues) de l'**étang de Berre★**… Quelques barques témoignent d'une activité jadis florissante, aujourd'hui limitée à deux ou trois familles qui continuent de remonter anguilles et muges. St-Chamas, c'est aussi ces exceptionnelles maisons troglodytes *(privées)*, dont vous apercevez les immenses baies vitrées, fichées au beau milieu de la falaise.

Quittez St-Chamas au sud-est par la D 10.

Les vignobles des rives nord et ouest de l'étang de Berre offrent une extraordinaire confrontation avec les gigantesques installations pétrochimiques. Les terroirs sont classés **AOC coteaux-d'aix-en-provence**. 🍷 On pourra aller les goûter au **domaine Calissanne** *(voir nos bonnes caves)*.

🍷 Après l'intersection entre la D 21 et la D 10 se trouve le **Château Virant** : plus de 110 ha de vignobles, une vingtaine d'ha d'oliviers pour une cave gigantesque et des cuvées – rouge, blanc et rosé – qui ont fait leurs preuves. *Rte de St-Chanas - 13680 Lançon-Provence - 📞 04 90 42 44 47 - www.chateauvirant.com - tlj 8h-12h, 13h30-18h30 (j. fériés 8h15-12h, 14h30-18h30) - fermé 1er janv. et 25 déc.*

Revenez au carrefour et prendez à droite la D 21. La route s'élève et 1,6 km plus loin, à un petit col, un chemin permet d'approcher un escarpement rocheux *(ne pas prendre l'escalier qui monte à la table d'orientation, accès dangereux).* Belles vues sur l'étang de Berre, les vignobles et les « champs » de serres qui tapissent la plaine.

À Lançon, prenez au nord la D 15. Qui connaît le massif des Costes, hormis quelques « régionaux » plus curieux que nature ? Voilà l'exemple même d'un petit terroir d'exception, à l'écart des grandes migrations touristiques, qui fleure bon la Provence vigneronne.

Pélissanne

Tous les dimanches matins s'y tient un grand marché sur la place Roux-de-Brignoles, devant l'hôtel de ville. Primeurs, vignerons et potiers abondent. Et pourquoi pas quelques courses alimentaires, pour aller tranquillement les déguster dans le parc Maureau, qui jouxte la place ? Vous pourrez ensuite flânez dans les ruelles jalonnées de maisons des 17ᵉ, 18ᵉ et 19ᵉ s., dans le centre ancien parfaitement circulaire.

Ne partez pas sans vous ravitailler au **moulin des Costes**. Récemment remise en activité, cette très belle bâtisse en pierre du 17ᵉ s. est un moulin à huile et farine. Vente également de tapenades, olives, bois d'olivier et poteries. *445 chemin de St-Pierre - 13330 Pélissanne - 𝒫 04 90 55 30 00 - mar.-vend. 15h-19h, sam. 9h-12h, 15h-19h.*

Aurons

C'est un véritable village de poupée. Au beau milieu du massif (qui culmine à 394 m), il offre depuis le belvédère un point de vue étonnant sur la région et ses vignes. Quel calme !

La D 22ᴮ se faufile ensuite jusqu'à **Vernègues** entre vignes, vergers et oliviers. En bas, c'est le nouveau Vernègues, avec ses rues au cordeau. En haut, le vieux Vernègues, détruit par le tremblement de terre de 1909, le plus important de France (46 victimes, 250 blessés). Ses balafres sont encore visibles dans les villages des alentours.

Rejoignez La Roque-d'Anthéron par la D 22.

La Roque-d'Anthéron

Ce village ravira les mélomanes puisque c'est dans le château de Forbin, belle demeure du 17ᵉ s., que se tient chaque été le Festival International de piano.

À 1 km, en contrebas de la D 563, l'**abbaye de Silvacane**★★ se dresse au bord de la Durance. Exemple admirable de la sobriété cistercienne qui prospéra en Provence au 13ᵉ s., elle étonne par son style dépouillé à l'extrême et la noblesse de ses lignes. Déjà occupé par les moines de Marseille au 11ᵉ s., le site fut bonifié par les cisterciens dès son rattachement à l'ordre de Citeaux. Au fil des siècles, la prospérité de l'abbaye déclina, au point qu'elle fut transformée en ferme après la Révolution ! L'État, acquéreur en 1949, entreprit peu à peu de restaurer ses locaux. Église, cloître et bâtiments conventuels sont ainsi rendus à la curiosité des visiteurs. *𝒫 04 42 50 41 69 - www. monum.fr - juin-sept. : 10h-18h ; oct.-mai : tlj sf mar. 10h-13h, 14h-17h - fermé 1ᵉʳ janv., 1ᵉʳ Mai, 25 déc. - 6,50 € (-18 ans gratuit).*

🍷 La D 543 vous emmène à **Rognes**, où les vignes et la coopérative viticole vous saluent dès l'entrée du village, rappelant que la majorité des habitants vit ici de la viticulture.

Saint-Cannat

Essayez d'arriver un mercredi matin, jour de marché, pour voir s'animer le centre du bourg, une place ombragée de platanes ourlée de bistrots bondés. La N 7 voisine bourdonne du vacarme des voitures, seul bémol dans un paysage de Provence souriante et conviviale.

🍷 Mais passé la N 7 et son charivari automobile : un petit virage et quelques centaines de mètres sur une piste gravillonnée vous catapultent dans un autre monde, celui du **Château de Beaupré**, une élégante bastide provençale du 18ᵉ s. où officie la famille du baron Double depuis 1890 *(voir nos bonnes caves)*.

Continuez sur la N 7 vers Aix-en-Provence que l'on traverse par les boulevards qui ceinturent le centre-ville pour rejoindre Meyreuil, à l'est, par la N 7, puis la D 58ᴴ à droite.

Château Simone

13590 Meyreuil. Pas de visite : vente uniquement - 𝒫 04 42 66 92 58 - www.chateausimone.fr - lun.-sam. 9h-12h, 14h-18h - fermé j. fériés.

🍷 Bienvenue dans le royaume de poche d'un cru parfois surnommé « bordeaux de Provence ». Principal et plus ancien producteur de la plus petite AOC de France (l'appellation **palette**), Château Simone mérite un détour. Même si la magnifique cave voûtée ne se visite pas, même si les vins (rouges, rosés et blancs) ne sont pas proposés à la dégustation, jetez tout de même un œil discret sur l'élégant domaine, créé par les

Bouteille de Château Simone.

carmes d'Aix-en-Provence au 16e s. La bastide originale a été remaniée sous Napoléon III, surplombant des jardins à la française et 17 ha de vignes qui s'épanouissent sur des éboulis calcaires. Tous les vins vieillissent au moins deux ans dans du bois. René Rougier, l'actuel propriétaire de ce domaine acheté par son arrière-arrière-grand-père, est un vrai passionné : à la fois vigneron et paysagiste, il s'apprête à replanter des vignes sur un repli de vallon, « juste pour le plaisir des yeux » !

Les adresses des coteaux d'Aix-en-Provence

NOS BONNES TABLES

◆ **Chez Charlotte** – 32 r. des Bernardines - 13100 Aix-en-Provence - ✆ 04 42 26 77 56 - fermé août, dim. et lun. - 🚫 - 13/16 €. On entre par un salon intime que les photos de famille ont teinté de nostalgie. La salle principale est dédiée au cinéma présent et futur. L'été, c'est dans la petite cour sous le figuier que l'on s'installe. Cuisine traditionnelle simple suivant les saisons. Le patron ne laisse pas indifférent.

◆ **Le Villon** – 14 r. du Félibre-Gaut - 13100 Aix-en-Provence - ✆ 04 42 27 35 27 - fermé dim. - formule déj. et dîner 12 € - 14/23 €. Ne vous laissez pas décourager par la devanture peu engageante et la salle un brin sombre. Au-delà de cet aspect peu attirant vous découvrirez un petit restaurant très sympathique, proposant des formules qui ravissent autant les papilles que le porte-monnaie. Assiettes copieuses et desserts incontournables. Bon accueil.

◆🍴 **Le Craponne** – 146 allée de Craponne - 13300 Salon-de-Provence - ✆ 04 90 53 23 92 - fermé 8-31 août, 26 déc.-2 janv., dim soir, merc. soir et lun. - 22/37 €. Valeur sûre du paysage gastronomique local, ce restaurant propose une cuisine traditionnelle aux consonnances familiales : terrine du chef, tête de veau sauce gribiche, entrecôte à la bordelaise, canette à l'orange, pâtisseries maison. À déguster l'été dans la paisible courette ombragée.

NOS CHAMBRES D'HÔTE

◆🛏 **Chambre d'hôte du Château du Petit Sonnailler** – 13121 Aurons - ✆ 04 90 59 34 47 - www.petit-sonnailler.com - 🚫 - 3 ch. 60/69 € 🍽. Dans un superbe château féodal, en plein Massif des Costes. Une chambre est équipée pour les personnes à mobilité réduite. Également, vente de vins.

◆🛏 **Chambre d'hôte Domaine du Bois Vert** – Quartier Montauban - 13450 Grans - 7 km au S de Salon par D 16 puis dir. Lançon par D 19 - ✆ 04 90 55 82 98 - www.domaineduboisvert.com - fermé 15 déc.-20 mars - 🚫 - 3 ch. 68/75 € 🍽. Au milieu d'un parc planté de chênes et de pins, ce mas niché dans un joli sous-bois abrite des chambres ouvrant de plain-pied sur une jolie pelouse. Décorées dans un esprit provençal, avec tomettes, poutres apparentes et meubles anciens, elles sont agréables et parfaitement entretenues. Selon les saisons, le petit-déjeuner se prend dans la grande pièce à vivre ou sur la terrasse.

◆🛏🍽 **Maison d'hôte la Quinta des Bambous** – Chemin des Ribas - 13100 St-Marc-Jaumegarde - ✆ 04 42 24 91 62 - http://laquintadesbambous.free.fr - 🚫 - 3 ch. 105/115 € 🍽. Face aux versant Nord de Sainte-Victoire, cette originale villa mêle rigueur contemporaine et esthétique orientale. Les chambres (chacune avec salle de bains privée) sont tissées de matières végétales et d'œuvres d'art japonisantes réalisées par la maîtresse des lieux. Calme absolu, terrasses privatives, jardin de bambous et longue piscine en bord de forêt.

NOS BONNES CAVES

Château Calissanne – 13680 Lançon-de-Provence - ✆ 04 90 42 63 03 - tlj 9h-19h (13h le dim.) - sur RV. Propriété de 1 000 ha, le château compte 105 ha de vignes. Syrah, cabernet-sauvignon, mourvèdre, grenache, clairette, sémillon et sauvignon sont plantés sur un terroir de colluvions calcaires situé au niveau de la mer. Le vignoble est cultivé en lutte raisonnée et la récolte est en grande partie manuelle. Les vins sont ensuite élevés en fûts de chêne : de dix à quatorze mois pour la cuvée Prestige, entre seize et dix-huit mois pour le Clos de Victoire. 🍷 coteaux-d'aix-en-provence.

Château de Beaupré – N 7 - 13760 St-Cannat - ✆ 04 42 57 33 59 - chbeaupre1@aol.com. Le domaine, créé en 1890 par le grand-père de Christian Double, compte aujourd'hui 42 ha. Encépagé de rolle, de sauvignon, de grenache, de sémillon, de cabernet-sauvignon et de syrah, le vignoble est planté sur des sols argilo-calcaires. Le château vinifie de manière traditionnelle les coteaux-d'aix-en-provence dans les trois couleurs. Pour le blanc, la cuvée Collection du château fermente en barriques neuves, puis est conservée trois mois. Le vin rouge est élevé quatorze mois en barriques, après fermentation longue et traditionnelle. 🍷 coteaux-d'aix-en-provence.

Cassis et Bandol

CARTE MICHELIN LOCAL 340 – VAR (83)

Le vignoble de Cassis est perché sur un amphithéâtre, dégringolant en restanques vers la mer et le port, produisant un vin blanc fruité et sec. Le bandol, roi des rouges provençaux, quant à lui, est produit dans un cirque de collines à l'abri du mistral.

LES TERROIRS

Production : 6 620 hl pour le cassis ; 52 000 hl pour le bandol.
Superficie : 185 ha pour le cassis ; 1 430 ha pour le bandol.
Les vignobles s'accorchent sur les calcaires du crétacé de Cassis et sur les sols silico-calcaires de Bandol.

LES VINS

AOC cassis : cépages clairette, ugni blanc, sauvignon, marsanne, doucillon, pour les blancs ; cépages grenache, cinsault, carignan, mourvèdre pour les rouges.
AOC bandol : cépages mourvèdre, grenache, cinsault, syrah et carignan pour les rouges ; les cépages des rouges et des blancs servent pour les rosés ; cépages clairette, ugni blanc, bourboulenc et sauvignon pour les blancs.

BON À SAVOIR

👁 **Syndicat des vignerons de Cassis** – ☎ 04 42 01 78 05.
👁 **Association des Vins de Bandol** – *www.vinsdebandol.com*

---

③ De Cassis à Bandol

▶ 52 km. Cassis se trouve à 23 km au S-E de Marseille par la D 559. Carte Michelin Local 340, I-K 6-7. Voir l'itinéraire ③ sur le plan p. 342-343.

Cassis★

Sous le vignoble, les plages… Ce petit port de pêche animé est aussi un centre viticole réputé, avec 13 caves particulières, fameuses pour la production d'un excellent vin blanc sec, fruité et délicat.

🍷 Le **Clos Sainte-Magdeleine**, ainsi que la **Maison des vins** *(voir nos bonnes caves)* sauront étancher votre soif de connaissance sur l'**AOC cassis**, une des plus vieilles de France (1936).

Le **site★**, magnifique, ajoute au plaisir du verre partagé. Bâti en amphithéâtre entre le cap Canaille et les calanques, baigné d'une lumière qui inspira Derain, Vlaminck, Matisse et Dufy, Cassis est une agréable station estivale.

Avant de quitter Cassis, vous pourrez vous offrir une **promenade en bateau** permettant de découvrir les **calanques★★**. **Les Bateliers de Cassis** : ☎ 04 42 01 90 83 ou 04 42 01 71 17 *(office de tourisme) - visite (45mn) en bateau des calanques de Port-Miou, Port-Pin et En-Vau sans escale - 12 à 17 € - autres excursions : 5 calanques (1h) ou 8 calanques (1h30). Vision sous-marine nocturne de mi-juil. à mi-août.*

À moins que vous ne préféreriez explorer les fonds marins ou lézarder sur les plages *(voir*

côtes-de-provence
coteaux-d'aix-en-provence
baux-de-provence
bandol
cassis
coteaux-varois
palette
bellet

la rubrique « Plonger dans la grande bleue » à la fin de cette route). Le soir, rendez-vous sur les quais du port pour déguster, sous la caresse du soleil couchant, poissons, crustacés et fruits de mer, dont la qualité est réputée.

L'office de tourisme fournit des brochures détaillant des randonnées passant à travers les vignobles.

Continuez sur la D 559 en direction de Bandol. À la sortie des Lecques, tournez à gauche dans la D 66. On pénètre dans l'aire d'appellation **bandol**, une des premières AOC créées en France (1941). Son vignoble est cultivé sur près de 1 400 ha entre St-Cyr-sur-Mer, Le Castellet et Ollioules, du massif de la Sainte-Baume à la mer. Il doit son appellation particulière au microclimat de la région : un fort ensoleillement (3 000 heures/an), une bonne pluviométrie, principalement en automne et en hiver, et un sol calcaire orienté vers le sud bénéficiant de l'air doux marin. Bien qu'existant en rosés et blancs, ce sont les rouges qui ont fait la réputation du bandol. Leur cépage majoritaire, le mourvèdre (habituellement peu planté en France), fait ici des merveilles. Ne reste plus qu'à leur faire passer 18 mois en fût de chêne et cinq ans ou plus de vieillissement pour révéler une personnalité généreuse. Profitez-en pour faire une halte au **Château Pradeaux** à **St-Cyr-sur-Mer** *(voir nos bonnes caves)*

La Cadière-d'Azur

La porte du Peï (13ᵉ s.), devant la mairie, donne accès aux vieilles ruelles qui font le charme du village, une très vieille cité (vestiges de remparts) qui semble surveiller l'ancienne cité rivale, Le Castellet, perché en face. À l'extrémité est, belle **vue★** sur l'arrière-pays avec Le Castellet au premier plan, et sur la Sainte-Baume.

Sortez par la D 66 et tournez tout de suite à droite dans la petite route fléchée « Chemin de l'Argile ». Cette jolie route viticole traverse un terroir très particulier, celui dit des argiles. Bien adapté au mourvèdre, qui a besoin d'eau pour mûrir (celle que l'argile permet justement de retenir), ce microterroir donne des vins réputés, profonds et soyeux. Arrêtez-vous sans hésitation dans l'un des domaines AOC bandol qui bordent la route, comme par exemple le **domaine Bunan-Moulin des Costes** *(voir nos bonnes caves)*.

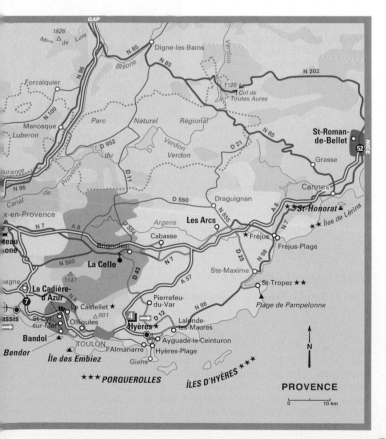

Au bout de la route, tournez à gauche dans la D 559ᴮ. Tournez à 1,5 km à droite, dans un virage, à la pancarte « Domaine Ray Jane ».

Domaine Ray Jane, musée de la Tonnellerie et des Outils vignerons

83330 Le Plan-du-Castellet - 𝒫 04 94 98 64 08 - visites commentées du musée uniquement sur RV - tlj sf dim. et j. fériés 8h-12h, 14h-19h (18h30 en hiver).

La famille Constant a tranformé une partie de sa cave en musée privé : le vigneron lui-même emmène ses clients pour une visite commentée de sa collection (outils de tonnellerie du 19ᵉ s., alambics du 18ᵉ s., hotte à raisins de cérémonie, reconstitution d'une cuisine provençale…). Chaque objet a été daté et étiqueté à la main. Insolite, pédagogique et touchant.

Revenez à la D 559ᴮ, puis tournez à gauche dans la D 226.

Le Castellet★

Plusieurs films ont été tournés dans ce très joli village, juché sur un piton boisé, ancienne place forte pourvue de remparts bien conservés, d'une église du 12ᵉ s. soigneusement restaurée et d'un château (11ᵉ s., pour les parties les plus anciennes). Nombreuses maisons datant des 17ᵉ et 18ᵉ s. Au bout de la place de la Mairie, franchissez une poterne : jolie **vue** sur le versant nord de l'appellation, abrité du mistral par la Sainte-Baume. 🍷 Côté vin, ne manquez pas le **domaine de l'Olivette** ni la **Maison des vins de Bandol**, qui propose un large choix de domaines dans l'appellation bandol *(voir nos bonnes caves).*

Prenez la direction du Beausset par la D 26. La route en balcon longe de belles vignes en restanques. 🍷 Au Beausset, allez goûter les vins du **domaine de l'Hermitage** *(voir nos bonnes caves).*

Juste après le rond-point (en contournant la ville par la D 26), tournez à droite. Une petite route serpente parmi les vignobles, les oliviers, les cyprès, les genêts et les arbres fruitiers. Elle conduit à la **chapelle Notre-Dame du Beausset-Vieux**, dont la terrasse offre une **vue★** circulaire sur Le Castellet, la Ste-Baume, le Gros Cerveau et la côte de Bandol à La Ciotat. D'ici, vous envisagez aussi les différents terroirs des vignobles : les vignes de l'AOC bandol sur les coteaux, celles des vins de pays et de table en plaine.

Le vignoble en terrasse, au-dessus de Cassis.

La N 8 descend vers **Ollioules**, qui s'est consacré à la culture florale. Mais la vigne n'est pas en reste.

Prenez la D 11 qui mène à Sanary-sur-Mer, puis la D 559 jusqu'à Bandol.

Bandol★

Bandol, qui connut un développement touristique dès le 19ᵉ s. grâce au chemin de fer, offre quatre belles plages de sable fin. Le port de plaisance, aménagé dans une anse, est bordé par les **allées Jean-Moulin★** et Alfred-Vivien, plantées de pins, de palmiers et de fleurs.

EN MARGE DU VIGNOBLE

Virée archéologique au musée de Taurœntum à Saint-Cyr-sur-Mer

8 km à l'O de Bandol par la D 559. Depuis St-Cyr, longer la côte vers la Madrague, en direction du port des Lecques. 131 rte de la Madrague - 𝒫 04 94 26 30 46 - juin-sept. : tlj sf mar. 15h-19h ; oct.-mars : w.-end et j. fériés 14h-17h ; avr.-mai : jeu., vend. et w.-end 14h-17h - fermé 1ᵉʳ janv. et 25 déc. - 3 € (-7 ans gratuit).

Toute proche de l'AOC bandol, St-Cyr conserve les vestiges de Taurœntum, unique villa romaine de bord de mer sur la côte méditerranéenne française. Le musée, entre les Lecques et la Madrague, est astucieusement construit sur les vestiges d'une riche demeure remontant au 1ᵉʳ s. Les fouilles ont mis au jour trois belles mosaïques en noir et blanc, des fours de potier et de tuilier, des objets funéraires et familiers, des verreries et des colonnes torsadées en marbre.

Se baigner à Cassis★ et dans les calanques

Trois plages naturelles, parfaites pour les enfants, sont disponibles : plage de la **Grande-Mer** (&, *douches, WC, consignes, location de pédalos*), plage du **Bestouan** *(douches, WC, location de matelas)*, plage du **Corton** *(base de loisirs nautiques légers)*. Un itinéraire à suivre : la promenade des Lombards. Tout en haut de cette voie qui relie la plage de la Grande-Mer à l'anse de Corton, le point de vue est unique, à commencer par le château construit par Hugues de Baux au 13e s.

Se baigner à Bandol★

Bandol est labellisé « Station nautique », ce qui atteste de la diversité et de la qualité des activités proposées (centre de plongée notamment sur l'île de Bendor). Il y a quatre principales plages de sable : les plages Centrale et du Casino, celle du Lido à l'est, l'anse de Rènecros bien abritée à l'ouest. Sur le sentier du littoral *(en direction de St-Cyr-sur-Mer)* alternent petites plages de graviers et zones rocheuses.

Les adresses de Cassis à Bandol

NOS BONNES TABLES

Le Bonaparte – *14 r. du Gén.-Bonaparte - 13260 Cassis - ☎ 04 42 01 80 84 - fermé nov., déc. dim. soir et lun. - réserv. obligatoire - 12 € déj. - 15/22 €.* On vient ici pour déguster des recettes à base de poisson, comme la bouillabaisse (à commander la veille). À l'intérieur, les couleurs des nappes et des serviettes, respectivement bleu, blanc et rouge, sont un clin d'œil aux uniformes des soldats impériaux. Ambiance familiale et clientèle plutôt locale.

Le Clocher – *1 r. Paroisse - 83150 Bandol - ☎ 04 94 32 47 65 - le.clocher@wanadoo.fr - fermé merc. - 24/31 €.* En terrasse ou dans la salle à manger aux allures de café provençal de ce sympathique petit restaurant du vieux Bandol, vous goûterez une délicieuse cuisine du cru retravaillée au goût du jour. De quoi oublier l'animation du quartier piétonnier !

La Vieille Auberge – *14 quai Jean-Jacques-Barthélemy - 13260 Cassis - ☎ 04 42 01 73 54 - fermé fév. et merc. - réserv. conseillée - 22/30 €.* Agréable auberge où l'on se transmet, de père en fils, les recettes à la fois traditionnelles et provençales. Intérieur d'esprit marin, véranda tournée vers le port et terrasse d'été.

NOS HÔTELS ET CHAMBRES D'HÔTE

Auberge La Cauquière – *Puits d'Isnard - 83330 Le Beausset - ☎ 04 94 98 42 75 - fermé janv. - 🅿 - 10 ch. : 75 € - ☲ 6 € - rest. 21/34 €.* L'auberge, avec son jardin et sa piscine, se situe en plein centre du Beausset. Vous n'êtes qu'à dix minutes en voiture des plages et sur la route des vins de Bandol. Les chambres agréables s'organisent autour d'un patio chaleureux. Laissez-vous tenter par sa cuisine de Provence accompagnée des vins de pays.

Chambre d'hôte Villa Lou Gardian – *646 rte de Bandol - 83110 Sanary-sur-Mer - Autoroute A 50, échangeur Bandol - ☎ 04 94 88 05 73 ou 06 60 88 05 73 - www.lou-gardian.com - ☲ - 4 ch. 80 € ☲.* Malgré la proximité de la route, cette villa récemment rénovée, entourée d'arbres centenaires et de palmiers, vous offrira un séjour agréable. Les chambres, sobrement décorées, sont climatisées et ont toutes un accès direct sur l'extérieur. La grande piscine et le tennis vous séduiront.

NOS BONNES CAVES

MAISON DES VINS ET CAVISTES

La Maison des vins - La Maison des coquillages – *Rte de Marseille - 13260 Cassis - ☎ 04 42 01 15 61 - www.maisondesvinscassis.com - tlj sf dim. 9h-12h30, 14h30-19h30, dim. 9h-12h30 - fermé j. fériés en hiver.* Bénéficiant de l'AOC depuis 1936, le vignoble de Cassis couvre environ 170 ha et se compose de 13 domaines où prime le blanc (80 % de la production). La Maison des vins vend les bouteilles de 11 d'entre eux, ainsi qu'une sélection de crus hexagonaux. De septembre à juin, vente de coquillages et plateaux de fruits de mer à la boutique voisine (Maison des Coquillages).

Le Chai Cassidain – *6 r. Séverin-Icard - 13260 Cassis - ☎ 04 42 01 99 80 - merc.-dim. 10h-13h, 16h-20h30, mar. 16h-20h30 ; tlj en sais.* 13 vins blancs, 2 rouges et 5 rosés issus du vignoble cassidain, des grands crus comme le palette, des côtes-du-rhône ou de-provence et des vins d'autres régions françaises : voilà ce que vous découvrirez dans la chaleureuse boutique de ce caviste hors-pair. Certains jours, la dégustation s'accompagne d'une assiette…

Le Tonneau de Bacchus – *296 av. du 11-Novembre - 83150 Bandol - ☎ 04 94 29 01 01 - www.tonneau-de-bacchus.com - juil.-août : 9h30-12h30, 16h-20h ; le reste de l'année : tlj sf lun. et dim. apr.-midi.* Ce caviste passionné propose bien évidemment un grand choix de vins de Bandol, mais aussi des grands crus de bordeaux, de bourgogne, champagnes, produits fins et des vieux millésimes. Dégustations de vin ou d'huile d'olive.

Maison des vins de Bandol – *238 chemin de la Ferrage - 83330 Le Castellet -* 📞 *04 94 90 29 59 - www.vinsdebandol.com - de juin à fin sept. : tlj sf lun. matin 9h-12h30, 14h30-19h ; de fin-sept. à fin mai : tlj sf merc. et dim. 10h-12h, 15h-18h30.* Émanation du Syndicat des vignerons de Bandol, cette maison des vins est avant tout destinée à faire connaître les vins de l'AOC. Séances dégustation des domaines de l'appellation bandol.

DOMAINES

Clos Sainte-Magdeleine – *Av. du Revestel - 13260 Cassis -* 📞 *04 42 01 70 28 - jsack@club-internet.fr - lun.-vend. 10h-12h, 15h-19h.* Créé à la fin du 19ᵉ s., le domaine appartient à la famille Zafiropulo depuis 1920. L'exploitation s'étend sur 9 ha consacrés à la production de vins blancs et 3 ha en fermage. Les vignes, orientées au nord-ouest, sont cultivées en lutte raisonnée et vendangées manuellement. La vinification se ensuite lieu en cuves Inox, en cuves béton et en cuves métalliques recouvertes d'époxy. 🍷 cassis.

Château Pradeaux – *676 chemin des Pradeaux - 83270 St-Cyr-sur-Mer -* 📞 *04 94 32 10 21 - chateaupradeaux@wanadoo.fr - lun.-sam. 9h-12h, 15h-18h - sur RV.* Le domaine de 26 ha, dont 21 en production, est exploité depuis 1983 par Cyrille Portalis et son épouse Magali. Mourvèdre, grenache et cinsault sont cultivés sur un sol argilo-calcaire. La récolte est manuelle et la vinification traditionnelle : foulage léger sans éraflage et élevage en foudres de chêne. 🍷 bandol.

Domaine Bunan – *Moulin des Costes - 83740 La Cadière-d'Azur -* 📞 *04 94 98 58 98 - www.bunan.com - avr.-sept. : tlj 8h-12h30, 14h-19h ; oct.-mars : tlj sf dim. 8h-12h, 14h-18h.* Ce domaine érigé au milieu des vignes, des pins et des oliviers, produit des vins AOC bandol et côtes-de-provence. Grâce à son alambic de 1920, il élabore également un vieux marc égrappé et une eau-de-vie blanche de marc. Enfin, ne partez pas sans avoir goûté l'huile d'olive, les tapenades et le miel maison. 🍷 bandol, côtes-de-provence.

S. Sauvignier / MICHELIN

Domaine de l'Olivette – *Chemin de l'Olivette - 83330 Le Castellet -* 📞 *04 94 98 58 85 - info@domaine-olivette.com.* Le domaine, propriété familiale depuis le 18ᵉ s., s'est progressivement développé au cours des générations pour atteindre une superficie de 55 ha. Les vignes sont principalement implantées sur les coteaux du Castellet. L'exploitation qui dispose des moyens les plus modernes pour la vinification s'est également attaché les conseils d'un laboratoire d'œnologie chargé de suivre le processus d'élaboration des vins depuis la maturité des raisins jusqu'à la mise en bouteilles. 🍷 bandol.

Domaine de l'Hermitage – *Chemin de Rouve - 83330 Le Beausset -* 📞 *04 94 98 71 31 - www.domainesduffort.com - tlj sf w.-end 9h-12h, 14h-18h (été 19h) - fermé j. fériés.* Cette affaire familiale possède 70 ha de vignes faisant l'objet de tous les soins : taille courte, traitement raisonné... La moitié du vignoble produit un bandol AOC, vieilli au minimum 18 mois dans des foudres de chêne. L'autre partie du domaine donne des côtes-de-provence. En vedette : le rosé médaillé d'or. 🍷 bandol.

Coteaux varois et côtes de Provence

CARTE MICHELIN LOCAL 340 – VAR (83)

Le vignoble de l'AOC **côtes-de-provence** est le géant de Provence. Au cœur de la Provence méditerranéenne, remontant les vallées de l'Arc et de l'Argens, longeant les calanques et les plages de Marseille à Nice, la région connaît 12 vents dont le plus célèbre est le mistral, dont le souffle sec éloigne la maladie. Coupant géographiquement l'AOC côtes-de-provence en deux, l'appellation **coteaux-varois** est produite dans le pays brignolais.

LES TERROIRS
Production : 1 million d'hl pour les côtes-de-provence, 85 000 hl pour les coteaux-varois.
Superficie : 21 000 ha pour les côtes-de-provence, et 1 800 ha pour les coteaux-varois.
Les vignobles s'accrochent sur des sols très calcaires.

LES VINS
Les trois couleurs sont vinifiées, mais le rosé l'emporte haut la main avec 80 % de la production.
L'**AOC côtes-de-provence** et l'**AOC coteaux-varois** sont issues des cépages grenache, syrah, carignan, cinsault, tibouren, mourvèdre, cabernet-sauvignon pour les rouges et rosés, et des cépages rolle, ugni blanc, clairette, sémillon pour les blancs.

BON À SAVOIR
👁 **Conseil interprofessionnel des vins de Provence** – 📞 04 94 99 50 10 - www.vinsdeprovence.com
👁 **Maison des vins coteaux-varois** – 📞 04 94 69 33 18.

4 D'Hyères à Brignoles (1ʳᵉ étape)

▶ 70 km. Hyères se trouve à 21 km à l'E de Toulon par l'A 57-A570. Carte Michelin Local 340, *L-O 5-7*. Voir l'itinéraire 4 sur le plan p. 342-343.

Hyères★

🍷 Ses huit domaines viticoles côtes-de-provence, dont le **Château de Mauvanne** *(voir nos bonnes caves)*, ne doivent pas faire oublier le charme des ruelles médiévales. Passée la **porte Massillon**, remonter la rue Massillon, ponctuée de portes Renaissance et surtout très animée par les nombreux étalages aux effluves mêlés qui débordent dans l'ancienne grand'rue. Place Massillon, la **tour St-Blaise** (12ᵉ s.), ancienne abside fortifiée d'une commanderie templière, accueille des expositions temporaires. *Monter les escaliers et suivre la rue Ste-Catherine.* La terrasse de la place St-Paul offre un beau **point de vue★** sur la ville et la presqu'île, ainsi que sur les îles de Porquerolles, Port-Cros et du Levant.
À Hyères, vous découvrirez également le charme de superbes villas de la fin du 19ᵉ s. (voir surtout la **villa de Noailles**, qui se visite, les autres étant privées), ainsi que la fraîcheur des **jardins Olbius-Riquier** (jardin d'acclimatation), du **parc St-Bernard** (fleurs méditerranéennes) ou encore du **parc du château Sainte-Claire**.

Le vignoble

Le vignoble hyérois s'étend du littoral, au sud, jusqu'aux contreforts du **massif des Maures★★★**, au nord. 🍷 Par la N 98 à l'est, vous rejoignez l'agréable station balnéaire de **Lalonde-les-Maures**, qui est aussi un important centre viticole : son arrière-pays immédiat ne compte pas moins de 23 domaines, dont les **Châteaux Les Valentines** et **Ste-Marguerite** *(voir nos bonnes caves)*.
La D 88 traverse les vignobles des **Borrels**, une agréable route longeant de nombreux domaines enfouis entre vignes, pinède et oliviers. La route débouche sur la D 12, que vous suivrez vers le nord, pour atteindre **Pierrefeu-du-Var**, un autre gros bourg vigneron, avec 14 domaines et une cave coopérative. 🍷 Là, vous pourrez, entre autres, vous arrêtez au **domaine de la Tour des Vidaux**, qui fait également table d'hôte *(voir nos bonnes caves)*.
Par la D 14 à l'ouest, puis la D 43 vers le nord, rejoignez La Celle, peu avant Brignoles.

Abbaye de La Celle

📞 04 94 59 19 05 - www.la-celle.fr - visite guidée (45mn) - avr.-sept. : 9h-12h30, 14h-18h30, w.-end 9h-13h, 14h30-18h30 ; oct.-mars : 9h-12h, 14h-17h, sam. 9h-12h, 14h-17h30, dim. 10h-12h, 14h-17h30 (dern. visite 1h av. fermeture) - fermé 1ᵉʳ janv., 1ᵉʳ Mai, 1ᵉʳ et 11 Nov., 25 déc. - 2,30 € (-12 ans gratuit).
Cet édifice roman (11ᵉ-12ᵉ s.) fut vendu à la Révolution et transformé en exploitation agricole, puis en hôtellerie de luxe. Il est aujourd'hui propriété du conseil général du Var et fait l'objet d'une restauration. On visite l'église abbatiale, le cloître et son jardinet, la salle capitulaire et le cellier aménagé en sacristie. Avec sa nef unique en cul-de-four, l'austère chapelle Ste-Perpétue a une allure de forteresse. Elle abrite un

Hyères, ses maisons anciennes et son clocher.

Christ d'origine catalane d'un réalisme saisissant, deux retables baroques ainsi que le sarcophage de Garsende de Sabran.

🍷 La **Maison des vins coteaux-varois** est située dans l'enceinte même de l'abbaye de La Celle, magnifique édifice du 12ᵉ s., dont une partie a été superbement aménagée pour la présentation des produits du terroir. 80 vignerons sont ici regroupés pour des vins rouges, blancs, rosés, auxquels s'ajoute la petite production de l'abbaye. Ce lieu prestigieux invite à la flânerie, dans le vignoble conservatoire riche de 88 cépages ou au gré des expositions organisées. *La Maison des vins fournit les brochures de trois circuits découverte du vignoble à faire en voiture.* ☎ *04 94 69 33 18 - coteauxvarois@wanadoo. fr - de juil. à mi-sept. : 10h-12h, 15h-19h, dim. et j. fériés 15h-19h ; hiver : tlj sf dim. et j. fériés 10h-12h, 14h-18h.*

Brignoles

Ruelles et traverses, étroites et tortueuses, montantes ou descendantes, dessinent le labyrinthe du vieux Brignoles, aujourd'hui quartier central d'une ville animée, au cœur de l'appellation coteaux-varois. Ici, comme en côtes-de-provence, le rosé est largement majoritaire avec 80 % de la production. Le relief est plus accidenté : les vignes poussent à une altitude moyenne de 350 m (parfois 500), soumise à un climat de piémont, froid l'hiver, chaud et sec l'été.

Vous découvrirez le **vieux Brignoles** au sud de la place Carami : la rue du Grand-Escalier et ses voûtes, la rue St-Esprit, la rue des Lanciers, où se trouve une **maison romane** à fenêtres géminées, pénètrent dans le vieux Brignoles.

Le **musée du Pays brignolais** est établi dans l'ancien **palais des comtes de Provence** (en partie du 12ᵉ s.) dont la tour domine la ville *(table d'orientation)*. Dans la salle des Gardes, le **sarcophage de la Gayole★** (2ᵉ s.) serait le plus ancien monument chrétien de Gaule, mais l'iconographie (pêcheur, ancre, berger ramenant une brebis, arbres du jardin céleste, soleil personnifié) est encore marquée par la tradition polythéiste gréco-romaine. Vous y verrez également une **crèche animée** (1952) fabriquée selon la tradition provençale. ☎ *04 94 69 45 18 - avr.-sept. : 9h-12h, 14h30-18h, dim. 9h-12h, 15h-18h ; oct.-mars : 10h-12h, 14h30-17h, dim. 10h-12h, 15h-17h - fermé lun., mar., j. fériés - 4 € (-12 ans 2 €).*

Les adresses d'Hyères à Brignoles

NOS BONNES TABLES

😊 **Le Val Bohème** – *3 pl. du 4-Septembre - 83143 Le Val - ☎ 04 94 86 46 20 - 🍴 - 13,50 € déj. - 19 €.* Moins réputé que son voisin, ce petit restaurant tout simple compense un manque de choix dans son menu par une fraîcheur garantie. Une formule unique, qui se dessine en fonction des produits du marché, servie aux beaux jours sur la charmante terrasse adossée à l'église. Excellent rapport qualité-prix.

😊😊 **Le Jardin Provençal** – *18 av. Georges-Clemenceau - 83250 La Londe-les-Maures - ☎ 04 94 66 57 34 - fermé 15 déc.-20 janv., lun. et mar. - 18 € déj. - 28/40 €.* Le jardin provençal entourant la ravissante terrasse ombragée de ce restaurant vaut à lui seul le déplacement. L'été, il est bon de réserver si vous voulez y déguster des plats du terroir tels que la salade de rougets, les moules crémées à l'ail, le carré d'agneau persillé ou de savoureux desserts.

Le Bistrot à l'Ail – *22 av. Georges-Clemenceau - 83250 La Londe-les-Maures - 04 94 66 97 93 - fermé 20 nov.-20 déc., le midi et lun. soir en juil.-août - 31/68 €.* Le jeune Cédric Gola s'active derrière ses fourneaux tandis que son épouse dévouée s'occupe de l'accueil et du service des clients attablés en salle ou sur la terrassette aménagée sur le trottoir. Leur cuisine provençale joliment présentée ne connaît que les produits frais, gages d'un agréable moment gourmand.

NOS CHAMBRES D'HÔTE

Chambre d'hôte La Cordeline – *14 r. des Cordeliers - 83670 Brignoles - 04 94 59 18 66 ou 06 12 99 20 02 - www.lacordeline.com - réserv. obligatoire - 5 ch. 70/105 € - repas 30 €.* Havre de bien-être en plein centre-ville, cette ravissante maison de notable du 17e s. abrite d'immenses chambres garnies de beaux meubles de famille. Dès les premiers rayons du soleil, les petits-déjeuners sont servis sur la terrasse, à l'ombre de la treille. Jacuzzi extérieur.

Chambre d'hôte L'Aumônerie – *620 av. de Fontbrun - 83320 Carqueiranne - au SE du bourg par D 559 dir. Hyères et chemin à droite, au bord de la mer - 04 94 58 53 56 - www.guidesdecharme.com - réserv. conseillée - 3 ch. + 1 gîte 75/125 €.* L'adresse, jadis propriété d'un aumônier de marine, veut rester confidentielle afin de préserver sa douce quiétude. Les chambres y sont d'une grande sobriété. Les petits-déjeuners se prennent au lit ou sur la terrasse ombragée de pins maritimes, le « must » demeurant le jardin qui mène à la plage privée et à la mer.

NOS BONNES CAVES

SCA Château de Mauvanne – *2805 rte de Nice - 83400 Hyères - 04 94 66 40 25 - chateaudemauvanne@free.fr.* En 1999, sur les conseils d'Yves Morard, Bassim Rahal, œnologue au Liban et propriétaire d'un domaine dans le Vaucluse, rachète le Château de Mauvanne. Il agrandit ainsi son patrimoine viticole vaste de 200 ha, situé au pays du cèdre bleu. Sur les 50 ha du domaine, 43 sont consacrés à la vigne, encépagés de grenache, de syrah, de cinsault, de mourvèdre et de tibouren, pour les rouges et les rosés, complétés de carignan et de cabernet-sauvignon ; de rolle, d'ugni blanc et de clairette pour les blancs. Les vendanges sont à la fois manuelles et mécaniques. La vinification et l'élevage, traditionnels, sont ensuite effectués en cuves Inox à double parois thermorégulées, tandis que les cuvées haut de gamme en rouge en côtes-de-provence séjournent dans des barriques et des foudres de chêne. côtes-de-provence, vin de pays des Maures.

Château Les Valentines – *Quartier les Jassons - rte de Collobrières - 83250 La Londe-les-Maures - 04 94 15 95 50 - www.lesvalentines.com - tlj sf dim. 9h-12h30, 14h-19h - fermé j. fériés.* Les propriétaires de ce joli caveau aux couleurs provençales ont travaillé d'arrache-pied pour redonner vie à leurs 23 ha de vignes, dont une partie a plus de 80 ans. Leurs premières vendanges datent de 1997 et donnent principalement du rosé et du rouge. À goûter en priorité : la cuvée Bagnard, AOC côtes-de-provence. côtes-de-provence.

Château Sainte-Marguerite – *Le Haut-Pansard - 83250 La Londe-les-Maures - 04 94 00 44 44 - www.chateausaintemarguerite.com - tlj sf dim. 9h-12h, 14h-18h - fermé j. fériés.* Cette très belle propriété cultive 50 ha de vignes donnant chaque année quelque 250 000 bouteilles qui terminent pour 75 % d'entre elles sur les tables de grands restaurateurs. Le caveau propose plusieurs cuvées AOC côtes-de-provence, dont les cuvées Esprit de Sainte-Marguerite, M de Marguerite, Grande Réserve et Symphonie. côtes-de-provence.

Domaine La Tour des Vidaux – *Quartier Les Vidaux - 83390 Pierrefeu-du-Var - 04 94 48 24 01 - tourdesvidaux@wanadoo.fr.* En 1996, guidé par son amour du vin, Paul Weindel reprend ce domaine de 24 ha. Il entreprend alors d'importants travaux qui lui permettent aujourd'hui de vinifier sa production sur place. Planté sur le versant méridional du massif des Maures, le vignoble couvre des sols schisteux où s'enracinent grenache, syrah, cabernet-sauvignon, cinsault, carignan et tibouren pour les rouges et les rosés ; clairette et ugni blanc pour les blancs. Sur l'ensemble du domaine, les techniques les plus modernes sont associées au méthodes traditionnelles : élevage en foudres de chêne français de 25 à 50 hl et, dans une moindre mesure, en barriques. côtes-de-provence.

④ De Brignoles à St-Tropez (2ᵉ étape)

▶ 105 km. Brigoles se trouve à 48 km au N de Toulon par l'A 57, puis la D 43 et la D 554. Carte Michelin Local 340, *L-O 5-7.* Voir l'itinéraire ④ sur le plan p. 342-343.

Quittez Brignoles à l'est par la N 7, puis tournez à gauche dans la D 79.

La route menant au village de **Cabasse** est jalonnée de six domaines coteaux-varois, le long d'une vallée tapissée de vignes coiffées de vieilles batisses provençales. ♟ Le **domaine Gavoty** est intéressant *(voir nos bonnes caves).*

À Cabasse, allez au sud par la D 13 pour revenir vers la N 7, que l'on prend vers Les Arcs.

Les Arcs

En pleine zone viticole, le gros bourg des Arcs dispute à Brignoles le titre envié de capitale des côtes-de-provence : ses environs produisent en effet d'excellents crus. Dominant le village, le vieux quartier du Parage et les ruines du château de Villeneuve, qui constitue le kilomètre zéro de la route des Vins, vous attendent.

♟ La **Maison des vins côtes-de-provence** est le siège de l'appellation côtes-de-provence. Son but est surtout promotionnel et l'on y trouve quelque 700 références (dont environ 80 vins de garde) classées en cinq terroirs. Espace de dégustation moderne (16 vins différents proposés chaque semaine en dégustation gratuite), conseils avertis et vente de spécialités de bouche régionales. Restaurant gastronomique à l'étage, le Bacchus. Un samedi par mois, session d'initiation à la dégustation, en particulier des côtes-de-provence, bien sûr. *83460 Les Arcs - ℘ 04 94 99 50 20 - www.caveaucp.fr - tlj 10h-19h (20h en juil.-août et 18h hors sais.) - fermé 1ᵉʳ janv. et 25 déc.*

♟ Le **domaine Sainte-Roseline** produit de grands vins *(voir nos bonnes caves).*

Des Arcs, prenez la N 7 sur 5,5 km (direction Fréjus), puis tournez à droite dans la D 25, direction Ste-Maxime, où vous prendrez la N 98 qui longe le littoral pour déboucher à St-Tropez.

♟ Avant d'arriver dans le village lui-même, au carrefour de la Foux, arrêtez-vous au **Petit Village** : cette grande boutique commercialise la production d'un groupement de huit domaines et d'une coopérative *(voir nos bonnes caves).*

Saint-Tropez★★

« St-Trop »… On en connaît le côté jet-set, les jolies maisons pastel qui observent la côte, épaulées de collines aux rivages de roche et de sable idylliques. On connaît moins ses vignobles, alanguis auprès des pins parasols et des bruyères.

Sur le **port★★**, vous vous mêlerez à la population cosmopolite dans le cœur grouillant de la vie tropézienne. Les yachts les plus clinquants s'y amarrent pour l'été, l'arrière tourné non vers le large mais vers les quais : c'est qu'il s'agit avant tout de montrer qui on est ! Un théâtre où chacun se pavane, sur les quais et dans les rues voisines, devant les vitrines des cafés, glaciers, restaurants, boutiques de nippes ou de luxe, au pied des façades jaunes et roses des maisons traditionnelles, que couronne l'altier clocher vivement coloré de l'église.

En flânant dans les ruelles, vous découvrirez que St-Tropez se fait beau pour ressembler à l'image dépeinte au début du 20ᵉ s. par les plus grands artistes, conservée au **musée de l'Annonciade★★**. À deux pas du port agité et pourtant loin des frasques de la ville, cette chapelle du 16ᵉ s. recueille des chefs-d'œuvre de la peinture de la fin du 19ᵉ s. et du début du 20ᵉ s., pour la plupart, interprétations merveilleuses du site tel qu'il se présentait alors. La touche pointilliste de Signac rayonne avec le bleu scintillant de son *Orage.* Le fauvisme s'exprime avec Matisse, Van Dongen, Braque, Marquet. Les Nabis sont représentés par Vuillard et Vallotton. *℘ 04 94 97 04 01 - juil.-oct. : tlj sf mar. 10h-13h, 15h-19h ; déc.-juin : tlj sf mar. 10h-12h, 14h-18h - fermé nov., 1ᵉʳ janv., 1ᵉʳ Mai, Ascension, 25 déc. - 4,50 ou 5,50 € (juil.-oct.), enf. 2,50 ou 4 € (juil.-oct.).*

EN MARGE DU VIGNOBLE

Profiter des belles plages tropéziennes

Elles sont divines, nappées de sable fin, entrecoupées de rochers formant parfois de délicieuses criques sous des pins parasols gorgés de pignons l'été. Vous n'aurez que l'embarras du choix sur 10 km. Les plus courageux les dénicheront à pied par le sentier du littoral qui fait le tour de la presqu'île jusqu'à la baie de Cavalaire.

Pas d'embouteillage pour atteindre les plages proches et assez tranquilles de la **Bouillabaisse** (idéal pour la planche à voile par temps de mistral), à l'ouest ; la plage ombrée des **Graniers** *(accès par la rue Cavaillon),* à l'est, avant la baie des Cannebiers, plage privilégiée entre la citadelle et les rochers. Plus à l'est encore se trouve la **plage des Salins** *(accès par l'avenue Foch).* Bien protégées du mistral, les plus belles et les plus branchées, les **plages de Pampe-lonne**, souvent privées, affichent toutes les tendances : Club 55 pour danser toute la nuit, ou Nioulargo, BCBG.

Bronzer sur les plages de Fréjus
Depuis 1989, Fréjus a retrouvé la Méditer-ranée grâce à **Port-Fréjus**, un port de plai-sance aux allures de palais romain… plus vrai que nature ! Une passerelle enjambe les eaux bleues entre les quais Cléopâtre et Agrippa et on se promène d'une placette à l'autre, chacune baptisée à la provençale. Tout ceci laisse une impression d'artifice, de pastiche…, mais il n'est pas interdit d'apprécier !

Au large du cap Lardier, près de St-Tropez.

J. Malburet / MICHELIN

Entre Port-Fréjus et le pont du Pédégal, le long de la promenade du bord de mer, **Fréjus-Plage** offre plus d'un kilomètre d'une belle et large plage de sable fin. Plus à l'ouest, la **plage de l'Aviation** est une longue plage de sable fin. Entre deux baignades, vous pourrez vous intéresser à la flore : précieux et rares lis de mer en juillet, saladelles (lavande de mer) en septembre.

Promenade dans la ville romaine de Fréjus★
33 km au nord-est de St-Tropez par la N 98. Cette visite à pied prend 1h30 à 2h, les ruines étant très dispersées. Laisser la voiture sur le parking de la place Agricola.

L'**amphithéâtre romain**★ accueillait au 2e s. environ 10 000 spectateurs sur les gradins aujourd'hui écroulés. Il est aujourd'hui utilisé en été pour des spectacles et des corridas, où Picasso vint en spectateur…, utilisation qui fait de Fréjus le point oriental extrême de la planète des taureaux. ℘ 04 94 51 34 31 - www.ville-frejus.fr - mai-oct. : tlj sf lun. 9h30-12h30, 14h-18h ; nov.-avr. : tlj sf lun. 9h30-12h30, 14h-17h - fermé j. fériés - 2 € (-12 ans gratuit).

La rue Joseph-Aubenas puis l'avenue du Théâtre-Romain mène au **théâtre**, où l'on distingue encore des murs rayonnants, jadis voûtés et portant les gradins, et, devant, l'emplacement de l'orchestre et de la fosse dans laquelle glissait le rideau. ℘ 04 94 53 58 75 - www.ville-frejus.fr - mai-oct. : tlj sf lun. 9h30-12h30, 14h-18h ; nov.-avr. : tlj sf lun. 9h30-12h30, 14h-17h - fermé j. fériés - 2 € (-12 ans gratuit).

Depuis le théâtre, remonter la rue qui mène à l'**aqueduc**. L'eau de Fréjus était captée à Mons, distant de 40 km. Parvenu au niveau des remparts, l'aqueduc contournait la ville jusqu'au château d'eau *(castellum)*, d'où partait le réseau de distribution. Cette promenade antique s'achève de l'autre côté du centre-ville, à la **porte d'Orée**, une belle arcade solitaire, sans doute un vestige des thermes portuaires. Tout autour, différents vestiges rappellent que le Fréjus romain était avant tout un port (22 ha, plus de la moitié de la superficie de la ville), au bassin creusé dans une lagune approfondie pour l'occasion.

Les adresses de Brignoles à St-Tropez

NOS BONNES TABLES
🍽 **Logis du Guetteur** – *Pl. du Château - 83460 Les Arcs - ℘ 04 94 99 51 10 - www.logisduguetteur.com - fermé fév. - 34/76 €.* Pittoresque établissement installé dans un fort du 11e s. Salles à manger rustiques logées dans les superbes caves médiévales et terrasse abritée. Cuisine au goût du jour. Chambres simples et de bon confort.

🍽 **Le Petit Charron** – *6 r. Charrons - 83990 St-Tropez - ℘ 04 94 97 73 78 - c-benoit@wanadoo.fr - fermé 15-30 janv., 1er-15 mars, 1er-15 août, 15 nov.-1er déc. et lun. hors sais. - 38/42 €.* La simplicité caractérise ce petit restaurant familial réservé aux non-fumeurs : décor « bistrotier », fanions et affiches de la Nioulargue et goûteuse cuisine régionale.

NOS HÔTELS ET CHAMBRES D'HÔTE
🏨 **Hôtel Lou Cagnard** – *18 av. Paul-Roussel - 83990 St-Tropez - ℘ 04 94 97 04 24 - hotel-lou-cagnard.com - fermé 6 nov.-27 déc. -* 🅿 *- 19 ch. 56/112 € - ☞ 8 €.* Façade jaune et volets bleus égayent cette vieille maison tropézienne proche de la célèbre place des Lices. Les chambres, majoritairement rénovées, bénéficient toutes d'une tenue impeccable. Aux beaux jours, le petit-déjeuner est servi dans un jardinet, à l'ombre des mûriers. Prix raisonnables… pour St-Tropez !

⊜⊜ Chambre d'hôte Château de Vins – *Les Prés du Château, au bourg - 83170 Vins-sur-Caramy - 9 km de Brignoles par D 24, rte du Thoronet - ℘ 04 94 72 50 40 - www. chateaudevins.com - fermé nov.-avr. -⊅- 5 ch. 73/120 € ⊡.* Ce bel édifice du 16ᵉ s. cantonné de quatre tours abrite des chambres sobrement aménagées ; toutes portent des noms de musiciens. Rénové avec passion par un dynamique propriétaire, il accueille activités culturelles, stages de musique, expositions, concerts estivaux et séminaires en juillet et août.

S. Sauvignier / MICHELIN

NOS BONNES CAVES

COOPÉRATIVE

Petit Village – *Rd-pt de la Foux - près du centre commercial, dir. Cogolin - 83580 Gassin - ℘ 04 94 56 40 17 - www.mavigne. com - juin-15 sept. : tlj sf dim. 8h30-13h, 14h30-19h30 ; le reste de l'année : tlj sf dim. 8h30-12h30, 14h30-19h.* Cette grande boutique commercialise la production d'un groupement de huit domaines viticoles – dont le prestigieux Château de Pampelonne – et d'une coopérative de l'arrière-pays toulonnais (Cave Saint-Roch les Vignes à Cuers). Dégustation gratuite et vente de produits du terroir : huiles, tapenade, miels, olives, etc.

DOMAINES

Domaine Gavoty – *83340 Cabasse - ℘ 04 94 69 72 39 - domaine. gavoty@wanadoo.fr - lun.-sam. 8h-12h, 14h-18h.* L'exploitation appartient à la famille Gavoty depuis 1806 et a été transmise, depuis, de génération en génération. Roselyne y a pris la succession de son père, Pierre, en 1985. Aujourd'hui, le vignoble s'étend sur 53 ha de terres argilo-calcaires. Il est encépagé de rolle, de grenache, de cinsault, de syrah et de cabernet-sauvignon. On peut y découvrir jusqu'à sept millésimes de blanc et plusieurs vieux millésimes en rouge, tous élaborés de manière naturelle. ♈ côtes-de-provence.

Château Sainte-Roseline – *83460 Les Arcs-sur-Argens - ℘ 04 94 99 50 30 - www.sainte.roseline.com - lun.-vend. 9h-19h (4 €).* Abbaye de La Celle Roubaud au 12ᵉ s., le château porte le nom de son ancienne prieure qui fut la protégée du pape Jean XXII. Ce dernier fut à l'origine de ce prestigieux vignoble de 100 ha, où s'épanouissent de très nombreux cépages. Les vignes sont cultivées dans le respect de l'environnement et les techniques d'effeuillage et d'effruitage permettent d'obtenir des baies d'une grande concentration. Les efforts se poursuivent dans les chais construits sur trois niveaux. Ainsi, après un double tri manuel, le cheminement de la vendange se fait par gravité pour un plus grand respect des raisins. En 2003, le château s'est doté d'un nouveau chai de vinification pour les rouges, qui a permis la généralisation de la technique du pigeage et l'adoption de la vinification en cuves de bois pour les vins hauts de gamme. Le Château bénéficie de la mention cru classé. ♈ côtes-de-provence.

Le vignoble de Bellet

CARTE MICHELIN LOCAL 341 – ALPES-MARITIMES (06)

Minuscule et très ancien (3ᵉ s. av. J.-C.), le vignoble de l'**AOC bellet** s'étage en terrasses (restanques) sur les pentes raides entièrement situées sur la commune de Nice, sur les collines du Bellet qui dominent la plaine du Var.

De Nice à Bellet

⊙ Quittez Nice à l'ouest par la N 98, puis prenez à droite la N 202 que l'on laisse à droite après St-Isidore pour suivre la direction de St-Roman-de-Bellet.

Ce vignoble confetti jouit d'un bel ensoleillement et d'un microclimat particulier, mistral et tramontane soufflant presque sans interruption sur la vallée. Constitué d'une quinzaine de viticulteurs, autant de domaines familiaux éparpillés dans une zone

LE TERROIR

Production : 1 000 hl.
Superficie : 50 ha.
Les vignobles s'accrochent sur les pentes composées de galets roulés, de sable et d'argile du Var.

LE VIN

Le vin de Bellet n'est connu que de rares privilégiés.
Les cépages folle noire, braquet, cinsault et grenache pour les rouges, rolle, roussanne, clairette, ugni blanc et chardonnay pour les blancs.

BON À SAVOIR

👁 **Syndicat des vignerons de Bellet** – 📞 04 93 37 81 57 - www.vinsdebellet. com.

résidentielle, le vignoble donne des vins rouges, rosés et blancs (les meilleurs, aux arômes de tilleul et de miel, mais chers). Ces vins sont très recherchés des connaisseurs, délicieux avec les spécialités niçoises comme la socca, la pissaladière ou le tian de légumes. La plupart des producteurs sont situés sur **Saint-Roman-de-Bellet**. 🍷 Le **Clos St-Vincent** est l'un des fleurons de l'appellation *(voir nos bonnes caves)*.

Les adresses de Nice à Bellet

NOS BONNES TABLES

😊😋 **Au Rendez-vous des Amis** – *176 av. de Rimiez, aire St-Michel - 06000 Nice - 9 km au N de Nice -* 📞 *04 93 84 49 66 - rdvdesamis@msn.com - fermé 26 fév.- 14 mars, 23 oct.-22 nov., mar. sf juil-août et merc. - 23/29 €.* Isabelle et Thierry vous reçoivent comme à la maison dans leur restaurant coloré. C'est elle qui prépare les entrées et les desserts, tandis que Monsieur mitonne de savoureuses recettes aux accents du Sud. Pas de carte à rallonge ici, mais un menu à prix sage dont le choix restreint garantit la fraîcheur des produits.

😊😋 **L'Auberge de la Méditerranée** – *21 r. Delille - 06000 Nice -* 📞 *04 93 91 35 65 - fermé 14-27 août, 25 déc.-1er janv., lun. soir, mar. soir, merc. soir, sam. midi et dim. - 19 €/bc.* Chaleureuse atmosphère familiale, décor sobre et plaisant, goûteuse cuisine régionale (l'ardoise change tous les jours en fonction du marché)… Une vraie bonne petite adresse.

NOS CHAMBRES D'HÔTE

😊😋 **Villa la Lézardière** – *87 bd de l'Observatoire - 06000 Nice -* 📞 *04 93 56 22 86 - www.villa-nice.com -* 🅿 *- 5 ch. 90/140 €* 🍽. Postée sur la Grande Corniche, cette villa de style provençal offre une vue magnifique sur la ville et les Alpes. Chambres personnalisées, piscine et grand jardin clos. Cuisine traditionnelle ou thaïlandaise.

😊😋😋 **Chambre d'hôte Castel Enchanté** – *61 rte St-Pierre-de-Féric - 06300 Nice -* 📞 *04 93 97 02 08 - www.castel- enchante.com -* 🚫 *- 3 ch. et 1 suite 100 €* 🍽. Accessible par un étroit chemin escarpé, belle maison du 19e s. précédée d'une large terrasse verdoyante dominant un vallon. Une quiétude bien agréable règne dans les trois spacieuses chambres.

NOTRE BONNE CAVE

Clos Saint-Vincent – *Chemin du Collet- des-Fourniers - St-Roman-de-Bellet - 06200 Nice -* 📞 *04 92 15 12 69 - clos. st.vincent@wanadoo.fr - sur RV.* Le vignoble couvre aujourd'hui une superficie de 6 ha, encépagés de folle noire et de grenache pour les rouges, de rolle pour les blancs et de braquet pour les rosés. Ce domaine, créé il y a plus de trente ans, a été repris en 1993 par Joseph Sergi. Servi par un terroir et un climat exceptionnels, il cultive la vigne et vinifie de manière traditionnelle. 🍷 bellet.

Le vin des îles

CARTE MICHELIN LOCAL 340 – VAR (83)

Couvertes d'une magnifique végétation et plantées de vignes, les îles provençales font le bonheur des amoureux de la nature : promenade, voile, baignade,
plongée… et des amateurs de vins. Les vignobles bénéficient ici des embruns,
s'enrichissent d'une finesse aromatique liée à la végétation, et donnent des
produits atypiques.

Île de Porquerolles★★★

▶ Depuis la presqu'île de Giens (11 km au sud d'Hyères par la D 97), la traversée vers
Porquerolles dure 20mn. *Transports TLV - Port de la Tour-Fondue - 83400 Giens -
☎ 04 94 58 21 81 - 15,50 € AR - services réguliers toute l'année vers Porquerolles
sf j. fériés.*

Au large d'Hyères tangue l'archipel des îles d'Or (Porquerolles, Port-Cros et le Levant),
le territoire le plus méridional de Provence. À Porquerolles, trois domaines vinicoles, implantés sur des sols de schistes friables, produisent des vins rouges (issus de
mourvèdre, de syrah, de carignan, de cinsault et de grenache), des rosés et des blancs
côtes-de-provence (issus de rolle) à boire jeunes. 🍷 Le plus réputé, le **domaine de la
Courtade** (30,8 ha) est l'occasion d'une belle balade à pied *(les voitures sont interdites
sur les îles)* entre pinède et vignes *(voir nos bonnes caves)*.

Île des Embiez★

▶ Depuis l'embarcadère du Brusc à Six-Fours (6 km au sud-est de Sanary-sur-Mer par
les D 559 et D 616), la traversée vers les Embiez dure 8mn. *S'adresser à la société
Paul Ricard - ☎ 04 94 10 65 20 - www.paul-ricard.com - 10 € AR (3-12 ans 6 € AR).
14 à 18 traversées par j.*

🍷 En face de Six-Fours-les-Plages, sur l'île des Embiez, le roi du pastis Paul Ricard avait
de son vivant planté 10 ha de vignes, qui produisent aujourd'hui 29 000 bouteilles
d'un vin de pays en trois couleurs, que l'on peut déguster à la **cave** ouverte tous les
jours en juillet et août.

Île de Bendor

▶ Depuis l'embarcadère sur le port de Bandol, la traversée vers Bendor dure 7mn.
☎ 04 94 29 44 34 - dép. à partir de 6h50, ttes les 30mn en saison - 10 € AR.

Sur l'île de Bendor, autre domaine de feu Paul Ricard, une curieuse **exposition des
vins et spiritueux** présente 8 000 bouteilles de vins, apéritifs et liqueurs de 52 pays,
sans compter les verres et carafes de cristal. *☎ 04 94 29 44 34 - juil.-août : se renseigner
pour les horaires - gratuit.*

Archipel des îles de Lérins★★

▶ Depuis Cannes, une navette vous emmène sur l'île de St-Honorat. *Société Planaria-
abbaye de Lérins - ☎ 04 92 98 71 38 - www.abbayedelerins.com - navette au dép.
de Cannes (quai Laubeuf) ttes les h. : 8h-12h, 14h-16h30 (mai-sept. : ttes les h sf 13h,
retour 18h ; hiver : pas de bateau à 11h). 11 € AR (-10 ans 5 €).*

Sur l'**île Saint-Honorat★★**, ce sont les moines qui produisent du vin, dans la plus
pure tradition monastique. Leur vignoble (7,6 ha), dont les vignes ont de 10 à 60 ans,
est encépagé de syrah, mourvèdre et pinot noir pour les rouges, et de clairette et
chardonnay pour les blancs. 🍷 On les trouve à la **boutique de l'abbaye de Lérins**.
*☎ 04 92 99 54 00 - www.abbayedelerins.com - tlj 10h10-12h15, 14h-17h - fermé 8 nov. au
8 déc.* C'est également là que vous pourrez acheter la célèbre liqueur Lérina concoctée
à partir de 45 plantes aromatiques…

Les adresses des îles

NOS BONNES TABLES

PORQUEROLLES

😊😋 **La Colombe** – *663 rte de Toulon, à La Bayorre - 83400 Hyères - 2,5 km à l'O de Hyères par rte de Toulon -* ☎ *04 94 35 35 16 - restaurant.lacolombe@libertysurf. fr - fermé dim. soir hors sais., mar. midi en juil.-août, sam. midi et lun. - 25/33 €.* Derrière sa façade pimpante, ce restaurant cache une terrasse spacieuse où il fait bon s'installer à la belle saison. C'est là ou dans la salle à manger aux couleurs provençales que vous pourrez savourer une cuisine régionale plaisante et bien menée.

EMBIEZ

😊😋 **Saint-Pierre - Chez Marcel** – *47 r. de la Citadelle, le Brusc - 83140 Six-Fours-les-Plages -* ☎ *04 94 34 02 52 - www. lesaintpierre.fr - fermé janv., 5-11 mars, lun. midi en juil.-août, dim. soir et lun. de sept. à juin - 18/36 €.* Près du port, ancienne maison de pêcheur proposant, dans sa lumineuse salle à manger, un choix de préparations imprégnées de saveurs littorales.

BENDOR

♿ Pour Bendor, allez au Clocher à **Bandol** *(voir le carnet d'adresses p. 345).*

LÉRINS

😊 **Le Comptoir des Vins** – *13 bd de la République - 06400 Cannes -* ☎ *04 93 68 13 26 - comptoirdesvins@cegetel.net - fermé fév., mar. soir, dim. et lun. - formule déj. 16 € - 12/18 €.* Petit restaurant au sympathique décor de bistrot où l'on déguste qui un tartare de bœuf, qui une salade de saumon fumé. Chaque plat peut s'accompagner d'un verre de vin ou d'une bouteille (à prix sage) choisie directement sur les étagères de la cave à vins attenante (250 références). Également, petit espace bar à vins.

NOS HÔTELS ET CHAMBRES D'HÔTE

PORQUEROLLES

😊😋🛏 **L'Auberge des Glycines** – *22 pl. d'Armes - 83400 Porquerolles (île de) -* ☎ *04 94 58 30 36 - www.*

aubergedesglycines.com - fermé 1ᵉʳ janv. à midi - 11 ch. ; demi-pension 138/338 € - 🍽 7 €   rest. 11,90/40 €. Cette délicieuse auberge aux volets bleu lavande justifie à elle seule une escapade à Porquerolles. Chambres très agréables à vivre, ouvrant sur le patio ombragé d'un figuier ou sur la place du village. Au restaurant, décor et cuisine célèbrent la Provence.

EMBIEZ

♿ Pour les Embiez, allez à la chambre d'hôte Villa Lou Gardian à **Sanary** *(voir le carnet d'adresses p. 345).*

BENDOR

😊😋 **Les Galets** – *49 montée Voisin - 83150 Bandol -* ☎ *04 94 29 43 46 - fermé 6 nov.-31 janv. -* 🅿 *- 20 ch. 70/75 € - 🍽 7 € - rest. 25 €.* Bâti à flanc de colline, hôtel offrant une splendide vue sur la mer. Les chambres, plutôt simples, disposent en majorité d'un balcon invitant à la contemplation maritime. Salle à manger rustique (poutres et cuivres) et terrasse panoramique ; cuisine régionale.

LÉRINS

😊😋 **Chambre d'hôte Villa L'Églantier** – *14 r. Campestra - 06400 Cannes -* ☎ *04 93 68 22 43 -✍ - 4 ch. 100 € 🍽.* Sur les hauts de Cannes, grande villa blanche de 1920 paraissant au milieu d'un jardin planté de palmiers et autres essences exotiques. Les chambres, spacieuses et calmes, aux murs blancs égayés de tissus colorés, sont prolongées par un balcon ou une terrasse.

NOTRE BONNE CAVE

Domaine de la Courtade – *83400 Porquerolles (île de) -* ☎ *04 94 58 31 44 - la-courtade@terre-net.fr - lun.-sam. sur RV.* Ce vignoble est né, en 1983, de l'heureuse rencontre d'un industriel, Henri Vidal, amoureux de l'île de Porquerolles depuis son enfance, et d'un œnologue alsacien, Richard Auther, passionné de plongée sous-marine. Le domaine est conduit selon les méthodes de l'agriculture biologique. Les vendanges sont manuelles, puis les vins vieillissent en fûts de chêne, neuf mois pour les blancs, douze à dix-huit mois pour les rouges. 🍷 côtes-de-provence.

12 LA VALLÉE DU RHÔNE

En quittant Vienne, laissez vous guider par le courant du Rhône : au détour des boucles du fleuve s'enracinent depuis plus de deux millénaires certains des vignobles les plus renommés et les plus spectaculaires de France. Étendu sur 250 communes et six départements, entre Vienne et Nîmes, le vignoble s'épanouit sur l'un des territoires les plus diversifiés de France, regroupé autour de deux entités géograhiques bien distinctes : la partie septentrionale, entre Vienne et Valence, affole l'œil par la verticalité de ses coteaux bien exposés au sud malgré un climat continental ; la partie méridionale, de Montélimar au Luberon, exhale toute la douceur méditerranéenne, étageant ses vignes sur une terre plus aride, entre les champs d'oliviers et de lavande. Chaque partie du vignoble illustre à sa manière cette phrase de Baudelaire : « Le vin, fils sacré du soleil »…

Comprendre

Cultivé dès l'Antiquité, le vignoble de la vallée du Rhône se divise aujourd'hui en deux grands blocs distincts : au Nord, vous trouverez d'abord le relief étonnamment escarpé des côtes du Rhône septentrionales. Les collines granitiques abruptes sont tapissées de vignes, d'Ampuis (au sud de Vienne) à Saint-Péray (au nord de Valence), soit plus de 200 km d'un ruban vert ourlant

Le Rhône en bref

Superficie : 78 710 ha.

Production : 3 146 350 hl par an, dont 88 % sont des vins rouges.

👁 **Inter Rhône, interprofession des vins AOC côtes-du-rhône et vallée du Rhône** – 6 r. des Trois-Faucons - 84024 Avignon Cedex 1 - ℰ 04 90 27 24 00 - www.vins-rhone.com

le Rhône. Sur les terrasses et les murets de pierres sèches qui permettent la culture de la vigne sur les pentes, la mécanisation est impossible ; la plupart des traitements sont donc faits à la main (exceptionnellement par hélicoptère). La combinaison du relief, de la pauvreté géologique des sols et de l'ensoleillement privilégié des coteaux exposés sud-sud-est donne des vins rares, épicés voire fumés, très recherchés des connaisseurs.

	Caractéristiques	Garde	Prix
Vins des côtes du Rhône septentrionales	Avec leurs arômes complexes, ce sont les plus raffinés et les plus recherchés (côte-rôtie, condrieu, hermitage…).	**Côte-rôtie :** 5 à 15 ans. **Condrieu blanc :** à boire jeune ou à garder au maximum 2 à 3 ans. **Château-grillet :** blanc à boire jeune, pouvant aussi développer une certaine classe en vieillissant (2-10 ans). **Saint-joseph :** vins blancs ou rouges de demi-garde, à boire donc assez jeunes. **Hermitage :** vin de très grande garde.	**Côte-rôtie :** 15 à 40 €. **Condrieu :** 15 à 23 €. **Château-grillet :** 30 à 38 €. **Saint-joseph :** 10 à 15 €. **Hermitage :** 35 à 40 €. Tarifs justifiés par le travail pénible sur les vignobles pentus (vendanges manuelles). Un croze-hermitage de plaine, plus simple à produire, tourne entre 5 et 11 €.
Vins des côtes du Rhône méridionales	Plus simples et gouleyants, les rouges souvent puissants (ex. côtes-du-rhône-villages-cairanne), les rosés vifs et frais (tavel) et des blancs onctueux et fruités (cairanne). Les rouges châteauneuf-du-pape sont à la fois complexes, puissants et veloutés. Les costières-de-nîmes rouges sont légers ou rustiques, les côtes-du-luberon rouges amples (les blancs expriment des parfums floraux) et les côtes-du-ventoux rouges gouleyants et fins.	À boire rapidement. **Châteauneuf-du-pape :** rouges 5 à 20 ans, blancs 1 à 10 ans. **Costières-de-nîmes :** rouges 4 à 5 ans, blancs et rosés à boire jeunes. **Côtes-du-luberon :** rouges 5 ans, rosés 2 ans, blancs 3 ans ;	Démarrent à 5 €. **Châteauneuf-du-pape :** 11 à 15 €. **Tavel :** 5 à 8 €. **Costières-de-nîmes :** 3 à 8 €. **Côtes-du-luberon :** 5 à 11 €. **Côtes-du-ventoux :** 5 à 8 €.
Pétillants	La clairette-de-die, est peu alcoolisée et douce.	À boire de suite.	6 à 10 €.

À partir de Valence, le changement de décor est complet : place d'abord à un « no vigne land » de cinquante kilomètres, entre les côtes du Rhône septentrionales et leurs sœurs méridionales. De Donzères à Avignon, une immense plaine s'étend ensuite à perte de vue, entre les coteaux du Gard à l'ouest et ceux du Luberon et du mont Ventoux à l'est. L'ensoleillement exceptionnel et la richesse du sous-sol (grâce aux alluvions amassées par le Rhône tout au long de son parcours) donnent des vins d'une belle qualité.

Les côtes du Rhône septentrionales

CARTE MICHELIN LOCAL 327 – ARDÈCHE (07), DRÔME (26), ISÈRE (38), LOIRE (43), RHÔNE (69)

Dans la partie septentrionale, flânez sur les petites départementales qui slaloment entre les vignobles pour avoir des vues spectaculaires sur les coteaux les plus pentus de France. Deux des appellations donnent exclusivement des vins rouges : cornas et côte-rôtie, et trois d'entre elles uniquement des blancs : château-grillet, condrieu et saint-péray.

LES TERROIRS
Superficie : 4 550 ha.
Production : 211 200 hl.
Les sols sont composés de galets mêlés à des argiles sableuses rouges qui conviennent bien aux ceps de vignes.

LES VINS
Les vins rouges ne sont en général issus que de la seule syrah, les blancs de marsanne et de roussanne. Le cépage viognier se trouve dans les vignobles de Condrieu et de Château-Grillet. Du nord au sud, se succèdent les **AOC côte-rôtie, condrieu, château-grillet, saint-joseph, crozes-hermitage, hermitage, cornas, saint-péray**, et au sud-est **clairette-de-die**.

BON À SAVOIR
Ici, l'achat au producteur ne vous fera jamais faire plus de 10 % d'économie. Les viticulteurs ne veulent pas faire concurrence à leurs réseaux de distribution, ces derniers pouvant même parfois être moins chers (foire aux vins, promotions…). En revanche, les producteurs sont les seuls à pouvoir vous parler en détail de leurs méthodes de travail, de leurs sols ou de leurs chais.

1 Les côtes du Rhône, de Vienne à Valence

▶ 102 km. Vienne se trouve à 31 km au S de Lyon par la N 7. Carte Michelin Local 327, H-I 7-9, et Local 331, K-L 3-4. Voir l'itinéraire 1 sur le plan p. 364. Cet itinéraire se fait constamment le long de la N 86 (vers le sud), sauf indications contraires.

Vienne★★
Sur la rive droite du Rhône à **Vienne★★**, les fouilles pratiquées sur la **cité gallo-romaine de St-Romain-en-Gal★★** ont mis au jour un quartier urbain, comprenant des villas somptueuses, des commerces, des ateliers d'artisans et des thermes. Les plus belles découvertes sont présentées dans le **musée★**. C'est la célèbre **mosaïque des Dieux Océans★** qui accueille le visiteur. La principale richesse du site consiste en ces superbes mosaïques de sol. Les décors, souvent inspirés de la mythologie, mettaient en évidence les goûts du propriétaire des lieux ; ainsi, la mosaïque d'Orphée illustre la prédominance de la culture sur la nature. L'exceptionnelle **peinture des Échassiers★** révèle le goût et le degré de finesse de la décoration intérieure. Enfin, la **mosaïque du Châtiment de Lycurgue★★** clôt en beauté ce voyage parmi les fastes de l'époque gallo-romaine. ✆ 04 74 53 74 02 - tlj sf lun. 10h-18h - fermé 1er janv., 1er Mai, 1er nov., 25 déc. - 3,80 €.

Ampuis

Concentrant 90 % de la production de l'appellation, la petite capitale de la prestigieuse **côte-rôtie** s'alanguit sur la rive droite du Rhône. Connus depuis le 1er s. av. J.-C. (Pline l'Ancien et Plutarque ont célébré le côte-rôtie sous le nom de « vin de Vienne »), accrochés à des pentes incroyablement abruptes, ses vignobles passent pour être les plus anciens de Gaule. Tout en terrasses et murets de pierres sèches, ce vignoble du vertige pavoise juste derrière les toits du village. ♥ Le **domaine Étienne Guigal** a bonne réputation *(voir nos bonnes caves)*.

Sur la place de l'Église, prenez la D 615, direction Les Haies, pour grimper dans le vignoble de côte-blonde. Sur trois kilomètres, chaque virage ouvre des panoramas à couper le souffle sur la vigne. En redescendant, belle perspective sur le **château seigneurial**, racheté par l'un des plus gros négociants en vins de la région. Il ne se visite pas, mais vous admirerez sa belle façade Renaissance (16e s.) sur les bords du Rhône. En 1553 y furent servis les premiers dindons jamais mangés en France !

Condrieu

Stendhal vous le confirmerait, le territoire de l'**appellation condrieu** produit un excellent vin blanc à partir d'un cépage unique, le viognier. Ce vin a connu une large diffusion grâce au dynamisme du port aménagé sur le Rhône. Attention, une dégustation de condrieu blanc ne s'improvise pas : n'oubliez pas de l'accompagner de savoureuses rigottes (fromages de chèvre moulé à la louche), fabriqué sur place.

🌿 Les Condrillots appellent « coursières » les **sentiers des vignes** qui servaient autrefois aux vignerons. L'office de tourisme édite une brochure *(payante)* détaillant trois sentiers de 3 à 6 km offrant de beaux points de vue sur les coteaux.

Autre option, moins physique : en voiture, à la sortie nord de Condrieu, suivez le fléchage « belvédère » *(D 124)* en direction de **Semons**, au sommet des collines *(parking)*. Depuis le parvis de l'église (18e s.), le **panorama** dévoile une boucle du Rhône couronnée par les coteaux tapissés de vignes et par les terres agricoles des plateaux. Ces derniers, plus fertiles, sont consacrés aux vergers de pommiers ou à l'élevage laitier (rive droite) et aux champs céréaliers (rive gauche).

Depuis Condrieu, suivez la N 86 vers le sud, puis tournez à droite dans la D 34.

Saint-Michel-sur-Rhône

♥ Étagé en bord de Rhône, le village abrite l'**AOC château-grillet**, l'une des plus rares de France puisqu'elle n'est produite que par un seul domaine, le **Château Grillet** *(accès fléché)*, 3 ha seulement ! Le domaine produit un vin blanc recherché. Il ne fait aucune dégustation, mais vous pouvez quand-même y acheter du vin *(voir nos bonnes caves)* et en profiter pour jetez un œil sur le château à flanc de vignoble, flanqué de deux tourelles d'angles.

Rejoignez la N 86 vers le sud, puis tournez à droite dans la D 503, direction Malleval.

Malleval

Ce village étage ses maisons du 16e s. entre vignes et chênes. Du belvédère *(tables de pique-nique et tables de lecture du paysages)*, belle vue sur le grenier à sel, la commanderie, l'église (abside du 11e s.) et les ruines du donjon. Malleval (« mauvais vallon ») est au cœur de l'**appellation saint-joseph** : étendus sur 26 communes, ces vignobles constituent un trait d'union entre les AOC condrieu et côte-rôtie au nord, et celle de cornas au sud. Près du cimetière, au sommet du village, les vignes sont particulièrement impressionnantes par leur verticalité. Les vergers, à la sortie

Vignerons ou alpinistes ?

D'Ampuis à l'Hermitage, les côtes du Rhône septentrionales vous laisseront le souvenir de pentes vertigineuses, parfois même de précipices (jusqu'à 80 % de dénivelé !). Organisé en « chaillées » (terrasses) soutenues par des « cheys » (murets de pierres sèches), les vignobles semblent accrochés par miracle. La raideur de ces coteaux granitiques a empêché toute mécanisation, le travail se faisant encore à la main. Sur un vignoble de plaine, il faut un homme pour 10 à 15 ha. En côtes du Rhône septentrionales, il faut un homme pour 2 ha… Seule concession à la modernité, à la sortie sud d'Ampuis (domaines Barge et Montez), vous apercevrez le seul monorail des vignobles français : de fabrication suisse, cet outil de transport aux allures de montagne russe a permis de rénover un pan de colline extraordinairement pentu. Grâce à lui, matériel, vendanges et main-d'œuvre montent et descendent sans (trop) de sueur depuis 2003. Ici, vous verrez aussi de nombreux véhicules tout-terrain : ce n'est pas un effet de mode, mais une réelle nécessité pour accéder aux vignes sur des pistes cabossées.

du village, témoignent du dynamisme de la culture de la pomme dans cette zone située sur le parc naturel régional du Pilat.

🍷 Allez faire un tour au **domaine Pierre Gaillard** pour goûter son saint-joseph *(voir nos bonnes caves)*.

Revenir à la N 86 que l'on prend vers le sud.

Saint-Désirat

Aménagé dans les bâtiments de la distillerie Gauthier, le **musée de l'Alambic★** fait revivre le métier de bouilleur ambulant. Un privilège, la franchise, est à l'origine de cette activité ; de nombreux agriculteurs avaient le droit de faire bouillir jusqu'à 10 l d'alcool pur pour leur consommation personnelle. En 1960, la fin de cet avantage sonne le glas des bouilleurs ambulants qui sont remplacés par des distilleries artisanales ou industrielles dûment contrôlées. Plusieurs films, de riches collections, de nombreuses scènes animées de personnages de cire et de panneaux didactiques permettent de suivre l'évolution des matériels et de comprendre les étapes de la fabrication de l'eau-de-vie. Une dégustation termine agréablement la visite. La distillerie, dont la spécialité est l'alcool de poire Williams, propose ses différentes productions à la vente. ℘ 04 75 34 23 11 - juil.-août : 8h-19h, w.-end et j. fériés 10h-19h *(dernière entrée 1h av. fermeture) ; sept.-juin : 8h-12h, 14h-18h30, w.-end et j. fériés 10h-12h, 14h-18h30 - fermé 1ᵉʳ janv., 25 déc. - gratuit.*

🍷 Face à Tain-l'Hermitage, une halte s'impose pour goûter les vins du **domaine Delas Frères** à **Saint-Jean-de-Muzols** *(voir nos bonnes caves)*.

Tournon-sur-Rhône.

J. Damase / MICHELIN

Tournon-sur-Rhône★

Située au pied de superbes coteaux granitiques, Tournon est une ville commerçante animée. Des quais ombragés, les terrasses d'un vieux château et des ruines perchées composent un paysage rhodanien caractéristique. Le **château** fut construit par les seigneurs de Tournon aux 14ᵉ et 15ᵉ s. On accède à la cour intérieure par une ancienne porte conservant ses vantaux de bois. À l'intérieur, le **musée** évoque la batellerie et les mariniers du Rhône, ainsi que des figures locales comme le sculpteur Gimond (élève de Maillol), l'éditeur Charles Forot ou l'ingénieur ardéchois Marc Seguin qui construisit en 1825, à Tournon, le premier pont métallique suspendu sur le fleuve, démoli en 1965, puis reconstruit à l'identique, selon des normes de sécurité plus adaptées à l'époque moderne... Sa technique révolutionnaire de câbles torsadés est encore utilisée aux États-Unis. ℘ 04 75 08 10 30 - www.ville-tournon.com - juil.-août : 10h-12h, 14h-18h ; *de fin mars à fin mai et sept.-oct. : tlj sf merc. 14h-18h. : juin : tlj 14h-18h - fermé 1ᵉʳ Mai - 3,50 € (enf. gratuit).*

En sortant, poussez jusqu'aux **terrasses★** offrant des coups d'œil splendides sur la ville, le Rhône et les coteaux de l'Hermitage.

🍷 **Vini Découverte**, c'est un programme de visites de caves, de dégustations de vins et de promenades commentées dans les vignobles, pour une demi-journée ou sur deux jours. Les circuits comprennent dans tous les cas le transport en véhicule

9 places ; départs tous les jours à partir de 4 personnes inscrites. *13 pl. Auguste-Faure - 07300 Tournon-sur-Rhône -* 📞 *04 75 07 23 05 - www.vini-decouverte.com.*

Traversez la passerelle Seguin jusqu'à Tain-l'Hermitage. Vous laissez derrière vous les coteaux saint-joseph et entrez dans les **appellations hermitage** (vignobles sur la colline) et **crozes-hermitage** (vignobles de plaine).

Tain-l'Hermitage

Ce gros bourg d'apparence tranquille est le fief des célèbres appellations hermitage et crozes-hermitage (cette dernière formant, avec 1 300 ha, le plus grand vignoble des côtes du Rhône septentrionales), comme le rappellent son chapelet de caveaux de dégustation et sa colline tapissée de vignes, qu'on aperçoit depuis les ruelles. À deux pas du Rhône, elles offrent de belles promenades que vous aurez tout le loisir de savourer après une petite halte à la terrasse du Café de Nice *(fermé mar.)*, sur les quais du Rhône (belle vue sur Tournon). En remontant le fleuve sur la droite, vers le nord, la promenade Robert-Schuman longe le Rhône sur plus d'un kilomètre, offrant de beaux panoramas sur Tournon.

🐾 Au fond à gauche de la place du Taurobole, la rue de l'Hermitage débouche sur un sentier pavé escarpé *(20mn de marche AR)* menant au belvédère de Pierre Aiguille coiffé par la **chapelle Saint-Christophe**, d'où s'étire un panorama sur les vignes de l'Hermitage, le fleuve et le département de l'Ardèche. Remarquez la géographie particulière du vignoble : exposé plein sud, le coteau le protège des vents froids du nord, lui assurant un microclimat méditerranéen.

🍷 Vous trouverez une bonne sélection de vins à la **cave coopérative de Tain-l'Hermitage** ainsi que chez **Paul Jaboulet Aîné** *(voir nos bonnes caves).*

Le vignoble de Tain-l'Hermitage et le Rhône depuis le belvérère de Pierre-Aiguille.

S. Sauvignier / MICHELIN

Quittez Tournon au sud par la rue du Dr-Cadet et la rue Greffieux en direction de St-Romain-de-Lerps.

Route panoramique★★★

Tracée en corniche, cette route offre d'extraordinaires points de vue. La montée, en lacet, très raide, est éblouissante. On domine bientôt la plaine valentinoise, que limite à l'est la haute barre du Vercors. Un peu plus loin se creusent, sur la droite, les gorges du Doux.

Dans le village de Plats, tassé sur le plateau, tournez à gauche dans le GR 42 devant le monument aux morts. À la sortie du village, on aperçoit la « tour » de St-Romain-de-Lerps.

Panorama de Saint-Romain-de-Lerps★★★

Deux balcons d'orientation sont aménagés de part et d'autre d'une petite chapelle, sur une plate-forme, à quelques mètres de la « tour », surmontée d'un relais de télédiffusion. Le **panorama**, immense, couvre 13 départements. C'est l'un des plus grandioses de la vallée du Rhône.

De St-Romain-de-Lerps, la descente sur Châteaubourg s'effectue par la D 287 offrant de remarquables vues sur le bassin de Valence.

🍷 Dans le village de **Châteaubourg**, le **domaine Courbis** produit sur 32 ha de vignes des cornas et des saint-joseph (*voir nos bonnes caves*).

Saint-Péray

Grande banlieue de Valence, le gros bourg de St-Péray s'étire entre zones pavillon-naires et vignes. 🍷 Avec l'**AOC cornas** (vins rouges), à 2 km au nord sur la N 86 (allez visiter le **domaine Alain Voge** à **Cornas** – *voir nos bonnes caves*), l'**appellation saint-péray** forme le dernier vignoble des côtes du Rhône septentrionales.

🍷 Bons achats en perspective au **domaine du Tunnel** (*voir nos bonnes caves*).
En guise de dernier salut, montez aux **ruines du château de Crussol**, où le **site★★★** vous permet d'apprécier la vue sur la plaine de Valence, le Vercors et les Alpes.

Valence★

Au débouché du Doux, de l'Eyrieux, de l'Isère et de la Drôme, la cité est bâtie sur un ensemble de terrasses qui descendent vers le Rhône. La ville est dominée par sa **cathédrale**. Remontant à l'époque romane, elle fut en grande partie reconstruite au 17e s. dans le style d'origine. Promenez-vous dans le vieux Valence, qui conserve un lacis de ruelles commerçantes, où vous découvrirez dans la Grande-Rue la **maison des Têtes★** et pourrez apprécier la belle **vue★★** sur la montagne de Crussol, depuis le Champ-de-Mars.

EN MARGE DU VIGNOBLE

Quitter la réalité au Palais idéal★★ à Hauterives

40 km au S-E de Vienne par la D 538. 📞 *04 75 68 81 19 - www.facteurcheval.com - juil.-août : 9h30-12h30, 13h30-19h ; avr.-juin et sept. : 9h30-12h30, 13h30-18h30 ; fév.-mars et oct.-nov. : 9h30-12h30, 13h30-17h30 ; déc.-janv. : 9h30-12h30, 13h30-16h30 - fermé 1er janv., 25 déc. - 5,20 € (enf. 3,70 €).*

Au milieu du jardin du facteur Cheval, sur un quadrilatère d'environ 300 m² et à une dizaine de mètres de hauteur, se dresse le Palais idéal, hérissé d'ornements bizarres. Le côté est, le plus singulier, montre de grandes idoles féminines constituées d'un cailloutis rougeâtre. L'entrée du palais est située de l'autre côté. Des imitations de végétaux voisinent avec des réminiscences de palais orientaux ou moyenâgeux. L'intérieur est percé de galeries et de grottes. Par de petits escaliers, on accède à la plate-forme supérieure, au centre de l'univers fantastique du facteur. L'édifice est parsemé de sentences naïves et de « confessions », révélatrices de l'esprit de Cheval et de sa patiente obstination.
Ne manquez pas de venir contempler le monument en soirée : un éclairage nocturne très étudié met en valeur certains aspects méconnus de sa décoration.

Faire le safari de Peaugres★

33 km au S de Vienne par la N 7, la D 4 et la N 82. 📞 *04 75 33 00 32 - www.safari-peaugres.com - se renseigner auprès du parc pour connaitre les horaires.*

👥 Situé au pied du massif du Pilat et aménagé de part et d'autre de la N 82, ce parc animalier, qui a fêté ses 30 ans, abrite environ 400 mammifères, 300 oiseaux et une centaine de reptiles. Le programme des animations est fourni à l'entrée.

Visite en voiture – *Se conformer aux consignes de sécurité*. La route serpente dans les quatre enclos séparés par des sas et permet de voir évoluer librement hamadryas (singes sacrés dans l'ancienne Égypte) et zèbres, ours « barribal » et bisons américains, dromadaires, buffles, yaks, hippopotames, daims et éléphants.

Visite à pied – Dans le parc évoluent oiseaux aquatiques, girafes, autruches, élands du Cap (grandes antilopes africaines). Les caves du manoir abritent le vivarium où vivent lézards, caïmans, boas, pythons et roussettes. Dans la singerie paressent mandrills, ouistitis, orangs-outans et lémuriens. Les lions ont rejoint le parc à pied et se laissent admirer de très près, comme les tigres et les guépards, grâce à un tunnel de verre. Un bassin accueille des otaries et une vingtaine de manchots.

Les adresses de Vienne à Valence

NOS BONNES TABLES

Bistrot à Vins de Serine – *Pl. de l'Église - 69420 Ampuis -* ℘ *04 74 56 15 19 - fermé 1er-15 sept., dim. et le soir du mar. au jeu. - 18/26 €.* « Bistrot à Vins », c'est la promesse d'épatants petits crus ne demandant qu'à être dégustés ! Dans celui de Serine, vous pourrez non seulement vous restaurer, mais aussi partir à la découverte d'une belle collection d'appellations. L'été, l'expérience se tente sur la terrasse avec vue sur le vignoble.

La Reclusière – *39 Grande-Rue - 69420 Condrieu -* ℘ *04 74 56 67 27 - www. lareclusiere.free.fr - fermé 12-25 fév. - 18/44 €.* Cette maison bourgeoise située en léger retrait de la route nationale abrite trois petites salles à manger dont le décor contemporain s'agrémente de sculptures et de tableaux. Dans l'assiette, le jeune chef propose une cuisine traditionnelle bien tournée. Belle carte de vins locaux. Chambres confortables.

Alain Charles – *Rte Nationale - 42410 Chavanay -* ℘ *04 74 87 23 02 - www.hotel-restaurant-charles.com - fermé 2-10 janv., 16 août-7 sept., dim. soir et lun. sf j. fériés - 16/61 € - 4 ch. 55 € -* ⌐ *7,60 €.* Belle étape pour gourmets sur la route des côtes-du-rhône. Derrière l'avenante façade officie une accueillante équipe qui met tout en œuvre pour que votre repas soit des plus plaisants. Dans un décor élégant et assez original, vous découvrirez donc avec bonheur un répertoire classique, sensible au rythme des saisons.

La Petite Auberge – *1 r. Athènes - 26000 Valence -* ℘ *04 75 43 20 30 - www. lapetiteauberge.net - fermé 28 juil.-23 août, merc. soir et dim. sf j. fériés - 24/47 €.* Sobre façade dissimulant deux salles de restaurant parsemées d'éléments décoratifs rustiques et bourgeois ; la plus petite accueille les repas commandés. Fonctionnement familial, ambiance conviviale et cuisine traditionnelle actualisée en douceur.

NOS HÔTELS

Hôtel Le Domaine de Clairefontaine – *Chemin des Fontanettes - 38121 Chonas-l'Amballan - à 9 km au S de Vienne par N 7 -* ℘ *04 74 58 81 52 - contact@domaine-de-clairefontaine.fr - fermé 16 déc.-15 janv. -* P *- 28 ch. 55/122 € -* ⌐ *14 € - rest. 35/100 €.* Ces vieux murs (1766) servirent jadis de maison de repos aux évêques de Lyon. Les chambres du Domaine sont certes vieillottes, mais vous vous régalerez de sa cuisine raffinée servie dans un cadre qui ne l'est pas moins. Ravissante annexe et terrasse tournée vers un parc délicieux aux arbres plus que centenaires.

Hôtel de l'Europe – *15 av. Félix-Faure - 26000 Valence -* ℘ *04 75 82 62 65 - www.hotels-valence.com - 26 ch. 46/52 € -* ⌐ *6 €.* Cet hôtel situé sur une avenue animée a profité d'une cure de jouvence : chambres colorées, meubles de style préservés et doubles fenêtres assurant l'isolation phonique.

Hôtel de France – *16 bd du Gén.-de-Gaulle - 26000 Valence -* ℘ *04 75 43 00 87 - www.hotel-valence.com - 34 ch. 61/67 € -* ⌐ *8 €.* Façade ravalée, salons et chambres bien rénovées, insonorisation efficace : un hôtel rajeuni, dont l'emplacement avantagera ceux qui souhaitent découvrir la vieille ville à pied.

NOS BONNES CAVES

CAVISTE ET COOPÉRATIVE

La Bouteillerie – *43 r. Nationale - 69420 Condrieu -* ℘ *04 74 59 84 96 - www. labouteillerie.com - tlj sf lun. 9h-12h, 14h-19h, dim. 10h-12h30 - fermé 1re sem. de janv.* La boutique accueille un nombre incalculable de bouteilles que le maître des lieux, M. Gérin, connaît sur le bout des doigts. Il vous parlera comme personne du côte-rôtie et du condrieu, classés parmi les meilleurs vins de la vallée du Rhône, sans oublier pour autant les autres vins français et les alcools. Écoutez-le.

Cave de Tain-l'Hermitage – *22 rte de Larnage - 26601 Tain-l'Hermitage -* ℘ *04 75 08 20 87 - caveau :* ℘ *04 75 08 91 86 - commercial.france@cave-tain-hermitage. com - 9h-12h, 14h-18h (19h en été).* Avec 370 coopérateurs, 1 140 ha et 55 000 hl de production annuelle, la cave de Tain-l'Hermitage est l'une des plus importantes de la région. Elle propose souvent de vieux millésimes. Créée en 1933, elle n'a cessé de développer ses équipements et d'investir vers toujours plus de qualité.

DOMAINES

Domaine Étienne Guigal – *N 86 - 69420 Ampuis -* ℘ *04 74 56 10 22 - contact@guigal.com - lun.-vend. 8h-12h, 14h-18h - sur RV.* Guigal est l'un des noms les plus célèbres de côte-rôtie. Grâce à un travail acharné d'Étienne Guigal, qui a transmis à son fils Marcel la passion du vin, le domaine jouit aujourd'hui d'une renommée internationale. Il est situé sur les célèbres côte Brune et côte Blonde, qui ont fait sa réputation. La vinification est guidée par une volonté permanente de donner aux cépages et aux terroirs la possibilité de s'exprimer pleinement. Philippe, œnologue, a rejoint sont père, sur l'exploitation. Ils ont racheté deux domaines dans les côtes du Rhône septentrionales : Jean-Louis Grippat et Vallouit. ♥ châteauneuf-du-pape, condrieu, côte-rôtie, côtes-du-rhône, crozes-hermitage, gigondas, hermitage, saint-joseph, tavel.

Château Grillet – *42410 Vérin -* ℘ *04 74 59 51 56.* Isabelle Baratin-Canet dirige le domaine de ses ancêtres Neyret-Gachet. Le vignoble s'étend sur 3,4 ha de vignes encépagés de viognier. Il est planté sur des arènes granitiques disposées en terrasses escarpées. Les vins sont élevés en cuves et en fûts de chêne. Fait unique en France, ce domaine viticole est le seul concerné par l'appellation éponyme qu'il produit. ⚑ château-grillet.

Domaine Pierre Gaillard – *Chez Favier - 42520 Malleval - ℘ 04 74 87 13 10 - vinsp. gaillard@wanadoo.fr.* Depuis 1981, Pierre Gaillard exploite un vignoble de 22 ha. La première vinification a été réalisée en 1986, alors que toute la surface n'était pas encore en production. Disséminées le long du Rhône, sur une distance de 40 km, les parcelles du domaine offrent une grande diversité de terroirs. Les vignes sont effeuillées et vendangées en vert. Chaque parcelle est ensuite vinifiée séparément, puis l'élevage a lieu en barriques de chêne, avec remise en suspension des lies et bâtonnages réguliers. ⚑ condrieu, côte-rôtie, côtes-du-rhône, saint-joseph.

Domaine Delas Frères – *ZA de l'Olivet - 07300 St-Jean-de-Muzols - ℘ 04 75 08 92 97 - detail@delas.com - lun.-vend. 9h30-12h, 14h30-18h30 - sur RV.* Fondée en 1835, cette maison de tradition et de renouveau est gérée par la société Champagne Deutz depuis 1977. Propriétaire de vignobles situés en Hermitage, Saint-Joseph et Crozes-Hermitage, le domaine produit plus de trente vins sur les appellations nord et sud de la vallée. Planté sur les coteaux granitiques du nord, le vignoble est encépagé de syrah, de marsanne et de roussanne. Les vignes sont entièrement travaillées à la main. ⚑ châteauneuf-du-pape, condrieu, cornas, côte-rôtie, coteaux-du-tricastin, côtes-du-rhône, côtes-du-ventoux, crozes-hermitage, gigondas, hermitage, saint-joseph, tavel, vacqueyras.

Paul Jaboulet Aîné – *Les Jalets - BP 46 - La Roche-de-Glun - 26600 Tain-l'Hermitage - ℘ 04 75 84 68 93 - info@jaboulet.com.* Fondée en 1834 par Antoine Jaboulet, l'entreprise familiale exerce une activité de négoce, mais exploite également un vignoble de 100 ha. Elle commercialise les plus grands noms des côtes du Rhône septentrionales : hermitage, côte-rôtie et saint-péray depuis le millésime 1999, mais aussi méridionales comme châteauneuf-du-pape ou gigondas. Au total, près de 29 références de la vallée du Rhône. La maison possède une cave dans les carrières romaines souterraines à Châteauneuf-sur-Isère. ⚑ châteauneuf-du-pape, condrieu, cornas, côte-rôtie, côtes-du-rhône, côtes-du-ventoux, crozes-hermitage, gigondas, hermitage, muscat-de-beaumes-de-venise, saint-joseph, saint-péray, tavel, vacqueyras.

Domaine Courbis – *Rte de St-Romain - 07130 Châteaubourg - ℘ 04 75 81 81 60 - http://vins-courbis.vinimarket.com - tlj sf dim. 9h-12h, 14h-18h, sam. et j. fériés sur RV - fermé j. fériés.* Des coteaux ardéchois bien pentus et de belles grappes de raisin mûrissant au soleil, tel se présente depuis le 16ᵉ s. le domaine familial de Courbis. Les 26 ha de son vignoble produisent plusieurs crus, dont le rare Cornas Sabarotte (5 000 à 6 000 bouteilles par an). Vinification selon des méthodes ancestrales. ⚑ cornas, saint-joseph, vin de pays de l'Ardèche.

Domaine Alain Voge – *4 imp. de l'Équerre - 07130 Cornas - ℘ 04 75 40 32 04 - lun.-vend. 9h-12h30, 14h-18h30.* Alain Voge, représentant la quatrième génération de vignerons de la famille Voge, exploite un domaine de 12 ha en coteaux, encépagés de marsanne et de syrah, dont certains pieds sont âgés en moyenne de 70 ans). Le domaine est conduit en lutte raisonnée et les vendanges sont manuelles. Les vins sont ensuite élevés en barriques. En 2004, Alain Voge s'est associé avec Albéric Mazoyer. ⚑ cornas, siant-jospeh, saint-péray.

Domaine du Tunnel – *20 r. de la République - 07130 St-Péray - ℘ 04 75 80 04 66 - tlj 14h-21h -sur RV.* Les vignes du domaine s'étendent aujourd'hui sur 7 ha. Marsanne, roussanne et syrah couvrent des sols argilo-granitiques. Le vignoble est conduit en lutte raisonnée, sans désherbage, et les vendanges sont manuelles. Les vins rouges sont ensuite élevés exclusivement en barriques ; les blancs en cuves Inox pour moitié, et en barriques pour l'autre moitié. ⚑ cornas, saint-joseph, saint-péray.

Le vignoble de Die

▶ 150 km. Échappée d'une journée au départ de Valence. Carte Michelin Local 332, F5. Die figure sur le plan p. 364.

Tapie au creux de montagnes et de hautes collines, la cité de la clairette pétille à l'écart des foules : son accès n'est facile que par l'ouest, en remontant la sinueuse vallée de la Drôme. Mais tentez plutôt les petites routes en lacet. Par le col de la Chaudière, du Rousset ou de Menée, vous atteindrez le Diois, beau pays de vignes, de fruits et de lavande auquel Die a donné son petit nom. Die est entouré de vignobles où prospèrent deux cépages nobles, la clairette et le muscat. Mûris au soleil de la Drôme, les raisins deviendront bientôt vin pétillant…

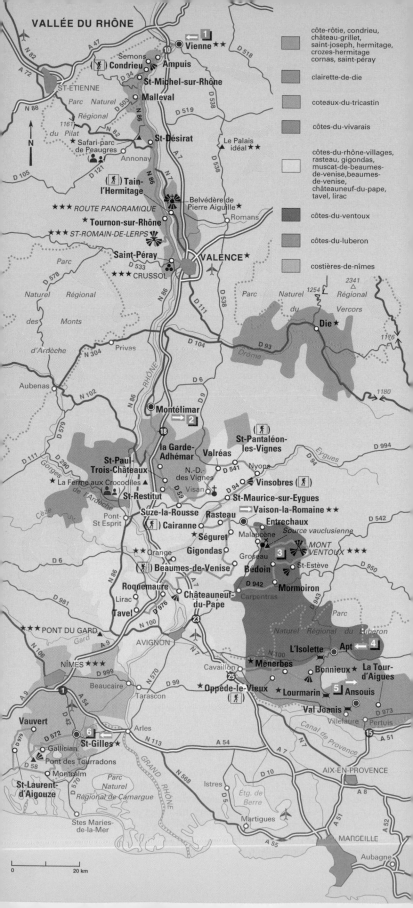

Die★

Carrefour important à l'époque antique, Die est aujourd'hui une petite ville commerçante. Sa principale activité est la production de la **clairette-de-die**, un blanc doux champagnisé, dont vous aurez un bon exemple à la **Cave de Die Jaillance** *(voir nos bonnes caves)*.

L'autre AOC régionale est le **châtillon-en-diois**, qui produit des vins rouges et blancs de montagne, sur un coteau adossé au massif du Glandasse, qui culmine à plus de 2 000 m.

La promenade conduit aux **remparts romains**, des murs de 3 m d'épaisseur

Le vignoble de Die, au pied du Vercors.

qui atteignaient 2 km de long au 3e s. On longe les vestiges au nord-est de la ville, de l'office de tourisme à la **porte St-Marcel**. Poursuivez jusqu'à la **cathédrale**, dont vous avez aperçu la jolie silhouette de son campanile en fer forgé en arrivant à Die. Les portails sont ornés de chapiteaux représentant au nord des scènes bibliques (Caïn et Abel, le sacrifice d'Abraham), à l'ouest et au sud des combats symboliques (hommes et griffon, ondine et crocodile).

L'**hôtel de ville** est un ancien palais épiscopal. À l'intérieur de la **chapelle St-Nicolas**, oratoire privé du 11e s., ne manquez pas d'admirer la finesse des motifs de la **mosaïque★** du 12e s. qui représente l'univers. *Se renseigner à l'office de tourisme ☎ 04 75 22 03 03 - visite guidée (30mn) - 2 €.*

Les adresses du vignoble de Die

NOTRE BONNE TABLE

☺☺ **Les Bâtets** – *Rte de Chamaloc - 26150 Die - 3,5 km du centre par D 518, dir. Chamaloc - ☎ 04 75 22 11 45 - 17/38 €.* Posée au calme dans le repli d'un vallon, cette ancienne ferme au cadre rustique propose une cuisine résolument régionale : caillette, caille et pintadeau fermier de la Drôme, magret de canard maison fumé au genévrier, sauce au gamay de Châtillon… C'est copieux et bien maîtrisé. En dessert, testez la surprenante poire pochée au coulis de fleurs de pissenlits. Réservez impérativement : les fermetures varient au gré de l'humeur du chef-propriétaire.

NOTRE HÔTEL

☺ **Hôtel des Alpes** – *87 r. Camille-Buffardel - 26150 Die - ☎ 04 75 22 15 83 - www.hotelalpes.fr - 24 ch. 42/52 € -*

☺ *7 €.* Envie de découvrir la cité de la clairette ? Trouvez refuge dans ce relais de diligences du 14e s. maintes fois remanié. Ses chambres spacieuses, peu à peu rénovées, constituent une étape idéale et pratique pour poser ses valises et partir flâner dans les rues de Die.

NOTRE BONNE CAVE

Cave de Die Jaillance – *Av. de la Clairette - 26150 Die - ☎ 04 75 22 30 15 - www.jaillance.com - 9h-12h, 14h-19h - fermé 1er janv. et 25 déc.* Par le choix et la qualité des bouteilles qu'elle propose, cette adresse séduira tous les amateurs de clairette de Die, mais aussi de crémant de Die et de vins de Châtillon-en-Diois. Pour les néophytes, la visite guidée des caves suivie d'une dégustation sera l'occasion de les découvrir.

Les côtes du Rhône méridionales

CARTE MICHELIN LOCAL 332 – ARDÈCHE (07), DRÔME (26), GARD (30), VAUCLUSE (84)

Les oliviers, les cultures en terrasses, les cyprès… Passée la « barrière » de Montélimar, plus de doute, vous voilà en Provence. Il ne s'agit plus de la même vallée du Rhône que celle quittée à St-Péray, il ne s'agira plus non plus des mêmes vins. Les côtes du Rhône méridionales développent une autre identité, issue d'un terroir nourri de climat méditerranéen, de terres calcaires et de mistral. Dans les vignes, la différence avec le nord est également palpable : finis les échalas (tuteurs verticaux auxquels s'adossent les vignobles de coteaux), place à la taille en gobelets (le cep ressemble à une main sortie de terre). Côté relief, voici une immense plaine en bord de Rhône qui s'étend jusqu'au Gard.

LES TERROIRS

Superficie : 17 430 ha pour les jeunes appellations et 5 650 ha pour les autres.

Production : 769 670 hl pour les jeunes appellations, et 258 000 hl pour les autres.

Le Rhône a imprimé sa marque sur l'ensemble du bassin sédimentaire, modelant les reliefs, apportant ses alluvions.

LES VINS

La gamme des côtes-du-rhône est majoritairement représentée par les vins rouges (90 % des AOC, pour 6 % de rosés et 4 % de blancs).

Deux appellations donnent des vins doux naturels : **beaumes-de-venise** et **rasteau**. Les jeunes AOC **côtes-du-luberon**, **costières-de-nîmes**, **coteaux-du-tricastin**, **côtes-du-ventoux** côtoient les appellations **gigondas**, **lirac**, **tavel**, **vacqueyras** et **vinsobres**.

La réglementation de l'AOC côtes-du-rhône admet l'utilisation de 21 cépages, dont huit blancs. Certains sont utilisés à titre principal (syrah, grenache, mourvèdre, viognier, marsanne, roussanne, bourboulenc, clairette), d'autres à titre secondaire (cinsault, carignan, cournoise, picpoul…). Treize cépages différents sont autorisés dans l'élaboration du châteauneuf-du-pape ! À savoir aussi, le muscat à petits grains n'est employé que dans l'élaboration du vin doux naturel beaumes-de-venise.

BON À SAVOIR

👁 **Syndicat des côtes-du-ventoux** – ☎ *04 90 63 36 50 - www.cotes-du-ventoux.org*

👁 **Syndicat des côtes-du-luberon** – ☎ *04 90 07 34 40 - www.vins-cotes-luberon.com*

② Les coteaux du Tricastin (1ʳᵉ étape)

▶ 42 km. Montélimar se trouve à 47 km au S de Valence par l'A 7 et la N 7. Carte Michelin Local 332, B-D 7-9. Voir l'itinéraire ② sur le plan p. 364.

Montélimar

Au bord du Rhône, la cité – bien connue pour son nougat – ouvre sur l'Ardèche et la Drôme provençale. Il fait bon se promener dans la vieille ville aux allées piétonnières bordées de cafés et de boutiques de spécialités régionales : les **Allées Provençales★**. Ne manquez pas dans vos déambulations la place du Marché, aux façades colorées, ni le **musée de la Miniature★** dont les œuvres sont renouvelées régulièrement grâce aux prêts des institutions et des collectionneurs privés. *19 r. Pierre-Julien - ☎ 04 75 53 79 24 - www.ville-montelimar.com - juil.-août : 10h-18h ; reste de l'année : tlj sf lun. et mar. 14h-18h - fermé janv., 1ᵉʳ nov. et 25 déc. - 4,90 € (-10 ans gratuit).*

Quittez Montélimar au sud par la D 73 qui conduit à Donzère par le magnifique défilé de Donzère★★. Traversez Donzère et gagnez La Garde-Adhémar par la D 541.

La Garde-Adhémar

Même s'il n'appartient pas à l'AOC coteaux-du-tricastin, ce vieux village perché en vigie au-dessus de la plaine du Tricastin mérite bien une visite pour ses pittoresques maisons en calcaire, ses passages voûtés et ses ruelles tortueuses coupées d'arceaux. C'était, au Moyen Âge, une importante place forte appartenant à la famille des Adhémar. L'**église romane★** est remarquable par ses deux absides et la jolie silhouette de son clocher à deux étages octogonaux, surmonté d'une courte pyramide. À côté, la **chapelle des Pénitents** intègre à l'ouest des fenêtres géminées du 12ᵉ s., visibles de la place de l'église.

La terrasse offre un **point de vue★** étendu sur la plaine de Pierrelatte, dominée par les contreforts du Vivarais, où se détache la dent de Rez. En contrebas s'étage un **jardin des Herbes**, où paradent en carrés et parterres 200 plantes aromatiques et médicinales. *Entrée libre.*

Prenez la D 158 au sud.

Saint-Paul-Trois-Châteaux

Le village est cerné par les vignobles de l'**AOC coteaux-du-tricastin**. Mariant cinq cépages rouges, l'appellation se concentre sur 21 communes.

Les vignes s'épanouissent au milieu des lavandes, des oliviers et surtout des chênes truffiers, puisque la précieuse truffe constitue l'une des autres richesses de la plaine du Tricastin. Vos pas vous mèneront vers la **cathédrale★**, un imposant édifice commencé au 11e s. et terminé au 12e s., remarquable exemple de l'architecture romane provençale.

Située derrière le chevet de la cathédrale, dans les locaux du syndicat d'initiative, la **Maison de la truffe et du Tricastin** présente, sous forme de panneaux explicatifs, de vitrines et d'un programme vidéo, une exposition sur la trufficulture et la commercialisation du « diamant noir » du Tricastin, qui entre dans la composition de savoureuses spécialités locales. Dans les caves voûtées, présentation des vins des coteaux du Tricastin et d'outils vinicoles anciens. *℘ 04 75 96 61 29 - juin-sept. : mar.-sam. 9h30-12h30, 14h30-18h30, dim. 10h-12h, 14h30-18h30, lun. 14h30-18h30 (dern. entrée 1h av. fermeture) ; oct.-nov. et mars-mai : tlj sf dim. : mar.-sam. 9h-12h, 14h-18h, lun. 14h-18h ; déc.-fév. : mar.-sam. 9h-12h, 14h-18h, dim. 10h-12h, 14h-18h - fermé j. fériés - 3,50 € (enf. 2 €).*

Prenez la D 59 au sud-est, puis tournez à droite dans la D 59ᴬ. Après avoir traversé Saint-Restitut, on prend à droite la **route des carrières**, qui court à la surface du plateau calcaire, peuplé de chênes truffiers, et percé, çà et là, de vastes carrières souterraines exploitées du 18e s. au début du 20e s.

Saint-Restitut : Le Cellier des Dauphins
Au bout de la route. Visite guidée (1h) sur demande préalable au 04 75 96 20 00 - www.cellier-des-dauphins.com - de mi-mai à fin sept. : tlj sf lun. et mar. matin. 10h30-19h - 4 €.
🍷 Temple des vins du Tricastin, le cellier abrite dans ses immenses caves les nombreux crus de la région. Exposition sur le vignoble et un tour dans les caves en petit train.

Revenez à la D 59 que l'on prend à droite.

Suze-la-Rousse
Principale ville du Tricastin au Moyen Âge, Suze étage ses ruelles sur la rive gauche du Lez. Enserré dans des murailles, le bourg mérite d'être découvert à l'occasion d'une flânerie : « calades », belles demeures Renaissance, église romane massive, « halle aux grains » du 17e s. et ancienne mairie avec une jolie façade des 15e et 16e s.

Un imposant **château** domine la colline de la Garenne. On y accède par un chemin qui traverse une plantation de chênes truffiers de 30 ha. Si l'ensemble de l'édifice, datant du 14e s., est un bel exemple d'architecture militaire médiévale, l'intérieur a été réaménagé pendant la Renaissance, comme en témoignent les façades de la cour d'honneur. *℘ 04 75 04 81 44 - juil.-août : visite guidée (45mn) 9h30-11h30, 14h-18h ; sept.-juin : 9h30-11h30, 14h-17h30 (nov.-mars : tlj sf mar.) - fermé 1er janv., 25 déc. - 3,10 €.*

S. Sauvignier / MICHELIN

*Au-delà des vignes,
le château de Suze-la-Rousse.*

🍷 Le château héberge l'**Université du vin**, qui dispose d'un laboratoire, d'une salle de dégustation et propose, outre une formation continue, des stages d'œnologie. Au pied du château, le jardin des vignes regroupe une collection ampélographique, 70 cépages des principaux pays viticoles permettant aux visiteurs et aux stagiaires de découvrir les différentes phases végétatives de la vigne selon les saisons. *26790 Suze-la-Rousse - ℘ 04 75 97 21 30 - www.universite-du-vin.com - w.-end d'initiation à la dégustation 335 €, journée alliance mets et vins 160 €, journée dégustation de vins renommés 200 €.*

EN MARGE DU VIGNOBLE

Rencontrer les crocodiles★ à Pierrelatte
8 km au N-O de St-Paul-Trois-Châteaux par la D 59. ℘ 04 75 04 33 73 - www.lafermeauxcrocodiles.com - &. - mars-sept. : 9h30-19h ; oct.-fév. : 9h30-17h30 - 9,50 € (enf. : 6,80 €). 👪 Les eaux tièdes du complexe nucléaire du Tricastin alimentent cette grande serre qui abrite un jardin tropical et un élevage de crocodiles. Différentes

espèces de crocodiliens sont présentées dans plusieurs grands bassins : caïmans à lunettes, alligators d'Amérique, crocodiles de Cuba… Un peu plus loin, la grande serre offre un dépaysement total, plongeant le visiteur dans un univers exotique ; elle est agrémentée de nombreuses passerelles qui invitent à découvrir une végétation luxuriante, des oiseaux multicolores et bruyants, et surtout plus de 300 redoutables crocodiles du Nil qui se prélassent sur les plages ou patrouillent silencieusement dans les eaux sombres.

Les adresses des coteaux du Tricastin

NOTRE BONNE TABLE

😊😊 **L'Esplan** – *Pl. l'Esplan - 26130 St-Paul-Trois-Châteaux - 🖉 04 75 96 64 64 - www.esplan.provence.com - fermé 15 déc.-15 janv., dim. soir du 30 sept. au 30 avr. et le midi - 23/49 €.* La belle façade de cet ancien hôtel particulier abrite une salle aux tons pastel et une cour intérieure ombragée d'un palmier centenaire. L'originale carte du chef détaille les préparations avec moult explications ; on y découvre sa passion pour les herbes, légumes et fleurs de saison qu'il cultive dans son jardin.

NOTRE CHAMBRE D'HÔTE

😊😊 **Gîte du Val des Nymphes** – *Domaine de Magne - 26700 La Garde-Adhémar - à 1 km sur la rte de la chapelle-du-val-des-nymphes - 🖉 04 75 04 44 54 - val.des.nymphes@wanadoo.fr -✍- 5 ch. + 2 gîtes de 2 pers. 65 € - repas 18 €.* Cette ferme fruitière du Tricastin entourée d'un vaste domaine comprenant jadis la chapelle des Nymphes est un vrai délice. Les chambres, sises dans une maisonnette indépendante, ouvrent sur les vergers. Repas servis dans une belle salle à manger voûtée, décorée d'outils anciens et de vieilles photos.

2️⃣ Les côtes-du-rhône-villages (2ᵉ étape)

▶ 60 km. Suze-la-Rousse se trouve à 19 km au N d'Orange par la N 7, la D 11 et la D 117. Carte Michelin Local 332, B-D 7-9. Voir l'itinéraire 2️⃣ sur le plan p. 364.

Quittez Suze à l'est en direction de Visan par la D 251, puis la D 161. Traversez Visan pour prendre la D 20 au sud-est.

Chapelle Notre-Dame-des-Vignes

🖉 04 90 41 90 50 - tlj sf dim. matin et lun. 10h-11h30, 15h-17h30.

Cette chapelle du 13ᵉ s. abrite dans le chœur une statue de la Vierge en bois polychrome, vénérée le 8 septembre lors d'un pèlerinage. Une légende raconte qu'un vigneron découvrit cette statue dans un sillon. Transportée à l'église paroissiale, la statue fut miraculeusement retrouvée trois fois dans le même sillon. La chapelle fut érigée en réponse à ce miracle.

Revenez à Visan et prenez la D 976 au nord en direction de Valréas.

Valréas

Bien qu'en pleine Drôme, cette petite ville productrice de **côtes-du-rhône-villages** est rattachée au département de Vaucluse. Autour, Grillon, Richerenches et Visan ont subi le même sort en 1791. Les quatre communes font partie de ce qu'on appelle l'« Enclave des Papes », en référence à leur ancienne allégeance aux papes d'Avignon, une fidélité qui leur valut cette originalité départementale unique en France.

Dans le bourg, remarquez la **tour de Tivoli**, dernier vestige des remparts qui ont aujourd'hui cédé la place à une ceinture de boulevards ombragés de platanes. Au cœur des ruelles de la vieille cité s'abritent d'anciennes demeures. L'**hôtel de ville**, demeure du marquis de Simiane, époux de Pauline de Grignan, petite-fille de Mme de Sévigné, se distingue par une majestueuse façade (15ᵉ s.) donnant sur la place Aristide-Briand. Le portail sud de l'**église Notre-Dame-de-Nazareth** offre un bel exemple d'architecture romane provençale. Sur la place Pie, une belle grille en fer forgé s'ouvre sur l'allée menant à la **chapelle des Pénitents-Blancs**, construite au 17ᵉ s. Dans le chœur, stalles sculptées et beau plafond à caissons. 🖉 04 90 35 04 71 - juil.-août : lun.-vend. 10h-12, 15h-17h.

La tour du château Ripert ou tour de l'Horloge domine le jardin ; de la terrasse, **belle vue** sur le vieux Valréas et les collines du Tricastin.

Suivez la D 541 à l'est en direction de Saint-Pantaléon-les-Vignes.

Saint-Pantaléon-les-Vignes

🐾 Créé par le Syndicat des vignerons de l'appellation **côtes-du-rhône-villages-st-pantaléon-les-vignes** et **rousset-les-vignes**, le **sentier des Terroirs** s'organise autour de deux boucles *(2h30 chacune, possibilité de combiner les deux pour un parcours de 5h)* qui sillonnent dans de jolis vignobles entourés d'oliviers, de champs de lavandin, de pins et de chênes. Les deux sentiers sont balisés de panneaux en forme de bouteille, chacun renvoyant à un chapitre explicatif d'un guide gratuit *(disponible dans les caveaux et les mairies des deux villages)*, détaillant la vigne, la flore, les paysages et les sols.

Continuez sur la D 541, puis prenez à droite la D 538 jusqu'à Nyons.

Nyons

Au débouché de la vallée de l'Eygues, dans la plaine du Tricastin, la ville est bien abritée par les montagnes. Importé par les Grecs, il y a 2 500 ans, l'olivier règne ici en maître, prospérant sous la douceur du climat. Les moulins à huile fonctionnent de novembre à février. Dans certains, l'huile est fabriquée selon les procédés traditionnels. Le **musée de l'Olivier** présente un inventaire de l'outillage traditionnel nécessaire à la culture de l'olivier et à la fabrication de l'huile. *Av. des Tilleuls.* 📞 04 75 26 12 12 - ♿ - *tlj sf dim. 10h30-11h30, 14h30-18h - 2 € (enf. 1 €).*

Le **pont roman★** (ou Vieux Pont) en dos d'âne fut construit aux 13e et 14e s. Son arche, de 40 m d'ouverture, est une des plus hardies du Midi.

Prenez à droite la D 94, direction Tulette. Passé le Pont-de-Mirabel, tournez à droite dans la D 190 pour rejoindre Vinsobres.

Vinsobres

Ne manquez pas ce beau village vigneron producteur de **côtes-du-rhône-villages-vinsobres**, perché sur un coteau dominant la vallée où paresse l'Eygues. Ruelles escarpées, vieilles maisons de pierre et passages voûtés sont coiffés de deux clochers, l'un protestant l'autre catholique. L'église est en bas du village, le temple au sommet du village. Une belle **vue** sur les vignobles, la montagne de Garde-Grosse et le mont Ventoux vous attend sur le parvis du temple.

🐾 Au départ du syndicat d'initiative, nombreux **itinéraires fléchés** – pédestres ou cyclistes – vous feront parcourir la région en longeant vignes et vergers plantés d'oliviers, d'arbres fruitiers et de lavande.

Reprenez la D 94 en direction de Tulette.

Saint-Maurice-sur-Eygues

Ce petit bourg de Drôme provençale semble assoupi sous les platanes. 🍷 Sur les hauteurs du village *(accès fléché, « Domaine Viret »)*, le **domaine Viret** se bat pour son « vin identitaire », sans pesticides ni mécanisation, sur une propriété de 50 ha protégée par une barrière de chênes et de pins. Alain et Philippe Viret se sont engagés, il y a quelques années, dans un projet ambitieux et peu banal : construire une cave selon les méthodes des bâtisseurs de cathédrales du Moyen Âge… 📞 04 75 27 62 77 - viretwine@aol.com - *visite 9h-12h, 15h-19h.*

Poursuivez sur la D 94, puis tournez à gauche au premier embranchement (D 20), puis à droite dans la D 51, direction Cairanne.

La route s'envole à travers les vignes, laissant derrière elle les monts des Baronnies pour ouvrir, passé le col du Débat, un panorama sur les dentelles de Montmirail et le mont Ventoux.

Cairanne

Haut lieu de l'appellation **côtes-du-rhône-villages** avec son rouge aux arômes puissants, ce vieux village perché du haut Vaucluse semble surveiller les vignes depuis sa colline. Au détour des ruelles, entre les **chapelles St-Roch** (1726) et **Notre-Dame-des-Excès** (1631), toutes deux élevées en protection contre les pestes, belles **vues★** sur le Ventoux, les dentelles de Montmirail et les vignes.

🐾 Le Point Info tourisme diffuse une brochure gratuite détaillant des **itinéraires pédestres** dans les vignes et dans le vieux village. 📞 04 90 30 76 53.

🍷 Les **domaines Richaud** et de l'**Oratoire St-Martin** produisent de bons vins *(voir nos bonnes caves)*. Le **parcours sensoriel de la Cave de Cairanne** est le lieu indispensable pour parfaire sa connaissance des vins de la vallée du Rhône en général, et de ceux de l'appellation côtes-du-rhône-villages-cairanne en particulier. Basée sur les cinq sens et conçue autour de panneaux thématiques interactifs (les enfants ne s'ennuieront pas), l'exposition permanente est installée au sous-sol de la cave coopérative de Cairanne. Visite guidée sous la houlette d'un guide sommelier (avec initiation à la dégustation) ou visite libre. Journées « vin et chocolat » organisées avec la chocolaterie Castelin de Châteauneuf-du-Pape *(30 € par pers., sur réservation). Rte de Bollène - 84290 Cairanne - ℘ 04 90 30 82 05 - www.cave-cairanne.fr - visite (1h30) lun.-sam. 11h et 16h - 6 € (-12 ans gratuit) - réservation conseillée.*

🍷 L'**Écurie du Muzet** propose un circuit équestre permettant d'envisager le vignoble depuis la selle d'un cheval (option calèche pour les non-cavaliers). Au programme : chevauchée dans les vignes, étapes-dégustation dans les caves côtes-du-rhône-villages-cairanne et visite du parcours sensoriel de la Cave de Cairanne. *Quartier le Muzet - 84290 Cairanne - ℘ 04 90 46 12 99 ou 06 09 88 38 14 - ecuriesdumuzet@aol. com - été : 7h-11h, 16h30-19h ; hiver : 9h-16h.*

Prenez à l'est la D 69 vers Rasteau.

Les adresses des côtes-du-rhône-villages

NOS BONNES TABLES

◎◎ **La Charrette Bleue** – *Rte de Gap - 26110 Nyons -* ℘ *04 75 27 72 33 - fermé 18 déc.-3 fév., mar. de sept. à juin, dim. soir d'oct. à mars et merc. - 19 € déj. - 24/39 €.* L'enseigne de ce joli mas en pierre coiffé de tuiles romaines évoque l'autobiographie romancée de René Barjavel, l'enfant du pays. On s'y régale de savoureuses recettes d'inspiration régionale, attablé en terrasse ou dans l'agréable salle aux poutres apparentes. Voilà une adresse qui ne devrait pas vous décevoir !

◎◎ **Au Délice de Provence** – *6 La Placette - 84600 Valréas -* ℘ *04 90 28 16 91 - fermé mar. et merc. - 17/40 €.* Cette maison en pierres de taille abrite deux charmantes salles à manger récemment rénovées où vous pourrez savourer des petits plats régionaux bien tournés élaborés à partir de produits frais : gigot de lotte, filet de canette, agneau à la provençale, rillettes de truite de mer, savarin aux pruneaux, etc.

NOTRE HÔTEL

◎◎ **Hôtel Picholine** – *Prom. Perrière - 26110 Nyons - 1 km au N de Nyons par prom. des Anglais -* ℘ *04 75 26 06 21 - www.picholine26.com - fermé 4-28 fév. et 15 oct.-7 nov. -* 🅿 *- 16 ch. 64/72 € -* ⌐ *7,50 € - rest. 23/39 €.* Halte paisible sur les collines de Nyons, dans cette grande bâtisse bordant une voie privée. Son jardin, sa piscine à l'ombre du feuillage léger des oliviers et sa belle terrasse séduiront les amateurs de farniente. Chambres fonctionnelles, parfois dotées d'un balcon.

NOS BONNES CAVES

Domaine Richaud – *Rte de Rasteau - 84290 Cairanne -* ℘ *04 90 30 85 25 - marcel. richaud@wanadoo.fr - lun.-vend. 9h-12h, 14h-18h.* Marcel Richaud s'est installé à Cairanne en 1974. Il exploite aujourd'hui 45 ha et ne cesse d'innover comme en témoignent ces cuvées foulées aux pieds et la construction de la cave souterraine pour accueillir les barriques. Éternel insatisfait, il essaie de « comprendre » les terroirs pour en tirer le meilleur parti possible. 🍷 côtes-du-rhône, côtes-du-rhône-villages.

Domaine de l'Oratoire St-Martin – *Rte de St-Roman - 84290 Cairanne -* ℘ *04 90 30 82 07 - lun.-sam. sf j. fériés 8h-12h, 14h-19h.* Les Alary appartiennent à l'une des plus anciennes familles de vignerons de Cairanne, dont l'origine remonte à 1692. François et Frédéric ont repris le domaine en 1984 et exploitent 25 ha sur les coteaux de St-Martin. Les vignes, dont certaines seront bientôt centenaires, sont travaillées manuellement. La vinification est effectuée en cuves ouvertes pour le côtes-du-rhône-villages et en cuves fermées pour l'appellation côtes-du-rhône. La cave de vieillissement, très ancienne, a connu un peu plus de 150 récoltes élevées en foudres ou en fûts de chêne. 🍷 côtes-du-rhône, côtes-du-rhône-villages.

② La route des grandes appellations (3ᵉ étape)

▶ 87 km. Rasteau se trouve à 21 km au N-E d'Orange par la D 975. Carte Michelin Local 332, B-D 7-9. Voir l'itinéraire ② sur le plan p. 364.

Deux appellations de vins doux naturels (rasteau et beaumes-de-venise), et cinq crus plus ou moins prestigieux (gigondas, beaumes-de-venise, châteauneuf-du-pape, tavel et lirac) donnent des vins rouges chaleureux, des blancs marqués par leur puissance aromatique et des rosés amples.

Rasteau

Deux attraits vous guideront jusqu'ici : le vin doux naturel (VDN) **AOC rasteau** produit par un vignoble adossé aux derniers contreforts du massif des Baronnies (les ceps sont à 300 m d'altitude) et le **musée du Vigneron**, avec sa collection d'outils, et les bouteilles anciennes de sa vinothèque. *℘ 04 90 83 71 79 - www.beaurenard. fr -* ⚒ *- juil.-août : 10h-18h ; de mi-avr. à fin juin et sept. : 14h-18h - fermé dim. et mar., de déb. oct. à Pâques - 3 €.*

Poursuivez jusqu'au village de Roaix, puis suivez à droite la D 88 vers Séguret.

Séguret★

Superbe village, bâti en gradins au pied d'une colline. À l'entrée du bourg, emprunter le passage sous voûte que prolonge la rue principale. Chemin faisant, vous passerez devant la jolie fontaine comtadine des Mascarons (15e s.) et le beffroi (14e s.), puis l'église St-Denis (12e s.). Depuis la table d'orientation installée sur la place, vue étendue sur les dentelles et la plaine du Comtat. Un château féodal en ruine, des ruelles étroites en forte pente bordées d'anciennes demeures ajoutent encore au charme de ce lieu préservé où vous aimerez sans doute vous attarder. ♟ Les vignobles produisent des **côtes-du-rhône-villages-séguret**, des rouges à fine nuance d'amande et des rosés aromatiques, dont vous aurez un bon échantillonnage au **domaine de Cabasse** *(voir nos bonnes caves).*

À la sortie de Séguret, prendez à gauche la D 23 vers Sablet, puis la D 7 et la D 79.

♟ Les vins du **domaine Piaugier** à **Sablet** sont produits avec soin en culture raisonnée *(voir nos bonnes caves).*

Gigondas

Adossé au massif des dentelles de Montmirail, ce bourg tranquille est célèbre pour son **AOC gigondas** donnant un vin rouge charpenté issu de grenache, l'un des seigneurs de la basse vallée du Rhône avec le châteauneuf-du-pape. ♟ Sur place, multiples possibilités de dégustations et d'achat à la propriété, comme au **domaine Les Goubert**, ou au **Caveau du Gigondas** *(voir nos bonnes caves).*

Prenez aussi le temps de grimper en haut des remparts : la **vue★** sur le vignoble et les Cévennes est sublime.

Poursuivez sur la D 7 direction Beaumes-de-Venise.

Beaumes-de-Venise

Sur les contreforts sud des dentelles de Montmirail, ce gros village tire son nom des grottes qui le surplombent (baumes signifie grottes en provençal) et d'une altération de Venaissin. C'est le grand lieu de production du fameux **muscat-de-beaumes-de-venise**, subtilement parfumé. ♟ En arrivant par la D 7, vous vous en apercevrez rapidement : au premier rond-point, sur la droite, se dresse l'imposante **cave coopérative des vignerons de Beaumes-de-Venise** *(voir nos bonnes caves)* ; à côté de la boutique, une exposition retrace l'histoire et les particularités de l'AOC. ♟ Vous pourrez également vous rendre au **domaine de Durban** (Leydier et Fils – *voir nos bonnes caves).*

⬤ La cave coopérative des vignerons et l'office du tourisme vous fourniront le tracé détaillé de **deux sentiers fléchés** *(panneaux d'explication sur la culture de la vigne)* se faufilant à travers les dentelles, à la découverte du terroir du Trias (l'un des quatre terroirs géologiques sur lequel s'enracinent les ceps beaumes-de-venise), un circuit rouge de 9 km *(3h30)* et un circuit vert de 4 km *(1h40).*

Prenez au sud la D 90. À Aubignan, tournez à droite dans la D 55, et encore à droite dans la D 950. Avant d'arriver sur la N 7, bifurquez à droite sur la D 72 qui passe au-dessus de l'autoroute. Tournez ensuite à gauche dans la D 68, direction Châteauneuf-du-Pape.

La petite douceur des papes

Pline l'Ancien mentionnait déjà le muscat de Beaumes-de-Venise au 1er s., mais c'est le pape Clément V qui assura sa prospérité : installé à Avignon, il aimait tant ce vin qu'il fit planter 70 ha de muscadière (terrasses) sur les coteaux de Beaumes-de-Venise. Tombée en sommeil après le départ des papes pour Rome, la production ne repris qu'à la fin du 19e s., couronnée par l'obtention de l'AOC en 1943. La récolte se fait toujours à la main, sur des vignes palissées, pour une meilleure hauteur de feuillage. L'AOC s'étend aujourd'hui sur 500 ha d'un terroir accidenté, sur des terrasses centenaires. Le goût particulier de ce muscat est dû au cépage muscat blanc à petits grains, qui donne des odeurs de fleurs et d'essences exotiques. Utilisé en cuisine, plébiscité à l'apéritif, le muscat se marie à merveille avec le foie gras, les cuisines exotiques, les desserts et même le roquefort.

Châteauneuf-du-Pape

Les papes d'Avignon ont contribué au développement du vignoble de Châteauneuf dont la renommée date du milieu du 18e s. Ruiné par la crise du phylloxéra en 1866, le vignoble fut alors replanté et, en 1923, le syndicat des viticulteurs édicta une réglementation stricte, garante de la qualité : limites de la région plantée, choix des raisins et des cépages (il y en a 13), vinification… Aujourd'hui, les 300 vignerons castels-papaux exploitent 3 100 ha de vignes fameuses. Les bouteilles de Châteauneuf affichent toujours fièrement leur origine papale, avec une tiare et les clefs de saint Pierre qui apparaissent en relief sur le verre.

De la forteresse papale, superbe **vue★★** sur la vallée du Rhône, Roquemaure et le château de l'Hers, Avignon avec le rocher des Doms et le palais des Papes se détachant sur la toile de fond des Alpilles ; on aperçoit aussi le Luberon, le plateau de Vaucluse, le Ventoux, les dentelles de Montmirail, les Baronnies et la montagne de la Lance.

♟ Situé à 3 km de Châteauneuf par la route de Sorgues, le **Château La Nerthe** est le plus ancien de l'appellation *(voir nos bonnes caves)*.

♟ Avant la dégustation à la **Maison des vins Vinadéa** *(voir nos bonnes caves)*, une visite du **musée du Vin** s'impose. L'historique de l'appellation d'origine contrôlée est évoqué à travers un cheminement allant de la formation des sols au travail du vigneron, en passant par l'origine des cépages. Exposition très complète de vieux outils de vignerons. Vous y apprendrez aussi que Châteauneuf-du-Pape est le berceau des AOC françaises, grâce au baron Le Roy, un propriétaire local qui obtint, avec le sénateur bordelais Jean Capus, l'adoption en 1935 du décret de loi créant les appellations d'origine contrôlée (AOC). *Dans la cave L.-C. Brotte-Père Anselme.* ✆ *04 90 83 70 07 - www.brotte.com - de mi-avr. à mi-oct. : 9h-13h, 14h-19h ; de mi-oct. à mi-avr. : 9h-12h, 14h-18h - fermé 1er janv., 25 déc. - gratuit.*

La vigne au pied des dentelles de Montmirail.

H. Champollion / MICHELIN

Suivez la direction de Roquemaure (D 17), et bifurquez à droite au panneau « circuit touristique ». ☍ Idéal en voiture ou en VTT (attention, ça grimpe !), ce **circuit** de 8 km emprunte les petites routes goudronnées qui serpentent entre les parcelles de vignes. L'occasion de voir de près le surprenant terroir de l'**AOC châteauneuf-du-pape**, le plus sec de la vallée du Rhône. La terre rougeâtre est parsemée de gros galets roulés. Captant la chaleur du soleil le jour, ils la restituent au cep la nuit, ce qui favorise la maturation du raisin. Avant de s'achever en une large boucle vers le village, le circuit longe de nombreux domaines où vous pourrez déguster.

Quittez Châteauneuf-du-Pape à l'ouest par la D 17. Tournez à gauche dans la D 976 qui passe au-dessus du Rhône.

Roquemaure

Ce gros bourg viticole a conservé quelques demeures anciennes, comme celle du cardinal Bertrand dans le quartier de l'église. La tour des princes de Soubise est le plus important des vestiges du château où mourut le 20 avril 1314 Clément V, premier pape d'Avignon. En face, sur l'autre rive, avec sa tour à mâchicoulis, le château de l'Hers semble veiller sur le précieux vignoble.

Le week-end le plus proche du 14 février, Roquemaure célèbre la Saint-Valentin par des festivités, dont la reconstitution costumée de l'arrivée des reliques du saint dans le village. Celles-ci furent achetées à Rome par un viticulteur, en 1868, et offerte à la paroisse afin de protéger la vigne contre le fléau du phylloxéra qui sévissait alors.

♟ Roquemaure a ouvert une **Académie du vin et du goût** au château de Clary. Ce domaine viticole et oléicole a été rénové en octobre 2003 par des œnologues passionnés, et est devenu un centre culturel dédié au vin et à la gastronomie. Les volumes intérieurs ont été conservés, mixés à du mobilier technique en bois blond pour les stages dégustations, les cours de cuisine et les soirées « accords mets et vins ». *Château de Clary - 30150 Roquemaure - ℘ 04 66 33 04 86 - www.academie-du-vin. com - mai-sept. : 9h-19h ; oct.-avr. : 9h-18h - fermé 23 déc.-3 janv.*

Prenez la D 976 au sud-ouest.

Tavel

Posé sur la rive gauche du Rhône, ce village des côtes du Rhône gardoises est réputé pour son rosé de tradition. Beaucoup plus charnu et tuilé (sa couleur est foncée) que le rosé de Provence, c'est aussi le premier rosé de France à avoir obtenu son **AOC tavel**, en 1936. Les quelque 900 ha du vignoble sont situés sur la commune, un impressionnant terroir de galets roulés, de sable et de calcaire. Tavel n'a pas exporté que ses rosés dans le monde : autrefois réputé pour ses carrières (aujourd'hui épuisées), le village a fourni les pierres qui forment le socle de la statue de la Liberté à New York. ♟ Pour vos achats, le **domaine de La Mordorée** est idéal *(voir nos bonnes caves)*.

♱ De là démarre un **circuit des Vignobles**, à suivre en VTT ou en voiture. Ponctué de bornes réalisées avec des pierres du terroir (lauze, galets…), il s'achève sur une table d'orientation *(aire de pique-nique)* d'où l'on profite d'une belle **vue** sur les vignes et le village.

Au nord de Tavel, par la D 26, vous pousserez jusqu'à **Lirac**, dont l'**AOC lirac** produit des vins rouges ou rosés assez corsés.

EN MARGE DU VIGNOBLE

Sur la Via Agrippa, petite pause à Orange★★

Véritable porte de la cité, l'**arc de triomphe★★** s'élève à l'entrée nord d'Orange, sur la Via Agrippa qui reliait Lyon et Arles *(à l'entrée de la ville sur la N 7 ; parking gratuit au carrefour)*. S'il est remarquable pour ses dimensions imposantes (19,21 m de hauteur, 19,57 m de largeur et 8,40 m de profondeur, le troisième par la taille des arcs romains qui nous sont parvenus), c'est surtout l'un des mieux conservés : la face nord en particulier a gardé pour une bonne part sa décoration d'origine. Construit vers 20 av. J.-C., et dédié plus tard à Tibère, il commémorait les exploits des vétérans de la IIe légion. Percé de trois baies encadrées de colonnes, surmonté à l'origine par un quadrige en bronze flanqué de deux trophées, il présente deux particularités : le fronton triangulaire, au-dessus de la baie centrale, et deux attiques superposés.

Édifié sous le règne d'Auguste (alors Octave), le **théâtre antique★★★** est le seul théâtre romain qui ait conservé son mur de scène intact. Lorsque l'on arrive sur la place, on est avant tout frappé par ce mur imposant long de 103 m et haut de 36 m. On aperçoit, tout en haut, la double rangée de corbeaux (pierres en saillie) au travers desquels passaient les mâts servant à tendre le voile *(velum)* qui protégeait les spectateurs du soleil. L'hémicycle *(cavea)* pouvait contenir près de 9 000 spectateurs, répartis selon leur rang social. En contrebas, l'*orchestra* forme un demi-cercle ; en bordure, trois gradins, sur lesquels on plaçait des sièges mobiles, étaient réservés aux personnages de haut rang. La scène, faite d'un plancher de bois sous lequel était logée la machinerie, mesure 61 m de longueur pour 9 m de profondeur utile. Le mur de scène présentait un riche décor de placages de marbre, de stucs, de mosaïques, de colonnades étagées et de niches abritant des statues, dont celle d'Auguste, qui a été remise en place. Ce mur est percé de trois portes : la porte royale au centre (entrée des acteurs principaux) et les deux portes latérales (entrée des acteurs secondaires). *℘ 04 90 51 17 60 - www.theatre-antique.com - juin-août : 9h-19h ; avr.-mai et sept. : 9h-18h ; mars et oct. : 9h-17h30 ; reste de l'année : 9h-16h30 - 7,70 € (enf. 5,60 €).*

Les adresses de Rasteau à Lirac

NOS BONNES TABLES

⌕ **Le Yaca** – 24 pl. Silvain - 84100 Orange - ☎ 04 90 34 70 03 - fermé 28 oct.-24 nov., mar. soir et merc. - formule déj. 11 € - 13/23 €. Ici, le patron se décarcasse pour satisfaire ses clients ! Tout est fait maison, frais et vraiment pas cher dans ce petit restaurant situé à quelques enjambées du théâtre antique… Petite salle voûtée provençale avec lampes et fleurs sur les tables. Terrasse en été.

⌕ **La Garbure** – 3 r. Joseph-Ducos - 84230 Châteauneuf-du-Pape - ☎ 04 90 83 75 08 - www.la-garbure.com - fermé janv., 15-30 nov., sam. midi, dim. midi, lun. midi en sais., dim. et lun. hors sais. - 16 € déj. - 23/45 € - 8 ch. 69/82 € - ☻ 8 €. Installé dans cette petite salle aux couleurs vives meublée avec soin, laissez-vous guider par votre appétit : les menus régionaux concoctés par le patron devraient vous plaire. Quelques chambres provençales pour prolonger l'étape (la maison est climatisée…).

⌕ **Le Pistou** – 15 r. Joseph-Ducos - 84230 Châteauneuf-du-Pape - ☎ 04 90 83 71 75 - charlotte.ledoux@tiscali.fr - fermé janv., dim. soir et lun. - 21/25 €. Petite adresse située au centre du bourg, dans une ruelle menant à la forteresse papale. La carte et les suggestions du jour y sont affichées sur ardoise, pour la plus grande gloire des saveurs du terroir (paupiette d'agneau au basilic, rosace de lotte avec sauce bouillabaisse, etc.).

⌕ **Les Florets** – Rte des Dentelles - 84190 Gigondas - ☎ 04 90 65 85 01 - www.hotel-lesflorets.com - fermé 1er janv.-20 mars, lun. soir et mar. de nov. à avr. et merc. - 25/52 €. Cette séduisante hostellerie isolée dans la campagne, au pied des dentelles de Montmirail, est tenue par la même famille depuis trois générations. Vous y dégusterez une savoureuse cuisine régionale escortée par l'un des vins issus du domaine familial : gigondas, vacqueyras ou côtes-du-rhône. Agréable terrasse ombragée.

⌕ **Mas de Bouvau** – Rte de Cairanne - 84150 Violès - ☎ 04 90 70 94 08 - henri.hertzog@wanadoo.fr - 26/36 €. Authentique mas provençal transformé en restaurant. Le cadre intérieur ne s'inspire plus que vaguement de la région, mais celle-ci est encore bien présente dans l'assiette à travers des recettes comme le croustillant de chèvre chaud à la tapenade, la tranche de gigot d'agneau aux herbes ou les pâtisseries maison.

NOS HÔTELS ET CHAMBRES D'HÔTE

⌕ **Chambre d'hôte La Farigoule** – Le Plan de Dieu - 84150 Violès - 7 km à l'O de Gigondas par D 80 dir. Orange puis D 8 et D 977 dir. Violès - ☎ 04 90 70 91 78 - www.

la-farigoule.com - fermé nov.-mars - ☒ - 5 ch. 45/55 € ☻. Cette maison vigneronne du 18e s. a gardé toute son authenticité. Ses chambres, desservies par un bel escalier et meublées à l'ancienne, portent chacune le nom d'un écrivain provençal. Petits-déjeuners servis dans une jolie salle voûtée, à la fraîcheur appréciée en été. Jardin, cuisine d'été.

⌕ **Hôtel du Mas des Aigras** – Chemin des Aigras - 84100 Orange - ☎ 04 90 34 81 01 - masdesaigras@free.fr - fermé 23 oct.-9 nov., 18 déc.-11 janv., lun. soir, mar. et merc. d'oct. à mars - **P** - 12 ch. 70/110 € - ☻ 12 € - rest. 28/52 €. Joli mas en pierres blondes tapi au milieu des vignes et des champs de la périphérie orangeoise. Sous l'égide de ses jeunes propriétaires, charmants, ses chambres arborent peu à peu des couleurs provençales et se dotent de la climatisation. La cuisine, au goût du jour, est préparée avec des produits « bio ».

NOS BONNES CAVES

CAVISTE

Caveau St-Vincent – Pl. du Seigneur - 30126 Tavel - ☎ 04 66 50 24 10 - monde. tavel@libertysurf.fr - mars-sept. : 9h30-12h30, 14h30-19h ; oct.-déc. : 10h-12h30, 14h30-18h - fermé janv.-fév. et 1er Mai. Caveau climatisé au cœur du village, pour découvrir la première appellation rosée de France. Vente de produits du terroir. Joli décor, dans d'anciennes écuries, avec mangeoire et râtelier encore apparentes.

REGROUPEMENTS DE VIGNERONS

Cave coopérative des vignerons – Quartier Ravel - 84190 Beaumes-de-Venise - ☎ 04 90 12 41 00 - 8h30-12h30 (12h hiver), 14h-19h (18h hiver) - fermé 1er janv. et 25 déc. Vous y trouverez les muscats, bien sûr, mais aussi des rouges, rosés et blancs d'appellation côtes-du-rhône-villages-beaumes-de-venise, moins connus. La cave réunit 150 exploitants pour une production de 55 000 hl/an.

« Vinadéa » - Maison des vins – 8 r. du Mar.-Foch - 84230 Châteauneuf-du-Pape - ☎ 04 90 83 70 69 - www.vinadea.com - mai-juin : 10h-13h, 14h-19h ; juil.-août : 10h-19h ; nov.-fév. : 10h-12h30, 14h-18h - fermé 1 sem. fin janv., 1er janv. et 25 déc. Cette association de vignerons connaît un succès fulgurant. En effet, lors de sa création en 2000, elle rassemblait une petite cinquantaine de membres. Elle présente aujourd'hui les vins de quelque 90 viticulteurs de l'appellation Châteauneuf-du-Pape. Vous y trouverez de gouleyantes cuvées blanches ou rouges, de vieux millésimes et un petit espace dédié à la librairie et aux cadeaux.

Caveau Gigondas – Pl. du Portail - 84190 Gigondas - ☎ 04 90 65 82 29 - 10h-12h, 14h-18h30 - fermé 1er janv. et 25 déc. Ouverte toute l'année, cette boutique gérée par une association d'une cinquantaine de vignerons permet aux visiteurs de déguster plusieurs crus sans se sentir obligé d'acheter. Chaque bouteille est le fruit de la production d'un viticulteur : le magasin ne propose aucun assemblage. Conseils avisés du personnel.

DOMAINES

Domaine de Cabasse – *Rte de Sablet - 84110 Séguret -* ✆ *04 90 46 91 12 - info@cabasse.fr - lun.-vend. (tlj d'avr.-oct.) 8h-12h, 14h-17h - sur RV.* Ingénieur agricole diplômé de l'École polytechnique de Zurich, Alfred Haeni a dirigé le domaine de 1990 à 2004. Depuis, c'est son fils Nicolas qui exploite 20 ha de vignes et produit des vins dans les trois couleurs. Les vendanges sont entièrement manuelles avec tri. Les vins sont ensuite élevés en cuves, en foudres ou en barriques, de huit mois à deux ans selon les cuvées et les millésimes. ☙ côtes-du-rhône-villages, gigondas.

Domaine de Piaugier – *3 rte de Gigondas - 84110 Sablet -* ✆ *04 90 46 96 49 - piaugier@wanadoo.fr - lun.-sam. 9h-12h, 14h-18h - sur RV.* Descendant d'une longue lignée de vignerons, Jean-Marc Autran a pris la direction du domaine en 1985. Il a réalisé ses premières vinifications dans la cave construite par son arrière-grand-père en 1947. Aujourd'hui, le vignoble de 30 ha, très morcelé, présente une large gamme de terroirs. Les raisins sont vinifiés en grappes entières et l'élevage se fait en partie en cuves en béton et en barriques. ☙ côtes-du-rhône, côtes-du-rhône-villages, gigondas.

Domaine Les Goubert – *84190 Gigondas -* ✆ *04 90 65 86 38 - jpcartier@terre-net.fr.* Les 23 ha du domaine, répartis en une quarantaine de parcelles dispersées sur cinq communes, sont situés à une altitude comprise entre 150 et 400 m. Planté sur un terrain argilo-calcaire, le vignoble est encépagé de grenache, de syrah, de mourvèdre, de cinsault, de carignan, de picpoul et de terret pour les vins rouges ; de clairette, de roussanne, de bourboulenc et de viognier pour les blancs. Le domaine est conduit selon des techniques traditionnelles, sans utilisation d'engrais chimique, ni d'insecticide ou d'herbicide. La vinification a lieu en cuves béton pour les vins rouges, à partir de raisins égrappés et foulés avec de longues macérations, en cuves Inox ou en pièces pour les blancs. ☙ beaumes-de-venise, côtes-du-rhône, côtes-du-rhône-villages, gigondas.

Domaine de Durban – Leydier et Fils – *84190 Beaumes-de-Venise -* ✆ *04 90 62 94 26 - tlj sf dim. 9h-12h, 14h-18h (en hiver 17h30) - fermé j. fériés.* Le chemin qui grimpe à travers les 119 ha de vignes du domaine de Durban offre un panorama grandiose. Sitôt arrivé, la famille Leydier vous accueille avec chaleur et n'hésite pas à vous expliquer l'élaboration des deux crus maison : le côtes-du-rhône-villages beaumes-de-venise - un vin blanc sec - et le fameux muscat. ☙ côtes-du-rhône-villages, muscat-de-beaumes-de-venise.

Château La Nerthe – *Rte de Sorgues - 84230 Châteauneuf-du-Pape -* ✆ *04 90 83 70 11 - www.chateau-la-nerthe.com - tlj sf dim. 9h-12h, 14h-18h - fermé j. fériés.* Dans ce château vous attendent les plus anciennes caves de Châteauneuf-du-Pape. Leurs vins sont très réputés et ce n'est pas un hasard si les plus grandes tables les sélectionnent. Le prix des bouteilles suit la qualité du vin, mais peu importe car la visite mérite vraiment le détour. Un vrai coup de cœur ! ☙ châteauneuf-du-pape.

Domaine de La Mordorée – *Chemin des Oliviers - 30126 Tavel -* ✆ *04 66 50 00 75 - 8h-12h, 13h30-17h30 - sur RV.* Après des études de commerce et des débuts dans l'entreprise familiale de fabrication de scaphandres de protection, Christophe Delorme s'est finalement dirigé vers la vigne et le vin. Ce domaine de 55 ha de vignes enherbées est morcelé en trente-huit parcelles réparties sur huit communes. Les vieilles vignes non palissées sont taillées en gobelet et les plus récentes, palissées, en cordon de Royat. Après des travaux en vert, les vendanges se font entièrement à la main. En 2004, de nouveaux pieds de vignes ont été plantés en appellation condrieu. Le domaine produit également du vin de pays du Gard. ☙ châteauneuf-du-pape, côtes-du-rhône, lirac, tavel.

③ Les côtes du Ventoux

▶ 75 km de Vaison-la-Romaine à Carpentras. Vaison-la-Romaine se trouve à 29 km au N-E d'Orange par laD 975, la D 23 et la D 977. Carte Michelin Local 332, D-E 8-9. Voir l'itinéraire ③ sur le plan p. 364.

Avec ses 1 909 m d'altitude, le « Géant de Provence », classé par l'Unesco « Réserve de biosphère », abrite à son pied le vignoble qui porte son nom. Il s'étend sur 51 communes (7 700 ha), entre Vaison-la-Romaine au nord et Apt au sud. Il produit des vins très fruités caractérisés par un savant équilibre entre fraîcheur et élégance.

Quittez Vaison-la-Romaine par la D 938 au sud-est. Après 3,5 km, prenez à gauche la D 54.

F. Isler / MICHELIN

Au sommet du mont Ventoux.

Entrechaux

Ancienne possession des évêques de Vaison, le village est dominé par les ruines perchées de son château. Vous y trouverez deux domaines où déguster les vins de l'**appellation côtes-du-ventoux**.

Regagner la route de Malaucène par la D 13.

Malaucène

Son **église fortifiée** (bâtie au 14ᵉ s. à l'emplacement d'un édifice romain, elle faisait partie de l'enceinte de la ville) ne manque pas d'intérêt : nef de style roman provençal et belles boiseries ornées d'instruments de musique du buffet d'orgues (18ᵉ s.). La porte Soubeyran, à côté de l'église, donne accès à la **vieille ville** : maisons anciennes, fontaines, lavoirs, oratoires et, au centre, un vieux beffroi coiffé d'un campanile en fer forgé vous plongeront dans une atmosphère pleine de fraîcheur. À gauche de l'église, un chemin mène au calvaire : belle vue sur les montagnes de la Drôme et le Ventoux.

Prendre à gauche la D 974.

Chapelle Notre-Dame-du-Groseau

Cette chapelle est le seul vestige d'une abbaye bénédictine qui dépendait de St-Victor de Marseille. On y distingue un édifice carré *(on ne visite pas)*, ancien chœur de l'église abbatiale du 12ᵉ s., dont la nef a disparu.

Source vauclusienne du Groseau

Sur la gauche de la route, l'eau jaillit par plusieurs fissures au pied d'un escarpement de plus de 100 m, formant un petit lac aux eaux claires ombragé de beaux arbres. Les Romains avaient construit un aqueduc pour amener cette eau jusqu'à Vaison-la-Romaine.

La route s'élève en lacet sur la face nord, la plus abrupte du mont Ventoux ; elle traverse pâturages et petits bois de sapins, près du chalet-refuge du mont Serein. Du belvédère aménagé après la maison forestière des Ramayettes, **vue★** sur les vallées de l'Ouvèze et du Groseau, le massif des Baronnies et le sommet de la Plate.

Le panorama, de plus en plus vaste, découvre les dentelles de Montmirail, les hauteurs de la rive droite du Rhône et les Alpes. Après deux grands lacets, la route atteint le sommet.

Sommet du mont Ventoux★★★

Le sommet du Ventoux est occupé par une station radar de l'armée de l'air et, au nord, par une tour hertzienne. C'est du terre-plein aménagé au sud que l'on découvre un vaste **panorama★★★** (table d'orientation) : du massif du Pelvoux aux Cévennes en passant par le Luberon, la montagne Ste-Victoire, les collines de l'Estaque, Marseille et l'étang de Berre, les Alpilles et la vallée du Rhône et même, par temps particulièrement clair, le Canigou.

La descente s'amorce sur le versant sud. Tracée en corniche, à travers l'immense champ de cailloux, la route la plus ancienne, construite vers 1885, passe de 1 909 m à 310 m d'altitude à Bédoin, en 22 km seulement.

Saint-Estève

Du virage, naguère cauchemar des participants de la course automobile du Ventoux (arrêtée en 1973), **vue★** à droite sur les dentelles de Montmirail et le Comtat, à gauche sur le plateau de Vaucluse.

Bédoin

Abritant quatre domaines viticoles, ce village, perché sur une colline, a conservé ses rues pittoresques, qui montent vers son église de style jésuite.

Prenez au sud la D 974, puis la D 14 vers Mormoiron.

Mormoiron

L'intéressante collection d'objets du **Moulin à musique** permet de voir et surtout d'entendre jouer une serinette datant de 1740, un grand orchestrion de 1900 (9 instruments), un orgue de manège et des orgues de Barbarie. *℘ 04 90 61 75 91 - visite guidée (1h) chaque merc. à 15h - 5 €.*

Par la D 942 à l'ouest, gagnez Carpentras.

EN MARGE DU VIGNOBLE

Fouler les ruines romaines de Vaison-la-Romaine★★

℘ 04 90 36 50 48 - www.vaison-la-romaine.com - juin-sept. : Puymin 9h30-18h30, Villasse 10h-12h, 14h30-18h30 ; avr.-mai : Puymin 9h30-18h, Villasse 10h-12h, 14h30-18h ; oct.-déc. et 3 dern. sem. fév. : 10h-12h, 14h-17h ; mars : 10h-12h, 14h-18h - fermé 1er janv., 25 déc., Villasse fermé mar. matin - 7 € (-11 ans gratuit), billet donnant accès à l'ensemble des monuments.

L'émotion est grande à parcourir cet immense champ de ruines qui s'étend sur 15 ha, comme si l'on pénétrait par effraction dans le passé et dans la vie quotidienne des habitants de l'antique Vasio. Les vestiges dégagés sont ceux des quartiers périphériques de la cité gallo-romaine, car son centre (forum et abords) est recouvert par la ville moderne. Actuellement, les fouilles progressent en direction de la cathédrale dans le quartier de la Villasse et autour de la colline de Puymin où ont été mis au jour un quartier de boutiques et une somptueuse *domus* (la *villa du Paon*) avec son décor de mosaïques. À la limite nord de la ville antique, les fouilles des thermes (une vingtaine de salles – *non ouvert au public*) ont montré que ces derniers ont été utilisés jusqu'à la fin du 3e s.

Les adresses des côtes du Ventoux

NOS BONNES TABLES

◎😋 **Saint-Hubert** – *Au bourg - 84340 Entrechaux - ℘ 04 90 46 00 05 - fermé 29 janv.-10 mars, 25 sept.-7 oct., mar. et merc. - 15 € déj. - 36/48 €.* Depuis 1929, la même famille régale les clients de ce restaurant rustique avec des recettes transmises de génération en génération. On retrouve le carnet de la grand-mère dans presque tous les plats, depuis les terrines maison jusqu'au filet de perche à la provençale, servis en été sous la treille.

◎😋 **Auberge d'Anaïs** – *Le Péreyras - 84340 Entrechaux - 5 km au SE de Vaison en direction de St-Marcelin par D 54 puis D 938 - ℘ 04 90 36 20 06 - fermé 15 nov.-1er mars, lun. de mars à fin sept. et sam. de déb. oct. à mi-nov. - 10 € déj. - 16/28 € - 7 ch. 57/62 € ⬚.* Cette auberge entourée de vignes et d'oliviers est fréquentée par une clientèle d'habitués qui apprécient, outre la simplicité d'une adresse vraiment sans chichi, la cuisine appétissante, le vin de la propriété et le service tout en gentillesse. Quelques chambres et une piscine.

◎😋 **Le Mesclun** – *R. de la Poterne - 84110 Séguret - ℘ 04 90 46 93 43 - www.lemesclun.com - fermé janv., mar. hors sais. et lun. - 25/37 €.* Sympathique adresse nichée dans un charmant village bâti à flanc de colline. Petites salles aux tons jaunes, plaisante terrasse ombragée et cuisine personnalisée aux accents méridionaux.

◎😋 **Auberge de la Bartavelle** – *12 pl. Sus-Auze - 84110 Vaison-la-Romaine - ℘ 04 90 36 02 16 - fermé 2 janv.-8 fév., 12-19 nov. et lun. - 16 € déj. - 20/47 €.* L'intérieur de cette auberge du centre-ville ressemble à celui d'un appartement privé : sol parqueté, photos de vacances méridionales et baie vitrée illuminant la pièce. Côté cuisine, les recettes traditionnelles se laissent bercer par le chant des cigales : flan d'aubergines, pieds et paquets, poêlée de saint-jacques...

NOS HÔTELS ET CHAMBRES D'HÔTE

◎😋 **Hôtel La Garance** – *Hameau de Ste-Colombe - 84410 Bédoin - 4 km à l'E de Bédoin par rte du Mont-Ventoux - ℘ 04 90 12 81 00 - www.lagarance.fr - fermé 14 nov.-*

31 mars - **P** - 13 ch. 48/70 € - ⊆ 7,50 €.
Vieille ferme restaurée au sein d'un
hameau entouré de vignes et de vergers.
Dans les chambres, mobilier actuel,
couleurs du Midi et sols anciens. Préférez
celles sur l'arrière : elles regardent le mont
Ventoux. L'été, le petit-déjeuner se prend
en terrasse. Piscine.

☞☞ **Chambre d'hôte Mas de la Lause** –
*Chemin de Geysset, rte de Suzette - 84330 Le
Barroux - ℰ 04 90 62 33 33 - www.
provence-gites.com - fermé de fin oct. au
15 mars - 5 ch. 61 € ⊆ - repas 18,50 €.* Mas
de 1883 niché au milieu des vignes et des
oliviers. Rénovées dans un style
contemporain, ses chambres ont gardé
leurs couleurs provençales. La cuisine
familiale, préparée avec des produits
locaux, est servie dans la salle à manger
ou sous la tonnelle, face au château.

☞☞ **Hôtel Les Géraniums** – *Pl. de la
Croix - 84330 Le Barroux - ℰ 04 90 62
41 08 - www.avignon-et-provence.com/*

hotels/les-geraniums - fermé 3 janv.-
19 mars - **P** - 22 ch. 55/60 € - ⊆ 10 € -
rest. 28/35 €. Imposante maison en pierre
au cœur d'un village fortifié dominant la
plaine du Comtat. Les chambres, à la
tenue impeccable, sont sobrement
meublées dans le style rustique.
Généreuse cuisine du terroir, à découvrir
sur la vaste terrasse ou dans la salle à
manger décorée de tableaux réalisés par
un fidèle client.

☞☞ **Hôtel du Domaine des Tilleuls** –
*Rte du Mont-Ventoux - 84340 Malaucène -
ℰ 04 90 65 22 31 - www.hotel-
domainedestilleuls.com - fermé
23 oct.-5 nov. - **P** - 20 ch. 63/85 € - ⊆ 9 €.*
Les volumes de l'ex-magnanerie ont laissé
place à de jolies pièces de style provençal :
tons pastel, tomettes, tissus chatoyants…
La climatisation est inutile, les murs du
18e s. maintiennent une agréable fraîcheur
lors des canicules. Préférez les chambres
tournées vers le parc de 12 ha.

[4] Les côtes du Luberon d'Apt à Cavaillon

▶ 41 km. Apt se trouve à 53 km à l'E d'Avignon par la N 7, la D 973, la D 22 et la N 100.
Carte Michelin Local 332, E-F 10-11. Voir l'itinéraire [4] sur le plan p. 364.

Sur la rive gauche du Rhône, à mi-chemin entre les Alpes et la Méditerranée s'étend la
barrière montagneuse du Luberon, une terre de vignobles. C'est d'ailleurs la principale
activité économique de la région. Entre Calavon et Durance, le vignoble **AOC côtes-
du-luberon** s'étend sur 2 530 ha, entre les versants sud et nord du massif. 100 000 hl
sont produits en moyenne chaque année, dont 60 % en rouges.
Les influences alpines dans le climat explique la forte proportion des vins blancs
(22 %). Les vins du Luberon sont des vins de caractère, charnus, aux arômes de senteurs
sauvages et de douceurs fruitées. Onctueux et capiteux, ils sont par excellence des
vins d'automne et d'hiver.

Apt

Capitale de l'ocre et du fruit confit, Apt est à l'écart des chemins trop fréquentés.
Le charme paisible de ses ruelles, son grand marché du samedi matin où les étals
débordent de fruits et légumes, de tissus provençaux, d'infinies variétés de miel,
d'objets d'artisanat, vous retiendront certainement plus longtemps que prévu.

Quittez Apt à l'ouest par la D 3 en direction de Bonnieux et poursuivez sur 6 km.

Château de l'Isolette

*Rte de Bonnieux - 84400 Apt - ℰ 04 90 74 16 70 - www.chateau-isolette.com - lun.-sam.
8h30-11h30, 14h-17h30 - fermé Noël-J. de l'an et j. fériés.*

♈ Dans ce magnifique domaine, avant la dégustation et la vente au caveau, une visite
du petit musée de matériel vinicole s'impose. La famille de vignerons qui a rassemblé
ces vieilles pièces en réservent la visite *(gratuite dans le cadre d'une dégustation)* à
leurs clients.

Bonnieux★

Juché sur sa colline, le village domine la vallée, à la croisée du Petit et du Grand Luberon. On accède au **Haut-Bonnieux** depuis la place de la Liberté par la rue de la Mairie
(passage sous voûte), en forte montée, pour atteindre la terrasse située en contrebas
de l'église vieille. De là, jolie **vue★** sur la vallée du Calavon, tout à fait à gauche, sur le
village perché de Lacoste, plus à droite, sur le bord du plateau de Vaucluse où Gordes,
puis Roussillon, s'accrochent et se confondent avec les falaises rouges.
Rejoignant la D 36, on pourra visiter un intéressant **musée de la Boulangerie** qui
évoque le travail du boulanger à travers son outillage et les documents se référant à
son métier. ℰ 04 90 75 88 34 - juil.-août : 10h-13h, 15h-18h30 ; avr.-juin et sept.-oct. : 10h-
12h30, 14h30-18h - fermé mar., nov.-mars, 1er Mai et 25 déc. - 3,50 € (-12 ans gratuit).

♀ Le petit domaine familial du **Château La Canorgue** produit de bons côtes-du-luberon *(voir nos bonnes caves).*

Quittez Bonnieux au sud par la D 3 et prenez à gauche la D 109.

La route serpente sur le flanc du Petit Luberon, à l'arrière de Bonnieux ; en face apparaît le village de **Lacoste** et les murailles déchiquetées de l'imposant château en ruine, partiellement relevées, qui appartenait à la famille de Sade. Plusieurs fois emprisonné, condamné à mort par contumace, Sade vint s'y réfugier en 1774.

Ménerbes★

Autre village éperon, lui aussi à l'origine de la notoriété du Luberon. Ménerbes, c'est une sorte de proue architecturale qui déroule de somptueuses demeures et de jolies places au long de ruelles étirées. Bien cachées derrière de hauts murs, les maisons bourgeoises, dont certaines sont propriété de vedettes et de grandes fortunes, sont encore hantées par la présence d'artistes et d'écrivains notoires comme Picasso, Nicolas de Staël, Albert Camus, Peter Mayle. Ces quatre-là donnèrent au village ses lettres de noblesse en lui offrant une aura internationale. À la différence d'autres villages, le « tout commerce touristique » ne s'est pas ici totalement imposé. Il demeure un esprit de convivialité vivifiant, que l'on retrouve par exemple au café Le Progrès, place Albert-Roure. Dans la foulée, ne manquez pas le **musée du Tire-Bouchon**, installé au **domaine de la Citadelle**. Plus de 1 000 pièces provenant du monde entier rendent hommage à cet objet finalement méconnu, sans lequel le rituel du vin ne serait pas le même… *À la sortie de Ménerbes, 2,5 km sur la D 3 en direction de Cavaillon. Au domaine de la Citadelle - ☎ 04 90 72 41 58 - www.domainedelaci-tadelle.com - avr.-oct. : 10h-12h, 14h-19h ; nov.-mars : lun.-vend. 9h-12h, 14h-18h, sam. 10h-12h, 14h-18h - 4 € (-15 ans gratuit).*

Le village perché de Ménerbes.

H. Le Gac / MICHELIN

Empruntez la D 3 au sud, puis la D 188.

Oppède-le-Vieux★

Laisser la voiture sur le parking aménagé après le village pour partir à sa découverte à pied. Étagé dans un **site**★ remarquable sur un éperon rocheux, le village taillé dans le roc, naguère en grande partie ruiné, a retrouvé vie grâce à l'intervention d'artistes et d'hommes de lettres qui s'emploient, tout en le restaurant, à préserver son authenticité. Depuis l'ancienne place du bourg, on accède au village supérieur, couronné par la collégiale et les ruines du château, en passant sous une ancienne porte de ville. De la terrasse devant la collégiale, belle **vue**★ sur la vallée du Coulon, le plateau de Vaucluse et Ménerbes.

🥾 Le **sentier des Vignerons d'Oppède**, créé avec l'aide du parc naturel régional du Luberon, est une bonne initiation à la connaissance de ce terroir viticole. *1h30. Niveau très facile. Départ : village d'Oppède, à quelques mètres de l'oratoire St-Joseph. Topoguide disponible dans les offices de tourisme et à la Maison du parc. Autre circuit similaire à Cucuron, versant sud.* L'itinéraire, balisé de petits panneaux représentant une grappe de raisin, s'enfonce à travers le vignoble, au pied du vieil Oppède. Cinq pupitres explicatifs jalonnent le parcours et détaillent les subtilités des cépages et de la vinification. Un circuit à faire en toute saison, mais évidemment encore plus intéressant pendant les vendanges, en septembre et octobre.

Par la D 176 au nord-ouest, puis les D 3 et D 2 à gauche, on atteint Cavaillon.

Les adresses du Luberon d'Apt à Cavaillon

NOS BONNES TABLES

⊜⊜🍽 **La Flambée** – Pl. du 4-Septembre - 84480 Bonnieux - ☏ 04 90 75 82 20 - fermé 3 sem. en janv. et lun. en hiver - 16,50/23,50 € - 5 ch. 30/40 € - 🍽 5 €. Pizzas au feu de bois et autres spécialités (daube provençale, pain de chèvre, truffes, gibier) sont servies dans ce restaurant familial qui n'a pas cédé aux sirènes de la mode. Salle à manger rustique et terrasse avec vue sur la vallée du Calavon et le Ventoux. Prix raisonnables.

⊜⊜ **Les Gérardies** – 140 cours Gambetta - 84300 Cavaillon - ☏ 04 90 71 35 55 - www.lesgerardies.com - fermé jeu. midi et merc. - 16/45 €. Malgré sa situation, sur un boulevard très passant, l'adresse est au calme, grâce au patio intérieur. Un jeune chef et son épouse revisitent, au rythme des saisons, les classiques de la cuisine provençale (agneau bio à l'ail et aux fèves, minestrone de fruits frais), avec une touche de raffinement plus ou moins bien maîtrisée selon les plats.

NOS CHAMBRES D'HÔTE

⊜⊜ **Chambre d'hôte Domaine de La Carraire** – Chemin de la Carraire - 84360 Lauris - ☏ 04 90 08 36 89 - www.lacarraire.com - fermé 15 nov.-1er avr. - 🍽 - 5 ch. 60/75 € - 🍽 7 €. On ne peut pas rêver plus provençal ! Imaginez : une superbe bastide, des vignes, une piscine et des vieux platanes ! Le tout à des prix encore abordables, même en haute saison. Une adresse rare.

⊜⊜🍽 **La Bastide de Soubeyras** – Rte des Beaumettes - 84560 Ménerbes - ☏ 04 90 72 94 14 - www.bastidesoubeyras.com - fermé fév. - 🍽 - 6 ch. 105/145 € 🍽. Cette coquette demeure en pierres sèches, perchées sur une colline, domine le village. Ravissantes chambres d'esprit provençal, jardin et piscine pour la détente. Trois soirs par semaine, la maîtresse de maison vous invite à découvrir les saveurs du Luberon.

NOTRE BONNE CAVE

Château La Canorgue – Rte du Pont-Julien - 84480 Bonnieux - ☏ 04 90 75 81 01 - lun.-sam. 9h-12h, 14h30-18h30 - sur RV en hiver. Les propriétaires de ce domaine familial de 40 ha cultivent la vigne selon les méthodes de l'agriculture biologique contrôlée par Écocert : sans engrais chimique, ni insecticide de synthèse, ni désherbant. Les faibles rendements sont une priorité à la propriété. Syrah, grenache, mourvèdre et cinsault sont récoltés manuellement, puis vinifiés dans le respect de la tradition. Les vins sont ensuite élevés en foudres de chêne et mis en bouteilles au château. Les faibles rendements restent une priorité du domaine. 🍷 côtes-du-luberon, vin de pays du Vaucluse.

⑤ Les côtes du Luberon en basse Durance

▶ 42 km. Ansouis se trouve à 29 km au N d'Aix-en-Provence par la N 96, la 556, la D 956 et la D 56. Carte Michelin Local 332, FG 11. Voir l'itinéraire ⑤ sur le plan p. 364.

Ansouis

À la fois forteresse et habitation résidentielle, le **château★** du 13e s. attirera votre esprit curieux et romantique par deux choses : l'incroyable batterie de cuivres qui trône dans l'immense cuisine et le cadre bucolique de la terrasse, dominant de superbes jardins suspendus. ☏ 04 90 09 82 70 - visite guidée (1h) juil.-sept. : 14h30-18h (dernière entrée 30mn av. fermeture) ; des vac. de Pâques à fin juin et oct. : tlj sf mar. 14h30-18h (dernière entrée 1h av. fermeture) - 6 € (enf. 3 €).

🍷 Il ne vous reste plus qu'à vous perdre dans les ruelles du village, en vous imprégnant de la belle atmosphère « sudiste » de ce gros bourg champêtre et de finir au **Château Turcan**, pour une petite dégustation (voir nos bonnes caves).

À moins que vous ne jouiez les curieux en vous rendant au **Musée extraordinaire**. Fait étrange sur ces terres viticoles, une grotte marine y a été aménagée. On y découvre des coraux, baignant dans une lumière bleutée. Le monde sous-marin sur les contreforts du Luberon ? Pourquoi pas puisque, en des temps (très) reculés, la mer recouvrait la région… ☏ 04 90 09 82 64 - avr.-sept. : tlj sf mar. 14h-19h ; mars et oct.-déc. : tlj sf mar. 14h-18h - fermé 1er janv., 25 déc. - 3,50 € (-16 ans 1,50 €).

Sortez d'Ansouis par la D 37, au Nord-est, puis prenez, sur la droite, la D 135 en direction de La Tour-d'Aigues.

La Tour-d'Aigues

Que s'est-il donc passé ici pour que le château, au beau milieu du village, offre ce spectacle étonnant d'un chef-d'œuvre en ruine ? Un incendie accidentel, en 1780, suivi du saccage par les révolutionnaires, en 1792. C'est bien dommage, car le portail monumental et les façades richement décorées témoignent du faste de cette demeure

Renaissance, construite au 16ᵉ s. À l'intérieur de l'enceinte, en plus du donjon et d'une petite chapelle, les caves accueillent deux **musées** intéressants : celui de la Faïence et celui de l'Habitat rural du pays d'Aigues. ℰ *04 90 07 50 33 - www.chateau-latourdaigues.com - de déb. juil.-mi-août : 10h-13h, 14h30-18h30 ; avr.-juin et de mi-août à fin oct. : 10h-13h, 14h30-18h ; nov.-mars : 10h-12h, 14h-17h - fermé lun. matin, mar. après-midi, dim. matin, 1ᵉʳ janv., 24-26 et 31 déc. - 4,50 € (enf. 2 €).*

♟ N'oubliez pas que La Tour-d'Aigues est au cœur de l'appellation côtes-du-luberon : alors filez vite à la **Bastide de Rafinel** *(voir nos bonnes caves).*

🌿 Allez ensuite sport et dégustation au **Château de la Dorgonne** où sont proposés deux circuits de promenade guidés et balisés à travers le vignoble. ℰ *04 90 07 50 18 - www.chateauladorgonne.com - 9h-19h - gratuit.*

Gagnez Pertuis par la D 956, puis prenez à l'ouest la D 973. Avant d'atteindre Villelaure, tournez à droite et suivre la signalisation « Château Val Joanis ».

Pertuis : jardin du Château Val Joanis

Visite du jardin suivie d'une dégustation des vins du domaine (côtes-du-luberon). ℰ *04 90 79 20 77 - www.val-joanis.com - avr.-oct. : 10h-19h ; mars : lun.-sam. 14h-18h ; déc. : 10h-19h (marché de Noël) - gratuit.*

Derrière les caves de ce domaine viticole se cache un beau jardin étagé sur trois terrasses : la 1ʳᵉ est consacrée au potager, la 2ᵉ aux fleurs et la 3ᵉ aux arbres d'ornement. Le jardin est fermé à gauche par une tonnelle couverte de roses tandis qu'à droite est plantée une oliveraie. Calme et sérénité se dégagent de ce jardin, île de couleurs et de fraîcheur au milieu de l'océan des vignes.

Revenez à la D 973. On traverse **Cadenet**, où se trouve le **musée de la Vannerie** : en bord de Durance, le village était autrefois réputé pour cette activité, réalisée grâce aux branches d'osier ramassées dans le lit de la rivière. ℰ *04 90 68 24 44 - & - avr.-oct. : tlj sf mar. 10h-12h, 14h30-18h30, merc. et dim. 14h30-18h30 - fermé 1ᵉʳ Mai - 3,50 € (enf. gratuit).*

Lourmarin★

Dans un site exceptionnel, Lourmarin est réputé pour son **château★**, construit en partie au 15ᵉ s., en partie à la Renaissance. Si vous devez en visiter un, c'est celui-là ! Magnifiques galeries de bois et de pierre dans l'aile ancienne et superbes pièces richement meublées côté Renaissance. Admirez notamment le grand escalier avec sa fine colonnette soutenant une coupole de pierre. ℰ *04 90 68 15 23 - www.chateau-de-lourmarin.com - juil.-août : 10h-12h, 14h30-18h ; mai-juin et sept. : 10h-11h30, 14h30-17h30 ; mars-avr.-oct. : 10h-11h30, 14h30-16h30 ; nov.-déc. et fév. : 10h30-11h30, 14h30-16h ; janv. : w.-end 14h30-16h - fermé 1ᵉʳ janv.- 5,50 € (-10 ans gratuit) - audioguide 5 €.*

♟ Terminez votre visite par une dégustation au **Château Constantin-Chevalier** *(voir nos bonnes caves).*

♟ Pour parfaire votre découverte des côtes-du-luberon, nous vous conseillons de vous rendre au **château St-Pierre de Méjans** à **Puyvert** *(voir nos bonnes caves)*, tout à côté de Lourmarin *(2 km au sud-ouest par la D 27).*

Les adresses d'Ansouis à Lourmarin

NOS BONNES TABLES

😊 **Auberge de la Tour** – *51 r. Antoine-de-Très - 84240 La Tour-d'Aigues -* ℰ *04 90 07 34 64 - fermé 2-15 janv., 23 oct.-1ᵉʳ nov., dim. soir et lun. - 11 € déj. - 18/24 €.* L'ambiance est décontractée, ce qui donne à ce restaurant niché au cœur du village un petit air de bistrot. Côté cuisine, le terroir est à l'honneur : plats mitonnés fleurant bon la Provence.

😊😊 **La Récréation** – *15 av. Philippe-de-Girard - 84160 Lourmarin -* ℰ *04 90 68 23 73 - fermé merc. - 21,50/28 €.* Pas besoin de chercher longtemps ! À deux pas de l'office du tourisme, ce charmant restaurant provençal vous fera découvrir les saveurs locales à toute heure de la journée. Plats régionaux arrosés de vin du Lubéron, salon de thé l'après-midi avec quelques pâtisseries maison, à déguster en terrasse.

NOS CHAMBRES D'HÔTE

😊😊 **Chambre d'hôte un Patio en Luberon** – *R. du Grand-Four - 84690 Ansouis -* ℰ *04 90 09 94 25 - ⇥ - 5 ch. 55/60 € ⊑ - repas 18 €.* En plein cœur du village médiéval, cette auberge du 16ᵉ s. a conservé son charme originel bien mis en valeur par une rénovation soignée. Chaque chambre bénéficie d'une décoration personnalisée, harmonieux équilibre des styles moderne et ancien. Salle à manger voûtée et délicieux patio où murmure une fontaine.

⊜⊜ **Chambre d'hôte La Lombarde** – À Puyvert - 84160 Lourmarin - 𝄢 04 90 08 40 60 - www.lalombarde.fr - fermé nov.-fév. - 𝄢 - 4 ch. et 2 gîtes 72 € ⊡. Dans la tranquillité d'un domaine s'étalant sur 10 ha, cette très ancienne maison abrite 4 chambres et 2 gîtes, disposant chacun d'une entrée indépendante. Petites terrasses privatives avec salon en osier, et espace piscine très agréable. Petits-déjeuners servis sur la grande table en bois ciré. Promenades en avion.

NOS BONNES CAVES

Château Turcan – Rte de Pertuis - À 2 km d'Ansouis, sur la D 56 en dir. de Pertuis - 84690 Ansouis - 𝄢 04 90 09 83 33 - www. chateau-turcan.com - avr., mai et jusqu'au 15 juin : tlj sf dim. 9h30-12h, 14h30-18h30 ; du 15 juin à fin sept. : tlj sf dim. (sf en août) 9h30-12h30, 15h-19h ; merc. de fin oct. à fin avr. sur RV - fermé j. fériés. Domaine viticole du bas-Luberon (25 ha), le Château Turcan ne se contente pas de vendre du vin (rouge, rosé et blanc). Un musée de la Vigne et du Vin, attenant, présente la longue évolution des outils du vigneron, du 16e s. à nos jours : 2 000 outils exposés ainsi que l'un des plus vieux pressoirs de France. 🍷 côtes-du-luberon.

Bastide de Rafinel – 84240 La Tour-d'Aigues - 𝄢 04 90 07 48 61 - visite sur RV. Le domaine, acheté en ruine en 1980, a été patiemment restauré par Marie-Odile Ducrest. Situé sur le versant sud du Luberon, à 300 m d'altitude, le vignoble s'étend sur 5 ha de coteaux. Grenaches blanc et rouge, roussanne, vermentino, vieil ugni blanc, syrah et vieux carignan s'épanouissent sur un sol constitué de molasses, de safres et de marnes calcaires. La taille se pratique en gobelet et en double cordon de Royat avec une sévère limitation des rendements. Les vendanges sont exclusivement manuelles et la vinification des blancs est réalisée en barriques. Le domaine est en cours de conversion aux méthodes de l'agriculture biologique. 🍷 côtes-du-luberon.

Château Constantin-Chevalier – 84160 Lourmarin - 𝄢 04 90 68 38 99. Planté sur des sols argilo-calcaires avec des galets roulés, le vignoble du château s'étend sur une vingtaine d'hectares encépagés de syrah, de grenache, de carignan pour les vins rouges et rosés ; de clairette, d'ugni blanc et de vermentino pour les blancs. Les vendanges sont manuelles, puis la vinification a lieu en cuves thermorégulées par macération carbonique. Les vins sont ensuite élevés en cuves et en barriques de haute futaie. 🍷 côtes-du-luberon.

Château Saint-Pierre de Mejans – 84160 Puyvert - 𝄢 04 90 08 40 51 - bricedoan@yahoo.fr - visite tlj sf mar. 9h30-12h, 14h30-19h - 3 €. Le vignoble du château s'étend sur 11,5 ha de sols argilo-calcaires caillouteux, encépagés de syrah, de carignan, de cinsault, de clairette et de grenaches noir et blanc. Le domaine est conduit en lutte raisonnée de manière à favoriser l'expression du terroir. La vinification reste traditionnelle, à basse température. Une petite partie des vins est ensuite élevée en barriques. Une cave a été créée au domaine en 1993. 🍷 côtes-du-luberon.

⑥ Les costières de Nîmes

▶ 60 km. St-Gilles se trouve à 20 km au S de Nîmes par la D 42. Carte Michelin Local 339, K-L 6-7. Voir le circuit ⑥ sur le plan p. 364.

Saint-Gilles★

Porte de la Camargue, cette importante cité viticole est renommée pour son **ancienne église abbatiale Saint-Gilles** : véritable chef-d'œuvre, la façade offre l'un des plus beaux exemples de statuaire romane provençale. On a du mal aujourd'hui à imaginer l'importance de l'abbaye lors de son apogée. Pour s'en faire une idée, il faut reconstruire mentalement le chœur de l'ancienne abbatiale au-delà du chœur actuel, avec, sur la droite de l'église, un cloître dont la cour était entourée d'une salle capitulaire, d'un réfectoire, de cuisines et d'un cellier en sous-sol. Les guerres de Religion ont endommagé le magnifique monument médiéval, dont ne subsistent plus qu'une admirable **façade★★** (l'une des plus belles pages de sculpture romane du sud de la France), quelques vestiges du chœur et la **crypte★**. 𝄢 04 66 87 41 31 - www.ot-saint-gilles.fr - ancien chœur, vis de St-Gilles et crypte : juil.-août : tlj sf dim. 9h-12h30, 15h-19h ; avr.-juin et sept.-oct. : tlj sf dim. 9h-12h30, 14h-18h ; nov.-mars ; lun.-vend. 8h30-12h, 13h30-17h30, sam. en mars et nov. 9h-12h, 14h-17h, sam. de déc. à fév. 10h-12h, 14h-16h - 4 € (enf. 2 €).

Quittez St-Gilles au sud-ouest par la N 572 en direction de Montpellier. À flanc de coteaux, la route traverse le territoire de l'**AOC costières-de-nîmes** tout en dominant sur la gauche une zone lacustre : les vastes étangs de Scamandre, puis du Charnier, que l'on devine parmi les roselières.

Prendre à gauche la D 779. 🍷 À **Gallician**, bourg typiquement viticole, vous pourrez aller faire un tour au **Château Mas Neuf** *(voir nos bonnes caves)*.

Dans Gallician, prenez à droite la petite D 381, puis sur la gauche la D 104 jusqu'au canal du Rhône à Sète.

Pont des Tourradons

Depuis ce pont perdu dans les marais, **vue**★ intéressante sur un paysage typique de Petite Camargue : canal rectiligne, étangs, roseaux, mariage de la terre et du ciel dans la solitude et le silence. Quelques taureaux noirs aux cornes en lyre paissent paisiblement dans les « prés » du **Cailar**. Il s'agit sans doute d'un des endroits où l'on peut approcher au plus près ce qu'est la Camargue authentique.

Reprenez en sens inverse la D 104 puis tournez à droite dans la D 352.

Vauvert

Ce gros bourg viticole, aujourd'hui banlieue résidentielle de Nîmes, a conservé un centre ancien, avec des halles converties en lieu d'exposition.

Prenez à l'ouest la N 572. Avant Aimargues, tournez à gauche la D 979 en direction d'Aigues-Mortes.

Saint-Laurent-d'Aigouze

Dans ce gros bourg viticole, il faut absolument fréquenter les arènes installées sur la place du village, qu'ombragent de grands platanes, et adossées à l'église (la sacristie semble servir de toril…), lors des grandes courses camarguaises de la fête votive *(fin août)*.

Continuez sur la D 979, puis tournez à gauche dans la D 58. On traverse le domaine des vins (et des asperges) des sables. De proche en proche, s'avancent de grands mas, souvent ombragés de bosquets de pins parasols.

Au bout de 9,5 km, tourner à gauche dans la petite D 179 en direction de Montcalm et St-Gilles. Dans le hameau de **Montcalm**, vestiges d'une vaste demeure (très dégradée) du début du 18e s. Une chapelle de la même époque, accolée à un mas, s'élève un peu plus loin dans le vignoble.

Rentrez à St-Gilles par la D 179 qui traverse les marais de la Camargue gardoise.

EN MARGE DU VIGNOBLE

Vivre l'Antiquité

À Nîmes★★★ – Les légionnaires romains colonisent la région en 31 av. J.-C. Une vaste enceinte de 16 km de longueur est élevée ; la ville, traversée par la voie Domitienne, se couvre de splendides édifices : un forum, bordé au sud par la Maison carrée, un amphithéâtre, un cirque, des thermes et des fontaines qu'alimentaient un aqueduc (le Pont du Gard en est le plus spectaculaire vestige). Au 2e s., la ville atteint son apogée : elle compte près de 25 000 habitants et voit s'édifier la mystérieuse basilique de Plotine et le quartier de la Fontaine.

Les **arènes**★★★ de Nîmes (fin du 1er-début du 2e s.) se distinguent de celles d'Arles par des points de détail. Surtout, cet amphithéâtre est le mieux conservé du monde romain. Construit en grand appareil de calcaire, il présente à l'extérieur deux niveaux de 60 arcades. Une visite de l'intérieur permet d'apprécier le système de couloirs, d'escaliers, de galeries et de vomitoires qui permettait au public d'évacuer l'édifice en quelques minutes. ☎ 04 66 76 72 77 - *juin-août : 9h-19h ; avr.-mai et sept. : 9h-18h ; mars et oct. : 9h-17h30 ; nov.-fév. : 9h30-16h30 - fermé pendant les corridas - 7,70 € (enf. 5,60 €).*

La **Maison carrée**★★★, sans doute le mieux conservé des temples romains, fut édifiée sous le règne d'Auguste (fin du 1er s. av. J.-C.). La pureté de lignes, les proportions de l'édifice et l'élégance de ses colonnes cannelées dénotent une influence grecque. Mais avant tout, il s'en dégage un charme empreint de fragilité qui tient autant à l'harmonie du monument qu'à son inscription dans la cité. *Juin-août : 9h-19h ; avr.-mai et sept. : 9h-18h ; mars et oct. : 9h-17h30 ; nov.-fév. : 9h30-16h30 - 4,50 € (enf. 3,60 €).*

À l'époque gallo-romaine, le quartier qu'occupe aujourd'hui le **jardin de la Fontaine**★★ comprenait les thermes, un théâtre et un temple. Au 18e s., le jardin a été aménagé pour un ingénieur militaire, qui a respecté le plan antique de la fontaine de Nemausus. Sur la gauche de la fontaine, le temple de Diane, ruiné en 1577 lors des guerres de Religion, compose avec la végétation un tableau romantique. Le mont Cavalier forme un sompteux écrin de verdure d'où émerge l'emblème de la cité, la **tour Magne**★. Il s'agit du plus imposant vestige de l'enceinte romaine de Nîmes. Cette tour polygonale à trois étages, haute de 34 m, est antérieure à l'occupation romaine. *℘ 04 66 67 65 56 - juin-août : 9h-19h ; avr.-mai et sept. : 9h-18h ; fév. et oct. : 9h-17h30 ; janv.-mars : 9h30-16h30 - 2,70 € (enf. 2,30 €) - billet « Nîmes romaine » (arènes, Maison carrée et tour Magne) 9,50 €.*

Au Pont du Gard★★★ – *24 km au N-E de Nîmes par la N 86, puis la D 19. Accès libre au pont - parking sur chaque rive 7h-1h - 5 € la journée (durée illimitée), gratuit si vous prenez le forfait site à la journée (10 €).* C'est l'une des merveilles de l'Antiquité, ouvrage grandiose du 1ᵉʳ s. Ses pierres mordorées, l'étrange sensation de légèreté, le cadre de collines couvertes d'une végétation méditerranéenne, les eaux vertes du Gardon, chacun de ces éléments contribue à un merveilleux spectacle. Les Romains attachaient une grande importance à la qualité des eaux dont ils alimentaient leurs cités. Ainsi, le Pont du Gard, acqueduc de Nîmes, long de près de 50 km, captait les eaux des sources près d'Uzès, avait une pente moyenne de 34 cm par kilomètre, et fournissait près de 20 000 m³ d'eau chaque jour dans la cité. Bâti en blocs colossaux de 6 à 8 tonnes hissés à plus de 40 m de hauteur, le pont est constitué de trois étages d'arcades en retrait l'un sur l'autre.

Les adresses des costières de Nîmes

NOS BONNES TABLES

☞ **Le Bistrot au Chapon Fin** – *3 pl. du Château-Fadaise - 30900 Nîmes - ℘ 04 66 67 34 73 - auchaponfin@cegetel.net - fermé sam. midi et dim. - formule déj. 11 € - 12/30 €.* Sympathique adresse installée derrière l'église St-Paul. Aux plats du jour, concoctés selon le marché et inscrits sur l'ardoise, s'ajoutent quelques valeurs sûres de la cuisine méditerranéenne, et une carte de vins régionaux. Décor de style bistrot (salles climatisées). Bar à vins et terrasse d'été sous les toits.

☞ **Le Clément IV** – *36 quai du Canal - 30900 St-Gilles - ℘ 04 66 87 00 66 - fermé dim. soir et lun. - 12,50/30 €.* Produits de la mer et spécialités camarguaises servies en véranda ou en terrasse, dans ce restaurant aux allures campagnardes offrant une vue de carte postale sur le petit port de plaisance aménagé le long du canal, au milieu du marais.

☞☞ **Aux Plaisirs des Halles** – *4 r. Littré - 30900 Nîmes - ℘ 04 66 36 01 02 - fermé 10-26 fév., 28 oct.-13 nov., dim. et lun. - 20 € déj. - 24/55 €.* En ville, tout le monde en parle… Passé la discrète façade, c'est le plaisir ! Celui d'un cadre contemporain « chic » et épuré, d'un patio joliment dressé en terrasse et d'une cuisine du marché fort bien tournée. Sans oublier la belle carte des vins comportant une intéressante sélection régionale…

NOS HÔTELS ET CHAMBRES D'HÔTE

☞ **Chambre d'hôte Le Mas de Plisset** – *Rte de Nîmes - 30900 St-Gilles - ℘ 04 66 87 18 91 - fermé vac. de Toussaint - ⌿ - 4 ch. 46/50 € ⌦.* Cette exploitation agricole toujours en activité possède un fort caractère campagnard, taillé pour le labeur. À son image, les chambres d'hôte misent sur la simplicité et la fonctionnalité, sans empiéter sur le confort. Petits-déjeuners accompagnés de confiture « bio ».

☞☞ **Hôtel Passiflore** – *1 r. Neuve - 30310 Vergèze - ℘ 04 66 35 00 00 - ⊡ - 11 ch. 54/64 € - ⌦ 7,50 €.* Ce mas du 18ᵉ s. est tenu par un couple d'Anglais : rien d'étonnant, donc, à ce que l'on y trouve un salon « cosy ». Restaurant et salle des petits-déjeuners sont coquettement décorés dans le style provençal. Les menues chambres, bien tenues et calmes, donnent sur la verdoyante cour intérieure.

NOTRE BONNE CAVE

Château Mas Neuf – *30600 Gallician - ℘ 04 66 73 33 23 - lucbaudet@ chateaumasneuf.com.* Luc Baudet et son équipe exploitent 60 ha de vignes, plantés sur le versant sud des Costières. Ils sont essentiellement encépagés de syrah, de grenaches noir et blanc, de mourvèdre et de roussanne, qui s'épanouissent sur des micro-terroirs constitués de galets et d'argiles rouges. Le vignoble est conduit selon des méthodes raisonnées, certifiées Terra Vitis. Les cuvées, pour certaines, reposent ensuite en fûts, de douze à vingt-quatre mois. ♀ costières-de-nîmes, vin de pays d'Oc.

LA SAVOIE ET LE BUGEY 13

Des rives du Léman à celles du lac du Bourget et jusqu'à la vallée de l'Isère, une mosaïque de petits vignobles sont cultivés sur les versants les plus ensoleillés des basses vallées des Alpes. La grande variété des cépages permet de produire des vins de qualité que l'on aura plaisir à découvrir dans une région réputée pour ses splendides paysages.

	Caractéristiques	Garde	Prix
Vins blancs	Clairs à reflets verts pour les vins de jacquère et de chardonnay, plus jaune pour les vins de chasselas. Arômes d'agrumes, de fruits exotiques, de menthe dans la jeunesse. Parfois légèrement perlants.	À boire jeunes. Certains chasselas et chardonnay peuvent attendre 3 à 5 ans. Le chignin-bergeron peut vieillir jusqu'à 10 ans.	**Vin-de-savoie** : 5 à 8 €. **Roussette-de-savoie** : 5 à 10 €. **Seyssel** : 5 €. **Vin-du-bugey** : 5 à 10 €.
Vins rouges	Les vins de gamay sont généralement assez clairs, les vins de mondeuse souvent plus foncés. Au nez, ils expriment des notes de fruits rouges et de poivre frais.	Rarement plus de 3 ans, à l'exception des bons vins de mondeuse.	**Vin-de-savoie** : 5 à 10 €. **Vin-du-bugey** : 10 à 15 €.
Vins effervescents	Clairs à reflets jaunes, mousse non agressive, arômes de grillé, de brioche et de noisette.		

La Savoie

CARTE MICHELIN LOCAL 328 – ISÈRE (38), SAVOIE (73), HAUTE-SAVOIE (74)

Dans un joli flacon marqué de la Croix de Savoie, les vins sont issus de vignobles dispersés sur les départements des Alpes du Nord. Certes, le tourisme hivernal leur a permis de rester viables économiquement, ce qui ne veut pas dire que les vins de Savoie ne sont bons qu'à accompagner fondues et raclettes. Bien au contraire, il y a de belles découvertes à faire.

LES TERROIRS

Les vignes occupent le plus souvent des éboulis de moraines glaciaires, ou sont implantées sur des sols argilo-calcaires et des éboulis des chaînons jurassiques. Le climat est continental à montagnard. Les hivers sont froids, les étés doux à chauds, les printemps et les automnes pluvieux. Bon ensoleillement toute l'année.

LES VINS

Les vins de Savoie se répartissent en quatre appellations :
AOC vin-de-savoie répartie en crus : ripaille, marin et marignan (secteur du Léman), ayze (secteur Bonneville), chautagne et jongieux (secteur de la vallée du Rhône et lac du Bourget), st-jeoire-prieuré, montmélian, cruet, chignin-bergeron, arbin, abymes et apremont, st-jean-de-la-porte (secteur de Montmélian). L'**AOC ayze mousseux** produit un vin blanc effervescent issu des cépages gringet et roussette-d'ayze.
AOC crépy qui produit des vins blancs secs.
AOC seyssel donne uniquement du vin blanc, sec ou effevescent.
AOC roussette-de-savoie qui désigne des vins blancs secs.
Les vins blancs, majoritaires, sont issus des cépages altesse, jacquère, chardonnay, mondeuse blanche et chasselas, les vins rouges et rosés de gamay, mondeuse et pinot noir.

Le mont Granier en automne.

1 Les vignes du Léman

▶ 16 km. Thonon-les-Bains se trouve à 10 km à l'O d'Évian-les-Bains. Carte Michelin Local 328, K-L 2-3. Voir l'itinéraire 1 sur le plan p. 388.

Thonon-les-Bains★

Thonon est une ville que l'on aime pour ses eaux. Celles du centre thermal, qui soignent les reins, celles du lac, qui offre de magnifiques paysages. Mais que toute cette eau ne vous coupe pas l'appétit. Ne manquez pas de goûter aux délicieux filets de perche fraîchement pêchée, accompagnés d'un verre de vin de ripaille et d'eau Thonon bien sûr. Sur les bords du **lac Léman★★★**, allez faire un tour dans le quartier des **Rives**, vers le port. Vous reviendrez ensuite au centre-ville par le **funiculaire**, qui offre des vues bien dégagées. *📞 04 50 71 21 54 - juil.-août : 8h-23h ; de mi-avr. à juin et sept. : 8h-21h ; d'oct. à mi-avr. : lun.-sam. 8h-12h30, 13h30-18h30, dim. 14h-18h - 3mn, ttes les 15mn - 1,80 € AR.*

Arrivé place du Château, vous irez voir le **musée du Chablais** aménagé dans le château de Sonnaz (17ᵉ s.) : il rassemble de nombreux témoignages de l'histoire locale ainsi que des vestiges de l'époque lacustre et des objets gallo-romains. *📞 04 50 70 69 49 - juil.-août : 10h-12h, 14h30-18h ; déc. à juin et sept. : merc.-dim. 14h30-18h (dernière visite 30mn av. fermeture) - fermé j. fériés et de déb. oct. à mi-déc. - 2 € (-8 ans gratuit).*

Retournez à Rives en voiture et suivez le quai de Ripaille, à l'extrémité duquel vous tournerez à gauche dans l'avenue d'accès au château.

Fondation Ripaille★

Les bâtiments aux vastes toits coiffés de tuiles claires du **château-monastère** de Ripaille apparaissent derrière des vignobles en rangs serrés qui produisent un vin blanc de chasselas estimé. L'ensemble au cachet purement savoyard évoque la période la plus brillante de la maison de Savoie. L'intérieur est décoré dans le style néogothique. Après avoir traversé la cour des mûriers, vous visiterez le pressoir, puis la cuisine du 17ᵉ s. *📞 04 50 26 64 44 - visite guidée (1h) - juil.-août : 11h, 14h30, 15h15, 16h45 ; avr.-juin et sept. : 11h, 14h30, 16h ; fév.-mars et oct.-nov. : 15h - 6 € (enf. 3 €).*

La **forêt** de Ripaille s'étend sur 53 ha. Des sentiers fléchés permettent d'observer des chevreuils. Les arbres de l'**arboretum** furent plantés entre 1930 et 1934. À proximité, dans une clairière, le monument national des Justes a été élevé en hommage aux Savoyards qui risquèrent leur vie pour faire passer des juifs en Suisse lors de la Seconde Guerre mondiale. *📞 04 50 26 28 22 - mai-sept. : 10h-19h ; oct.-avr. : 10h-16h30 (dernière entrée 1h av. fermeture) - fermé lun. et déc. - gratuit.*

Quittez Ripaille à l'est et rejoignez Marin par la D 32.

La Savoie en bref

Superficie : 2 000 ha.

Production : 134 000 hl par an, dont 2/3 en vins blancs.

Compte tenu des conditions climatiques, c'est dès la fin du printemps jusqu'à l'automne qu'il faut parcourir cette région.

B. Kaufmann / MICHELIN

Marin

Le village possède un petit vignoble de chasselas. Marin entretient de manière anecdotique, la tradition des « crosses », troncs de châtaigniers évidés de 6 à 8 m de haut contre lesquels on fait pousser la vigne.

Revenez à Thonon par la N 5 et continuez sur cette même route jusqu'à Douvaine. En passant à **Sciez**, vous verrez la vigne grimper sur les hautes rives du Léman pour donner le cru marignan, qui n'a rien à voir avec la célèbre bataille.

L'**abbaye de Filly** (11ᵉ s.), à l'ouest de Sciez, possède la plus vieille cave de Savoie. On y produit un bon blanc.

Le vignoble de **crépy** est une petite AOC de vins blancs de chasselas qui s'étend au sud de Douvaine autour de Loisin, Massongy et Baillason. Ce sont les moines de Notre-Dame de Filly qui auraient mis au point la technique du « perlant », légèrement pétillant. Ce sont des vins fruités très agréables avec les fritures du lac.

Les adresses du lac Léman

NOTRE BONNE TABLE

🍽 **Le Bétandi** – *2 r. des Italiens - 74200 Thonon-les-Bains - ☎ 04 50 71 37 71 - fermé dim. midi en juil.-août - 10,67/28,20 €.* Le cadre de ce petit restaurant proche du centre-ville évoque celui d'une vieille ferme savoyarde. La carte affiche quant à elle des spécialités typiquement régionales, comme les incontournables fondues (savoyarde, paysanne, piémontaise, etc), les tartiflettes et des plats tels que la reblochonade au charbon de bois et les pizzas au feu de bois.

NOTRE HÔTEL

🛏🛏 **Hôtel A l'Ombre des Marronniers** – *17 pl. de Crête - 74200 Thonon-les-Bains - ☎ 04 50 71 26 18 - info@hotel-marronniers. com - fermé 28 avr.-8 mai et 22 déc.-8 janv. - 🅿 - 17 ch. 49/64 € - ☕ 6,50 € - rest. 13/32 €.* Dans ce pittoresque chalet bordé par la verdure d'un jardin fleuri, préférez une des quatre chambres savoyardes, véritables petites bonbonnières. Les autres sont propres mais légèrement surannées, à l'image du restaurant. Une adresse familiale.

---

② En suivant le Rhône, de Frangy à Chambéry (1ʳᵉ étape)

▶ 120 km. Frangy se trouve à 16 km au S-E de Bellegarde-sur-Valserine par la N 508. Carte Michelin Local 328, H-J 4-7. Voir l'itinéraire ② sur le plan p. 388.

Une bonne partie du vignoble savoyard s'étire le long de la vallée du haut Rhône, Dans un paysage vallonné, mais pas encore montagnard. La vigne est très éparpillée, mais se resserre autour de charmants villages qui s'honorent de produire un cru particulier.

Frangy

« Le vin de Frangy me parut si excellent que j'aurais rougi de fermer ma bouche à un si bon hôte », écrit Jean-Jacques Rousseau dans les *Confessions* à propos d'un nectar produit ici depuis le 11ᵉ s. Vous êtes au pays de la **roussette**.

Quittez Frangy par la D 910 au sud, faites 3 km puis prenez la D 31 à droite vers Desingy, poursuivez vers Usinens, puis Challonges et rejoignez Seyssel par les D 14 et D 992. La vigne est plus présente autour de Desingy. Puis le paysage se fait plus escarpé aux environs d'Usinens et Challonges, jolis villages vignerons producteurs de roussette. À Bassy, depuis l'église, beau point de vue sur le barrage de Seyssel.

Seyssel

Coupé en deux par le Rhône, Seyssel présente la particularité d'être à cheval sur les départements l'Ain et de la Haute-Savoie. La ville a donné son nom à l'**AOC seyssel**, la plus ancienne de Savoie, bien qu'on ne trouve mention de son vignoble qu'à partir du 11ᵉ s. Seyssel est réputé pour ce vin blanc tranquille ou mousseux élaboré avec l'altesse et la molette. Les meilleurs terroirs sont situés au nord de la ville, autour de Corbonod.

L'environnement et l'histoire de la région sont fort bien expliqués à la **Maison du haut Rhône** par des films et des expositions temporaires. *10 rte d'Aix-les-Bains. ☎ 04 50 56 77 04. - 🔓 - de mi-juil. à mi-août : merc.-dim. 10h-12h30, 14h-18h30 ; de mi-juin à mi-juil. : lun.-vend. 9h-12h30, 13h30-17h ; de mi-août à déb. sept. : lun.-vend. 10h-12h30, 14h-18h30 ; de mi-mai à mi-juin : lun.-vend. 9h30-12h30, 13h30-17h ; de déb. sept. à fin sept. : lun.-vend. 9h30-12h30, 13h30-17h - gratuit.*

SUR LES CHEMINS DES VIGNES

Prenez au sud la D 991. Tournez à gauche la D 56 vers l'église de Motz pour profiter d'une route très agréable offrant de belles vues sur la Chautagne et le lac du Bourget.

La Chautagne est partagée, à l'ouest, entre une région de marais plantée de peupliers, et à l'est, les pentes bien exposées d'un vignoble majoritairement planté en gamay. Celui-ci produit près du quart de l'AOC vin-de-savoie et s'étend de Motz, au nord, à Chindrieux, au sud.

Serrières-en-Chautagne
De nombreuses maisons fortes et châteaux jalonnent le terroir.
🐾 Prenez le temps de parcourir le **sentier promenade du Châtaignier** *(2h30 à pied AR, au départ de Serrières, dénivelé de 250 m)*. Cette boucle permet de découvrir le curieux château néogothique de Lapeyrouse et de belles vues.

Ruffieux
Au milieu des vignes surgit le **château de Mécoras** (12ᵉ-16ᵉ s.), bel exemple d'architecture médiévale. 🍷 La **Cave de Chautagne** propose une vingtaine de vins différents et un petit musée d'outils vignerons. *73310 Ruffieux - ℘ 04 79 54 27 12 - www. cave-de-chautagne.com - avr.-oct. : 9h-12h, 14h-19h ; nov.-mars : 9h-12h, 14h-18h - fermé 1ᵉʳ janv., 29-30 avr. et 25 déc.*

Chindrieux
Le **château de Châtillon** est installé sur un site romain qui commandait les voies les plus importantes de la Gaule. L'enceinte date du 13ᵉ s. *℘ 04 79 54 28 15 - visite guidée (30mn) de Pâques au 1ᵉʳ nov. : merc. 14h-17h - 3 € (-15 ans gratuit).*
Profitez de votre passage à Chindrieux pour visiter le **Rucher de Chautagne** et ses délicieux miels de montagne. *Françoise Guichon - 2233 rte du Sapenay - 73310 Chindrieux - ℘ 04 79 54 20 68.*

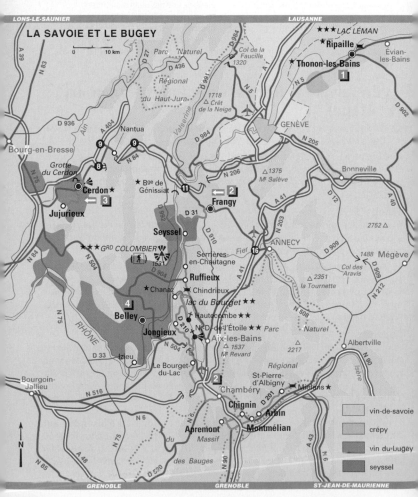

F. Isler / MICHELIN

Le canal de Savières à Portout.

Poursuivez sur la D 991 et tournez à droite dans la D 914, puis la D 18. La route se glisse à travers les roseaux et les peupliers des marais de Chautagne. On aperçoit le vignoble sur le coteau.

Canal de Savières

Long de 4 km, ce canal sert de déversoir naturel aux eaux du lac du Bourget vers le Rhône et de soupape de sécurité lors des crues du « taureau furieux » de Provence. Ce déversoir présente la particularité de fonctionner périodiquement à contre-courant : lors de la fonte des neiges au printemps, et lorsque tombent les pluies d'automne, les eaux du Rhône en crue refluent dans le lac qui joue ainsi un rôle régulateur.

Chanaz★

Ce charmant village, où ont élu domicile de nombreux artisans, était une étape très fréquentée à l'époque de la navigation sur le canal de Savières. Des auberges de mariniers ont renoué avec la tradition. Voyez le rare moulin à huile de noix, encore en activité.

Revenez sur vos pas pour aller à l'abbaye de Hautecombe par la D 18. La route longe les bords du **lac du Bourget★★**, offrant de splendides vues sur la rive orientale et Aix-les-Bains.

Abbaye royale de Hautecombe★★

C'est dans ce lieu romantique que les souverains de la maison de Savoie ont choisi d'être inhumés. Un magnifique lieu de recueillement dans un cadre inoubliable.

L'**église** au décor exubérant a été restaurée au 19e s. dans le style gothique troubadour. L'intérieur est une profusion de marbres, stucs, peintures en trompe-l'œil. 300 statues décorent la trentaine de tombes des princes de Savoie. En contrebas, près du lac, la grange batelière (12e s.) est un véritable silo construit sur l'eau ; il serait unique en France.

Faites demi-tour pour aller vers St-Pierre-de-Curtille et Lucey par la D 210. Prenez à gauche la C 6 vers Vraisin et Jongieux.

Jongieux

Au pied de la montagne de la Charvaz, orienté à l'ouest, le vignoble de ce terroir existe depuis le Moyen Âge. Le cépage blanc altesse donne ici des vins amples et harmonieux, aux senteurs de violette, de miel, d'amande, de noisette, de noix. ♟ De nombreux caveaux accueillent les visiteurs toute l'année, tel que celui de **Noël Dupasquier** *(voir nos bonnes caves).*

Poursuivez vers les villages viticoles de Billième et de Monthoux, avant de descendre vers le lac du Bourget par le col du Chat. Dans la descente, vous pouvez bifurquer sur la D 914.

Chapelle Notre-Dame-de-l'Étoile

15mn à pied AR. Le chemin d'accès, signalé, se détache dans un large virage de la D 914. Du terre-plein du sanctuaire, **vue★★** sur le lac – remarquez la courbe harmonieuse de la baie de Grésine – et son cadre montagneux. Le Grand Colombier, au nord, le massif d'Allevard, au sud, ferment l'horizon.

Revenez sur vos pas et continuez la descente vers le lac.

Le Bourget-du-Lac

Le Bourget fut le grand port de la Savoie jusqu'en 1859. Un service de bateaux à vapeur le reliait à Lyon par le canal de Savières, puis le Rhône.

L'**église** a été construite sur une crypte qui remonte peut-être à l'époque carolingienne ; à l'intérieur, la **frise**★ de l'ancien jubé, encastrée dans les murs de l'abside, est considérée comme le chef-d'œuvre de la sculpture du 13ᵉ s. en Savoie. *04 79 25 01 99 - visite libre tte l'année ; juil.-août, visite accompagnée 10h-18h, sur demande à l'office de tourisme.*

Le **château Thomas II** *(près de l'embouchure de la Leysse)* était un simple rendez-vous de chasse des comtes de Savoie. On s'y retrouvait pour faire ou défaire les liens familiaux ou diplomatiques. *04 79 25 01 99 - juil.-août : visite guidée (1h30) sur demande à l'office de tourisme.*

Poursuivez vers Chambéry-centre par la N 504 (sortie 15).

EN MARGE DU VIGNOBLE

Se promener au barrage de Génissiat★

10 km au N-O de Frangy par la D 314, puis la D 14 et la D 214. Ce barrage, mis en eau en 1948, a entraîné la création d'une retenue de 23 km de long sur le Rhône *(53 millions de m³)* où évoluent, à la belle saison, les embarcations de plaisance. Pour visiter les abords, laisser la voiture sur le parking à côté du monument commémoratif. À hauteur du premier belvédère, un kiosque touristique est équipé de panneaux explicatifs.

Prendre de la hauteur au Grand Colombier★★★

35 km au S-O de Frangy par la N 508, puis la D 992 et la D 120ᴬ à partir d'Anglefort. Culminant à 1 531 m, le Grand Colombier est le sommet le plus élevé du Bugey. Deux sommets facilement accessibles à pied s'offrent au promeneur. Au nord, celui qui arrondi qui porte la croix *(20mn à pied AR ; table d'orientation)* ; au sud, celui qui se termine en arête abrupte sur le versant ouest et qui porte le point géodésique *(45mn à pied AR)*. Ils offrent des panoramas amples et magnifiques sur le Jura, la Dombes, la vallée du Rhône, le Massif central et les Alpes.

Les adresses de Frangy à Chambéry

NOS BONNES TABLES

Auberge de la Cave de la Ferme – R. du Grand-Pont - 74270 Frangy - A 40 sortie n°11, dir. Frangy - *04 50 44 75 04 - fermé dim. et lun. - 14,50 €.* Depuis 1957, la famille Lupin élève des vins de Savoie (roussette, mondeuse) et fabrique du marc. Côté cuisine, la tendance est également régionale avec quelques incontournables spécialités fromagères et charcutières qui se dégustent dans un sobre cadre rustique.

Atmosphères – *618 rte des Tournelles - 73370 Les Catons - 2,5 km au NO du Bourget-du-Lac par D 42 - *04 79 25 01 29 - www.atmospheres-hotel.com - fermé 19-28 fév., vac. de Toussaint, merc. sf le soir en juil.-août et mar. - 20 € déj. - 32/57 €.* Ce tranquille chalet entouré de verdure surplombe le lac et offre une vue remarquable sur la montagne. La salle à manger vient d'être rénovée et modernisée. Aux beaux jours, terrasse panoramique très prisée. Les préparations, soignées et inventives, varient en fonction du marché.

NOTRE HÔTEL

Hôtel La Croix du Sud – *3 r. du Dr-Duvernay - 73100 Aix-les-Bains - *04 79 35 05 87 - www.hotel-lacroixdusud.com - fermé de fin oct. à fin mars - 16 ch. 39/40 € - 6 €.* Au détour d'une rue calme du centre, maison bourgeoise à façade rose où la patronne bichonne ses clients. Les chambres, très propres et modestement meublées, s'agrémentent de moulures, rosaces et cheminées de marbre. Une petite cour-jardin et une amusante collection de chapeaux donnent du caractère au lieu.

NOTRE BONNE CAVE

Domaine Noël Dupasquier - *Aimavigne - 73170 Jongieux - *04 79 44 02 23 - lun.-sam. - sur RV.* Le domaine est situé dans l'un des villages les plus encaissés de Savoie. Jouissant d'un microclimat et d'un terroir varié (sols caillouteux, éboulis calcaires), les cépages savoyards s'épanouissent sur des coteaux arides. Ils sont cultivés en lutte raisonnée et vinifiés de manière traditionnelle, sans addition de levures. L'élevage de douze mois est réalisé en cuves et foudres de chêne avant la mise en bouteilles. roussette-de-savoie, vins-de-savoie.

② **En suivant le Rhône, de Chambéry à Fréterive (2ᵉ étape)**

▶ 44 km. Chambéry se trouve à 57 km au N-E de Grenoble par l'A 41, la N 201 et la N 6. Carte Michelin Local 328, H-J 4-7. Voir l'itinéraire ② sur le plan p. 388.

Chambéry★★

Au pied du massif des Bauges, cette jolie cité bâtie sur pilotis fut la capitale du comté de Savoie de 1232 à 1559. On se promène à pied dans la **vieille ville★★** en partant du quartier Curial et de la rue Ducis qui passe devant le théâtre Charles-Dullin et au chevet de la **cathédrale St-François-de-Sales★** (15ᵉ-16ᵉ s.). En poursuivant sur cette artère, on découvre la fameuse fontaine des Éléphants, monument le plus populaire de Chambéry. La rue de Boigne mène au **château★**, ancienne demeure des comtes de Savoie, dont l'élégante **Sainte-Chapelle★** abrite un carillon de 70 cloches *(la Sainte-Chapelle ne se visite*

La fontaine des Éléphants à Chambéry.

qu'en suivant la visite guidée de la ville – se renseigner à l'office de tourisme). Redescendez par la **rue Basse-du-Château★** qui, à l'instar des traboules lyonnaises, est reliée aux rues adjacentes par des passages couverts. On revient au quartier Curial par la rue St-Léger.

Quittez Chambéry au sud-est en direction des Charmettes. Suivez la route de la Chambotte (D 12), qui mène à Barberaz, longe l'église de La Ravoire et conduit sur la droite à St-Badolph. En prenant la D 12ᴬ vers le mont Chavas, puis la petite route de Ronjou, vous traversez les vignobles jusqu'à Apremont.

Apremont

Apremont est un cru réputé désignant des vins blancs issus principalement du cépage jacquère ; ce sont les meilleurs compagnons de la fondue savoyarde. Apremont tire son nom du latin *asper montis*, le « mont rude », et s'étend au pied du mont Granier. Le cru abymes tire son nom d'un séisme qui fit des milliers de morts au 13ᵉ s. Les abymes sont très proches de l'apremont, avec des notes d'agrumes un peu plus prononcées. ♈ Vous pourrez les comparer à la coopérative **Le Vigneron savoyard** *(voir nos bonnes caves).*

Prenez au sud la D 12 en direction des Marches. ♈ Le secteur produit aussi de bons vins rouges de mondeuse, comme ceux du **domaine Jean Perrier et Fils**, au hameau de Saint-André près des **Marches** *(voir nos bonnes caves).*

À St-André, prenez à droite le chemin St-André, suivez ensuite la direction du col du Granier, et montez jusqu'à Bellecombe où une table d'orientation se trouve à côté de l'église. Redescendez vers Chapareillan. En sortant de La Palud, tournez à gauche vers St-André par la route des Côtes Palud. Cette très jolie **route★** forme une boucle dans le vignoble implanté dans le chaos des Abymes, impressionnant paysage formé par l'éboulement du mont Granier en 1248.

À St-André, poursuivez sur la D 12 en direction des Marches. Prenez à gauche la D 22, qui porte bien son nom – la route des Vignes – et longe le lac St-André. À Myans, prenez à gauche la D 201 puis à droite vers l'église la D 22ᴮ.

Chignin

Vous aurez presque fait le tour des vins de la région en vous rendant dans ce village qui a donné son nom au cru chignin dévolu principalement aux vins blancs de jacquère. Il ne faut pas le confondre avec le cru chignin-bergeron qui produit uniquement des vins blancs de cépage roussanne, les blancs de Savoie les plus aptes au vieillissement. Les caveaux ne manquent pas dans ce secteur. ♈ Citons entre autres le **domaine André et Michel Quénard** *(voir nos bonnes caves).*

Poursuivez vers Torméry, prenez à gauche la N 6.

Montmélian

L'ancienne place forte démantelée en 1706 a conservé de belles maisons hautes communiquant par des cours et des passages couverts.

Montmélian est au centre d'une région viticole où un vignoble dispersé donne les crus les plus réputés de Savoie. Le **musée régional de la Vigne et du Vin** est une occasion de tout savoir sur eux. *46 r. Jean-Pierre-Veyrat - ℰ 04 79 84 42 23 - www. montmelian.com - juil.-sept. : tlj sf lun. matin, dim. matin et j. fériés, 10h-12h, 14h-18h30 ; oct.-juin : merc. et vend. 14h-17h - 4 € (enf. 2 €).*

Arbin

C'est autour de ce petit village, dans un paysage mité par l'urbanisme, que l'on produit des vins de mondeuse puissants et justement réputés. ♟ Les vins du **Chais du Moulin** sont à recommander *(voir nos bonnes caves)*.

Quittez Arbin à l'est par la D 201.

Tout près d'Arbin, le village de **Cruet** possède un terroir surtout réputé pour ses blancs de jacquère, mais il produit aussi de l'arbin rouge de bonne facture.

Section nord du « sillon alpin », la **combe de Savoie** est le nom donné à la vallée de l'Isère entre Albertville et le carrefour de la cluse de Chambéry. C'est une région à vocation exclusivement agricole. Les bourgs ensoleillés, de Montmélian à St-Pierre-d'Albigny, sont noyés dans les vergers, entourés de champs de maïs, de tabac ou de vignobles.

Saint-Pierre-d'Albigny

Porte historique du massif des Bauges, St-Pierre-d'Albigny occupe une situation privilégiée en balcon sur la combe de Savoie. Au loin, en fin d'après-midi, on peut voir le Mont-Blanc éclairé par le soleil couchant. Le patrimoine s'est depuis longtemps développé, comme en attestent les maisons de maître et les maisons fortes.

Rejoignez la D 911 sur 800 m, puis tournez à droite dans la D 101. Laissez la voiture au parc de stationnement de Miolans, à 100 m du village.

Château de Miolans★

ℰ 04 79 28 57 04 - juil.-août : 10h-19h ; mai-juin et sept. : 10h-12h, 13h30-18h30, dim. 13h30-19h ; avr. : w.-end et j. fériés 13h30-19h ; vac. scol. Toussaint : 13h30-19h - 6 € (enf. 3 €).

Isolé sur sa plate-forme rocheuse, dominant de 200 m le fond de la combe de Savoie, le château fortifié servit de poste de surveillance des routes des Bauges, de la Tarentaise et de la Maurienne, de 923 à 1523. Il fut ensuite transformé en prison d'État (1559-1792). Flanqué de quatre tourelles, le donjon offre la silhouette la plus caractéristique de Miolans. Il abritait les cachots. Le **souterrain de défense★** est un curieux chemin de ronde enterré. Les meurtrières commandent sur près de 200 m la rampe d'accès au château.

♟ Par la D 201, vous gagnez **Fréterive** où le **domaine Jean-Pierre et Philippe Grisard** propose des vins de Savoie *(voir nos bonnes caves)*.

EN MARGE DU VIGNOBLE

Revoir Rousseau aux Charmettes

2 km au S-E de Chambéry. ℰ 04 79 33 39 44 - avr.-sept. : tlj sf mar. 10h-12h, 14h-18h ; oct.-mars : tlj sf mar. 10h-12h, 14h-16h30 - fermé j. fériés - gratuit - juil.-août : soirées Rousseau, visite-spectacle costumé merc. et vend.

C'est dans cette maison campagnarde que Mme de Warens convertit le calviniste Jean-Jacques Rousseau à la religion catholique. Le philosophe habita ici de 1736 à 1742. Prenez le temps de visiter la quiète demeure qui donne sur un jardin en terrasse, où l'on découvre une collection de plantes utilisées au 18e s.

Les adresses de Chambéry à Fréterive

NOS BONNES TABLES

⊜☺ **Auberge Bessannaise** – *28 pl. Monge - 73000 Chambéry - ℰ 04 79 33 40 37 - fermé jeu. soir en hiver et lun. - 16/32 €.* Repérable à sa terrasse et à sa façade fleuries, ce restaurant occupe une maison de style régional où l'on vient se régaler de plats traditionnels - comme la fondue, le foie gras maison ou la bavette d'aloyau - et de poissons frais du lac du Bourget. Préférez la salle à manger la plus lumineuse.

⊜☺ **Auberge St-Vincent** – *Le Gaz - 73800 Montmélian - ℰ 04 79 28 21 85 - fermé vac. de fév., 28 juin-8 juil., vac. de Toussaint, dim. soir, mar. soir et merc. - 15 € déj. - 27/46 €.* Table sympathique bordant la traversée de ce village rendu célèbre par son vin blanc « perlant ». Dans leur coquette salle à manger voûtée ou sur la jolie terrasse tournée vers les vignes, les maîtres des lieux servent une attrayante cuisine classique, accompagnée d'une belle carte des vins.

NOS HÔTELS ET CHAMBRES D'HÔTE

⊖ **Auberge Au Pas de l'Alpette** – *À Bellecombe - 38530 Chapareillan - 7 km au SO de Montmélian par N 6 et N 90 - ℘ 04 76 45 22 65 - www.alpette.com - fermé fin nov., dim. soir et merc. - 13 ch. 45/59 € - ⊇ 7 € - rest. 15/31 €.* Cette auberge de montagne isolée au cœur du massif de la Chartreuse offre une vue exceptionnelle sur le mont Blanc. Intérieur très chaleureux. Chambres mansardées, simples et nettes. À table, vous vous régalerez de raclettes, fondues et autres cabris aux morilles, dans la salle à manger lambrissée ou sur la terrasse.

⊖⊖ **Hôtel des Princes** – *4 r. Boigne - 73000 Chambéry - ℘ 04 79 33 45 36 - hoteldesprinces@wanadoo.fr - 45 ch. 75 € - ⊇ 8,50 €.* Voilà un endroit où il fait bon séjourner : très bien situé, juste à l'entrée de la vieille ville, ce petit hôtel entièrement rénové vous séduira avec son ambiance chaleureuse, son décor pimpant et la qualité de son accueil. Bon rapport qualité/prix.

NOS BONNES CAVES

CAVE COOPÉRATIVE

Le Vigneron savoyard – *Rte du Crozet - 73190 Apremont - ℘ 04 79 28 33 23 - vigneron.savoyard@wanadoo.fr - tlj sf dim. 8h-12h, 14h-18h - fermé 2 sem. en mai et j. fériés.* Cette cave coopérative propose un échantillonnage complet des vins de la région.

DOMAINES

Domaine Jean Perrier et Fils – *ZA Plan du Cumin - 73800 Les Marches - ℘ 04 79 28 11 45 - vperrier@vins-perrier.com - lun.-vend. 9h-12h, 14h-18h - sur RV sam.* Viticulteur et négociant-éleveur, Gilbert Perrier est l'homme-orchestre de cette propriété, familiale depuis cent cinquante-trois ans. Épaulé par ses trois fils, Philippe, Christophe et Gilles, il exploite un vignoble de 37 ha en crus apremont, abymes, chignin, chignin-bergeron et arbin. ♟ pétillant de Savoie, roussette-de-savoie, vin-de-savoie.

André et Michel Quénard – *Torméry - 73800 Chignin - ℘ 04 79 28 12 75 - lun.-vend. - sur RV.* Les 20 ha de vignes sont principalement situés sur le coteau de Torméry, en forte pente pierreuse, et bénéficient d'un ensoleillement privilégié. Ce terroir unique produit un chignin blanc issu du cépage jacquère dont la réputation remonte au 11ᵉ s., ainsi qu'un chignin-bergeron issu de l a roussanne.
♟ pétillant de Savoie, roussette-de-savoie, vins-de-savoie.

Le Chai des Moulins – *Chemin des Moulins - 73800 Arbin - ℘ 04 79 84 30 99.* Louis et Joseph Trosset ont succédé à leur père Charles en 2002, et représentent ainsi la quatrième génération de viticulteurs sur l'exploitation familiale. Le vignoble de 4 ha, exclusivement encépagés de mondeuse, couvre des terres argilo-calcaires exposées au sud. Les vignes, âgées en moyenne de 25 ans, sont cultivées en lutte raisonnée avec vendanges manuelles. Les vins profitent ensuite d'un élevage, de huit à douze mois. ♟ vin-de-savoie.

Domaine Jean-Pierre et Philippe Grisard – *Chef-Lieu - 73250 Fréterive - ℘ 04 79 28 54 09 - gaecgrisard@aol.com.* Le domaine, familial depuis 170 ans, s'étend sur 15 ha. Les vendanges sont manuelles et la vinification allie méthodes traditionnelles et modernes, avec pressurage pneumatique, contrôle des températures, etc. Les vins sont ensuite élevés en fûts de chêne. ♟ roussette-de-savoie, vin-de-savoie.

Le Bugey

CARTE MICHELIN LOCAL 328, F4 – Ain (01)

Épousant le coude du haut Rhône au sud du département de l'Ain, le Bugey est un coin de France très attachant pour ses paysages grandioses, ses traditions rurales encore bien vivantes et sa gastronomie qui tire le meilleur parti des produits laitiers, des poissons d'eau douce, des fruits, des truffes et, bien sûr, de son vignoble. Pas étonnant que Brillat-Savarin, l'auteur de la « Physiologie du goût », y soit né et y ait fait ses classes gastronomiques. Le vignoble, très morcelé, occupe trois secteurs principaux : la région de Cerdon, la région de Montagnieu et la région au nord de Belley.

③ Le vignoble de Cerdon

▶ 20 km. Cerdon se trouve à 36 km au S-E de Bourg-en-Bresse par la N 75, la N 84 et la D 11. Carte Michelin Local 328, F4. Voir l'itinéraire ③ sur le plan p. 388.

Cerdon★

Dans un site magnifique où abondent grottes, défilés et belvédères, Cerdon a donné son nom à un vin effervescent unique, rosé, légèrement doux et peu alcoolisé. Il est

> ## LE TERROIR
> **Superficie** : 500 ha.
> **Production** : 20 600 hl.
> Le vignoble est implanté sur des coteaux argilo-calcaires ou argilo-siliceux.
>
> ## LES VINS
> Les **vin-du-bugey** sont classés en AOVDQS. Ce sont surtout des vins blancs,
> tranquilles ou mousseux, dont font partie les AOVDQS cerdon, montagnieu
> et manicle, et sont issus des cépages altesse, chardonnay et molette. Les vins
> rouges sont issus des cépages gamay, pinot, manicle et mondeuse.
>
> ## BON À SAVOIR
> 👁 **Syndicat des vins du Bugey** – ✆ 04 79 42 20 94 - www.vinsdubugey.net

conseillé de parcourir le village à pied. Les rues très étroites de Cerdon sont agrémentées de fontaines et de ponts de pierre. La **cuivrerie** établie sur le site d'un ancien
moulin continue de travailler la feuille de cuivre comme au 19ᵉ s. ✆ 04 74 39 96 44 -
www.cuivreriedecerdon.com - ♿ - visite guidée (1h) juil.-août : 9h30-12h, 14h-18h ; reste
de l'année : vac. scol., w.-end et j. fériés 9h30-12h, 14h-17h30 (dernière entrée 30mn av.
fermeture le matin et 1h l'apr.-midi) - fermé 1ᵉʳ janv., 25 déc. - 5 € (enf. 3,50 €).

Grotte du Cerdon
À Labalme-sur-Cerdon. ✆ 04 74 37 36 79 - www.les-grottes-du-cerdon.com - visite guidée
*(1h30) juil.-sept. : 10h-18h (dernier dép. 17h) ; de mi-avr. à déb. oct. : lun.-sam. 13h45, 15h45,
dim. apr.-midi : dép. ttes les 30mn - 5,90 € (enf. 4,30 €) - parcours pédagogiques - aire
de pique-nique.*
On suit le cours d'une ancienne rivière souterraine. La galerie, ornée de belles formations, conduit à une salle qui s'ouvre au jour par une arche de 30 m de haut.

Revenir à Cerdon et prendre la direction de Jujurieux au sud-ouest par la D 63. La route
se coule au fond de vallées dont les pentes sont tapissées de vignes. Le petit village de **Mérignat** est un repaire de vignerons authentiques aussi accueillants que
talentueux.

Jujurieux
Même si la crise lui a fait perdre de sa superbe, ce village aux treize châteaux conserve
d'importants témoignages relatifs au tissage industriel de la soie, en particulier les
Soieries Bonnet : on visite les collections de cette ancienne manufacture, ainsi que
les ateliers. ✆ 04 74 37 23 14 - ♿ - visite guidée (1h15) de mi-juin à mi-sept. : tlj sf mar.
10h-12h, 14h-18h, w.-end et j. fériés 14h30-18h30 - 4,50 € (enf. 3,50 €).
Ici, la vigne a toujours été une activité complémentaire pour les ouvriers. Mais avec
la disparition des industries, elle constitue un revenu non négligeable.

La cuivrerie de Cerdon.

G. Magnin / MICHELIN

Les adresses du Cerdon

NOTRE BONNE TABLE

⊖⊜ **Bernard Charpy** *1 r. Croix-Chalon - 01460 Brion -* ℰ *04 74 76 24 15 - fermé 18-24 mai, 7-30 août, 26 déc.-3 janv., dim. et lun. -* 19 € *déj. -* 24/45 €. Charmante construction de style chalet postée aux portes de Nantua dont on ne présente plus les quenelles de brochet et la célébrissime sauce. Bernard Charpy propose là une attrayante cuisine traditionnelle enrichie d'un choix de poissons évoluant au gré des arrivages. Le plus : ses prix sages, doux au porte-monnaie…

NOTRE CHAMBRE D'HÔTE

⊖ **Chambre d'hôte de Bosseron** – *325 rte de Genève - 01160 Neuville-sur-Ain - 8 km au NE de Pont-d'Ain sur N 84 -* ℰ *04 74 37 77 06 - arivoire.free.fr - fermé nov.-mars -*⌿*- 4 ch.* 50/60 € ⌷. Cadre privilégié pour cette propriété entourée d'un parc de 2 ha au bord de l'Ain. Intérieur de caractère (meubles choisis, harmonie de couleurs) et chambres personnalisées. Dépendances aménagées comprenant une salle de remise en forme, un billard et une cuisine d'été. Accueil charmant.

④ Le vignoble de Belley

▶ 10 km. Belley à 35 km au N-O de Chambéry par la N 201, la N 504 et la D 992. Carte Michelin Local 328, H6. Voir l'itinéraire ④ sur le plan p. 388.

Au nord de Belley, les dernières pentes orientales qui s'élèvent au-dessus du marais de Lavours accueillent certains des meilleurs crus du Bugey.

Belley

La capitale du Bugey conserve le souvenir de son plus illustre fils, le juriste et philosophe du goût Jean Anthelme Brillat-Savarin (1755-1826) qui écrivait : « Convier quelqu'un, c'est se charger de son bonheur pendant tout le temps qu'il est sous notre toit. » C'est cette inscription que l'on peut lire sous son buste situé à l'extrémité nord du Promenoir. Sa maison natale est située au 62 Grande-Rue.

La **cathédrale Saint-Jean-Baptiste**, reconstruite presque entièrement au 19e s., a gardé son portail Nord, du 12e s. À l'intérieur, l'édifice a conservé un vaste **chœur★** de 1473. Le palais épiscopal du 18e s. aurait été construit d'après les plans de Soufflot, l'architecte du Panthéon à Paris.

Quittez Belley au Nord-est par la D 69, puis la D 69ᶜ. Vous trouverez tout au long de cette route de nombreux caveaux accueillants comme celui de la **Maison Angelot** à **Marignieu** *(voir nos bonnes caves).*

Continuez sur la D 69ᶜ, puis tourner à gauche dans la D 37. **Vongnes** est la principale localité du secteur. Le **Caveau Bugiste** vous y attend avec son petit musée et son intéressant diaporama *(voir nos bonnes caves).*

Rejoignez au nord Ceyzérieu, puis tournez à droite vers Aignoz.

Réserve naturelle du marais de Lavours

D'accès libre et long de 2 400 m, un sentier pédagogique sur pilotis vous fait pénétrer au cœur du marais : dépaysement garanti ! La **Maison du marais** permet de découvrir la diversité de l'univers aquatique. *Aignoz - 01350 Ceyzérieu -* ℰ *04 79 87 90 39 - www.reserve-lavours.com - accès libre au sentier sur pilotis toute l'année - avr.-sept. : w.-end et j. fériés 10h-12h30, 14h-18h30 ; vac. de printemps et juil.-août : tlj 10h-12h30, 14h-19h - fermé oct.-mars - 3 € (enf. gratuit).*

EN MARGE DU VIGNOBLE

Se souvenir des héros

Au cœur du Bugey, massif protégé par les vallées du Rhône et de l'Ain et commandant d'importants passages routiers et ferroviaires, le maquis installe, dès 1943, de nombreux camps. Il établit sa citadelle en Valromey et celle-ci est l'objet en février 1944 d'une attaque allemande. Le 5 à l'aube, 5 000 Allemands encerclent le massif, puis en camions, à pied ou à skis montent à l'assaut des plateaux de Hauteville, de Retord et de Brénod. La neige rend les opérations difficiles. Les forces de la Résistance doivent se disperser après des escarmouches locales. Du 6 au 12 février, les villages et les populations ont à souffrir des sévices et des violences de l'ennemi. Reconstitué, le maquis sera, en juillet, l'objet d'une deuxième attaque, étendue à tout le Bugey. Elle compte 9 000 hommes appuyés par l'aviation et l'artillerie légère. Le maquis disperse alors ses groupes en se repliant sur les plus hautes chaînes.

Nantua – *58 km au N de Belley*. L'ancienne maison d'arrêt de Nantua, où des résistants furent internés, est le cadre du **musée départemental d'Histoire de la Résistance et de la Déportation de l'Ain et du Haut-jura**★ qui s'avère vivant et très parlant. Habilement mises en valeur par des **scénographies audioguidées**★, commentées en voix off par d'anciens maquisards français et un soldat anglais, les collections sont variées et restituent l'atmosphère des années 1940, l'Occupation, la Résistance, l'organisation des maquis et la Déportation. Le montage de films d'époque *(18mn)*, illustré par des chants d'époque, une collection d'affiches de propagande et deux salles d'exposition temporaire complètent ce parcours. ☎ *04 74 75 07 50 - www.ain. fr - mai-sept. : tlj sf lun. 10h-13h, 14h-18h - possibilité de visite guidée (30mn-1h) - 4 € (16-25 ans 3 €).*

Izieu – *21 km au S-O de Belley par la D 992, puis la D 19ᴰ*. Le nom de ce village reste lié à l'une des tragédies les plus bouleversantes de la Seconde Guerre mondiale. Dans un hameau situé à quelque 800 m de là, une colonie d'enfants juifs avait trouvé asile. Le 6 avril 1944, la Gestapo de Lyon arrêta les 44 enfants, ainsi que leurs 7 éducateurs, parce qu'ils étaient juifs. Une personne a pu s'échapper au moment de la rafle. Une seule rescapée est revenue des camps.

En 1987, après la condamnation de Klaus Barbie pour ce crime contre l'humanité, s'est constituée autour de Sabine Zlatin, directrice de la colonie en 1943 et 1944, l'association du **Musée-Mémorial**★ des enfants d'Izieu. À l'intérieur de la maison principale est évoqué ce que fut la vie quotidienne dans cet éphémère refuge (réfectoire, salle de classe partiellement reconstituée, dortoirs). La grange abrite une exposition retraçant l'itinéraire des enfants et de leurs familles dans le contexte du régime nazi. Un centre de documentation et une salle de conférences ont été aménagés dans la magnanerie (commentaire audiovisuel). ☎ *04 79 87 21 05 - www.izieu.alma. fr - de mi-juin à mi-sept. : 10h-18h30; de mi-sept. à mi-juin : 9h-17h, sam. 14h-18h, dim. et j. fériés 10h-18h - possibilité de visite guidée (2h) w.-end 15h et vac. scol. 15h - fermé vac. de Noël, w.-end de déc. et janv. - 4,60 € (enf. 2,30 €).*

Les adresses de Belley

NOTRE BONNE TABLE

🍽️ **Auberge La Fine Fourchette** – *N 504 - 01300 Belley* - ☎ *04 79 81 59 33 - fermé 22-31 août, 22-31 déc., dim. soir et lun. - 22/52 €*. Les larges baies vitrées de la salle de restaurant au décor classico-rustique soigné ouvrent sur le canal du Rhône et la campagne. Si le temps le permet, optez pour la terrasse, d'où la vue est également plaisante. Quel que soit votre choix, la maison vous servira une cuisine aussi classique que généreuse.

NOTRE CHAMBRE D'HÔTE

🛏️ **Chambre d'hôte Les Charmettes** – *La Vellaz - 01510 Virieu-le-Grand - 11 km au N de Belley par N 504 jusq. Chazey-Bons puis D 31ᶜ* - ☎ *04 79 87 32 18 - juliettevincent@cherea. com -* 🚭 *- 3 ch. 41/44 €* 🍴. Séjour agréable garanti dans les anciennes écuries très bien restaurées de cette ravissante ferme du Bugey. Les chambres y sont mignonnes et confortables; l'une d'entre elles peut accueillir des personnes handicapées. Cuisine aménagée à disposition. Calme de la campagne assuré.

NOS BONNES CAVES

CAVE COOPÉRATIVE

Le Caveau Bugiste – *Chef-Lieu - 01350 Vongnes -* ☎ *04 79 87 92 32 - caveau-bugiste@wanadoo.fr - 9h-12h, 14h-19h.* Vénérable et accueillante institution, le caveau propose notamment un manicle rouge, cru préféré de Brillat-Savarin.

DOMAINE

GAEC Maison Angelot – *01300 Marignieu -* ☎ *04 79 42 18 84 - 9h-12h, 15h-19h - sur RV - maison. angelot@proveis.com* En 1987, Philippe Angelot prend les rênes du domaine, familial depuis le début du 20ᵉ s., avant d'être rejoint la même année par son frère Éric. Le vignoble, conduit en lutte raisonnée, s'étend sur 24 ha encépagés à 60 % de cépages blancs (chardonnay, roussette, aligoté) et à 40 % de cépages rouges et rosés (gamay, pinot, mondeuse). Les parcelles situées entre 200 et 350 m d'altitude sont exposées sud-sud-est, 🍷 roussette-du-bugey, vin du Bugey.

Du piémont pyrénéen au Rouergue et de la vallée de la Dordogne au pays tou-lousain, chacun cultive ici sa différence avec fierté. Avec panache, même, car au pays de d'Artagnan et de Cyrano, on est frondeur avec noblesse, et le bien vivre est un art que l'on pratique avec le raffinement propre à ceux qui ne doutent pas de leur identité. Au fil des routes, vous découvrirez les douces collines du Périgord pourpre, les plantureux coteaux de Gascogne, les méandres du Lot qui entourent de leurs bras protecteur le vignoble de Cahors, les cités médiévales du Gaillacois, les montagnes du Béarn et du Pays basque et les vallons du Rouergue. Ici, la vigne monopolise moins le paysage qu'ailleurs. Mais dans ce pays de cocagne, les vergers, les pâturages, les basses-cours et les champs de céréales offrent un choix infini de gourmandises pour accompagner les bonnes bouteilles.

Le château de Monbazillac.

Comprendre

Une étonnante diversité – La mosaïque de vignobles éparpillés dans le quart sud-ouest de la France n'a guère d'unité, sinon celle de réunir sous une même bannière les vins qui, durant des siècles, furent tenus à l'écart du marché par Bordeaux. Jaloux de leurs privilèges commerciaux avec l'Europe du Nord, les Bordelais inventèrent toutes sortes de ruses fiscales et réglementaires pour empêcher les vins du « haut pays » de les concurrencer. Vins de Bergerac, Cahors, Gaillac et de l'Agenais n'avaient en effet la possibilité d'atteindre le Port de la Lune à Bordeaux qu'après le départ des vins bordelais. Leur qualité en était souvent affectée, sans parler des taxes que les consuls bordelais et libournais faisaient payer sur ces vins.

Le développement du chemin de fer et du réseau routier a fort heureusement permis aux vins du Sud-Ouest de sortir de leur enclavement, sans perdre pour autant leur identité. Le Sud-Ouest est en effet un véritable conservatoire de cépages anciens dont la culture, dans certains cas, est probablement anté-rieure à la conquête romaine.

Le Sud-Ouest en bref

Superficie : 46 200 ha.

Production : 3 349 000 hl.

Étant donné l'étendue des vignobles du Ssud-Ouest, nous avons volontairement écarté certaines zones d'appellation qui nous semblaient avoir un intérêt touristique moindre : côtes-du-brulhois, côtes-de-millau, fronton, lavilledieu, tursan et béarn.

👁 **Comité interprofessionnel des vins du Sud-Ouest** – BP 18 - 31321 Castanet-Tolosan - ☏ 05 61 73 87 06 - www.vins-du-sud-ouest.com

	Caractéristiques	Garde	Prix
Vins rouges	**Bergerac, côtes-de-duras, côtes-du-marmandais, buzet** : de rubis clair à violet sombre. Arômes de fruits rouges, de cassis, de poivron vert, évoluant vers le pruneau et la truffe. **Cahors** : violet sombre. Arômes de mûre, de fruits noirs, d'épices, évoluant vers la truffe et le pruneau. Très tanniques dans leur jeunesse, s'assouplissent en vieillissant. **Gaillac** : carmin à rouge violacé. Arômes de fruits rouges, de poivre et d'épices. **Irouléguy** : vermillon à rubis foncé. Arômes de poivron vert et de fruits noirs.	5 à 10 ans selon la qualité. Davantage pour le madiran, les côtes-de-bergerac et le cahors.	**Côtes-de-duras, côtes-du-marmandais, gaillac, marcillac, montravel** : 5 à 15 €. **Bergerac, buzet, côtes-du-frontonnais** : 5 à 20 €. **Cahors, madiran** : 5 à 25 € (certains atteignent 76 €). **Irouléguy** : 8 à 20 €. **Pécharmant** : 5 à 30 €.
Vins blancs	**Bergerac sec** : de paille clair à or vert. Arômes d'amande amère et d'agrumes évoluant vers le café ; **moelleux** : de paille clair à or cuivré. Arômes d'iode, d'amande grillée, de fraise des bois. **Gaillac doux** : jaune paille dans leur jeunesse, à caramel lorsqu'ils sont très vieux. Fruits exotiques, poire, fruits confits évoluant vers des saveurs iodées et épicées. **Jurançon sec** : paille clair à or vert. Arômes d'agrumes, de tilleul et de fruits exotiques évoluant vers le miel ; **moelleux** : paille à or jaune. Arômes d'agrumes confits, de miel et d'amande grillée.	3 à 5 ans pour la plupart des vins. Le montravel et certains gaillacs se gardent plus longtemps.	**Bergerac sec** : 10 à 25 €. **Côtes-de-duras, saussignac** : 8 à 23 €. **Jurançon moelleux** : 10 à 30 € (et jusqu'à 76 €) ; **sec** : 10 à 20 €. **Monbazillac** : 8 à 10 €. **Montravel sec** : 5 à 15 € ; **haut-montravel doux** : 5 €. **Pacherenc-du-vic-bihl** : 8 à 15 €.

Le Bergeracois

CARTE MICHELIN LOCAL 329 – DORDOGNE (24)

Vous êtes ici en Guyenne, province longtemps restée anglaise. C'est le pays des bastides, où la vigne alterne parfois avec les vergers de pruniers, les prés et les bois. Un pays où il se trouve partout une bonne table pour poser une bonne bouteille. Le vignoble s'étend, pour l'essentiel, d'ouest en est sur une cinquantaine de kilomètres sur la rive droite de la Dordogne, et fait un crochet sur les coteaux de la rive gauche, au sud de Bergerac.

LE TERROIR

Superficie : 12 000 ha.
Production : 580 000 hl.
Vignoble le plus vaste du Sud-Ouest, en volume comme en surface, il est implanté sur des sables, des marnes et des terrains argilo-calcaires.

LES VINS

Si les 93 communes du Bergeracois peuvent prétendre à l'AOC **bergerac**, les vins de Bergerac regroupent plusieurs appellations locales : bergerac, monbazillac, montravel, pécharmant, rosette et saussignac. Les vins blancs doux ou liquoreux y furent longtemps majoritaires, mais depuis une génération, le volume des rouges y est à peu près le double de celui des blancs.
Cépages cabernet franc, carbernet-sauvignon, merlot, malbec pour les rouges, cépages sémillon, sauvignon, muscadelle pour les blancs.

BON À SAVOIR

👁 **Conseil interprofessionnel des vins de la région de Bergerac** – ✆ 05 53 63 57 57 - www.vins-bergerac.fr

⬜ De Bergerac à Montpeyroux (1ʳᵉ étape)

▶ 82 km. Bergerac se trouve à 49 km au S-O de Périgueux par la N 21. Carte Michelin Local 329, B-E 6-7. Voir le circuit ⬜ sur le plan p. 400-401.

Bergerac★

Capitale historique de la moyenne vallée de la Dordogne, Bergerac sert de trait d'union entre Bordeaux et l'arrière-pays. Bergerac doit beaucoup à Edmond Rostand qui y fit naître son Cyrano, aussi volubile et charmeur que les vins de la région.

Le **vieux Bergerac★★** jouxte l'**ancien port** où accostaient les gabares qui déchargeaient le bois du haut du pays et embarquaient les barriques de vin à destination de Bordeaux. En parcourant les petites rues, on découvre de vieilles maisons à colombages. C'est dans l'une d'elles qu'a été aménagé le **musée régional du Vin et de la Batellerie★** : vous y découvrirez l'activité de la **tonnellerie** qui eut une place importante dans la région. La **batellerie** revit par les maquettes des gabares. ℘ 05 53 57 80 92 - de mi-mars à mi nov. : mar.-vend. 10h-12h, 14h-18h, sam. 10h-12h, 14h-17h, dim. 14h30-18h30 - de mi-nov. à mi-mars : mar.-vend. 10h-12h, 14h-18h - 2 €.

Dans une belle demeure Renaissance transformée en **musée du Tabac★★**, on suit le destin extraordinaire du tabac, dont le Bergeracois était jadis un centre de culture important, mais qui a presque disparu de la région aujourd'hui. ℘ 05 53 63 04 13 - &. - de mi-mars à mi nov. : mar.-vend. 10h-12h, 14h-18h, sam. 10h-12h, 14h-17h, dim. 14h30-18h30 - de mi-nov. à mi-mars : mar.-vend. 10h-12h, 14h-18h - 3 €.

🍷 L'ancien **cloître des Récollets** *(accès par le quai Salvette)* abrite aujourd'hui la **Maison des vins de Bergerac** : la cave des moines est devenue le caveau où se réunit la confrérie des Consuls de la Vinée et le **bâtiment du cloître** (12ᵉ-17ᵉ s.) accueille des expositions sur le vin *(voir nos bonnes caves)*.

Quittez Bergerac par le nord-est en empruntant la N 21. Aux portes de Bergerac, les coteaux entre lesquels s'insinue le vallon du Caudau accueillent le vignoble de **Pécharmant**, entièrement dévolu à des vins rouges puissants.

Retournez à Bergerac par la D 32 et prenez la D 933 au sud.

On entre dans l'aire d'appellation **monbazillac**, réservée aux blancs liquoreux. Elle couvre 2 500 ha sur les coteaux de la rive gauche de la Dordogne. C'est le plus ancien vignoble de la région, apprécié dès le 17ᵉ s. par les Hollandais pour l'aptitude de ses vins à voyager. Les vins de Monbazillac sont produits à partir de tries manuelles successives de raisins touchés par la pourriture noble, comme à Sauternes *(voir le vignoble du Bordelais)*.

🍷 À environ 4 km de Bergerac se dressent les bâtiments de la **cave coopérative de Monbazillac** *(voir nos bonnes caves)*.

Tournez à gauche dans la D 14, puis à droite dans la D 13.

Château de Monbazillac★

℘ 05 53 61 52 52 - juil.-août : 10h-19h30 ; juin et sept. : 10h-12h30, 13h30-19h ; mai et oct. : 10h-12h30, 14h-18h ; avr. : 10h-12h, 14h-18h ; fév.-mars et 2ᵉ quinz. déc. : tlj sf lun. 10h-12h, 14h-17h - 5,95 € (6-12 ans 2,60 €).

L'architecture de l'édifice construit vers 1550 allie la sévérité militaire à l'élégance du style Renaissance. À l'intérieur, la **Grande Salle** est ornée d'une cheminée monumentale, de meubles et de tapisseries des Flandres du 17ᵉ s. Situés dans la cour d'honneur, les chais ont été aménagés en restaurant. Le **musée du Vin** rassemble, entre autres, des instruments anciens de vinification et de vendange.

🍷 Plusieurs domaines de qualité sont situés à l'ouest du château. Citons entre autres le **Clos l'Envège** *(voir nos bonnes caves)*.

Poursuivez jusqu'à Monbazillac, puis prenez à droite la D 14ᴱ. Sur le site du **moulin de Malfourat** (15ᵉ s.), une table d'orientation perchée à 180 m, donne le détail du **panorama★** qui embrasse le vignoble sur des kilomètres à la ronde.

La D 14ᴱ rejoint la D 933 que l'on prend à droite pour tourner de suite à gauche dans la D 17.

🍷 La route passe par **Pomport**, petite commune du monbazillac qui produit

En rouge et en blanc, les vins de Bergerac.

S. Sauvignier / MICHELIN

certains des meilleurs vins de l'appellation comme ceux du **domaine de Pécoula** *(voir nos bonnes caves)*.

Rejoignez Sigoulès par la D 17. ♥ **Sigoulès** possède une église du 16e s. et surtout la plus importante **cave coopérative** du Bergeracois *(voir nos bonnes caves)*.

Quittez Sigoulès par la D 15 vers le nord-ouest, puis prenez la D 14 à gauche à La Ferrière et la D 4 à gauche pour rejoindre Saussignac.

Saussignac

Ce bourg perché en coteau est entouré d'un vignoble auquel il a donné son nom. Les côtes-de-saussignac sont dévolues aux seuls vins moelleux et liquoreux. L'AOC **côtes-de-saussignac** a été « réveillée » par une poignée d'Anglais, nombreux à s'être installés dans la région.

Revenez en arrière sur la D 4, puis tournez à gauche dans la D 14.

Sainte-Foy-la-Grande

Cette ancienne bastide (fondée par Alphonse de Poitiers en 1255) est un centre vinicole où règne l'animation des villes commerçantes. Plan en damier, place à couverts et nombreuses maisons médiévales, Renaissance et 17e s. aux alentours. Les quais de la Dordogne, au pied des vestiges de remparts, sont parfaits pour flâner à deux.

Quittez Ste-Foy à l'ouest par la D 936. Au lieu-dit Tête Noire, tournez à droite.

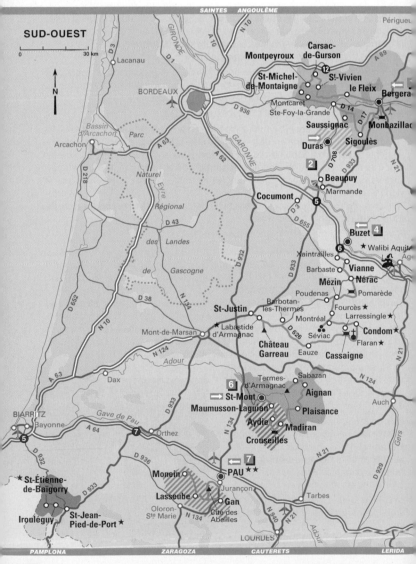

Montcaret

Au pied de la belle église romane s'étendait, à l'époque gallo-romaine, une grande **villa** à péristyle et cour intérieure, avec ses **thermes** (bains privés). Ils sont remarquables par leur système de chauffage fonctionnant grâce à des appels d'air, comme par leurs **mosaïques**★ du 4e s. En effet, le pavement intact présente seize carrés aux motifs aquatiques. ℰ 05 53 58 50 18 - de fin mai à fin sept. : 9h45-12h30, 14h-18h30 (dernière entrée 1h av. fermeture) ; de déb. oct. à fin mai : tlj sf sam. 10h-12h30, 14h-17h30 - fermé 1er janv., 1er Mai, 1er et 11 Nov., 25 déc. - 5 €. (-18 ans gratuit).

Quittez Montcaret au nord vers St-Michel-de-Montaigne.

Château de Montaigne

ℰ 05 53 58 63 93 - www.chateau-montaigne.com - visite guidée de la tour (45mn) - juil.-août : 10h-18h30 ; mai-juin et sept.-oct. : tlj sf lun. et mar. : 10h-12h, 14h-18h30 ; fév.-avr. et nov.-déc. : tlj sf lun. et mar. : 10h-12h, 14h-17h30 - fermé 25 déc. - 5,50 € (10-15 ans 4 €).

Le souvenir de **Michel Eyquem**, seigneur de Montaigne (1533-1592), hante la **tour-bibliothèque** où il dicta les *Essais* à son secrétaire. Les poutres sont gravées de sentences grecques et latines choisies par le philosophe.

Le château, belle demeure néo-Renaissance de la fin du 19e s., a remplacé l'ancienne demeure de Montaigne, détruite par un incendie. En contournant l'édifice, on décou-

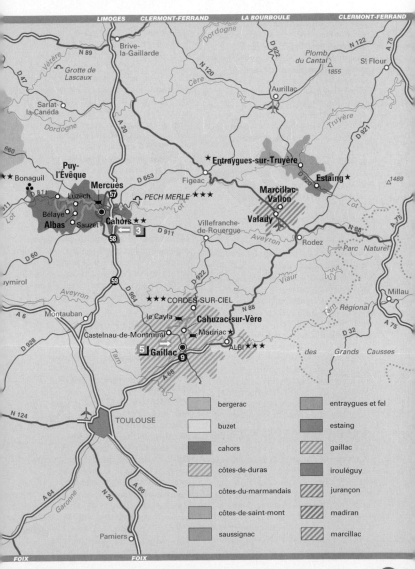

vre un charmant paysage de vignes et de bois. Les vins produits par la vignoble du château sont en vente à l'accueil.

Prenez la D 9 au nord-ouest, puis tournez à droite dans la D 21, et encore à droite dans la D 10 jusqu'à Montpeyroux.

À partir de St-Michel-de-Montaigne et jusqu'à Fougueyrolles en allant vers l'est, les coteaux sont dévolus à l'appellation **montravel** qui produit des vins blancs secs, et aux appellations **haut-montravel** et **côtes-de-montravel** qui produisent des vins blancs moelleux et liquoreux. Tout le secteur produit aussi du bergerac rouge, blanc et des côtes-de-bergerac.

Montpeyroux

De ce village isolé sur une butte, belle vue sur la région. Entourée du cimetière, l'**église** romane présente une façade dont les parties basses sont ornées de curieux modillons grivois. À côté, un élégant **château** des 17e-18e s. s'organise autour d'un logis flanqué de deux pavillons en équerre, cantonnés de tours rondes.

Les adresses de Bergerac à Montpeyroux

NOS BONNES TABLES

⊖⊖ **La Flambée** – *153 av. Pasteur - 24100 Bergerac - ✆ 05 53 57 52 33 - www.laflambee.com - 18 € déj. - 26/37 €.* Cette bâtisse ancienne abrite des salles à manger décorées avec goût, mêlant les styles rustique et actuel. Belles poutres, cheminée en pierre et ambiance intime dans la première. La seconde s'ouvre sur un parc arboré et une terrasse fleurie où il fait bon s'attabler en été pour déguster une cuisine régionale soignée.

⊖⊖ **L'Imparfait** – *8 r. des Fontaines - 24100 Bergerac - ✆ 05 53 57 47 92 - fermé 16 nov.-14 fév. - 21 € déj. - 37/47 €.* Quel drôle de nom pour ce restaurant en plein cœur de la vieille ville ! Cette bâtisse médiévale a pourtant de quoi vous séduire par sa salle à manger aux poutres et pierres apparentes, sa cuisine du marché et ses grillades dans la cheminée.

⊖⊖ **La Tour des Vents** – *Au Moulin de Malfourat - 24240 Monbazillac - 3 km à l'O de Monbazillac par D 14E - ✆ 05 53 58 30 10 - moulin.malfourat@wanadoo.fr - fermé 2 janv.-9 fév., 23-27 oct., dim. soir et mar. midi sf juil.-août et lun. - 24/55 €.* Ce havre de paix bâti au pied d'un moulin à vent ruiné fleure bon la tradition et la douceur de vivre. Salle à manger et terrasse offrent une plaisante perspective sur le vignoble bergeracois. La goûteuse et généreuse cuisine du chef, arrosée le cas échéant d'un gouleyant monbazillac, constitue l'autre atout de la maison.

NOS HÔTELS

⊖ **Europ Hôtel** – *20 r. du Petit-Sol - 24100 Bergerac - ✆ 05 53 57 06 54 - www.europ-hotel-bergerac.com - P - 22 ch. 44/55 € - ☕ 7 €.* Vous vous croirez un peu à la campagne, allongé au bord de la piscine entourée d'arbres. Cet hôtel est excentré, dans le quartier de la gare. Les chambres au décor des années 1970 sont simples, mais bien tenues et à prix doux.

⊖⊖ **Hôtel Verotel** – *Rte d'Agen, domaine de l'Espinassat - 24100 Bergerac - ✆ 05 53 24 89 76 - www.hotelverotel.fr - P - 50 ch. 75 € - ☕ 6,50 € - rest. 15/20 €.* Dans un grand bâtiment assez classique, à la sortie de Bergerac, cet hôtel compte 50 chambres fonctionnelles, aux dimensions variées, dont quelques familiales et d'autres agencées en duplex. Du hall d'accueil et du salon, une grande surface vitrée donne sur la piscine et la terrasse. Restaurant indépendant sur place.

⊖⊖ **Manoir Grand Vignoble** – *Le Grand Vignoble - 24140 St-Julien-de-Crempse - ✆ 05 53 24 23 18 - grand.vignoble@wanadoo.fr - fermé 12 nov.-24 mars - P - 44 ch. 58/240 € - ☕ 9 € - rest. 23/45 €.* Ce manoir du 17e s. s'entoure d'un vaste parc de 43ha. Le bâtiment principal abrite la salle à manger (cuisine régionale et vins du cru : pécharmant, bergerac) et une dizaine de chambres parfois dotées de lits à baldaquin. Celles logées dans les dépendances offrent un décor contemporain et davantage d'ampleur.

NOS BONNES CAVES

CAVES COOPÉRATIVES

Cave de Monbazillac – *Rte d'Eymet - 24240 Monbazillac - ✆ 05 53 63 65 06 - chateau-monbazillac.com - juil.-août : 9h-19h et visite de la cave ; sept.-juin : 10h-12h30, 13h30-19h - fermé j. fériés.* Cette cave qui fait partie intégrante du musée du Vin accueille les meilleures fabrications du cru. Un coin réservé à la dégustation, permettant de tester son nez, et un espace de découverte du terroir dévoilant quelques secrets de la vinification complètent sa belle mise en place.

Cave coopérative – *Au bourg - 24240 Sigoulès - ✆ 05 53 61 55 00 - 16 sept.-15 mai : tlj sf dim. 9h30-12h30, 14h-17h30 ; 16 mai-15 sept. : 9h30-12h30, 14h30-18h30 - fermé j. fériés.* On y trouve à peu près toutes les appellations du Bergeracois.

MAISON DES VINS

La Maison des vins de Bergerac – *2 pl. Cayla, quai Salvette - 24100 Bergerac - ℰ 05 53 63 57 55 - contact@vins-bergerac. fr - ouv. en sais. : 10h-19h ; hors sais. : tlj sf dim. et lun. 10h30-12h30, 14h-18h - fermé janv.*

DOMAINES

Clos l'Envège – *24240 Monbazillac - ℰ 05 53 07 10 31 - julien. de.savignac@wanadoo.fr - lun.-sam. sur RV.* Le domaine, aux mains de Julien de Savignac depuis 1998, s'étend sur 8 ha de vignes, encépagés de sémillon (65 %), de muscadelle (25 %) et de sauvignon (10 %). Les vendanges sont manuelles, par tries, puis la vinification a lieu en cuves Inox thermorégulées, avec pressurage très

doux. Les vins sont ensuite élevés en barriques, pendant dix-huit mois. 🍷 monbazillac.

Domaine de Pécoula – *24240 Pomport - ℰ 05 53 58 46 48 - pecoula. labaye@wanadoo.fr - tlj 8h30-11h, 13h30-18h.* En 1988, René Labaye succède à son père à la tête de cette propriété familiale transmise depuis 1932, puis en mai 2005, son frère Jean-Marie rejoint l'exploitation. Le vignoble de 23 ha est encépagé de sémillon, de sauvignon, de muscadelle, de merlot, de cabernet franc, de cabernet-sauvignon et de malbec qui s'épanouissent sur des sols argilo-calcaires. Tradition reste le maître-mot du domaine, tant pour la culture que pour la vinification. 🍷 bergerac, monbazillac.

1 De Montpeyroux à Bergerac (2ᵉ étape)

▶ 48 km. Montpeyroux se trouve à 60 km à l'E de Bordeaux par la D 936, la D 21 et la D 9. Carte Michelin Local 329, B-E 6-7. Voir le circuit 1 sur le plan p. 400-401.

Quittez Montpeyroux au nord-est. La route mène à la **base de loisirs de Gurson**, où l'on pratique la pêche et les activités de plage. Elle est dominée par les restes du **château de Gurson** (11ᵉ-14ᵉ s.) campés sur une butte plantée de vignes.

Carsac-de-Gurson

🍷 Entouré de vignobles, ce village possède une belle église romane. La **cave coopérative La Grappe de Gurson** donne un bon aperçu des vins du secteur *(voir nos bonnes caves).*

Quittez Carsac par la D 32 à l'est, prenez à droite, à 2 km, la route qui mène à St-Vivien.

Saint-Vivien

🍷 Vos achats se feront à la **cave coopérative de St-Vivien et Bonneville**, installée dans une curieux bâtiment néomédiéval *(voir nos bonnes caves).*

Avant le bourg de Vélines, tournez à gauche, puis à droite après le gymnase.

Les jardins de Sardy★

ℰ *05 53 27 51 45 - de Pâques à mi-nov. : 10h-18h - 6 € (-12 ans gratuit).*

Ces magnifiques jardins, où les couleurs se fondent et les effluves se mêlent, ont pour vocation la sensibilisation du public à l'approche olfactive (dans la **cour des senteurs**) aussi bien que visuelle. Pari réussi pour cette création aux influences italienne et anglaise. Le Château de Sardy domine 5 ha de vignoble à flanc de coteaux. Une petite production pour un bergerac soigné *(visite du chai sur demande).*

Rejoignez Vélines, puis prenez à gauche la D 32^{E2} vers Fougueyrolles et Le Fleix.

🍷 Sur le haut du plateau, cette petite route qui serpente entre les vignes dessert certains des meilleurs domaines du Bergeracois comme le **Château Roque-Peyre** *(chambres d'hôte)* à **Fougueyrolles** *(voir nos bonnes caves).* Il fait partie des producteurs qui sont à l'origine de la récente appellation **montravel** rouge, produite à partir de petits rendements et utilisant largement l'élevage en barrique.

Le Fleix

Ce bourg des bords de la Dordogne est une terre protestante où fut signée en 1580 le traité qui mit fin à la septième guerre de Religion. Le temple, au cœur du bourg, a été aménagé dans un ancien château.

Rejoignez Prigonrieux à l'est par la D 32. La minuscule appellation **rosette**, située sur les coteaux au-dessus de **Prigonrieux**, contrairement à son nom, ne produit que des vins blancs moelleux très aromatiques.

Revenez à Bergerac par la D 32.

Les adresses de Montpeyroux à Bergerac

NOTRE BONNE TABLE

Au Fil de l'Eau – *3 r. de la Rouquette - 33220 Port-Ste-Foy-et-Ponchapt - 2 km au N de Ste-Foy-la-Grande par D 708 -* ✆ *05 53 24 72 60 - fermé 26 fév.-15 mars, 5-30 nov., dim. soir sf juil.-août et lun. - 14 € déj. - 25/53 €.* Escale gourmande « au fil de l'eau » dans cet établissement récemment repris par un jeune et dynamique patron. Petite salle à manger accueillante et, surtout, jolie terrasse surplombant la Dordogne. La carte, renouvelée tous les 3 mois, propose des recettes régionales simples mitonnées avec de bons produits du marché.

NOTRE HÔTEL

Hôtel L'Escapade – *La Grâce - 33220 Port-Ste-Foy-et-Ponchapt -* ✆ *05 53 24 22 79 - www.escapade-dordogne.com - fermé 20 oct.-1er fév., dim. soir et vend. de fév. à Pâques -* **P** *- 12 ch. 52 € -* ⊡ *7 € - rest. 20/36 €.* À côté d'un centre équestre, ancienne ferme à tabac (17e s.) doté d'un équipement de loisirs complet. Les chambres, de style rustique, bénéficient du silence de la campagne. Salle à manger champêtre et terrasse dressée face à la nature. Produits régionaux.

NOS BONNES CAVES

CAVES COOPÉRATIVES

La Grappe de Gurson – *Au bourg - 24610 Carsac-de-Gurson -* ✆ *05 53 82 81 50 - grappe.curson@wanadoo.fr - tlj sf dim. 9h-12h, 14h-17h30.* Cette cave coopérative donne un bon aperçu des vins du Bergeracois, pour un très bon rapport qualité-prix.

Les Viticulteurs réunis de St-Vivien et Bonneville – *La Reynaudie - 24230 St-Vivien -* ✆ *05 53 27 52 22 - 1er oct.-31 mars : tlj sf dim. 9h-12h, 14h-17h30 ; 1er avr.-30 sept. : tlj sf dim. 9h-12h30, 14h30-18h30 - fermé j. fériés.* Cette cave coopérative propose des bergeracs rouges et des blancs aussi intéressants que leur prix.

DOMAINE

Château Roque-Peyre – *33220 Fougueyrolles -* ✆ *05 53 24 77 98 - vignobles. vallette@wanadoo.fr - visite 8h-12h, 14h-17h - dégustation payante.* Le domaine est exploité par la famille Vallette depuis 1888. Les 45 ha de vignes sont encépagés de cabernet-sauvignon, de merlot, de cabernet franc, de sauvignon, de sémillon et de muscadelle conduits en lutte raisonnée avec enherbement permanent. Les vins sont élevés en cuves avec micro-oxygénation. Certains vieillissent en barriques de douze à quinze mois selon les cuvées. ♇ bergerac, haut-montravel, montravel.

Les côtes de Duras et le Marmandais

CARTE MICHELIN LOCAL 336 – LOT-ET-GARONNE (47)

La route traverse de beaux paysages vallonnés où l'on aperçoit des vergers de pruniers dont les fruits, après séchage, deviendront les fameux pruneaux d'Agen.

LES TERROIRS

Superficie : 3 850 ha.

Production : 202 000 hl, dont plus de 50 % en côtes-de-duras.

Les vignobles sont implantés sur des sols de molasses argileuses et calcaires ou de graviers mêlés à des marnes.

LES VINS

L'AOC **côtes-de-duras** se trouve dans le prolongement de l'Entre-Deux-Mers. Les vins y sont très proches de ceux du Bordelais avec notamment de très bons vins blancs secs et liquoreux.

L'AOC **côtes-du-marmandais**, sise de part et d'autre de la Garonne, donne des vins dans les trois couleurs.

Cépages cabernet franc, carbernet-sauvignon, merlot, malbec pour les rouges, cépages sauvignon, sémillon et muscadelle pour les blancs.

BON À SAVOIR

👁 **Union interprofessionnelle des vins des côtes-de-duras** – ✆ *05 53 20 20 70 - www.cotesdeduras.com*

2 **De Duras à Cocumont**

▶ 40 km. Duras se trouve à 23 km au N de Marmande par la D 708. Carte Michelin Local 336, C-D 1-3. Voir l'itinéraire 2 sur le plan p. 400-401.

Duras

Ce sont les ducs de Duras qui ont soufflé son nom de plume à Marguerite (de son vrai nom Marguerite Donadieu, dont le père était originaire de Pardaillan). Dans son livre *Les Impudents*, le château y apparaît sous le nom d'Ostel.

Édifié en 1308, le **château** d'origine possédait huit tours. En 1680 il fut réaménagé en demeure de plaisance, puis la Révolution lui causa bien des malheurs. On visite la salle des gardes, la cuisine, la boulange-rie, le puits, les cachots et bien entendu la salle aux Secrets. Quatre **musées** vous donneront maintes informations sur la paléontologie, la vigne et le vin, le grain et, enfin, les arts et traditions populaires. ℘ 05 53 83 77 32 - www.chateau-de-duras.com - juil.-août : 10h-19h (dernière entrée 1h av. fermeture) ; juin et sept. : 10h-12h30, 14h-19h ; mars-mai et oct. : 10h-12h, 14h-18h ; nov.-fév. : w.-end et vac. scol. 10h-12h, 14h-18h - fermé 1er janv., 1er nov., 25 déc. - 5 € (enf. 3 €).

Le château de Duras.

Au **musée-conservatoire du Parche-min**, vous découvrirez la fabrication d'un livre selon les méthodes du Moyen Âge. Dans le *scriptorium*, vous pourrez même prendre la plume ! ℘ 05 53 20 75 55 - www.museeduparchemin.com - avr.-sept. : tlj 15h-18h - 6 € (enf. 3 €).

🍷 La **Maison des vins**, qui abrite le syndicat interprofessionnel des vins des côtes-de-duras, donne des informations sur les domaines ouverts au public et propose 160 références à la vente, mais sans dégustation ; 🍷 la **Cave Berticot** propose un très bon sauvignon issu de vieilles vignes *(voir nos bonnes caves)*.

Pour terminer la visite de Duras en douceur, rendez-vous aux **Éts Guinguet**, où l'on fabrique artisanalement toutes sortes de spécialités à base de pruneaux et de chocolat. *Rte de Montségur - 47120 Duras - ℘ 05 53 83 72 47.*

Quittez Duras au sud par la D 708 vers Marmande. Les 1 650 ha de l'AOC **côtes-du-marmandais** s'étendent des deux côtés de la Garonne au niveau de Marmande. L'essentiel de la production est assuré par les caves coopératives.

Beaupuy

Vue superbe sur la vallée de la Garonne depuis le village qui possède un belle église du 13e s. 🍷 En contrebas, la **Cave des vignerons de Beaupuy** propose un bel assor-timent de vins rouges *(voir nos bonnes caves)*.

Marmande

Prunes, pêches, melons, tabac et surtout tomates font la renommée de Marmande. Une cité pas précisément belle, mais qui a la plénitude de l'opulence.

Dans l'**église Notre-Dame** (13e-16e s.), voyez à gauche en entrant une Mise au tombeau du 17e s. Sur le côté sud de l'église, cloître Renaissance avec jardins à la française.

Quittez Marmande au sud en traversant la Garonne, puis prenez à droite la D 116 et à gauche la D 3 sur 14,5 km pour atteindre Cocumont.

Cocumont

🥾 La commune de Cocumont propose un **sentier de découverte** à travers les vignes. Vous découvrirez ainsi les mystères du métier de viticulteur au cours d'une promenade qui offre de magnifiques points de vue.

Jadis pays de vins blancs, le vignoble de Cocumont est aujourd'hui majoritaire-ment rouge. 🍷 Le **domaine Élian Da Ros** est une bonne maison *(voir nos bonnes caves)*.

Les adresses de Duras à Cocumont

NOS BONNES TABLES

⊜⊜ **Auberge du Moulin d'Ané** – *Rte de Gontaud - 47200 Virazeil - 7 km à l'E de Marmande par D 933 puis D 267 - ℘ 05 53 20 18 25 - fermé mar. soir, dim. soir sf juil.-août et merc. - réserv. conseillée - 20/40 €.* C'est un vieux moulin en pierre du 17e s. perdu dans la campagne, qui accueille ses hôtes dans une véranda avec vue sur les eaux bondissantes d'une cascade ou dans sa salle à manger de style rustique, et les régale de spécialités régionales ou de plats traditionnels renouvelés au gré du marché et des saisons.

⊜⊜⊜ **Hostellerie des Ducs** – *Bd Jean-Brisseau - 47120 Duras - 21 km au S de Ste-Foy-la-Grande par D 708 - ℘ 05 53 83 74 58 - hostellerie.des.ducs@wanadoo.fr - fermé dim. soir et lun. d'oct. à juin, sam. midi et lun. midi - 28/60 € - 15 ch. 61/82 € - ⊆ 9 €.* Proche du château, cette demeure du 19e s. est un ancien presbytère. Aujourd'hui, c'est pour le plaisir d'une table traditionnelle au doux accent régional qu'habitués et touristes la fréquentent. Les chambres, de style fonctionnel, portent le nom de différents domaines viticoles. Jardin et piscine.

NOS HÔTELS

⊜ **Hôtel Les Rives de l'Avance** – *Moulin de Trivail - 47430 Ste-Marthe - ℘ 05 53 20 60 22 - ▣ - 16 ch. 40/49 € - ⊆ 6 €.* Calme et verdure font de cet hôtel construit au bord de la petite rivière Avance, tout près d'un moulin à eau, une halte bucolique inespérée à proximité de l'autoroute. Chambres fonctionnelles et colorées.

⊜⊜ **Hôtel Le Capricorne** – *1 r. Paul-Valéry 47200 Marmande - ℘ 05 53 64 16 14 - www.lecapricorne-hotel.com - fermé 22 déc.-7 janv. - ▣ - 34 ch. 59 € - ⊆ 7,50 €.* Cette contruction moderne postée en bordure de route nationale abrite des chambres claires et insonorisées, tout juste rénovées. Dans la salle à manger au décor actuel prolongée d'une petite terrasse, vous serez convié à la dégustation de recettes traditionnelles accompagnées de vins du Marmandais.

NOS BONNES CAVES

CAVES COOPÉRATIVES

Les Vignerons de Landerrouat-Duras – *Rte de Ste-Foy-la-Grande - 47120 Duras - ℘ 05 53 83 75 47 - berticot@wanadoo.fr - tlj en été (sinon lun.-sam.) 8h-12h, 14h-18h.* La cave regroupe 150 vignerons pour une surface totale exploitée de 1 150 ha. Les vignes, encépagées de merlot, de cabernet-sauvignon et de sémillon, couvrent des sols argilo-calcaires et sont conduites en lutte raisonnée par 30 à 35 % des viticulteurs. Les vins sont élevés en barriques de chêne durant six à douze mois ou en cuves Inox, jusqu'à dix-huit mois. Les blancs vieillissent sur lies, de trois à neuf mois. ♈ côtes-de-duras.

Cave des vignerons de Beaupuy – *Dupuy - 47200 Beaupuy - ℘ 05 53 76 05 10 - infos@origine-marmandais.fr - tlj sf dim. 9h-12h, 14h30-18h - fermé j. fériés.* Bel assortiment de vins rouges en côtes-du-marmandais.

MAISON DES VINS

La Maison des vins des Côtes de Duras – *Rte de Marmande - 47120 Duras ℘ 05 53 94 13 48 - www.cotesdeduras.com - juil.-août : 9h-12h, 14h-18h30 ; sept.-juin : tlj sf w.-end 9h-12h, 14h-17h30.*

DOMAINE

Domaine Élian Da Ros – *Laclotte - 47250 Cocumont - ℘ 05 53 20 75 22 - sur RV.* Ce domaine familial a été repris par Élian Da Ros en 1997. Un an plus tard, il construit son propre chai et quitte la cave coopérative. Le vignoble couvre aujourd'hui 18 ha encépagés de merlot, de cabernet-sauvignon, de cabernet franc, de cot, d'abouriou et de syrah pour les rouges ; de sauvignon blanc et gris et de sémillon pour les blancs. Les vignes sont âgées de 25 à 30 ans pour les deux tiers et cultivées en lutte biologique sur un sol argilo-limoneux, argilo-graveleux et argilo-calcaire. Les vendanges sont manuelles avec tris à la vigne. Les vins sont ensuite élevés en foudres et barriques de douze à vingt mois selon les cuvées et les millésimes. Le domaine produit également du vin de table en blanc et en rosé. ♈ côtes-du-marmandais.

Le vignoble de Cahors

CARTE MICHELIN LOCAL 337 – LOT (46)

Épousant les méandres de la vallée du Lot, le vignoble de l'appellation **cahors** grimpe sur les causses qui bordent la rivière entre Cahors et Soturac. En explorant les deux rives du Lot, vous découvrirez des villages historiques, des châteaux imposants et, partout, de magnifiques points de vue sur une des plus belles vallées de France.

LE TERROIR

Superficie : 4 200 ha.

Production : 200 300 hl.

Les vignes sont implantées sur des terrasses formées d'alluvions ou d'éboulis calcaires.

LES VINS

Ils sont exclusivement rouges et sont issus des cépages malbec (connu aussi sous le nom de côt), merlot et tannat.

BON À SAVOIR

👁 **Union interprofessionnelle du vin de Cahors** – ✆ 05 65 23 22 24 - www. vindecahors.fr

3 Route du cahors

▶ 90 km. Cahors se trouve à 58 km au N de Montauban par la N 20. Carte Michelin Local 337, C-E 4-5. Voir le circuit ③ sur le plan p. 400-401.

Cahors★★

Cahors se raconte au fil de ses monuments. Tout est ici réuni pour un séjour heureux : un peu d'histoire et de culture, le calme des bords du Lot, le cadre de collines boisées où la truffe n'est jamais loin, de bonnes tables et des vignobles généreux.

Enjambant le Lot, le **pont Valentré★★**, sorte de forteresse commandant le passage du Lot, est le monument le plus emblématique de Cahors. Commencé en 1308, il a été sensiblement modifié par la restauration entreprise par Viollet-le-Duc en 1879.

La **cathédrale St-Étienne★★** doit à ses évêques son allure de forteresse construite à partir du 11ᵉ s. Le **portail nord★★**, ancien portail roman de la façade principale, a pour sujet l'Ascension. Exécuté vers 1135, il s'apparente à l'école languedocienne. À l'intérieur de l'édifice, l'opposition est frappante entre la nef, claire, et le chœur, orné de vitraux et de peintures. Le **cloître★**, de style Renaissance, offre une riche décoration sculptée. Le **quartier de la Cathédrale★** est le plus pittoresque de la ville avec ses rues étroites et ses maisons anciennes. Dans la partie haute du quartier, l'**église St-Barthélemy** (13ᵉ s.) présente un beau clocher-porche rectangulaire. De la terrasse située à proximité, jolie vue sur le faubourg de Cabessut et la vallée du Lot. Par la rue de la Barre, on arrive à la **barbacane** et à la **tour St-Jean★** (ou tour des Pendus), les deux plus belles constructions fortifiées de Cahors.

Quittez Cahors au nord-ouest par la D 8 en direction de Luzech. Le site **Cap Nature** de **Pradines** propose des activités ludiques dans les arbres à toute la famille. *Chemin de l'Isle - 46090 Pradines - ✆ 05 65 22 25 12 - www.capnature.eu - de mi-juin à mi-sept. : 9h-19h ; de mars à mi-juin et de mi-sept. à mi-nov. : merc. et w.-end 13h-17h - réserv. obligatoire.*

Le paysage se dégage de l'emprise urbaine à partir de **Douelle**, ancienne étape batelière, où, précisément, on débarquait les douelles de barriques. Beau point de vue sur le Lot.

À Largueil, tournez à droite. ♟ On atteint **Parnac**, où la **cave coopérative des Côtes d'Olt** fut à l'origine du renouveau du cahors après les terribles gelées de 1956 *(voir nos bonnes caves).* ♟ Le Château Saint-Didier, qui appartient à **Franck et Jacques Rigal**, mérite aussi une halte dégustation *(voir nos bonnes caves).*

Revenez à la D 8 que l'on prend à droite, puis tournez à gauche dans la D 23. Traversez St-Vincent-Rivière-d'Olt et poursuivez jusqu'à Cambayrac. Après le hameau de Cournou, on atteint Cambayrac dans un agréable paysage où la vigne alterne avec le causse.

Cambayrac

L'**église** se signale par son clocher-mur en forme de chapeau de gendarme. À l'intérieur, l'abside romane fut revêtue au 17ᵉ s. d'un rare décor de marbres et de stucs dans le goût classique.

À **Sauzet**, où l'on est en pays truffier, on est à la limite sud du vignoble. *Rejoignez Albas au nord par la D 37.*

Albas

Cette bourgade, ancienne résidence des évêques de Cahors, a conservé les vestiges du château épiscopal et des rues étroites bordées de maisons anciennes.

Suivez la D 8 jusqu'à Bélaye.

Bélaye

Ce village occupe le sommet d'une haute falaise au-dessus du Lot. De la place supérieure se révèle une **vue★** étendue sur la vallée. De belles demeures témoignent du temps où Bélaye était intégré au fief des évêques de Cahors. L'église accueille un festival de violoncelle la première semaine d'août.

Grézels

Les évêques de Cahors possédaient la vallée du Lot de Cahors à Puy-l'Évêque, et Grézels marquait une des limites de leur fief. Ils avaient donc construit au 12e s. le **château de La Coste** pour défendre l'entrée de leur territoire. Un petit musée du Vin y est installé. ☎ 05 65 21 34 18 ou 05 65 21 38 28 - de mi-juil. à fin août : 15h-18h - 4 € (enf. gratuit).

Poursuivez sur la D 8. Arrivé à proximité du pont de Courbenac, découvrez la meilleure **vue** d'ensemble sur la ville de Puy-l'Évêque.

Puy-l'Évêque

Étagée sur la rive droite du Lot, la petite ville regroupe ses vieilles maisons aux belles pierres ocre jaune autour de son donjon et de l'**église St-Sauveur**, qui faisait partie d'un système défensif. Son magnifique **portail** est décoré de statues.

Seul vestige du château épiscopal, le **donjon** remonte au 13e s. Haut de 23 m, il domine les anciennes dépendances du palais épiscopal. Contre le donjon, découvrez une **vue** étendue sur la vallée depuis l'**esplanade de la Truffière**.

🍷 Le **Clos Triguedina** est une référence du secteur *(voir nos bonnes caves)*.

🍷 En suivant la vallée du Lot, à l'ouest de Puy-l'Évêque, on rencontre quelques-unes des stars du cahors : le **Château Lamartine** à **Soturac**, ainsi que le **Château du Cèdre** à Bru (Vire-sur-Lot) *(voir nos bonnes caves)*.

Quittez Puy-l'Évêque à l'est par la D 811.

Prayssac

🍷 Dominé par le château de Calvayrac, ce bourg, animé en été, commande un des méandres les plus resserrés du Lot à l'intérieur duquel le **domaine Cosse-Maisonneuve** produit de bons vins *(voir nos bonnes caves)*.

🍇 Au nord-est, le **circuit des Dolmens** permet de découvrir de nombreux mégalithes *(itinéraire à l'office de tourisme)*.

Gagnez Luzech par la D 9.

Luzech

Couronné par le donjon de son château, Luzech occupe un site magnifique au cœur d'un superbe méandre du Lot, bordé au nord par l'oppidum de l'Impernal et au sud par le promontoire de la Pistoule.

Du haut de l'Impernal, la **vue★** embrasse Luzech et ses environs comme une proue de navire fendant la plaine où le Lot serpente parmi d'opulentes cultures.

De la terrasse du **donjon** du 12e s., la vue plonge sur la ville. Une promenade dans la **ville ancienne** permet de découvrir le

Le vignoble de Cahors.

S. Sauvignier / MICHELIN

quartier de la place des Consuls, qui conserve son aspect médiéval. Aménagé dans la belle cave voûtée de la maison des Consuls du 13e s. *(office de tourisme)*, le **musée archéologique Armand-Viré** retrace l'histoire du riche site de Luzech. Certains objets de l'époque romaine sont exceptionnels. ☎ 05 65 20 17 27 - *en saison :* lun.-vend. 10h-13h, 15h-19h, sam. 15h-19h - *hors sais. sur réservation* - 3 €.

Poursuivez vers Cahors par la D 9, puis la D 145. La petite route suit les méandres du Lot en passant par **Caix** et sa superbe base nautique propice à la baignade et aux sports aquatiques. À **Caillac**, le **domaine de Lagrézette**, belle bâtisse Renaissance, produit certaines des cuvées les plus prestigieuses (et les plus chères) du cahors. Les caves souterraines et le chai à barriques, long de 55 m et profond de 19 m, se visitent. *46140 Caillac -* ☎ 05 65 20 07 42 - adpsa@cagrezette.fr - 10h-19h sur RV.

Revenez à la D 145 que l'on poursuit jusqu'à Mercuès.

Château de Mercuès

☎ 05 65 20 00 01 - *caveau ouv.* juil.-août : tlj sf lun. 9h30-13h30, 14h30-18h30.

Il occupe un site remarquable au-dessus de la rive droite du Lot. Château fort cité dès 1212, agrandi aux 14e et 15e s., il devient demeure de plaisance au 16e s., puis résidence des évêques de Cahors ; il a été restauré au 19ᵉ s. C'est à présent un hôtel-restaurant. Le vignoble du château a très bonne réputation. Caves et chais se visitent.

Regagnez Cahors par la D 911.

EN MARGE DU VIGNOBLE

Dessiner un mammouth à la grotte de Pech-Merle★★★

32 km à l'E de Cahors par les D 663, D 662 et D 41. ☏ 05 65 31 27 05 - www.pechmerle. com - visite guidée (1h) - ouverture de la billetterie 9h30-12h, 13h30-17h - fermé 1ᵉʳ janv.- 31 mars et déb.-nov.-fin déc. - visite limitée à 700 visiteurs par jour (il est conseillé de réserver 3 j. av. en juil-août) - 7,50 € (enf. 4,50 €) haute sais., 6 € (enf. 3,80 €) basse sais.

En visitant la grotte, vous pouvez à la fois admirer de très belles concrétions et vous émerveiller devant la série de gravures et peintures pariétales exécutées voici 16 000 à 20 000 ans. La **chapelle des Mammouths** est ornée de dessins de bisons et de mammouths. Dans la partie inférieure de la salle préhistorique, un panneau est décoré de deux silhouettes de chevaux surchargées et entourées de points et d'empreintes de mains.

Retour au Moyen Âge au château de Bonaguil★★

50 km au N-O de Cahors, par la D 911 jusqu'à Duravel, puis suivre le fléchage. ☏ 05 53 71 90 33 - www.bonaguil.org - juin-août : 10h-18h ; mars-mai et sept.-oct. : 10h30-13h, 14h30-17h30 ; nov.-fév. : vac. scol., j. fériés et w.-end 11h-13h, 14h30-17h - fermé janv., 25 déc. et 31 déc. - 6 € (7-16 ans 3,50 €).

👥 Aux confins du Quercy et du Périgord noir, cette superbe forteresse médiévale est l'un des plus parfaits spécimens d'architecture militaire de la fin du 15ᵉ s. et du 16ᵉ s. On pénètre dans le château par la barbacane, énorme bastion qui constituait la première ligne de défense. La seconde ligne se composait de la Grosse Tour, l'une des plus importantes jamais construites en France. Dominant ces deux lignes, le donjon était le poste de guet et de commandement. L'ensemble était doté d'un réseau de magasins et d'installations assurant au château une entière autonomie en cas de siège…, ce qui n'est jamais arrivé.

Préparer le foie gras

Loisirs-Accueil Gers – Le service Loisirs-Accueil du Gers *(Maison de l'agriculture - rte de Tarbes - 32000 Auch - ☏ 05 62 61 79 00 - www.gers-tourisme.com)* propose plusieurs formules de découverte de la gastronomie gersoise : un forfait comprenant visite de chais, marché et journée cuisine ; un week-end foie gras à la ferme avec initiation à la découpe des oies et à la préparation du foie gras ; un stage chez un grand chef de la Ronde des Mousquetaires.

Les adresses de la route du Cahors

NOS BONNES TABLES

⊖ **Au Fil des Douceurs** – 90 quai de la Verrerie - 46000 Cahors - ☏ 05 65 22 13 04 - fermé 1ᵉʳ-21 janv., 26 juin-9 juil., dim. et lun. - 13 € déj. - 20/45 €. Vous sentirez à peine le clapotis du Lot à bord de cette gabare, embarcation qui autrefois transportait le bois jusqu'à Bordeaux. Aujourd'hui, transformée en restaurant et solidement amarrée à proximité du pont Cabessut, vous pourrez y déguster une cuisine traditionnelle.

⊖⊜ **La Garenne** – Rte de Brive, à St-Henri - 46000 Cahors - ☏ 05 65 35 40 67 - michel.carrendier@wanadoo.fr - fermé fév., 1ᵉʳ-15 mars, lun. soir et mar. soir et mercr. - 18 € déj. - 25/45 €. Ce bâtiment de facture typiquement quercynoise servait jadis d'écurie. Murs en pierre, charpente apparente, beaux meubles du pays et vieux objets paysans lui composent un agréable décor rustique. L'atout majeur de La Garenne est toutefois sa goûteuse cuisine qui visite en détail le répertoire régional.

⊖⊜ **Le Vinois** – Au bourg - 46140 Caillac - ☏ 05 65 30 53 60 - www.levinois.com - fermé 17 nov.-8 mars, mar. et mercr. sf le soir du 18 juil. au 31 août - 17 € déj. - 30/45 €. Séduisant restaurant proche de l'église du village : décor contemporain épuré, mobilier désign, luminaires originaux, musique jazzy et cuisine au goût du jour bien troussée.

⊖⊜⊜ **Claudel Loup** – Métairie Haute - 46140 Anglars-Juillac - ☏ 05 65 36 76 20 - www.claudelloup.com - fermé mar. et mercr. sf de juil. à sept. - 30/70 € - 5 ch. 90 € - ⊡ 9 €. Belle demeure (1818) dans un jardin arboré et fleuri. Cuisine actuelle servie dans une ravissante salle à manger ou en terrasse, sous de vieux platanes. Chambres confortables.

NOS HÔTELS

😋😋 **Hôtel À l'Escargot** – *5 bd Gambetta - 46000 Cahors - ℘ 05 65 35 07 66 - www. hotel-escargot.com - fermé vac. de fév., 5-20 nov. et dim. de mi-oct. à mi-mai - 9 ch. 58 € - ⬚ 7 €.* Cet hôtel situé à proximité de la tour Jean XXII (Jacques Duèze, originaire de Cahors et élu pape en 1322) occupe les murs de l'ancien palais édifié par la famille du pontife. Il abrite des chambres fonctionnelles au mobilier coloré et une salle des petits-déjeuners rénovée.

😋😋 **Hôtel Bellevue** – *Pl. Truffière - 46700 Puy-l'Évêque - ℘ 05 65 36 06 60 - hotelbellevue.puyleveque@wanadoo.fr - fermé 10 janv.-6 fév. et 13-28 nov. - 11 ch. 62/87 € - ⬚ 9 €.* L'hôtel, bâti sur un éperon dominant le Lot, mérite bien son nom. Les chambres, spacieuses, sont contemporaines et personnalisées. Cuisine inventive et vue imprenable sur la vallée au restaurant Côté Lot. Véranda en métal et plats du terroir à l'Aganit.

😋😋 **Hôtel Source Bleue** – *Au bourg - 46700 Touzac - 8 km à l'O de Puy-l'Évêque par D 811 - ℘ 05 65 36 52 01 - sourcebleue@wanadoo.fr - fermé de mi-nov. à mi-avr. - 🅿 - 17 ch. 75/105 € - ⬚ 8 € - rest. 25/40 €.* La « source bleue », qui surgissait sur la rive gauche du Lot, a mystérieusement migré vers 1950 sur la rive droite, au milieu de ces anciens moulins à papier devenus depuis un hôtel-restaurant. Élégantes chambres personnalisées. Cuisine classique servie dans une dépendance du 17ᵉ s. transformée en salle à manger.

NOS BONNES CAVES

CAVISTE

Atrium – *Rte de Toulouse - 46000 Cahors - ℘ 05 65 20 80 80 - vigouroux@g-vigouroux. fr - tlj sf dim. 8h-12h30, 14h-19h30 ; en juil.- août : tlj 8h-20h.* Vous êtes ici dans la maison mère des espaces Atrium, dont le concept de cave-magasin entièrement dédié au vin et à la promotion des vignobles du Sud-Ouest est tout à fait original. La boutique propose une sélection de chaque région, et surtout une belle gamme de vins de Cahors, de Madiran, de Gaillac et de Buzet.

CAVE COOPÉRATIVE

Côtes d'Olt – *Caunezil - 46140 Parnac - ℘ 05 65 30 71 86 - colt@cotesolt.com.* La cave, créée en 1947, regroupe 250 vignerons. Les vins sont issus de vignes âgées en moyenne de 25 ans situées sur un terroir d'exception. Sur une superficie de 1 000 ha, on ne compte pas moins de 1 300 fûts d'élevage et entre un et demi et deux millions de bouteilles en vieillissement ! Les installations suivent

Le foie gras dans tous ses états.

une démarche qualité, conforme à la certification ISO 9000, à tous les stades de l'élaboration des vins. La cave produit 60 000 hl par an et représente à elle seule près d'un quart de l'appellation cahors. ⚲ cahors.

DOMAINES

Domaine Franck et Jacques Rigal – *Château St-Didier - 46140 Parnac - ℘ 05 65 30 70 10 - rigal@crdi.fr - lun.-sam. 9h-12h, 14h-18h.* La famille Rigal gère trois châteaux importants : St-Didier-Parnac, le Prieuré de Cénac et Grézels. Le château Saint-Didier est l'un des plus vastes de l'appellation, avec 70 ha de vignes plantées sur des sols très variés composés de galets, de quartz, d'argile et de graves. Le vignoble est cultivé en lutte raisonnée, avec vendanges manuelles et mécaniques. La vinification a ensuite lieu en cuves Inox, et l'élevage se poursuit en barriques durant dix-huit mois. ⚲ cahors.

Clos Triguedina – *Jean-Luc-Baldès - 46700 Puy-l'Évêque - ℘ 05 65 21 30 81 - triguedina@laposte.net - 9h-12h, 14h-18h, dim. sur RV - fermé 1ᵉʳ janv. et 25 déc.* La famille Baldès, où l'on est vignerons depuis huit générations, cultive avec passion et savoir-faire ce domaine viticole de plus de 60 ha. Le Clos Triguedina, fruit de leurs efforts, est l'un des fleurons de l'appellation cahors et l'un des crus les plus primés du Quercy. Visite des caves, du chai et du musée familial. ⚲ cahors, vins de pays du Comté tolosan.

Château Lamartine – *46700 Soturac - ℘ 05 65 36 54 14 - chateau-lamartine@wanadoo.fr - tlj 9h-12h, 14h-18h, dim. - sur RV.* Édouard Serougne, le grand-père d'Alain Gayraud, fut un artisan de la renaissance du cahors. Fondé en 1883, le domaine compte aujourd'hui 32 ha de terrasses arides, exposées plein sud, encépagés de malbec, de tannat et de merlot. Dans un souci constant de qualité, le domaine a entrepris un programme ambitieux de rénovation des chais qui s'est achevé en 2004. ⚲ cahors.

Château du Cèdre – *Bru - 46700 Vire-sur-Lot - 𝒫 05 65 36 53 87 - chateauducedre@wanadoo.fr - lun.-sam. 9h-12h, 14h-18h.* Pascal et Jean-Marc Verhaeghe exploitent 25 ha de vignes dans le respect absolu du terroir et dans un souci constant de qualité. Le vignoble est cultivé sans désherbant, en lutte raisonnée. La vinification reste traditionnelle avec foulage et égrappage total de la vendange triée manuellement. Le domaine produit également un vin de table. ♀ cahors.

Domaine Cosse-Maisonneuve – *Patronnet - 46220 Prayssac - 𝒫 05 65 24 22 36 - laquets.maisonneuve@wanadoo.fr - lun.-vend. 9h-11h, 14h-18h - sur RV.* Catherine Maisonneuve et Matthieu Cosse ont repris le domaine en 2001. Le couple exploite 14 ha de vignes, encépagés de malbec, de merlot et de tannat. La culture de la vigne, plantée sur un terroir riche en minerai de fer, est en conversion à la biodynamie. La vinification est effectuée à partir de raisins entiers, puis les vins sont élevés en barriques, dont 50 % sont neuves. ♀ cahors.

La Gascogne

CARTE MICHELIN LOCAL 336 – LOT-ET-GARONNE (47), GERS (32)

Ce parcours permet de traverser dans un paysage vallonné, successivement les vignobles de Buzet, de l'Armagnac et des côtes de Gascogne. Les premiers donnent des vins rouges qui se gardent, le deuxième une eau-de-vie ambrée aux arômes délicats de pruneau et de violette, le troisième surtout des vins blancs de pays.

LE TERROIR
Superficie : 15 000 ha, implantés surtout dans le Gers, dans les Landes et le Lot-et-Garonne.
Production : 780 000 hl en vins de pays, dont 91 % en blanc.
Les sols sont caillouteux, argileux et sablonneux.

LES VINS
Cépages colombard, ugni blanc, gros manseng, chardonnay, muscadelle et sauvignon pour les blancs, secs et moelleux, cépages tannat, merlot, cot, cabernet franc et cabernet-sauvignon pour les rouges.

BON À SAVOIR
👁 **Bureau national interprofessionnel de l'armagnac AOC** – 𝒫 05 62 08 11 00 - www.armagnac.fr
👁 **Syndicat des vins de pays des côtes de Gascogne** – 𝒫 05 62 09 82 19 - www.vins-cotes-gascogne.fr

④ De Buzet à Nérac, le vignoble de Buzet (1ʳᵉ étape)

▶ 23 km. Buzet-sur-Baïse se trouve à 33 km au N-O d'Agen par la N 113, la D 8 et la D 642. Carte Michelin Local 336, A-E 4-6. Voir l'itinéraire ④ sur le plan p. 400-401.

Buzet-sur-Baïse
Ce vignoble de Buzet suit le cours de la Garonne, sur ses deux rives, entre Marmande et Agen. ♀ Ressuscité dans les années 1960 grâce à la coopérative **Les Vignerons de Buzet**, le vignoble produit des vins rouges et rosés à partir des cépages bordelais, ainsi que quelques blancs. Le domaine des Vignerons de Buzet produit tous les styles de vin de l'appellation **buzet**. Il propose la visite du chai d'élevage abritant 4 500 barriques, et la projection d'un diaporama. Un détour pour la visite de la tonnellerie est également indispensable pour saisir toutes les finesses du bois. *Saubouère - 𝒫 05 53 84 74 30 - www.vignerons-buzet.fr - été : 9h-12h30, 14h-19h ; reste de l'année : 9h-12h, 14h-18h - fermé dim. et j. fériés.*

De Buzet, prenez au sud-ouest la D 108 pour rejoindre Xaintrailles. Au sud de la vallée de la Garonne, entre Gers et Baïse, la vigne est vouée depuis des siècles à la distillation

L'armagnac et le floc-de-gascogne

L'armagnac est tiré de la distillation de vins blancs issus des cépages colombard, ugni, baco et folle blanche. La distillation doit avoir lieu au plus tard le 30 mars suivant les vendanges et se fait en continu. L'eau-de-vie blanche est ensuite conservée en fût de chêne où elle prend sa couleur et s'affine pendant un temps plus ou moins long. On distingue trois grandes classes d'âge : les « 3 Étoiles » ou « 3 couronnes » ont passé au moins dix-huit mois en fût ; les « VO » (Very Old) et « VSOP » (Very Superior Old Pale) y sont restés au moins quatre ans et demi ; quant aux « XO », « Hors d'âge », « Napoléon », « Extra », ils ont au moins cinq ans et demi d'âge.

Le floc-de-gascogne, produit dans la région de l'armagnac, est une mistelle, un vin de liqueur obtenu en mélangeant du jus de raisin frais, contenant au moins 170 g de sucre par litre, à de l'eau-de-vie d'armagnac titrant 52°. L'apport d'alcool permet le mutage, c'est-à-dire l'arrêt du processus fermentaire du moût qui conserve ainsi son sucre. Il existe du floc blanc et du floc rosé.

de l'**armagnac**. On distingue trois terroirs de production d'armagnac : à l'ouest, le bas Armagnac avec des terres acides et sableuses ; à l'est et au nord, le haut Armagnac, essentiellement calcaire ; au centre, la Ténarèze avec des terrains argilo-calcaires mêlés de sables.

Au pays des mousquetaires, de la bonne chère et du rugby, on a le sens de la fête. Le Festival de jazz de Marciac, le Festival des bandas de Condom et le Tempo Latino de Vic-Fezensac sont des incontournables de l'été gascon.

Xaintrailles

Du haut de ce village, très belles **vues** sur la vallée de la Garonne et la forêt des Landes. Le château du 12e s. a été reconstruit au 15e s. par Jean Poton de Xaintrailles, compagnon d'armes de Jeanne d'Arc.

Rejoignez Vianne à l'est par D 141.

Vianne

L'ancienne bastide anglaise fondée en 1284 a conservé presque intacte son enceinte fortifiée et son plan en damier. L'activité traditionnelle y est la verrerie : souffleur de verre, graveur sur cristal travaillent toujours.

Empruntant la D 642 au sud, traversez la Baïse et gagnez Barbaste.

Barbaste

Sur la rive droite de la Gélise, le **moulin de Henri IV** dresse ses quatre tours carrées de hauteur inégale. Le vieux **pont roman**, à dix arches que défendait l'ouvrage, est toujours là.

La D 930 conduit à Nérac.

Nérac

Jeanne d'Albret, la mère de Henri IV, organisa à Nérac un important centre de diffusion de l'humanisme et du protestantisme. Le poète Clément Marot y trouva « un asile plus doux que la liberté ». Une visite de la **vieille ville**★ permet de découvrir la **maison de Sully** (seconde moitié du 16e s.), le **pont Vieux**, les vieilles maisons à loggias et le **pont Neuf** offrant une jolie vue sur les quais. La **promenade de la Garenne**, le long de la Baïse, offre un parcours très agréable sous les chênes centenaires. Du **château** Renaissance de Jeanne d'Albret, il ne reste qu'une aile sur quatre et une tourelle d'escalier. Son **musée** présente des collections archéologiques. ✆ 05 53 65 21 11 - juil.-août : 10h-12h, 14h-19h ; sept.-juin : 10h-12h, 14h-18h - fermé lun. - 4 € (-12 ans gratuit).

🍷 Le **Château du Frandat** produit du buzet, de l'armagnac et du floc *(voir nos bonnes caves)*.

EN MARGE DU VIGNOBLE

S'amuser en famille à Walibi Aquitaine★

4 km au S-O d'Agen par la D 656, par la route de Nérac. ✆ 05 53 96 58 32 - www.walibi. fr - du 15 juin à fin août : tlj 10h-19h ; mai et sept. : w.-end et j. fériés 10h-18h - avr. et 1re quinz. de juin : merc., w.-end et j. fériés 10h-18h - 22,50 € (3-11 ans 17 €).

👫 Voilà un parc de loisirs où passer une divertissante journée en famille. Virer, rouler, glisser, il y en a pour tous les goûts et tous les âges. Après avoir tourné dans les tasses à café géantes ou descendu la Radja River en furie, assistez au spectacle des fontaines musicales (650 jets d'eau animés) et aux acrobaties des otaries savantes.

Les adresses du vignoble de Buzet

NOTRE BONNE TABLE

♨♨🍽 **Aux Délices du Roy** – *7 r. du Château - 47600 Nérac - ℘ 05 53 65 81 12 - fermé dim. soir hors sais. et merc. - 36/66 €.* Blotti au pied du château des Albret, sympathique restaurant familial dont la petite salle à manger rustique, fraîchement repeinte en bleu et jaune, bénéficie d'une mise en place colorée. En cuisine, le chef-patron M. Sarthou panache astucieusement produits de la mer et recettes traditionnelles.

NOTRE CHAMBRE D'HÔTE

♨ **Chambre d'hôte Le Domaine du Cauze** – *47600 Nérac - 2,5 km à l'E de Nérac par D 656 dir. Agen - ℘ 05 53 65 54 44 - www.domaineducauze.com - fermé 22 déc.- 2 janv. - réserv. obligatoire - 4 ch. + 1 suite 53/70 € ⌧ - repas 24 €.* Accueillante ferme perchée sur une colline verdoyante d'où l'on aperçoit, par temps clair, la lisière de la forêt landaise. Les chambres sont diversement aménagées : pièces chinées chez les brocanteurs, meubles de famille ou éléments modernes et fonctionnels. Aux beaux jours, vous pourrez dîner sous la tonnelle.

NOTRE BONNE CAVE

Château du Frandat – *Rte d'Agen, D 7 - 2 km à l'E de Nérac par D 7 - 47600 Nérac - ℘ 05 53 65 23 83 - tlj sf dim. 9h-12h, 14h-18h - fermé de déb. nov. à fin mars sf sur RV et j. fériés.* Le Château du Frandat s'enorgueillit d'élaborer trois produits différents bénéficiaires d'une appellation d'origine contrôlée : buzet (vins rouges et rosés), floc de Gascogne (rosé et blanc) et armagnac. Visite du chai et dégustations gratuites. Le domaine propose également des pruneaux d'Agen. 🍷 buzet.

---

④ Du château de Pomarède à Condom, au cœur de l'Armagnac (2ᵉ étape)

⏵ *50 km. Le château de Pomarède se trouve au sud de Nérac par la route de Condom, la D 930, à 6,5 km sur la droite. Carte Michelin Local 336, A-E 4-6. Voir l'itinéraire ④ sur le plan p. 400-401.*

Château de Pomarède

47600 Moncrabeau - ℘ 05 53 65 43 01 - de mi-juil. à mi-sept. : visite guidée (30mn) 9h-12h, 15h-18h ; de mi-sept. à mi-juil. : sur demande auprès du propriétaire - 4 € (-18 ans gratuit). Rare exemple de maison de maître de type gascon datant des 17ᵉ s. et 18ᵉ s., avec pigeonnier, chai, écuries et sellerie.

Revenez sur la D 930 et à 1 km, tournez à droite dans la D 149.

Mézin

La localité, qui travaille la vigne et le liège, occupe un site de hauteur. L'ancienne église **St-Jean-Baptiste** (11ᵉ s.) arbore un style composite.

Au **musée du Liège et du Bouchon**, souvenirs de l'époque où Mézin était une des capitales du bouchon. *℘ 05 53 65 68 16 - ৬ - juil.-août : 10h-12h30, 14h-18h30 ; avr.-juin et oct. : 14h-18h, dim. 15h-17h30 ; sept. : 10h-12h30, 14h-18h30, dim. 15h-17h30 - fermé lun. et j. fériés (sf 14 Juil. et 15 août) - 4 € (enf. 2 €).*

Sortez de Mézin à l'ouest par la D 656. Sur la gauche, à la sortie de Mézin, pigeonnier gascon reposant sur des colonnes.

Poudenas

Le village, sillonné de rues pentues, est dominé par son **château** (16ᵉ-17ᵉ s.) possédant une belle façade à l'italienne. *℘ 05 53 65 70 53 - ৬ - visite guidée (1h) sur demande - 5 € (-18 ans gratuit).*

Du vieux pont, jolie vue sur le château, le clocher de l'église et sur l'Hôtellerie du Roy Henry, ornée d'une galerie en bois.

Revenez à Mézin et prenez à droite la D 5, puis, dans son prolongement, la D 29.

Fourcès★

Adorable bastide ronde, Fourcès est un des plus charmants villages du Gers, prisé par les artistes et les artisans. Le long de l'Auzou, où croissent en été les nénuphars, le **château** (15ᵉ-16ᵉ s.) dresse sa haute façade. C'est aujourd'hui un hôtel-restaurant réputé. La petite cité se pare de couleurs, le dernier week-end d'avril, lors du marché aux fleurs de printemps.

Montréal

Cette bastide, établie en 1256, a conservé une église gothique fortifiée et une place carrée bordée de maisons à couverts, dont l'une abrite un intéressant **Musée archéologique** *(accès par l'office de tourisme)* qui expose les objets découverts sur le site de Séviac *(voir ci-dessous).* ℘ *05 62 29 42 85 - &. - juil.-août : tlj sf dim. et lun. 10h-12h30, 14h-19h ; mars-juin et sept.-nov. : tlj sf dim. et lun. 10h-12h30, 14h-18h ; déc.-fév. : tlj sf dim. et lun. 10h-12h30, 14h-17h30 - fermé j fériés sf 14 Juil. et 15 août - gratuit.*

Gagnez le site de Séviac en suivant la signalisation, à l'ouest de Montréal.

Villa gallo-romaine de Séviac

℘ *05 62 29 48 57 - www.seviac-villa.com - juil.-août : 10h-19h ; mars-juin et sept.-nov. : 10h-12h, 14h-18h - possibilité de visite guidée (1h) - 4 € (-12 ans gratuit), billet donnant accès au Musée archéologique de Montréal.*

Les fouilles ont mis au jour les fondations d'une luxueuse villa gallo-romaine du 4ᵉ s. ainsi que différents vestiges, témoins d'une occupation permanente du 2ᵉ au 7ᵉ s. Le vaste ensemble thermal de la villa comporte des salles chauffées par hypocauste (système de circulation d'air chaud sous le sol), une piscine et des bassins plaqués de marbre, décorés de mosaïques exceptionnelles.

Prenez la D 15 en direction de Condom jusqu'à Larressingle.

Larressingle★

Ce petit bijou du 13ᵉ s. ceint de remparts est un repaire d'artistes et d'artisans. Un escalier à vis conduit aux trois étages du **donjon** en ruine. L'**église** romane fortifiée se réduit à deux chœurs emboîtés. Faites le tour des fortifications en empruntant le chemin à l'extérieur de l'enceinte. 🚸 Vous découvrirez la **Cité des machines du Moyen Âge**, véritable camp de siège du 13ᵉ s. reconstitué au pied des fortifications. ℘ *05 62 68 33 88 - http://larressingle.free.fr - &. - visite guidée (1 à 2h) - mars-nov. : 10h-19h - 6 € (enf. 4,50 €).*

Face à l'entrée principale du village, une boutique propose des produits régionaux, des vins de pays et de l'armagnac venant des fermes alentour.

Larressingle : la « plus petite cité fortifiée de France ».

Condom★

Capitale historique de l'Armagnac et de la Ténarèze, Condom affiche le caractère discret d'une petite ville bourgeoise fière de son négoce, de son statut de sous-préfecture et de son nom… qui fait bien rire les Anglo-Saxons puisqu'il signifie préservatif en anglais. Chaque été, la ville s'anime avec enthousiasme au son des fanfares de son Festival des bandas.

La **cathédrale St-Pierre★** est dominée par la majestueuse tour quadrangulaire de son clocher. C'est l'un des derniers grands édifices gothiques du Gers construit au début du 16ᵉ s. Sur la galerie est du **cloître★** se greffe la chapelle Ste-Catherine, transformée en passage public et ornée de jolies clés de voûte polychromes.

Les amateurs d'armagnac et de floc n'ont que l'embarras du choix. En guise d'introduction, le **musée de l'Armagnac** *(r. Jules-Ferry)* présente une rare collection d'outillages, une panoplie d'instruments de tonnellerie, des bouteilles produites par les gentils-

hommes-verriers gascons et divers alambics. *℘ 05 62 28 47 17 - avr.-oct. : 10h-12h, 15h-18h ; nov.-mars : 14h-17h - fermé lun., mar., et j. fériés - 2,20 € (enf. 1,10 €).*
Vous pourrez passer aux travaux pratiques à la **Maison Ryst-Dupeyron**, installée dans le bel hôtel de Cugnac (18ᵉ s.). On y propose la découverte des chais du 18ᵉ s. Le parcours est étayé par des projections audiovisuelles et une dégustation. *1 r. Daunou - ℘ 05 62 28 08 08 - visite guidée (1h) - juil.-août : 9h-12h, 14h-18h, w.-end et j. fériés 14h30-18h30 ; sept.-juin : 9h-12h, 14h-17h30 - fermé 1ᵉʳ janv. - gratuit.*

Les adresses au cœur de l'Armagnac

NOS BONNES TABLES

◗◗ **La Table des Cordeliers** – *1 r. des Cordeliers - 32100 Condom - ℘ 05 62 68 43 82 - www.latabledescordeliers.fr - fermé 15 janv.-5 fév., lun. sf le soir de juil. à sept., merc. midi l'été et dim. soir - 20/50 €.* Proche du Logis des Cordeliers, ce restaurant est installé dans une chapelle du 14ᵉ s. Sous les voûtes de pierres gothiques majestueuses, éclairée de vitraux, une salle à manger pour l'été. Une seconde, rustique avec ses colombages. Cuisine du marché.

◗◗ **Chez Simone** – *Pl. des Champions-de-France - 32250 Montréal - ℘ 05 62 29 44 40 - fermé 19-26 fév., dim. soir et lun. - 25/50 €.* Monsieur Daubin, jovial patron de cette auberge villageoise depuis 1992, accueille d'un œil bienveillant les nombreux gastronomes qui viennent déguster sa cuisine du terroir. Dans la coquette salle à manger égayée de fresques murales, on entretient consciencieusement une authentique ambiance familiale.

NOS HÔTELS

◗ **Hôtel Continental** – *20 r. du Mar.-Foch - 32100 Condom - ℘ 05 62 68 37 00 - www.lecontinental.net - fermé 23 déc.-17 janv. - 25 ch. 40/65 € - ☲ 10 € - rest. 20/32 €.* La Baïse coule au pied de cet hôtel entièrement rénové. Chambres confortables, ornées de gravures anciennes ; la plupart donnent sur un jardinet. Pimpante salle à manger aux tons jaune-orangé et terrasse d'été dans la cour. Plats traditionnels et régionaux.

◗ **Hôtel Le Logis des Cordeliers** – *R. de la Paix - 32100 Condom - ℘ 05 62 28 03 68 - www.logisdescordeliers.com - fermé 2 janv.-7 fév. - ℙ - 21 ch. 45/64 € - ☲ 7 €.* Ce bâtiment récent situé dans un quartier tranquille à l'écart du centre-ville abrite des chambres fonctionnelles. Préférez celles dotées d'un balcon fleuri surplombant la piscine : ce sont les plus agréables. Accueil aimable.

---

4 De Condom à St-Justin, les côtes de Gascogne (3ᵉ étape)

◗ 75 km. Condom se trouve à 45 km au N-O d'Auch par la D 924 et la D 930. Carte Michelin Local 336, A-E 4-6. Voir l'itinéraire ④ sur le plan p. 400-401.

Quittez Condom au sud par la D 930.

Abbaye de Flaran★

℘ 05 62 28 50 19 - juil.-août : 9h30-19h ; fév.-juin et sept.-déc. : 9h30-12h30, 14h-18h - fermé 2 sem. fin janv., 1ᵉʳ Mai, 25 déc. - 4 € (-18 ans gratuit), gratuit 1ᵉʳ dim. du mois (nov.-mars).
On appréciera la simplicité et l'austérité de cette belle abbaye cistercienne. Propriété du département du Gers, elle accueille chaque année des expositions temporaires de très bon niveau. Construite entre 1180 et 1210, l'**église** possède des chapiteaux doubles d'une extrême simplicité. On accède au **cloître** depuis l'église. Seule la galerie située à l'ouest, couverte d'une charpente, est d'origine (fin 14ᵉ s.). Le **jardin** comprend deux parties : l'une aménagée à la française et l'autre, vers l'ancien moulin, comme un jardin de plantes aromatiques et médicinales.

Rejoignez Cassaigne au nord-ouest par la D 142.

Château de Cassaigne

℘ 05 62 28 04 02 - www.chateaudecassaigne.com - ♿ - de mi-juin à mi-sept. : 9h-12h, 14h-19h ; de mi-sept. à mi-juin : tlj sf lun. et dim. matin. 9h-12h, 14h-18h - fermé 1ᵉʳ janv. et 25 déc. - gratuit. L'ancienne résidence de campagne des évêques de Condom date du 13ᵉ s. La visite permet, après avoir parcouru le chai, d'assister à un diaporama sur l'histoire du château, le travail de la vigne et la genèse de l'armagnac. Intéressante

cuisine du 16ᵉ s. Ne manquez pas de déguster la production du lieu après avoir admiré le vignoble.

Par la D 208 et la D 931, gagnez Gondrin et Eauze.

À **Mouchan**, la belle église romane mérite une halte. **Gondrin**, au cœur du vignoble, est une jolie bastide. Les gourmands peuvent pousser jusqu'à la **Ferme du Cassou**, qui produit à peu près toutes les délices du Gers. ℰ *05 62 29 15 22 - www.fermeducassou. com - 9h-19h ; en sais. : tlj sf dim. mat. 9h-20h.*

Eauze

La capitale du bas Armagnac est l'ancienne Elusa, chef-lieu de province gallo-romaine, dont elle a conservé quelques souvenirs. Les terres sablonneuses du bas Armagnac sont réputées produire les meilleurs vins de distallation. Les producteurs, signalés au bord des routes, proposent également des vins de pays côtes-de-gascogne.

🍷 Le **Château du Tariquet** est connu pour son vin blanc fruité ; c'est l'une des plus vastes propriétés viticoles de France *(voir nos bonnes caves).*

La **place d'Armagnac** est pittoresque avec ses maisons à arcades. La **cathédrale St-Luperc**, du 15ᵉ s., est un exemple type du gothique méridional.

Le clou du **Musée archéologique** est le **trésor gallo-romain** d'Eauze : pièces de monnaies et bijoux incrustés de pierres précieuses. ℰ *05 62 09 71 38 - &. - juin-sept. : 10h-12h30, 14h-18h ; fév.-mai et oct.-déc. : 14h-17h (sur demande le matin) - fermé mar., 1ᵉʳ w.-end de juil., j. fériés - 4 € (-18 ans gratuit), gratuit 1ᵉʳ dim. du mois (nov.-mars).*

Rejoignez Barbothan-les-Thermes par les D 626 et D 656.

Barbotan-les-Thermes

Les sources chaudes souterraines, par ailleurs réputées pour soigner les affections des jambes, ont favorisé, dans le **parc thermal**, la croissance d'espèces exotiques. On prend plaisir à s'y promener avant de découvrir l'**église**, du 12ᵉ s.

Situé au sud de la ville, le **lac d'Uby** offre, en été, ses rives aménagées en centre de loisirs où l'on peut faire trempette… sans ordonnance.

Poursuivez jusqu'à Labastide-d'Armagnac par la D 626.

Avant d'arriver à Labastide, sur la droite, un chemin mène à la chapelle **Notre-Dame-des-Cyclistes**, attention touchante portée aux pratiquants de la petite reine, qui, comme le dit la prière qui les protège, « parcourent en tous sens la belle nature du seigneur ». L'endroit est charmant et peut servir de halte pique-nique.

Labastide-d'Armagnac★

Très jolie bastide fondée en 1291. Autour de la place Royale, vieilles maisons de pierre à pans de bois sur des arcades où poussent de rosiers grimpants. Imposante tour-clocher du 15ᵉ s.

Saint-Justin

C'est la plus ancienne bastide landaise (1280). Elle a connu Henri IV et Gaston Phœbus.

Revenez à Labastide-d'Armagnac, prenez la D 626 vers Cazaubon, puis à droite la D 209 sur 3,5 km.

Écomusée de l'Armagnac - Château Garreau

ℰ *05 58 44 88 38 - de déb. avr. à mi-nov. : 9h-12h, 14h-18h, w.-end 15h-18h ; de mi-nov. à fin mars : tlj sf w.-end 9h-12h, 14h-18h - 5 € (-12 ans gratuit).*

Cet important domaine a aménagé un musée des vignerons avec des outils et des alambics anciens. Un agréable parcours permet de découvrir la faune des étangs et un bois expérimental où l'on cultive les cèpes. Vente des produits du domaine à la boutique.

Le lent vieillissement de l'armagnac.

S. Sauvignier / MICHELIN

Les adresses des côtes de Gascogne

NOTRE BONNE TABLE

⊜⊜ **Le Café Gascon** – *5 r. Lamartine - 32000 Auch - ℘ 05 62 61 88 08 - cafe. gascon@wanadoo.fr - fermé janv.-mars et merc. - réserv. obligatoire - 20/45 €.* Les deux salles à manger de ce petit restaurant sont séparées par un vieil escalier en bois. Soyez patient car la cuisine du terroir est, ici, réalisée à la minute. À la fin du repas, découvrez le fameux café gascon préparé sous vos yeux.

NOTRE HÔTEL

⊜⊜ **Hôtel de la Paix** – *24 av. des Thermes - 32150 Barbotan-les-Thermes - ℘ 05 62 69 52 06 - hotel.paix@wanadoo.fr - fermé 12 nov.-15 mars -* 🅿 *- 32 ch. 47/66 € - ☕ 7 € - rest. 16/26 €.* Bâtiment récent proche de l'église et du centre thermal. Les chambres, coquettes et bien tenues, sont équipées d'un mobilier fonctionnel.

Cadre très sobre et ambiance « pension de famille » au restaurant qui propose des plats traditionnels (menus diététiques sur commande).

NOTRE BONNE CAVE

Château du Tariquet – *32800 Eauze - ℘ 05 62 09 87 82 - contact@tariquet.com.* Le vignoble, encépagé de colombard, d'ugni blanc, de sauvignon, blanc et gris, de chardonnay, de chenin, de petit et de gros mansengs et de sémillon, est conduit en lutte « raisonnable », dans le respect de l'environnement. Pour les vinifications, le domaine est équipé de huit pressoirs pneumatiques et de cuves en polyester. Le domaine est aujourd'hui réputé non seulement pour ses bas-armagnacs et ses flocs de Gascogne, mais également pour ses vins de pays. 🍷 vin de pays des côtes de Gascogne.

Le Gaillacois

CARTE MICHELIN LOCAL 338 – TARN (81)

Les coteaux du Gaillacois, d'où émergent des villages de contes de fées, rappellent la Toscane et assurent une douce transition entre les influences atlantique et méditerranéenne. Le Gaillacois occupe une zone à l'ouest d'Albi où l'on cultive la vigne depuis les Romains.

LE TERROIR
Superficie : 3 850 ha.
Production : 180 000 hl, dont 60 % en rouge.
Les sols sont graveleux, granitiques ou calcaires de part et d'autre du Tarn.

LES VINS
On y trouve une grande variété de cépages, ce qui explique que la région produise à peu près toutes les sortes de vins : effervescents, blancs secs, blancs doux, rouges et rosés, en AOC **gaillac**.
Cépages braucol, duras, syrah, et cabernet et merlot pour les rouges, mauzac, len-de-lel, muscadelle, et ondenc et sauvignon, pour les blancs.

5 Route des vins de Gaillac

⏺ 80 km. Gaillac se trouve à 54 km au N-E de Toulouse par la N 88 et la D 988. Carte Michelin Local 338, C-D 6-7. Voir le circuit 5 sur le plan p. 400-401.

Gaillac
C'est une ville que l'on découvre à travers le dédale de ses ruelles étroites bordées de maisons anciennes, où la brique et le bois se mêlent avec harmonie.
🥾 La randonnée pédestre des Hauts de Gaillac *(5h, 18 km, difficulté moyenne)* permet de découvrir le vignoble des environs. *Plan à l'office de tourisme.*
Les travaux d'édification de l'**abbatiale St-Michel** débutèrent au 11ᵉ s. et s'échelon-nèrent jusqu'au 14ᵉ s. 🍷 Les anciens bâtiments abbatiaux abritent la **Maison des vins de Gaillac** où vous pouvez vous informer sur le vignoble, déguster et acheter les vins de près d'une centaine de producteurs *(voir nos bonnes caves)*.

Dans le même bâtiment, le **musée de l'abbaye St-Michel** expose des collections archéologique et présente les activités liées à la vigne. ☎ 05 63 57 14 65 - www.ville-gaillac.fr - &. - juil.-août : 10h-12h, 14h-18h ; avr.-juin et sept.-oct. : 10h-12h, 14h-18h ; nov.-mars : 10h-12h, 14h-17h (w.-end et vac. scol. 18h) - fermé 1er janv., 1er Mai, 1er nov. et 25 déc. - 2,50 € (-12 ans gratuit, +12 ans 1,50 €).

☕ Les domaines du **Moulin** et **René Rieux** sont réputés pour leur bon rapport qualité-prix (voir nos bonnes caves).

Quittez Gaillac au nord par la D 922 pour rejoindre Cahuzac-sur-Vère.

Cahuzac-sur-Vère

Cette ancienne place forte possède certains des terroirs les plus réputés du Gaillacois avec notamment le **domaine des Tres Cantous**, connu pour ses extraordinaires Vin d'Autan et Vin de Voile. Érudit et passionné, Robert Plageoles nous conte ses vins avec beaucoup de poésie. 81140 Cahuzac-sur-Vère - ☎ 05 63 33 90 40 - robert-bernard-plageoles@wanadoo.fr - lun.-sam. 8h-12h, 14h-18h, dim. sur RV.

☕ À 4 km à l'ouest, à **Andillac**, le **domaine des Cailloutis** est conduit en agriculture biologique (voir nos bonnes caves).

La D 21 au sud-est de Cahuzac mène au château de Mauriac.

Château de Mauriac★

☎ 05 63 41 71 18 (Emmanuel Bistes) - www.bistes.com - visite guidée (1h) mai-oct. : 15h-18h ; janv.-avr. et nov.-déc. : dim. et j. fériés 15h-18h - 6 € (enf. 4 €).
Ce château, dont certaines parties datent du 14e s., présente une belle et harmonieuse façade. Au rez-de-chaussée, on visite diverses salles où sont exposées les œuvres de Bernard Bistes, peintre et propriétaire du château. Au 1er étage, les pièces sont toutes restaurées et meublées dans des tons et des styles différents.

*Prenez la D 21, puis la D 30 à gauche. À **Noailles**, l'église du 15e s. possède un beau chœur voûté.*

Prenez au nord la D 30, puis tournez à droite dans la D 922.

Cordes-sur-Ciel★★★

Occupant un **site★★** splendide, tout en hauteur, cette ville médiévale domine la vallée du Cérou. Celle que l'on appelle aussi la « ville aux cent ogives » est une cité hors du temps où la lumière vient jouer sur les tons roses et gris des façades en grès.

Visiter Cordes, c'est surtout humer l'air de cette vieille cité, flâner au hasard des ruelles empierrées, parmi un exceptionnel ensemble de **maisons gothiques★★** (13e-14e s.), en admirant le décor sculpté de leurs façades et en « léchant » les vitrines des artisans dont certains font preuve de beaucoup d'originalité !

Au cœur de la ville fortifiée, on rencontre la **maison Prunet** qui abrite le **musée de l'Art du sucre**, paradis (ou enfer) des gourmands. Conservés pour la plupart dans des vitrines, les chefs-d'œuvre présentés sont réalisés à 100 % avec du sucre. ☎ 05 63 56 02 40 - juil.-août : 10h-18h30 ; reste de l'année : 10h-12h30, 14h30-18h - 3 € (6-12 ans 2 €).

Prenez au sud la D 922 en direction de Gaillac, puis, à 8 km, à droite vers le château du Cayla.

Le Cayla

Cette gentilhommière languedocienne fut la demeure familiale d'**Eugénie de Guérin** (1805-1848) et de son frère **Maurice** (1810-1839), écrivains et poètes romantiques auxquels le **musée Maurice-et-Eugénie-de-Guérin** est consacré. Le site paisible, les pièces d'habitation fidèlement reconstituées évoquent de façon émouvante leur mémoire. ☎ 05 63 45 67 36 - visite guidée (1h) - mai-sept. : 10h-12h, 14h-18h ; oct.-avr. : tlj sf lun. 14h-18h - fermé mar., 1er janv., 1er Mai, 1er et 11 Nov., 25 déc. - 2 € (-12 ans gratuit), gratuit 1er dim. du mois (oct.-avr.).

*Continuez par la même route pour rejoindre la D 1 que l'on prend à droite, puis tournez à gauche dans la D 4. La route traverse des paysages où la vigne s'estompe au profit de la forêt. L'église de **Vieux** (14e s.) possède de belles fresques.*

Castelnau-de-Montmiral

Ce pittoresque village juché sur un éperon rocheux est une ancienne bastide, du 13e s. Le nom Montmiral signifie le lieu d'où l'on voit (mirer veut dire « voir » en occitan). De son riche passé, la bastide conserve quelques demeures anciennes, bien mises en valeur par une restauration réussie. Sur la **place des Arcades**, ornée de couverts, remarquez à l'ouest et au sud deux maisons du 17e s. Dans l'**église** paroissiale (15e s.), la **croix-reliquaire gemmée★** des comtes d'Armagnac, dite « croix de Montmiral », est un bel exemple d'orfèvrerie religieuse du 13e s.

🍷 Le **Château de Mayragues** produit de bons gaillacs *(voir nos bonnes caves)*.
Rejoignez Gaillac par la D 964.

EN MARGE DU VIGNOBLE

Rencontrer Toulouse-Lautrec à Albi★★

23 km à l'E de Gaillac par les D 988 et N 88. 🕾 05 63 49 48 70 - www.musee-toulouse-lautrec.com - juil.-août : 9h-18h ; juin et sept. : 9h-12h, 14h-18h ; avr.-mai : 10h-12h, 14h-18h ; mars et oct. : tlj sf mar. 10h-12h, 14h-17h30 ; janv.-fév. et nov.-déc. : tlj sf mar. 10h-12h, 14h-17h - fermé 1ᵉʳ janv., 1ᵉʳ Mai, 1ᵉʳ nov., 25 déc. - 5 € (-14 ans gratuit).

Henri de Toulouse-Lautrec est né à Albi en 1864. Après une enfance marquée par deux accidents qui le rendent difforme, il s'installe à Montmartre en 1882. Valentin le Désossé, la Goulue, Bruant, Jane Avril, personnages de maisons closes, de cabarets deviennent ses modèles. Dessinateur incomparable, il observe et reproduit impitoyablement, laissant paraître le trait de fusain sous la peinture.

Plus de mille œuvres dues à une généreuse donation des parents du peintre sont ici rassemblées. Même si de nombreuses toiles importantes sont absentes du musée, l'ensemble n'en constitue pas moins un fonds des plus intéressants.

Les adresses de la route des vins de Gaillac

NOS BONNES TABLES

🍴 **La Table du Sommelier** – *34 pl. du Griffoul - 81600 Gaillac - 🕾 05 63 81 20 10 - fermé dim. et lun. sf juil.-août - 10 € déj. - 12,50/30 €.* La Table du Sommelier, nantie d'un chaleureux décor associant tables rustiques, caisses en bois et outils viticoles, a définitivement fait craquer les aficionados de la dive bouteille et les inconditionnels du bien manger. Les clés du succès ? Des petits plats canailles et une carte des vins éminemment sympathique.

🍴 **La Falaise** – *Rte de Cordes - 81140 Cahuzac-sur-Vère - 11 km au N de Gaillac par D 922 - 🕾 05 63 33 96 31 - www.lafalaiserestaurant.com - fermé dim. soir, mar. midi et lun. - 21 € déj. - 31/43 €.* Cette petite façade anodine située à la sortie du village, en direction de Cordes, dissimule deux salles à manger particulièrement plaisantes, complétées par une charmante terrasse ombragée de saules. Vous y dégusterez d'alléchantes recettes au goût du jour sous l'escorte généreuse de gaillacs à la robe rubis.

🍴🍴 **Hostellerie du Vieux Cordes** – *21 r. St-Michel, haut de la Cité - 81170 Cordes-sur-Ciel - 🕾 05 63 53 79 20 - www.thuries.fr - fermé janv. - 18/36 € - 18 ch. 49/81 € - ⌓ 8,50 €.* Un vieux monastère au cœur de la splendide cité médiévale couronnant le puech de Mordagne : l'étape ne manque pas de caractère. Attablez-vous sur la terrasse ou dans le séduisant patio pour vous régaler d'une cuisine du terroir faisant la part belle au saumon et au canard. Certaines chambres viennent d'être rénovées.

NOS HÔTELS ET CHAMBRES D'HÔTE

🏨🏨 **Hôtel Verrerie** – *R. de l'Égalité - 81600 Gaillac - 🕾 05 63 57 32 77 - www.la-verrerie.com - 🅿 - 14 ch. 53/68 € - ⌓ 9 € - rest. 21/35 €.* Un minimusée évoque le passé de cette bâtisse bicentenaire, jadis verrerie puis fabrique de pâtes, qui abrite aujourd'hui des chambres modernes et pratiques, à choisir de préférence côté parc (ce dernier s'agrémente d'une belle bambouseraie). Lumineuse salle à manger prolongée d'une agréable terrasse.

🏨🏨 **Chambre d'hôte Aurifat** – *81170 Cordes-sur-Ciel - 🕾 05 63 56 07 03 - www.aurifat.com - fermé de mi-déc. à mi-fév. - ⌿ - 4 ch. 66/74 € ⌓.* Un lieu enchanteur : cette ancienne tour de garde du 13ᵉ s. en briques et colombages, flanquée d'un pigeonnier, a été joliment restaurée. Les chambres (non-fumeurs) sont coquettes et le jardin en terrasse ouvre sur les champs. Belle piscine. Pour visiter Cordes, allez-y à pied !

NOS BONNES CAVES

MAISON DES VINS

Maison des vins de Gaillac - Caveau St-Michel – *Abbaye St-Michel - 81600 Gaillac - 🕾 05 63 57 15 40 - www.vins-gaillac.com - juil.-août : 10h-13h, 14h-19h ; reste de l'année : 10h-12h, 14h-18h - fermé 1ᵉʳ janv., 1ᵉʳ Mai, 1ᵉʳ nov. et 25 déc.* Cette maison des vins bordée par le Tarn présente la production de 90 domaines viticoles et 3 caves coopératives appartenant à l'appellation gaillac. Au programme : dégustations et vente directe, présentation du vignoble et stages d'initiation à la dégustation.

DOMAINES

Domaine du Moulin – *Chemin de Bastié - 81600 Gaillac - 🕾 05 63 57 20 52 - hirissou81@wanadoo.fr - 9h-12h, 14h-19h, dim. en sais.* La famille Hirissou exploite ce domaine viticole depuis cinq générations. Le vigneron vous invite à découvrir, entre autres, sa cuvée Vieilles Vignes Rouge – récompensée au Concours des vins de

Gaillac – dans son beau caveau de dégustation situé à flanc de coteau, en plein cœur du vignoble gaillacois. Accueil chaleureux d'un passionné par son métier et sa région. 🍷 gaillac.

Domaine René Rieux – *1495 rte de Cordes - 81600 Gaillac -* 📞 *05 63 57 29 29 - lun.-sam. (sf sam. matin) 9h-17h.* Le domaine exploite 20 ha de vignes en coteaux sur des sols argilo-calcaires. Les méthodes de culture, comme le travail du sol ou l'amendement organique ont pour objectif de favoriser l'expression du terroir et des cépages. Les vendanges sont manuelles et les raisins transportés en caisses ou en petite remorque avant leur pressage par grappes entières. La gamme Harmonie bénéficie d'une vinification traditionnelle en cuves, tandis que les vins de la gamme Concerto sont vinifiés et élevés en barriques. Enfin, les vins de mousse de la gamme Symphonie sont vinifiés selon la méthode gaillacoise sans adjonction de liqueur et avec des levures naturelles. 🍷 gaillac, gaillac doux, gaillac mousseux.

Domaine des Cailloutis – *81140 Andillac -* 📞 *05 63 33 97 63 - mai-oct : tlj 13h-19h sur RV.* Après avoir enseigné l'œnologie en Bourgogne durant sept ans, Bernard Fabre reprend l'exploitation de ce vignoble en 1998. Les 7 ha de vignes, âgées pour certaines de plus de 50 ans, sont encépagés de braucol, de duras, de mauzac et de jurançon noir, pour les rouges, d'ondenc et de len de lel pour les blancs. Elles sont conduites en agriculture

Les différents vins de Gaillac.

biologique. Les vinifications sont effectuées sans levurage, ni chaptalisation, puis la cuvée Prestige en Gaillac rouge profite d'un élevage d'un an en fûts de chêne. 🍷 gaillac, gaillac doux, vin de pays du Tarn.

Château de Mayragues – *12 km au NE de Gaillac par la D 964 puis D 15 - 81140 Castelnau-de-Montmiral -* 📞 *05 63 33 94 08 - www.chateau-de-mayragues.com - tlj sf dim. 9h-19h - fermé 25 déc.* Moult raisons incitent à visiter ce château : son architecture fortifiée des 14e et 16e s., son environnement vallonné, ses vignobles (culture biodynamique) et sa production de gaillac : rouge, blanc sec, blanc doux, mousseux et pétillant. Possibilité d'hébergement (deux originales chambres d'hôte et un gîte). 🍷 gaillac, gaillac doux, vin de pays du Tarn.

Le pays de la Rivière-Basse

CARTE MICHELIN LOCAL 336 – GERS (32)

La région, très vallonnée, annonce les Pyrénées. Au sud-ouest du Gers, débordant sur les Hautes-Pyrénées, le vignoble de l'appellation madiran est l'un des plus réputés de Gascogne pour ses vins rouges au fort caractère. Le pacherenc-du-vic-bilh, produit sur la même zone, est un vin blanc généralement moelleux, mais qui peut être sec. Les côtes-de-saint-mont, à la périphérie du madiran, sont d'agréables vins blancs, rouges et rosés. Ces trois appellations doivent beaucoup au dynamisme des caves coopératives.

⑥ Route du madiran, du pacherenc-du-vic-bilh et des côtes-de-saint-mont

▶ 75 km. St-Mont se trouve à 52 km au N-E de Pau par la N 134, la D 646 et la D 946. Carte Michelin Local 336, B-C 7-8. Voir le circuit ⑥ sur le plan p. 400-401.

Saint-Mont
Outre ses pittoresques ruelles, le village est dominé par une église abbatiale (11e-13e s.) possédant de très beaux chapiteaux romans. 🍷 Mais sa principale attraction est la **Cave des producteurs Plaimont**. Cette importante union de coopératives est à l'origine de la reconversion d'une partie du vignoble d'armagnac dans la production de vins de qualité *(voir nos bonnes caves).*

Prenez au sud la D 946, puis tournez à gauche dans la D 262 pour rejoindre Viella.

LE TERROIR
Superficie : 1 300 ha en madiran, 250 ha en pacherenc-du-vic-bilh.
Production : 65 000 hl en madiran et 9 000 hl en pacherenc-du-vic-bilh.
Les sols sont argileux ou argilo-calcaires.

LES VINS
AOC madiran : cépages tannat (surtout), cabernet franc, cabernet-sauvignon et fer servadou qui donnent des vins tanniques, de garde.
AOC côtes-de-st-mont : cépages tannat, fer-servadou, cabernet franc, cabernet-sauvignon.
AOC pacherenc-du-vic-bilh : cépages courbu, clairette, arrufiac, gros-manseng, petit-manseng, sémillon, sauvignon.

BON À SAVOIR
👁 **Commission interprofessionnelle des vins de Madiran et du Pacherenc-du-Vic-Bilh** – ✆ 05 62 31 90 67 - www.civso.com

---

La route, surplombant le vignoble, offre de très belles vues jusqu'aux Pyrénées. 🍷 À **Viella**, le **Château de Viella**, belle bâtisse du 18e s., est réputé *(voir nos bonnes caves)*.
Poursuivez à l'est vers Maumusson-Laguian par la D 136.

Maumusson-Laguian
🍷 Le **Château Laffitte-Teston** mérite une visite : la cave magnifique du domaine repose sur un impressionnant chai à barriques souterrain. *32400 Maumusson-Laguian - ✆ 05 62 69 74 58 - www.chateau-laffitte-teston - lun.-sam. 9h-12h30, 13h30-19h.*
Prenez au sud une petite route que l'on quitte à droite pour la D 317 vers Aydie.

Aydie
Aydie est la plus importante commune de l'AOC madiran. 🍷 Le **Château d'Aydie-Vignobles Laplace** est réputé pour la qualité de ses vins comme pour son accueil *(voir nos bonnes caves)*.
Continuez sur la D 317.

Crouseilles
🍷 Le **Château de Crouseilles**, belle bâtisse béarnaise du 18e s., appartient à la **cave coopérative** qui réunit 250 producteurs *(voir nos bonnes caves)*.
Prenez au nord-est la D 139.

Madiran
C'est à partir de son village éponyme que le vignoble de l'AOC madiran a été implanté par les moines bénédictins au 11e s. De l'abbaye, il reste la vaste **église abbatiale** du 12e s. construite sur une remarquable crypte. La **Maison des vins du pacherenc et du madiran** vous accueille dans l'ancien prieuré, à côté de l'église. Vous y trouverez des renseignements sur le vignoble ainsi qu'une dégustation et vente « tournante » des vins des producteurs locaux. *65700 Madiran - ✆ 05 62 31 90 67 - www.civso.com - juil.-août : 10h-18h, dim. 11h-12h30, 14h-18h ; hors sais. : tlj sf dim. et lun. 9h-12h30, 14h-17h30, sam. 10h30-17h30 - fermé sem. de Noël, 14 Juil. et 15 août.*
Prenez au nord-est la D 58, tournez à gauche dans la D 935, puis rejoindre Plaisance par la D 946 à droite.

Plaisance
Cette petite ville tranquille possède une place du 14e s. bordée de maisons à colombages. 🍷 Avec celle de St-Mont, la **cave coopérative** fait partie de l'**Union des producteurs Plaimont**. On y trouve donc les mêmes vins *(voir nos bonnes caves)*.
Quittez Plaisance au nord par la D 3, tournez à droite dans la D 20.

Aignan
À l'orée d'une vaste forêt, Aignan, ancien castelnau réputé pour sa production d'armagnac, conserve quelques vestiges de son passé médiéval : une place à couverts que supportent des piliers de bois, des maisons à colombages et une église romane qui s'ouvre par un beau portail sculpté.

Sabazan

Ce village perché mérite un détour, car il possède une église romane remarquablement élancée. Admirez les hourds (charpente disposée en encorbellement au sommet d'une tour ou de murailles, permettant aux assiégés de répandre toutes sortes de projectiles sur les agresseurs parvenus au pied de la muraille) qui couronnent le clocher.

Termes-d'Armagnac

La forteresse de Thibaut de Termes (1405-1467), compagnon de Jeanne d'Arc, ne possède plus que son donjon et une partie du corps de logis. Sur la terrasse sud, après avoir gravi un escalier à vis aussi raide qu'obscur, on pourra découvrir les figures de cire du **musée du Panache gascon** : mousquetaires gascons (d'Artagnan en tête), Henri IV, le départ de Thibaut en sont les points forts. ✆ 05 62 69 25 12 - www.toursdetermes.com - juin-sept. : 10h-19h30, mar. 15h-19h30 ; oct.-mai : tlj sf mar. 14h-18h - fermé 1er janv. et 25 déc. - 5 € (enf. 4 €).

De la plate-forme du donjon haut de 39 m, beau **panorama★** sur la vallée de l'Adour et les Pyrénées.

Rejoignez St-Mont en passant par Riscle.

Les adresses de la route du madiran

NOTRE BONNE TABLE

👄 **La Chaumière de Bidouze** – *Bidouze - 32400 Riscle - 3 km rte de Pau et chemin à droite - ✆ 05 62 69 86 56 - www.chaumieredebidouze.com - fermé 24 déc.-1er janv. - 12/30 € - 14 ch. 40/50 € - ⌁ 6 €.* Ambiance chaleureuse, calme et bons produits du terroir assurent l'image de marque de cette chaumière, située au cœur de la campagne gersoise. Divine cuisine gasconne. Nombreuses formules d'hébergement : chambres classiques, suite, studios.

NOTRE HÔTEL

👄 **Relais du Bastidou** – *À Cayron - 32160 Beaumarchés - ✆ 05 62 69 19 94 - www.le-relais-du-bastidou.com - fermé 10-20 fév. et 20 oct.-30 nov. - 🅿 - 8 ch. 45/65 € - ⌁ 8 € - rest. 18/32 €.* Cette ancienne ferme isolée en pleine nature vous garantit le plus grand calme. Les chambres, installées dans la grange, affichent un joli décor rustique chic. Sauna et jacuzzi. Salle à manger campagnarde réchauffée par une belle cheminée en briques.

NOS BONNES CAVES

CAVES COOPÉRATIVES

Les Producteurs Plaimont – *Rte d'Orthez - 32400 St-Mont - ✆ 05 62 69 62 87 - f.lhau@plaimont.fr - lun.-vend. 9h-12h, 14h-17h - sur RV.* La cave compte 1 000 adhérents et 2 500 ha de vignes. Les vendanges sont manuelles et le travail de vinification s'effectue par gravité. Une partie des vins rouges est élevée en fûts de chêne, de quatre à quatorze mois ; l'autre partie propose des vins sur le fruit. Les vins blancs sont en partie vinifiés sur lies. Les Producteurs Plaimont possèdent plus de 5 000 barriques qu'ils renouvellent par tiers tous les ans. 🍷 côtes-de-saint-mont, madiran, pacherenc-du-vic-bilh, vin de pays des côtes du Condomois, vin de pays des côtes de Gascogne.

Cave de Crouseilles – *64350 Crouseilles - ✆ 05 59 68 10 93 - d.degache@crouseilles.com - dégustation, vente : mai-sept. : 9h-13h, 14h-19h, dim. 10h-19h ; oct.-avr. : 9h30-12h30, 14h-18h, dim. 13h-18h. Visite sur RV de la cave et des chais - fermé 1er janv. et 25 déc.* En moins de 50 ans la cave de Crouseilles, sise au château du même nom, a acquis une renommée incontestable dans le monde du vin. Dans sa salle de vente et de dégustation, vous ferez connaissance avec le madiran rouge et le pacherenc-du-vic-bilh sec ou moelleux, appellations phares du domaine.

DOMAINES

Château de Viella – *Rte de Maumusson - 32400 Viella - ✆ 05 62 69 75 81 - lun.-sam. 8h30-19h.* Situées sur la commune de Viella, les vignes encépagées de petit manseng, de tannat et d'arrufiac couvrent quelque 25 ha de coteaux argileux à galets, bénéficiant d'un excellent ensoleillement. Les vendanges sont manuelles, puis les raisins sont vinifiés avec une cuvaison longue. Les vins sont ensuite élevés en barriques neuves. 🍷 madiran, pacherenc-du-vic-bilh.

Château d'Aydie - Vignobles Laplace – *64330 Aydie - ✆ 05 59 04 08 00 - pierre.laplace@wanadoo.fr - tlj 9h-12h30, 14h-19h.* En 1961, la famille Laplace fut la pionnière de la mise en bouteilles à la propriété. Les quatre enfants de Pierre Laplace ont ensuite abandonné la polyculture pour se consacrer exclusivement au travail de la vigne. Le domaine compte aujourd'hui 55 ha plantés sur des sols argilo-calcaires et argilo-siliceux. Les madirans sont élevés en barriques durant dix-huit mois. Le domaine produit également un vin de liqueur, le Maydie. 🍷 madiran, pacherenc-du-vic-bilh, vin de pays des côtes de Gascogne.

Le vignoble de Jurançon

CARTE MICHELIN LOCAL 342 – PYRÉNÉES-ATLANTIQUES (64)

L'ombre du bon roi Henri IV plane sur Jurançon et son vignoble depuis que les lèvres du futur monarque furent humectées du précieux nectar lors de son baptême. Le vignoble de Jurançon s'étend sur les pentes raides du piémont pyrénéen au sud de Pau. Les hautes vignes offrent un charmant paysage, avec en toile de fond la chaîne des Pyrénées.

LE TERROIR

Superficie : 1 050 ha.
Production : 40 000 hl.
Les vignes sont implantés sur des sols d'argile, de silice et de galets au pied des Pyrénées.

LES VINS

L'**AOC jurançon** ne produit que des vins blancs liquoreux, moelleux ou secs, à partir des cépages camaralet de Lasseube, gros-manseng, petit-manseng, courbu et lauzet.

BON À SAVOIR

L'appellation est gérée par deux entités : la route des Vins du Jurançon, association des vignerons indépendants, et la cave coopérative de Gan-Jurançon.

La route des Vins du Jurançon – *Maison des vins et du terroir du Jurançon -* ☎ *05 59 82 70 30 - www.vins-jurancon.fr*

---

⑦ Route du jurançon

⭕ 55 km. Pau se trouve à 40 km au N-O de Tarbes par la N 117. Carte Michelin Local 342, J-K 3. Voir l'itinéraire ⑦ sur le plan p. 400-401.

Pau★★

C'est l'élégante ville natale d'Henri IV. Un funiculaire relie la haute ville *(pl. Royale)* à la basse ville *(gare SNCF)*. *Gratuit.*

Le **boulevard des Pyrénées**★★ offre une magnifique vue sur la chaîne des Pyrénées. Le **panorama**★★★ s'étend du pic du Midi de Bigorre au pic d'Anie. *Les plaques apposées sur la balustrade désignent les sommets en vis-à-vis avec leurs altitudes respectives.*

Dominant le gave, le **château**★★, élevé par Gaston Phœbus au 14ᵉ s., a perdu tout caractère militaire, malgré son donjon de brique. Transformé en palais Renaissance par Marguerite d'Angoulême, il fut entièrement restauré au 19ᵉ s. sous Louis-Philippe et Napoléon III. Les **appartements** forment une suite de salles richement décorées qui abritent une admirable collection de **tapisseries**★★★. Dans la **chambre du roi** se trouve l'étonnant berceau de Henri IV : une carapace de tortue des Galapagos ! ☎ *05 59 82 38 07 - www.musee-chateau-pau.fr - visite guidée (1h15) - de mi-juin à mi-sept. : 9h30-12h15, 13h30-17h45 ; de mi-sept. à mi-avr. : 9h30-11h45, 14h-17h - fermé 1ᵉʳ janv., 1ᵉʳ Mai, 25 déc. - 5 €, gratuit 1ᵉʳ dim. du mois.*

À l'est du château s'étend les quartiers anciens, un lacis de rues pittoresques, bordées de magasins d'antiquaires et de restaurants, où il fait bon flâner.

Quittez Pau au sud par la N 134. Le village de **Jurançon** *est à présent intégré à l'agglomération paloise et rares sont les vignes qui y poussent encore.*

Prenez au nord-ouest la D 2. À **Laroin***, vous pouvez faire halte au* **domaine de Souch***, particulièrement réputé et cultivé en biodynamie* (voir nos bonnes caves).

Prenez à gauche la D 502, en lacet.

La Cité des Abeilles

☎ *05 59 83 10 31 - www.citedesabeilles.com - juil.-août : 14h-19h (dernière entrée 1h av. fermeture) ; avr.-juin, de déb. sept. à mi-oct. : tlj sf lun. 14h-19h ; de mi-oct. à fin mars : w.-end et j. fériés 14h-18h - fermé de mi-déc. à fin janv. - 6 € (enf. 4 €).*

👫 Pour découvrir l'abeille et son environnement, cet écomusée didactique propose un parcours pédestre tracé à flanc de pente, au milieu de plantes mellifères.

Tournez à gauche dans une petite route qui rejoint la D 217 que l'on prend à gauche. Empruntez ensuite à droite la D 230.

Le secteur de **la Chapelle-de-Rousse**, est, au propre comme au figuré, l'un des hauts lieux du jurançon avec de nombreux domaines installés généralement autour de très belles demeures. Le **Clos Lapeyre** a ouvert un musée de la Vigne et du Vin, installé dans le chai. ⚘ Un **sentier thématique** permet une découverte du vignoble le temps d'une agréable balade. *La Chapelle-de-Rousse - 64110 Jurançon - ☏ 05 59 21 50 80 - www.jurancon-lapeyre.fr - lun.-sam. 9h-12h, 14h-18h - sur RV.*

Continuer vers le sud et, par une petite route sur la droite, rejoindre Gan.

Gan

🍷 La **cave coopérative de Gan** a été en grande partie à l'origine du renouveau du jurançon dans les années 1970 *(voir nos bonnes caves)*.

Prendre la D 24 à l'ouest jusqu'à Lasseube.

Lasseube

Ce gros bourg possède le caractère des villages pyrénéens. L'église, comme les vieilles maisons du village, est de style gothique (16e s.). 🍷 À la limite sud de l'AOC jurançon, Lasseube n'en compte pas moins quelques domaines de qualité comme le **domaine Bordenave-Coustarret** *(voir nos bonnes caves)*.

Quittez Lasseube au nord par la D 34 en direction de Monein.

La route pénètre au cœur du vignoble entre Lacommande et Monein. À **Lacommande**, l'imposante **église St-Blaise** (12e-18e s.) présente une étonnante accumulation de styles, dont une voûte hispano-mauresque dans la chapelle nord. 🍷 La **Maison des vins et du terroir du Jurançon** vous conseillera en matière de vins *(voir nos bonnes caves)*.

Monein

Monein peut s'enorgueillir de compter parmi les meilleurs vignobles du jurançon ; vous pourrez en juger par vous-même à la **Confrérie du jurançon**. ☏ 05 59 21 34 58 - ♿ - *visite guidée (30mn) sur demande 48 h à l'avance - de mi-juil. à fin août : lun.-sam. 9h30-12h, 14h30-19h - de déb. sept. à mi-juil. : mar.-sam. 9h30-12h, 14h30-19h - gratuit.*
🍷 C'est d'ailleurs dans le secteur de Monein que l'on trouve les cuvées les plus remarquables de jurançon doux, souvent vendangées au début de l'hiver, comme celles des **domaines Cauhapé, Bru-Baché**, **Clos Uroulat** ou de **Bellegarde** *(voir nos bonnes caves)*.

EN MARGE DU VIGNOBLE

Cuisiner à la ferme

Hôtel de la Reine Jeanne – *À 41 km au N-O de Pau par la N 117. 44 r. du Bourg-Vieux, 64300 Orthez - ☏ 05 59 67 00 76 - www.reine-jeanne.fr.* Un stage d'initiation à la cuisine traditionnelle à la ferme est organisé de mi-oct. à fin avril.

Les adresses de la route du jurançon

NOS BONNES TABLES

🍽 **La Michodière** – *34 r. Pasteur - 64000 Pau - ☏ 05 59 27 53 85 - fermé 25 juil.-20 août, dim. et j. fériés - 14/25 €.* La salle à manger du rez-de-chaussée offre le coup d'œil sur les cuisines où le chef s'applique à régaler les convives de sympathiques plats choisis en fonction du marché. Homard sauce corail et escalope de foie de canard façon Michodière, valeurs sûres de l'enseigne, sont proposés à tous les repas.

🍽🍽 **La Table d'Hôte** – *1 r. du Hédas - 64000 Pau - ☏ 05 59 27 56 06 - la-table-dhote@wanadoo.fr - fermé vac. de Toussaint, lun. sf le soir en juil.-août et dim. - 22/28 €.* La cuisine du chef, servie dans une belle salle à manger rustique, privilégie recettes et produits du terroir, donnant aux assiettes l'accent chantant du Béarn. Sur la carte des vins, jurançons

et madirans figurent en bonne place, offrant la perspective de jolis accords avec les mets régionaux.

NOS HÔTELS

🏨🏨 **Hôtel Central** – *15 r. Léon-Daran - 64000 Pau - ☏ 05 59 27 72 75 - www.hotelcentralpau.com - fermé 18 déc.-3 janv. - 28 ch. 49/60 € - ☕ 6,50 €.* Vous serez bien accueilli dans ce petit hôtel situé en plein centre-ville. Les chambres, d'ampleur et de confort variés, sont progressivement rénovées et personnalisées ; certaines bénéficient d'une connexion Internet sans fil. Bonne insonorisation et tenue sans reproche.

🏨🏨 **Hôtel de Gramont** – *3 pl. Gramont - 64000 Pau - ☏ 05 59 27 84 04 - www.hotelgramont.com - fermé 20 déc.-5 janv. - 33 ch. 58/92 € - ☕ 8,50 €.* Ce relais de poste daterait du 17e s. et serait le plus vieil hôtel de Pau. Alfred de Vigny y composa le célèbre poème Le Cor en 1825. Les chambres, personnalisées, s'agrémentent de meubles anciens. Celles du dernier étage, moins spacieuses, ont été rénovées récemment.

NOS BONNES CAVES

CAVE COOPÉRATIVE

Cave des producteurs de Jurançon – *53 av. Henri-IV - 64290 Gan - ℰ 05 59 21 57 03 - www.cavedejurancon.com - 8h-12h, 13h30-19h - fermé dim. sf juin-août et j. fériés.* Grain Sauvage au goût intense de raisin, Château de Navailles obtenu par vendanges manuelles et tris successifs, Peyre d'Or, superbe jurançon sec, Château Les Astous ou Croix du Prince, parfait pour l'apéritif… Toutes ces merveilles sont à découvrir à un très bon rapport qualité-prix dans cette vitrine du jurançon.

MAISON DES VINS

Maison des vins et du terroir du Jurançon – *64360 Lacommande - ℰ 05 59 82 74 64 - de mi-juin à mi-de sept. : lun.-sam. 10h-12h, 15h-19h, dim. et j. fériés 15h-19h ; de mi-sept. à mi-juin : merc.-dim. 14h-18h.*

DOMAINES

Domaine de Souch – *805, chemin de Souch - 64110 Laroin-Jurançon - ℰ 05 59 06 27 22 - hegoburu@imaginet.fr -Tlj 9h-12h, 14h-18h - sur RV le dim.* Lorsque René et Yvonne Hegoburu achètent le domaine en 1963, la vigne n'y est plus cultivée depuis 1776, suite aux ravages du phylloxéra et des guerres successives. À la mort de René en 1985, Yvonne décide de replanter le vignoble pour continuer à vivre de la propriété familiale et entretenir la mémoire de son mari dans la région. Le vignoble, encépagé de courbu et de petit et gros mansengs est exploité en biodynamie, réduisant l'utilisation de produits chimiques et éliminant pesticides et désherbants. ℙ jurançon, jurançon sec.

Domaine Bordenave-Coustarret – *Chemin Ranque - 64290 Lasseube - ℰ 05 59 21 72 66 - domainecoustarret@wanadoo.fr.* Le domaine, propriété familiale depuis six générations, est aux mains d'Isabelle Bordenave-Coustarret, rejointe par son fils Sébastien en 1995. Le vignoble, situé sur des sols limono-argilo-caillouteux, s'étend sur 4,5 ha, encépagés de gros manseng (40 %), de petit manseng (50 %) et de courbu (10 %). Il est conduit en lutte raisonnée, avec travail du sol, enherbement et limitation des traitements. Les vendanges sont manuelles, puis la vinification a lieu en cuves Inox thermorégulées et en barriques pour la cuvée Barou. Les vins sont ensuite élevés en barriques, de quatre à douze mois. ℙ jurançon.

Domaine Cauhapé – *Quartier Castet - 64360 Monein - ℰ 05 59 21 33 02 - domainecauhape@wanadoo.fr.* Vigneron réputé du jurançon, Henri Ramonteu exploite un vignoble de 40 ha, plantés en coteaux et exposés sud-est. Petit et gros mansengs s'enracinent dans des sols argilo-siliceux, parsemés de cailloux et de gravelles. Les vendanges tardives coïncident avec les premières neiges. ℙ béarn, jurançon, jurançon sec.

Domaine Bru-Baché – *R. Barada - 64360 Monein - ℰ 05 59 21 36 34 - lun.-sam. 9h-12h, 14h-18h - sur RV.* Le domaine s'étend sur 10 ha, encépagés de petit et gros mansengs. La vigne plonge ses racines sur les pentes des Casterasses aux sols argilo-limoneux, au-dessus du bourg de Monein. Adepte des méthodes naturelles de culture et de vinification, Claude Loustalot conduit son vignoble en lutte raisonnée. Les vendanges sont manuelles, puis les vins sont élevés en fûts de chêne, de seize à dix-huit mois. ℙ jurançon, jurançon sec.

Clos Uroulat – *Quartier Trouilh - 64360 Monein - ℰ 05 59 21 46 19 - lun.-sam. - sur RV.* Œnologue, Charles Hours a créé ce petit domaine avec sa fille, Marie, en 1983. Le vignoble compte 15 ha, plantés de petit et gros mansengs. Les vignes s'enracinent dans des sols de poudingues calcaires, associés à des argiles à galets peu perméables. Après les vendanges manuelles, les raisins sont vinifiés et élevés en fûts de chêne. Certaines cuvées sont élaborées à partir de baies passerillées. ℙ jurançon, jurançon sec.

Domaine de Bellegarde – *Quartier Coos - 64360 Monein - ℰ 05 59 21 33 17 - domaine. bellegarde@wanadoo.fr - lun.-sam. 10h-12h, 14h-18h30 - sur RV.* Créé en 1926, le domaine familial s'étend sur 16 ha, encépagés de petit et gros mansengs. Les vendanges sont manuelles, puis la récolte est vinifiée en cuves Inox. Les vins sont ensuite élevés, selon les cuvées, de six à vingt-quatre mois en fûts de chêne. ℙ jurançon.

Le vignoble d'Irouléguy

CARTE MICHELIN LOCAL 342 – PYRÉNÉES-ATLANTIQUES (64)

Aux portes de St-Jean-Pied-de-Port et de l'Espagne, dans les Pyrénées-Atlantiques, l'irouléguy est la seule appellation du Pays basque français. Les vignes en pentes raides s'épanouissent dans un paysage nettement montagnard mais à une altitude ne dépassant pas 400 m.

LE TERROIR

Superficie : 210 ha.

Production : 55 000 hl.

Les sols des terrasses sont calcaires, argilo-graveleux et argilo-limoneux.

LES VINS

L'**AOC irouléguy** donne des vins dans les trois couleurs, dont des rouges bien structurés, et des rosés nerveux.

Les vins sont issus des cépages cabernet franc, cabernet-sauvignon, tannat pour les rouges, cépages courbu, petit et gros mansengs pour les blancs.

Route de l'irouléguy

▶ Nous ne proposons pas d'itinéraire, mais plutôt une visite des villes et villages phares de l'appellation. Ces derniers figurent sur le plan p. 400-401 et sur la carte Michelin Local 342, D-E 3-4. St-Jean-Pied-de-Port se trouve à 53 km au S-E de Bayonne par la N 263, la D 932 et la D 918.

Saint-Jean-Pied-de-Port★

La citadelle rénovée par Vauban veille sur la ville aux murs rougis par le grès.

En descente vers la Nive, la rue de la citadelle est bordée de maisons des 16e et 17e s. Au no 41, la « **prison des évêques** » abrite une exposition évoquant les chemins de St-Jacques au Moyen Âge. *Juil.-août : 10h-19h ; de mi-avr. à fin juin et sept.-oct. : tlj sf mar. 11h-12h30, 14h-18h30 - 3 € (-10 ans gratuit).*

Dans la rue de l'Église, l'**église Notre-Dame**, gothique, présente de beaux piliers de grès.

Du bastion de la **citadelle**, vous pouvez voir tout le bassin de Saint-Jean et ses jolis villages (table d'orientation).

🍷 Le **domaine Brana**, magnifique bastide d'inspiration navarraise trônant au milieu des vignes, est l'un des rares producteurs indépendants du secteur. Il propose un très bel assortiment d'irouléguys ainsi qu'une remarquable eau-de-vie de poire. *℘ 05 59 37 00 44 - de déb. juil. à mi-sept. : 10h-12h, 14h30-18h30 - 8 €.*

Au domaine Brana.

🍷 À **Ispoure**, à la sortie nord de St-Jean-Pied-de Port, la **Ferme Abiota** produit d'excellents vins *(voir nos bonnes caves)*.

🍷 Au village d'**Irouléguy** *(sur la D 15, entre St-Jean-Pied-de-Port et St-Étienne-de-Baïgorry)*, le **domaine Arretxea** est une très bonne référence *(voir nos bonnes caves)*.

Saint-Étienne-de-Baïgorry★

11 km à l'ouest de St-Jean-Pied-de-Port par la D 15. 🍷 Ce village basque typique est le cœur de l'appellation irouléguy, comme on peut le constater à la **cave coopérative des Vignerons du Pays basque** *(voir nos bonnes caves)*.

Reconstruite au 18e s. sur une souche romane remaniée, l'**église St-Étienne★** est intéressante par ses trois étages de galeries, une particularité du Pays basque.

Les adresses de la route de l'Irouléguy

NOS BONNES TABLES

🍴🛏 **Pecoïtz** – *Rte d'Iraty - 64220 Aincille - 7 km au SE de St-Jean-Pied-de-Port par D 933 et D 18 - ℘ 05 59 37 11 88 - pecoitz@wanadoo.fr - fermé 1er janv.-15 mars et vend. d'oct. à mai - 23/34 € - 14 ch. 40/45 € - 🍽 5 €.* Chaleureux restaurant mettant à l'honneur les recettes de la cuisine basque : piperade au jambon, poulet basquaise, etc. Préparés avec passion, ces plats exhalent toute leur saveur lorsqu'ils sont arrosés d'un irouléguy de derrière les fagots. Quelques chambres modestes mais propres.

⊖🍷 **Arcé** – Rte du Col-d'Ispéguy - 64430 St-Étienne-de-Baïgorry - ℘ 05 59 37 40 14 - www.hotel-arce.com - fermé de mi-nov. à mi-mars, merc. midi et lun. du 15 sept. au 15 juil. sf j. fériés - 25/38 €. L'écrin de verdure qui entoure la maison, la typique façade blanche aux volets rouges, la coquette terrasse ombragée de platanes, les eaux frémissantes de la rivière, le chaleureux accueil familial… La table ? Vous ne voudrez certainement plus la quitter après avoir goûté à la généreuse cuisine régionale du chef !

NOTRE HÔTEL

⊖🍷 **Hôtel Central** – Pl. Charles-de-Gaulle - 64220 St-Jean-Pied-de-Port - ℘ 05 59 37 00 22 - fermé 1er déc.-1er mars et mar. de mars à juin - 12 ch. 58/77 € - ⬛ 8 € - rest. 19/44 €. Comme son nom l'indique, un hôtel bien situé, en plein quartier animé. Un escalier bicentenaire conduit à des chambres un brin démodées ou récemment rajeunies, toutes équipées d'une bonne isolation phonique.

NOS BONNES CAVES

CAVE COOPÉRATIVE

Cave coopérative des Vignerons du Pays basque – Rte de St-Jean-Pied-de-Port - 64430 St-Étienne-de-Baïgorry - ℘ 05 59 37 41 33 - lun.-dim. 9h-12h, 14h-18h30 - fermé dim. oct.-mai - visite guidée sur demande (3 €). Elle vinifie l'essentiel de l'AOC irouléguy et propose de nombreuses cuvées de qualité.

DOMAINES

Ferme Abotia – À Ispoure - 64220 St-Jean-Pied-de-Port - ℘ 05 59 37 03 99 - www.abotia.com - 8h-12h, 14h-18h, dim. et j. fériés sur RV - fermé pdt les vendanges. Ce domaine exploité depuis plusieurs générations par les Errecart met son savoir-faire au service de deux produits phares de la gastronomie basque : un excellent AOC irouléguy, deux fois primé au Concours Général Agricole et une viande de porc fermier de premier choix, proposée à la vente selon une formule originale. 🍷 irouléguy.

Domaine Arretxea – 64220 Irouléguy - ℘ 05 59 37 33 67. Ce vignoble de montagne, planté en terrasses, s'étend sur 8 ha. Il est conduit en agriculture biologique, certifié par Écocert, avec une approche biodynamique : ici, on ne connaît pas l'engrais chimique, mais on est adepte du désherbage mécanique, de l'emploi d'insecticides biologiques et de l'apport en compost, de l'utilisation de plantes et des aménagements paysagers pour préserver l'écosystème. Les vendanges sont manuelles avec tri et les vins sont élevés sur lies. 🍷 irouléguy.

Le vignoble aveyronnais

CARTE MICHELIN LOCAL 338 – AVEYRON (12)

Marcillac, estaing, entraigues-le-fel, côtes-de-millau, le vignoble aveyronnais est une mosaïque de petites appellations qui ont refusé de disparaître après le phylloxéra. Maintenus sur des « faïsses », terrasses peu favorables à la culture qu'entretient une poignée de vignerons résistants, ces vignobles sont d'autant plus intéressants qu'ils se situent dans les magnifiques paysages des gorges du Tarn et de la vallée du Lot.

LES TERROIRS

Superficie : marcillac 170 ha ; entraygues et fel : 20 ha ; estaing : 19 ha.
Production : marcillac 7 400 hl ; entraygues et fel : 550 hl ; estaing : 700 hl.
Les sols sont granitiques à Entraygues, schisteux au Fel, argilo-calcaires ou schisteux à Estaing.

LES VINS

AOC marcillac : cépages fer servadou, cabernet franc, cabernet-sauvignon et merlot pour les rouges et les rosés.
AOVDQS vins d'entraygues et du fel et vins d'estaing : cépages cabernet franc, cabernet-sauvignon, fer servadou, gamay, jurançon, merlot, mouyssaguès, négrette et pinot noir pour les rouges, cépages mauzac et chenin pour les blancs.

BON À SAVOIR

👁 **Syndicat des vins VDQS d'entraygues-et-du-fel** – ℘ 05 65 44 50 45.
👁 **Syndicat des vins VDQS d'estaing** – ℘ 05 65 44 75 38.

Autour de Marcillac

▶ Nous ne proposons pas d'itinéraire, mais plutôt une visite des villes et villages phares du vignoble. Ces derniers figurent sur le plan p. 400-401 et sur la carte Michelin Local 338, G4, H3. Marcillac-Vallon se trouve à 20 km au N-O de Rodez par la D 901.

La petite AOC **marcillac** ne couvre que 160 ha et ne produit que des vins rouges issus du cépage fer-servadou, appelé ici mansois.

🍷 Le **domaine de Cros**, à **Goutrens** *(12,5 km au sud-ouest de Marcillac-Vallon par la D 962 et D 43)* est un acteur principal du vignoble *(voir nos bonnes caves)*.

Le vignoble de Marcillac.

Marcillac-Vallon

Au creux d'un vallon bien abrité, auquel il attache son nom, le village possède de belles maisons anciennes dont les caves abritaient jadis le vin contenu non pas dans des barriques, mais dans des outres transportées à dos de mulet.

Chaque année à la Pentecôte, on célèbre la Saint-Bourrou à la chapelle **Notre-Dame-de-Foncourieu** *(1 km au nord de la ville)*, fête étonnante au cours de laquelle les vignerons saluent l'apparition des premiers bourgeons de la vigne.

Valady

6 km au sud-ouest de Marcillac-Vallon par la D 962.

🍷 C'est ici que se trouve le cœur du vignoble avec la coopérative des **Vignerons du Vallon** *(voir nos bonnes caves)*. Le manoir, vieille demeure du 13ᵉ s. à toit de lauze, abrite un petit musée des arts et traditions populaires.

Les adresses autour de Marcillac

NOTRE BONNE TABLE

😋🍽 **Le Méjane** – *R. Méjane - 12500 Espalion - ℰ 05 65 48 22 37 - fermé 6-30 mars, 26-30 juin, lun. sf le soir hors sais., merc. sf juil.-août et dim. soir - 23/53 €.* Dans la belle cité d'Espalion, il est un nom que les gourmets retiennent rapidement : Le Méjane ! De nombreux habitués s'attablent assidûment dans la petite salle à manger habillée de boiseries claires et de miroirs, pour se délecter des préparations soignées concoctées par le chef. Son savoir-faire culinaire lui permet de mettre au goût du jour les recettes traditionnelles.

NOTRE HÔTEL

😋 **Hôtel À la Route d'Argent** – *Sur D 988 - 12340 Bozouls - ℰ 05 65 44 92 27 - fermé 2 janv.-24 fév., lun. sf le soir en juil.-août et dim. soir - 🅿 - 21 ch. 40/56 € - ⏴ 6 € - rest. 17/38 €.* Vaste bâtisse de pays entièrement rénovée dans un esprit actuel. Les chambres, de bon confort, sont joliment colorées. Cadre contemporain épuré, bel éclairage tamisé et tableaux modernes dans la salle à manger ; cuisine traditionnelle variant au gré du marché.

NOS BONNES CAVES

CAVE COOPÉRATIVE

Caves des Vignerons du Vallon – *Rte Nationale 140 - 12330 Valady - ℰ 05 65 72 70 21 - tlj sf w.-end et j. fériés 9h-12h, 14h-18h.* Cette cave regroupant une quarantaine de producteurs de Valady et des communes voisines vend exclusivement du marcillac AOC. Issu du cépage fer servadou, localement appelé mansois, ce vin à la belle robe rouge et aux arômes de framboise, cassis ou myrtille, se révèle être à la fois rond et puissant en bouche. 🍷 marcillac.

DOMAINE

Domaine du Cros – *12390 Goutrens - ℰ 05 65 72 71 77 - pteulier@domaine-du-cros.com - lun.-sam. 9h-12h, 14h-19h - sur RV.* De 3 ha en 1984, le vignoble en compte aujourd'hui 26, exclusivement encépagés de mansoi, nom local du fer servadou. La vinification, de vingt à vingt-cinq jours, est réalisée en cuves Inox thermorégulées, puis l'élevage a lieu en fûts durant dix-huit mois, avant la mise en bouteilles. Le domaine produit également un vin de table. 🍷 marcillac.

Autour d'Estaing et d'Entraygues-sur-Truyère

▶ Estaing se trouve à 40 km au N-E de Rodez par la D 988 et la D 920. Carte Michelin Local 338, H3. Voir sur le plan p. 400-401.

Estaing★
40 km au nord de Rodez par la D 988 jusqu'à Espalion, puis la D 920.

Lové dans un coude du Lot, le **château**, dominé par son donjon (14e-15e s.), protège de vieilles maisons à toit de lauze. Il abrite une communauté religieuse. En face du château, l'**église** (15e s.) possède un superbe clocher.

Ce sont les **vignerons d'Olt**, installés à **Coubisou** *(6,5 km à l'est d'Estaing par les D 920 et 586)*, qui assurent la totalité de la production de cette minuscule appellation (14 ha) produisant des rouges et des blancs particuliers avec un assemblage de chenin et de mauzac. *L'Escaillou - 12190 Coubisou -* ℘ *05 65 44 04 42 - cave.vignerons@wanadoo. fr - juin-sept. : tlj sf dim. et j. fériés 10h-12h30, 15h-18h30 ; oct.-mai : mar.-merc., vend. 10h-12h30, sam. 10h-12h30, 15h-18h30.*

Entraygues-sur-Truyère★
17 km au nord-ouest d'Estaing par la D 920.

Au débouché des splendides gorges de la Truyère, Entraygues est une petite cité de caractère et un centre d'activités sportives et loisirs (canoë-kayak, randonnées). Le vignoble d'une vingtaine d'hectares produits des blancs et des rouges fruités. Il s'étend le long du Lot, où des vignes en terrasse s'étagent sur les coteaux bien ensoleillés.

Les adresses autour d'Estaing et d'Entraygues

NOTRE BONNE TABLE

⊖⊖ **Auberge du Fel** – *Au Fel - 12140 Entraygues-sur-Truyère -* ℘ *05 65 44 52 30 - www.auberge-du-fel.com - fermé 6 nov.- 7 avr. - 18/35 €.* La vue sur la nature environnante, depuis cette vieille maison surplombant le Lot, accompagnera agréablement votre découverte de la carte : pounti et oreilles de cochon à l'huile de noix, truffade et autres recettes souvent parfumées aux herbes, comme le sont aussi certaines glaces maison (menthe, basilic, thym…).

NOTRE CHAMBRE D'HÔTE

⊖ **Chambre d'hôte Cervel** – *Rte de Vinnac - 12190 Estaing -* ℘ *05 65 44 09 89 - fermé 15 nov.-30 mars -⊅ - 4 ch. 49 € - ⊑ - repas 17 €.* Cette ferme à flanc de colline appartient à un couple accueillant, amoureux de sa région. Les chambres affichent tout confort et la table propose une cuisine du terroir imaginative. Ne manquez pas les chevreaux et le très parfumé thé d'Aubrac.

NOTES

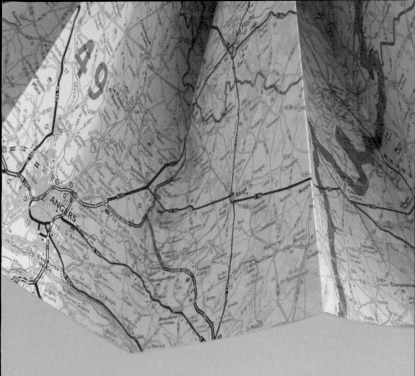

Découvrez
la France

Avec
Jean-Patrick Boutet
«Au cœur des régions»

Frédérick Gersal
«Routes de France»

NOTES

INDEX

Saint-Estèphe : villes, villages et régions touristiques.
Côte-rotie, AOC : noms historiques et termes faisant l'objet d'une explication.
Les sites isolés (châteaux, abbayes, grottes…) sont répertoriés à leur propre nom.
Nous indiquons, entre parenthèses, le département auquel appartient chaque ville
ou site géographique.

A

Achat du vin 16
Agosta, plage (Corse-du-Sud). 242
Aguilar, château (Aude). 289
Aignan (Gers) 421
Aigne (Hérault). 281
Aimé, mont (Marne) 210
Ajaccio (Corse-du-Sud) 240
Ajaccio, AOC 239
Albas (Lot) 29, 407
Albert, Marcelin 281
Albi (Tarn) 419
Aligoté, cépage 40
Aloxe-Corton (Côte-d'Or) 173
Aloxe-corton, AOC 173
Alsace, AOC 71
Alsace, vignoble
   (Bas-Rhin, Haut-Rhin) 70
Alsace grand cru, AOC 71
Amboise (Indre-et-Loire) 310
Ambonnay (Marne) 202
Ammerschwihr (Haut-Rhin). 83
Ampélographie 38
Ampuis (Rhône) 358
Ancenis (Loire-Atlantique) 332
Andillac (Tarn) 418
Andlau (Bas-Rhin) 30, 76
Angers (Maine-et-Loire) 29, 329
Angoulême (Charente) 230
Aniane (Hérault) 266
Anse (Rhône) 109
Ansouis (Vaucluse) 380
Apremont (Savoie) 391
Apt (Vaucluse) 378
Araghju, castellu (Corse-du-Sud). . . . 243
Arbin (Savoie). 392
Arbois (Jura) 29, 30, 32, 249
Arbois, AOC. 245
Arbois-pupillin, AOC. 245
Arboras (Hérault). 267
Arc-et-Senans, saline royale (Doubs) 246
Les Arcs (Var) 350
Les Aresquiers (Hérault) 270
Argeliers (Aude) 281
Arlay, château (Jura) 256
Armagnac 412
Aurons (Bouches-du-Rhône). 340
Auxerre (Yonne). .157
Auxey-duresses, AOC. 176
Avenay-Val-d'Or (Marne) 202
Avize (Marne) 209
Avolsheim (Bas-Rhin). 75
Aydie (Pyr.-Atl.) 421

Ayze mousseux, AOC 385
Ay (Marne). 29, 202
Azay-le-Rideau, château
   (Indre-et-Loire). 320
Azé (Saône-et-Loire) 187

B

Bagnols (Rhône) .110
Balagne (Haute-Corse) 237
Balaruc-le-Vieux (Hérault) 271
Bandol (Var) 33, 344, 345
Bandol, AOC 343
Banyuls, AOC. 295
Banyuls-sur-Mer
   (Pyrénées-Orientales). 32, 300
Bar-sur-Aube (Aube). 27, 221
Bar-sur-Seine (Aube) 218
Barbaste (Lot-et-G.) 412
Barbotan-les-Thermes (Gers) 416
Baroville (Aube) 222
Barr (Bas-Rhin) 26, 27, 32, 76
Barsac (Gironde) .131
Barséquanais (Aube) 218
Bassac, abbaye (Charente) 230
Baume, cirque (Jura) 257
Baume-les-Messieurs, abbaye
   (Jura) 257
Les Baux-de-Provence
   (Bouches-du-Rhône). 336
Baux-de-provence, AOC 336
Bayel (Aube) 222
Bayon-sur-Gironde (Gironde) 142
Beaujeu (Rhône) 26, 32, 33, 102
Beaujolais, AOC 97
Beaujolais, vignoble (Rhône). 26, 97
Beaulieu-sur-Layon (Maine-et-Loire) 328
Beaumes-de-Venise (Vaucluse) 371
Beaumont-en-Véron
   (Indre-et-Loire). 321
Beaune (Côte-d'Or). 27, 174
Beaune, AOC. 174
Beaupuy (Lot-et-G.) 405
Beausset-Vieux,
   chapelle Notre-Dame (Var). 344
Beauval, zoo-parc (Indre) 311
Beblenheim (Haut-Rhin). 81
Bédoin (Vaucluse) 377
Béguey (Gironde) 117
Béhuard (Maine-et-Loire). 328
Beine (Yonne). 161
Bélaye (Lot) 408
Bélesta (Pyrénées-Orientales). 297

Belfort (Terr. de Belfort) 27
Belin, fort (Jura) 247
Bellet, AOC.......................... 352
Bellevalle, col (Corse-du-Sud) 242
Belleville (Rhône) 33, 100
Belley (Ain) 395
Belley, vignoble (Ain) 395
Bendor, île (Var) 354
Bennwihr (Haut-Rhin) 82
Bergbieten (Bas-Rhin) 73
Bergerac (Dordogne) 29, 399
Bergerac, AOC 398
Bergères-lès-Vertus (Marne) 210
Bergheim (Haut-Rhin) 79
Berlou (Hérault) 275
Bernstein, ruines du château
    (Bas-Rhin) 77
Béru (Yonne) 161
Beychevelle (Gironde) 147
Béziers (Hérault) 32, 274
Biologique, vin 54
Bissey-sous-Cruchaud
    (Saône-et-Loire) 184
Bize-Minervois (Aude) 281
Blagny (Côte-d'Or) 176
Blanc de blancs, champagne....... 194
Blanc de noirs, champagne 194
Blanquefort (Gironde) 145
Blanquette-de-limoux, AOC 284
Blanquette méthode ancestrale,
    AOC............................ 284
Blasimon (Gironde)..................126
Blaye (Gironde) 26, 143
Blaye (AOC) 143
Bligny, château (Aube).............. 222
Blois (Loir-et-Cher) 314
Bœrsch (Bas-Rhin)...................75
Le Boitier (Rhône)..................110
Bommes (Gironde) 132
Bonaguil, château (Lot-et-G.) 409
Bonnezeaux, AOC 326
Bonnieux (Vaucluse)................ 378
Bordeaux (Gironde) 29, 115
Bordelais, vignoble (Gironde) 113
La Borne (Cher) 305
Les Borrels (Var).................... 347
Bouchon...........................51
Boulbon (Bouches-du-Rhône) 29
Bourg-Charente (Charente)........ 229
Bourg-sur-Gironde (Gironde) 26
Bourges (Cher).................... 307
Bourget, lac (Savoie) 389
Le Bourget-du-Lac (Savoie) 390
Bourgogne, AOC 185
Bourgogne, vignoble (Côte-d'Or,
    Saône-et-Loire, Yonne) 154
Bourgogne-coulanges-la-vineuse,
    AOC............................ 158
Bourgogne-vézelay, AOC 164
Bourgueil (Indre-et-Loire) 26, 321

Bourgueil (AOC).................... 321
Bourg (Gironde).....................141
Bourré (Loir-et-Cher) 309
Boursault, château (Marne) 214
Bouteille...........................50
Boutenac (Aude) 290
Bouzeron (Saône-et-Loire)..........181
Bouzigues (Hérault) 271
Bouzy (Marne) 202
Brancion (Saône-et-Loire) 186
La Brède, château (Gironde)........129
Brézé, château (Maine-et-Loire).... 325
Brignoles (Var) 26, 348
Brinay (Cher)...................... 307
Brochon (Côte-d'Or).............. 168
Brouilly (AOC).......................97
Brouilly, mont (Rhône)........... 29, 102
Budos (Gironde)....................131
Bué (Cher) 305
Bugey, vignoble (Ain).............. 393
Buxy (Saône-et-Loire) 184
Buzet, AOC.........................411
Buzet-sur-Baïse (Lot-et-G.)..........411

C

Cabernet-sauvignon, cépage 39
Cabernet franc, cépage...............39
Cabrerolles (Hérault) 275
Cabrières (Hérault) 268
Cadenet (Vaucluse)................ 381
La Cadière-d'Azur (Var) 343
Cadillac (Gironde) 26, 117, 118
Cadillac, AOC.......................117
Cadillac-en-Fronsadais (Gironde).... 140
Cahors (Lot)....................... 407
Cahors, AOC 406
Cahuzac-sur-Vère (Tarn) 418
Caillac (Lot)...................... 408
Cairanne (Vaucluse) 29, 369
Caix (Lot) 408
Calcatoggio (Corse-du-Sud) 240
Calstelnou (Pyrénées-Orientales) ... 297
Calvi (Corse-du-Sud) 237
Cambayrac (Lot) 407
Cambes (Gironde)..................117
Cambous, village préhistorique
    (Hérault) 265
Camus, cognac 228
Canal du Midi (Aude) 282
Candes-Saint-Martin
    (Indre-et-Loire)................. 321
Cannelle (Haute-Corse) 234
Canon-fronsac, AOC................139
Capian (Gironde) 117
Carcassonne (Aude) 284
Carignan-de-Bordeaux (Gironde) ... 123
Carpentras (Vaucluse) 28
Carsac-de-Gurson (Dordogne) 403
Cars (Gironde) 143

Cases-de-Pène
(Pyrénées-Orientales)........... 297
Cassaigne, château (Gers) 415
Cassis (Bouches-du-Rhône) . 32, 342, 345
Cassis, AOC 342
Cassis, calanques
(Bouches-du-Rhône)............ 342
De Castellane, champagne 208
Le Castellet (Var) 344
Castelmoron-d'Albret (Gironde) ... 125
Castelnau-de-Montmiral (Tarn) 418
Castelviel, église (Gironde) 124
Castillon-la-Bataille (Gironde).......137
Cateri (Haute-Corse)............... 238
Caunes-Minervois (Aude).......... 282
La Caunette (Hérault) 281
Causses-et-Veyran (Hérault) 275
Caussiniojouls (Hérault) 278
Le Cayla (Tarn) 418
Cazedarnes (Hérault) 275
La Celle, abbaye (Var)............. 347
Celles-sur-Ource (Aube) 218
Centeilles, chapelle (Hérault) 282
Centuri (Haute-Corse) 234
Cépages blancs 40
Cépages rouges 39
Ceps (Hérault)..................... 275
Cercié (Rhône) 101
Cerdon (Ain) 393
Cerdon, grotte (Ain) 394
Cerdon, vignoble (Ain) 393
Cérons (Gironde) 129
Cesancey (Jura) 260
Cesse, canyon (Hérault)............ 282
Cessenon-sur-Orb (Hérault)........ 275
Chablis (Yonne) 33, 161
Chagny (Saône-et-Loire)............181
Chalabre, château (Aude)........... 285
Chalain, lac (Jura) 261
Chalon-sur-Saône
(Saône-et-Loire)................ 182
Chalonnes-sur-Loire
(Maine-et-Loire)................ 330
Chambertin, AOC 168
Chambolle-Musigny (Côte-d'Or) 169
Chambolle-musigny, AOC 169
Chambord, château et parc
(Loir-et-Cher)...................314
Champagne, vignoble (Aisne, Aude,
Marne)...........................193
Champagne, AOC 194
Champagne millésimé.............. 194
Champagne rosé 194
Champignol-lez-Mondeville
(Aube) 222
Champtoceaux (Maine-et-Loire) 333
Champvallon, pressoir (Yonne)... 32, 157
Champ du Feu (Bas-Rhin)............77
Chanaz (Savoie) 389
Chaniers (Charente-Maritime) 227

Chanteloup, pagode
(Indre-et-Loire)..................310
La Chapelle-de-Rousse (Pyr.-Atl.) ... 424
Chardonnay, cépage 41
Charentay (Rhône) 100
Charly-sur-Marne (Aisne) 216
Les Charmettes (Savoie) 392
Charnay (Rhône) 109
La Chartre-sur-le-Loir (Sarthe) 27
Chassagne-Montrachet (Côte-d'Or) ..177
Chassagne-montrachet, AOC 177
Chasselas (Saône-et-Loire)..........191
Chasselas, cépage 41
Château-Chalon (Jura)............. 255
Château-chalon, AOC.............. 245
Château d'Yquem (Gironde) 132
Château de Malle (Gironde).........132
Château-du-Loir (Sarthe) 318
Château-grillet, AOC 358
Château Lafite Rothschild
(Gironde)....................... 150
Château Lanessan (Gironde) 147
Château Loudenne (Gironde) 151
Château Maucaillou (Gironde) 146
Château Mouton Rothschild
(Gironde)....................... 150
Château Simone
(Bouches-du-Rhône).............. 340
Château-Thierry (Aisne) 216
Châteaubourg (Ardèche) 361
Châteauneuf-du-Pape
(Vaucluse)................... 30, 372
Châteauneuf-du-pape, AOC 372
Châteauneuf-sur-Charente
(Charente)...................... 230
Châtenois (Bas-Rhin) 77
Châtillon (Rhône) 110
Châtillon-en-Diois, AOC 365
Châtillon-sur-Marne (Marne).........213
Châtre, église (Charente) 229
Chaume premier cru, AOC 326
Chaumont-sur-Loire, château
(Loir-et-Cher)...................314
Chaux (Côte-d'Or) 170
Chavignol (Cher) 304
Chazay-d'Azergues (Rhône).........110
Cheilly-lès-Maranges
(Saône-et-Loire)..................181
Chénas (Rhône) 104
Chénas, AOC 97
Chenin, cépage 41
Chenonceau, château
(Indre-et-Loire)..................310
Chenôve (Côte-d'Or) 168
Cherré, site archéologique (Sarthe) ..318
Chessy (Rhône) 110
Chevaliers du Tastevin.............. 169
Cheverny, AOC 314
Cheverny, château (Loir-et-Cher)....314
Chevrette (Indre-et-Loire) 321

Chézy-sur-Marne (Aisne) 217
Chignin (Savoie)................... 391
Chindrieux (Savoie) 388
Chinon (Indre-et-Loire) 26, 320
Chinon, AOC 320
Chiroubles (Rhône)................ 103
Chiroubles, AOC....................97
Chitry (Yonne) 28, 158
Choix du vin 14
Chorey (Côte-d'Or)................174
Cîteaux, abbaye (Côte-d'Or) 170
Clairette-de-die, AOC.............365
Clairette-du-languedoc, AOC 268
Clamouse, grotte (Hérault) 267
Cleebourg (Bas-Rhin)................72
Cleebourg, vignoble (Bas-Rhin) 72
Clermont-l'Hérault (Hérault) 267
Clessé (Saône-et-Loire) 187
Climat 154
Clos de Vougeot, château
    (Côte-d'Or) 27, 169
Cluny, ancienne abbaye
    (Saône-et-Loire) 30, 188
Cocumont (Lot-et-G.) 405
Cognac (Charente) 32, 33, 227
Cognac, vignoble (Charente)....... 225
Collioure (Pyrénées-Orientales) 300
Collioure, AOC 295
Colmar (Haut-Rhin)........... 26, 27, 88
Colombé-le-Sec (Marne)........... 223
Condom (Gers) 414
Condrieu (Rhône) 29, 358
Condrieu, AOC 358
Conservation du vin 18
Corbara, couvent (Haute-Corse)..... 238
Corbières, AOC.................... 287
Corbières maritimes, parc éolien
    (Aude) 293
Corcelles, château (Rhône)......... 102
Cordes-sur-Ciel (Tarn) 418
Cordouan, phare (Gironde) 148
Cornas, AOC 361
Corse, AOC........................ 233
Corse, vignoble 233
Corse-calvi, AOC 237
Corse-cap-corse, AOC 233
Corse-figari, AOC 233
Corse-porto-vecchio, AOC 243
Corse-sartène, AOC................ 242
Corton, AOC 173
Corton-charlemagne, AOC..........173
Costières-de-nîmes, AOC 382
Côte chalonnaise, vignoble
    (Saône-et-Loire) 32, 181
Côte des Bars (Marne) 218
Côte des Blancs (Marne) 207
Côte de Beaune, vignoble
    (Côte-d'Or).......................173
Côte-de-brouilly, AOC 97

Côte-rôtie, AOC 358
Côte Saint-Jacques (Yonne) 157
Coteaux-champenois, AOC 194
Coteaux-d'aix-en-provence,
    AOC.........................336, 339
Coteaux-d'ancenis, AOC 332
Coteaux-de-la-loire, AOC 330
Coteaux-du-languedoc, AOC....... 264
Coteaux-du-languedoc-cabrières,
    AOC 268
Coteaux-du-languedoc-la-clape,
    AOC.......................... 291
Coteaux-du-languedoc-
    montpeyroux, AOC 267
Coteaux-du-languedoc-pic-
    saint-loup, AOC.................. 263
Coteaux-du-languedoc-picpoul-
    de-pinet, AOC 269
Coteaux-du-languedoc-
    saint-georges-d'orques, AOC..... 269
Coteaux-du-languedoc-
    saint-saturnin, AOC 267
Coteaux-du-layon, AOC........... 326
Coteaux-du-tricastin, AOC 366
Coteaux-du-vendômois, AOC 317
Coteaux Sud d'Épernay (Marne).....218
Coteaux-varois, AOC.............. 346
Côtes-de-blaye, AOC 143
Côtes-de-bordeaux-saint-macaire,
    AOC...........................120
Côtes-de-castillon, AOC 137
Côtes-de-duras, AOC 404
Côtes-de-montravel, AOC.......... 402
Côtes-de-provence, AOC 346
Côtes-de-saint-mont, AOC......... 420
Côtes-de-saussignac, AOC 400
Côtes-du-jura, AOC............... 245
Côtes-du-luberon, AOC........... 378
Côtes-du-marmandais, AOC 405
Côtes du Rhône méridionales....... 365
Côtes du Rhône septentrionales 357
Côtes-du-rhône-villages, AOC 368
Côtes-du-roussillon, AOC 295
Côtes-du-roussillon-villages, AOC... 295
Côtes-du-ventoux, AOC............ 376
Coubisou (Aveyron) 429
Le Coudray-Macouard
    (Maine-et-Loire)................ 325
Coulanges-la-Vineuse (Yonne) 158
Coulommes-la-Montagne (Marne) .. 204
Cour-Cheverny (Loir-et-Cher) 314
Cour-cheverny, AOC................314
Courcoury (Charente-Maritime)..... 227
Courgis (Yonne) 161
Cournonterral (Hérault)............ 269
Courvoisier, cognac 230
Couture-sur-Loir (Loir-et-Cher)......317
Cramant (Marne)................... 209
Crémant-d'alsace (AOC) 71
Crémant-de-limoux (AOC) 284

Crémant-du-jura, AOC.............. 245
Créon (Gironde)................... 123
Crépy, AOC....................385, 387
Crissay-sur-Manse (Indre-et-Loire) . . 320
Cristal et verre 51
Crouseilles (Pyr.-Atl.) 421
Crouttes (Aisne)....................216
Crozes-hermitage, AOC............. 360
Cruet (Savoie)...................... 392
Crussol, ruines du château
  (Ardèche) 361
Cruzille (Saône-et-Loire)........... 186
Cucugnan (Aude)................... 288
Cumières (Marne) 212

D

Dambach-la-Ville (Bas-Rhin) . . . 29, 30, 76
Damery (Marne)....................213
Davayé (Saône-et-Loire)........... 190
Dénezé-sous-Doué
  (Maine-et-Loire)................. 330
Le Destet (Bouches-du-Rhône) 337
La Devinière (Indre-et-Loire)....... 321
Dezize-lès-Maranges
  (Saône-et-Loire)..................181
Die (Drôme)........................ 365
Dijon (Côte-d'Or)................... 166
Dompierre-sur-Charente
  (Charente-Maritime)............. 227
Dormans (Marne) 214
Doué, zoo (Maine-et-Loire) 330
Douelle (Lot)....................... 407
Duras (Lot-et-G.) 30, 405
Duravel (Lot)........................27
Durban-Corbières (Aude)........... 289

E

Eauze (Gers) 27, 416
Écomusée d'Alsace (Haut-Rhin) 93
Écomusée de l'Armagnac -
  Château Garreau (Landes)........416
Eguisheim (Haut-Rhin) 30, 90, 92
Elne (Pyrénées-Orientales).......... 299
Embiez, île (Var)................... 354
Engarran, château (Hérault)........ 269
Entraygues-le-fel, VDQS 429
Entraygues-sur-Truyère (Aveyron) . . . 429
Entre-deux-mers, AOC.............. 122
Entre-Deux-Mers, vignoble
  (Gironde)........................ 122
Entrechaux (Vaucluse).............. 376
Épernay (Marne) 32, 207
Épineuil (Yonne) 162
Épineuil, AOC 162
Escagnès (Hérault) 275
Escolives-Sainte-Camille (Yonne).... 158
Espéraza (Aude)................... 286

Essômes-sur-Marne (Aisne) 216
Essoyes (Aube) 219
Estagel (Pyrénées-Orientales)....... 297
Estaing (Aveyron) 429
Estaing, VDQS..................... 429
L'Étoile (Jura)..................... 256
L'étoile, AOC 245
Eynesse (Gironde) 126

F

Faugères (Hérault) 29, 278
Faugères, AOC 275
Fautea, site naturel
  (Corse-du-Sud).................. 244
Faux de Verzy (Marne).............. 201
Feliceto (Haute-Corse).............. 238
Félines-Minervois (Hérault) 282
Fer à Cheval, cirque (Jura) 251
Fêtes du vin 28
Filitosa, site archéologique
  (Corse-du-Sud).................. 242
Filly, abbaye (Haute-Savoie) 387
Fitou (Aude) 294
Fitou, AOC 291
Fixin (Côte-d'Or) 168
Fixin, AOC......................... 168
Flaran, abbaye (Gers) 415
Le Fleix (Dordogne) 403
Fleurie (Rhône).................... 104
Fleurie, AOC........................97
Fleury-la-Rivière (Marne) 213
Floc-de-gascogne 412
Foires, salons et marchés aux vins.....26
Fonfroide, abbaye (Aude)........... 294
Fontcaude, abbaye (Hérault)........274
Fontevraud, abbaye
  (Maine-et-Loire)................. 325
Força Réal, ermitage
  (Pyrénées-Orientales)............ 297
Forges (Maine-et-Loire) 330
Fort Médoc (Gironde) 147
Fossoy (Aisne)......................217
Fougueyrolles (Gironde)............ 403
Fourcès (Gers).....................413
Frangy (Haute-Savoie).............. 387
Fréjus-Plage (Var) 351
Fréjus (Var)....................30, 351
Fréterive (Savoie).................. 392
Fronsac (Gironde) 27, 139
Frontenay (Jura)................... 254
Frontignan (Hérault) 29, 270
Frontignan-Plage (Hérault) 270
Fuissé (Saône-et-Loire) 191

G

Gaillac (Tarn).................30, 33, 417
Gaillac, AOC........................417

Galamus, gorges
(Pyrénées-Orientales). 288
Gallician (Gard) 383
Gamay (Côte-d'Or) 176
Gamay, cépage. 39
Gan (Pyr.-Atl.) 424
La Garde-Adhémar (Drôme) 366
Garde-Épée, logis (Charente) 229
Génissiat, barrage (Haute-Savoie) . . . 390
Gensac (Gironde). 126
Germaine (Marne). 204
Gevingey (Jura) 260
Gevrey-Chambertin (Côte-d'Or). 168
Gevrey-chambertin, AOC 168
Gewurztraminer, cépage 41
Gigondas (Vaucluse). 371
Gigondas, AOC. 371
Givry (Saône-et-Loire). 184
Givry, AOC 184
Glossaire. 22
Gondrin (Gers) 416
Goutrens (Aveyron) 428
Grand-Courtoiseau, jardins
(Loiret). 158
La Grande Vignolle
(Maine-et-Loire). 325
Grand Ballon (Bas-Rhin) 92
Grand Colombier (Ain). 390
Graves (Gironde) .27
Graves, vignoble (Gironde) 127
Grenache, cépage 39
Grézels (Lot) 408
Groseau, source vauclusienne
(Vaucluse). 376
Gruissan (Aude) 292
Grusse (Jura) 260
Gueberschwihr (Haut-Rhin). 30, 90
Guebwiller (Haut-Rhin) 26, 91
Gurson, base de loisirs et
château (Dordogne) 403

H

La Haie-Longue (Maine-et-Loire) . . . 328
Hattstatt (Haut-Rhin). 90
Haut-Kœnigsbourg, château
(Bas-Rhin). 84
Haut-médoc, AOC 145
Haut-montravel, AOC. 402
Haute-Guerche, château
(Maine-et-Loire) 328
Hautecombe, abbaye royale
(Savoie) 389
Hauterives (Drôme) 361
Hautvillers (Marne). 203
La Haye-Fouassière
(Loire-Atlantique) 333
Heiligenstein (Bas-Rhin) 30, 76
Hennessy, cognac 228
Hermitage, AOC. 360

Hohlandsbourg (Haut-Rhin) 92
Hunawihr (Haut-Rhin) 80
Husseren-les-Châteaux
(Haut-Rhin) 90
Hyères (Var). 29, 347

I

Igé (Saône-et-Loire) 29
Ille-sur-Têt, orgues
(Pyrénées-Orientales). 297
Irancy (Yonne) 158
Irancy, AOC 158
Irouléguy (Pyr.-Atl.) 426
Irouléguy, AOC 425
Ispoure (Pyr.-Atl.) 426
Itterswiller (Bas-Rhin) 76
Izieu (Ain). 396

J

Jallanges, château (Loir-et-Cher) 313
Jambles (Saône-et-Loire) 184
Jarnac (Charente) 229
Jarnioux (Rhône) 111
Jasnières, AOC 318
Joigny (Yonne) 32, 156
Jongieux (Savoie) 389
Jujurieux (Ain) 394
Juliénas (Rhône) 33, 105
Juliénas, AOC 97
Jullié (Rhône) 32
Jura, vignoble (Doubs, Jura) 245
Jurade et jurats .135
Jurançon (Pyr.-Atl.) 423
Jurançon, AOC 423

K

Kaysersberg (Haut-Rhin). 82
Kientzheim (Haut-Rhin) 82
Kintzheim (Bas-Rhin) 79

L

Labarde (Gironde). 145
Labarthe, moulin (Gironde). 126
Labastide-d'Armagnac (Landes) 416
Lacanau-Océan (Gironde) 151
Lacommande (Pyr.-Atl.) 424
Lacoste (Vaucluse) 379
Ladoix-Serrigny (Côte-d'Or). 29, 174
Laduz (Yonne) 157
Lagrasse (Aude). 290
Lalande-de-Pomerol (Gironde) . . 26, 139
Lalonde-les-Maures (Var). 347
Lamarque (Gironde). 147
Le Landreau (Loire-Atlantique) 333
Landreville (Aube). 218
Langeais, château (Indre-et-Loire) . . .319

Langoiran (Gironde)..............117
Langon (Gironde) 27
Lapalme (Aude)................... 294
Laroin (Pyr.-Atl.)................. 423
Larressingle (Gers) 414
Lasseube (Pyr.-Atl.)............... 424
Latour-de-France
    (Pyrénées-Orientales)........... 297
Lavatoggio (Haute-Corse) 238
Lavérune, château (Hérault) 269
Lavours, marais (Ain) 395
Lecci (Corse-du-Sud) 243
Lenthéric (Hérault) 275
Léognan (Gironde) 128
Lérins, îles (Alpes-Maritimes) 354
Les Lèves-et-Thoumeyragues
    (Gironde).......................126
Leyssac (Gironde) 150
Lézignan-Corbières (Aude) 290
Lhomme (Sarthe) 318
Libournais, vignoble (Gironde)......133
Libourne (Gironde)............... 138
Liergues (Rhône)..................111
Limoux (Aude) 28, 285
Limoux, AOC...................... 284
Lirac (Gard) 373
Lirac (AOC)....................... 373
Liré (Maine-et-Loire) 332
Liscia, golfe (Corse-du-Sud)........ 239
Listrac, AOC.......................151
Listrac-Médoc (Gironde)............151
La Livinière (Hérault) 282
Loches-sur-Ource (Aube) 219
Les Loges (Sarthe)................ 305
Lons-le-Saunier (Jura) 256, 258
Le Loroux-Bottereau
    (Loire-Atlantique) 333
Loudun (Vienne) 26
Loupiac (Gironde) 27, 118
Lourmarin (Vaucluse)............. 381
Louvois, château (Marne).......... 202
Lude, château (Sarthe) 318
Ludon-Médoc (Gironde)........... 145
Lugny (Saône-et-Loire) 186
Lumio (Haute-Corse) 237
Luri (Haute-Corse)............26, 233
Lussac (Gironde) 136
Lussault-sur-Loire
    (Indre-et-Loire)..................312
Luzech (Lot)...................... 408

Macvin 246
Madiran (Hautes-Pyr.) 421
Madiran, AOC 420
Madiran (Hautes-Pyr.) 27, 30
Maguelone, ancienne cathédrale
    (Hérault) 270
Mailly-Champagne (Marne)...... 26, 199
Malagar, domaine (Gironde) 120
Malaucène (Vaucluse) 376
Malfourat, moulin (Dordogne) 399
Maligny (Yonne)...................161
Malleval (Loire) 358
Malromé, château (Gironde) 120
Les Maranges (Saône-et-Loire)......181
Maranges, AOC....................181
Marbuzet (Gironde) 150
Les Marches (Savoie) 391
Marciac (Gers)......................30
Marcillac (Gironde) 32
Marcillac, AOC 428
Marcillac-Vallon (Aveyron) 428
Marcy (Rhône) 109
Mareuil-sur-Ay (Marne)............ 202
Marey-lès-Fussey (Côte-d'Or) 170
Marfaux (Marne) 204
Margaux (Gironde) 146
Marignieu (Ain) 395
Marin (Savoie) 387
Marlenheim (Bas-Rhin) 32, 73
Marmande (Lot-et-G.) 405
Marnay (Indre-et-Loire)............ 320
Marne, vallée (Aisne, Marne)........212
Marsannay, AOC................... 168
Marsannay-la-Côte (Côte-d'Or) 168
Marsanne, cépage...................41
Marseillan-Plage (Hérault) 271
Marseillan (Hérault) 271
Martell, cognac 228
Martigné-Briand (Maine-et-Loire)... 326
Martillac (Gironde) 128
Les Matelles (Hérault) 265
Mattei, moulin (Haute-Corse) 234
Maumusson-Laguian (Gers) 421
Maupas, château (Cher) 305
Maures, massif (Var)............... 347
Mauriac, château (Gironde) 418
Maury (Pyrénées-Orientales) 287
Maynal (Jura) 260
Médoc, AOC 145
Médoc, vignoble (Gironde) ...28, 32, 144
Mehun-sur-Yèvre (Cher) 307
Ménerbes (Vaucluse) 379
Menetou-Salon (Cher) 27, 305
Mercier, champagne............... 208
Mercuès, château (Lot) 408
Mercurey (Saône-et-Loire).......... 182
Mercurey, AOC 182
Mérignat (Ain) 394
Merlot, cépage......................40
Mesland (Loir-et-Cher) 313

M

Macau (Gironde) 145
Macinaggio (Haute-Corse)......... 234
Mâcon (Saône-et-Loire) 26, 187
Mâcon, AOC....................... 188
Mâcon-villages, AOC 186
Mâconnais, vignoble
    (Saône-et-Loire)................ 185

Le Mesnil-sur-Oger (Marne) 210
Meursault (Côte-d'Or) 27, 175
Meursault, AOC 176
Meurville (Aube) 221
Mèze (Hérault) 271
Mézin (Lot-et-G.) 413
Millas (Pyrénées-Orientales) 297
Minerve (Hérault) 281
Minervois, AOC 280
Minervois-la-livinière, AOC 280
Mini-Châteaux, parc
    (Indre-et-Loire) 315
Miolans (château) 392
Mireval (Hérault) 269
Mittelbergheim (Bas-Rhin) 29, 76
Mittelwihr (Haut-Rhin) 81
Moët et Chandon, champagne 207
Moidons, grottes (Jura) 258
Molosmes (Yonne) 162
Molsheim (Bas-Rhin) 32, 75
Monbazillac, AOC 399
Monbazillac, château (Dordogne) . . . 399
Monein (Pyr.-Atl.) 30, 424
Mont-Saint-Père (Aisne) 217
Montagne (Gironde) 136
Montagne de Reims,
    parc naturel régional (Marne) 204
Montagny, AOC 184
Montagny-lès-Buxy
    (Saône-et-Loire) 184
Montaigne, château (Dordogne) 401
Montcalm (Gard) 383
Montcaret (Dordogne) 401
Montélimar (Drôme) 366
Montesquieu (Gironde) 129
Montfort-en-Chalosse (Landes) 32
Monthélie, AOC 176
Montigny-lès-Arsures (Jura) 30, 248
Montjean-sur-Loire
    (Maine-et-Loire) 330
Montlouis, AOC 312
Montlouis-sur-Loire
    (Indre-et-Loire) 26, 312
Montmelas-Saint-Sorlin (Rhône) 99
Montmélian (Savoie) 391
Montoire-sur-le-Loir (Loir-et-Cher) . . .317
Montpellier (Hérault) 263
Montpeyroux (Dordogne) 402
Montpeyroux (Hérault) 267
Montrachet, grand cru 177
Montravel, AOC 402
Montréal (Gers) 414
Montreuil-Bellay (Maine-et-Loire) . . . 326
Montrichard (Loir-et-Cher) 310
Montsoreau (Maine-et-Loire) 325
Morey-Saint-Denis (Côte-d'Or) 169
Morey-saint-denis, AOC 169
Morgon, AOC 97
Mormoiron (Vaucluse) 377

Moroges (Saône-et-Loire) 184
Morogues (Cher) 305
Morsiglia (Haute-Corse) 234
Mouchan (Gers) 416
Moulin-à-vent, AOC 97
Moulis, AOC 151
Moulis-en-Médoc (Gironde) 151
Mouriès (Bouches-du-Rhône) 337
Mourvèdre, cépage 40
Moussoulens (Aude) 28
Mouzillon (Loire-Atlantique) 333
Mumm, champagne 197
Murviel-lès-Montpellier (Hérault) . . . 269
Muscadet, cépage 42
Muscadet-sèvre-et-maine, AOC 333
Muscat-de-beaumes-de-venise,
    AOC 371
Muscat-de-frontignan, AOC 270
Muscat-de-mireval, AOC 269
Muscat-de-rivesaltes, AOC 295
Muscat-de-saint-jean-
    de-minervois, AOC 280
Muscat-du-cap-corse, AOC 233
Muscat blanc à petits grains,
    cépage 42
Musigny, AOC 169
Mussy-sur-Seine (Aube) 219
Mutigny (Marne) 202

N

Nacres, côte rocheuse
    (Corse-du-Sud) 244
Nantes (Loire-Atlantique) 333
Nanteuil-la-Forêt (Marne) 204
Nantua (Ain) 396
Narbonne (Aude) 279
Narbonne-Plage (Aude) 291
Nécropole nationale de Sigolsheim
    (Haut-Rhin) 82
Négociant 50
Nérac (Lot-et-G.) 30, 412
Niedermorschwihr (Haut-Rhin) 83
Nigloland (Aube) 223
Nîmes (Gard) 383
Noailles (Tarn) .418
Nogent-l'Artaud (Aisne) 216
Noilly-Prat 271
Nolay (Côte-d'Or) 176
Notre-Dame-de-Bellecombe
    (Savoie) 30
Notre-Dame-de-l'Étoile, chapelle
    (Savoie) 389
Notre-Dame-des-Cyclistes, chapelle
    (Landes) 416
Notre-Dame-des-Vignes, chapelle
    (Vaucluse) 368
Notre-Dame-du-Groseau, chapelle
    (Vaucluse) 376
Noyers-sur-Serein (Yonne) 162

Nuits-Saint-Georges
   (Côte-d'Or) 26, 32, 170
Nuits-saint-georges, AOC 170
Nyons (Drôme) 369

O

Obermorschwihr (Haut-Rhin) 90
Obernai (Bas-Rhin) 27, 32, 75
Odenas (Rhône) 32, 100
Œnologie, stages 20
Œnologue 49
Œuilly (Aisne) 214
Oger (Marne) 210
Oingt (Rhône) 111
Oletta (Haute-Corse) 236
Ollioules (Var) 344
Olmeto (Corse-du-Sud) 242
Onzain (Loir-et-Cher) 26
Oppède-le-Vieux (Vaucluse) 379
Orange (Vaucluse) 373
Orbagna (Jura) 260
Orient, lac (Aube) 223
Osselle, grottes (Jura) 252
Otard, cognac 228
Ottrott (Bas-Rhin) 75
Ozenay (Saône-et-Loire) 186

P

Pacherenc-du-vic-bilh, AOC 420
Padern (Aude) 288
Pair-non-Pair, grottes (Gironde) 142
Palais idéal à Hauterives (Drôme) . . . 361
Palette, AOC 340
Le Pallet (Loire-Atlantique) 333
Pampelonne, plages (Var) 351
Parempuyre (Gironde) 145
Parnac (Lot) 407
Parnay (Maine-et-Loire) 324
Passenans (Jura) 254
Pasteur, Louis 249
Patrimonio (Haute-Corse) 236
Patrimonio, AOC 235
Pauillac (Gironde) 30, 148
Pau (Pyr.-Atl.) 423
Peaugres, safari-parc (Ardèche) 361
Pech-Merle, grotte (Lot) 409
Pech Redon, coffre (Aude) 292
Pélissanne (Bouches-du-Rhône) 340
Pellegrue (Gironde) 126
Pernand-Vergelesses (Côte-d'Or) 173
Pernand-vergelesses, AOC 173
Perpignan (Pyrénées-Orientales) . . 29, 296
Pertuis (Vaucluse) 381
Pessac (Gironde) 127
Pessac-Léognan (Gironde) 27
Pessac-léognan, AOC 127
Pessac-sur-Dordogne (Gironde) 126
Petit-Palais-et-Cornemps (Gironde) . 136

Petit Ballon (Haut-Rhin) 92
Petit manseng, cépage 42
Petreto-Bicchisano (Corse-du-Sud) . . 242
Peyrepertuse, château (Aude) 288
Peyriac-de-Mer (Aude) 293
Pézenas (Hérault) 272
Pfaffenheim (Haut-Rhin) 29, 90
Pflixbourg (Haut-Rhin) 92
Pierrefeu-du-Var (Var) 347
Pierrelatte (Drôme) 367
Pierrerue (Hérault) 275
Pierry (Marne) 208
Pigna (Haute-Corse) 238
Pignan (Hérault) 269
Pila-Canale (Corse-du-Sud) 242
Pilat, dune (Gironde) 152
Pin, château (Jura) 256
Pinet (Hérault) 272
Pino (Haute-Corse) 234
Pinot noir, cépage 40
Piper-Heidsieck, champagne 197
Plaisance (Gers) .421
Planches, grotte (Jura) 251
Plassac (Gironde) 143
Podensac (Gironde) 129
Poggio-d'Oletta (Haute-Corse) 236
Poligny (Jura) 250
Polisot (Aube) 220
Pomarède, château (Lot) 413
Pomerol (Gironde) 139
Pomerol, AOC 139
Pommard (Côte-d'Or) 175
Pommard, AOC .175
Pommery, champagne 196
Pommiers (Rhône) 33
Pomport (Dordogne) 399
Poncé-sur-le-Loir (Sarthe) 317
Pont du Gard (Gard) 384
Porquerolles, île (Var) 354
Port-Lesney (Jura) 247
Port-Vendres
   (Pyrénées-Orientales) 300
Portel-des-Corbières (Aude) 293
Portets (Gironde) 129
Porticcio (Haute-Corse) 241
Porto-Vecchio (Corse-du-Sud) 243
Porto-Vecchio, vignoble
   (Corse-du-Sud) 243
Possonnière, manoir
   (Loir-et-Cher) .317
Poudenas (Lot-et-G.) 413
Pouilly (Saône-et-Loire) 191
Pouilly-fuissé, AOC 191
Pouilly-sur-Loire (Nièvre) 27, 305
Pouilly-sur-loire, AOC 305
Poupet, mont (Jura) 251
Pourcy (Marne) 205
Pradines (Lot) 407
Prayssac (Lot) 408
Préhy (Yonne) 161

Premières-côtes-de-blaye, AOC 143
Premières-côtes-de-bordeaux, AOC . .114
Prigonrieux (Dordogne) 403
Prissé (Saône-et-Loire) 190
Propriano (Corse-du-Sud) 242
Provence, vignoble (Alpes-Maritimes,
   Bouches-du-Rhône, Var) 335
Puisseguin (Gironde) 136
Pujols (Gironde) 126
Pujols-sur-Ciron (Gironde) 131
Puligny-Montrachet (Côte-d'Or) 177
Pupillin (Jura) 30, 32, 250
Puy-l'Évêque (Lot) 408
Le Puy-Notre-Dame
   (Maine-et-Loire) 29, 326
Puyvert (Vaucluse) 381

Q

Quarts-de-chaume, AOC 328
Quéribus, château (Aude) 288
Quincy (Cher) 30, 307
Quincy, AOC 307
Quinsac (Gironde) 29, 117

R

Rablay-sur-Layon
   (Maine-et-Loire) 29, 327
Rasteau (Vaucluse) 370
Rasteau, AOC 370
Rauzan (Gironde) 126
Régnié, AOC 97
Reims (Marne) 195
Remigny (Saône-et-Loire) 181
Rémy Martin, cognac 229
Reuilly (Indre) 26, 308
Reuilly, AOC 308
Reuil (Marne) 203
Reulle-Vergy (Côte-d'Or) 169
Ribeauvillé (Haut-Rhin) 26, 32, 79
Les Riceys (Aube) 26, 29, 219
Riesling, cépage 42
Rieux-Minervois (Aude) 282
Rilly-la-Montagne (Marne) 199
Rions (Gironde) 117
Ripaille, domaine (Haute-Savoie) 386
Riquewihr (Haut-Rhin) 80
Rivarennes (Indre-et-Loire) 319
Rivesaltes (Pyrénées-Orientales) 296
Rivesaltes, AOC 295
Rochambeau (Loir-et-Cher) 317
Rochecorbon (Indre-et-Loire) 312
Rochefort-sur-Loire
   (Maine-et-Loire) 328
Rochemenier (Maine-et-Loire) 330
Rochepot, château (Côte-d'Or) 176
Rogliano (Haute-Corse) 234
Rognes (Bouches-du-Rhône) 29, 340
Romanèche-Thorins
   (Saône-et-Loire) 104

La romanée-conti, grand cru 169
La Roque-d'Anthéron
   (Bouches-du-Rhône) 340
Roquebrun (Hérault) 275
Roquemaure (Gard) 372
Roquetaillade, château (Gironde) 120
Rosé-des-riceys, AOC 194, 219
Rosette, AOC 403
Rosheim (Bas-Rhin) 75
Rotalier (Jura) 260
Rouffach (Haut-Rhin) 90
Roussette-de-savoie, AOC 385
Ruffieux (Savoie) 388
Ruinart, champagne 197
Rully (Saône-et-Loire) 181
Rully, AOC 181

S

Sabazan (Gers) 422
Sablet (Vaucluse) 371
Saché, château (Indre-et-Loire) 321
Sacy (Marne) 204
Sadirac (Gironde) 123
Sagone (Corse-du-Sud) 239
Saint-Aignan (Gironde) 139
Saint-Aignan (Loir-et-Cher) 309
Saint-amour, AOC 97
Saint-Amour-Bellevue (Rhône) 105
Saint-André, fort (Jura) 247, 251
Saint-André-de-Cubzac
   (Gironde) 140
Saint-Antoine-de-Galamus,
   ermitage (Pyrénées-Orientales) . . 287
Saint-Aubin (Côte-d'Or) 176
Saint-aubin, AOC 176
Saint-Bonnet, signal (Rhône) 99
Saint-bris, AOC 158
Saint-Bris-le-Vineux
   (Yonne) 27, 33, 158
Saint-Cannat
   (Bouches-du-Rhône) 340
Saint-Chamas
   (Bouches-du-Rhône) 339
Saint-Chinian (Hérault) 30, 275
Saint-chinian, AOC 274
Saint-Cosme, prieuré
   (Indre-et-Loire) 319
Saint-Cyr-sur-Mer (Var) 343, 344
Saint-Désirat (Ardèche) 359
Saint-Émilion (Gironde) . . . 26, 29, 32, 134
Saint-émilion, AOC 134
Saint-émilion grand cru, AOC 134
Saint-Estèphe (Gironde) 150
Saint-estèphe, AOC 150
Saint-Estève (Vaucluse) 377
Saint-Étienne-de-Baïgorry
   (Pyr.-Atl.) 426
Saint-Ferme, abbaye (Gironde) 125

Saint-Fiacre-sur-Maine
    (Loire-Atlantique) 333
Saint-Florent (Haute-Corse)........ 236
Saint-Georges (Gironde)........... 136
Saint-georges-saint-émilion, AOC... 136
Saint-Germain, chapelle (Aude)..... 282
Saint-Gilles (Gard)................. 382
Saint-Guilhem-le-Désert (Hérault) .. 267
Saint-Hilaire (Aude) 285
Saint-Hilaire-Saint-Florent
    (Maine-et-Loire)............... 324
Saint-Hippolyte (Haut-Rhin) 79
Saint-Honorat, île
    (Alpes-Maritimes) 354
Saint-Jean-de-Cuculles
    (Hérault) 33, 265
Saint-Jean-de-Fos (Hérault)........ 267
Saint-Jean-de-Minervois (Hérault) .. 281
Saint-Jean-de-Muzols (Ardèche) 359
Saint-Jean-des-Vignes (Rhône)...... 109
Saint-Jean-Pied-de-Port (Pyr.-Atl.) .. 426
Saint-joseph, AOC................. 358
Saint-Julien (Rhône).................99
Saint-julien, AOC..................147
Saint-Julien-Beychevelle (Gironde)...147
Saint-Justin (Landes) 416
Saint-Lager (Rhône) 30, 101
Saint-Lambert (Gironde)........... 148
Saint-Lambert-du-Lattay
    (Maine-et-Loire).............. 30, 328
Saint-Laurent-d'Aigouze (Gard) 383
Saint-Laurent-d'Oingt (Rhône).......111
Saint-Laurent-Laroche (Jura)........ 260
Saint-Lié, chapelle (Marne) 204
Saint-Lothain (Jura) 254
Saint-Loup, pic (Hérault)........... 265
Saint-Macaire (Gironde) 120
Saint-Martin-de-Londres (Hérault) .. 265
Saint-Mathieu-de-Tréviers
    (Hérault) 265
Saint-Maurice-sur-Eygues (Drôme).. 369
Saint-Michel-de-Fronsac (Gironde).. 140
Saint-Michel-sur-Rhône (Loire)...... 358
Saint-Mont (Gers) 420
Saint-Mont (Gers) 28
Saint-Nicolas-de-Bourgueil
    (Indre-et-Loire)................. 321
Saint-nicolas-de-bourgueil, AOC.... 321
Saint-Nicolas-de-Bourgueil
    (Indre-et-Loire)..................26
Saint-Pantaléon-les-Vignes
    (Drôme)....................... 369
Saint-Paul-de-Fenouillet
    (Pyrénées-Orientales)........... 287
Saint-Paul-Trois-Châteaux (Drôme)... 27,
    366
Saint-Péray (Ardèche) 361
Saint-péray, AOC 361
Saint-Père (Nièvre) 32
Saint-Philippe-d'Aiguilhe (Gironde) ..137

Saint-Pierre-d'Albigny (Savoie)...... 392
Saint-Polycarpe (Aude) 285
Saint-Rémy-de-Provence
    (Bouches-du-Rhône)........336, 338
Saint-Restitut (Drôme) 367
Saint-Romain (Côte-d'Or)...........176
Saint-romain, AOC..................176
Saint-Romain-de-Lerps, panorama
    (Ardèche) 360
Saint-Roman-de-Bellet (Alpes-
    Maritimes) 353
Saint-Saturnin-de-Lucian (Hérault).. 267
Saint-Seurin-de-Cadourne
    (Gironde)......................151
Saint-Thierry, massif (Marne).........33
Saint-Tropez (Var) 350
Saint-véran, AOC 191
Saint-Vérand (Saône-et-Loire) 191
Saint-Vincent, fête...................28
Saint-Vivien (Dordogne)............ 403
Sainte-Croix-du-Mont (Gironde) 120
Sainte-croix-du-mont, AOC 120
Sainte-foy-bordeaux, AOC 126
Sainte-Foy-la-Grande
    (Gironde)..................126, 400
Sainte-Germaine, chapelle (Aube) .. 221
Saintes (Charente-Maritime)........ 226
Salins-les-Bains (Jura) 247, 251
Sallèles-d'Aude (Aude) 280
Salles-Arbuissonnas-en-
    Beaujolais (Rhône)................99
Salses, fort (Pyrénées-Orientales) ... 298
Sampigny-lès-Maranges
    (Saône-et-Loire)..................181
Sancerre (Cher) 26, 27, 304
Sancerre, AOC..................... 304
Sant'Ambroggio, marine
    (Haute-Corse) 238
Sant'Antonino (Haute-Corse) 238
Santenay (Côte-d'Or)................177
Santenay, AOC 177
Sardy, jardins (Dordogne)........... 403
Sari-d'Orcino (Corse-du-Sud) 240
Sartène (Corse-du-Sud)............. 242
Saumur (Maine-et-Loire) . 28, 30, 32, 324
Saumur-champigny, AOC 324
Saussignac (Dordogne)............. 400
Le Saut-aux-Loups
    (Maine-et-Loire)................ 325
Sauternes (Gironde)..........29, 33, 131
La Sauve (Gironde) 27, 123
Sauveterre-de-Guyenne
    (Gironde).................... 27, 124
Sauvignon, cépage...................42
Sauzet (Drôme) 407
Savennières (Maine-et-Loire) 328
Savennières, AOC 328
Savières, canal (Savoie)............ 389
Savigny, AOC.......................174
Savigny-lès-Beaune (Côte-d'Or)......174

Savoie, combe (Savoie) 392
Savoie, vignoble
  (Haute-Savoie, Savoie) 385
Savonnières (Indre-et-Loire) 319
Scherwiller (Bas-Rhin) 32, 77
Sciez (Haute-Savoie)............... 387
Séguret (Vaucluse) 30, 371
Sémillon, cépage....................43
Semons (Isère) 358
Serrant, château (Maine-et-Loire) ... 330
Serrières-en-Chautagne (Savoie).... 388
Séviac, villa gallo-romaine
  (Lot-et-G.).......................414
Seyssel (Savoie) 387
Seyssel, AOC 385, 387
Sigean, réserve africaine (Aude).... 293
Sigolsheim (Haut-Rhin).............82
Sigoulès (Dordogne) 400
Silvacane, abbaye
  (Bouches-du-Rhône)............. 340
Solenzara (Corse-du-Sud) 244
Solutré, roche (Saône-et-Loire) 190
Sommelier...........................49
Soturac (Lot) 408
Soulac-sur-Mer (Gironde) 148
Soultz-Haut-Rhin (Haut-Rhin).......91
Soultzmatt (Haut-Rhin)..............91
Souzay-Champigny
  (Maine-et-Loire)................. 324
Spoy (Aube)....................... 222
Sud-Ouest, vignoble 397
Sud-Revermont (Jura) 260
Suze-la-Rousse (Drôme) 367
Syrah, cépage.......................40

T

Tabanac (Gironde)...................117
Tain-l'Hermitage (Drôme) ... 26, 32, 360
Taittinger, champagne 197
Talairan (Aude)..................... 290
Tarare (Rhône) 33
Targon (Gironde)....................117
Tauriac (Gironde)...................142
Tautavel (Pyrénées-Orientales) 296
Tavel (Gard)....................... 373
Tavel, AOC 373
Teich, parc ornithologique
  (Gironde).........................152
Termes-d'Armagnac (Gers) 422
Ternand (Rhône) 111
Thann (Haut-Rhin) 91
Thau, étang (Hérault) 271
Theizé (Rhône)......................110
Thonon-les-Bains (Haute-Savoie) ... 386
Thoré-la-Rochette (Loir-et-Cher)....317
Thouarcé (Maine-et-Loire) 326
Thuir (Pyrénées-Orientales).........298
Tiuccia (Corse-du-Sud) 239

Tomino (Haute-Corse) 234
Tonneau 50
Tonnerre (Yonne)............... 28, 161
Toulouse-le-Château (Jura) 254
La Tour-d'Aigues (Vaucluse) 380
Touraine, AOC..................... 309
Touraine-amboise, AOC 313
Touraine-azay-le-rideau, AOC....... 320
Touraine-mesland, AOC 313
Tournon-sur-Rhône (Ardèche) 359
Tournus (Saône-et-Loire) 185
Touroparc, parc zoologique
  (Saône-et-Loire).................. 104
Tourradons, pont (Gard) 383
Tours (Indre-et-Loire).........28, 29, 319
Traenheim (Bas-Rhin)................73
Train des vallées de l'Yonne
  (Yonne) 159
Troo (Loir-et-Cher) 317
Tuchan (Aude) 288
Turckheim (Haut-Rhin) 30, 83
Turquant (Maine-et-Loire) 324

U

Urville (Aube) 222
Ussé, château (Indre-et-Loire).......319

V

Vaas (Sarthe)......................318
Vadans (Haute-Saône)...............32
Vaison-la-Romaine (Vaucluse) 377
Valady (Aveyron) 428
Valençay, AOC..................... 308
Valençay, château et parc (Indre).... 308
Valence (Drôme) 361
Valflaunès (Hérault) 265
Vallée de la Loire, vignoble 302
Vallée du Rhône, vignoble 356
Vallet (Loire-Atlantique) 26, 333
Valmer, château (Indre-et-Loire) 313
Valréas (Vaucluse) 368
Vandières (Marne)...................213
Vauvert (Gard) 383
Vaux (Yonne)...................... 158
Vaux-en-Beaujolais (Rhône) 28, 99
Vendanges tardives et
  sélections de grains nobles 71
Vendôme (Loir-et-Cher) 317
Ventoux, mont (Vaucluse) 376
Verdelais (Gironde).................119
Vergisson (Saône-et-Loire) 190
Vermeille, côte
  (Pyrénées-Orientales)............ 301
Vernègues (Bouches-du-Rhône) 340
Verneuil (Marne) 214
Le Vernois (Jura) 255
Vertus (Marne).....................210

Verzenay (Marne) 199
Verzy (Marne) 200
Veuve Clicquot-Ponsardin,
    champagne 197
Vézelay (Yonne) 164
Vianne (Lot-et-G.) 412
Viella (Pyr.-Atl.) 33, 421
Vienne (Rhône) 357
Vieussan (Hérault)................. 275
Vieux (Tarn) 418
Vigneron et viticulteur 49
Vignogoul, abbaye (Hérault) 269
Villaines-les-Rochers
    (Indre-et-Loire)................. 320
Villandry, jardins et château
    (Indre-et-Loire).................. 319
Villefranche-sur-Saône (Rhône) ... 28, 98
Villeneuve (Gironde) 143
Villeneuve-lès-Avignon (Gard) 29
Villeneuvette (Hérault) 268
Villerouge-Termenès (Aude) 289
Villié-Morgon (Rhône).............. 102
Vincelles (Jura).................... 260
Vincelles (Yonne).................. 158
Vincelottes (Yonne) 158
Vingrau (Pyrénées-Orientales) 296
Vins-de-savoie, AOC............... 385
Vins-du-bugey, AOVDQS........... 394
Vinsobres (Drôme) 32, 369
Vinzelles (Saône-et-Loire) 191
Vin de paille 245
Vin jaune 245
Viré-clessé, AOC.................. 187

Voetlingshoffen (Haut-Rhin) 90
Voie verte (Saône-et-Loire) 184
Voiteur (Jura) 255
Volnay (Côte-d'Or) 175
Volnay, AOC....................... 175
Vongnes (Ain)..................... 395
Vosne-Romanée (Côte-d'Or) 169
Vosne-romanée, AOC.............. 169
Vougeot (Côte-d'Or).............. 169
Vougeot, AOC..................... 169
Vouvray (Indre-et-Loire) 26, 312
Vouvray, AOC 312

W

Walibi Aquitaine (Lot-et-G.).......... 412
Wangen (Bas-Rhin)............... 30, 73
Westhalten (Haut-Rhin)............. 91
Westhoffen (Bas-Rhin).............. 73
Wettolsheim (Haut-Rhin) 30, 89
Wintzenheim (Haut-Rhin) 83
Wissembourg (Bas-Rhin) 72
Wissembourg, vignoble (Bas-Rhin).... 72

X

Xaintrailles (Lot-et-G.) 412

Z

Zellenberg (Haut-Rhin) 80

Manufacture française des pneumatiques Michelin
Société en commandite par actions au capital de 304 000 000 EUR
Place des Carmes-Déchaux - 63000 Clermont-Ferrand (France)
R.C.S. Clermont-Fd B 855 200 507

Toute reproduction, même partielle et quel qu'en soit le support,
est interdite sans autorisation préalable de l'éditeur.

© Michelin, Propriétaires-éditeurs.
Compogravure : Maury, Malesherbes
Impression et brochage : IME, Baumes-les-Dames
Dépôt légal 03-2007
Printed in France, 02-2007

ViaMichelin

Votre meilleur souvenir de voyage

Avant de partir en vacances, en week-end ou en déplacement professionnel, préparez votre itinéraire détaillé sur www.ViaMichelin.com. Vous pouvez comparer les parcours proposés, sélectionner vos étapes gourmandes, afficher les cartes et les plans de ville le long de votre trajet et même réserver un hôtel en ligne.

Complément idéal des cartes et guides MICHELIN, ViaMichelin vous accompagne également tout au long de votre voyage en France et en Europe grâce à ses solutions de navigation portable GPS.

Pour découvrir tous les produits et services :
www.viamichelin.com

MICHELIN
Une meilleure façon d'avancer

QUESTIONNAIRE
LE GUIDE VERT

VOTRE AVIS NOUS INTÉRESSE...
TOUTES VOS REMARQUES NOUS AIDERONT À ENRICHIR NOS GUIDES.

Merci de renvoyer ce questionnaire à l'adresse suivante :
MICHELIN
Questionnaire Le Guide Vert
46, avenue de Breteuil
75324 PARIS CEDEX 07

En remerciement,
les 100 premières réponses recevront en cadeau
la carte Local Michelin de leur choix !

VOTRE GUIDE VERT

Titre acheté : ....
Date d'achat : ....
Lieu d'achat *(point de vente et ville)* : ....

VOS HABITUDES D'ACHAT DE GUIDES

1) Aviez-vous déjà acheté un Guide Vert Michelin ?

    O oui   O non

2) Achetez-vous régulièrement des Guides Verts Michelin ?

    O tous les ans   O tous les 2 ans
    O tous les 3 ans   O plus

3) Si oui, quel type de Guides Verts ?

– des Guides Verts sur les régions françaises : lesquelles ? ....
....

– des Guides Verts sur les pays étrangers : lesquels ? ....
....

– Guides Verts Idées de week-ends : lesquels ? ....
....

4) Quelles autres collections de guides touristiques achetez-vous ?
....

5) Quelles autres sources d'information touristique utilisez-vous ?

O Internet : quels sites ? ....
....

O Presse : quels titres ? ....
....

O Brochures des offices de tourisme

VOTRE APPRÉCIATION DU GUIDE

1) Notez votre guide sur 20 : _____

2) Quelles parties avez-vous utilisées ? _____
_____

3) Qu'avez-vous aimé dans ce guide ? _____
_____

4) Qu'est-ce que vous n'avez pas aimé ? _____
_____

5) Avez-vous apprécié ?

	Pas du tout	Peu	Beaucoup	Énormément	Sans réponse
a. La présentation du guide (maquette intérieure, couleurs, photos...)	O	O	O	O	O
b. Les conseils du guide (sites et itinéraires)	O	O	O	O	O
c. L'intérêt des explications sur les sites	O	O	O	O	O
d. Les adresses d'hôtels, de restaurants	O	O	O	O	O
e. Les plans, les cartes	O	O	O	O	O
f. Le détail des informations pratiques (transport, horaires, prix...)	O	O	O	O	O
g. La couverture	O	O	O	O	O

Vos commentaires _____
_____

6) Rachèterez-vous un Guide Vert lors de votre prochain voyage ?

O oui   O non

VOUS ÊTES

O Homme   O Femme   Âge : _____

Profession :

O Agriculteur, Exploitant   O Artisan, commerçant, chef d'entreprise

O Cadre ou profession libérale   O Employé   O Enseignant

O Étudiant   O Ouvrier   O Retraité

O Sans activité professionnelle

Nom _____

Prénom _____

Adresse _____
_____
_____
_____

Acceptez-vous d'être contacté dans le cadre d'études sur nos ouvrages ?

O oui   O non

Quelle carte Local Michelin souhaitez-vous recevoir ?

Indiquez le département : _____

Offre proposée aux 100 premières personnes ayant renvoyé un questionnaire complet.
Une seule carte offerte par foyer, dans la limite des stocks disponibles.